SIEBEN / DIE KONZILSIDEE
DES LATEINISCHEN MITTELALTERS
(847—1378)

KONZILIENGESCHICHTE

Herausgegeben von
WALTER BRANDMÜLLER

Reihe B: Untersuchungen

HERMANN JOSEF SIEBEN

Die Konzilsidee des lateinischen Mittelalters

(847–1378)

1984

FERDINAND SCHÖNINGH

PADERBORN · MÜNCHEN · WIEN · ZÜRICH

CIP-Kurztitelaufnahme der Deutschen Bibliothek

Sieben, Hermann Josef:
Die Konzilsidee des lateinischen Mittelalters:
(846—1378) / Hermann Josef Sieben. —
Paderborn; München; Wien; Zürich: Schöningh, 1984.

(Konziliengeschichte: Reihe B, Unters.)
ISBN 3-506-74722-3

© 1984 by Ferdinand Schöningh at Paderborn.
München · Wien · Zürich
Printed in Germany

Herstellung: Ferdinand Schöningh, Paderborn.

ISBN 3-506-74722-3

Inhalt

Quellenverzeichnis

Abaelard, Introductio ad theologiam (PL 178, 1075—1177)
Acta synodorum habitarum Romae (MGH.AA 12, 419—437)
Aegidius Romanus, De ecclesiastica potestate (Ed. R. Scholz, Weimar 1929)
Aeneas von Paris, Liber adversus Graecos (PL 121, 685—762)
Agobard von Lyon, Epistulae (MGH.Ep 5, 153—239)
Albertus Magnus, Commentarii in I sententiarum, dist. I—XXV (Ed. Borgnet 25)
Alexander von Hales, Glossa in IV libros sententiarum (Quaracchi 1951/7)
Alexander de Sancto Elpidio, Tractatus de ecclesiastica potestate (Ed. J. T. Rocaberti, Bibl.
   max. pont. II, Rom 1645, 2—40)
Alvarus Pelagius, De statu et planctu ecclesiae, Venedig 1560
Anastasius Bibliothecarius, Collectaneae (PL 129, 557—744)
— Epistulae sive praefationes (MGH.Ep 7, 395—442)
— (?) Slawische Scholie zum Nomokanon L Titulorum (Ed. M. Jugie, Theologia dogmatica
   christianorum orientalium I, Paris 1926, 225—226)
Andreas de Perusio, Contra edictum Bavari (Ed. R. Scholz, Unbekannte kirchenpolitische
   Streitschriften, BPHIR 10, Rom 1914, 64—75)
Annales Bertiniani (MGH.SS 1, 423—525)
Anselm von Canterbury, De processione spiritus sancti (Ed. F. Schmitt, Opera omnia II
   175—219)
Anselm von Havelberg, Dialogi (PL 188, 1139—1248)
Anselm von Lucca, Collectio canonum (Ed. F. Thaner, Innsbruck 1906)
Antonius de Butrio, Commentarii in quinque libros decretalium, Venedig 1578
Atton, Breviarium (Teilausg. A. Mai, SVNC 6, App. 60—100)
Augustinus Triumphus, Summa de potestate ecclesiastica, Rom 1532

Baldus Perusinus, In decretalium volumen commentaria, Turin 1578
Barlaam von Kalabrien, Epistulae (PG 151, 1255—1314)
Basileios von Achrida, Dialoge (Ed. J. Schmidt, München 1901)
Bernhard von Parma, Glossa ordinaria, Lyon 1624
Bernard von Pavia, Summa decretalium (Ed. E. A. Th. Laspeyras, Regensburg 1860)
Bernold von Konstanz, Chronicon (MGH.SS 427—467)
— Libelli (MGH.LL 2,1—168)
— Micrologus (PL 151, 973—1022)
— De Romani pontificis potestate universas ecclesias ordinandi (Ed. J. J. Ryan, AHP 4,
   1966, 22—24)
— De veritate corporis et sanguinis domini (Ed. J. R. Geiselmann, München 1936)
Bonacursius von Bologna, Contra Graecos (Ed. F. Stegmüller, in: Vitae et veritati, Fest-
   schrift K. Adam, Düsseldorf 1956, 59—82)
Bonagratia von Bergamo, Appellatio (Ed. H.-J. Becker, in: QFIAB 46, 1966, 225—263)
— Traktat gegen Benedikt XII. (Ed. R. Scholz, Unbekannte kirchenpolitische Streitschriften,
   BPHIR 10, Rom 1914, 552—562)
— Appellatio contra Joannis XXII errores de visione beatifica (Ed. L. Oliger, AFH 32,
   1929, 202—335)

Mit * werden ungedruckte Quellen gekennzeichnet.

Bonaventura, Commentaria in quattuor libros sententiarum (Opera omnia, Quaracchi I)
Bonizo von Sutri, Liber de vita christiana (Ed. E. Perels, Berlin 1930)
Burchard von Worms, Decretorum libri XX (PL 140, 537—1058)

Canonum prisca collectio (Sammlung in 9 Büchern) (PL 138, 397—442)
Capitularia regum Francorum XIII—XXII (MGH.Cap 2)
Codex Justinianus, Codex iuris civilis II (Ed. P. Krueger, Berlin 1906)
Collectio Anselmo dedicata (Teilausg. J. C. Besse, RDC 9, 1959, 207—296)
Collectio canonum in V libris (Ed. M. Fornasari, libri 1—3, CChr. SM 6)
Collectio canonum Mutinensis (Ed. M. Fornasari, StGra 9, 1966, 245—356)
Collectio Hibernensis (Ed. H. Wascherleben, Leipzig 1885)
Collectio vetus Gallica (Ed. H. Mordek, Berlin-New York 1975)
Colonna, Jakobus und Petrus, Denkschriften (Ed. H. Denifle, ALKGMA 5, Freiburg 1889,
    509—524)
*Commentum Atrebatense (Arras, Bibliothèque Municipale Msc. 271, fol. 149—160)
Concilium Romanum (853) (Mansi 14, 1009—1021)
Concilium Romanum (861) (Mansi 15, 598—606)
Concilium Romanum (869) (Mansi 16, 122—133)
Cresconius, Concordia canonum (PL 88, 829—942)

Dacheriana (collectio) (Ed. L. d'Achéry, Spicilegium, Paris 1723, 512—564)
Decretales Pseudoisidorianae et Capitula Angilramni (Ed. P. Hinschius, Leipzig 1863)
Decretum Gelasianum (Ed. E. Dobschütz, TU 38,4; 3—60)
Demetrios Kydones, Epistula ad Barlaamum (PG 151, 1283—1301)
Deusdedit, Collectio canonum (Ed. V. W. von Glanvell, Paderborn 1905)
Digesta, Corpus iuris civilis I (Ed. Th. Mommsen, P. Krueger, Berlin 1911)
Dionysio-Hadriana (collectio) (Ed. J. Hartzheim, Concilia Germaniae I, Köln 1759, 131—234)
Dionysius Exiguus, Codex canonum ecclesiasticorum (PL 67, 136—230)
Disputatio Latinorum et Graecorum (Ed. H. Golubovich, AFH 12, 1919, 428—470)
Diversorum patrum sententiae sive collectio in LXXIV titulos digesta (Ed. J. Gilchrist,
    MIC.C 1)

Epiphanius/Cassiodorus, Historia tripartita (CSEL 71)

Ferrandus, Breviatio canonum (CChr.SL 149, 285—306)
Flodoard von Reims, Historia Remensis ecclesiae (MGH.SS 13, 412—599)
Franciscus Toti, Contra Bavarum (Ed. R. Scholz, Unbekannte kirchenpolitische Streit-
    schriften, BPHIR 10, Rom 1914, 76—88)

Gabriel Biel, Collectorium circa quattuor libros sententiarum (Ed. W. Werbeck-U. Hofmann,
    Tübingen 1973)
Georgios Metochites, Contra Manuelem Cretensem (PG 141, 1307—1406)
Gerbert von Auriac, Epistulae (MGH.B 2)
Gesta sanctae et universalis octavae synodi (PL 129,9—196)
*Glossa Ordinaturus Magister (München, Bayerische Staatsbibliothek, Clm. 10244)
*Glossa Palatina (Bibliotheca Apostolica Vaticana Reg. Lat. 977)
Goffredus de Trano, Summa super titulos decretalium, Venedig 1490
Gratianus, Decretum (Ed. E. Friedberg, Leipzig 1879)
Gregor VII., Dictatus papae (Ed. E. Caspar, MGH.ES 2a, 201—208)
Gregor IX., Decretalium collectiones (Ed. E. Friedberg, Leipzig 1881)
Guido de Baysio, Rosarium decretorum, Venedig 1481
Guido Terreni, Quaestio de magisterio infallibili Romani pontificis (Ed. M. Xiberta, OTHE
    2, Münster 1926)

Hadrian II., Epistulae (MGH.Ep 6, 695—762)
— (?) Oratio *Quod vestra* (Ed. F. Maassen, SÖAW.Ph 72, 1872, 532—554)
Hadriana (collectio) (Teilausg. J. Hartzheim, Concilia Germaniae, I Köln 1759, 131—235)
Heinrich von Segusia, Summa aurea, Köln 1512
Hermann von Schildesche, Tractatus contra haereticos negantes immunitatem et iuris-
dictionem sanctae ecclesiae (Ed. A. Zumkeller [= Cass. Supl. 4] Würzburg 1970, 3—108)
Hervaeus Natalis, De iurisdictione (Ed. L. Hödl, München 1959)
Hinkmar von Reims, Epistulae (MGH.Ep 8)
— Opera omnia (PL 125, 126)
Hinkmar von Laon, Collectio ex epistulis Romanorum pontificum ad Hincmarum Rhemen-
sem (Pittaciolus) (PL 124, 993—1002)
Hispana (collectio) (PL 84, 93—848)
Hispana collectio, Excerpta (Ed. G. Martínez Díez, MHS. C 1,2; 43—214)
Hispana collectio, Systematica (Ed. G. Martínez Díez, MHS.C 1,2; 280—426)
Hugo Etherianus, De sancto et immortali deo (PL 202, 231—396)
*Huguccio von Pisa, Summa in decretum Gratiani (Admont, Stiftsbibliothek Msc. 7)
Humbert de Romans, De eruditione praedicatorum; De conciliis (Ed. MBP 25, Lyon 1677,
506—507)
— Opusculum tripartitum (P. Crabbe, Concilia II, Köln 1551, 967—1003)

Innocens IV., Apparatus in V libros decretalium, Frankfurt 1570, ND ebd. 1968
Instrumentum des Pariser Dominikanerkonvents (Ed. A. Dondaine, AFH 22, 1952, 381 bis
439)
Ivo von Chartres, Decretum (PL 161, 74—1022)
— Panormia (PL 161, 1041—1344)

Jakobus von Viterbo, De regimine christiano (Ed. H. Arquillière, Paris 1926)
Johannes VIII., Epistulae (MGH.Ep 7, 1—329)
— Sermo in synodo episcoporum (Ed. W. Eckhardt, DA 23, 1967, 304—311)
Johannes Andreae, In quinque decretalium libros novella commentaria, Venedig 1581
(ND Turin 1963)
Johannes Bekkos, De unione ecclesiarum (PG 141, 15—158)
Johannes Duns Skotus, Ordinatio I, dist. XI—XXV (Ed. Vatic. t. V)
*Johannes Faventius, Summa in decretum Gratiani (Arras, Bibliothèque Municipale Msc.
271, fol. 1—148)
Johannes (Quidort) von Paris, De regia potestate et papali (Ed. F. Bleienstein, Stuttgart
1969)
Johannes Teutonicus, Glossa ordinaria in decretum Gratiani, Paris 1585

Konrad von Megenberg, Tractatus contra Wilhelmum Occam (Ed. R. Scholz, Unbekannte
kirchenpolitische Streitschriften II, BPHIR 10, Rom 1914, 346—391)
Konstantin Melitoniotes, De processione sancti spiritus oratio II (PG 141, 1139—1274)

Leo IV., Epistulae (PL 115, 655—674)
— Epistulae (MGH.Ep 5, 585—612)
— Iudicatum (Mansi 15, 29—34)
Liber Pontificalis (Ed. L. Duchesne, Paris 1886/92)
Ludwig der Bayer, Frankfurter Appellation (MGH.Const 5, 655—659)
— Nürnberger Appellation (MGH.Const 5, 642—647)
— Sachsenhäuser Appellation (MGH.Const 5, 723—744)
— Mandat *Fidem catholicam* (Ed. H.-J. Becker, DA 26, 1970, 496—512)

Manuel Kalekas, Contra Graecorum errores libri quattuor (PG 152, 13—258)
Marsilius von Padua, Defensor minor (Ed. Jeudy-Quillet, Paris 1979)
— Defensor pacis (Ed. R. Scholz, Hannover 1932, MGH.F 7)
Martinus von Braga, Capitula (Ed. C. W. Barlow, Opera omnia PMAAR 12, New Haven 1950, 123—144)
Matthaeus von Aquasparta, De aeterna processione spiritus sancti (Ed. Quaracchi I, 429 bis 453)
Michael de Cesena, Appellatio (Ed. K. Müller, ZKG 6, 1884, 100—102)
— Appellatio generalis magistri in maiori forma (Baluzius, Miscellanea III 246—286)
— Epistula universis ministris (Baluzius, Miscellanea III 244—246)
— Tractatus contra errores Joannis XXII. (Goldast II 1236—1361 [1261])
Michael Kerullarios, Edictum synodale (Semeioma) (PG 120, 735—748)
— (?) Panoplia (Ed. A. Michel, Humbert und Kerullarius. Quellen und Studien zum Schisma des XI. Jahrhunderts II, Paderborn 1930, 207—281)

Neilos Kabasilas, De dissidio ecclesiarum (PG 149, 683—730)
Nikephoros Blemmydes, Oratio de processione spiritus sancti prima (PG 142, 533—565)
Niketas von Maroneia, De processione spiritus sancti (PG 139, 169—222)
Niketas Stethatos, ‚Synthesis kata Latinon' (Ed. A. Michel, Humbert und Kerullarius, Quellen und Studien zum Schisma des XI. Jahrhunderts, Paderborn 1930 II, 371—409)
Nikolaus I., Epistulae (MGH.Ep 6, 267—668)
Novellae, Corpus iuris civilis III (Ed. W. Kroll, Berlin 1912)

Paucapalea, Summa in decretum Gratiani (Ed. J. F. Schulte, Giessen 1890)
Pelagius II., Epistulae (Ed. P. M. Gassò, Montserrat 1956)
Petrus Johannis Olivi, De renuntiatione papae (Ed. L. Oliger, AFH 11, 1918, 340—366)
Petrus Lombardus, Sententiae in IV libris distinctae (SpicBon IV)
Petrus de Palude, Tractatus de potestate papae (Ed. P. T. Stella, TSHS 2, Zürich 1966)
Photios, Epistulae (PG 102, 585—990)
— De spiritus sancti mystagogia (PG 102, 279—392)

Quesnelliana (collectio) (PL 56, 371—746)

Raimundus de Peñaforte, Summa de iure canonico (Ed. X. Ochoa - A. Díez, Rom 1975)
Ratramnus von Corbie, Contra Graecorum opposita (PL 121, 225—346)
(Peudo-)Remedius, Collectio canonum (Ed. H. John, MIC.CC, Rom 1976, 131—193)
Responsio episcoporum Germaniae Wormatiae adunatorum (PL 119, 1201—1221)
Rolandus Bandinellus, Summa in decretum Gratiani (Ed. F. Thaner, Innsbruck 1874)
Rufinus von Bologna, Summa decretorum (Ed. H. Singer, Paderborn 1902, ND Aalen 1963)

*Sicardus von Cremona, Summa decretorum (Rouen, Bibliothèque Municipale Msc. 710, fol. 1—63)
*Simon von Bisignano, Summa decretorum (Bamberg, Staatsbibliothek Msc. Can. 38, fol. 2—54)
Summa *Animal est substantia* (Bambergensis) (Teilausg. E. M. De Groot, Nijmegen 1970)
*Summa *Antiquitate et tempore* (Göttingen, Universitätsbibliothek Msc. iur. 159)
*Summa *De iure canonico tractaturus* (Laon, Bibliothèque Municipale Msc. 371bis, fol. 83—170)
*Summa *De multiplici iuris divisione* (Cambridge, Pembroke College Library Msc. 72, fol. 68—75)
*Summa *Douacensis* (Douai, Bibliothèque Municipale Msc. 649)
*Summa *Dubitatur a quibusdam* (Arras, Bibliothèque Municipale Msc. 271, fol. 162—177)
Summa *Elegantius in iure divino* (Coloniensis) (Ed. G. Fransen - St. Kuttner, MIC.G)

*Summa *Et est sciendum* (Glossae Stuttgardienses) (Rouen, Bibliothèque Municipale Msc. 710, fol. 118—141)

*Summa *Humanum* (Reginensis) (Bibl. Apost. Vat. Cod. Reg. 1061, fol. 1—48)

*Summa *Imperatoriae maiestati* (Monacensis) (München, Bayerische Staatsbibliothek Clm. 16084 fol. 1—9, 11—16, 18—27)

Summa *Magister Gratianus in hoc opere* (Parisiensis) (Ed. T. P. McLaughlin, Toronto 1952)

*Summa *Omnis qui iuste* (Lipsiensis) (Leipzig, Universitätsbibliothek Msc. 986)

*Summa *Permissio quaedam* (Distinctiones Hallenses) (Bamberg, Staatsbibliothek Msc. Can. 17, fol. 75—95)

*Summa *Tractaturus* (Paris, Bibliothèque Nationale Msc. lat. 15994)

Statuta ecclesiae antiqua (CChr.SL 148, 164—185 = Ed. Ch. Munier, Statuta ecclesiae antiqua. Édition, études critiques, Paris 1960, 75—100)

Stephan von Tournai, Summa decretorum (Ed. J. F. Schulte, Giessen 1891)

Thomas von Aquin, Commentum in IV libros sententiarum (Parma, Opera omnia VI)

— Contra errores Graecorum (Editio Leonina 40, 71—105)

— Summa theologica (Parma, Opera omnia I ff)

Tractatus contra errores Graecorum (PG 140, 487—574)

Walafried Strabo, Libellus de exordiis et incrementis rerum ecclesiasticarum (MGH.Cap 2, 473—516)

Wilhelm Durandus jun., Tractatus de modo generalis concilii celebrandi, Paris 1671

Wilhelm Durandus sen., Speculum iuris, Frankfurt 1715

Wilhelm von Ockham, *An rex Angliae* (Ed. R. Scholz, Unbekannte kirchenpolitische Streitschriften II, BPHIR 10, Rom 1914, 432—453)

— Dialogus inter magistrum et discipulum de imperatorum et pontificum potestate (Goldast II, 398—957)

— Compendium errorum Joannis XXII. (Goldast, ebd. 957—976)

— Epistula ad fratres minores (Ed. Müller, ZKG 6, 1884, 108—112)

— Opus nonaginta dierum (Goldast II, 993—1236)

— Tractatus contra Benedictum (Ed. H. S. Offler, Opera politica III, Manchester 1956, 157—322)

— Tractatus contra Ioannem XXII. (Ed. Offler, ebd. 19—156)

— Tractatus de sacramento altaris (Ed. T. B. Birch, Burlington/Iowa 1930, ND Löwen 1962)

Wilhelm Petri de Godino, Tractatus de causa immediata ecclesiastica potestatis (Ed. W. M. McCready, STPIMS 56)

Wilhelm du Plessis, Anklagelibell (Ed. P. Dupuy, Histoire du Différend, Paris 1655, ND Tucson 1963, 107)

Literaturverzeichnis

Arnold, F., Das Diözesanrecht nach den Schriften Hinkmars von Reims. Eine Untersuchung über den Ursprung und die Entstehungszeit des Diözesanrechts, Wien 1935.
— Die Rechtslehre des Magister Gratianus, in: StGra 1 (1953) 451—482.
Autenrieth, J., Die Domschule von Konstanz zur Zeit des Investiturstreites. Die wissenschaftliche Arbeitsweise Bernolds von Konstanz und zweier Kleriker, dargestellt aufgrund von Handschriftenstudien, Stuttgart 1956.
— Bernold von Konstanz und die erweiterte 74-Titelsammlung, in: DA 14 (1958) 375—394.

Bacht, H., Hinkmar von Reims. Ein Beitrag zur Theologie des Allgemeinen Konzils, in: Unio Christianorum, Festschrift L. Jäger, Paderborn 1962, 223—242.
Barion, H., Das fränkisch-deutsche Synodalrecht des Frühmittelalters (= KStT 5—6) Bonn-Köln 1931.
Battaglia, F., Marsilio da Padova e la filosofia politica del medio evo, Florenz 1928.
Bäumer, R., Die Erforschung des Konziliarismus, in: Ders.: (Hrsg.), Die Entwicklung des Konziliarismus. Werden und Nachwirken der konziliaren Idee (= WdF 279) Darmstadt 1976, 3—56.
Baudry, L., Guillaume d'Occam. Sa vie, ses oeuvres, ses idées sociales et politiques (= EPhM 39) Paris 1950.
Beck, H.-G., Kirche und theologische Literatur im byzantinischen Reich, München 1959.
Becker, H.-J., Zwei unbekannte kanonistische Schriften des Bonagratia von Bergamo im cod. Vat. Lat. 4009, in: QFIAB 46 (1966) 219—276.
— Das Mandat *Fidem catholicam* Ludwigs des Bayern von 1338, in: DA 26 (1970) 454—512.
Beneševič, V., Zur slavischen Scholie angeblich aus der Zeit der Slavenapostel, in: ByZ 36 (1936) 101—105.
Berges, W., Anselm von Havelberg in der Geistesgeschichte des 12. Jahrhunderts, in: JGMOD 5 (1956) 39—57.
Bermejo, L. M., The alleged infallibility of councils, in: Bijdr. 38 (1977) 128—162.
Bernard, J., La collection en deux livres (Cod. Vat. Lat. 3832), I. La forme primitive de la collection en deux livres, source de la collection en 74 titres et de la collection d'Anselme de Lucques, in: RDC 12 (1962) 1—601.
Bleienstein, F., Johannes Quidort von Paris. Über königliche und päpstliche Gewalt (De regia potestate et papali). Textkritische Edition mit deutscher Übersetzung, Stuttgart 1969.
Boehner, P., Ockham's Political Ideas, in: The Review of Politics 5 (1943) 462—487 (= Ders., Collected Articles on Ockham, New York 1958, FIP.P 12, 442—468).
Bonicelli, S. C., I concili particolari da Graziano al concilio di Trento. Studio sulla evoluzione del diritto della chiesa latina (= Publ. Pont. Seminario Lombardo in Roma) Brescia 1971.
Boye, M., Die Synoden Deutschlands und Reichsitaliens (922—1059). Eine kirchenverfassungsgeschichtliche Studie, in: ZSRG.K 18 (1929) 131—284.

Caspar, E., Geschichte des Papsttums von den Anfängen bis zur Höhe der Weltherrschaft I, Tübingen 1930.
Congar, Y., Quod omnes tangit ab omnibus tractari et approbari debet, in: RHDF 35 (1958) 210—259.

— Aspects ecclésiologiques de la querelle entre mendiants et séculiers dans la seconde moitié du XIIIe siècle et du début du XIVe, in: AHDL 36 (1961) 35—151.

— L'ecclésiologie du haut Moyen-Age, de saint Grégoire le Grand à la Désunion entre Byzance et Rome, Paris 1968.

— Die Lehre von der Kirche von Augustinus bis zum Abendländischen Schisma, in: HDG III 3c, Freiburg-Basel-Wien 1971.

— Status ecclesiae, in: StGra 15 (1972) 3—31.

Dahlhaus-Berg, E., Nova antiquitas et antiqua novitas. Typologische Exegese und isidorianisches Geschichtsbild bei Theodulf von Orléans, Köln-Wien 1975.

Darrouzès, J., Les documents byzantins du XIIe siècle sur la primauté Romaine, in: REByz 23 (1965) 42—88.

— V. Laurent, Dossier Grec de l'union de Lyon (1273—1277) (= AOC 16) Paris 1976.

Dempf, A., Sacrum Imperium. Geschichts- und Staatsphilosophie des Mittelalters und der politischen Renaissance, Berlin 1929.

Devisse, J., Hincmar archevêque de Reims (845—882), Genf 1975/6.

Dondaine, A., Contra Graecos. Premiers écrits polémiques des Dominicains d'Orient, in: AFP 21 (1951) 320—446.

Dräseke, J., Bischof Anselm von Havelberg und seine Gesandtschaftsreisen nach Byzanz, in: ZKG 21 (1900) 160—185.

Dümmler, E., Geschichte des ostfränkischen Reiches, 2 Bde Leipzig ²1887/8.

— Über eine Synodalrede Papst Hadrians II, in: SPAW.Ph 39 (1899) 754—767.

Edyvean, W., Anselm of Havelberg and the theology of history, Exc. diss. Rom 1972.

Fasolt, C., The Manuscripts and editions of William Durant the younger's Tractatus de modo generalis concilii celebrandi, in: AHC 10 (1978) 290—309.

— A new view of William Durant the younger's Tractatus de modo generalis concilii celebrandi, in: Tr. 37 (1981) 291—324.

Fernandez Rios, M., El primado del Romano Pontifice en el pensiamento de Huguccio de Pisa decretista, in: Comp. 6 (1961) 47—97; 7 (1962) 97—149; 8 (1963) 64—69; 11 (1966) 29—67.

Fina, K., Anselm von Havelberg. Untersuchungen zur Kirchen- und Geistesgeschichte des 12. Jahrhunderts, in: APraem 32 (1956) 69—101, 193—227; 33 (1957) 5—29, 268—301; 34 (1958) 13—41.

Fitzthum, M., Die Christologie der Prämonstratenser im 12. Jahrhundert, Plan 1939.

Fournier, P. — Le Bras, G., Histoire des Collections canoniques en occident depuis les fausses décrétales jusqu'au décret de Gratien, Paris 1931/2.

Fransen, G., Papes, conciles généraux et œcuméniques, in: Le istituzioni ecclesiastiche della societas christiana dei secoli XI—XII (= Misc. centro stud. med. 7) Mailand 1974, 230—228.

Fuhrmann, H., Studien zur Geschichte der mittelalterlichen Patriarchate, in: ZSRG.K 40 (1954) 1—84.

— Das Ökumenische Konzil und seine historischen Grundlagen, in: GWU 12 (1961) 672 bis 695.

— Einfluß und Verbreitung der pseudoisidorischen Fälschungen. Von ihrem Auftauchen bis in die neuere Zeit, 3 Bde Stuttgart 1972—1974.

Funkenstein, A., Heilsplan und natürliche Entwicklung. Formen der Gegenwartsbestimmung im Geschichtsdenken des hohen Mittelalters, München 1965.

Gewirth, A., Marsilius of Padua. The Defender of Peace, I: Marsilius of Padua and Medieval Political Philosophy, II: The Defensor Pacis translated, New York 1951/6.

Gierke, O., Das Genossenschaftsrecht III. Die Staats- und Korporationslehre des Altertums und des Mittelalters, Berlin 1881.

Gilchrist, J. T., Canon law aspects of the eleventh century Gregorian Reform program, in: JEH 13 (1962) 21—38.

— Gregory VII and the juristic sources of his ideology, in: StGra 12 (1967) 1—37.

Girardet, K., Appellatio. Ein Kapitel kirchlicher Rechtsgeschichte in den Kanones des 4. Jahrhunderts, in: Hist. 23 (1974) 98—127.

— Kaisergericht und Bischofsgericht. Studien zu den Anfängen des Donatistenstreites (313—315) und zum Prozeß des Athanasius von Alexandrien (328—346), Bonn 1975.

Greulich, O., Die kirchenpolitische Stellung Bernolds von Konstanz, in: HJ 55 (1935) 1—54.

Grignaschi, M., Le rôle de l'aristotélisme dans le Defensor pacis de Marsile de Padoue, in: RHPhR 35 (1955) 301—340.

Gryson, R., Les origines du célibat ecclésiastique du premier au septième siècle, Gembloux 1970.

Haller, J., Nikolaus I. und der Pseudoisidor, Stuttgart 1936.

Hartmann, G., Der Primat des römischen Bischofs bei Pseudo-Isidor, Stuttgart 1930.

Hartmann W., Manegold von Lautenbach und die Anfänge der Frühscholastik, in: DA 26 (1970) 47—149.

— Zu einigen Problemen der karolingischen Konzilsgeschichte, in: AHC 9 (1977) 6—28.

Hefele, K. J., Conciliengeschichte I, Freiburg ²1873.

Hefele, Ch. - Leclercq, H., Histoire des conciles d'après les documents originaux, IV 1 — VI 2, Paris 1911—1915.

Hess, H., The Canons of the council of Sardica AD 343. A landmark in the early development of canon law, Oxford 1958.

Hirsch, K., Die Ausbildung der konziliaren Theorien im XIV. Jahrhundert, Wien 1903.

Hofmann, H., Repräsentation. Studien zur Wort- und Begriffsgeschichte von der Antike bis ins 19. Jahrhundert, Berlin 1974.

Hofmann, K., Der Dictatus Papae Gregors VII. Eine rechtsgeschichtliche Erklärung, Paderborn 1933.

Horst, U., Papst, ‚Unfehlbarkeit', Konzil: Der päpstliche Primat nach Thomas von Aquin und der spanischen Dominikanertheologie des 16. Jahrhunderts, in: Thomas von Aquin. Interpretation und Rezeption, hrsg. von W. P. Eckert, Mainz 1974, 779—822.

Iung, N., Un franciscain, théologien du pouvoir pontifical au XIVe siècle. Alvaro Pelayo, évèque et pénitencier de Jean XXII, Paris 1931.

Jugie, M., IV. concile de Constantinople, in: DThC 3.b (1911) 1274—1291.

— Theologia dogmatica christianorum orientalium ab ecclesia catholica dissidentium, Paris 1926.

— De processione spiritus sancti ex fontibus revelationis et secundum orientales dissidentes, Rom 1936.

Junghans, H., Ockham im Lichte der neueren Forschung, Berlin-Hamburg 1968.

Kempf, F., Primatiale und episcopal-synodale Struktur der Kirche vor der gregorianischen Reform, in: AHP 16 (1978) 27—66.

Knox, R., Finding the law. Developments in canon law during the Gregorian reform, in: SGSG 9 (1972) 421—466.

Kölmel, W., Wilhelm Ockham und seine kirchenpolitischen Schriften, Essen 1962.

— Regimen christianum. Weg und Ergebnisse des Gewaltenverhältnisses und des Gewaltenverständnisses (8. bis 14. Jahrhundert), Berlin 1970.

Kreuzer, G., Die Honoriusfrage im Mittelalter und in der Neuzeit, Stuttgart 1975.

Kuttner, St., Repertorium der Kanonistik (1140—1234). Prodromus corporis glossarum (StT 71), Città del Vaticano 1937.

— Methodological problems concerning the history of canon law during the middle ages, in: Spec. 30 (1955) 539—549.

Laehr, G., Die Briefe und Prologe des Bibliothekars Anastasius, in: NA 47 (1928) 416—468.

Lagarde, G. de, L'idée de représentation dans les œuvres de Guillaume d'Ockham, in: Bul. of the internat. comitee of hist. sciences 9 (1937) 425—451.

— Marsile de Padoue et Guillaume d'Ockham, in: RevSR 17 (1937) 168—185, 428—454.

— La naissance de l'Esprit laïque au déclin du moyen âge, V: Guillaume d'Ockham. Critique des structures ecclésiales, Löwen 1963.

— La naissance de l'Esprit laïque au déclin du moyen âge, III: Le defensor pacis, Löwen-Paris 1970.

Lauerer, H., Die theologischen Anschauungen des Bischofs Anselm von Havelberg († 1158) auf Grund der kritisch gesichteten Schriften dargestellt, Erlangen 1911.

Lechat, R., La patristique Grecque chez un théologien latin du XIIe siècle, Hugue Ethérien, in: Mélanges Ch. Moeller I, Löwen-Paris 1914, 485—507.

Leclercq, J., Jean de Paris et l'ecclésiologie du XIIIe siècle, Paris 1942.

Leff, G., William of Ockham. The metamorphosis of scholastic discourse, Manchester 1977.

Lesne, E., La hiérarchie épiscopale. Provinces, métropolitains, primats en Gaule et Germanie depuis la réforme de saint Boniface jusqu'à la mort d'Hincmar, Lille-Paris 1905.

Lippert, W., Die Verfasserfrage der Canones gallischer Synoden, in: NA 14 (1889) 11—58.

Loenertz, R., Autour du Traité de Fr. Barthélemy de Constantinople Contre les Grecs, in: AFP 6 (1936) 361—371.

Maassen, F., Geschichte der Quellen und der Literatur des canonischen Rechts im Abendlande bis zum Ausgang des Mittelalters I, Graz 1870.

Marchetto, A., Episcopato e primato pontificio nelle decretali pseudo-Isidoriane, ricerca storico-giuridica, Rom 1971.

Marschall, W., Karthago und Rom. Die Stellung der nordafrikanischen Kirche zum Apostolischen Stuhl in Rom, Stuttgart 1971.

Martin, V., Comment s'est formée la doctrine de la supériorité du concile sur le pape?, in: RevSR 17 (1937) 121—143, 261—289, 405—427.

Marx, H.-J., Filioque und Verbot eines anderen Glaubens auf dem Florentinum. Zum Pluralismus in dogmatischen Formeln, St. Augustin 1977.

Meijer, J., A successful council of union. A theological analysis of the Photian synod of 879—880 (= Analecta Blatadon 23) Thessaloniki 1975.

Merzbacher, F., Wandlungen des Kirchenbegriffs im Spätmittelalter. Grundzüge der Ekklesiologie des ausgehenden 13., 14. und 15. Jahrhunderts, in: ZSRG.K 39 (1953) 274—361.

Michel, A., Humbert und Kerullarios, II: Quellen und Studien zum Schisma des XI. Jahrhunderts, Paderborn 1930.

— Die Sentenzen des Kardinals Humbert, das erste Rechtsbuch der päpstlichen Reform (= MGH.SRI 7) Stuttgart 1943, ND 1952.

Miethke, J., Ockhams Weg zur Sozialphilosophie, Berlin 1969.

— Repräsentation und Delegation in den politischen Schriften Wilhelms von Ockham, in: MM 8 (1971) 163—185.

Mirbt, C., Die Publizistik im Zeitalter Gregors VII., Leipzig 1894.

Mordek, H., Dionysiana-Hadriana und Vetus Gallica — Historisch geordnetes und systematisches Kirchenrecht am Hof Karls des Großen, in: ZSRG.K 55 (1969) 39—63.

— Kirchenrecht und Reform im Frankenreich. Die Collectio Vetus Gallica, die älteste systematische Kanonessammlung des fränkischen Gallien, Studien und Edition, Berlin-New York 1975.

— Kirchenrechtliche Autoritäten im Frühmittelalter, in: Recht und Schrift im Mittelalter, hrsg. von P. Classen (= Vorträge und Forschungen) Sigmaringen 1977, 237—255.

Morrall, J. B., Some Notes on a recent interpretation of William of Ockham's political philosophy, in: FS 9 (1949) 335—369.

— Ockham and ecclesiology, in: Medieval Studies, Festschrift A. Gwynn, hrsg. von J. A. Watt etc., Dublin 1961, 481—491.

Morrison, K. F., Tradition and Authority in the Western Church (300—1140), Princeton 1969.
Müller, A. V., Zum Verhältnis Nikolaus I. und Pseudoisidors, in: NA 25 (1900) 652—663.
Munier, Ch., Les Statuta ecclesiae antiqua. Edition — Etudes critiques, Paris 1960.

Naz, R., Hincmar, in: DDC 5 (1953) 1135—1154.

Palazzini, P., (Hrsg.), Dizionario dei concili I—VI, Rom 1963—1967.
Perels, E., Papst Nikolaus I. und Anastasius Bibliothecarius. Ein Beitrag zur Geschichte des Papsttums im 9. Jahrhundert, Berlin 1920.
Piaia, G., ,Antiqui', ,Moderni' e ,via moderna' in Marsilio di Padova, in: Antiqui et moderni, Traditionsbewußtsein im späteren Mittelalter, MM 9 (1974) 328—344.
Pietri, Ch., Roma christiana. Recherches sur l'église de Rome, son organisation, sa politique, son idéologie de Miltiade à Sixte III (311—440), Rom-Paris 1976.
Plöchl, W. M., Geschichte des Kirchenrechts, II: Das Kirchenrecht der abendländischen Christenheit (1055—1517), Wien-München ²1962.
Podskalsky, G., Theologie und Philosophie in Byzanz. Der Streit um die theologische Methodik in der spätbyzantinischen Geistesgeschichte (14./15. Jh.), seine systematischen Grundlagen und seine historische Entwicklung, München 1977.
Posch, A., Der Reformvorschlag des Wilhelm Durandus jun. auf dem Konzil von Vienne, in: MÖIG.E 11 (1929) 288—303.
Prévité-Orton, C. W., The Defensor Pacis of Marsilius of Padua, Cambridge 1928.
Prinz, F., Marsilius von Padua, in: ZBLG 39 (1976) 39—77.

Quillet, J., L'organisation dans la société humaine selon le Defensor pacis de Marsile de Padoue, in: MM 3 (1964) 185—203.
— La philosophie politique de Marsile de Padoue (= L'Eglise et l'Etat au moyen âge 14) Paris 1970.
— Universitas populi et représentation au XIVe siècle, in: MM 8 (1971) 186—201.

Ratzinger, J., Offenbarung, Schrift und Überlieferung. Ein Text des hl. Bonaventura und seine Bedeutung für die gegenwärtige Theologie, in: TThZ 67 (1958) 13—27.
Richter, J., Stufen pseudoisidorischer Fälschung. Untersuchungen zum Konzilsteil der pseudoisidorischen Dekretalen, in: ZSRG.K 95 (1978) 17—72.
Riezler, S., Die literarischen Widersacher der Päpste zur Zeit Ludwigs des Baiern, Leipzig 1874.
Robinson, I. S., Zur Arbeitsweise Bernolds von Konstanz und seines Kreises. Untersuchungen zum Schlettstädter Codex 13, in: DA 34 (1978) 51—122.
Rose, V., Verzeichnis der Meerman-Handschriften der königlichen Bibliothek zu Berlin, Berlin 1892.
Ryan, J. J., Bernold of Constance and an Anonymus Libellus de Lite: De Romani pontificis potestate universas ecclesias ordinandi, in: AHP 4 (1966) 9—24.
— The Nature, structure, and function of the church in William of Ockham (= American Acad. of Religion Studies 16) Missoula 1979.

Sabine, G. H., Storia delle dottrine politiche, Mailand 1953.
Schmale, F.-J., Synodus — synodale concilium — concilium, in: AHC 8 (1976) 80—102.
Schmitz, G., Concilium perfectum. Überlegungen zum Konzilsverständnis Hinkmars von Reims (845—882), in: ZSRG.K 66 (1979) 27—54.
Scholz, R., Wilhelm von Ockham als politischer Denker und sein Breviloquium de principatu tyrannico (= MGH.SRI 8,8) Stuttgart 1944.
— Die Publizistik zur Zeit Philipp des Schönen und Bonifaz' VIII. Ein Beitrag zur Geschichte der politischen Anschauungen des Mittelalters (= KRA 6—8) Stuttgart 1903, ND Amsterdam 1962.

Schon, K.-G., Exzerpte aus den Akten von Chalkedon bei Pseudoisidor und in der 74-Titel-Sammlung, in: DA 32 (1976) 546—557.

Schreiber, G., Anselm von Havelberg und die Ostkirche, in: ZKG 60 (1941) 354—411.

Schrörs, H., Hinkmar, Erzbischof von Reims. Sein Leben und seine Schriften, Freiburg 1884.

— Eine vermeintliche Konzilsrede des Papstes Hadrian II, in: HJ 22 (1901) 23—36, 257 bis 275.

Schüssler, H., Der Primat der Heiligen Schrift als theologisches und kanonistisches Problem im Spätmittelalter, Wiesbaden 1977.

Schulte, J. von, Die Stellung der Concilien, Päpste und Bischöfe vom historischen und kanonistischen Standpunkte und die päpstliche Constitution vom 18. Juli 1870, Prag 1871.

— Die Geschichte der Quellen und Literatur des canonischen Rechts von Papst Gregor IX. bis zum Konzil von Trient II, Stuttgart 1877.

Seckel, E., Pseudoisidor, in: RE 16 (1905) 265—307.

Sieben, H. J., Die *quaestio de infallibilitate concilii generalis* (Ockhamexzerpte) des Pariser Theologen Jean Courtecuisse († 1423), in: AHC 8 (1976) 176—199.

— Die Konzilsidee der Alten Kirche (= Konziliengeschichte hrsg. von W. Brandmüller, Reihe B: Untersuchungen) Paderborn usw. 1979.

— Traktate und Theorien zum Konzil. Vom Beginn des Großen Schismas bis zum Vorabend der Reformation (1378—1521), Frankfurt 1983.

— Sanctissimi Petri apostoli memoriam honoremus. Die Sardicensischen Appellationskanones im Wandel der Geschichte, in: ThPh 58 (1983) 501—534.

Spiteris, J., La Critica Bizantina del Primato Romano nel secolo XII, OrChrA 208, Rom 1979.

Stephanou, P., Deux conciles, deux ecclésiologies? Les conciles de Constantinople en 869 et en 879, in: OrChrP 39 (1973) 363—407.

Stiernon, D., Konstantinopel IV (= Geschichte der ökumenischen Konzilien 5) Mainz 1975.

— Le problème de l'union gréco-latine vu de Byzance: de Germain II à Joseph I (1231 bis 1273), in: 1274 — Année charnière. Mutations et continuitès. Coll. internat. CNRS 558, Paris 1977, 139—166.

Strelau, E., Leben und Werke des Mönchs Bernold von St. Blasien, Jena 1899.

Tangl, G., Die Teilnehmer an den allgemeinen Konzilien des Mittelalters, Weimar 1932, ND 1969.

Tierney, B., Ockham, the conciliar theory, and the canonists, in: JHI 15 (1954) 40—70.

— Foundations of the conciliar theory. The contribution of the medieval canonists from Gratian to the Great Schism, Cambridge 1955, ND 1968.

— Origins of papal infallibility (1150—1350). A study on the concepts of infallibility, sovereignty and tradition in the middle ages, Leiden 1972.

— From Thomas of York to William Ockham. The franciscans and the papal sollicitudo omnium ecclesiarum 1250—1350, in: Communione interecclesiale, Collegialità, primato, ecumenismo, II (= Communio 13) Rom 1972, 607—658.

Torquebiau, P., Le gallicanisme de Durand de Mende le jeune, in: Acta congr. iurid. internat. Rom 1936, 269—289.

Ullmann, W., The growth of papal government in the middle ages. A study in the ideological relation of clerical to lay power, London ²1962.

Valois, N., Jean de Jandun et Marsile de Padoue, auteurs du Defensor Pacis, in: HLF 33 (1906) 528—623.

Van Hove, A., En enleiding tot de bronnen van het kerkelijk recht op het einde de XIe eeuw, in: Misc. A de Meyer I, Löwen-Brüssel 1946, 358—371.

Van Lee, M., Les idées d'Anselme de Havelberg sur le développement du dogme, in: APraem
  14 (1938) 3—35.
Violet, P., Guillaume Durant le jeune, in: HLF 35 (1921) 1—139.
Vooght, P. de, Esquisse d'une enquête sur le mot ‚infaillibilité' durant la période scolastique,
  in: L'infaillibilité de l'Eglise. Journées œcuméniques de Chevetogne, Chevetogne 1962,
  99—146.
Vries, W. de, Die Struktur der Kirche gemäß dem IV. Konzil von Konstantinopel (869/70),
  in: AHP 6 (1968) 7—42.

Walther, H. G., Imperiales Königtum, Konziliarismus und Volkssouveränität. Studien zu
  den Grenzen des mittelalterlichen Souveränitätsgedankens, München 1976.
Watt, J. A., The early medieval canonists and the formation of conciliar theory, in: IThQ
  24 (1957) 13—31.
Weisweiler, H., Die päpstliche Gewalt in den Schriften Bernolds von St. Blasien. Aus dem
  Investiturstreit, in: StGreg 4 (1952) 129—147.
Werminghoff, A., Das Verzeichnis der Akten fränkischer Synoden von 843—918, in:
  NA 26 (1901) 606—678.
Wilks, M. J., The problem of Sovereignty in the later middle ages. The papal monarchy with
  Augustinus Triumphus and the Publicists, Cambridge 1963.
Wojtowytsch, M., Papsttum und Konzile von den Anfängen bis zu Leo I. (440—461). Stu-
  dien zur Entstehung der Überordnung des Papstes über Konzile, Stuttgart 1981.

Zimmermann, H., Papstabsetzungen des Mittelalters, Graz-Wien-Köln 1968.
Zumkeller, A., Schrifttum und Lehre des Hermann von Schildesche OESA († 1357) (=Cass.
  15) Würzburg 1959.

Sammlungen

d'Achéry, L., Spicilegium sive collectio veterum aliquot scriptorum I, Paris 1723

Alberigo, G., Conciliorum oecumenicorum decreta, Bologna [3]1973

Baluze, St., Miscellanea novo ordine digesta III, Lucca 1762

Du Cange, C., Glossarium mediae et infimae latinitatis, Niort 1883 ff.

Coustant, P., Epistulae Romanorum pontificum a S. Clemente usque ad Innocentium III., Paris 1721

Crabbe, P., Conciliorum omnium tam generalium quam particularium . . . tomus primus, Köln 1551

Denzinger, H. - Schönmetzer, A., Enchiridion symbolorum, definitionum et declarationum de rebus fidei et morum, Barcelona etc. [23]1963

Dupuy, P., Histoire du différend d'entre le pape Boniface VIII et Philippe le Bel, roy de France, Paris 1655

Goldast, M., Monarchia S. Romani imperii, Frankfurt 1614, ND Graz 1960

Hardt, H. von der, Magnum Oecumenicum Constantiense Concilium, Frankfurt 1697 ff.

Hartzheim, J., Concilia Germaniae, Köln 1759

Laurent, V. - Darrouzès, J., Dossier Grec de l'union de Lyon (1273—1277) (= Archives de l'Orient chrétien 16) Paris 1976, 134—588

Mai, A., Scriptorum veterum nova collectio VI, Rom 1832

Mansi, J. D., Sacrorum conciliorum nova et amplissima collectio XIV—XXVI, Venedig 1769—1784

Migne, J.-P., Patrologiae cursus completus, Series Graeca, Paris 1866 ff.

— Patrologiae cursus completus, Series Latina, Paris 1878 ff.

Rocaberti, J. R., Bibliotheca maxima pontificia II, III, Rom 1645

Scholz, R., Unbekannte kirchenpolitische Streitschriften aus der Zeit Ludwigs des Bayern (1327—1354), II. Texte, BPHIR 10, Rom 1914

Schroeder, H. J., Disciplinary decrees of the general councils, text, translation and commentary, St. Louis-London 1937

Thiel, A., Epistulae Romanorum pontificum a S. Hilaro usque ad Pelagium II, Braunsberg 1868

Turner, C. H., Ecclesiae occidentalis monumenta iuris antiquissima, Oxford 1899—1934

Ussermann, Ae., Prodromus Germaniae sacre seu collectio monumentorum res allemanicas illustrantium, St. Blasien 1792

Einleitung

In dem halben Jahrtausend, auf das sich nachfolgende Untersuchung bezieht, vom Regierungsantritt Papst Leos IV. (847) bis zum Ausbruch des Großen Abendländischen Schismas (1378), fanden nicht nur sieben größere Kirchenversammlungen statt, die seit Robert Bellarmin als neuntes bis fünfzehntes Allgemeines Konzil bezeichnet werden, unzählige weitere Reichs-, National-, Provinzial- und sonstige Synoden wurden abgehalten. Ein Blick in die betreffenden Bände der ‚Conciliengeschichte' von Carl Joseph Hefele[1] zeigt, daß das konziliare Leben der mittelalterlichen Kirche mit zunehmender Ausbildung des römischen Papalsystems zwar merklich zurückgegangen, zu keiner Zeit jedoch völlig erloschen ist. Als das Papsttum auf dem Höhepunkt seiner Macht stand, unter Innocenz III., erlebte die mittelalterliche Christenheit sogar ihre glänzendste und größte Kirchenversammlung, das vierte Laterankonzil (1215), und auch auf niederer Ebene haben in dieser Zeit immer wieder Synoden zu den verschiedensten Anlässen stattgefunden.

Welche Vorstellungen verband nun die mittelalterliche Kirche mit diesen ihren Kirchenversammlungen? Welchen Platz, welchen Stellenwert hatten sie im System ihrer Theologen? Welche Theorien wurden entwickelt, um diesen oder jenen Aspekt der Konzilsidee zur Geltung zu bringen? Kurz, wie dachte die mittelalterliche Kirche über die Institution der Konzilien, die sie zwar nicht selber geschaffen, vielmehr von der Alten Kirche übernommen, dann aber doch weiterentwickelt und den neuen Bedürfnissen angepaßt hat?

Unsere Frage nach der Konzilsidee der mittelalterlichen Kirche ist nicht so neu, daß die Untersuchung gleichsam ab ovo zu beginnen hätte. Vor allem einem Teilaspekt, dem Verhältnis von Papst und Konzil, galt spätestens seit der Jahrhundertwende das lebhafte Interesse der Forschung. In der Tat, die Frage, ob der Konziliarismus[2], das heißt

---

[1] Hefele-Leclercq, Histoire des conciles IV 1; 137 bis VI 2, 967 (Paris 1911 und 1915).
[2] Einen sehr hilfreichen Versuch einer Klärung der Begriffe Papalismus, Konziliarismus, papalistisch, papal, konziliar, konziliaristisch legt U. Bubenheimer in seiner Besprechung von R. Bäumer, Nachwirkungen des konziliaren Gedankens . . ., vor, in: ZSRG.K 59 (1973) 455—465, hier 457—464.

die während des Großen Abendländischen Schismas und vor allem von
Theologen des Basler Konzils entwickelte Theorie von der grundsätzlichen Überordnung des Konzils über den Papst, einen völligen Bruch
mit der Tradition darstellt oder sich konsequent aus Vorstellungen
mittelalterlicher Ekklesiologie entwickelt hat, beschäftigt die Konziliarismusforschung seit langem. Insofern würde zu einem Überblick über
den bisherigen Gang der Forschung zu unserer Frage an sich auch ein
Referat über die Beschäftigung mit diesem Teilaspekt gehören. Wir
begnügen uns jedoch mit dem Hinweis auf einige wenige grundlegende
Beiträge, da erst kürzlich ein umfassender Bericht über die „Erforschung des Konziliarismus" und damit auch über das Problem seiner
Wurzeln in der mittelalterlichen Ekklesiologie vorgelegt wurde.[3]
Eine erste Arbeit, die sich mit der Vorgeschichte des Konziliarismus,
also mit Quellentexten der von uns behandelten Zeitspanne, ausführ-
licher befaßt, stammt von K. Hirsch. Das erste Kapitel seiner Studie
„Die Ausbildung der konziliaren Theorien im 14. Jahrhundert"[4] behandelt das „Aufkommen der konziliaren Theorie zur Zeit Ludwigs
des Bayern" und untersucht hierzu Autoren wie Augustinus Triumphus,
Petrus Johannis Olivi, Bonagratia von Bergamo, Michael von Cesena,
Alvarus Pelagius, Wilhelm von Ockham und Marsilius von Padua.[5]
Auf die Frage nach den Quellen des Konziliarismus geht auch V. Martin in einer Artikelserie mit dem bezeichnenden Titel „Comment s'est
formée la doctrine de la supériorité du concile sur le pape?" ein.[6] Der
erste Teil dieser Untersuchung befaßt sich mit der „kanonistischen
Tradition vor dem Großen Abendländischen Schisma" und der Anwendung der entsprechenden Rechtstheorien durch die Brüder Colonna,
durch Nogaret und Ludwig den Bayern in ihrer Auseinandersetzung
mit den Päpsten Bonifaz VIII. und Johannes XXII. Der zweite Teil
ist den entsprechenden Ideen des Marsilius von Padua und Wilhelm
von Ockham gewidmet. Im Gegensatz zu Hirsch hebt der französische
Kirchenhistoriker stärker auf die Diskontinuität des Konziliarismus
zur Tradition ab. Zum endgültigen Durchbruch gelangte die These von
der tiefen Verwurzelung dieser Theorie in der mittelalterlichen Ekklesiologie, genauer Kanonistik, jedoch erst durch B. Tierneys 1955 vor-

---

[3] R. Bäumer, Die Erforschung des Konziliarismus, in: Ders. (Hrsg.), Die Entwicklung des
Konziliarismus. Werden und Nachwirken der konziliaren Idee (= WdF 279) Darmstadt
1976, 3—56.
[4] Wien 1903.
[5] Ebd. 1—54.
[6] RevSR 17 (1937) 121—143; 261—289; 405—427.

gelegte Studie „Foundations of the Conciliar Theory. The Contribution of the Medieval Canonists from Gratian to the Great Schism".[7] Ihr erster Teil behandelt die „dekretistische Kirchentheorie" zwischen 1140 und 1220, ihr zweiter „Aspekte der Ekklesiologie des 13. Jahrhunderts".[8]

Das prinzipielle Verhältnis von Papst und Konzil in der von uns untersuchten Zeitspanne, für das sich die Konziliarismusforschung lebhaft interessiert, stellt, wie gesagt, nur einen Teilaspekt unseres Themas dar. Auf welche Vorarbeiten können wir für die übrigen Fragestellungen und Rücksichten unseres Gegenstandes zurückgreifen? Annäherungen an unser Thema finden sich weniger in der Konzilien- und überhaupt in der Kirchengeschichtsschreibung als vielmehr bei Kirchenrechtshistorikern. Nicht als ob ein Konziliengeschichtler wie C. J. von Hefele sich für Fragen wie die nach dem Begriff und den Arten des Konzils, der Einberufung und dem Vorsitz, der Bestätigung und den Teilnehmern, der Unfehlbarkeit und der Anzahl der ökumenischen Konzilien nicht interessiert hätte — er geht vielmehr in der Einleitung zum ersten Band seiner großen „Conciliengeschichte"[9] relativ ausführlich darauf ein —, aber die hierzu angezogenen Quellen stammen fast ausschließlich aus der Alten Kirche. Die Vernachlässigung der mittelalterlichen Quellen ist dabei offensichtlich durch die apologetische Ausrichtung der „Einleitung" bedingt. In Fragen wie der der Konzilseinberufung durch den Kaiser oder den Papst fand die Auseinandersetzung natürlich auf dem Felde der altkirchlichen Quellentexte statt! Auch die Kirchenrechtsgeschichte privilegierte bei ihrer Frage nach dem „Wesen, der Bedeutung und der Legitimität des Ökumenischen Konzils" zunächst noch das Zeugnis der Alten vor dem der mittelalterlichen Kirche. Bezeichnend ist in diesem Sinn schon der Titel, den J. F. Schulte dem ersten Kapitel seiner in unmittelbarer Auseinandersetzung mit dem ersten Vatikanum verfaßten Studie „Die Stellung der Concilien, Päpste und Bischöfe vom historischen und kanonistischen Standpunkte und die päpstliche Constitution vom 18. Juli 1870" gab; er lautet nämlich „Das ökumenische Concil nach der Geschichte des ersten Jahrtausends".[10] Auch R. Sohm stützt seine eigenwillige These von der grundsätzlichen Ökumenizität jeder Synode historisch fast ausschließlich auf frühchrist-

---

[7] Cambridge 1955; vgl. unter anderem die Besprechung von M. SEIDLMAYER, in: ZSRG.K 74 (1957) 374—387, wieder abgedruckt in: WdF 279, 156—173.
[8] Eine wichtige Ergänzung zu TIERNEYS Studie liefert J. A. WATT, The Early Medieval Canonists and the Formation of Conciliar Theory, in: IThQ 24 (1957) 13—31.
[9] Freiburg 1873, 1—82.
[10] Prag 1871, hier 18—113; ausführlicher Quellenanhang S. 1—286.

liches beziehungsweise altchristliches Quellenmaterial.[11] Eine Wende
brachte erst Paul Hinschius. Der den Konzilien gewidmete Abschnitt
seines „Systems des katholischen Kirchenrechts mit besonderer Rücksicht auf Deutschland" ist aus souveräner Kenntnis nicht nur der altkirchlichen, sondern auch der mittelalterlichen einschlägigen Quellen
geschrieben.[12] Für unser Thema, die mittelalterliche Konzilsidee, ist sehr
aufschlußreich, was Hinschius zu Einberufung, Zusammensetzung,
Teilnahme, Stimmrecht, Vorsitz, Verhältnis von Papst und Konzil usw.
bei den sieben allgemeinen Synoden des Mittelalters ausführt[13] und zu
ähnlichen Fragen bei den übrigen Synodenarten.[14] Der genannte Forscher kommt bei seinem Überblick über die Geschichte der einzelnen
Synodentypen auch auf ein Problem zu sprechen, das von der späteren
Forschung wieder aufgegriffen werden wird, nämlich die Frage nach
der historischen Entstehung der sogenannten allgemeinen Kirchenversammlungen des Mittelalters.[15]

Hatte Hinschius die Entstehung dieser Allgemeinen Synoden noch mit
der wachsenden Zahl der Teilnehmer und der Bedeutung der behandelten Fragen erklärt[16], so versucht A. Hauck in seinem oft zitierten
Artikel den Vorgang der „Rezeption und Umbildung der allgemeinen

---

[11] R. Sohm, Kirchenrecht, Leipzig 1892, über die Synode I 247—344.

[12] Bd. III, Berlin 1883, 325—668. — Den Ausführungen über das geltende Recht
(603—668) geht ein langer Abschnitt über die Geschichte der einzelnen Synodentypen voraus (333—603), dessen Einteilung nachgerade klassisch geworden ist: 1. die allgemeinen
oder ökumenischen Konzilien, 2. Die Synoden zur Vertretung der einzelnen kirchlichen
Verbände: Die Provinzialsynoden, die Patriarchalsynoden und die Konzilien anderer
größerer kirchlicher Sprengel, 3. die Synoden aus verschiedenen, nicht einheitlich organi-
sierten kirchlichen Sprengeln: die orientalischen und occidentalischen Generalkonzilien
(päpstliche Synoden des Mittelalters), Synoden aus verschiedenen kirchlichen Sprengeln,
die National- und Reichskonzilien (kaiserliche Synoden), 4. die Diözesansynoden. Als
Prinzip legt Hinschius seiner Einteilung die Repräsentation zugrunde. Die Synoden
‚vertreten' jeweils ein bestimmtes Gebiet, sei dies nun rein kirchlicher oder gemischt
kirchlich-staatlicher Natur.

[13] Ebd. 349—362.

[14] Von Interesse ist hier vor allem der Abschnitt über die päpstlichen Synoden des Mittelalters, ebd. 517—527.

[15] Ebd.330: „Das allgemeine Konzil des Mittelalters hat demnach nicht seine Anknüpfung
an den ökumenischen Synoden des ersten Jahrtausends, es ist vielmehr aus den seit Leo IX.
abgehaltenen päpstlichen Synoden historisch herausgewachsen." Vgl. auch 522.

[16] Ebd. 330: „Je erfolgreicher die Bestrebungen des Papsttums waren, desto zahlreicher
wurde auch die Teilnahme des Episkopates aus den einzelnen Ländern. So haben einzelne
dieser päpstlichen Synoden, welche nach dem Abschluß des Investiturstreites im 12. Jahrhundert einberufen worden sind, sowohl wegen ihres zahlreichen Besuchs als auch, weil sie
an bedeutungsvollen Wendepunkten der kirchlichen Entwicklung und besonders des
Kampfes zwischen dem Papsttum und dem Kaisertum gehalten worden sind, das Ansehen
allgemeiner ökumenischer Konzilien erlangt."

Synode im Mittelalter"[17] genauer zu bestimmen. Bei Innocenz III. sei ein bewußtes Anknüpfen an die ökumenischen Konzilien der Alten Kirche zu beobachten. Tatsächlich habe er mit seinem Lateranense IV. jedoch nicht die ökumenischen Konzilien der Alten Kirche zu neuem Leben erweckt, sondern einen Konzilstyp geschaffen, der schon weitgehend der konziliaristischen Definition des allgemeinen Konzils entspreche.[18]

Aufschlußreich sind zwei weitere, wiederum von Kirchenrechtsgeschichtlern vorgelegte Studien, die erste aus der Feder von M. Boye über die „Synoden Deutschlands und Reichsitaliens von 922—1059"[19], die zweite von H. Barion mit dem Titel „Das fränkisch-deutsche Synodalrecht des Frühmittelalters".[20] Boye untersucht die Synodenarten, ihre Zuständigkeit und Leitungsgewalt und geht dabei auch auf die Frage der Entstehung der Allgemeinen Konzilien des Mittelalters ein. Sie verdankten ihre Bildung dem Sieg der Papstsynode über die kaiserliche Reichssynode.[21] Von besonderem Interesse ist der Versuch des genannten Forschers, die „synodalen Vorstellungen der Zeit" von ihren Bezeichnungen her zu erschließen. Was den Terminus concilium generale angeht, so ist das Ergebnis eher negativ: die Quellen verbinden mit dieser Bezeichnung keine bestimmte rechtliche Vorstellung.[22] Die zwei Jahre später erschienene Untersuchung von H. Barion befaßt sich mit dem fränkisch-deutschen Synodalrecht zwischen 511 (Synode von Orléans) und 1046 (Beginn der Gregorianischen Reform) und stellt

---

[17] HV 10 (1907) 465—482.

[18] Ebd. 470: „So stellt Innocenz seine Synode kühnlich den gefeierten Synoden des Altertums an die Seite. Aber wenn man nur beide vergleicht, so haben sie wenig Ähnlichkeit. Weit näher steht die Synode des Papstes der Vorstellung der Universalsynode bei Konrad von Gelnhausen. Denn hier ist nicht mehr wie in Nicäa der Episkopat versammelt, sondern die Leiter der Christenheit; sie sind erschienen nach den verschiedenen Ländern, Ständen und Ordnungen. ... Es scheint mir unbestreitbar: Die Vorstellung von Universalsynode, die der sogenannten konziliaren Theorie des 15. Jahrhunderts zugrundeliegt, stammt nicht von Konrad von Gelnhausen, auch nicht von Occam, sondern ihre Wurzeln führen zurück zu dem größten Papste des Mittelalters."

[19] Eine kirchenverfassungsgeschichtliche Studie, in: ZSRG.K 18 (1929) 131—284.

[20] KStT 5—6, Bonn und Köln 1931.

[21] Boye 168: „Indem die Synode von 1059 unter Beseitigung der weltlichen Einflüsse die Papstwahl zu einer internen Angelegenheit der Kurie machte und dabei sogar die bisher rechtlich nicht bestrittene Mitwirkung des Kaisers, wenn nicht formell, so doch tatsächlich in Frage stellte, bedeutete sie in Wahrheit den Anfang zur endgültigen Überwindung der Reichssynode, in der sich der kaiserliche Einfluß bisher überzeugend und für alle Welt sichtbar dokumentiert hatte. Die selbständige große Papstsynode, hervorgewachsen aus den kleineren römischen Konzilien, tritt unter Nikolaus II. endgültig an die Stelle der Reichssynode, deren Teilnehmerkreis und Funktion sie übernimmt."

[22] Vgl. S. 126—129.

im Gegensatz zu Hinschius und Boye das Verhältnis Staat/Kirche in den Mittelpunkt.[23]

Dem Konzilsgedanken nach 1046 sind zwei leider nicht veröffentlichte Münsteraner Dissertationen gewidmet. F. K. Happe untersucht „Die Geschichte der Konzilstheorie (1046—1123)"[24], C. Dönnebrink legt „Studien zur Entwicklung des Konzilsgedankens im 12. Jahrhundert unter besonderer Berücksichtigung des Laterankonzils von 1179" vor[25] und prüft dabei die Frage, ob das Lateranense III im Grunde nicht schon den Konzilstyp realisierte, den Hauck erst für das vierte Lateranense annimmt.[26]

Das zweite Vatikanische Konzil war für eine Reihe von Forschern Anlaß, sich näher mit dem einen oder anderen Aspekt der mittelalterlichen Konzilsidee zu befassen. So zeigt Y. Congar, daß das Mittelalter keinen einheitlichen, univoken, sondern einen hierarchischen Begriff vom Konzil hatte und daß hier wiederum die vier ersten den hervorragenden Platz einnahmen.[27] G. Fransen sucht Kriterien für die Ökumenizi-

---

[23] Entsprechend lautet die Überschrift des zweiten Teils: „Die Stellung der Synoden innerhalb der staatlichen und kirchlichen Verfassung", 201—397. — Besonders wichtig sind hier die Ausführungen über das Verhältnis Papst/Synode vor dem Hintergrund der einschlägigen Stellen aus den Pseudoisidorischen Dekretalen, ebd. 362—397.

[24] Diss. Münster 1948, 101 Seiten: 1. Kirchenreform und Konzil unter Leo IX. und Viktor II., 2. Das Konzil in der kirchenpolitischen Entwicklung unter Nikolaus II. und Alexander II., 3. die Bedeutung des Konzils in der Auseinandersetzung zwischen Gregor VII. und Heinrich IV., 4. die Entwicklung des Konzilsgedankens nach dem Tod Gregors VII. bis zum Ende des Investiturstreites.

[25] Diss. Münster 1949.

[26] Als Ergebnis hält die Verfasserin fest, „daß dem 12. Jahrhundert eine besondere Stellung innerhalb der Entwicklung des Konzilsgedankens zukommt: in diesen 100 Jahren entwickelte sich das päpstliche Konzil des Investiturstreites zum allgemeinen abendländischen, wie es uns im Jahre 1215 zum ersten Mal entgegentritt" (ebd.) — Die Studie hat folgenden Aufbau: 1. Vom 2. Laterankonzil (1139) bis zum Konzil von Reims (1148), 2. Concilium generale Remense (1148), 3. Vom Konzil von Reims bis zum Ausbruch des Schismas im September 1159, 4. Conciliabulum Papiense, 5. der Konzilsgedanke und das Schisma in den Jahren 1160—1162, 6. Concilium generale Turonense, 7. der Konzilsgedanke während des Pontifikates Papst Alexanders III. bis zum Laterankonzil, 8. Concilium generale Lateranense. — Methodisch gehen beide Dissertationen so vor, daß sie den Konzilsgedanken nicht nur aus ausdrücklichen einschlägigen Quellen, sondern auch aus dem Gang der (Konzilien-)Geschichte erheben.

[27] Y. CONGAR, Der Primat der vier ersten ökumenischen Konzile. Ursprung, Bestimmung, Sinn und Tragweite eines traditionellen Themas, in: Das Konzil und die Konzile. Ein Beitrag zur Geschichte des Konzilslebens der Kirche, Stuttgart 1962, 89—130 (franz. Ausgabe Paris-Chevetogne 1960). — Erhellend für die mittelalterliche Konzilsidee ist auch die Textsammlung über Verwendung von Mt 18, 20, die CONGAR in seinem Artikel „Konzil als Versammlung und grundsätzliche Konziliarität der Kirche" zusammengestellt hat, in: Gott in Welt, hrsg. von W. KERN und J. B. METZ, Freiburg 1964, II 135—165, hier 157—163; vgl. auch den nicht speziell mit der mittelalterlichen Konzilsidee befaßten, aber richtungweisenden Artikel „Concile" vom selben Verfasser in: Cath. 2 (1949) 1439—1443.

tät der mittelalterlichen Synoden zu ermitteln.[28] Aus der Analyse entsprechender Formeln wie sacro approbante concilio und ähnliche erhofft er sich Aufschluß für das Selbstverständnis dieser Synoden und Antwort auf die Frage, wer als die eigentliche Rechtsquelle der erlassenen Dekrete zu gelten hat, das Konzil oder der Papst.[29] Im Rahmen eines Überblicks über den Wandel der Anschauungen, die sich von der Alten Kirche bis zum ersten Vatikanum mit dem Begriff „Ökumenisches Konzil" verbinden, geht H. Fuhrmann insbesondere auf die Frage des „Wandels im Konzilsbegriff" ein, der es möglich machte, „die nach Umfang und Geltungsgrad doch bescheidenen Generalsynoden des Hochmittelalters an die großen allgemeinen Konzilien anzureihen".[30] Er sieht die Antwort im Hinweis auf die im Vergleich zur Alten Kirche gewandelte Auffassung über das Papsttum. Garant der Rechtgläubigkeit ist für die mittelalterliche Kirche der Papst. Deswegen kann nur aufgrund seiner Mitwirkung ein Konzil die Gewißheit der Rechtgläubigkeit vermitteln. Beide Konzilstypen, das Ökumenische Konzil der Alten Kirche und die päpstliche Generalsynode des Mittelalters, entsprechen der gleichen Erwartung, nämlich daß sie sich mit den Grundlagen des christlichen Glaubens befassen und daß sie der Orthodoxie verpflichtet sind. Diese innere Kontinuität findet ihren Ausdruck in der gemeinsamen Bezeichnung concilium generale. Der Sinngehalt dieser Bezeichnung erschöpft sich also keineswegs in der Angabe der äußeren Größe, er verweist vielmehr auf das innere Merkmal der Rechtgläubigkeit.[31] Fuhrmann sucht diese „qualitative" Interpretation des Begriffs concilium generale durch Quellenbelege abzusichern.

Offensichtlich durch das zweite Vatikanum angestoßen sind noch zwei weitere Veröffentlichungen zur mittelalterlichen Konzilsidee: H. Bacht untersucht die „Theorie des Allgemeinen Konzils" bei Hinkmar von Reims, also Fragen wie Zahl der Allgemeinen Konzilien, gemeinsame Formelemente usw., nachdem er in der Einleitung auf die dringende Aufgabe der Theologie hingewiesen hat, aufgrund der Daten der Kon-

---

[28] G. FRANSEN, Die Ekklesiologie der Konzile des Mittelalters, in: Das Konzil und die Konzile, Stuttgart 1962, 145—164, hier 145—149.

[29] Ebd. 149—160; auf die gleiche Problematik kommt FRANSEN später noch einmal zurück: Papes, conciles généraux et écuméniques, in: Le istituzioni ecclesiastiche della ‚societas christiana' dei secoli XI—XII: papato, cardinalato ed episcopato. Atti sett. intern. studio Mendola, Mailand 1974, Misc. centro stud. med. 7, 203—228, hier 211 ff.; ebd. 204 zur Terminologie von concilium generale, 214—223 zum Verhältnis Papst/Konzil nach Kirchenrechtssammlungen.

[30] H. FUHRMANN, Das ökumenische Konzil und seine historischen Grundlagen, in: GWU 12 (1961) 672—695, hier 680.

[31] Ebd. 680—683.

ziliengeschichte einen neuen Begriff vom Konzil, seinen Gesetzen und Problemen zu erarbeiten.[32] A. Andresen stellt in seinem Überblick über die „Geschichte der abendländischen Konzile des Mittelalters"[33] das Verhältnis Papst/Konzil in den Mittelpunkt und legt eine neue Periodisierung dieser Konzile vor.[34] Mit dem Abschluß des zweiten Vatikanischen Konzils ist das Interesse an der Erforschung der mittelalterlichen Konzilsidee keineswegs erloschen. Der Anlaß, sich mit dem einen oder anderen Aspekt näher zu beschäftigen, kann dabei sehr verschieden sein. S. C. Bonicelli untersucht die Partikularkonzilien zwischen Gratian und dem Konzil von Trient im Hinblick auf die vom zweiten Vatikanum gewünschte Erneuerung der kirchlichen Strukturen.[35] F.-J. Schmale greift im Rahmen der neuen von W. Brandmüller herausgegebenen Konziliengeschichte das von Hauck, Boye und Fuhrmann diskutierte Problem der Entstehung des Allgemeinen Konzils des Mittelalters wieder auf und fragt entsprechend: „Was unterscheidet das allgemeine Konzil des 12. Jahrhunderts von der älteren allgemeinen Synode des Papstes?" Der Unterschied liegt, so Schmale, nicht in der Ausweitung des Teilnehmerkreises oder in der Allgemeinheit der behandelten Themen, sondern im gewandelten Verhältnis von Papst und Synode zueinander. „Die Veränderung der Stellung des Papstes vom Gerichtsvorsitzenden der Synode zum Gesetzgeber und alleinigen obersten Rechtsprechungsorgan ließen das Konzil zu etwas quantitativ anderem werden".[36] Die innere Entwicklung spiegelt sich nach Auffassung des Autors im Übergang von der Bezeichnung synodus zu concilium.[37]

---

[32] H. BACHT, Hinkmar von Reims. Ein Beitrag zur Theologie des Allgemeinen Konzils, in: Unio Christianorum, Fs. L. Jäger, Paderborn 1962, 223—242. — Einen spezifischen Akzent auf das Konzilsverständnis des Hinkmar setzt neuerdings G. SCHMITZ mit seinem Beitrag „Concilium perfectum. Überlegungen zum Konzilsverständnis Hinkmars von Reims (845—882)", in: ZSRG.K 66 (1979) 27—54.

[33] In: Die ökumenischen Konzile der Christenheit, hrsg. v. J. J. MARGULL, Stuttgart 1961, 75—200.

[34] ANDRESEN unterscheidet vier Phasen: 1. die Überwindung des germanischen Reichskirchenrechts, römische Fastensynoden des Reformpapsttums: 10./11. Jahrhundert, 2. römische Laterankonzile: 12./13. Jahrhundert, 3. französische Konzile von Lyon und Vienne: 13./14. Jahrhundert, 4. Konzile des Konziliarismus: 15. Jahrhundert.

[35] S. C. BONICELLI, I concili particolari da Graziano al concilio di Trento. Studio sulla evoluzione del diritto della Chiesa latina, Publ. Pont. Seminario Lombardo in Roma 8, Brescia 1971.

[36] F.-J. SCHMALE, Synodus — synodale concilium — concilium, in: AHC 8 (1976) 80—102, hier 87.

[37] Ebd. 102: „Der Kern der Synode, die definitive Jurisdiktion in der Kirche ist auf den Papst allein übergegangen; die Bischöfe bilden nurmehr den akklamatorischen Umstand" (ebd.). — Zur Terminologie vgl. DERS., Systematisches zu den Konzilien des Reformpapsttums des 12. Jahrhunderts, in: AHC 6 (1974) 21—39, hier 35 ff.

Als Nebenfrucht der Edition der Synoden der Karolingerzeit für die Monumenta Germaniae Historica entstanden die Beiträge von W. Hartmann „Laien auf den Synoden der Karolingerzeit"[38] und seine Ausführungen „Zu einigen Problemen der karolingischen Konzilsgeschichte"[39], das heißt zur Terminologie, zur örtlichen und zeitlichen Geltung und Rezeption in Kirchenrechtssammlungen usw. Die von H. Küng ausgelöste Diskussion über die päpstliche Unfehlbarkeit war für L. M. Bermejo Anlaß, einige historische Notizen zur Frage der Unfehlbarkeit der Konzilien im Mittelalter vorzulegen[40], ein internationales Colloquium über das zweite Konzil von Lyon (1274) für Y. Congar, über das Selbstverständnis dieser Synode zu reflektieren.[41] Schließlich sei noch der Beitrag von G. Schwaiger „Suprema potestas, päpstlicher Primat und Autorität der Allgemeinen Konzilien im Spiegel der Geschichte" erwähnt, der, wie der Titel andeutet, die Konzilsidee von den wichtigeren Daten der Konziliengeschichte her zu erhellen sucht.[42]

Der vorgelegte Überblick über den Gang der Forschung erhebt keinerlei Anspruch auf Vollständigkeit, weder was die behandelten Themen, noch was die beteiligten Forscher angeht. Für weitere einschlägige Literatur sei auf die folgenden Darlegungen verwiesen.

Welches Ziel haben wir nun unserer Untersuchung gesetzt? Zunächst ist auf eine negative Begrenzung aufmerksam zu machen: Es soll keine systematische Analyse einzelner Aspekte der Konzilsidee vorgelegt werden, vor allem besteht keine Absicht, einen Beitrag zur Frage nach den Wurzeln des Konziliarismus zu leisten. Ziel der Untersuchung ist vielmehr, einerseits die Entwicklung der Konzilsidee als solche in den Blick zu bekommen, andererseits diese Idee in der ganzen Breite ihrer Aspekte vor Augen zu führen.

---

[38] AHC 10 (1978) 249—269.

[39] AHC 9 (1977) 6—28.

[40] L. M. Bermejo, The alleged infallibility of councils, in: Bijdr. 38 (1977) 128—162, hier 144—152 über die mittelalterliche Phase.

[41] „Qu'a été l'assemblée lyonnaise *comme concile*? Je ne chercherai pas à la situer dans *l'histoire* des conciles oecuméniques . . . mais plutôt à situer Lyon 1274 dans la *théologie* de la réalité conciliaire. Quelle conception du concile s'y est-elle exprimée?" Congar spricht im selben Zusammenhang von der „idée du concile général." Les enjeux du concile, in: 1274. Année charnière — Mutations et continuités. Coll.internat. CNRS, Paris 1977, 437—448, hier 438.

[42] In: Konzil und Papst. Historische Beiträge zur höchsten Gewalt in der Kirche, Fs. H. Tüchle, München u. a. 1975, 611—678, hier 631—658; über die päpstlichen Generalsynoden vgl. auch die erweiterte Fassung „Päpstlicher Primat und Autorität der Allgemeinen Konzilien im Spiegel der Geschichte", Paderborn 1977, 110—140.

Als Methode zur Verwirklichung dieser beiden Ziele bietet sich der
Wechsel zwischen der Analyse einzelner exemplarischer Autoren und
gattungsspezifischer Literatur an. Die Untersuchung einzelner Autoren
dient dabei der punktuellen Vertiefung, die Durchmusterung homo-
gener Textgruppen soll perspektivische Durchblicke auf langfristige
Entwicklungen eröffnen. Die Auswahl der Einzelautoren erfolgt im
Hinblick auf den Umfang und die Bedeutung ihrer Aussagen zum
Konzil.

Ein Wort noch zur zeitlichen Begrenzung der Studie. Mit dem 9. Jahrhundert zu beginnen, ist zunächst durch den äußeren Umstand nahe-
gelegt, daß vorliegende Untersuchung als Fortsetzung unserer Arbeit
zur „Konzilsidee der Alten Kirche" gedacht ist, die die Geschichte der
Konzilsidee bis zum Ende des 8. Jahrhunderts verfolgt. Was dort über
die zeitliche Begrenzung gesagt wurde, ist hier zu wiederholen: die
Nichtanerkennung des nach römischer Zählung vierten Allgemeinen
Konzils von Konstantinopel (869/70) durch die griechische Kirche
stellt den entscheidenden Einschnitt dar in der Entwicklung der Konzilsidee. Bis zu diesem Zeitpunkt haben wir es mit einer gemeinsamen,
danach mit einer getrennten Entwicklung der Konzilsidee zu tun. Als
untere Grenze wurde gerade das Jahr 847 gewählt, weil schon im
Pontifikat Leos IV. das neue Primatsverständnis greifbar wird, das
dann in Nikolaus I. zu voller Entfaltung gelangt und das von entscheidender Bedeutung ist für die weitere Entfaltung des Konzilsgedankens.
Als obere Grenze schließlich wurde das Jahr 1378 festgesetzt, weil mit
dem Beginn der Großen Abendländischen Kirchenspaltung eine völlig
neue Phase der Entwicklung der Konzilsidee beginnt.

Welchen Gang nimmt nun unsere Untersuchung? Die die Entwicklung
vorantreibenden Impulse gehen in dem von uns untersuchten Zeitraum
ohne Zweifel von Rom aus. Deswegen ist einzusetzen mit einer Analyse der römischen Konzilsidee in der zweiten Hälfte des 9. Jahrhunderts. Welche Konzeption haben die Päpste selber vom Konzil, wie
sehen sie das Verhältnis Papst/Konzil? Gewiß, es handelt sich hier um
Vorstellungen, die sich nicht auf Anhieb verwirklichen ließen. Zu weit
eilten sie ihrer Zeit voraus. Aber schließlich wird doch, 200 Jahre später,
in der Gregorianischen Reform, das Konzilskonzept Nikolaus' I. in die
Tat umgesetzt. Dies erhellt die Wichtigkeit dieser Phase der Entwicklung der Konzilsidee. Sie stellt gewissermaßen die Grundlage für die
folgende Entfaltung dar. Noch aus einem anderen Grund verdient dieser Abschnitt der Geschichte höchste Aufmerksamkeit. Unter den Päpsten dieser Zeit beginnt die römische Kirche ihre Oberherrschaft über

die Synoden durch den Hinweis auf die Pseudoisidorischen Dekretalen zu begründen. Es stellt sich die Frage, welchen Einfluß diese folgenschwerste Fälschung der Weltgeschichte auf die Entfaltung der römischen Konzilsidee gehabt hat (Kap. I). Wie dachte man zur gleichen Zeit außerhalb des unmittelbaren Herrschaftsbereichs der römischen Kirche über Konzilien, über das Verhältnis Papst/Konzil? Wie nahm man die neuen römischen Ideen in dieser Frage auf? Welche Konzeption setzte man der römischen entgegen? In den Schriften des fränkischen Erzbischofs Hinkmar von Reims († 882) finden wir Antwort auf unsere Fragen (Kap. II). Zum eigentlichen Durchbruch gelangt die Konzilsidee eines Nikolaus I. erst, sagten wir eben, in der Gregorianischen Reform. Wie denken die Anhänger dieser Bewegung über Konzilien, in Sonderheit über das Verhältnis Papst/Konzil? Wir stellen die Frage an einen Gregorianer reinsten Wassers, an Bernold von Konstanz († 1100). Dieser Mönch von St. Blasien ist Jurist und ein hervorragender Kenner der altkirchlichen Quellen. Wir dürfen deswegen nicht nur eine präzise, sondern auch eine aus den alten Quellen erarbeitete Antwort auf unsere Frage erwarten (Kap. III). Wie wirkt sich die Entwicklung der lateinischen Konzilsidee, die sich im Schritt von Hinkmar zu Bernold anzeigt, auf das Verhältnis zur Ostkirche aus? Wie reagiert die ostkirchliche Theologie auf die neue Verhältnisbestimmung Papst/ Synode? Wir dürfen nicht vergessen, daß die wechselseitige Exkommunikation von 1054 zu Beginn des 12. Jahrhunderts erst ein halbes Jahrhundert zurückliegt. Auf eine schnelle Wiedervereinigung der getrennten Kirchen zu hoffen, ist noch realistisch. Denn noch gibt es nicht die Gewöhnung an die Trennung, und es stehen nicht die Hindernisse entgegen, die die Jahrhunderte aufrichten werden. Wie denkt ein westlicher Theologe über die Konzilien und ihr Verhältnis zum Papst, der beides zugleich ist, Anhänger der Gregorianischen Reform und „Ökumeniker"? Antwort geben uns die Dialoge des Prämonstratensers Anselm von Havelberg († 1158). Unter einer weiteren Rücksicht sind diese Dialoge interessant: Anselm ist Anhänger einer heilsgeschichtlich orientierten Theologie, auch den Konzilien kommt nach seiner Auffassung eine besondere heilsgeschichtliche Rolle zu, wie sie von keinem anderen Theologen gesehen wird (Kap. IV).

Nikolaus, Hinkmar, Bernold, Anselm sind Zeugen für den Konzilsgedanken zu verschiedenen Zeiten (9., 11., 12. Jahrhundert), an verschiedenen Orten (Rom, Frankreich, Deutschland, Konstantinopel), aus verschiedenem Blickwinkel und Interesse (Papstamt, fränkische Kirchen- und Reichspolitik, Kirchenrecht, „Ökumene"). Gibt es Quellen, die den Konzilsgedanken kontinuierlich über einen längeren Zeitraum, möglichst aus gleichem Blickwinkel, belegen? Nach den vier ersten Kapiteln wechselt die Methode unserer Untersuchung. Auf die vier punktuellen Belege für den mittelalterlichen Konzilsgedanken folgen vier perspektivische Durchblicke, auf die detailliertere Analyse einzelner, repräsentativer Autoren die Durchmusterung gattungsspezifischer Literatur. Zunächst stellen wir an die vorgratianischen Kirchenrechtssammlungen und an das Decretum Gratiani selber die Frage, welche Aussagen sie über Konzilien machen und welchen ,Stellenwert' das Konzil in ihnen hat. Besonders haben wir dabei auch das Verhältnis Papst/Konzil im Auge. Zwar kommt auch schon durch die Einzelautorenanalyse Entwicklung in den Blick, deutlicher und aufschlußreicher aber ist der Durchblick, den solche über Jahrhunderte sich erstreckende Texttraditionen gewähren (Kap. V). Das Decretum Gratiani (1140) stellt dabei nur einen vorläufigen Endpunkt dar. Was die Generationen von Kommentatoren, die sogenannten Dekretisten, zu den konzilseinschlägigen Texten des Decretum Gratiani zu sagen haben, stellen wir im folgenden Kapitel zusammen. Wir erweitern dabei die Textbasis, indem wir uns auch in einer verwandten Literaturgattung, im Werk einiger ausgewählter Dekretalisten, nach dem Konzilsgedanken umschauen (Kap. VI).

Nicht ganz so einheitlich wie im Fall der Kapitel V und VI, aber doch noch relativ homogen sind die Quellen, die wir anschließend nach ihren Vorstellungen vom Konzil befragen. Die lateinische Kirche steht seit Photius († 891) über das Filioque, den Hervorgang des Heiligen Geistes aus dem Sohn, mit der östlichen Theologie in kontinuierlicher Kontroverse. Im Rahmen dieser Auseinandersetzung wird von griechischer Seite auch immer wieder der Vorwurf laut, daß diese Frage von der lateinischen Kirche ohne Konsultation der griechischen, ohne Versammlung eines Ökumenischen Konzils, entschieden worden sei. Die lateinische Seite bleibt die Antwort nicht schuldig. So bieten die Traktate Contra Latinos und Contra Graecos einen aufschlußreichen Durchblick auf die Entwicklung des abendländischen Konzilsgedankens im Gegenüber zum morgenländischen (Kap. VII).

Die erste Hälfte des 14. Jahrhunderts ist durch eine tiefgreifende Krise des Kirchenbegriffs gekennzeichnet. Sowohl von weltlicher Seite (Philipp der Schöne von Frankreich, Ludwig der Bayer) als auch von geistlicher (wenn man Teile der franziskanischen Armutsbewegung unter diesen Begriff fassen kann) wird das Papsttum zumindest in der Form, in der es von einem Bonifaz VIII. oder Johannes XXII. verkörpert wird, in Frage gestellt. In diesem Kontext wird der Gedanke an das Konzil, der in der zeitgenössischen kanonistischen Literatur nur ein kümmerliches Dasein führt, plötzlich zu neuem Leben erweckt. Eine Fülle zum Teil völlig neuer Ideen werden von den gegen oder für den Papst schreibenden Publizisten und Theologen entwickelt. Da wir unsere Untersuchung ohnehin mit der ersten Hälfte des 14. Jahrhunderts abschließen, scheint es angebracht, eine Art Bilanz zu ziehen und zu fragen: Welche neuen Aspekte der Konzilsidee werden von diesen Publizisten und Theologen diskutiert? Welche ihrer Vorstellungen sind demgegenüber eher traditionell? Stichworte der Diskussion sind hier der Repräsentationsgedanke, die Appellation vom Papst an das Konzil, die Unfehlbarkeit usw. (Kap. VIII). Zwei Autoren aus der ersten Hälfte des 14. Jahrhunderts, Marsilius von Padua und Wilhelm von Ockham sind von solchem Gewicht, daß sie nicht in die Gesamtbilanz miteinbezogen werden können. Wir wechseln deswegen nochmals die Methode und gehen von der Analyse gattungsspezifischer Texte wiederum zur Untersuchung einzelner Autoren über. Aus der Analyse eines zentralen Abschnitts des Defensor Pacis erheben wir zunächst die radikal neue Konzilsidee des Marsilius von Padua (Kap. IX). Dann befassen wir uns mit Wilhelm von Ockhams Beitrag zum mittelalterlichen Konzilsgedanken (Kap. X). Wir behandeln ihn absichtlich zum Schluß. Indem der Engländer nach Art der Enzyklopädisten alles Einschlägige sammelt und unter verschiedenster Rücksicht diskutiert, stellen seine Ausführungen eine Art kritischer Zusammenfassung der ganzen vorausgegangenen Entwicklung dar. Aber Ockhams Konzilsidee markiert nicht nur das Ende einer Phase der Entwicklung des Konzilsgedankens, sie ist auch Anknüpfungspunkt für die folgende.[43] Auch insofern gehört sein Beitrag an den Schluß vorliegenden Bandes.[44]

---

[43] H. J. SIEBEN, Die „quaestio de infallibilitate concilii generalis" (Ockhamexzerpte) des Pariser Theologen Jean Courtecuisse († 1423), in: AHC 8 (1976) 176—199.
[44] Die Kapitel II, III, IV, V und VII unserer Untersuchung stellen die überarbeitete Fassung folgender in Zeitschriften erschienener Artikel dar: ThPh 55 (1980) 44—77, AHC 11 (1979) 104—141, ThPh 54 (1979) 219—251, ThPh 53 (1978) 498—537 und Tr. 35 (1979) 173—207.

Kapitel I

RÖMISCHE KONZILSIDEE IM ZEICHEN ERSTARKTEN PRIMATSBEWUSSTSEINS (847—882)

1. Einleitende Fragen

Aus mehreren Gründen erscheint es angebracht, den Einstieg in den westlichen mittelalterlichen Konzilsgedanken durch eine Untersuchung der römischen Konzilsidee der Jahre 847—882, also der Pontifikate Leos IV. (847—855), Benedikts III. (855—858), Nikolaus' I. (858 bis 867), Hadrians II. (867—872) und Johannes' VIII. (872—882), zu beginnen. Nicht nur die allgemeine Überlegung, daß in der genannten Periode, vor allem durch einen Mann wie Nikolaus I., die Grundlagen für die ganze folgende Entwicklung der Kirche gelegt wurden und infolgedessen auch der Konzilsgedanke seine spezifische Prägung erfahren haben wird, legt diesen Einstieg nahe, auch eine Reihe konkreter Gründe sprechen dafür. Da ist zunächst einmal die relativ hohe Konzilsfrequenz dieser Jahre, nicht nur in Rom selbst, wovon weiter unten noch genauer die Rede sein soll, sondern auch im übrigen Frankenreich.[1] Die Päpste werden sich ihre eigenen Gedanken über die Konzilien gemacht haben. Dies ist um so mehr zu erwarten, als ja auch im Osten mehrere Synoden stattfanden, die für die Fortentwicklung des Verhältnisses Rom/Byzanz von außerordentlicher Tragweite waren. Gemeint sind hier die Konzilien von Konstantinopel 869/70 und 879/80. Die erste dieser beiden Synoden wurde im Westen aufgrund einer Reihe heute als sehr fraglich angesehener Umstände als Ökumenisches Konzil angesehen[2], das zweite, das mit Einwilligung Roms die Rehabilitierung

---

[1] A. WERMINGHOFF, Das Verzeichnis der Akten fränkischer Synoden von 843—918, in: NA 26 (1901) 606—678, zählt für den genannten Zeitraum um 100 Synoden, die römischen eingeschlossen. Eine Reihe davon gehört zu den bedeutendsten Synoden vor der Gregorianischen Reform.

[2] Vgl. hierzu vor allem F. DVORNIK, Le schisme de Photius. Histoire et Légende. UnSa 19, Paris 1950, 385—580. — Dvorniks Erkenntnisse über den fraglichen ökumenischen Charakter des Konzils von 869/70 wurden zum Teil schon 1882 durch den französischen Jesuiten ARTHUR LAPÔTRE (1844—1927) in seiner Studie „Le pape Formose. Etude critique sur les rapports du Saint Siège avec Photius" vorweggenommen. Erst 1978, also fast 100 Jahre nach der Drucklegung, erschien der erste Teil dieser höchst interessanten Arbeit unter der Überschrift „Critique des sources", in: A. LAPÔTRE, Etudes sur la papauté au IXe

des Photius vornahm, erlangte weder im Westen noch im Osten den Titel eines Ökumenischen Konzils.[3] Die Erwartung erscheint angebracht, daß die mit diesen beiden Konzilien befaßten Päpste ihre Vorstellung vom Ökumenischen Konzil zu Papier gebracht haben. Der entscheidende Grund, sich mit der römischen Konzilsidee dieser Jahre zu befassen, ist jedoch die Tatsache, daß in ihnen der Primatsanspruch in einer bis dahin nie dagewesenen Klarheit zum Durchbruch kommt und von daher eine Konfrontation mit dem, wenn man so sagen kann, kollegialen Prinzip in der Kirche, mit der konziliaren Idee, zu erwarten ist.[4] Für die Untersuchung spricht weiterhin die relativ gute Quellenlage, von der anschließend noch ausführlicher die Rede sein soll, und die Wirkungsgeschichte der vor allem von Nikolaus I. und Johannes VIII. vorgetragenen Gedanken zu unserem Gegenstand.

In der Tat, Nikolaus I. ist nicht nur allgemein eine Autorität ersten Ranges für das mittelalterliche Kirchenrecht[5], er ist es auch speziell für den Primatsanspruch des Römischen Stuhles auf der einen[6] und das

---

siècle, Avantpropos de A. VAUCHEZ, introduction de P. DROULERS et G. ARNALDI, Turin 1978, 2 Bde., hier I 3—120. — Zur neueren Diskussion über die Ökumenizität des Konzils von 869/70 vgl. u. a. D. STIERNON, Konstantinopel IV., Geschichte der ökumenischen Konzilien 5, Mainz 1975, 238—286.

[3] Vgl. hierzu die wegen ihrer sorgfältigen Textanalysen sehr nützliche Arbeit von J. MEIJER, A successful council of union. A theological analysis of the Photian synod of 879—880, Analecta Blatadon 23, Thessaloniki 1975; ferner V. PERI, Il ristabilimenti dell'unione delle Chiese nell' 879—880. Il concilio di Santa Sofia nella storiografia moderna, in: AHC 11 (1979) 18—37 (über Bellarmin usw., ebd. neuere Literatur).

[4] Zur römischen Primatspraxis und -theorie dieser Jahre vgl. u. a. W. ULLMANN, The Growth of Papal Government in the Middle Ages. A Study in the Ideological Relation of Clerical to Lay Power, London ²1962, Kap. VII: „Three ninth-century Popes", 190—228; J. HALLER, Das Papsttum. Idee und Wirklichkeit, Esslingen 1962, Bd. II 40—178, 525—543; speziell zu Nikolaus I. vor allem Y. CONGAR, L'ecclésiologie du haut Moyen-Age, de saint Grégoire le Grand à la désunion entre Byzance et Rome, Paris 1968, 206—226; zum allgemeinen zeitgeschichtlichen Hintergrund ist immer noch unentbehrlich E. DÜMMLER, Geschichte des ostfränkischen Reiches, 2 Bde., Leipzig ²1887/88.

[5] 103 Kanones des Dekretum Gratiani stammen aus Nikolausbriefen, 93 werden ihm ausdrücklich zugeschrieben. Damit wird Nikolaus nur noch von Gregor dem Großen übertroffen. Selbst aus Gelasius I. hat der Kompilator nicht mehr Kanones geschöpft als aus Nikolaus. Ähnlich ist der Befund in den vorgratianischen Kirchenrechtssammlungen, vgl. Einzelheiten bei E. PERELS, Die Briefe Nikolaus I. Die kanonistische Überlieferung, in: NA 39 (1914) 43—153, 140—153 tabellarische Übersicht in alphabetischer Anordnung der u. a. in Anselm von Lucca, Deusdedit, Bonizo, Ivo und Gratian aufgenommenen Texte aus Nikolausbriefen.

[6] Ein gutes Drittel der in die von PERELS untersuchten Kirchenrechtssammlungen aufgenommenen Nikolausbriefstellen (ca. 75 von 232) bezieht sich auf die Primatsproblematik beziehungsweise verwandte Fragestellungen. So stammen zum Beispiel die c. 4—9 der wichtigen dist. 21 des *Decretum Gratiani* über die Dekrete des Römischen Stuhles aus Nikolausbriefen, vgl. Ausgabe FRIEDBERG 70—72; vgl. auch Decretum Grat. C.35, q. 9, c. 4: *Nam sedis apostolicae sententia tanta semper consilii moderatione concipitur, tantae patientiae*

Verhältnis Papst/Konzil auf der anderen Seite. Mehrere wichtige Texte über das beiderseitige Verhältnis sind in die von E. Perels untersuchten kirchenrechtlichen Sammlungen eingegangen, darunter so kapitale Kanones über die römische Immunität gegenüber Konzilien wie *Nunc autem divina* (Decr. Grat. dist. 21, c. 7)[7], über das Oberaufsichtsrecht selbst über Ökumenische Synoden wie *Non ergo dicatis* (Ivo, Decretum V 45)[8] und *Quomodo non egeat* (Deusdedit I 160)[9], über die Unterordnung der Provinzialsynode wie *Iuxta constitutionem* (Deusdedit I 152).[10] Ein weiteres instruktives Beispiel für die Wirkungsgeschichte von Papstbriefen unserer Zeitspanne ist die ausführliche Inhaltsangabe zu einer Reihe von Konzilseinladungsschreiben Johannes' VIII., die Berard von Neapel († 1293) unter der Überschrift *De concilio convocando* erstellte. Offensichtlich hat der einflußreiche und gutinformierte Notarius der Päpste Urban IV. und Clemens IV. die betreffenden Briefe Johannes' VIII., Einladungsschreiben zu zwei verschiedenen Konzilien des

---

maturitate decoquitur tantaque deliberationis gravitate profertur, ut retractatione non egeat nec immutari necessarium ducat, nisi forte sic prolata sit, ut retractari possit vel immutanda secundum praemissae tenorem conditionis existat. MGH.Ep 6, 339, 21—25.

[7] *Nunc autem divina inspiratione non nos pigebit nec nobis impossibile erit ostendere vobis, si tamen audire velitis, non posse quemquam rite ab his, qui inferioris dignitatis vel ordinis sunt, iudicialibus summitti definitionibus. Siquidem tempore Diocletiani et Maximiani Augustorum Marcellinus episcopus urbis Romae, qui postea insignis martyr effectus est, adeo compulsus est a paganis, ut in templum eorum ingressus grana turis super prunas poneret. Cuius rei gratia collecto numerosorum concilio episcoporum et inquisitione facta hoc se idem pontifex egisse confessus est. Nullus tamen eorum proferre in eum sententiam ausus est, dum ei saepissime omnes perhiberent: ‚tuo ore iudica causam tuam, non nostro iudicio‘, et iterum: ‚noli‘, aiunt, ‚audiri in nostro iudicio, sed collige in sinu tuo causam‘ tuam et rursus: ‚quoniam ex te‘, inquiunt, ‚iustificaberis aut ex ore tuo condemnaberis‘, et iterum dicunt: ‚prima sedes non iudicabitur a quoquam‘ ... Sed et, cum quidam tempore quodam contra Sixtum papam temptassent quaedam non boni rumoris obicere et in concilio, cui Valentinianus Augustus intererat, dictum fuisset non licere adversum pontificem dare sententiam, surrexit idem protinus imperator et in arbitrio praefati pontificis tribuit iudicare iudicium suum. Etenim nullus pontificum minorum vel inferiorum urbium subactus iudiciis invenitur.* MGH.Ep 6, 466, 13—23, 29—33.

[8] *Non ergo dicatis, non eguisse vos in causa pietatis Romanae ecclesiae, quae collecta concilia sua auctoritate firmat, sua moderatione custodit. Unde quaedam eorum, quia consensum Romani pontificis non habuerunt, valitudinem perdiderunt.* MGH.Ep 6,473,12—15.

[9] *Quomodo non egeat quaelibet synodus Romanae sedis, quando in Ephesino latrocinio cunctis praesulibus et ipsis quoque patriarchis prolabentibus, nisi magnus Leo, imitator scilicet illius leonis, de quo scriptum est ‚Vicit leo de tribu Juda‘ (Offb 5, 5) divinitus excitatus os aperiens totum orbem et ipsos quoque Augustos concuteret et ad pietatem commoveret, religio catholica penitus corruisset.* MGH.Ep 6,473,15—19. — Für Deusdedits Kanonessammlung vgl. Ausgabe GLANVELL 103.

[10] *Iuxta constitutionem sanctae huius synodi, etiamsi numquam reclamasset, (Rothadus) numquamque sedis apostolicae mentionem fecisset, a vobis qui causam eius examinastis memoria sancti Petri honorari debuerit atque ei (rescribi) ut, si iudicaret renovandum esse iudicium, renovaretur, et daret iudices.* MGH.Ep 6,358,26—29; Deusdedit, GLANVELL 99; vgl. auch Anselm von Lucca II 64; Ausgabe THANER 104.

Jahres 877, im Zusammenhang der Vorbereitung des zweiten Konzils von Lyon (1274) analysiert.[11] Wir werfen im folgenden zunächst einen Blick auf die uns zur Verfügung stehenden Quellen und tragen einige Aussagen über das Konzil als solches zusammen (1). Dann befassen wir uns mit der römischen Konzilspraxis im unmittelbaren Herrschaftsbereich des Papstes (2), um anschließend auf die ausdrücklichen Aussagen zur römischen Konzilstheorie in bezug auf die fränkische Synode (3) und auf das Ökumenische Konzil (4) einzugehen. Wir beschließen unsere Untersuchung mit einem Blick auf die kirchenrechtlichen Grundlagen der römischen Konzilsidee (5).

Ohne Zweifel erreichte der Primatsanspruch und die Primatsausübung der Römischen Kirche für die hier anvisierte Zeitspanne ihren Höhepunkt unter dem Pontifikat Nikolaus' I. [12], aber auch schon seine beiden Vorgänger, Leo IV. und Benedikt III., vor allem Leo IV., bereiteten seinen Anspruch auf unbegrenzte Ausübung der päpstlichen Autorität je auf ihre Weise vor. Während von Leo IV. konzilsrelevante Texte überliefert sind, so daß wir ihn als Quellenautor mitberücksichtigen können, ist das leider bei Benedikt III., dessen feste Haltung gegenüber dem Patriarchen von Konstantinopel, Ignatius, und dem Erzbischof von Reims, Hinkmar[13], sicher nicht zuletzt auf seinen Berater und Nachfolger Nikolaus zurückgeht, nicht der Fall.

Außer den in den *Monumenta Germaniae historica* veröffentlichten Briefen Hadrians II., dessen Pontifikat von den Fachleuten verschieden beurteilt wird[14], verwenden wir als Quelle zur Erschließung seiner Konzilsidee auch eine anonym überlieferte, sicher auf einer Versammlung des

---

[11] In der Ausgabe der MGH.Ep 7 haben die Briefe die Nummern 10, 17—20, 55, 57—60 und 62. Zum Ganzen vgl. D. LOHRMANN, Zwei Miszellen zur Geschichte der päpstlichen Register im Mittelalter, in: AHP 9 (1971) 401—410, hier 401—408.

[12] Vgl. die Anm. 4 genannten Monographien, ferner E. PERELS, Papst Nikolaus I. und Anastasius Bibliothecarius. Ein Beitrag zur Geschichte des Papsttums im neunten Jahrhundert, Berlin 1920, 21—180; J. HALLER, Nikolaus I. und Pseudoisidor, Stuttgart 1936; J. BAKITA, Nicholas I (858—867): Analysis of his interpretation of Papal Primacy, Michigan State Univ., Diss. Abstracts 39 A 1978/9, nr. 3, 1753.

[13] Vgl. Kap. II.

[14] Vgl. die Anm. 4 genannten Autoren, ferner H. GROTZ, Erbe wider Willen. Hadrian II. (867—872) und seine Zeit, Wien-Köln-Graz 1970; dazu F. DVORNIK, Photius, Nicholas I and Hadrian II, in: BySl 34 (1973) 33—50; H. GROTZ, Die Zeit Papst Hadrians II. (867—872) und der Anfang des Photianischen Schismas im Spiegel der Geschichtsliteratur (1880—1966), in: ZKTh 90 (1968) 40—60; 177—194; P. R. McKEON, Toward a Reestablishment of the Correspondence of Pope Hadrian II: The Letters exchanged between Rome and the Kingdom of Charles the Bald regarding Hincmar of Laon, in: RBen 81 (1971) 169—185.

Jahres 869 gehaltene, aber nicht sicher Hadrian II. zugehörige Rede.[15] Zur Frage der Attribution dieser Rede ist zu sagen, was auch für das vieldiskutierte Problem des Anteils des weiter unten vorzustellenden Anastasius Bibliothecarius an der Abfassung der Papstbriefe unseres Zeitabschnitts gilt: Sie ist für uns kaum von Bedeutung, da es uns nicht um die spezifische Physiognomie dieses oder jenes Papstes geht, sondern um den römischen Konzilsgedanken als solchen in diesen Jahren. Die Hadrian II. zugeschriebene Rede ist jedenfalls von einem entschiedenen Verteidiger der Rechte des Römischen Stuhles gehalten worden und wird unter dieser Rücksicht in die Untersuchung miteinbezogen. Wichtiger als Johannes VIII. mit seinem an sich sehr bedeutenden Briefnachlaß[16] ist für unsere Frage nach der römischen Konzilsidee der gerade genannte Anastasius Bibliothecarius († 879), den man zu Recht als den Talleyrand der Päpste Nikolaus I., Hadrian II. und Johannes VIII. bezeichnet hat. Der Einfluß dieser skandalumwitterten[17], aber

---

[15] Erste vollständige Edition der Rede bei F. MAASSEN, Eine Rede des Papstes Hadrian II. vom Jahre 869. Die erste umfassende Benutzung der falschen Dekretalen zur Begründung der Machtfülle des römischen Stuhles, in: SÖAW.Ph 72 (1872) 521—554, hier 532—554; ebd. 521—532 Begründung der Attribution an Hadrian II. — A. LAPÔTRE, Hadrian II et les Fausses Décrétales, in: RQH 27 (1880) 377—431 (wiederabgedruckt in A. LAPÔTRE, Etudes sur la papauté II 1—55), setzt sich mit einigen bedenkenswerten Gründen für Formosus als Autor ein, die aber E. DÜMMLER, Über eine Synodalrede Papst Hadrians II., in: SPAW.Ph 39 (1899) 754—767, nicht überzeugen. H. SCHRÖRS, Eine vermeintliche Konzilsrede des Papstes Hadrian II., in: HJ 22 (1901) 23—36; 257—275, setzt sich mit MAASSEN über den Umfang der Rede auseinander. Er bestreitet, daß der Anhang mit Texten aus den pseudoisidorischen Dekretalen (MAASSEN 541—554) zum ursprünglichen Bestand der Rede gehört. H. FUHRMANN, Einfluß und Verbreitung der pseudoisidorischen Fälschungen in ihrem Auftauchen bis in die neuere Zeit, Stuttgart 1973, 275, repräsentiert wohl den augenblicklichen Forschungsstand, wenn er skeptisch feststellt: „Weder die Frage, wer wohl der Redner gewesen sein könnte, noch ob der pseudoisidorische Anhang zur Rede gehört, läßt sich mit Bestimmtheit beantworten", ebd. 273—277 weitere Literatur und Analyse der Rede.

[16] MGH.Ep 7,1—333; vgl. zu diesem Papst vor allem A. LAPÔTRE, L'Europe et le Saint Siège à l'époque carolingienne, I. Le pape Jean VIII (872—888), Paris 1895 (wiederabgedruckt in: DERS., Etudes sur la papauté II 57—437); E. CASPAR, Studien zum Register Johannes VIII., in: NA 36 (1911) 79—156; H. STEINACKER, Das Register Papst Johanns VIII., in: MIÖG 52 (1938) 171—194; D. LOHRMANN, Das Register Papst Johanns VIII. (872—882), in: BDHIR 30 (1968) 239—257; DERS., Das Register Papst Johanns VIII. (872—882). Neue Studien zur Abschrift Reg.Vat. 1, zum verlorenen Originalregister und zum Diktat der Briefe, Tübingen 1968; vgl. auch H. MORDEK — G. SCHMITZ, Papst Johannes VIII. und das Konzil von Troyes (878), in: Geschichtsschreibung und geistiges Leben im Mittelalter, Fs. H. Löwe, hrsg. von K. HANCK und M. MORDEK, Köln 1978, 179—225 (Textedition!).

[17] Von Leo IV. mehrmals wegen unerlaubter Entfernung aus Rom mit dem Kirchenbann belegt, versuchte er sich mit Gewalt gegen den gewählten Papst Benedikt III. durchzusetzen und von der kaiserlichen Partei zum Papst installieren zu lassen. Unter Hadrian II. kam es zu neuen, ihn sehr kompromittierenden Zwischenfällen und zeitweiliger Entfernung aus dem kurialen Vertrauensposten.

offensichtlich im Rom dieser Jahre unentbehrlichen Gestalt auf die päpstliche Politik, vor allem auch auf die Geltendmachung der primatialen Rechte des Römischen Stuhles, kann nicht hoch genug veranschlagt werden.[18] Anastasius scheint nach neueren Forschungen[19] auch der Verfasser der sogenannten slawischen Scholie zum Primatskapitel des *Nomokanon L titulorum*, einer griechischen Kirchenrechtssammlung, zu sein, die für unsere Fragestellung von nicht geringem Interesse ist, während ältere Forscher Kyrill/Konstantin als Autor betrachteten.[20] Zu

---

[18] Eine erste sehr gründliche Behandlung erfuhr Anastasius durch A. LAPÔTRE, De Anastasio bibliothecario sedis apostolicae, Paris 1885 (wiederabgedruckt in: DERS., Etudes sur la papauté I 121—466), der u. a. den eindeutigen Nachweis erbrachte, daß Anastasius im weitesten Sinne als Verfasser der Briefe Nikolaus I. anzusehen ist. Vgl. ferner E. PERELS, Papst Nikolaus I. 183—322, mit einigen Korrekturen an LAPÔTRE, vor allem in der Frage nach dem Anteil an der Verfasserschaft der Briefe Nikolaus' I. Von einem ,,freien Schalten und Walten'' könne keine Rede sein (299). Die Arbeit PERELS hinsichtlich Papst Nikolaus I. setzt N. ERTL, Diktatoren frühmittelalterlicher Papstbriefe, in: AUF 15 (1937/38) 56—132, für die Päpste Hadrian II. und Johannes VIII. fort. Während Anastasius unter Nikolaus I. und Johannes VIII. lediglich beratender Beistand gewesen sei, sei er als geistiger Urheber der Briefe Hadrians II. zu betrachten. Zu Ertls Infragestellung des Todesjahres und seinem Anteil an der Korrespondenz Johanns VIII. vgl. P. DEVOS, Anastase le Bibliothécaire. Sa contribution à la correspondance pontificale. La date de sa mort, in: Byz. 32 (1962) 97—115. Zur Biographie vgl. außerdem G. ARNALDI, Art. Anastasio bibliotecario, in: DBI 3, 1961, 25—37; P. DEVOS, Anastasius the Librarian, in: NCE 1 (1967) 480—481. Zu den eigenen Werken des Anastasius vgl. M. MANITIUS, Geschichte der lateinischen Literatur des Mittelalters I, München 1911, 678—689; G. LAEHR, Die Briefe und Prologe des Bibliothekars Anastasius, in: NA 47 (1928) 416—468. Als Verfasser der Kirchenrechtssammlung *De episcoporum transmigratione et quod non temere iudicentur regulae quadraginta quattuor* schlägt J. POZZI, Le ms tomus XVIII de la Vallicelliana et le libelle De episcoporum transmigratione . . ., in: Apoll. 31 (1958) 313—350, Anastasius vor, ebd. 329—350 Edition des Textes. S. LINDEMANS, Auxilius et le ms. Vallicellian tome XVIII, in: RHE 57 (1962) 470—484, stimmt dieser Attribution zu.

[19] S. V. TROICKIJ, Kto vključil papističeskuju scholiju v pravoslavnuju kormčuju (Wer verfaßte die papalistischen Scholien zur orthodoxen Kormčaja Kniga?), in: Bogoslovski Study 2 (1961) 5—61, führt aufgrund ausführlicher und gründlicher inhaltlicher Analyse den Nachweis, daß Griechen, insbesondere Method und Cyrill, als Verfasser der Scholien nicht in Frage kommen (31—47). Er schlägt als Autor vielmehr Anastasius Bibliothecarius vor, der nach theologischer Einstellung und als enger Freund von Konstantin/Cyrill am ehesten in Frage kommt (12). Aus Nikolaus, Ep 92, MGH.Ep 6,538,8—10 geht hervor, daß sich ein Exemplar des *Nomokanon L titulorum* im päpstlichen Archiv befand. Auch dies stützt die von Troickij vorgeschlagene Attribution.

[20] Vgl. u. a. F. GRIVEČ, Orientalische und römische Einflüsse in den Scholien der Slawenapostel Kyrillos und Methodios, in: ByZ 30 (1929/30) 287—294 (Kyrill Verfasser, Methodius Übersetzer). V. BENEŠEVIČ, Zur slawischen Scholie angeblich aus der Zeit der Slawenapostel, in: ByZ 36 (1936) 101—105 (Methodius als Autor ausgeschlossen); vgl. auch M. JUGIE, Le plus ancien recueil canonique slave et la primauté du pape, in: Bess. 143/4 (1918) 47—55; DERS., Theologia dogmatica christianorum orientalium I, Paris 1926, 224 bis 229 (De primatu Romanae ecclesiae in versione veteroslavica Nomocanonis a sancto Methodio facta), mit eigener lateinischer Übersetzung der Scholien; TH. CURENT, Studia quaestionem de primatu ecclesiae saeculi IX illustrantia, in: AAV 13 (1937) 179—213,

unseren Quellen gehören schließlich noch die Akten einiger römischer, das heißt vom Papst persönlich geleiteter Synoden, sowie vor allem die Protokolle des Konzils von Konstantinopel 869/70, das Photius absetzte. Dieses sogenannte achte allgemeine Konzil ist, abgesehen von einigen griechischen Fragmenten, nur in der Version des Anastasius Bibliothecarius erhalten.[21]

In der Frequenz, der Form der Einladung, dem Ablauf, kurz, der Praxis der vom Papst geleiteten Konzilien werden Ansätze zu einer Konzilstheorie sichtbar, die die Päpste dann ausdrücklich im Hinblick auf die außeritalienischen Synoden formulieren. Bevor wir uns diesem Hauptthema unserer Untersuchung zuwenden, wollen wir zunächst noch fragen, was die Päpste dieser Zeitspanne über die Synode „an sich" sagen, also unter Absehung ihres spezifischen Verhältnisses zum Römischen Stuhl.

Nikolaus I. hatte für Mai 865 die fränkischen Bischöfe zu einer Generalsynode nach Rom eingeladen.[22] Das Projekt scheiterte am Widerstand Karls des Kahlen († 877) und Ludwigs des Deutschen († 876). Im Zusammenhang dieses gescheiterten Konzilsplans erläutert der Papst Sinn und Nutzen der Synode. Er besteht nicht nur im wechselseitigen Austausch über die Nöte und Probleme, die ihn, den Papst, und sie, die Bischöfe, beschäftigen, sondern auch in der wirksamen Verbreitung der gemeinsam gefaßten Beschlüsse.[23] Der Sinn der Synoden besteht in der besseren Information des Papstes und in der gemeinsamen Beschluß-

---

269—297; 14 (1938) 1—18; M. WEINGART (Besprechung), in: BySl 5 (1934) 448—449 (Methodius weder Verfasser noch Übersetzer der Scholien, aber gewiß Übersetzung aus dem Griechischen).

[21] PL 129,10—196. — Die älteste überlieferte Handschrift dieser Version stellt das Arbeitsexemplar des Anastasius selber dar. Zu diesem Exemplar und zur Überlieferung der Akten des Konzils vgl. C. LEONARDI, Anastasio bibliotecario et l'ottavo concilio ecumenico, in: StMed 8 (1967) 59—112; D. LOHRMANN, Eine Arbeitshandschrift des Anastasius Bibliothecarius und die Überlieferung der Akten des 8. ökumenischen Konzils, in: QFIAB 50 (1971) 420—431, gibt eine Zusammenfassung der Forschungsergebnisse des vorgenannten Artikels von C. LEONARDI. Vgl. auch LAEHR 427—429.

[22] E. PERELS, Ein Berufungsschreiben Papst Nikolaus I. zur fränkischen Reichssynode in Rom, in: NA 32 (1907) 133—149, hat das Fragment eines Einladungsschreibens veröffentlicht, ebd. 137—138.

[23] Nik., Ep 38, MGH.Ep 6,310,15—22: *Unde si vos fortasse aliter dicitis, nos illud dicimus, quod divinitus revelatur, quia, cum novitatum mala multiplicari videamus, si ex diversis provinciis fratres in invicem convenissent iuxta priscum morem, et nos consensu illorum revelante domino quae decernenda sunt decerneremus et ipsi necessitates suas referentes et nos nostras exponentes quae decreta fuissent melius in omnium notitiam facerent pervenire, qui semper synodalem conventum a nobis aggregari petierunt ; sicque fieret, ut secundum qualitatem morbi medicina conficeretur et ad sananda vulnera longe lateque effunderetur.*

fassung, führt Nikolaus im gleichen Zusammenhang aus.[24] An anderer Stelle unterstreicht dieser Papst freilich die bloß relative Notwendigkeit solcher Konzilsversammlungen. An sich kann der Papst die anstehenden Fragen auch allein entscheiden.[25] Johannes VIII. kommt in seinen zahlreichen Einladungsschreiben häufiger auf Nutzen und Sinn der Konzilien zu sprechen. Die Konzilsteilnehmer vermögen in einem Streitfall die *rei veritas* aufzudecken und erleichtern damit dem Papst die *definitio*.[26] Anderswo ist von der *communis utilitas* des Konzils die Rede.[27] In den Konzilien geht es, sagt Johannes VIII. öfter, um den *status ecclesiae*[28], oder auch um den *status rei publicae*.[29] Der *communis tractatus* und das *commune studium* dienen diesem *status ecclesiae*.[30] Ziel ist jedenfalls die *una concordia dilectionis omnium*.[31] Manchmal klingt es bei Johannes VIII., als ob er im Konzil auch die menschliche Teilnahme der Bischöfe an der Last der Kirchenleitung suchte. Bitter beklagt er sich jedenfalls gegenüber Anspert von Mailand († 882), daß er ihm diesen „Trost" verweigert hat.[32]

---

[24] Nik., Ep 39, ebd. 313,3—9: *Miraris, frater, cur synodum dispositam non celebraverimus, cum in ea inter cetera, quae nunc incongruum et longum est narrare, de negotiis, quae apud vos geruntur, deo auctore praecipue ventilare ac una vobiscum, tecum scilicet et ceteris fratribus nostris, decernere proposuerimus et vos, per quos illarum regionum, quae vobis magis pro vicinitate quam nobis notae consistunt, liquidius et sufficientius agnoscere sperabamus et rursus quicquid deo revelante statuendum erat illis arbitramur partibus innotescendum, defueritis.*

[25] Nik., Ep 5, ebd. 271,11—16: *Sedes haec sancta atque praecipua, cui dominici gregis est sollicitudo curaque commissa, in omnibus mundi partibus rectitudinis suae dispositione salubri cuncta ordinare perficereque divino freta procurat auxilio et, quod singulari etiam auctoritate perficere valet, multorum saepe sacerdotum decernit definire consensu et iustitiae censura ea scilicet emendando deliberare, quae perperam atque enormiter fuerint alicubi commissa.*

[26] Joh., Ep 21, MGH.Ep 7,19,14—16: *Veniant igitur episcopi ad synodum nostram, ut ipsis nobis rei veritatem significantibus causam fratris et coepiscopi nostri Petri illis praesentibus facilius definire valeamus.*

[27] Ebd. 53,18.

[28] Joh., Ep 108, ebd. 101,3: *de statu sanctae ecclesiae sunt, quae communiter tractare debemus;* vgl. auch ebd. 101,33; 111,25; 125,17; 90,28. — Zum Begriff ‚status ecclesiae' in der vorkanonistischen Periode vgl. Y. M. CONGAR, Status ecclesiae, in: StGra 15 (1972) 3—31, zu Johannes VIII. ebd. 7—8.

[29] Ebd. 34,7.

[30] Ebd. 55,33; vgl. auch 164,26; 231,19.

[31] Ebd. 97,25.

[32] Joh., Ep 203, ebd. 162,24: *Multae inobedientiae atque perniciosae temeritatis procul dubio repperiris obnoxius, cum nobis pro ecclesiarum dei omnium iuxta apostolum commissa sollicitudine populique salute in hoc periculoso tempore, necessitate scilicet nimia cogente, strenue decertantibus nullum, ut oportebat, praebere assensum nullumque veluti capiti tuo compatiendo studuisti conferre solatium.* — Vgl. auch Ep 163, ebd. 136,22—26: *Propter quod fraternum sanctitatis vestrae collegium his nostris apostolicis litteris more praecessorum nostrorum vocamus et in consortium nostrae sollicitudinis apostolica dumtaxat auctoritate asciscimus et quasi membrum capiti suo adhaerens kalendas Maias huius duodecimae indictionis ad synodum auxiliante domino nobiscum celebraturos cum omnibus suffraganeis vestris Romam venire iubemus.*

Vom Nutzen des Konzils ist auch in Kanon 17 des sogenannten achten allgemeinen Konzils von Konstantinopel (869/70) die Rede. Im Zusammenhang geht es, wie wir weiter unten noch sehen werden, um den Vorrang der Patriarchal- vor der Metropolitansynode. Entsprechend wird jener Synode größerer Nutzen als dieser zugeschrieben. Der Nutzen bemißt sich nach dem größeren Gut, das verhandelt wird. Auf der Metropolitansynode geht es nur um die *causa unius provinciae*, die Patriarchalsynode hingegen befaßt sich mit der *causa dioeceseos*, das heißt, den Angelegenheiten des ganzen Patriarchats.[33] Weil das Kirchenrecht von diesem Grundsatz bestimmt ist, daß das speziellere Gut dem allgemeineren unterzuordnen ist, schreibt es den Metropoliten die Teilnahme am Patriarchalkonzil vor und verurteilt streng das Fernbleiben. Während die Metropoliten der Alten Kirche um diese Rangordnung des Nutzens wußten und entsprechend handelten, ist sie heute leider bei gewissen Leuten in Vergessenheit und Verachtung gefallen.[34]

Zur römischen Konzilsidee „an sich" gehört auch die Überzeugung von der Gegenwart Christi auf dem Konzil, wie sie in der *Encyclica* der Synode von 869/70 mit großer Deutlichkeit zum Ausdruck kommt.[35] Inmitten des Konzils ist der „unbegreifliche und unumschreibbare" Christus und Herr zugegen, der gesagt hat, „Wo zwei oder drei in meinem Namen versammelt sind, da bin ich mitten unter ihnen" (Mt 18, 20).[36] Es handelt sich hier selbstverständlich nicht um einen neuen Aspekt der Konzilsidee, sondern um eine traditionelle Anschauung.[37] Die im Theologoumenon von der Gegenwart Christi auf dem Konzil zum Ausdruck kommende Hochschätzung des Konzilsvorgangs steht

---

[33] Kanon 17, PL 129, 157 D: *Sed sancta haec et universalis synodus, nec concilia quae a metropolitanis fiunt interdicens, multo magis illa novit rationabiliora esse ac utiliora metropolitanorum conciliis quae a patriarchali sede congregantur, et idcirco haec fieri exigit: a metropolita quippe unius quidem provinciae dispositio efficitur, a patriarcha vero saepe totius causa dioeceseos dispensatur.*

[34] Ebd. *Ac per hoc communis utilitas providetur, propter quod et speciale lucrum propter generale bonum postponi convenit, cum a maioribus super haec facta fuerit advocatio: quamvis apud quosdam metropolitanorum antiqua consuetudo et canonica traditio per contemptum ipsorum postposita videatur, non currentibus eis ad communem profectum, quos leges ecclesiae severe condemnantes, omni excusatione remota, subiacere vocationibus proprii patriarchae, sive cum communiter, sive cum singillatim factae fuerint, exigunt.*

[35] Encyclica, PL 129, 188 C—D: *Quis enim nesciat quod in medio sanctae huius et universalis synodi fuerit incomprehensibilis et incircumscriptus Christus ac dominus qui dixit ‚Ubi sunt duo vel tres in nomine meo, ibi sum in medio eorum'* (Mt 18, 20): *et voluntate ipsius omnia a deo mota sancta haec et universalis synodus et tractaverit et fecerit?* — Vgl. auch MGH.Ep 6, 415, 4 und 416, 12.

[36] Vgl. CONGAR, Konzil als Versammlung 157—165.

[37] Einzelheiten bei H. J. SIEBEN, Die Konzilsidee der Alten Kirche, Paderborn 1979, Register: „Christus, Theologumenon der Anwesenheit Christi auf dem Konzil."

natürlich im Zusammenhang mit der Hochschätzung und Verehrung der Konzilsdekrete. Mit ihrer normativen Bedeutung für die Kirche befaßt sich ausdrücklich Kanon 1 des Konzils von 869/70. In Anknüpfung an Dionysius Areopagita wird der konziliaren Überlieferung (zusammen mit den Äußerungen einzelner „Theologen" und „Kirchenlehrer") die Rolle eines „zweiten Wortes Gottes" nach oder neben der Heiligen Schrift zuerkannt.[38]

2. Rom und die eigene Synode

Die Päpste der von uns analysierten Zeitspanne versuchen — das zeigt schon ein oberflächlicher Blick in die Quellen — den Primat der Römischen Kirche auch gegenüber den synodalen Strukturen der Rom nicht unmittelbar unterstellten Kirchen des Westens und Ostens zur Geltung zu bringen. In gewisser Weise geht es darum, die im eigenen römischen Bereich praktizierte Konzilstheorie über diesen Bereich hinaus zur Anwendung zu bringen. Deswegen erscheint es angebracht, bevor wir uns der römischen Konzilsidee in bezug auf die übrigen Kirchen des Westens und Ostens zuwenden, zunächst auf die römische Konzilspraxis selber einen Blick zu werfen, und zwar unter dreifacher Rücksicht, der der Konzilsfrequenz, der Form der Ladung und des Ablaufs und Vorgangs des Konzils selber. Vergleicht man unseren Zeitabschnitt mit den vorausgegangenen und den folgenden Pontifikaten, so springt sofort die relative Häufigkeit der Konzilien in die Augen. Hält man sich zum Beispiel an die von A. Werminghoff aufgeführten römischen Synoden, so ergibt sich für einen Zeitraum von nur 35 Jahren die stattliche Zahl von 21 Konzilien.[39] Dabei fällt auf die einzelnen Pontifikate folgender Anteil: Leo IV. führt in acht Jahren vier Konzilien durch, Nikolaus I.

---

[38] Kanon 1, PL 129, 150 B—C: *Per aequam et regiam divinae iustitiae viam inoffense incedere volentes, veluti quasdam lampades semper lucentes et illuminantes gressus nostros, qui secundum deum sunt, sanctorum patrum definitiones et sensus retinere debemus. Quapropter et has ut secunda eloquia secundum magnum et sapientissimum Dionysium, arbitrantes et existimantes etiam de eis cum divino David promptissime canamus ‚mandatum domini lucidum illuminans oculos'* (Ps 18, 9) . . . *Luci enim veraciter assimilatae sunt divinorum canonum hortationes et dehortationes, secundum quod discernitur melius a peiori, et expediens atque proficuum ab eo quod non expedire, sed et obesse dignoscitur. Igitur regulas, quae sanctae catholicae ecclesiae tam a sanctis famosissimis apostolis, quam ab orthodoxorum universalibus necnon et localibus conciliis, vel etiam a quolibet deiloquo patre ac magistro ecclesiae traditae sunt, servare ac custodire profitemur.*

[39] Werminghoff 616—657. Addiert man die im Dizionario dei concilii, hrsg. von P. Palazzini IV, Rom 1966, 204—224, aufgeführten römischen Synoden, so kommt man sogar auf die stattliche Zahl von 34. Hefele-Leclercq, Histoire des conciles IV, Paris 1911, 1450, zählt in seinem Register 29 römische Synoden auf für unseren Zeitabschnitt.

in neuneinhalb Jahren sechs, Benedikt III. in zweieinhalb Jahren kein Konzil, Hadrian II. in fünf Jahren drei, Johannes VIII. in zehn Jahren acht. Der konzilsfreudigste Papst war also Johannes VIII. Dabei sind die außerhalb Roms stattfindenden Konzilien, an denen die Päpste teilnahmen, nicht einmal mitgerechnet. Man hat den Eindruck, daß die Konzilshäufigkeit in direkter Relation zur größeren oder geringeren Dynamik der jeweiligen päpstlichen Politik steht. Eine erste Folgerung dürfte sich nahelegen: Primat und konziliares Leben stehen in den von uns untersuchten Pontifikaten nicht grundsätzlich in Spannung zueinander, Konzilien stellen vielmehr offensichtlich ein Mittel dar, den Primat wirksam zur Geltung zu bringen.

Aus der objektiven Auswertung der Quellen, wie sie Werminghoff und die übrige Geschichtswissenschaft vorgenommen haben, ergibt sich, daß Konzilien unter den genannten Päpsten relativ häufig abgehalten wurden. Wir interessieren uns aber nicht nur für den objektiven Befund, sondern würden auch gern wissen, ob diese relative Häufigkeit der Synoden von den Zeitgenossen wahrgenommen, vor allem, ob der synodalen Praxis überhaupt Bedeutung beigemessen wurde. Zur Beantwortung dieser Frage verfügen wir über eine ausgezeichnete Quelle, nämlich die *Vita Nicolai* im *Liber Pontificalis*, die mit ziemlicher Sicherheit auf Anastasius Bibliothecarius zurückgeht. In ihr wird nun auf zwei der von Nikolaus durchgeführten Synoden in großer Ausführlichkeit eingegangen, zwei weitere werden erwähnt.[40] In der Darstellung des offiziellen Papstbiographen vollzieht Nikolaus demnach wesentliche Handlungen seines Pontifikats mittels der Konzilien. Ein wichtiger Teil der Primatsausübung geschieht in der Sicht des Anastasius *conciliariter*.

Schon in der *Vita Nicolai* finden sich gewisse Hinweise darauf, in welchem Verhältnis die Konzilsteilnehmer zum Papste stehen[41], vollends

---

[40] Anastasius berichtet zunächst ausführlich über die Synode vom November 861, auf der Johannes von Ravenna erst exkommuniziert, dann unter Auflage gewisser Bedingungen wieder in die Kirche aufgenommen wurde (Liber Pontificalis, Ausgabe Duchesne II 155, 28; 156, 24—158, 3). Dann kommt er, kürzer, auf das Konzil vom Frühjahr 863 zu sprechen, auf dem die Konstantinopler Angelegenheiten verhandelt wurden (ebd. 159, 11—18), ferner auf das Laterankonzil in der Angelegenheit Lothars II. vom Oktober des gleichen Jahres, das die beiden Erzbischöfe Dietgaud von Trier und Günther von Köln exkommunizierte und die Synode von Metz kassierte (ebd. 160, 17—26). Schließlich geht er noch ausführlich auf die beiden Synoden vom Weihnachten 864 und Januar 865 ein, auf denen Rothad von Soissons wieder in sein Bischofsamt eingesetzt wurde (ebd. 163, 2—19).
[41] Vita Nicolai, Ausgabe Duchesne II 155, 23: (Johannes) *vocatus* a summo pontifice Romam se ad synodum non debere occurere iactitabat. (Papa) ter ad synodum suis litteris eum *vocavit*, ebd. 155, 27; a summo pontifice *iussus* . . . affuit, ebd. 157, 10.

deutlich wird dies durch einen Blick auf die zahlreichen Konzilseinladungsschreiben Johannes' VIII. In diesen Briefen kommen zwar auch
schon einmal als Einladungsformeln die Wendungen *veniant*[42] oder *monemus* beziehungsweise *commonemus* oder *admonemus* oder *hortamur*[43] vor,
die sonst gegenüber den fränkischen Erzbischöfen gebraucht werden[44],
meistens enthalten die Briefe an die Erzbischöfe und Bischöfe der Rom
unmittelbar unterstellten Gebiete aber die strenge Befehlsform *iubemus*[45],
praecipimus[46], *decernimus*[47] oder die vollere Formulierung *apostolica auctoritate mandamus* beziehungsweise *iubemus*[48] oder *regulari et nostra apostolica
vocatione iubemus*.[49] Hin und wieder heißt es auch ganz einfach *volumus*.[50]
Die Rom unmittelbar unterstehenden Erzbischöfe und Bischöfe erhalten also den Befehl, zum Konzil zu erscheinen, sie werden zur Synode
zitiert.

Wie stellt sich nun das Verhältnis Papst/Konzil auf den Synoden selber
dar?[51] Auf dem römischen Konzil vom April 850 fungiert Leo IV. zusammen mit Kaiser Ludwig II. († 875) als Schiedsrichter in einem
Grenzkonflikt zweier Diözesen.[52] Grundlage des Verfahrens sind Zeu-
genaussagen und die Vorlage der Rechtstitel beider streitenden Parteien. Welches ist nun genauerhin die Rolle des Papstes und die der
übrigen Mitglieder in diesem Schiedsgericht? Nachdem beide Parteien
ihre Rechtsauffassung mit den entsprechenden Beweisen dargelegt haben,
resümiert zunächst der Papst das Ergebnis der verschiedenen Zeugen-
aussagen, dann fordert das Konzil den Papst und den Kaiser auf, der
im Rechtsstreit überlegenen Partei ihr Recht zu verschaffen.[53] Nach

---

[42] MGH.Ep 7, 52, 32.

[43] Ebd. 52, 32; 53, 13; 90, 26; 231, 16.

[44] Ebd. 97, 22; 107, 16; 108, 6; 128, 9; 105, 2; 126, 15; 265, 38.

[45] Ebd. 9, 35; 50, 23; 132, 19; 133, 26; 163, 9; 208, 29; 250, 1; 250, 6; 251, 10; 251, 15.

[46] Ebd. 25, 17; 50, 28; 54, 17; 201, 17.

[47] Ebd. 205, 32; 266, 1.

[48] Ebd. 101, 4; 123, 28; 125, 18.

[49] Ebd. 162, 32; vgl. auch 163, 15: *nostrae apostolicae auctoritatis vocatio;* 206, 3: *nostri
apostolatus statuto iubemus;* 206, 22: *nostri apostolatus litteris mandamus.*

[50] Ebd. 162, 12; vgl. auch 113, 8.

[51] Die Frage, wie weit es sich hier um wörtliche Mitschriften handelt, die den Konzilsverlauf
tatsächlich wiedergeben, oder um Dokumente, die statt dessen unter Umständen gerade das
Verhältnis Papst/Konzil stilisieren, ist für unsere Fragestellung ohne Belang. — Über den
Einzugsbereich der hier genannten und der übrigen unter Umständen zu erwähnenden
Synoden informiert G. TANGL, Die Teilnehmer an den allgemeinen Konzilien des Mittel-
alters, Weimar 1932, Reprint 1969, 84—102.

[52] Vgl. HEFELE-LECLERCQ IV 1 und IV 2, hier IV 2, 1312; ferner PALAZZINI IV 204—205.

[53] *Iudicatum Leonis papae,* Mansi 15, 29—34, hier 32 E: *Iubeat ergo vestra sanctitas et imperatoria
maiestas, Senensiae ecclesiae ea, quae sua fuere, restituantur.*

einer zustimmenden Erklärung verläßt der Kaiser selber das Konzil, und nur seine *missi* bleiben zurück. Das Konzil bittet dann den Papst, den unterlegenen Bischof zur Annahme des Entscheides aufzufordern. Dieser unterwirft sich dann auch dem Urteilsspruch, und das Konzil endet mit der *definitio* des Papstes.[54]

Auch von Leos IV. römischem Konzil vom 8. Dezember 853, auf dem Anastasius Bibliothecarius exkommuniziert und 42 Kanones promulgiert wurden[55], sind uns Akten erhalten.[56] Das Konzil beginnt mit einer vom Diakon Nikolaus verlesenen *admonitio* des Papstes, in der unter anderem von den zu promulgierenden Kanones über die Reform des Klerus und von der besonderen Verantwortung des Papstes in dieser Angelegenheit die Rede ist. Auf die *admonitio* folgt die *prima responsio episcoporum*, eine mit einer Huldigung an den Papst verbundene Zustimmung zu den vorgeschlagenen Reformkanones.[57] Nach der Verlesung der Kanones wird dem Papst akklamiert.[58] Auch die Exkommunikation des Anastasius wird durch eine Rede des Papstes eingeleitet, in der die Vergehen dargestellt und die entsprechende vom Kirchenrecht vorgesehene Sanktion genannt werden. Das Konzil überprüft die päpstlichen Aussagen durch Zeugenverhöre. Darauf fragt der Papst das Konzil nach seiner Meinung[59], und das Konzil schlägt den Vollzug der vom Kirchenrecht vorgesehenen Strafen vor.[60] Hierauf antwortet der Papst mit *Placet*, erhebt sich von seinem Sitz und verkündet die *definitio*, das heißt die

---

[54] Ebd. 34 B: *His igitur ita expletis nos Leo summus pontifex sic dicendo definivimus: Oportunum itaque valde reor in huius litigii definitionem auctoritatem nostram accommodare … Et quoniam in dei sumus nomine collecti, dominus vere inter nos esse creditur, eius auxilio, quidquid agimus vel definimus credimus esse fulcitum.*

[55] HEFELE-LECLERCQ IV 2, 1325, PALAZZINI IV 206.

[56] Mansi 14, 1009—1021.

[57] Mansi 14, 1011 C: *Unde non exiguo gaudio perlaetamur, quod nihil superfluum, nihil contrarium sanctae fidei vel sanctorum praecedentium patrum dictis constituere quaeritis, sed cuncta congrua et humanae vitae necessitudine digna … Et ideo nos omnes totis viribus nostris coepta vestra adiuvare curabimus et disciplinam ecclesiasticam a vobis vibrantius patefactam fidelibus observare, ut favente deo voraginis barathrum vestra intercessione impune vitare valeamus. Quia certum est deum vobis donasse, non solum ut bene velles, verum etiam, in quibus posses apparere, quod velles.*

[58] Ebd. 1016 E: *Tunc vero sancta completa synodo ab universis episcopis, presbyteris, diaconibus et clero cuncto sic acclamatum est: Exaudi Christe. Domino nostri Leoni a deo decreto summo pontifici et universali quarto papae vita!*

[59] Ebd. 1019 C: *Tunc venerabilis ac praecipuus praesul omnibus residentibus episcopis et presbyteris, stantibus quoque diaconibus et omni clero dixit: o beatissimi fratres, quid vestra beatitudo (sic) de crebro dicto presbytero, qui tanta ac talia enormiter contra patrum regulas atque statuta peregit?*

[60] Ebd. 1019 C: *Mox omnes episcopi unanimiter dixere: Quid aliud arbitrari aut proferre valeamus, nisi ut sancti patres, qui Antiocheno concilio residentes tertio capitulo promulgarunt et inviolabiliter statuerunt … Quam promulgationem in eum, si vobis placet, presbyterum inferimus et propriis manibus roboramus.*

Exkommunikation[61], der das Konzil ausdrücklich zustimmt.[62] Noch deutlicher als im vorausgehenden Konzil ist die dominierende Rolle des Papstes. Das Konzil selber fungiert als Zeuge für die Korrektheit des Verfahrens gegen den Exkommunizierten und für die Rechtmäßigkeit der aufgestellten Kanones.

Auch von der zweiten Synode Nikolaus' I. gegen Johannes von Ravenna vom 18. November 861 sind Akten oder ein Auszug aus den Akten[63] überliefert.[64] Nach den üblichen Preliminarien, als da sind Zeitangabe, Ort und Gegenstand der Versammlung, werden zunächst 6 Kanones mit Auflagen und Strafen für den Ravennater Erzbischof aufgeführt. Dann folgt eine Rede des Papstes, in der das Vorgehen gegen Johannes von Ravenna mit dem Primat des Römischen Stuhles begründet und die entsprechenden Maßnahmen gegen ihn genannt werden. Auffallend im Vergleich zu den beiden vorausgehenden Konzilien ist die totale Stimmlosigkeit des Konzils. Auf die Papstrede folgen lediglich die *nomina episcoporum*.[65] In dem weiter obengenannten Bericht des Anastasius Bibliothecarius über die zweite Synode des Nikolaus gegen Johannes von Ravenna vom November 861[66] kommt dem Konzil die gleiche rein passive Rolle zu. Nur ein einziges Mal erhebt es seine Stimme, in der Schlußakklamation für den Papst.[67] Es mag sein, daß das Konzil tatsächlich eine viel aktivere Rolle gespielt hat, als Anastasius durch seinen Bericht zu verstehen gibt. Seine bewußte Stilisierung der alles dominierenden Rolle des Papstes wäre dann eben ein Zeugnis weniger für die römische Konzilspraxis als für die römische Konzilstheorie!

---

[61] Ebd. 1019 D.

[62] Ebd. 1019 E: *Posthaec omnes episcopi eadem synodo residentes unanimes dixerunt: Et nos sic iudicamus, sicque irrefragabiliter statuimus. Et subscripsere episcopi numero LXVII.*

[63] Mansi 15, 598—606.

[64] Vgl. Hefele-Leclercq IV 1, 284—287; Palazzini IV 210—211; zum Streit zwischen dem Papst und Johannes von Ravenna vgl. u. a. K. Brandi, Ravenna und Rom, in: AUF 9 (1926) 1—38, hier 32—33; H. Fuhrmann, Nikolaus I. und die Absetzung des Erzbischofs Johann von Ravenna, in: ZSRG.K 44 (1958) 353—358. Zur grundlegenden Bedeutung der Synode für den Pontifikat Nikolaus' I. vgl. R. J. Beletzkie, Pope Nicholas I and John of Ravenna: The struggle for ecclesiastical rights in the Ninth century, in: ChH 49 (1980) 262—272.

[65] Mansi 15, 602 C: *Nomina autem episcoporum, qui huic sancto concilio interfuerunt, consenserunt et subscripserunt, hi sunt ...*

[66] Vita Nicolai, Duchesne II 155 ff.

[67] Ebd. 157, 32: *Cumque hoc a papa beatissimo observandum archiepiscopo Joanni fuisset iniunctum ac imperatum, surrexit sancta synodus et tribus vicibus acclamavit: ,,Rectum iudicium summi praesulis, iusta definitio totius pastoris ecclesiae, salubris institutio Christi discipuli omnibus placet ; omnes eadem dicimus, omnes eadem sapimus, omnes eadem iudicamus." Tunc tam eodem archiepiscopo quam omni sancta synodo sacri verbi pabulo refectis, dulcissimique saporis a beatissimo praesule nectare satiatis, unusquisque ad propria, licentia accepta pontificis, exivit.*

Auf dem von Hadrian II. im Juni 869 gegen Photius versammelten Konzil[68], dessen Akten innerhalb der Akten des sogenannten achten allgemeinen Konzils von Konstantinopel überliefert sind[69], kommt es jedenfalls wieder eher zu einem gewissen Dialog zwischen Papst und Synode. Das Konzil beginnt mit einer *allocutio* des Papstes, in der in die zur Entscheidung stehende Frage eingeführt wird. Sie schließt mit der Einladung des Papstes an das Konzil, gemeinsam eifrig zu überlegen und zu erörtern, was zu geschehen habe.[70] In seiner *prima responsio* preist das Konzil den Eifer des Papstes, mit dem er sich für die Rechte des Apostolischen Stuhles einsetzt, erhebt Anklage gegen Photius und fordert den Papst auf, die durch den Konstantinopler Patriarchen mit Füßen getretene Ehre des Römischen Stuhles wiederherzustellen. Es bittet den Papst schließlich, die Konstantinopler Synode zu kassieren[71] und ihre Teilnehmer entsprechend zu bestrafen. Ihm „gefalle" die *suggestio* des Konzils, erklärt der Papst in seiner zweiten *allocutio*.[72] Formosus von Porto fügt im Namen des Konzils dem *Placet* des Papstes das *Placet* der Synode hinzu.[73] In einer dritten *allocutio* geht Hadrian II. in aller Form auf die durch das Photiuskonzil aufgebrochene Primatsproblematik ein.[74] Die folgende *suggestio* des Konzils stimmt dem Papst zu,

---

[68] Vgl. HEFELE-LECLERCQ IV 1, 469—470; PALAZZINI IV 217—218.

[69] Mansi 16, 122—131.

[70] Ebd. 123 E: *Ergo dilectissimi fratres et filii, considerate, quid super huiusmodi temeritates sit nobis agendum, vel quid de conciliabulo illo vel profanis ipsius actis per ministerium nostrum existat, fore deliberandum, quid etiam de iis, qui interfuerunt vel manu propria subscripserunt, sic ab unanimitate omnium nostrum definiendum, intente tractate et libere singuli, quae sentitis, edicite.*

[71] Ebd. 124 E: *Quapropter oramus te, domine coangelice papa, ut eundem habens spiritum fidei, eundemque zelum pietatis, quem et patres tui ferventissimi praesules, conciliabulum cum gestis suis, quod Constantinopoli nuper adversus sedis apostolicae gremium, immo contra veritatem sub tyrannice imperante Michaele congregatum est, ita sententiae vestrae falce recidatur, ut nullum de eo momentum, nullum remaneat omnino vestigium, sed ad sui damnationem vel execrationem Ariminensi synodo vel Ephesino latrocinio sit modis omnibus comparandum.*

[72] Ebd. 125 C: *Quod suggessit dilectio vestra valde placet et quod ita gerendum sit, ipse quoque perpendo.*

[73] Ebd. 125 E: *Honorandum concilium per Formosum episcopum sanctae Portuensis ecclesiae exclamavit in haec verba: Pia consideratio summi pontificis. Iusta sententia universalis ecclesiae praesulis omnibus placet. Omnes ita dicimus, omnes ita volumus, omnes hoc rogamus, omnes hoc totis praecordiis consentimus.*

[74] Ebd. 126 A: *Siquidem Romanum pontificem de omnium ecclesiarum praesulibus iudicare legimus; de eo vero quemquam iudicasse non legimus.* — Eigens geht Hadrian dann auf den Honoriusfall ein: *Licet enim Honorio ab orientalibus post mortem anathema sit dictum, sciendum tamen est, quia fuerat super haeresi accusatus, propter quam solam licitum est minoribus maiorum suorum motibus resistendi vel pravos sensus libere respuendi. Quamvis et ibi nec patriarcharum nec ceterorum antistitum cuipiam de eo quemlibet fas fuerit proferendi sententiam, nisi eiusdem primae sedis pontificis consensus praecesserit auctoritas.* Hierzu vgl. G. KREUZER, Die Honoriusfrage im Mittelalter und in der Neuzeit, Stuttgart 1975, 111—112, ferner S. 46—48. — Für die päpstliche Immunität gegenüber Synoden beruft sich dann Hadrian II. im folgenden auf den Präzedenzfall des Symmachus

unterstreicht die Rechtmäßigkeit der Anwendung von Kanon 4 des Konzils von Antiochien[75] gegen Photius, indem es den Kanon sehr extensiv im Sinne Pseudoisidors auslegt[76], schlägt Milde gegenüber den Reumütigen vor und bittet schließlich den Papst, das Urteil zu sprechen und dem Konzil zur Zustimmung vorzulegen.[77] Hierauf promulgiert der Papst „im Namen des Vaters, des Sohnes und des Heiligen Geistes" in fünf Kanones sein Urteil gegen Photius und sein Konzil.[78] Aus den Akten dieses Konzils ergibt sich deutlich: die Rolle des Konzils besteht in Beratung und Zustimmung, das eigentliche Urteil spricht der Papst allein.

Aufschlußreich für unsere Fragestellung sind schließlich noch die Akten beziehungsweise der Auszug aus den Akten zweier unter Johannes VIII. abgehaltenen Konzilien. Im ersten vom April 876, auf dem der zukünftige Papst Formosus verurteilt wurde[79], fragt der Papst im Anschluß an seine Verurteilungssentenz[80] das Konzil: *Decernitis et vos ita?* Darauf antwortet dasselbe: *Decernimus.* Darauf läßt sich der Papst wei-

---

und seines Konzils: *Meminimus interea scriptum quod rege quondam Italiae Theodorico papam Symmachum usque ad damnationem impetere volente, et ideo quoquot potuit ex Liguria, Aemilia, Valeria et diversis regionibus et ex Sicilia insula huius rei gratia episcopos Romam accurere praecipiente, et his ad se venientibus dicente*, plura ad se de papae Symmachi actibus horrenda fuisse perlata, et in synodi, si vera esset inimicorum eius objectio, iudicatione constare, venerabiles antistites ipsum, qui dicebatur impetitus, debuisse synodum convocare perhibuissent, scientes, qui eius sedi primum Petri apostoli meritum vel principatus, deinde secuta iussionem domini conciliorum venerandorum auctoritas, ei singularem in ecclesiis tradidit potestatem nec ante dictae sedis antistitem minorum subiacuisse iudicio in propositione simili facile forma aliqua testaretur. *Ad postremum vero isti ipsi venerabiles praesules, cum vidissent quod non sine sui discrimine potuissent contra caput manus suas erigere, quidquid de saepefati Symmachi papae actibus delatum fuerat, totum dei iudicio reservarunt.* Das Hervorgehobene stammt aus den Akten des römischen Konzils vom 23. Oktober 501 (MGH.AA 12, 426, 15—427, 5). Der gleiche Passus dient nach SECKEL-SCHON (vgl. Anm. 203) Pseudoisidor als mittelbare Vorlage für HINSCHIUS 19, 9 ff.! — Spöttisch bemerkt der Papst weiter, wenn Photius diese Konzilsakten nicht kenne, weil sie vielleicht nicht auf griechisch vorhanden sind, dann solle er sich doch wenigstens an Johannes von Antiochien erinnern, der in Ephesus verurteilt wurde, weil er ohne römische Einwilligung gegen Cyrill vorgegangen sei.

[75] *Unusquisque nostrum ordinem sibi decretum a deo agnoscat et posteriores anterioribus deferant, nec eis inconsultis aliquid agere praesumant.*

[76] Vgl. weiter unten.

[77] Ebd. 128 B: *De his omnibus, quod sibi fuerit divinitus inspiratum tandem si placet, statuat . . . et manifesta promulgatione decernat, nobis subsequenter voti nostri consensum vocis et subscriptionis indicio patenter ut convenit, ostensuris.*

[78] Ebd. 128 C—130 A.

[79] Vgl. PALAZZINI IV 220.

[80] Mansi 17, 237 D: *Nisi (Formosus) modo intra diem decimum, id est III. Kalendas Maii praesentis nonae indictionis, praesentiam suam nobis satisfaciendo monstraverit, auctoritate dei omnipotentis, sanctorumque apostolorum principum Petri et Pauli omni ecclesiastica communione privatum esse decernimus.*

tere Details des Urteils ausdrücklich bestätigen.[81] Von der Synode
Johannes' VIII. in Ravenna vom August 877, die Karl dem Kahlen die
875 neuerworbene Kaiserkrone ausdrücklich bestätigte, ist ebenfalls ein
Protokoll auf uns gekommen.[82] Auf die Ansprache des Papstes[83] folgt
die *responsio episcoporum*, eine Huldigung an den Papst, zusammen mit
der Zustimmung zu seiner Politik gegenüber dem Kaiser.[84] Johannes
VIII. führt daraufhin die offenbare Einstimmigkeit zwischen Konzil
und Papst auf göttliche Inspiration zurück und lädt zur gemeinsamen
Unterschrift der Akten ein.[85] Die Synode verbindet ihr *Placet* mit einem
entschiedenen Bekenntnis zum Primat des Papstes.[86] Auf die eigentliche
sententia und die entsprechenden *Anathemata* des Papstes antwortet das
Konzil nochmals mit *Placet, placet* und *Fiat, fiat*.[87]

Aus den analysierten Konzilsakten dürfte sich mit Eindeutigkeit ergeben, daß die Rolle des Papstes gegenüber dem Konzil keineswegs
einfach die eines Vorsitzenden ist. Der Papst steht dem Konzil gegenüber, in voller Souveränität. Die Rolle des Konzils besteht wesentlich
in Beratung und Zustimmung zum Urteil, das der Papst gefällt hat.[88]

3. Rom und die fränkische Synode

Im römischen Konzil, das heißt, in der Versammlung der dem Papst
unmittelbar unterstellten Bischöfe, kommt, wie wir gesehen haben, der

---

[81] Ebd. 237 D.

[82] Mansi 17, Appendix 171—176, kritische Neuedition bei W. A. ECKHARDT, Das Protokoll
von Ravenna 877 über die Kaiserkrönung Karls des Kahlen, in: DA 23 (1967) 295—311,
hier 304—311. Die Kanones dieses Konzils, seine Epistula und die Unterschriften befinden
sich bei Mansi 17, 335—342; vgl. PALAZZINI IV 45—46; HEFELE-LECLERCQ IV 659.

[83] ECKHARDT 304—308.

[84] ECKHARDT 308—309: *Ecce beatissime et apostolice domine papa Johannes, luce clarius videmus
mentem apicis vestri gratia sancti spiritus inlustratam, qui profecto quos repleverit ardentes pariter et
loquentes facit ... Sed et nos, o domine et coangelice papa, vestigia vestra sectantes et salubria monita
recipientes, quem amatis, amamus, quem dilexistis, diligimus, quem eligistis, eligimus, et quod in eo
omnium auctore bonorum deo sive divina benedictione sive sacra unctione sive coronae imperialis
impositione gessistis, viscerabili affectu sequimur ...*

[85] Ebd. 309: *Quia igitur, fratres dilectissimi, inspiratione divina omnium nostrum corda in unum
sensum et in unum eundemque deliberationis finem direxit, ut scilicet unum sentiamus et unum dicamus
omnes ... sententiae prolatione, si unanimi generalitati vestrae videtur, et per manuum subscriptionem
etiam in praesenti ac venerabili synodo, sicut iam hortati sumus, iterato promulgemus et roboremus.*

[86] Ebd. 310: *Placet et valde placet in omnibus vestra sacratissima sectari vestigia, neque fas est, ut a
culmine apostolatus vestri in aliquo dissentiamus, quem videlicet ipse Christus dominus noster omnium
nostrum ad vicem suam in terris esse voluit caput.*

[87] Ebd. 310—311.

[88] Die von F. MAASSEN, Eine römische Synode aus der Zeit von 871 bis 878, in: SÖAW 91
(1878) 773—792, veröffentlichten Konzilsdokumente enthalten nichts Relevantes für unsere
Fragestellung.

Primat des Papstes voll zur Geltung. Wie steht es nun mit den Synoden
außerhalb des unmittelbaren Herrschaftsgebietes des Papstes, lautet
unsere nächste Frage. Die von Rom gegenüber den fränkischen Synoden entwickelte Theorie ist dabei von prinzipieller Bedeutung für das
restliche Abendland. Auf eine doppelte Weise nun versucht Rom in
der von uns untersuchten Zeitspanne seine Primatsansprüche durchzusetzen, das heißt, ähnliche Verhältnisse zwischen Papst und Konzilien
zu schaffen, wie wir sie im eigenen Herrschaftsgebiet beobachten konnten. Einerseits arbeiten die Päpste auf eine Veränderung des bestehenden Synodalwesens hin, praktisch auf die Aufhebung der Autonomie
der Synoden, andererseits versuchen sie einen neuen Typ von Synode
zu schaffen, die päpstliche Generalsynode des Abendlandes.

Hinsichtlich der ersten Weise der Verwirklichung ihrer Primatsansprüche lassen sich mehrere Aspekte unterscheiden. Worauf Rom zu-
nächst besteht, ist eine Art Oberaufsicht über die fränkischen Synoden.
Sie schließt das Recht zur Überprüfung der Synodalakten ein. In diesem
Sinne verlangt Nikolaus I. unverzügliche Einsicht in die Akten der
Metzer Synode vom Juni 863. Die Zustimmung zur Synode hängt vom
Ergebnis dieser Kontrolle ab.[89] Die gleiche Forderung richtet Nikolaus
an Hinkmar von Reims hinsichtlich des Konzils von Soissons im September 866.[90] Mit welcher Schärfe der Papst reagieren kann, wenn das
Ergebnis von Aktenüberprüfungen negativ ausfällt, zeigt sein Brief an
die Teilnehmer der Synode von Soissons.[91] Eine solche Aktenüber-
prüfung kann die Kassation der betreffenden Synode zur Folge haben.

---

[89] Nik., Ep 3, MGH.Ep 6, 269, 41—270, 3: *Statuimus autem, ut cuncta, quae in eodem concilio
peracta fuerint ac definita, nostro praesulatui gestorum serie incunctanter significetis, ut si ea iustitiae
pulchritudine probabilique sanctione definita perspexerimus, deo omnipotenti gratias referamus, si vero
iniustitiae, quod nolumus et contrarietatis fuerint acta intentione, ea renovare summopere iubeamus.*

[90] Nik., Ep 74, ebd. 407, 1: *Quidquid vero in concilio fuerit a vobis examinatum atque reppertum,
sub gestorum serie discretioni nostrae, sicut veneranda decreta statuunt, mittite, et nostrae auctoritati,
quae salubria videbuntur roboranda plena fidelique relatione dirigite.*

[91] Nik., Ep 79, ebd. 415, 15—416, 14: *In quibus quanta repraehensionum inveniatur congeries, si
voluerimus exhibere per singula, facilius cartae quam verba deficient. Ibi namque falsitas in ipso mox
actionum invenitur principio. An non falsitas, cum sponte pervenisse deiecti illi ad ecclesiae ianuas
„pro sua necessitate' scribuntur, qui venisse probantur inviti? Praecipue cum Vulfadus ibidem non
fuerit, cuius nomen inter petentium nomina fallaciter extitit recitatum? Ibi ante tempus examinis iam
iudicatum et ante legitimum iudicium condemnatum fuisse dignoscitur. Ibi ante audientiam et ante
certum numerum collectorum episcoporum presbyteri diaconique privationi ministeriorum suorum sub-
duntur. Ibi metropolitanus antistes modo sua iura deponit, modo resumit, modo subest synodo, modo
praeest, modo quasi accusatus, modo accusator, modo iudex accedit et pro libitu proprio vicibus
alternantibus cuncta disponens more cuiusdam animantis non semper unius eiusdemque coloris apparet.*
In dieser Art und in diesem Ton geht es noch eine Zeitlang weiter! — Vgl. auch Hadrian,
Ep 3, ebd. 699, 12 ff. an die Synode von Troyes (867).

Nikolaus nimmt dieses Recht des Apostolischen Stuhles zum Beispiel gegenüber der Synode von Metz (863) wahr.[92] Eine Art Oberaufsicht über das kirchliche Synodalwesen mit dem darin eingeschlossenen Kassationsrecht entsprach noch durchaus der bestehenden Kirchenverfassung. Eine einschneidende Neuerung stellen jedoch die im folgenden zu behandelnden Ansprüche Roms dar. Methodisch scheint es ratsam, die Ausübung dieses Rechts und seine prinzipielle Formulierung zu unterscheiden.

Nikolaus I. übt das Recht, außerhalb seines unmittelbaren Herrschaftsgebiets Synoden zu versammeln, wiederholt aus. So ordnet er die Versammlung des Konzils von Metz (863)[93] und Soissons (866) an.[94] Ausdrücklich formuliert er das Einberufungsrecht des Römischen Stuhles in seiner Predigt an die römische Synode vom Dezember 864 bis 865, die Rothad wieder in sein Amt einsetzte: „Keiner hat das Recht, ein Generalkonzil einzuberufen ohne Befehl des Römischen Stuhles".[95] Dieser Satz gibt unter verschiedener Hinsicht zu Fragen Anlaß. Auf weiter unten verweisen wir die Problematik des pseudoisidorischen Hintergrundes beziehungsweise die Frage, wieweit dieser Grundsatz einen Bruch mit der älteren Tradition darstellt. Hier soll sein genauerer Sinn lediglich aus dem unmittelbaren Kontext erschlossen werden. Entscheidend hierfür ist natürlich die Bestimmung dessen, was genauer unter *concilium generale* zu verstehen ist. Nikolaus spricht von *concilium generale* im Blick auf einen konkreten Fall, nämlich die außerordentliche Kirchenversammlung von Pîtres (862), die die Metropoliten des westfränkischen Reiches, also mehrere Kirchenprovinzen, vereinigte. Prak-

---

[92] Nik., Ep 18, ebd. 285, 3—8: *Synodum quae nuper, id est sub piissimo imperatore Ludovico per indictionem XI mense Iunio in Metensium urbe ab episcopis qui nostrum praevenerunt iudicium, collecta est, quique apostolicae sedis instituta temere violaverunt, et tunc et nunc et in aeternum iudicamus esse cassatam et cum Ephesino latrocinio reputatam, apostolica auctoritate in perpetuum sancimus esse damnandam nec vocari synodum, sed tamquam adulteris faventem prostibulum appellari decernimus.*

[93] Nik., Ep 5, MGH.Ep 6, 272, 19: *convenire iubemus;* vgl. auch ebd. 272, 14—19; *synodus quam . . . nostra apostolica fieri auctoritate* decrevimus, ebd. 270, 23—24; 343, 12.

[94] Ebd. 405, 22—26: *Praecipimus fratres nostros Remigium Lugdunensem, Adonem Viennensem, Wenilonem Rotomagensem una cum ceteris archiepiscopis et episcopis Galliarum et Neustriae . . . in idipsum cum beatitudine tua* (Hinkmar von Reims) *et suffraganeorum tuorum apud Suessionem urbem dioceseos tuae pariter convenire,* vgl. auch ebd. 412, 4; 609, 17.

[95] Ebd. 380, 3—6: *Cuius rei gratia* (Angelegenheit des Rothad von Soissons) *facto concilio generali, quod sine apostolica sedis praecepto nulli fas est vocandi, vocaverunt hunc episcopi, quos Hincmari Remorum archiepiscopi suggestione regia fecerat iussio convenire, quatenus rationem de illo presbytero coram synodo* (Pîtres 862) *redderet. —* Zur Interpretation dieser Stelle vgl. auch FUHRMANN, Das Ökumenische Konzil 680—681.

tisch handelt es sich also um ein Nationalkonzil. Ein solches Konzil bezeichnet der Papst als Generalkonzil, und von solchen Versammlungen sagt er, daß sie nicht ohne ausdrückliche römische Einwilligung versammelt werden dürfen. Aus dem Kontext ist also die Pointe dieses Satzes deutlich. Er ist gegen das bis dahin praktizierte Recht des Königs auf Einberufung seiner Landessynode gerichtet.[96] Wie steht es aber mit den vom Recht vorgesehenen „ordentlichen" Provinzial- und Metropolitansynoden? Bedürfen auch sie jeweils einer ausdrücklichen römischen Zustimmung? Uns scheint, daß diese Frage offenbleiben muß. Jedenfalls aus dem oben angeführten Satz allein wird man ein solches ausdrückliches Verbot von Konzilien aller Art ohne römische Erlaubnis nicht folgern dürfen.[97]

Neben dem Einberufungsrecht besteht Rom auf dem Bestätigungsrecht. Unterscheiden wir auch hier zwischen der Ausübung und der ausdrücklichen Formulierung! Zunächst ein Zeugnis für eine hinausgeschobene Bestätigung. Leo IV. nennt 853 in einem Brief vier Gründe, weswegen er bisher die Synode von Soissons (853) nicht bestätigt hat.[98] Erteilt wurde die Bestätigung genannter Synode schließlich durch Benedikt III.

---

[96] Vgl. R. Weyl, Die Beziehungen des Papsttums zum fränkischen Staats- und Kirchenrecht, Breslau 1892, 114—117, 179—184.

[97] Steht zu dieser Interpretation nicht der Satz in Widerspruch *synodus dici non potest, ubi noster nullus praebetur assensus*, ebd. 389, 26—27? Ist also nicht doch jede Synode ohne päpstliche Berufung illegitim? Der Widerspruch löst sich auf, wenn man davon ausgeht, daß die undeutliche Aussage im Lichte der deutlicheren auszulegen ist und nicht umgekehrt. Die deutlichere Aussage ist aber 380, 3f., denn *convocare* ist eindeutiger als *assentiri* und *non fas est* eindeutiger als *dici potest*. 389, 26 f. wird nicht wie 380, 3 f. ein allgemeines Rechtsprinzip formuliert, sondern lediglich der fraglichen Hinkmarversammlung Synodalcharakter abgesprochen, weil sie als solche, das heißt nach der Appellation des Rothad an den Römischen Stuhl, einberufen und so nicht von der Zustimmung des Papstes getragen war.

[98] Leo, Ep 22, PL 115, 672 B: *Causas pro quibus hoc usque ad tempus suspendimus, charitati vestrae dicemus. Prima igitur haec est, quia sicut ab episcopis praenominata synodus utiliter ventilata sive sopita est, ita per aliquot ex eis, ut dubitatio foret radicitus evulsa, statuta vestrae synodi destinare debuistis. Alia autem iuxta votum vestri desiderii id nos perficere minime permisit, eo quod legati sedis apostolicae praesentes ibidem non fuerunt: neque imperialis epistola nobis talis est praesentata, quae hoc quod expetendum misistis, specialiter indicare potuisset. Quarta scilicet causa haec est, quia hi quos depositos charitas vestra auctoritate synodi fore affirmat, per proprias litteras sedem apostolicam appellarunt et volunt iterum nostra se apostolica audiri praesentia; et tunc si culpabiles inventi fuerint, non se abnuunt canonicam sustinere censuram.* — Auf den vierten der hier genannten Gründe wird weiter unten noch näher einzugehen sein. Der zweite Grund, das Fehlen römischer Legaten, und einer *epistola imperialis* weist nach Haller, Nikolaus I. 173—175, auf den Einfluß Pseudoisidors hin. Dem widerspricht Fuhrmann, Einfluß 241—246 entschieden und zu Recht. Weder ein kaiserlicher Brief noch die Institution von Legaten sind bei Pseudoisidor belegt. „Wahrscheinlich hatte Leo IV. weniger den Rechtsgrundsatz einer päpstlichen Konzilsbeteiligung im Auge als die Frage ordnungsgemäßer Durchführung der Synode von Soissons" (245).

und Nikolaus I.[99] Letzterer formuliert den Rechtssatz der notwendigen Bestätigung aller Synoden mehrmals ausdrücklich: (Romanae ecclesiae) *auctoritate atque sanctione omnes synodi et sancta concilia roborantur et stabilitatem sumunt.*[100] Wie ist der Satz näher zu verstehen? Werden damit alle Synoden, auch die regelmäßig stattfindenden Provinzial- und Metropolitansynoden für ungültig erklärt, sofern sie nicht in aller Form durch den Römischen Stuhl bestätigt sind? Der Sinn des Rechtssatzes dürfte sich auch hier aus dem Kontext ergeben: In Wahrnehmung seines Oberaufsichtsrechtes über das ganze Synodalwesen beansprucht Rom die Vorlage der Akten, also umfassende Information. Im übrigen hängt die Gültigkeit der Synode von einer formellen römischen Bestätigung ab, im Maße es sich um wichtigere Entscheidungen *(causae maiores)* handelt. Was als wichtige Entscheidung zu gelten hat, bestimmt Rom natürlich selber.[101] Die Frage, ob Nikolaus grundsätzlich auf den von ihm einberufenen Synoden den Vorsitz für seine Legaten beanspruchte, oder ob dies nur gelegentlich geschah, muß offenbleiben. Für die Synode von Metz (863) jedenfalls verlangte er den Vorsitz seiner Legaten.[102]

Von römischer Einberufung und Bestätigung hängt die Gültigkeit und damit die Existenz der fränkischen Synode ab. Eine weit über die Bestimmungen des Konzils von Sardika hinausgehende Inanspruchnahme des Appellationsrechts vom Konzil an den Papst schränkt die Kompetenz des Konzils tiefgreifend ein und stellt einen weiteren Schritt auf dem Weg allseitiger Unterordnung des fränkischen Konzils unter den Papst dar. Schon Leo IV. hatte 853 die Berufung der abgesetzten Reimser Geistlichen vom Konzil an den Papst angenommen. Geht man davon aus, daß dies auf der Rechtsgrundlage der Kanones 3 und 7 (3.b) von Sardika geschah, so ist festzustellen, daß der Papst 853 ein sehr

---

[99] Nik., Ep 59, MGH.Ep 6, 365, 18—24: *Synodum illam, quae a te et ceteris venerabilibus archiepiscopis atque episcopis in urbe Suessorum anno incarnationis dominicae DCCCLIII indictione prima VI. Kalendas Maii fuerat celebrata et a decessore nostro beatae memoriae Benedicto papa est confirmata, sicut isdem sanctae recordationis pontifex illam confirmavit, ita et nos eam confirmatam et inrefragabilem perpetuoque mansuram apostolica auctoritate decernimus, salvo tamen Romanae sedis in omnibus iussu atque iudicio.*

[100] Ebd. 450, 13—14; vgl. auch ebd. 296, 28—31: *Quam rogo validitatem vestra poterunt habere iudicia, si nostra quomodolibet infirmantur, de quibus nec retractari licet, vel quod robur concilia vestra obtinere valebunt, si suam perdiderit sedes apostolica firmitatem, sine cuius consensu nulla concilia vel accepta esse leguntur?*

[101] Zu den *causae maiores* vgl. J. STEIGER, Artikel Causes majeures, in: DThC 2, 2 (1923) 2039—2042; R. NAZ, Artikel Causes majeures, in: DDC 3 (1942) 59—62.

[102] Nik., Ep 3, MGH.Ep 6, 269, 15: *a pontificii nostri latere venientibus missis synodicam illic celebrationem, apostolica fulta auctoritate, cum fraternitate vestra praesidentibus adunare deb(etis) . . .*

weites Verständnis von Sardika zugrunde legt.[103] Während die genannten Kanones für Bischöfe die Appellation vom Provinzialkonzil an den Papst vorsehen[104], nimmt Leo IV. auch die Berufung von einfachen Priestern an.[105] Zudem erlaubt er ihnen, auch das zweite, von ihm entsprechend Kanon 7 von Sardika angeordnete und in der Provinzversammlung ergangene Urteil abzulehnen und direkt in Rom vorstellig zu werden, was ebenfalls in den genannten Kanones nicht vorgesehen ist.[106] Damit ist im Grunde das Provinzialkonzil als Letztinstanz in Angelegenheiten von Priestern abgeschafft.

Auf dem eingeschlagenen Weg schreitet Nikolaus I. weiter voran. Während im Falle Leos IV. letztlich offenbleiben muß, ob der Papst sich

---

[103] 848 ist in einem Brief an britische Bischöfe lediglich vom Appellationsrecht eines Bischofs die Rede: MGH.Ep 5, 594, 5—8: *Et si inter nos, quos damnandos esse dixerint homines, fuerit ‚episcopus', qui suam causam in praesentia Romanae sedis episcopi petierit audiri, nullus super illum finitivam praesumat dare sententiam, sed omnino eum audiri decernimus.* — Auch hier wird also auf die Möglichkeit verwiesen, den Prozeß in Rom selber zu führen.

[104] Concilium Sardicense, Kanon III und VII, EOMJA I 2, 3; 456—458, 460—462: *Si in aliqua provincia forte aliquis episcopus contra fratrem suum episcopum litem habuerit, non ex his unus ex alia provincia advocet episcopos. Quod si aliquis episcopus iudicatus fuerit in aliqua causa, et putat bonam causam habere ut iterum iudicium renovetur, si vobis placet sanctissimi Petri apostoli memoriam honoremus: scribatur vel ab his, qui examinarunt vel ab episcopis qui in proxima provincia morantur Romano episcopo, et si iudicaverit renovandum esse iudicium, renovetur et det iudices; si autem probaverit talem causam esse, ut ea non refricentur quae acta sunt, quae decreverit confirmata erunt . . . Cum aliqui episcopus depositus fuerit eorum episcoporum iudicio, qui in vicinis commorantur locis, et proclamaverit agendum sibi esse negotium in urbe Roma, alter episcopus in eadem cathedra, post appellationem eius qui videtur esse depositus, omnino non ordinetur loco ipsius, nisi causa fuerit iudicio Romani episcopi determinata. Placuit autem ut si episcopus accusatus fuerit, et iudicaverint congregati episcopi regionis ipsius, et de gradu suo deiecerint eum, et appellasse videatur, et confugerit ad beatissimam Romanae ecclesiae episcopum, et voluerit audiri et iustum putaverit ut renovetur examen, scribere his episcopis dignetur qui in finitima et propinqua provincia sunt, ut ipsi diligenter omnino requirant, et iuxta fidem veritatis definiant. Quod si qui rogat causam suam iterum audiri et deprecatione sua moverit episcopum Romanum, ut e latere suo presbyterum mittat, erit in potestate episcopi quid velit aut quid aestimet, et si decreverit mittendos esse qui praesentes cum episcopis iudicent, habentes eius auctoritatem a quo destinati sunt, erit in suo arbitrio. Si vero crediderit sufficere episcopos, ut negotio terminum imponant, faciet quod sapientissimo consilio suo iudicaverit.* — Vgl. auch Anm. 210.

[105] Schon einmal hatte Rom mit einer Kirche, mit der afrikanischen, einen harten Strauß auszufechten wegen der Annahme einer Appellation eines Priesters. Zur sogenannten Apiariusaffäre im 5. Jahrhundert vgl. W. MARSCHALL, Karthago und Rom. Die Stellung der nordafrikanischen Kirche zum Apostolischen Stuhl in Rom, Stuttgart 1971, 161—203.

[106] Leo, Ep 11; MGH.Ep 5, 590, 1—16: *Inhonestum atque incongruum noscitur fore, si absque ventilationis examine eos derelinquimus, quos pro depositione honoris proprii sedem apostolicam expetisse et ad eam litteris propriis proclamasse dignoscimus. De quibus, quantum deus annuere voluit, vobis per apostolicas litteras et missum nostrum mandare studuimus, ut congregata synodo iterum sacerdotum propter quod sedem apostolicam reclamarunt, depositorum ibidem vice alia sententia tractaretur; et si, quod minime speramus, vestro noluissent oboedire vel obtemperare iudicio, eis ad sedem apostolicam veniendi nullius possit hominis impedimentum nocere. Item. Hunc venerabilem et*

für sein Vorgehen auf Sardika beruft oder nicht, nimmt Nikolaus I. bei der Annahme der Appellation des Rothad von Soissons ausdrücklich auf die Sardikakanones Bezug.[107] Richtig ist bei der dabei vorgelegten Interpretation[108] die Auffassung, daß die Zulassung der Appellation unabhängig ist von der objektiven Qualität der causa. Es genügt in der Tat, daß der Verurteilte subjektiv der Meinung ist, er sei im Recht. Falsch aber ist es, wenn Nikolaus behauptet, Sardika schreibe in jedem Fall, auch wenn kein Appell des Verurteilten vorliegt, die Weiterleitung des Falles durch die Synode selber nach Rom vor. Und auch damit verläßt der Papst den Boden des Konzils von Sardika, daß er die Restitution Rothads selber in Rom vornimmt, statt die Neuverhandlung des Falles in der Provinz, gegebenenfalls im Beisein römischer Legaten, vorzuschreiben.[109] In der sehr weiten Auslegung von Sardika folgt Hadrian II. der Praxis seines Vorgängers. Er verweigert die Bestätigung der Synode von Douzy (871), die Hinkmar von Laon verurteilte, und verlegt das weitere Verfahren nach Rom.[110]

---

reverentissimum virum, Petrum scilicet Spoletinum episcopum, iuxta promulgationes canonum ad renovandum concilium illis in partibus vice nostra direximus, cum quo fraternitas vestra congregatis rursum episcopis depositorum clamantium facilius trutinare ac sopire auxiliante domino causas valebit; et si evenerit, ut in ipsa debeant depositione persistere et oboedire renuerint, sedemque apostolicam iterum expetierint, ne — quod nullo modo optantes dicimus — sedis apostolicae privilegium dissolvatur, illis ad eam veniendi licentia non negetur.

[107] Vgl. MGH.Ep 6, 353, 23: *iuxta quod sibi a patribus constat esse permissum;* ebd. 354, 4: *ipsos paternos canones ... disruperitis;* ebd. 357, 16: *in contemptu beati Petri apostoli, cuius iudicium* (Rothadus) *expetivit, et in contumelia sacrorum canonum;* vor allem 358, 5—20: *Quis autem nesciat constituta Sardicensis concilii, quae praecipiunt aliquot capitulo quarto* (Zitat von Kanon *Si quis ... iudicaverit*).

[108] Ebd. 357, 20—31: *Sed, sicut in suggestionem vestrarum invenimus scriptis non habuisse Rothadum appellationis vocem affirmare conamini, eo quod non habuerit bonam causam: cum constet saepefatum Rothadum usque hodie bonam se habere causam putare, et venerandum concilium non solum eum, qui causam habet, sed et illum, qui se bonam causam habere saltem putaverit, sedem apostolicam appellare permiserit et huius ab ea iudicium renovandum decreverit. Maxime cum iuxta constitutionem sanctae huius synodi, etiamsi numquam reclamasset numquamque sedis apostolicae mentionem fecisset, a vobis qui causam eius examinastis, memoria sancti Petri honorari debuerit atque ei se scribi, ut, si iudicaret renovandum esse iudicium, renovaretur, et daret iudices, verba certe — sicut superius commemoravimus ex eiusdem concilii sanctione — quae sibi probata viderentur statueret.*

[109] H. SCHRÖRS, Hinkmar, Erzbischof von Reims. Sein Leben und seine Schriften, Freiburg 1884, 264—267, beurteilt dieses Vorgehen des Papstes sicher zu milde, treffender ist schon Hinkmars Kommentar, vgl. S. 107.

[110] Hadrian, Ep 74, MGH.Ep 6, 739, 31—740, 6: *Igitur de Hincmari Laudunensis episcopi depositione pontificio nostro scripsistis, quatenus de eo secundum quod canonicum est vobis rescribere iuberemus. Primo denique vestrae debemus respondere charitati, quia, cum clamaret in synodo se ad sedem apostolicam velle incunctanter venire atque in praesentia eius pro obiectis sibi ab adversario criminibus respondere, damnationis in eum non erat proferenda sententia. Tamen, sicut ipsius concilii actionibus legitur, quoniam salvo in omnibus iudicio sedis apostolicae illum ab episcopis fuisse iudicatum asseritis, nos — non aliqua contra quoslibet commoti invidia nec alterius culpam in alterum retorquere*

Berufung, Bestätigung durch den Römischen Stuhl, gegebenenfalls Vorsitz durch die Legaten, dies alles zusammengenommen läuft auf eine allseitige Unterordnung der fränkischen Synode unter den Papst hinaus. Gewiß, der Papst steht nach dieser römischen Konzilstheorie zunächst nur über der fränkischen National- oder Reichssynode. Diese stellt aber unter den konkreten historischen Gegebenheiten des ausgehenden 9. Jahrhunderts die einzige Synode im Abendland dar, die den Anspruch erheben könnte, über dem Papst zu stehen oder zumindest unabhängig von ihm zu sein. Die römische Konzilsidee jener Jahre enthält somit im Keim die grundsätzliche Überwindung des Konziliarismus.

Aufschlußreich ist die Gegenprobe. Nach dem Pontifikat Nikolaus' I. stand die Frage im Raum, ob eine Synode die Sanktionen dieses Papstes in der Ehesache Lothars II. († 869) und die von ihm über Erzbischof Günther von Köln († 871) und Zacharias von Anagni verhängten Amtsentsetzungen rückgängig machen könnte. Hinter diesem Ansinnen stand wohl auch der Kaiser selber. Wer Sanktionen aufheben kann, gibt sich als die höhere Instanz zu erkennen. Das eigentliche Anliegen der Hadrian II. zugeschriebenen Rede *Quod vestra* ist nun gerade dies, nämlich zu zeigen, daß eine Synode päpstliche Sanktionen nicht aufheben kann, und zwar deswegen nicht, weil der Römische Stuhl mit dem Primat ausgestattet ist.[111] Bestenfalls kann der Papst selber frühere Urteile des Römischen Stuhles aufheben oder verändern, oder vielleicht kann es ein Allgemeines Konzil, das dann auch Bischöfe der Reiche und Orte miteinschließt, in denen die mit den Sanktionen versehenen Vergehen begangen wurden, aber die hier versammelte partikuläre Synode kann es nicht![112]

---

cupientes — volumus et auctoritate apostolica — nullius partis favorem aut obsequium, sed rei gestae veritatem magis invenire cupientes — iubemus ipsum Hincmarum Laudunensem episcopum vestra fretum potentia ad limina sanctorum apostolorum nostramque venire praesentiam. Quo sane veniente veniat pariter accusator idoneus, qui nulla possit auctoritate legitima respui. Et tunc in praesentia nostra et totius sedis Romanae synodali collegio causa illius prudenti ventilata examine ac diligenter inquisita secundum deum et sacrorum canonum constitutiones spiritu dei prolatas sine protelatione aliqua finietur. — Zu Einzelheiten vgl. SCHRÖRS, Hinkmar 340 ff.

[111] Hadrian, *Quod vestra*, Ausgabe MAASSEN 533: *Scitis enim melius ipsi, quia prae omnibus Christi ecclesiis per potestatem beatissimi Petri apostoli sancta Romana ecclesia obtinet principatum, ita ut illa suo cuncta iudicio comprehendat et de eius nemini iudicare iudicio liceat; si quidem (ut arbitramur nunc, interius tamen testificamur) nullus ab ea depositus est restauratus, et, si fortisan est, non utique indiscrete, quia Christus futurorum praescius optime quidem praescivit minime in sede Petri apostoli sui fore sessurum pontificem, qui iniuste iudicaret aut deponeret quemquam, quem oporteret iuste postmodum restaurare.*

[112] Ebd. 538—539: *De iudicio sedis apostolicae ipsius beati papae Gelasii inhibiti sententia retractare non audemus. Iam vero si ita placet, ea, quae ipsa sedes iudicavit, quod vix sine discrimine*

Wenn man an die hier tagende Bischofsversammlung das Ansinnen stellt, die Sanktionen des Papstes Nikolaus aufzuheben, so handelt es sich im Grunde um eine Berufung von der höheren an die niedrigere Instanz. Eine solche Berufung ist aber völlig unzulässig. Dies ergibt sich übrigens auch aus einem Blick auf den Instanzenzug im weltlichen Gerichtswesen. Nie kann von der höheren an die niedrigere Instanz appelliert werden![113] Auf die übrigen Argumente, mit denen der Redner seine überaus geschickte Ansprache untermauert, werden wir weiter unten noch näher einzugehen haben. Es ist immerhin interessant zu sehen, daß schon im 9. Jahrhundert die Frage der Superiorität von Papst oder Konzil unter der Rücksicht der Erlaubtheit oder Nichterlaubtheit von Appellationen von der einen an die andere Instanz diskutiert wird!

Die zweite Weise, den römischen Primat innerhalb des bestehenden Synodalwesens zur Geltung zu bringen, besteht im Versuch, einen neuen Typ von Synode, nämlich eine päpstliche Generalsynode, zu schaffen. Es ist Nikolaus I., der als erster den Gedanken faßt, die Bischöfe des gesamten Frankenreiches zu einer großen allgemeinen Synode nach Rom zu berufen. Mitte des Jahres 864 verschickt er zum ersten Mal Einladungen zu einer solchen päpstlichen Generalsynode an die fränkischen Bischöfe, die im November des gleichen Jahres in Rom

---

fieri potest, retractet; potestas enim illi a subditis non adimitur. Videat tamen, quae faciat, ne in divino iudicio coram summo deo, qui omnium potestatum iura gubernat et cunctis saeculis dominatur, districtam rationem ponat. Porro, si quis nos cogere conans ad sedis apostolicae retractandum iudicium unanimitatem nostram commoverit, praevideat unde causa praevaricationis sumat exordium et quo finis conclusio dirigat cursum. Nos enim petimus et humiliter suggerendo praecamur ac per omnes dei virtutes, quantum possumus, adiuramus, ut, si placet de sedis apostolicae iudicio retractari et, quod inhibitum est, iudicari, hoc agatur concilio et tractatu non solum nostrorum sed etiam istorum regnorum episcoporum nec non et, si fieri potest, Orientalium, utcumque antistitum, ubi scelera, quorum ultio falso iniusta dicitur, pro dolor, sunt admissa.

113 Ebd. 540—541: *Postremo iam, quia compellimur et a sedis apostolicae maiori auctoritate atque iudicio ad minorem, quod non debet fieri, proclamatur, habemus alias auctoritates, quae nos sine omnium episcoporum, tam Orientalium, scilicet quam Occidentalium, quos diximus, praesentia de his aliquid examinare non statuunt ... Cum nemo (ne)sciat sanum sapiens nec etiam Guntharium et Zachariam lateat, quod ad illicita compellimur et ad ecclesiae laesionem prohibita contingere cogimur. Iudicatum est enim iuste de illis et per sedem apostolicam, ubi totius iudicii summa potestas est et auctoritas, de his exstat deliberatum; a qua nemo est appellare permissus, de cuius iudicio retractari non licet, cuius sententia debet fine tenus insolibilis permanere, si christianitatis vigorem et opus quis non coeperit conculcare. Porro, si in mundanis quislibet suspectum habet iudicium, praesentiam ducis requirit; si ducem suspectum habet, praesidem adit; si et ipsum suspectum habet, ad imperatorem, a quo iam non est appellandum, recurrit, quanto magis in ecclesiasticis id observandum est, ut, si aliquis iudicatur ab inferioribus, debe(a)t ad sublimioris sedis, hoc est apostolicae, iudicium proclamare! Ab illa autem iudicatus, qualiter ad inferiores debeat proclamare, nullis exemplis, nullis iudiciis, nullis legibus nullisque traditionibus omnino repperimus.*

stattfinden sollte.[114] Aber das geplante Generalkonzil kam nicht zustande; er wiederholt die Einladung am 17. September 864 und setzt
als Termin für das projektierte Konzil den 18. Mai 865 und wiederum
als Ort Rom fest. Als Verhandlungsgegenstand nennt er die „unzähligen
gemeinsamen Nöte des Volkes Gottes".[115] Aber auch dieses Konzil
kommt wiederum nicht zustande. Nikolaus beklagt sich über das Scheitern seines Konzilsplanes im Brief an Ludwig den Deutschen und Karl
den Kahlen. Er läßt die von den beiden Königen vorgebrachten Ent-
schuldigungen für das Fernbleiben der Bischöfe nicht gelten. So
schlimm sind die Zeitläufe wiederum auch nicht, daß man nicht je zwei
Bischöfe aus jeder Provinz hätte delegieren und nach Rom entsenden
können.[116] Entschieden weist der Papst die Meinung zurück, ein solches
Generalkonzil sei gar nicht notwendig. Ein solches gemeinsames Konzil, in dem Papst und Bischöfe gemeinsam gegen die gemeinsamen Nöte
angehen, ist von höchstem Nutzen und entspricht ganz der Praxis der
Alten Kirche.[117]

Noch ein drittes Mal geht dem Papst der Gedanke an ein solches päpstliches Generalkonzil durch den Kopf, und zwar im Jahre 867, als er die
fränkischen Bischöfe zur Verteidigung der römischen Kirche gegen die
Angriffe des Photius auffordert. Eine solche Synode wäre eine große
Kundgebung der westlichen Kirche als solcher, gleichsam das Gegen-

---

[114] Nik., Ep 29, MGH.Ep 6, 297, 12—18: *Verum ut unum vos nobiscum sapere et velle liquidius
ostendatis, hortamur, quatenus binos de collegio sacerdotali vestrae sanctitatis legatos omnium vestrorum
vices agentes circa Kalendas Novembres ad apostolicam sedem destinare curetis, quo temeratorum
semelque damnatorum et totius mali auctorum recidiva radicitus amputata praesumptione sanctae
ecclesiae ex hoc (u)nitas generetur et divinae trinitati debita laus et gratiarum actionum sempiterna
gloria referatur.*

[115] Nik., Ep 31, ebd. 301, 12—17: *Praeterea fraternitas vestra noverit deo auctore pro hoc et pro
communibus ecclesiasticis et innumeris necessitatibus plebis dei quinta decima Kalendas Junii synodum
nos Romae celebraturos. Ad quam sanctitas vestra, si possibile illi fuerit, venire ne utcumque detrectet;
sin autem, duos fratrum et coepiscoporum nostrorum, suffraganeorum scilicet vestrorum, praesignato
tempore pro sua vice tenenda omni remota occasione transmittat.*

[116] Nik., Ep 38, ebd. 309, 30—32: *Non enim credibile potest existere, ut adeo longius disparetur
regnum tuum, ut, sicut supra meminimus, cis illius cor vel binos unius aut duarum metropoleon legatos
omnium vices agentes dirigere non valuisses.*

[117] Ebd. 310, 13—22: *Sed intelligi datur eos monitis nostris non velle parere propter illud, quod in
litteris vestris subditur. Dicunt enim post aliquanta, ut episcopos de regnis vestris ad synodum Romam
mittendi necessitas non postulet. Unde si vos fortasse aliter dicitis, nos illud dicimus, quod divinitus
revelatur, quia, cum novitatum mala multiplicari videamus, si ex diversis provinciis fratres in invicem
convenissent iuxta priscum morem et nos consensu illorum revelante domino quae decernenda sunt
decerneremus et ipsi necessitates suas referentes et nos nostras exponentes quae decreta fuissent melius in
omnium notitiam facerent pervenire, qui semper synodalem conventum a nobis aggregari petierunt.
Sicque fieret, ut secundum qualitatem morbi medicina conficeretur et ad sananda vulnera longe lateque
effunderetur.*

stück zur Ökumenischen Synode des byzantinischen Kaisers. Und es wäre im Grunde keine Neuerung. Auch früher schon hat sich der westliche Episkopat mit dem Papst zusammen versammelt, sowohl um die Probleme der „allgemeinen Kirche" zu lösen[118], als auch die dieses „besonderen" Sitzes.[119] Aber es blieb alle drei Male beim Projekt. Die Konzilien scheiterten am stillen Widerstand der fränkischen Könige und wohl auch der Bischöfe selber. Diese ahnten wohl, was auf dem Spiele stand, und sahen nur allzu deutlich, welche Machtentfaltung ein solches Generalkonzil in der Hand des Papstes dargestellt hätte. A. Greinacher schreibt zu Recht: „Es war ein großer Gedanke des Papstes, die Landeskirchen des Abendlandes selbst für Rom aufzurufen, um in ihrem Bunde einen wuchtigen Schlag gegen das ‚Staatskirchentum Byzanz' zu führen. Man kann daraus in etwa ermessen, was eine abendländische Synode in der Hand eines Nikolaus bedeutet hätte".[120]

Von den hier skizzierten römischen Konzilsplänen her fällt nun auch, wie uns scheint, neues Licht auf Kanon 17 des sogenannten achten allgemeinen Konzils von Konstantinopel. Beachtet wurde in ihm bisher nur der zweite Teil, in dem vom Verhältnis der weltlichen Macht zu den Konzilien die Rede ist.[121] Wahrscheinlich wegen des Schlußsatzes,

---

[118] Hier denkt Nikolaus wohl an die Lateransynode von 769, in der der Gegenpapst Konstantin abgesetzt und in der Bilderfrage Stellung bezogen wurde, und zu der die fränkische Bischöfe eingeladen worden waren.

[119] Nik., Ep 100, ebd. 606, 29—607, 7: *Verum pro his et his similibus causis canonice discutiendis et rite definiendis tam vestram quam aliorum fratrum et coepiscoporum nostrorum reverendam ad nos convocare vellemus praesentiam nisi nos diversae mundi calamitates et cotidianae pressurae id gerere vetuissent. Sed quae nobiscum ageretis praesentes, hortamur agite saltem absentes; qui tamen, dum intra sinum caritatis, quam latum mandatum psalmista nuncupat, vos circumplectentes semper intuemur quasi praesentes, terrarum profecto spatiis numquam potestis haberi visibus nostris absentes. Verumtamen si huc veniendo recusatis laborem arripere, nec iussa terreni principis nec ulla impedimenta saeculi pium studium vestrum a communi hac ecclesiastici negotii meditatione seu necessaria sollicitudine cohibere quoquo modo valeant. Alioquin vestram ad nos fraternitatem convocandi et pariter de huiusmodi quaestionibus tractandi nobis erit omnino necessitas, ut videlicet iuxta pristinam consuetudinem nobiscum in id ipsum apud sanctum Petrum convenientes communes ecclesiae contumelias repellamus, qui commune sacerdotii culmen in Christi ecclesia, singuli secundum suorum qualitatem privilegiorum, promeruisse dignoscimur. Praecipue cum non solum propter huiusmodi generalis ecclesiae negotium, sed etiam pro specialis huius sedis exorta causa praedecessores vestri una cum praedecessoribus nostris hic soliti sint non inmerito convenire.*

[120] A. GREINACHER, Die Anschauungen des Papstes Nikolaus I. über das Verhältnis von Staat und Kirche, Abhandlungen zur mittleren und neueren Geschichte 10, Berlin 1909, 37; vgl. auch DÜMMLER, Geschichte II, 99—101, 115—116; PERELS, Papst Nikolaus I. 117 bis 119. — TANGL 31 sieht auch in der von Hadrian II. geplanten Synode für März 870 in der Ehengelegenheit Lothars den Versuch, eine Generalsynode, wenn auch kleineren Umfangs, zu versammeln. Der Plan scheitert am jähen Tod Lothars am 8. August 869.

[121] Kanon 17; PL 129, 158 A: *Illud autem tamquam perosum quiddam ab auribus nostris repulimus, quod a quibusdam imperitis dicitur, non posse synodum absque principali praesentia celebrari, cum*

der eine deutliche Anspielung auf die Vorgänge um die Absetzung des
Ignatius vom Konstantinopler Patriarchenthron enthält, bezog man den
gesamten Passus, ja eigentlich den ganzen Kanon, auf die östlichen
Patriarchate, das heißt eigentlich Byzanz, und sah in ihm eine Kritik
des byzantinischen Caesaropapismus.[122] Wir wollen es offenlassen, ob
das Konzil in diesem zweiten Teil des Kanons tatsächlich nur den byzantinischen Caesaropapismus im Visier hat; worauf es uns hier ankommt,
ist die Feststellung, daß der erste Teil des Kanons, mag auch allgemein
von den Rechten der Patriarchen die Rede sein, doch speziell Übelstände des römischen Patriarchats im Auge hat und diese abstellen will.
Um welche Übelstände handelt es sich? Es gibt Metropoliten, führt der
Kanon aus, die von ihren Landesherren tatsächlich daran gehindert werden, am Patriarchalkonzil ihres *praesul apostolicus* teilzunehmen. Andere
wollen selber gar nicht der Einladung Folge leisten. Sie besorgen sich
entsprechend ein „Verbot" ihres Landesherren, oder sie entschuldigen
sich mit dem Hinweis auf die Inanspruchnahme durch das eigene
Metropolitankonzil. Daran, daß sich diese Lagebeschreibung auf den
römischen Patriarchat bezieht, kann nach unseren bisherigen Ausführungen über die römischen Konzilspläne kein Zweifel sein, zumal
wenn man sich daran erinnert, daß Nikolaus' I. Projekt eines fränkischen Generalkonzils in Rom im Jahre 865 am Widerstand Karls
des Kahlen und Ludwigs des Deutschen gescheitert ist. Der Kanon
hat offensichtlich auch einen Fall wie den des Johannes von Ravenna
im Auge, der die Konzilsvorladungen nach Rom frech in den Wind
schlägt.[123]
Erklärtes Ziel des ersten Teils des Kanons ist es demgemäß, zum einen
das Recht des römischen Patriarchen herauszustellen, seine Metropoliten, das heißt aber die ganze abendländische Kirche, zur Patriarchalsynode zu versammeln, zum anderen, Behinderungen von seiten der
weltlichen Macht zu verbieten. Es handelt sich dabei nicht um ein völlig
neu geschaffenes Recht, sondern vielmehr um eine Fortentwicklung
des Kanons 6 von Nicaea, der eine Oberhoheit des Patriarchen über

---

*nusquam sacri canones convenire saeculares principes in conciliis sanxerint, sed solos antistites. Unde nec
interfuisse illos synodis exceptis conciliis universalibus invenimus; neque enim fas est saeculares
principes spectatores fieri rerum quae sacerdotibus dei nonnumquam eveniunt.*
[122] Vgl. M. JUGIE, IV. concile de Constantinople, in: DThC 3.b (1911) 1274—1291.
„(Le concile) touche par là à la racine du mal, dont souffrait l'Eglise byzantine", ebd. 1281.
[123] Liber Pontificalis, Ausgabe DUCHESNE II, 155, 23—24: (Johannes) *vocatus a summo
pontifice Romam se ad synodum non debere occurere iactitabat.* Vgl. auch 157, 23, wo die Vorschrift des ad-limina-Besuchs sich konkret wohl auf die Teilnahme am römischen Patriarchal-
Konzil bezieht.

seine Metropoliten vorsieht.[124] Diese Oberhoheit wird jetzt auf den konkreten Fall der Synode angewandt: die Patriarchen, sprich der römische Bischof, hat die Vollmacht, seine Metropoliten zu versammeln, er darf in seiner Konzilsversammlung durch die weltliche Macht nicht behindert werden. Ausdrücklich knüpft der Kanon an Kanon 6 des Konzils von Nicaea an.[125] Damit ist deutlich: Mit Kanon 17 gibt das sogenannte achte Allgemeine Konzil von Konstantinopel dem Projekt einer päpstlichen Generalsynode des Abendlandes die höchstmögliche kirchenrechtliche Absicherung.

Es scheint, daß Johannes VIII. den Konzilsplan seines Vorgängers und damit auch die Idee einer abendländischen Patriarchalsynode nach Kanon 17 der Synode von Konstantinopel 869/70 wiederaufgegriffen hat. Vielleicht steht die Idee schon Pate bei der Ernennung des Ansegis von Sens († 983) zum päpstlichen *vicarius* für Frankreich und Deutschland auf dem Konzil von Ponthion (876).[126] Denn dieser ist mit der Vollmacht ausgestattet, Konzilien einzuberufen.[127] Sicher betreibt er das Projekt einer päpstlichen Generalsynode für August/September 878 während seiner Reise durch das Frankenreich.[128] In Briefen an Ludwig II. den Stammler († 879), Ludwig III. († 882) und Karlomann († 880) vom April 878 kündigt er das Projekt zunächst in unbestimmter Weise an. Der Ort und der genaue Termin werden noch nicht genannt.

---

[124] COD, 2. Aufl. 8—9: *Antiqua consuetudo servetur per Aegyptum, Libyam et Pentapolim, ita ut Alexandrinus episcopus horum omnium habeat potestatem quia et urbis Romae episcopo parilis mos est.* — Zur kontroversen Interpretation von Kanon VI vgl. u. a. H. LINCK, Zur Erläuterung der Kanones IV, VI und VII von Nicaea, Gießen 1908, 39—50.

[125] PL 129, 157 B—D: *Sancta et universalis Nicaena prima synodus antiquam consuetudinem iubet servari per Aegyptum, et provincias quae sub ipsa sunt, ita ut horum omnium Alexandrinus episcopus habeat potestatem dicens: Quia et in Romanorum civitate huiusmodi mos praevaluit, qua pro causa et haec magna et sancta synodus tam in seniori et nova Roma, quam in sede Antiochiae ac Hierosolymorum priscam consuetudinem decernit in omnibus conservari ita ut earum praesules universorum metropolitanorum, qui ab ipsi promoventur, et sive per manus impositionem, sive per pallii dationem, episcopalis dignitatis firmitatem accipiunt, habeant potestatem, videlicet ad convocandum eos, urgente necessitate, ad synodalem conventum vel etiam ad coercendum illos, cum fama eos super quibusdam delictis forsitan accusaverit. Sed quoniam sunt quidam metropolitanorum, qui ne secundum vocationem apostolici praesulis occurrant a mundi principibus se detineri sine ratione causantur, placuit talem excusationem omnimodis esse invalidam. Cum enim princeps pro suis causis conventus frequenter agat, impium est ut summos praesules ad synodos pro ecclesiasticis negotiis celebrandum impediant, vel quosdam a conciliis eorum prohibeant, licet tale impedimentum et fictam prohibitionem metropolitanorum suggestione diversis modis fieri didicerimus. Consueverunt autem metropolitani bis in anno synodos facere, ideoque, sicut dicunt, ad patriarchale penitus non posse concurrere caput.*

[126] Vgl. hierzu DÜMMLER, Geschichte II, 407—408; SCHRÖRS, Hinkmar 358—359.

[127] Joh., Ep 3, MGH.Ep 7, 316, 10—13: *Constituimus Ansegisum fratrem et coepiscopum nostrum Sennensis ecclesiae praesulem, qui quotiens utilitas ecclesiastica dictaverit, sive in vocando synodo sive in aliis negotiis exercendis par Gallias et Germanias vice nostra fruatur.*

[128] Einzelheiten und äußere Umstände bei DÜMMLER, Geschichte II, 77—90.

Das Ziel einer solchen Generalsynode ist die „Förderung und Erhöhung der ganzen heiligen Kirche". Die genannten Könige sollen die Einladung allen Erzbischöfen und Bischöfen ihrer Reiche kundtun.[129] Weitere Einladungsschreiben zu diesem „Universal"-Konzil sind erhalten, zunächst noch solche ohne präzise Orts- und Zeitangabe für das künftige Konzil, so an Anspert von Mailand[130], an Theoderich von Besançon[131], an die nicht näher bekannten Brüder Miro und Sunefrid[132], an den Erzbischof von Tarentaise[133], an Rostagnus von Arles.[134] Im Brief an dessen Suffragane wird als Versammlungsort Langres genannt.[135] Ungewiß dagegen ist noch der Ort im Einladungsschreiben an Hinkmar von Reims, Ansegis von Sens, Frotarius von Bordeaux, Johannes von Rouen.[136] Im Juni/Juli verschickt Johannes VIII. dann Einladungsschreiben zu einer „Universal"-Synode mit genauer Ortsangabe, nämlich Troyes, so an Hinkmar von Reims[137], Isaak von Langres[138], Frotarius.[139] Auch die Kaiserin Angelberga († um 900) wird von der für August in Troyes geplanten Versammlung in Kenntnis gesetzt.[140] Im

---

[129] Joh., Ep 87, MGH.Ep 7, 83, 22—23: *Domino miserante apud vos synodum celebraturi sumus cunctis populis christianitatis pernecessarium*; Ep 88, ebd. 84, 30—34: *Domino miserante ,universalem' synodum celebrare disponimus, totius sanctae ecclesiae vobis obsecundantibus provectum et exaltationem loco congruo satagemus peragere. Quod, quaeso, regni vestri omnibus archiepiscopis coepiscopisque nostris innotescere dignamini eosdemque nobis adesse continua maturitate accelerare monete*; Ep 89, ebd. 85, 30—34: *Assumpsimus laboriose periculum et commodum duximus Franciam ire vestramque fraternam conpagem in pacis et unanimitatis vinculum consolidare, vestrae matris saepedictae liberationem sanctae Romanae ecclesiae necessarie quaerere. Vos quidem, illic omnesque vestrorum regnorum episcopos ad synodum celebrandum venire hortamur.*
[130] Joh., Ep 96, ebd. 90, 21—26: *Pro innumeris igitur et multiplicibus oppressionum angustiis totius sanctae ecclesiae in orbe terrarum diffusae synodum ,universalem' Christo opitulante in Francia, quia in Italia persecutione malorum crassante ... minime potuimus, sumus celebraturi, ad quam fraternitatem vestram quantocius omni mora postposita occurere ammonemus cum cunctis coepiscopis ac suffraganeis vestris.*
[131] Ep 134, ebd. 118.
[132] Ep 119, ebd. 108.
[133] Ep 107, ebd. 117.
[134] Ep 132, ebd. 116.
[135] Ep 133, ebd. 117.
[136] Ep 113, ebd. 104, 31—105, 5: *Canonica instituta servantes oportet nos, quotienscumque ecclesiae inierunt passiones, sacerdotum collegia aggregare, ut simul venientibus salubre universae ecclesiae consilium et totius christianitatis fidem eidem imponant et aequitatem omnium moderamine queat congrue dilimari. Idcirco vestram hortamur sanctitatem, dum Ludovici gloriosi regis adventum audieritis, quando ad nos venire conaverit, in quo loco celebraturi concilium incerti tenemur, sed vos audientes comperietis, mox ut praesentes susceperitis nostras apostolicas litteras, omni mora reposita ad nos venire non differatis.*
[137] Ep 118, ebd. 108.
[138] Ep 126, ebd. 113.
[139] Ep 149, ebd. 126.
[140] Ep 91, ebd. 87, 10: *Cum universis Galliae episcopis synodum ,universalem' celebrabimus.*

August geht noch ein Einladungsschreiben an Frotarius von Bordeaux[141]
und Luidbert von Mainz.[142]

Weiter oben haben wir auf die in den Einladungsschreiben zu den
römischen Konzilien benutzten Formeln hingewiesen. Aufschlußreich
ist nun der Vergleich der dort und hier gebrauchten Verben, mit denen
die päpstliche Einladung zum Ausdruck kommt. War dort das *iubere*,
mandare, *velle* usw. absolut vorherrschend, so sind es hier, in den Einladungsschreiben zur päpstlichen Generalsynode in Troyes, Verben
wie *monemus*, *hortamur* usw. Aber auch *iubemus* und *mandamus* kommen vor.[143]

Tatsächlich kam es nun aus verschiedenen Gründen nicht zur geplanten
Generalsynode des gesamten fränkischen Episkopats.[144] An der Versammlung in Troyes nahmen nur 10 westfränkische Metropoliten zusammen mit 33 Bischöfen teil. Aus Deutschland war überhaupt kein
Bischof gekommen. Entsprechend ist im Brief vom November 878 an
den *comes* Berengarius im Rückblick auf Troyes auch nicht mehr von
einer *synodus universalis / generalis*, sondern nur noch einfach von *synodus*
die Rede.[145] Johannes VIII. ist mit dem Plan einer päpstlichen General-
versammlung des gesamten fränkischen Episkopats ebenso gescheitert
wie zwölf/dreizehn Jahre vor ihm Nikolaus I. Die Zeit war für solche
Pläne offensichtlich noch nicht reif, das Papsttum noch nicht stark genug, die Stellung der Könige innerhalb ihrer Landeskirchen und -syn-
oden noch zu selbstverständlich und unerschüttert. Erst 1123 wird es
unter Kallixt II. zu einem päpstlichen Generalkonzil kommen, das man
später unter die großen allgemeinen Kirchenversammlungen zählen
wird (Lateranense I). Bei aller Ähnlichkeit des von Nikolaus I. und
Johannes VIII. verfolgten Konzilsprojekts ist jedoch auch auf den tief-
greifenden Unterschied hinzuweisen: Während Nikolaus I. auf dem
Höhepunkt seiner Macht zu einem solchen Konzil einlädt, kam Johannes VIII. praktisch als Verfolgter und Flüchtling ins Frankenreich.
Für die wahren Machtverhältnisse ist es im übrigen bezeichnend, daß
nicht der Papst, sondern Kaiser Karl der Kahle den Konzilsort bestimmt hat.

---

[141] Ep 104, ebd. 97.
[142] Ep 153, ebd. 128, 11: *ad nostrae mediocritatis conloquium atque „generalem' synodum iuxta
Christi voluntatem apud Trecas congregatam venire non omittatis.*
[143] Ebd. 107, 26; 116, 33.
[144] Zu Einzelheiten vgl. Dümmler, Geschichte III 83—88; Hefele-Leclercq IV 2, 666
bis 678.
[145] Ep 122, 19: *in Galliae partibus synodum celebravimus.*

4. Rom und das ökumenische Konzil

In den von uns untersuchten Zeitraum fällt auch das sogenannte achte Allgemeine Konzil von Konstantinopel.[146] Es ist zu erwarten, daß der Römische Stuhl sein Verhältnis zu diesem Typ von Konzilsversammlung mehr oder weniger ausdrücklich zu definieren suchen wird. Bevor wir den Beitrag der Päpste Nikolaus' I. und Hadrians II. näher ins Auge fassen und einen Blick auf das Konzil selber werfen, haben wir uns mit den diesbezüglichen Vorstellungen eines Mannes zu befassen, den wir in der Einleitung schon genannt haben. Sein Name ist bei unseren bisherigen Analysen noch nicht gefallen, mit seinen Ideen sind wir aber auch im vorausgehenden bei der Untersuchung der Papstbriefe wohl schon ständig konfrontiert gewesen. Wir meinen die Graue Eminenz dieser Jahre, Anastasius Bibliothecarius.

Eine erste Feststellung drängt sich im Blick auf dessen im eigenen Namen erschienenes Schrifttum auf: der päpstliche *dictator* (Briefschreiber) hat ein klares Bewußtsein vom möglichen Konflikt zwischen päpstlichem Primat und Ökumenischem Konzil. Es handelt sich offensichtlich in seinen Augen um zwei in der Führung der Kirche konkurrierende Instanzen. Ausdrücklich stellt er sich dem Problem des Antagonismus beider Größen im Zusammenhang der Honoriusfrage. Welcher Instanz ist der Vorzug zu geben? Papst Johannes IV. (640—642) hatte eine *Apologia pro Honorio papa*[147] verfaßt. Anastasius hat diese Apologie ins Lateinische zurückübersetzt, mit einem Vorwort versehen und sie an die Spitze seiner *Collectanea*, einer Textsammlung zum Monotheletenstreit[148], gesetzt. Im Vorwort nun geht er ausführlich auf den Konflikt der beiden Autoritäten, Papst und Konzil, ein. Entstanden ist er dadurch, daß das sechste Allgemeine Konzil Honorius als Häretiker verurteilt hat. Ein allgemein anerkanntes, weder im Westen noch im Osten bestrittenes Konzil hatte also einen Papst verurteilt! Natürlich kann Anastasius es nicht wagen, einfach dem Papst recht und dem Konzil unrecht zu geben, schon deswegen nicht, weil die römische Synode

---

[146] Vgl. hierzu u. a. MEIJER, A successful council; W. DE VRIES, Die Struktur der Kirche gemäß dem IV. Konzil von Konstantinopel (869/70), in: AHP 6 (1968) 7—42; D. STIERNON, Autour de Constantinople IV (869/70), in: REByz 25 (1967) 155—188; DERS., Konstantinopel IV. P. STEPHANOU, Deux conciles, deux ecclésiologies? Les conciles de Constantinople en 869 et en 879, in: OrChrP 39 (1973) 363—407.

[147] PL 129, 564—566.

[148] Nähere Charakterisierung dieser Sammlung bei LAEHR 437—441.

von 869 unter dem Vorsitz Hadrians II. die Verurteilung des Honorius ausdrücklich anerkannt hatte. Aber andererseits ist es ihm als entschiedenem Verteidiger des römischen Primats auch nicht möglich, die konziliare Verurteilung einfach hinzunehmen und Honorius wirklich als Häretiker zu betrachten. So baut er in dem Autoritätenkonflikt zwischen Papst und Konzil eine mittlere Position auf. Einerseits sucht er Honorius mit dem Hinweis zu entlasten, es handle sich hier vielleicht überhaupt um die Schuld des *dictator*, des päpstlichen Briefschreibers, und nicht des Papstes selber.[149] Oder wenn der Papst wirklich den Brief selber geschrieben hat, so ist ihm vielleicht die wahre Bedeutung der von ihm gebrauchten Begriffe entgangen?[150] Ist es nicht auch sonst schwer, die wahre Absicht eines Menschen aus seinen Worten und Taten zu erkennen?[151] Andererseits relativiert Anastasius entschieden die Autorität des Konzils und spart bei diesem Vorhaben nicht an verbalen Ehrfurchtsbezeugungen gegenüber der Konzilsversammlung. Haben die römischen Päpste die Konzilien nicht immer nur unter Vorbehalt und unter Einschränkungen angenommen? Man denke zum Beispiel an das erste Constantinopolitanum oder an das Chalcedonense! Hat nicht insbesondere Papst Gelasius eine allgemeine Regel aufgestellt, wenn er schreibt, Konzilien seien zu rezipieren, insoweit sie „zugunsten des Glaubens, d. h. der Gemeinschaft und der katholischen und apostolischen Wahrheit stattfinden, für die sie der Apostolische Stuhl bestimmt und die er auch nach ihrem Abschluß bestätigt hat".[152] In jedem Fall, stellt Anastasius abschließend fest, gilt das Urteil der Synode nur für

---

[149] Anast., Collectanea, Prologus, MGH.Ep 7, 424, 2—6: *Quis autem erit, qui nobis interim dicat, utrum ipse pro certo dictaverit epistolam, de qua illum anathematizandi fomitem calumniatores susceperunt, cum et ex scriptoris vel indisciplinatione vel in pontificem odio quid contingere tale potuerit, quamvis non ignoremus docente sancto Maximo in epistula sua, quam Marino scripsit presbytero, sanctissimum hanc scripsisse Iohannem abbatem.* — Die Stelle ist natürlich auch höchst aufschlußreich in Hinsicht auf seine eigene Diktator-Rolle unter den Päpsten Nikolaus bis Johannes VIII.!

[150] Ebd. 424, 6—9: *Esto, et ipse dictator extitit. Quis hinc illum interrogavit? Quis intentionem investigavit? Quis hunc corrigere voluit et ille percontanti aut emendare conanti restitit vel contentionibus serviens resultavit?*

[151] Ebd. 424, 9—26.

[152] Ebd. 427, 24—425, 2: *Sed ne videamur tam sanctam tamque reverendam synodum accusare vel temere reprehendere, licere nobis opinamur de illa sentire, quae sanctos patres nostros de Chalcedonensi magna synodo sensisse non ignoramus ... Omnes synodos sic recipiendas decernat, ut Chalcedonensem synodum admittendam fore praedictus sanctus Gelasius papa describit, pro fidei scilicet communione et veritate catholica et apostolica, pro qua hanc fieri sedes apostolica delegavit factamque firmavit* (Ausgabe THIEL 558). — Zur genaueren Interpretation dieser Gelasius-Regel vgl. SIEBEN, Konzilsidee 275—278.

den Honorius, den sie vor Augen hatte. War er selber in Wirklichkeit anders, so trifft ihn das Urteil des 6. Allgemeinen Konzils nicht.[153]

Man täusche sich nicht, hinter diesen gewundenen und schillernden Ausführungen steht doch ein fester und klarer Gedanke, den Anastasius freilich nicht direkt auszusprechen wagt: Im Konfliktsfall, wenn Papst und Konzil einander widersprechen, wenn zum Beispiel das Konzil den Papst als Häretiker bezeichnet, dann gilt die entsprechende Aussage des Konzils nicht, dann irrt sich das Konzil, so wie es sich in der Vergangenheit von Fall zu Fall in einzelnen Punkten immer wieder geirrt hat. Letztes Kriterium für die Wahrheit in der Kirche ist eben nicht das Konzil, sondern der Papst.[154]

Noch in einem anderen Zusammenhang, nämlich einer Stellungnahme zur östlichen Pentarchieidee, kommt Anastasius auf das Verhältnis Papst / Ökumenisches Konzil zu sprechen. Auf dem sogenannten achten Allgemeinen Konzil von Konstantinopel selber hatten östliche Theologen die Pentarchie mehrmals mit überaus lobenden Worten bedacht, so zum Beispiel Elias, der Stellvertreter des Jerusalemer Patriarchen[155], so in begeistertem Triumphalismus Metrophanes von Smyrna[156], so der

---

[153] Ebd. 425, 1—7: *Verum si omnia exaggerare volumus, quae in Honorii papae excusationem olligere possumus, facilius charta nobis quam sermo deficiet, et interpretandi propositum ad dictationis profecto vertemus eloquium. Unum tamen dicemus, quod reticere procul dubio non debemus, quia talis est dictus Honorius, qualis est et pronuntiatus; quodsi talis non fuit, cui sit praefixa sententia, profecto non erit, quoniam, sicut scriptum est, homo videt in facie, deus autem in corde.* — Vgl. auch KREUZER 116—117.

[154] Vgl. Anast., Widmung der Vita Johannis patriarchae an Nikolaus I., ebd. 397, 7—16: *Sed licet membranas inciderim, scedulas praeparaverim, non tamen hunc in codicem conficere ausus sum, antequam a dominatione vestra, o milies beate, licentiam adipisci promerui. Neque enim fas est, ut absque vicario dei, absque clavigero caeli, absque curru et auriga spiritalis Israel, absque universitatis pontifice, absque unico papa, absque singulari pastore, absque speciali patre, absque te omnium arbitro, aliquid consummetur aut divulgetur. Tu enim tenes claves David, tu accepisti claves scientiae. In arca quippe pectoris tui tabulae testamenti et manna caelestis saporis requiescunt. Tu enim, quod ligas, nemo solvit; quod solvis, nemo ligat. Qui aperis et nemo claudit, claudis et nemo aperit; vicem namque in terris possides dei.*

[155] Elias, Interpretatio syn. VIII. generalis, Actio I; PL 129, 45 B—C: *Nostis omnes, amici Christi, fratres, quia spiritus sanctus, qui locutus est in prophetis, ipse et in apostolis est affatus, et omnia quaecumque gesta sunt a patribus nostris olim et in lege posita sunt et gratia spirituali acta consistunt. Et ideo patriarchalia capita in mundo posuit spiritus sanctus, ut in ecclesia dei pullulantia scandala per ea exterminentur et pacifica constitutio in ipsa interveniat et concedatur.*

[156] Metroph., Actio VI, ebd. 83 B—84 C: *Justitiae sol, qui est magnum et verum ac divinum principaleque lumen ... qui dixit ,Fiant luminaria in firmamento coeli' ad illuminationem terrae, fecit 'duo magna luminaria, luminare quidem maius in principio a diei, minus autem in principio noctis, et posuit ea in firmamento caeli, ut praesint diei ac nocti' (Gen 1, 14 ff.), et tamquam quaedam magna luminaria, videlicet quinque patriarchalia capita in illuminationem totius terrae, quo praesint diei et nocti, et separent inter lumen ed tenebras ... Tales, ergo, magna luminaria, piissime et Christo*

Kaiser selber, der das konziliare Urteil der fünf Patriarchen für irrtumsfrei erklärt hatte[157], so vor allem der Patricius Baanes, der Stellvertreter des Kaisers auf dem Konzil, der den fünf Patriarchen in aller Form Unfehlbarkeit zugeschrieben hatte, und zwar in der Weise, daß immer zumindest einer der Patriarchen an der Wahrheit festhält.[158] Diese in den Konzilsakten festgehaltenen Äußerungen zur Pentarchie implizieren nun ein Kirchenverständnis, dem Anastasius begreiflicherweise reserviert, wenn nicht feindlich gegenübersteht. Vom Primat Roms war weder bei Elias noch bei Metrophanes die Rede. Beide Redner insinuierten die völlige Gleichwertigkeit der fünf Sitze. Und der listige Baanes hatte sich auch nicht festgelegt in der Bestimmung des Sitzes, der jedenfalls die Wahrheit festhält. Was die Konzilsakten aussparen, was bei den Äußerungen der genannten Theologen in der Schwebe bleibt oder implizit geleugnet ist, das bringt Anastasius im Vorwort seiner Übersetzung der Akten klar zum Ausdruck. Im Zusammenhang einer Erörterung über die Bedingungen, die ein Konzil erfüllen muß, um als ökumenisch angesehen werden zu können[159], bestimmt der päpstliche *biblio-*

---

dilectissime ac divinitus gubernante domine ... in civitate tua per multam diligentiam et studium ac prudentiam collegisti et congregasti (weitere Lobsprüche auf den Kaiser). Im folgenden wird die Konzilsversammlung selber mit dem Paradies und der Heilige Geist mit dem Paradiesesfluß (Quia fluvius egreditur de Eden irrigans paradisum, Gen 2, 10) verglichen. Iste fluvius segregat impetus suos nunc in quatuor initia (Der Vertreter des Alexandriner Patriarchen ist zu diesem Zeitpunkt noch nicht zugegen!), in sanctissimos scilicet vicarios senioris Romae, et in Constantinopolitanum ... atque in eos, qui ex ambabus sedibus orientis advenerunt, sanctissimos vicarios. Weiter wird die Synode mit der Arche Noës verglichen, die Rettung vor dem Untergang gewährt, mit dem Brunnen, den Abrahm gräbt (Gen 26).

[157] Basilius, Actio 6, ebd. 88 C: Utique nostis et vos et universitas, quae sub sole est, quia protectione veri dei nostri quinque patriarch(ae?) orbis terrarum recta sentiunt et non est laesio fidei, et ideo quidquid iudicant recipere debetis recipere; vgl. auch 98 B. — Zur Pentarchie vgl. Sieben, Konzilsidee, Register s. v., ebd. Literatur. Außerdem T. d'Angomont, Sur le symbolisme du chiffre cinq, in: RMAL 36 (1980) 41—43.

[158] Baanes, Actio IX, ebd. 127 C: Posuit deus ecclesiam suam in quinque patriarchiis et definivit in evangeliis suis, ut numquam aliquando penitus decidant, eo quod capita ecclesiae sint, etenim illud quod dicitur, ,et portae inferi non praevalebunt adversum eam' (Mt 16, 18) hoc denuntiat, quando duo ceciderint, currunt ad tria, cum tria ceciderint, currunt ad duo, cum vero forte quatuor, unum, quod permanet in omnium capite Christo deo nostro revocat iterum reliquum corpus ecclesiae.

[159] Anastasius nennt drei Bedingungen, die erfüllt sein müssen, damit ein Konzil als ökumenisch gelten kann: erstens, es muß eine Entscheidung in Glaubensfragen gefällt werden; zweitens, es muß ein Konsens der fünf Patriarchen vorhanden sein; drittens, die Entscheidungen müssen Relevanz für die ganze Kirche haben. Universalis est enim primo, quia catholica fides in ea et sanctae leges, quae non solum a sacerdotibus, sed et ab universis christianis coli debent et venerari contra hostes eorum consona voce defenditur; deinde quia ... (vgl. Fortsetzung Anm. 160) profecto nihil generalitati deest ecclesiae, si omnes illae sedes unius fuerint voluntatis ...; tertio quia, cum Photius tot excessuum suorum morbo universam ecclesiam maculaverit, universalis curatio adhibita est, ut totum curaretur, quod totum fuerat maculatum. Ebd. 409, 2—12. — Im

thecarius näherhin die Rolle Roms innerhalb der Pentarchie dadurch, daß er die fünf Patriarchen mit den fünf Körpersinnen vergleicht und dabei Rom die Rolle des Auges zuweist.[160] Damit war für einen Kenner der antiken und altchristlichen literarischen Tradition alles gesagt. Denn das Auge steht unter den Sinnesorganen eindeutig an der Spitze. Es hat unter allen anderen die Führerrolle. Ihm ist die Sorge für den gesamten Leib anvertraut.[161] Das Auge hat unter den Körpersinnen eindeutig den Primat! Indem Anastasius die fünf Patriarchen mit den fünf Körpersinnen vergleicht, korrigiert er vorsichtig, aber bestimmt die Aussagen der Konzilsakten: der päpstliche Primat kommt auch innerhalb des Ökumenischen Konzils zur Geltung.

Gegen Ende seiner *praefatio* zur Übersetzung der Konzilsakten kommt Anastasius dann noch einmal auf seine eigene Vorstellung vom Verhältnis Papst/Konzil zu sprechen. Im Zusammenhang einer Kritik an den griechischen Zusätzen zu den Ökumenischen Konzilien (Chalcedon,

---

folgenden setzt sich Anastasius mit dem Einwand auseinander, das Konzil von 869/70 könne nicht als Ökumenisches Konzil gelten, da auf ihm keine Glaubensdefinition aufgestellt worden sei. Im Hintergrund steht bei diesem Einwand die in Konstantinopel verbreitete Definition eines Ökumenischen Konzils, wie sie zum Beispiel im *Nomokanon XIV titulorum* überliefert ist (vgl. SIEBEN, Konzilsidee 357 ff.). Beim Konstantinopler Konzil von 869/70 wurden auch Glaubensfragen behandelt, betont Anastasius, nicht nur Fragen der Kirchendisziplin. Und solche Fragen der Disziplin wurden auch auf den Konzilien entschieden, die gemeinhin als ökumenisch gelten. *Nec fatendum videtur, quod tunc universalis iure diceretur, si pro fide celebrata consisteret, cum et in hac nonnulla, quae ad fidem pertinent, sint definita et in ceteris universalibus conciliis multa disposita inveniuntur, quae ad fidei doctrinam non pertinent.* — Ebd. 409, 24—27. — Wenn Anastasius im folgenden die Frage der genauen Benennung des Konzils von 869/70 angeht (*Nuncupanda est ergo sine omni contradictione synodus universalis octava, ut et appellatio, quam cum septem aliis conciliis sortita est, non celetur, et nomen proprium, quod singulariter possidet, designetur*, ebd. 410, 12—14), verbirgt sich in der umständlichen Wortklauberei doch der Versuch, mit den Mitteln der byzantinischen Konzilslehre, das heißt der Integration in die offizielle Liste der Ökumenischen Konzilien, die genannte Synode aufzuwerten.

[160] Anast., praefatio zur Übersetzung des achten allgemeinen Konzils, MGH.Ep 7, 409, 4—10: *Cum Christus in corpore suo, quod est ecclesia, tot patriarchales sedes quot in cuiusque corpore sensus locaverit, profecto nihil generalitati deest ecclesiae, si omnes illae sedes unius fuerint voluntatis, sicut nihil deest motui corporis, si omnes quinque sensus integrae communisque fuerint sanitatis. Inter quas videlicet sedes quia Romana praecellit, non immerito visui comparatur, qui profecto cunctis sensibus praeeminet acutior illis existens et communionem sicut nullus eorum cum omnibus habens.*

[161] Vgl. Basilius, Regulae fus. 24, PG 31, 982D—983A: *Cum apostolus dicat ‚Omnia honeste et secundum ordinem fiant'* (1 Kor 14, 40) *honestam illam esse vivendi in communi fidelium societate rationem arbitror, qua membrorum corporalium servatur ratio, ut alius quidem oculi vim obtineat, cui scilicet concredita sit communis rerum cura, quique est quae facta fuerint probet, et facienda praevideat consideretque, alius vero aurium aut manus, ut et audiatur et agantur quae congruunt, et ex ordine quisque cuiusque loco sit.* — Vgl. auch Clemens Alex, Exc. Theod. 5, 1; Chrysostomus, in Mt 20, 3, PG 57, 290/1; Hieronymus, in Her. 4, 18, 1; 19, 1; PL 24, 796 A; 800 A; Isidor hisp., Origines 1, 41, 1; vgl. auch P. WILPERT, Art. Auge, in: RAC I 957—969.

Kanon 28!)¹⁶² bestimmt er das wechselseitige Verhältnis beider Größen, des Papstes und des Konzils, folgendermaßen: Das Konzil ist gültig genau in dem Maße, als es vom Papst rezipiert und bestätigt wird. Das ist eine implizite, wenn nicht explizite Affirmation der Superiorität des Papstes über das Konzil.¹⁶³

Eine höchst interessante Bestätigung der hier vorgelegten Interpretation enthält nun die sogenannte slawische Scholie zum Primatskapitel des *Nomokanon L titulorum*, die neuerdings Anastasius als Verfasser zugewiesen wird. Konkret handelt es sich dabei um einen Kommentar zu Kanon 28 des Konzils von Chalcedon. Der Kommentator stellt zunächst fest, daß Kanon 28 niemals von der römischen Kirche rezipiert worden ist, negiert dann in aller Form die Ableitung des römischen Primats aus dem Hauptstadtcharakter des Bischofssitzes. Auch Ravenna und Mailand waren Reichshauptstädte und haben dennoch keinen Primat erhalten. So erhellt, daß der Primat Roms nicht politischen, sondern petrinischen Ursprungs ist. Ist er aber petrinischen, das heißt letztlich göttlichen Ursprungs, dann besteht er auch für immer.¹⁶⁴ Aus diesem Primat göttlichen Ursprungs ergeben sich nun wichtige Konsequenzen, was das uns

---

¹⁶² Anast., praefatio, MGH.Ep 7, 415, 6—11: *Sic igitur, sic Graeci accepta occasione celebratorum universalium conciliorum frequenter egisse clarescunt et nunc minuendo, nunc addendo vel mutando, nunc in absentia sociorum, nunc in abscondito angulorum, nunc extra synodum, nunc post synodum astutia sua immo fraude, communibus sanctionibus abutuntur et ad suos libitos cuncta quae si ibi visa fuerint, etiam violenter inflectunt.*

¹⁶³ Anast., praefatio, ebd. 414, 30—31: (Sedes apostolica) *ut eadem synodus* (scil. Chalcedon) *fieri ‚sola‘ decrevit ‚solaque‘ ius habuit eos* (scil. canones) *recipiendi quos synodica decreta protulerant, non solum non admisit, verum etiam continuo respuit.*

¹⁶⁴ Slawische Scholie zum Primatskapitel, lateinische Übersetzung von M. Jugie, Theologia dogmatica 225—226: Sciendum est autem hoc decretum (id est canonem 28 Chalcedonensem) a beato papa Leone, veteris Romae sedem tunc regente approbatum non fuisse; neque illum in hoc cum sancta synodo Chalcedonensi consensisse. Synodo enim rescripsit se talem novitatem accipere non posse, quam dubius Anatolius, urbis Constantinopolis episcopus tunc existens, molitus erat; cui, ceterum, non pauci episcopi, de his qui synodo interfuere, subscribere renuerunt. Neque hoc stat, quod canon iste asserit, sanctos patres scilicet seniori Romae primatum ideo tribuisse, quod caput esset imperii; sed desuper, ab initio, ex divina gratia, hic primatus originem duxit. Nam propter fidei suae gradum, apostolorum princeps Petrus haec verba ex ipso ore domini nostri Jesu Christi audire meruit: ‚Petre, amas me? pasce oves meas.‘ Ideo, inter praesules praecipuum locum primamque sedem obtinuit. Etenim, si, ut asserunt praecedentis regulae auctores, vetus Roma honorem possederit, quod imperium teneret, utique Constantinopolis, quae nunc urbs regia est, hunc honorem haereditate acceperit. Norunt autem omnes Mediolanensem Ravennatensemque civitates, quamquam in his commorati sunt imperatores, quorum adhuc ibi consistunt palatia, talem honorem non ideo esse consecutas. Ordinis enim sacerdotalis dignitas atque praeeminentia non principum favore, sed electione divina atque auctoritate apostolica constituta est. — Ebd. 227—228 zum Vergleich die von F. Griveč erstellte lateinische Übersetzung. Eine griechische Rückübersetzung hat Beneševič, Zur slawischen Scholie 104—105 angefertigt.

interessierende Verhältnis Papst/Ökumenisches Konzil angeht: Erstens, weil der Papst aufgrund seines Primats dem Konzil gewissermaßen gegenübersteht, nicht auf die Rolle eines einfachen Konzilsmitglieds reduziert werden darf, braucht er persönlich am Konzil nicht teilzunehmen. Teilnahmepflicht würde ihn auf die Ebene der übrigen Bischöfe stellen. Zweitens, ohne die Teilnahme eines päpstlichen Legaten kommt kein Ökumenisches Konzil zustande. Drittens, dem Legaten kommt die Leitung des Konzils zu, die Leitung durch den Legaten ist für das Konzil konstitutiv.[165]

Wie stellt sich nun in den Papstbriefen selber das Verhältnis Römischer Stuhl / Ökumenisches Konzil dar? Bei Nikolaus I. — oder wenn man vorzieht: Nikolaus/Anastasius — lassen sich drei Aspekte dieser Problematik unterscheiden. Erstens, der Ursprung des Primates liegt nicht bei den Konzilien, sondern bei Christus. Dies betont der Papst in seinem langen Brief an Kaiser Michael vom 28. September 865 gleich zweimal.[166] Wäre der Primat von den Konzilien statt von Christus verliehen, ergäbe sich natürlich als Konsequenz die Superiorität des Konzils über den Papst. Sofern das Konzil seinerseits nicht unmittelbar wie der Primat auf Christus zurückgeführt wird, ist es also dem Papst gegenüber wesentlich untergeordnet. Dies ist die notwendige Konsequenz des von Nikolaus behaupteten göttlichen Ursprungs des Primates.

Zweitens, aus diesem Ursprungsverhältnis ergibt sich die weitere These,

---

[165] Ebd. 226—227: Privilegia ergo senioris Romae ad finem usque inconcussa manent, neque ullo pacto transferri possunt. Quia autem omnibus ecclesiis praesidet eius episcopus, propter hanc excellentiam, ad sancta oecumenica concilia ipse conveniat necesse non est; at vero sine ipsius per quosdam legatos participatione, concilium oecumenicum stare non potest; ipse enim est qui in concilio locum praesidis obtinet. Si qui autem sint, qui dictis contradicere velint, quasi non ita res se habuerint, litteras perlegant sanctissimi papae Leonis, quas tum ad Marcianum et Pulcheriam piae memoriae tum ad dictum episcopum Constantinopolitanum Anatolium direxit, atque ex his veritatem discant. — Hier auch der entscheidende Passus der von BENEŠEVIČ versuchten Restitution des ursprünglichen griechischen Textes: Διὸ ὡς καὶ ἀπ' ἀρχῆς πασῶν τῶν ἐκκλησιῶν, ἐν ταῖς ἁγίαις οἰκουμενικαῖς συνόδοις ὁ μὲν ταύτης ἐπίσκοπος τῆς τιμῆς ἕνεκεν οὐκ ἀναγκάζεται συνιέναι, χωρὶς δὲ συγκαταθέσεως τούτου διά τινων ἀπεσταλμένων παρ' αὐτοῦ, ὄντων ὑπὸ τὸν θρόνον αὐτοῦ, ἡ οἰκουμενικὴ σύνοδος οὐκ ἐγίνετο. καὶ ὅ τι αὐτὸς διῴκει, ἤρχετο ἐν τῇ συνόδῳ. A.a.O. 105.

[166] Nik., Ep 88, MGH.Ep 6, 475, 6—10: Ista igitur privilegia huic sanctae ecclesiae a Christo donata, a synodibus non donata, sed iam solummodo celebrata et venerata, per quae non tam honor quam onus nobis incumbit, licet ipsum honorem non meritis nostris, sed ordinatione gratiae dei per beatum Petrum et in beato Petro simus adepti, nos cogunt nosque compellunt omnium habere sollicitudinem ecclesiarum dei. — Vgl. auch ebd. 476, 4—6: Proinde animadvertendum est, quia non Nicaena, non denique ulla synodus quodquam Romanae contulit ecclesiae privilegium, quae in Petro noverat eam totius iura potestatis pleniter meruisse et cunctarum Christi ovium regimen accepisse.

daß der Römische Stuhl auch von einem Ökumenischen Konzil nicht gerichtet werden kann. Nikolaus vertritt diese These im gleichen Brief an Kaiser Michael. Im direkten Zusammenhang geht es zwar um die nach Auffassung des Papstes unrechtmäßige Absetzung des Ignatius durch die Konstantinopler Synode von 858/59. Aber wenn schon der Konstantinopler Patriarch nicht von seiner Synode abgesetzt werden kann, dann a fortiori nicht der Papst.[167] Die Zahl der an der verurteilenden Synode teilnehmenden Bischöfe ist dabei ohne Belang für die Rechtmäßigkeit des Urteils.[168]

Drittens, Ökumenische Konzilien bedürfen zu ihrer Gültigkeit päpstlicher Bestätigung. Nikolaus trägt diese These an einigen Stellen ausdrücklich vor, an anderen ist sie deutlich implizit vorhanden. Implizit ist die These affirmiert im Brief an Kaiser Michael vom 25. September 860. Im Zusammenhang ist zwar von der Konstantinopler Synode von 858/59 die Rede, zu deren Gültigkeit nach Auffassung des Papstes eine römische Bestätigung nötig gewesen wäre. Der Rechtsgrundsatz, auf den er sich beruft, ist aber ganz allgemein formuliert und schließt die Ökumenischen Konzilien selbstverständlich mit ein.[169] Ähnlich liegt der Fall im Brief an Photius vom 18. März 862. Auch hier bezieht der allgemein formulierte Rechtsgrundsatz[170] die Ökumenischen Konzilien mit ein. Zu beachten ist, daß diese Sätze vor dem Auftauchen Pseudoisidors geschrieben wurden. Ausdrücklich nimmt Nikolaus auf die Ökumenischen Konzilien Bezug im Brief an Kaiser Michael vom 28. September 865[171] und in der Aktensammlung für die östlichen

---

[167] Zum Beweis, daß die niedrigere Instanz nicht gegen die höhere vorgehen kann, referiert Nikolaus aus den gefälschten *Gesta de Marcellino* (Ausg. Coustant, Epistolae Roman.pont. I, Appendix 29—36): vgl. Text Anm. 7.

[168] Ebd. 471, 28—34: *Illud autem ridere libuit, quod quasi ad maiorem firmitatem concilium adversus Ignatium fratrem et comministrum nostrum congregatum aequalis numeri cum sancta olim synodo in Nicaea a sanctis patribus celebrata fuisse perhibetis. Quodsi ideo est admittendum, quia aequalis numeri cum sancta Nicaena synodo habetur, necesse est, ut aut septimam aut octavam hanc synodum vocitetis; necesse est etiam, ut tot in stabilitate illius synodos colligatis, quot pro Nicaenae synodi sequendis decretis constat fuisse concilia congregata.* — Vgl. auch 445, 13—22.

[169] Nik., Ep 82, ebd. 434, 2—5: *Ad* (apostolicae traditionis) *etenim, sicut ipsi scitis, integritatem observationis multotiens conventus factus est sanctorum patrum, a quibus et deliberatum ac observatum existit, qualiter absque Romanae sedis Romanique pontificis consensu nullius insurgentis deliberationis terminus daretur.* — Nikolaus bezieht sich selber 6 Jahre später auf diesen Passus, vgl. ebd. 493, 30 ff.

[170] Nik., Ep 86, ebd. 450, 13—14: (Romanae ecclesiae) *auctoritate atque sanctione omnes synodi et sancta concilia roborantur et stabilitatem sumunt;* vgl. auch 394, 4—7: *Ipsorum* (das heißt der Päpste) *decreto ceterorum opuscula tractatorum approbantur vel reprobantur, ita ut quod sedes apostolica probavit hodie teneatur acceptum et quod illa reppulit hactenus inefficax habeatur.*

[171] Nik., Ep 88, ebd. 473, 15—24: Text vgl. Anm. 9.

Bischöfe vom 13. November 866.[172] Ein Blick in die Geschichte zeigt,
daß die Gültigkeit der Ökumenischen Synoden von der erfolgten oder
nicht erfolgten römischen Zustimmung abhängig ist. Rom spielt übrigens nicht erst nach dem Konzil eine entscheidende Rolle, indem es
das stattgehabte Konzil anerkennt oder verwirft, es spielt sie auch auf
dem Konzil selber. Man denke nur an die Bedeutung der jeweiligen
Papstbriefe auf den Synoden der Alten Kirche![173]

Nikolaus I. bringt ohne Zweifel unter den Päpsten unserer Zeitspanne
die Privilegien des Römischen Stuhles gegenüber den Ökumenischen
Konzilien am entschiedensten zur Geltung und Aussprache. Aber auch
ein Hadrian II. kann deutlich formulieren. Auf der römischen Synode
von 869, die Photius absetzte, vertritt er die These, daß Ökumenische
Synoden nicht ohne Zustimmung des Papstes einberufen werden dürfen.
Gegen diesen kirchenrechtlichen Grundsatz[174] hat Dioskur verstoßen,
als er die sogenannte „Räubersynode" einberief, ganz abgesehen von
dem noch verdammungswürdigeren Vergehen, daß er — wie Photius —
den Papst abzusetzen wagte.[175]

Die römische Konzeption des Verhältnisses Papst / Ökumenische
Synode kommt weiterhin deutlich in der von Johannes VIII. im August
879 vorgenommenen Rehabilitation des Photius zum Ausdruck. Zunächst ist die Absolutionssentenz selber aufschlußreich. Der Papst „ab-

---

[172] Nik., Ep 98, ebd. 563, 12—18: *Verum si dies antiquos secundum datam vobis divinitus
sapientiam cogitatis priscosque sedium vestrarum praesules ad memoriam ducitis, quanta veneratione
sedem beati Petri praedecessores vestri celebraverint quantoque caritatis amore decreta ipsius semper
amplexi sint, profecto repperietis; denique in universalibus synodis quid ratum vel quid prorsus acceptum,
nisi quod sedes beati Petri probavit, ut ipsi scitis, habetur, sicut e contrario quod ipsa ,sola' reprobavit,
hoc solummodo consistat hactenus reprobatum.*
[173] Nik., Ep 90, ebd. 492, 32—38: *Sed vere non sic in synodis prisco tempore collectis, non sic
actum fuisse nonnullorum gesta conciliorum demonstrant. In illis enim apostolicae sedis scripta non sub
occultationis modio tegebantur sed ut omnibus, qui erant in domo dei, lucerent, in propatulo ponebantur et,
ut, si qua tortitudo vel macula in fidei pulchritudinem a quolibet temptaretur induci, facile patesceret,
acsi specula in omnibus habebantur et quasi quaedam rectitudinis formula, qua imprimi ceteri possent,
posita colebantur.*
[174] Hadrian II. leitet ihn aus der vagen Formulierung des Kanon 53 des Konzils von
Antiochien ab, der lautet: *Unusquisque nostrum ordinem sibi decretum a deo agnoscat, et posteriores
anterioribus deferant, nec eis inconsultis aliquod agere praesumant*, Interpretatio synodi VIII.
generalis, PL 129, 111 B—C.
[175] Ebd. 111 C: *Praesumpserat enim et ipse contra primae   sedis privilegium, contraque iam
memoratam regulam agens, cum esset posterior, se anteriori praeferre, et ordinem sibi a deo decretum non
recognoscens, de sedis praelatae pontifice magno, videlicet papa Leone, temere iudicare, cum videlicet nec
personam synodum convocandi habuerit, ut apostolicae sedis vicarii in eadem synodo protestantur, quippe
qui secundum praelatum canonem, cum esset posterior, inconsulto anteriori agere aliquid praesumere non
debuerit, quanto minus generalem sine ipso synodum convocare, aut, quod detestabilius est, adversus eundem
sententiam quamlibet promulgare?*

solviert" den vom Ökumenischen Konzil 869/70 abgesetzten Patriarchen[176], und zwar, wie Johannes eigens betont, aufgrund des ihm verliehenen Primates, der sich schlechthin auf alles erstreckt, gemeint ist
im Zusammenhang: auch auf die Beschlüsse Ökumenischer Konzilien.[177]
Im gleichen Sinne aufschlußreich sind dann auch die der Absolutionssentenz folgenden Erläuterungen, vor allem die ausdrückliche Bezugnahme auf das Ökumenische Konzil von 869/70: die Unterschrift der
päpstlichen Legaten unter die Verurteilungssentenz dieses Konzils stehen
der jetzt vorgenommenen Absolution deswegen nicht im Wege, weil
die Legaten ausdrücklich die Klausel hinzufügten *usque ad voluntatem sui
pontificis*, und weil[178] der Römische Stuhl in jedem Falle die Macht hat,
„Gebundenes zu lösen".[179] Weiter führt der Brief aus: daß der Papst
selbst über dem Ökumenischen Konzil steht, zeigt ein Blick in die Geschichte. Die Alexandrinischen Patriarchen Athanasius und Cyrillus,
die Konstantinopler Patriarchen Flavianus und Johannes und der Jerusalemer Patriarch Polychronius waren von Synoden verurteilt worden.
Sie alle aber hat der Apostolische Stuhl in ihre Rechte restituiert.[180]

Sehr interessant ist im Zusammenhang unserer Stelle auch der Vergleich
der griechischen und lateinischen Version des vorliegenden Briefes

---

[176] Joh., Ep 207, MGH.Ep 7, 170, 31—42: *Et nos, quibus secundum apostolum omnium ecclesiarum
dei sollicitudo incumbit, controversiam aliquam in ecclesia dei amplius remanere nolentes hunc ipsum
patriarcham cum omnibus sive episcopis sive presbyteris seu ceteris clericis et omnibus laicis, in quos
iudicii fuerat censura prolata, ab omni ecclesiasticae sanctionis vinculo absolvimus sanctaeque Constantinopolitanae ecclesiae iudicamus recipere sedem dominicique gregis esse pastorem.*
[177] Ebd. 170, 42—171, 12: *Illa scilicet potestate fulti, quam ecclesia dei toto terrarum orbe diffusa
credit nobis in ipso apostolorum principe a Christo deo nostro esse concessam, eodem salvatore beatum
Petrum apostolum prae ceteris specialiter delegante: Tibi dabo claves regni caelorum et quaecumque
ligaveris super terram, erunt ligata et in caelis et quaecumque solveris super terram, erunt soluta et in
caelis. Sicut enim ex his verbis nil constat exceptum, sic per apostolicae dispensationis officium et
totum possumus procul dubio generaliter alligare et totum consequenter absolvere.*
[178] Der verstümmelte Satz *nec ab apostolica manere* (ebd. 171, 20, vgl. die folgende Anm.) ist
nach den Herausgebern des Briefes in den MGH etwa durch *voluerunt divisi* zu ergänzen, so
daß der Sinn wäre: die Unterschrift der Legaten unter das Konzil von 869/70 war von der
Zustimmung des Papstes bedingt, von dessen Urteil sie keineswegs „getrennt sein wollten".
Diese Konjektur wird von MEIJER 83—84 zu Recht kritisiert. Ein besserer Sinn ergibt sich,
wenn man in der Lücke den Gedanken ergänzt „und die Verurteilung des Photius konnte
nicht als endgültig angesehen werden", denn dann lautet die natürliche Fortsetzung des
Satzes: *quia sedes . . . absolvere.* — Zur Entstehung der Lücke vgl. MEIJER 86.
[179] Ebd. 171, 15—23: *Nam et legati sedis apostolicae ab antecessore nostro, Hadriano videlicet
almifico praesule, Constantinopolim directi synodo ibidem peractae ,usque ad voluntatem sui pontificis'
vigilanti studio subscripserunt nec ab apostolico . . . manere, quia sedes beati Petri caelestis regni clavi-
geri potestatem habet ligata quaelibet pontificum congrua aestimatione absolvere.*
[180] Ebd. 171, 32—38: *Quippe cum constet multos iam patriarchas, hoc est Athanasium et Cyrillum
Alexandrinos, Flavianum et Johannem Constantinopolitanos et Polychronium Hierosolymitanum
synodice damnatos per apostolicae sedis postmodum absolutionem restitutos incunctanter fuisse.*

Johannes' VIII. an die griechischen Kaiser Konstantin und Alexander.[181] In den beiden Fassungen spiegelt sich nämlich die spezifisch römische und spezifisch griechische Konzilsidee wider. Während die lateinische Fassung des Briefes die Gültigkeit der Synode von 869/70 unterstellt, dem Papst aber die Vollmacht zuschreibt, Photius zu „absolvieren" — steht der Papst doch über dem Konzil — spricht die griechische Version dem Konzil von vornherein jede Gültigkeit ab, und zwar mit Hinweis auf die von jeher fehlende Zustimmung des Papstes! Nach dieser letzteren Sicht der Dinge wurde Photius nie von einem Ökumenischen Konzil verurteilt, fehlte doch von vornherein die Zustimmung des Papstes. Er braucht jetzt, kann jetzt entsprechend von ihm auch nicht rehabilitiert werden![182] Kapitel 10 des *Commonitorium Johannis VIII. papae ad legatos suos*, das nur in der griechischen Version erhalten ist, enthält einen Kompromiß zwischen der griechischen und lateinischen Konzilsidee. Dem lateinischen Gesichtspunkt entspricht die Formulierung, daß die Synode von 869/70 „ab sofort" ungültig

---

[181] Die griechische „Version" stellt nicht nur insgesamt eine außerordentlich freie Para‑ phrase des lateinischen Originals dar, sondern verändert auch an zahlreichen wichtigen Stellen den Sinn völlig. Die ältere Forschung, vertreten zum Beispiel durch J. HERGEN‑ RÖTHER, Photius, Patriarch von Konstantinopel II, Regensburg 1867, 396 ff., sah in diesen massiven Veränderungen des Briefes Fälschungen, die Photius im Hinblick auf die Ver‑ lesung des Briefes vor dem Konzil von 879/80 vorgenommen hat oder vornehmen ließ. V. GRUMEL, Les lettres de Jean VIII pour le retablissement de Photius, in: EOr 39 (1940/42) 138—156, weist die Auffassung zurück, daß der griechische Text eine nachträg‑ liche, vom Papst selbst veränderte Fassung des (ursprünglichen) Registerbriefes darstellt. Es handele sich vielmehr um eine Konstantinopler Fälschung. Nach MEIJER 45—49 ist die griechische Version nicht „gefälscht", sondern von Photius mit Zustimmung der Legaten überarbeitet: „The changes of the papal letters were an expression of respect for Rome. They were reformulated in the way Rome would have formulated them, if it had known the situation better" (49).
[182] In der Ausgabe von MGH.Ep 7 fehlt 172, 26 ein langer Passus, der gerade für die ange‑ sprochene Problematik von großem Interesse ist. Er ist abgedruckt bei MEIJER 224—231, Z. 319—552. Der uns interessierende Passus (227, Z. 407—420) lautet in deutscher Über‑ setzung: „Keiner berufe sich auf die gegen ihn (das heißt Photius) abgehaltenen unge‑ rechten Synoden! Keiner komme mit dem Vorwand, er sei von unseren seligen Vor‑ gängern Nikolaus und Hadrian verurteilt worden, wie die ungebildete Masse behauptet. Diese haben nämlich das gegen den hochheiligen Photius Angestiftete nicht akzeptiert. Keiner verurteile ihn mehr, denn diese Verurteilungen sind die Ursache der Spaltungen ihm gegenüber und unter euch. Alles hat ein Ende gefunden, alles ist ausgelöscht. Alles, was gegen ihn unternommen wurde, ist ungültig und außer Kraft." Wieviel Photius an der Ungültigkeit der Synode von 869/70 „von Anfang an" lag, zeigt schließlich der Schluß der griechischen Version des an ihn gerichteten Briefes Johanns VIII. (Ep 209). Noch einmal läßt er den Papst, ohne jeden Anhalt im ursprünglichen lateinischen Original, ausdrücklich erklären: „Die gegen dich hier in Konstantinopel abgehaltene Synode erklären wir für un‑ gültig (ἀκυρόω). Wir verurteilen sie entschieden und verwerfen sie, unter anderem weil unser seliger Vorgänger Papst Hadrian sie nicht unterschrieben hat" (MGH.Ep 7, 186, 1—8).

ist, dem griechischen, daß sie nicht unter die „heiligen Synoden" gezählt wird.[183]

Von der im vorausgehenden skizzierten Theorie über das Verhältnis Papst / Ökumenische Synode her fällt nun auch interessantes Licht auf das sogenannte achte Allgemeine Konzil von Konstantinopel selber. Die auf ihm zutage tretenden, voneinander abweichenden westlichen und östlichen ekklesiologischen Vorstellungen sind in der Vergangenheit schon wiederholt untersucht worden.[184] Wir beschränken uns im folgenden darauf, auf einige Aspekte der römischen Konzilsidee hinzuweisen, wie sie in der Haltung oder auch in der ausdrücklichen Formulierung der römischen Legaten zum Ausdruck kommen.

Wenn die Akten in der Anwesenheitsliste der Actio I an erster Stelle die römischen Legaten nennen[185], so stellt das gegenüber den vorausgegangenen Konzilien noch keine Neuerung dar. Ausdruck der neuen römischen Konzilsidee ist schon eher die Tatsache, daß nicht nur in Actio I, sondern auch im weiteren Verlauf des Konzils die römischen Legaten fast immer an erster Stelle das Wort ergreifen.[186] Bezeichnend ist es dann, wie sie ihren eigenen Auftrag auf dem Konzil definieren, nämlich durchzusetzen, was der Papst entschieden hat. Einen besonders klaren Ausdruck des römischen Führungsanspruchs auf dem Konzil enthält dann der sogenannte *Libellus satisfactionis*, der den Griechen zur Unterschrift vorgelegt wird.[187] Immer wieder betonen die Legaten in den folgenden Actiones, daß das Urteil über Photius bereits in Rom gefällt ist, daß eine Wiederaufnahme des Verfahrens in keiner Weise in

---

[183] Ebd. 189, 26—29: „Wir wollen, daß vor der ständigen Synode verkündet wird: die gegen den vorgenannten Patriarchen Photius zur Zeit des hochheiligen Papstes Hadrian in Rom und Konstantinopel abgehaltene Synode ist *ab sofort* außer Kraft, ungültig und unwirksam und wird nicht mit einer anderen heiligen Synode konnumeriert." — Weitere Einzelheiten zu Kap. 20 dieses Commonitoriums bei MEIJER 118—119.

[184] Vgl. zuletzt DE VRIES, Konstantinopel (869/70); STEPHANOU, Deux conciles.

[185] Interpret. synodi VIII. generalis, PL 129, 29 B.

[186] Vicarii, Actio I, ebd. 29 D, 31 B, 35 C usw. — ebd. 32 A: (Hadrianus) *potestatem nobis dedit, ut secundum quod beatissimus papa Nicolaus disposuit de sancta Constantinopolitanorum ecclesia, ita ordinemus, ut moderemur atque firmemus.*

[187] Libellus satisfactionis, Actio I, ebd. 36 A: ... *Et quia non potest domini nostri Jesu Christi praetermitti sententia dicentis, ‚Tu es Petrus et super hanc petram aedificabo ecclesiam meam'* (Mt 16, 18), *haec quae dicta sunt rerum probantur effectibus, quia in sede apostolica immaculata est semper catholica servata religio et sancta celebrata doctrina. Ab huius ergo fide ‚atque doctrina' separari minime cupientes et patrum et ‚praecipue sanctorum sedis apostolicae praesulum' sequentes in omnibus constituta, anathematizamus omnes haereses* ... Der Text ist bis hier mit Ausnahme der gekennzeichneten Abweichungen identisch mit dem *Libellus fidei Hormisdae papae* (DENZINGER-SCHÖNMETZER 171, 363), der 517 in Konstantinopel zur Beendigung des Acatianischen Schismas durch Rom zur Unterschrift vorgelegt worden war. Im weiteren Text sind die alten Häresien durch neue ersetzt.

Frage kommen kann, daß es sich infolgedessen hier auf dem Konzil nur um eine deutlichere Kundgabe des schon ergangenen Urteils handeln kann.[188] Ja, die Legaten gehen so weit, daß sie dem Kaiser die Diskussion mit den verurteilten „Photianern" verbieten.[189] Immer wieder unterstreichen sie, daß eine Wiederaufnahme des Verfahrens jetzt durch das Konzil selber nicht erlaubt ist.[190] Worin besteht dann aber die Funktion der Legaten und die des Konzils? Darin, das von Nikolaus gefällte und von Hadrian bestätigte Urteil feierlich kundzutun. Ausdrücklich betonen die Legaten, daß die Verurteilten nicht an das Konzil appellieren dürfen. Dieses Verbot ist nur logisch; denn die Appellation vom Papst an das Konzil schlösse ein, daß das Ökumenische Konzil über dem Papst stünde, also eine höhere Instanz wäre![191]

Der kurze Durchblick durch die Akten des sogenannten achten Allgemeinen Konzils zeigt: Das Verhalten und die ausdrücklichen Ausführungen der römischen Legaten entsprechen der römischen Vorstellung vom Verhältnis Papst / Ökumenische Synode. Es ist den Legaten zwar nicht vollständig gelungen, den Verlauf des Konzils nach ihren Vorstellungen zu „moderieren", aber sie durften doch grosso modo mit dem Ablauf zufrieden sein. Das achte Allgemeine Konzil von Konstantinopel war ein Musterkonzil, das Modell einer Synode nach den Vorstellungen der römischen Konzilstheorie.

Im Lauf der vorausgegangenen Darlegungen mag sich die Frage eingestellt haben, ob hier die Quellen nicht doch überinterpretiert werden. Konzipierte man wirklich damals schon das Verhältnis Papst / Ökumenische Synode in den Kategorien zweier konkurrierender Instanzen und Machtzentren? Ist es wirklich so, daß nach römischer Sicht der Dinge die eine dieser Instanzen der anderen letztlich untergeordnet sein

---

[188] Vicarii, Actio IV, ebd. 66 D—67 A: *Nobis non licet rescindere iudicium sacrorum Romanorum pontificum, hoc enim contrarium est canonicis institutis* ... *Verumtamen ut manifestiorem eis* (das heißt Photius und seinem Anhang) *iustam iudicationem sanctae Romanae ecclesiae faciamus, ingrediantur et exaudiant legi synodicas definitiones et iudicia beatissimi papae Nicolai et certificentur magis ac magis.* Ebd. 67 D: *Ingrediantur, sed nos non propter contentionem advocamus eos, sed ut tantum beatissimi papae Nicolai epistulam audiant.* Ebd. 85 C: *patefecimus in praecedentibus actionibus, quid definitum sit de Photio et de ecclesia Constantinopolitana a sanctissimis et laudabilissimis viris Nicolao* ... *et ab Hadriano* ... *et credimus quia superfluum est frequenter eadem dicere vel repetere.* — Vgl. auch die *Epistula encyclica* des Konzils. Die Aufgabe bestand lediglich in der *manifestior veritatis satisfactio et certitudo*, ebd. 186 D.

[189] Vicarii, Actio VI, ebd. 90 D: *Nos cum eis colloqui te non patimur.*

[190] Ebd. 94 D; 95 A; 104 C; 116 C.

[191] Vicarii, Actio VI, ebd. 95 A: (Hadrianus) *nos indignos famulos suos direxit ad hanc deo conservandam urbem ad manifestationem et certitudinem veri et iusti iudicii ipsorum* (Nikolaus und Hadrian) *in conspectu iusti imperii vestri et huius sanctae ac magnae universalis synodi, ita ut non habeant vocem repedationis vel appellationis, sed quemadmodum iam iudicati sunt et deiecti, in saeculum maneant.*

Der Satz hat doch auch ohne eine solche Ergänzung einen guten Sinn, nämlich den: Wenn eine solche Kontroverse auf einem Ökumenischen Konzil ausbricht, dann erörtere man die Problematik auf eben diesem Konzil und nehme die von diesem Konzil gefundene „Lösung" an, und zwar ohne freches Vorgehen gegen den Römischen Stuhl. Mehrere moderne Übersetzungen des Kanons scheinen unseren Passus so zu verstehen und entsprechend die „konziliaristische" Interpretation zu favorisieren, wahrscheinlich ohne von der älteren Kontroverse überhaupt noch eine Ahnung zu haben.[196]

Kein Zweifel, die „konziliaristische" Auslegung verdient, rein sprachlich gesehen, also vom näheren Kontext her beurteilt, den Vorzug. Andererseits bleibt gegen sie freilich das Bedenken bestehen, ob denn die römischen Legaten tatsächlich einer, was den Römischen Primat angeht, so minimalistischen Formulierung ihre Zustimmung gegeben haben können. Ist es wirklich denkbar nach allem, was wir über ihre Konzilsidee bisher gehört haben, daß sie einem Kanon zustimmen, der den Papst lediglich vor unqualifiziertem Vorgehen von seiten des Konzils schützt, statt jedes Vorgehen gegen ihn zu unterbinden? Sollten die Legaten, für die doch der Satz *prima sedes a nemine iudicatur* eine Selbstverständlichkeit war, tatsächlich einen Kanon gutgeheißen haben, der den römischen Bischof ausdrücklich oder mindestens implizit unter das Gericht des Konzils stellt? Es ist nicht leicht, diese aus dem weiteren Kontext sich ergebenden Bedenken gegen die „konziliaristische" Auslegung unseres Passus zu zerstreuen.

5. Pseudoisidor und die römische Konzilsidee

Wir haben in den vorausgegangenen Abschnitten eine Frage ausgeklammert, auf die jetzt noch näher einzugehen ist. Es ist der Forschung seit langem bekannt, daß in dem von uns untersuchten Zeitraum eine

---

[196] So zum Beispiel H. J. SCHROEDER, Disciplinary decrees of the general councils, text, translation, and commentary, St. Louis-London 1937, 172: "And if an ambiguity or controversy concerning the Holy Church of the Romans be brought before a general council, the question should be examined and disposed of with becoming respect and reverence, and no sentence should be boldly pronounced against the supreme pontiff of the elder Rome." — Vgl. auch STIERNON, Konstantinopel IV 336: „Ferner, wenn eine allgemeine Synode zusammentritt und dort hinsichtlich der heiligen römischen Kirche Meinungsverschiedenheiten oder Streit entsteht, dann besteht die Pflicht, die anstehende Frage mit der gebührenden Ehrfurcht zu betreiben und sich um eine Lösung zu bemühen, die in jeder Hinsicht von Nutzen ist, nicht aber gegen die Päpste von Alt-Rom in leichtfertiger Weise ein Urteil zu fällen." — Vgl. auch P.-P. JOANNOU, Les canons des conciles oecuméniques (IIe–IXes.), FCCO IX, Rom 1962, 332—33.

erste Rezeption der pseudoisidorischen Dekretalen, also jener folgen-
schwersten Fälschung der Kirchengeschichte[197], durch den Römischen
Stuhl stattgefunden hat.[198] Wir fragen im folgenden, ob diese Fälschungen auch speziell einen Einfluß auf die hier dargestellte römische Konzilsidee gehabt haben, und wenn ja, wie dieser Einfluß näher zu bestimmen und zu bewerten ist. Zur Beantwortung unserer Frage sind
mehrere Weisen des Einflusses zu unterscheiden. Der am einfachsten
feststellbare ist natürlich die ausdrückliche Zitation. Ein schon schwieriger auszumachender Einfluß besteht in wörtlichen Anklängen eines
Textes an einen anderen. Vollends schwierig ist die Frage des Einflusses
dort zu entscheiden, wo lediglich sachliche Übereinstimmungen vorliegen. Hier ist immer die Versuchung gegeben, Genealogie und Analogie miteinander zu verwechseln. Gewißheit ist hier selten zu erreichen,
im besten Fall eine an Sicherheit grenzende Wahrscheinlichkeit. Sie ist
dann erreicht, wenn via exclusionis gezeigt werden kann, daß ein bestimmter Gedanke auf eine bestimmte Vorlage deswegen zurückgeht,
weil er anderswo nicht auftritt. Da wir also nach dem Einfluß der pseudoisidorischen Dekretalen auf die römische Konzilsidee fragen, sind zunächst einige spezifisch pseudoisidorische Sätze über das Verhältnis
Papst/Konzil vorzuführen, und zwar zunächst aus den pseudoisidorischen Dekretalen selbst, dann aus zwei weiteren Werken aus der Werkstatt des Fälschers. Gleich in der Einleitung zur Sammlung lesen wir
folgenden Satz, der im Werk selbst an zahlreichen Stellen leicht abge-
wandelt wiederholt wird: *Synodorum vero congregandorum auctoritas aposto-*
licae sedi privata commissa est potestati, nec ullam synodum ratam esse legimus,
quae eius non fuerit auctoritate congregata vel fulta. Haec canonica testatur auc-
toritas, haec historia ecclesiastica roborat, haec sancti patres confirmant.[199] In

---

[197] Zur Einführung immer noch hervorragend E. Seckel, Art. Pseudoisidor, in: RE 16
(1905) 265—307; das augenblickliche Standardwerk ist Fuhrmann, Einfluß; dort weitere Literatur, vgl. auch Ullmann, The Growth of Papal Government 180—189, ferner S. 203—211.
[198] Vgl. hierzu u. a. Ch. de Smedt, Les fausses décrétales, l'épiscopat franc et la cour de
Rome du IXe au Xe siècle, in: Etudes 15 (1870) 77—101, hier 88—96; A. Lapôtre,
Hadrian II et les fausses décrétales, in: RQH 27 (1880) 377—431, wiederabgedruckt in:
Etudes sur la papauté II 1—55; C. H. Föste, Die Reception Pseudoisidors unter Nikolaus I.
und Hadrian II., Diss. Leipzig 1881; A. V. Müller, Zum Verhältnis Nikolaus I. und
Pseudoisidors, in: NA 25 (1900) 652—663; Schrörs, Eine vermeintliche Konzilsrede
23—26; 257—275; Ders., Papst Nikolaus I. und Pseudoisidor, in: HJ 25 (1904) 1—33;
P. Fournier, Etude sur les Fausses Décrétales, in: RHE 7 (1906) 33—51; 301—316;
543—564; 761—784; 8 (1907) 19—56, hier (8) 19—51; Haller, Nikolaus I., vor allem
155—172. Den augenblicklichen Forschungsstand vgl. bei Fuhrmann, Einfluß II 237—288:
Kap. „Pseudoisidor in Rom", ebd. weitere Literatur.
[199] Decretales Pseudoisidorianae et Capitula Angilramni, Ausgabe P. Hinschius, Leipzig
1863, 19, 9—13. — Weitere Stellen vgl. S. 208 f.

den *Capitula Angilramni*, einem weiteren Machwerk aus der Werkstatt des Fälschers, das vorgibt, auf Hadrian I. zurückzugehen und für Bischof Angilram von Metz bestimmt zu sein[200], ist das Kapitel über die Papstabhängigkeit der Synode gleich das zweite der Sammlung: *Nullus episcopus nisi canonice vocatus et in legitima synodo suo tempore apostolica auctoritate convocata, cui iussione domini et meritis beati Petri apostoli singularie congregandorum conciliorum auctoritas et sanctorum canonum ac venerandorum patrum decreta multipliciter privata tradita est potestas, super quibuslibet criminibus pulsatus audiatur vel impetatur.*[201] Kürzer formuliert Benedictus Levita, dessen Kapitulariensammlung sich als Ergänzung der *Capitularium collectio* des Ansegis von Fontanelle ausgibt.[202] *Auctoritas ecclesiastica atque canonica docet non debere absque sententia Romani pontificis concilia celebrari.*[203]

Wir sagten weiter oben, eine erste mögliche Weise von Einfluß sei die wörtliche Zitation. Im Blick auf das von uns untersuchte Quellenmaterial ergibt sich eine erste Feststellung: Nur in der Hadrian zugeschriebenen Konzilsrede *Quod vestra* von 869 wird Pseudoisidor im unmittelbaren Zusammenhang der Konzilstheorie unter Angabe des Quellenautors zitiert.[204] Der Befund ist also eindeutig. Hadrians Ansprache enthält, wenn der pseudoisidorische Anhang tatsächlich zur Rede selber gehört — eine letzte Sicherheit besteht hier nicht[205] — acht

---

[200] Nähere Charakterisierung bei FUHRMANN, Einfluß II 161—163.

[201] Ausgabe HINSCHIUS 757, 11—15.

[202] Nähere Charakterisierung bei FUHRMANN, Einfluß II 163—167.

[203] II 381; PL 97, 793 C — K.-G. SCHON, Exzerpte aus den Akten von Chalkedon bei Pseudoisidor und in der 74-Titel-Sammlung, in: DA 32 (1976) 546—557, hier 556, nennt im Anschluß an eine nichtveröffentlichte Arbeit von E. SECKEL als Quelle der genannten Sätze eine andere Fälschung aus der Werkstatt Isidors, die V. ROSE, Verzeichnis der Meerman-Handschriften der Königlichen Bibliothek zu Berlin, Berlin 1892, nr. 91, 193b, abgedruckt hat: *Quia ex iussione domini et meritis beati Petri apostoli singularis sanctae sedi apostolicae congregandorum conciliorum auctoritas data et sanctorum canonum venerandorumque patrum decretis privata ac multiplex tradita est potestas.* Dieser Text stellt seinerseits nach dem genannten Forscher eine Verfälschung der Akten der römischen Synode vom 23. 10. 501 dar, wo es heißt: *... quia eius* (scil. papae Symmachi) *sedi primum Petri apostoli meritum vel principatus, deinde secuta iussione domini conciliorum venerandorum auctoritas singularem in ecclesiis tradidit potestatem ...*, MGH.AA 12, 427, 2—4.

[204] Ausg. MAASSEN 549 = HINSCHIUS 224, 9: *Simulque idem inspirante domino constituerunt, ut nulla fieret synodus praeter eiusdem sedis auctoritatem.* — Ähnlich ebd. 550 = HINSCHIUS 228, 5 (mit leichten Abwandlungen!); ebd. 550 = HINSCHIUS 459, 9; ebd. 551 = HINSCHIUS 459, 20; ebd. 551 = HINSCHIUS 465, 24; ebd. 552 = HINSCHIUS 479, 25; ebd. 553 = HINSCHIUS 503, 3. Wirkungsvoll setzt der Redner an den Schluß seiner Ansprache den oben zitierten Passus aus dem Prolog *Synodorum* — *confirmat* = HINSCHIUS 19, 9—13 und verdeutlicht damit unübersehbar, wo die eigentliche Pointe seiner Ausführungen liegt, in der These von der Superiorität des Römischen Stuhles über die Konzilien.

[205] Vgl. FUHRMANN, Einfluß II 275.

ausführliche Zitate aus Pseudoisidor, die genau die Frage betreffen, die uns interessiert, nämlich das Verhältnis Papst/Konzil.

Wie steht es nun mit der zweiten Weise eines möglichen Einflusses, wörtlichen Anklängen? Durchmustern wir unser Quellenmaterial[206] unter dieser Rücksicht, so drängt sich eine zweite Feststellung auf: Es lassen sich keine eindeutigen wörtlichen Anklänge ausmachen. Bleibt also nur noch die sachliche Übereinstimmung als Weise des Einflusses übrig. Diese ist nun unverkennbar vorhanden. Man nehme nur einen Satz wie *(Concilium generale) sine apostolicae sedis praecepto nulli fas est vocandi*[207] und vergleiche ihn mit den oben zitierten Pseudoisidorsätzen. Nikolaus I. vertritt ebenso wie Pseudoisidor das kirchenrechtliche Axiom, daß Konzilien nicht ohne Erlaubnis des Papstes einberufen werden dürfen. Wie kommt er zu dieser Auffassung? Da einwandfrei feststeht, daß die pseudoisidorischen Dekretalen als Sammlung und nicht nur in einzelnen Stücken spätestens seit Dezember 864 / Januar 865, eben seit der Rehabilitierung Rothads, in Rom bekannt sind und dort verwendet werden[208], ist die Annahme naheliegend, daß der Papst sich auch in dieser speziellen Frage, nämlich der des Konzilseinberufungsrechts, auf den Fälscher stützt.

Kann man über diese Wahrscheinlichkeit hinauskommen und mit Gewißheit behaupten: In der Frage der Konzilseinberufung ist Nikolaus von Pseudoisidor abhängig, und zwar nicht nur in der Weise, daß der Fälscher die griffige Formel liefert, sondern die Substanz des angesprochenen Grundsatzes selber? Zu Gewißheit ist hier, wenn überhaupt, nur via exclusionis zu gelangen. Wir müssen demnach die uns bekannten älteren Quellen danach befragen, ob sie schon diese für Pseudoisidor spezifische Auffassung vertreten, nämlich daß Konzilien nicht ohne römische Erlaubnis einberufen werden dürfen. Mit diesem Durchgang durch ältere Quellen erreichen wir zwei Ziele gleichzeitig, einerseits eine größere Gewißheit über die tatsächliche Pseudoisidorbenutzung durch die Päpste unserer Zeitspanne, andererseits einen Einblick in das tatsächliche Ausmaß der gegebenenfalls durch Pseudoisidor in die Kirchenverfassung eingeführten Neuerung.

Die Frage nach dem Einberufungsrecht der Synoden ist ein Teilaspekt des umfassenderen Problems des Verhältnisses des Römischen Stuhles gegenüber Synoden überhaupt, zu dem neuerdings M. Wojtowytsch

---

[206] Vgl. die Anm. 9, 95, 97, 100, 163, 169, 170, 172, 175.
[207] MGH.Ep 6, 380, 3—4.
[208] FUHRMANN, Einfluß II 257—263.

eine wichtige Studie vorgelegt hat.[209] Die unter Anleitung von H. Fuhrmann erstellte Arbeit untersucht die „Entstehung des Bewußtseins der Päpste, eine auch die ökumenischen Konzilien bindende Weisungs- und Jurisdiktionsgewalt zu besitzen", und zwar von den Anfängen bis zum Pontifikat Leos I. einschließlich.[210] In unserem Zusammenhang, der Frage nach der Entwicklung der Vorstellungen hinsichtlich des päpstlichen Einberufungsrechtes von Synoden, genügt es, auf eine Reihe der frühesten ausdrücklichen Stellungnahmen hierzu hinzuweisen.

Die früheste im strikten Sinn kirchenrechtliche Bestimmung des Verhältnisses Papst/Synode enthalten die Kanones 3, 4, 7 des Konzils von Sardika im Jahre 342. Ein Jahr zuvor schon hatte Julius I. in seinem berühmten Brief an die orientalischen Bischöfe auf eine Art Gewohnheitsrecht hingewiesen, demzufolge der römische Bischof am Urteil von Synoden über die ‚Oberbischöfe' beteiligt werden muß.[211] Sar

---

[209] Papsttum und Konzile von den Anfängen bis zu Leo I. (440—461). Studien zur Entstehung der Überordnung des Papstes über Konzile. Päpste und Papsttum 17, Stuttgart 1981, ebd. 376—441 ein wertvoller Anhang mit reichen Literaturangaben.

[210] Wojtowytsch beschränkt sich in seiner Studie nicht auf die Analyse der relativ wenigen Texte, in denen das Verhältnis beider Größen ausdrücklich zur Sprache kommt, sondern untersucht darüber hinaus das gesamte Quellenmaterial, das über das *tatsächliche* Verhältnis beider Instanzen zueinander Auskunft gibt. Er stellt dabei für das letzte Drittel des 4. Jahrhunderts eine „klar akzentuierte Wende" (353) fest. Sieht man einmal von den Päpsten Victor I. und Stephanus I. im 2. und 3. Jahrhundert ab, die ihre Entscheidungen im Ostertermin- und Ketzertaufstreit der ganzen Kirche aufzwingen wollten und dabei „eine erhöhte Autorität auch Konzilen gegenüber in Anspruch" nahmen (355/6), so gilt nach W. für die Zeit bis zu Julius I. (337—352) und Liberius (352—366) einschließlich, daß kein Papst gegenüber den Konzilien die Haltung eines Vorgesetzten eingenommen hat. Mit dem neuen päpstlichen Selbstverständnis eines Damasus I. (366—384) und Siricius (384—399) wurde auch das „Verhältnis des Papsttums zu Konzilen auf eine neue Grundlage gestellt: Eine feste Unterordnung von Konzilen unter den Bischof von Rom war gemäß der neuen päpstlichen Theorie Bestandteil der gottgewollten Verfassung der Kirche" (354). Aber die neue Theorie der päpstlichen Oberhoheit gegenüber den Konzilien kommt unter den genannten beiden Päpsten noch nicht eigentlich zur Anwendung. „Die entscheidende Zeit in der Ausbildung einer rechtlichen Supramatie der Päpste über Konzile in Theorie und Praxis waren die Pontifikate von Innocenz I. (401—417) bis Xystus III. (431—440). Von dieser Zeit an traten die Päpste nach anfangs noch vorsichtigem, diplomatischen Rücksichten Rechnung tragendem Vorgehen zunehmend selbstbewußter Synoden als gebietende und fordernde Oberherren gegenüber" (363). Den Höhepunkt in dieser Entwicklung stellt dann der Pontifikat Leos des Großen dar (304—350). W. beschränkt sich in seiner Studie nicht auf die Darstellung des römischen Primatsverständnisses gegenüber Konzilien, sondern untersucht ebenfalls, „welche Verbreitung die römischen Gedanken fanden und wieweit sie für die Praxis bestimmende Kraft erlangten" (16).

[211] Julius, Ep. ad orientales episcopos, in: FCCO III, 1, 60: ἔδει κατὰ τὸν ἐκκλησιαστικὸν κανόνα καὶ μὴ οὕτως γεγενῆσθαι τὴν κρίσιν· ἔδει γραφῆναι πᾶσιν ἡμῖν, ἵνα οὕτως παρὰ πάντων ὁρισθῇ τὸ δίκαιον. . . . Ἦ ἀγνοεῖτε, ὅτι τοῦτο ἔθος ἦν, πρότερον γράφεσθαι ἡμῖν, καὶ οὕτως ἔνθεν ὁρίζεσθαι τὰ δίκαια; — Die genauere Auslegung der Stelle ist kontrovers. Nach E. Caspar, Geschichte des Papsttums von den Anfängen bis zur Höhe

dika macht dann ein Jahr später den Römischen Stuhl zu einer Quasi-
appellationsinstanz.[212] Nach dem Wortlaut dieser Regelung ist der Papst
nicht befugt, Synodalverfahren nach Rom zu ziehen. Er ist keine eigentliche höhere Instanz über der Synode. Er kann lediglich eine Wiederholung des Verfahrens in der Provinz veranlassen. Von einer römischen
Oberaufsicht über die Synoden mit einem ausdrücklichen Recht auf
Aktenvorlage und -begutachtung ist in Sardika keine Rede. Rom kon-
trolliert die Synode nicht grundsätzlich, sondern fallweise, eben auf Initiative des Appellanten hin. In Rom scheint man in der Folgezeit die
Tendenz zu einer gewissen Überinterpretation der Sardizensischen Kanones gehabt zu haben. Beweis dafür ist unter anderem die sogenannte
Apiariusaffäre.[213]

Das neue Verständnis der Rolle Roms gegenüber Synoden[214], das sich
Ende des 4., Anfang des 5. Jahrhunderts herausbildete, kommt deut-

---

der Weltherrschaft I, Tübingen 1930, 150—151, dessen Interpretation sich u. a. auch
SCHON, Exzerpte 556, anschließt, tritt Julius, wenn er sein Recht auf Akteneinsicht und
Begutachtung reklamiert, lediglich als „Vertreter des Abendlandes" auf. Da Konzilsent-
scheide auf dem Weg gesamtkirchlicher Rezeption Gültigkeit erlangen, müsse auch der Vertreter des Abendlandes am Rezeptionsprozeß teilnehmen. Nach WOJTOWYTSCH 103 war aber
„offenbar etwas anderes" gemeint. „Denn nicht lediglich um Mitteilung eines bereits gefäll-
ten Urteils an andere Kirchen und um dessen nachträgliche Begutachtung durch sie ging es;
vielmehr sollten ‚alle' aktiv an der Feststellung, ‚was gerecht sei', teilhaben und
dementsprechend bereits bei Vorliegen eines Verdachts, also zu Beginn des Verfahrens,
benachrichtigt werden. Was Julius forderte, war eine gemeinschaftlich ausgeübte Gerichtsbarkeit auf ökumenischer Basis." — Besser scheint den Textbefund der Vorschlag von
K. GIRARDET, Kaisergericht und Bischofsgericht. Studien zu den Anfängen des Donatistenstreites (313—315) und zum Prozeß des Athanasius von Alexandrien (328—346), Bonn
1975, 98 zu treffen: Julius spielt im Zusammenhang auf die sonst übliche Praxis einer vor-
synodalen Verständigung unter den führenden Bischöfen an, wenn einem aus ihrem Kreis
ein Synodalverfahren droht. An diese Praxis hat man sich in Tyrus bei der Verurteilung
des Athanasius nicht gehalten. Seine Weigerung, die Verurteilung des Athanasius zu rezipieren, begründet Julius mit der Berufung auf eine Art geistigen Primats der Fürsorge
für die Gesamtkirche. Einzelheiten bei GIRARDET 87—105.
[212] Text vgl. Anm. 104. — Zur Interpretation vgl. GIRARDET, Kaisergericht 106—132;
vgl. auch WOJTOWYTSCH 110—116.
[213] Vgl. hierzu MARSCHALL 161—203; WOJTOWYTSCH 254—261.
[214] Vgl. hierzu einen Passus des Damasusbriefes *Confidimus* von 371/2, in: ZNW 35 (1936)
20: *Neque enim praeiudicium aliquod nasci potuit ex numero eorum qui apud Ariminium convenerunt,
cum constet neque Romanum episcopum, cuius ante omnes fuit exspectanda sententia, neque Vincentii,
qui tot annos sacerdotium inlibate servavit, neque aliorum huius modi statutis consensum aliquem
commodasse, cum praesertim ... idem ipsi qui per inpositionem succubuisse videbantur, idem consilio
meliore displicere sibi fuerint protestati.* — Zwar wird hier das römische Votum noch nicht als
allein ausschlaggebend hingestellt, aber, so kommentiert WOJTOWYTSCH 85 treffend, „damit
war die römische Mitwirkung an ‚erster Stelle' zu einem Kriterium erhoben, das über die
Gültigkeit eines Synodalbeschlusses mitentschied, sofern er Glaubensfragen betraf". Ebd.
84—87 und 145—147 Einzelheiten zur Auslegung; vgl. auch SIEBEN, Konzilsidee 228—230.

lich zum Ausdruck in mehreren Überarbeitungen des obengenannten Juliuspassus. Der Kirchenhistoriker Sokrates († nach 439) macht aus der von Julius beanspruchten Beteiligung am Gericht über ‚Oberbischöfe' — noch vor dem Konzil von Chalcedon — ein ganz allgemeines Teilnahme- und Mitbestimmungsrecht des römischen Bischofs: Synoden dürfen Kanones nur unter Beteiligung des Bischofs von Rom — in eigener Person oder durch Legaten — aufstellen.[215] Der Kirchengeschichtsschreiber Sozomenus, der von Sokrates abhängt, gibt vor 450 in ähnlich formalisierender Weise den Passus des Juliusbriefes wieder und spiegelt damit wie schon Sokrates die Anschauungen seiner Zeit über das Verhältnis Papst/Synode wider.[216] In der durch Cassiodor († um 580) veranlaßten Übersetzung der drei griechischen Kirchengeschichten des Sokrates, Sozomenus und Theodoret, der sogenannten *Historia tripartita*, dem meistgelesenen Geschichtsbuch des Mittelalters, erfuhr der Sokratespassus eine weitere einschneidende Verschärfung, wohl auch wieder im Sinne der zeitgenössischen Auffassung. Nicht nur die Aufstellung von Kanones ist ohne Beteiligung des Papstes verboten, sondern überhaupt die Abhaltung von Synoden.[217]

Man brauchte nicht auf die „Übersetzung" des Sokratespassus durch Cassiodor im 6. Jahrhundert zu warten, um mit dem Anspruch Roms auf Beteiligung an den Synoden konfrontiert zu werden. Dies besorgte der Legat Leos des Großen, Lucentius, schon auf dem Konzil von Chalcedon (451), wobei wir offenlassen wollen, ob er dabei an den Passus des fraglichen Juliusbriefes anknüpfte oder den unbedingten Anspruch auf römische Beteiligung und Autorisierung der Synode unmittelbar aus dem Primat ableitete: (Dioscurus) *synodum ausus est facere sine auctoritate sedis apostolicae quod numquam factum est nec fieri licuit*.[218] Zu beachten ist dabei der ausdrückliche Hinweis auf die Konzilsgeschichte: Die

---

[215] Socrates, Hist.Eccl. II 8, Ausg. R. Hussey I 189: Ἀλλὰ μὴν οὐδὲ Ἰούλιος παρῆν ὁ τῆς μεγίστης Ῥώμης ἐπίσκοπος· οὐδὲ μὴν εἰς τὸν τόπον αὐτοῦ ἀπεστάλκει τινά· καίτοι κανόνος ἐκκλησιαστικοῦ κελεύοντος, μὴ δεῖν παρὰ τὴν γνώμην τοῦ ἐπισκόπου Ῥώμης τὰς ἐκκλησίας κανονίζειν.

[216] Sozomenos, Hist.Eccl. III 10, 1; GCS 50, 113, 1—4: (Julius) ἔγραψεν ἐγκαλῶν ὡς . . . παρὰ τοὺς νόμους τῆς ἐκκλησίας αὐτὸν εἰς τὴν σύνοδον οὐ κεκλήκασιν· εἶναι γὰρ νόμον ἱερατικόν, ὃς ἄκυρα ἀποφαίνει τὰ παρὰ γνώμην πραττόμενα τοῦ Ῥωμαίων ἐπισκόπου. τὰ δὲ ἐν Τύρῳ καὶ ἐν τῷ Μαρεώτῃ μὴ ἐν δίκῃ πεπρᾶχθαι κατὰ Ἀθανασίου.

[217] Hist.Trip. IV 9, 4; CSEL 71, 165, 17—21: *Sed neque Iulius interfuit maximae Romae praesul neque in locum suum destinavit, cum utique regula ecclesiastica iubeat non oportere praeter sententiam Romani pontificis ‚concilia celebrari'.*

[218] Versio Rustici, ACO II 3, 1; 40, 8—9. — Der griechische Text lautet: (Dioskur) σύνοδον ἐτόλμησεν ποιῆσαι ἐπιτροπῆς δίχα τοῦ ἀποστολικοῦ θρόνου, ὅπερ οὐδέποτε

kirchliche Vorschrift, Synoden nicht ohne Rom abzuhalten, wurde in der Vergangenheit immer beobachtet. Hinter der Affirmation des päpstlichen Legaten Lucentius bleibt Papst Gelasius insofern etwas zurück, als er lediglich von der römischen Bestätigung, nicht aber seiner notwendigen ‚Miturheberschaft‘, wenn man *auctoritas* so übersetzen kann, spricht. Er sieht dabei die römische Bestätigung im Zusammenhang der gesamtkirchlichen Rezeption. Der entscheidende Fortschritt im Vergleich zu den früheren Aussagen über das Verhältnis Papst/Synode liegt aber darin, daß die *auctoritas* des Römischen Stuhles gegenüber der Synode eindeutig auf den vom Herrn verliehenen Primat zurückgeführt wird.[219] Der gleiche Gelasius präzisiert anderswo das Verhältnis Papst/Konzil in einer so wichtigen Frage wie der der Appellationen und knüpft dabei wohl an Sardika an: Rom ist Appellationsinstanz für alle Synoden, eine Appellation von Rom an ein Konzil ist verboten.[220] An dem von Gelasius beanspruchten Bestätigungsrecht hält auch Papst Gregor der Große fest. Ohne Roms Zustimmung hätte eine in Konstantinopel in der Frage des Patriarchentitels geplante Synode keine Gültigkeit.[221]

An Roms Anspruch auf ein Bestätigungsrecht gegenüber den Synoden kann vernünftigerweise nicht gezweifelt werden. Aber einen Anspruch erheben heißt noch lange nicht, daß er auch anerkannt wird. Welches Echo findet die römische Konzilsdoktrin auf griechischer Seite? So-

---

γέγονεν οὐδὲ ἔξον γενέσθαι, ACO II 1, 1; 65, 31—32. Der Sinn dieses Satzes ist nicht aus der späteren Entwicklung, sondern aus dem näheren historischen Kontext zu bestimmen. Gemeint ist nicht das erst später vom römischen Stuhl beanspruchte Recht auf Einberufung, Leitung und Bestätigung von Synoden, sondern das gebührende Zur-Geltung-Kommen des römischen Stuhles im Verlauf der Synode. Vgl. WOJTOWYTSCH 334—335 und ST. O. HORN, Petrou Kathedra. Der Bischof von Rom und die Synoden von Ephesus (449) und Chalcedon, Paderborn 1982, 149: „Der Vorwurf besagt . . .: Dioskur beachtete in der Durchführung der Synode die Vollmacht des Apostolischen Stuhles nicht. Er führte vielmehr die Beratungen durch, ohne dessen Glaubenszeugnis zur Geltung kommen zu lassen, und fällte das Urteil ohne und gegen Rom."

[219] Gelasius, Ep 95, 10; CSEL 35, 372, 11—18: *Nullus iam veraciter christianus ignoret uniuscuiusque synodi constitutum, quod universalis ecclesiae probavit assensus, nullam magis exsequi sedem prae ceteris oportere quam primam, quae et unamquamque synodum sua auctoritate confirmat et continuata moderatione custodit, pro suo scilicet principatu, quam beatus Petrus apostolus domini voce perceptum ecclesia nihilominus subsequente et tenuit semper et retinet.*

[220] Gelasius, Ep 10, Ausgabe THIEL I 344: *Ipsi sunt canones, qui appellationes totius ecclesiae ad huius sedis examen voluere deferri, ab ipsa vero numquam prorsus appellari debere sanxerunt, ac per hoc illam de tota ecclesia iudicare, ipsam ad nullius commeare iudicium, nec de eius umquam praeceperunt iudicio iudicari, sententiamque illius constituerunt non oportere dissolvi, cuius potius sequenda decreta mandarunt.*

[221] Gregor, Ep 9, 156, MGH.Ep 2, 158, 7—11: *. . . sine apostolicae sedis auctoritate atque consensu nullas quaeque acta fuerint vires hab(e)nt . . .*

lange Rom lediglich auf einem Bestätigungsrecht gegenüber Synoden besteht, scheint man auf griechischer Seite keine Einwände erhoben zu haben. Jedenfalls gibt es mehrere Zeugnisse, die den römischen Anspruch ausdrücklich anerkennen. So macht sich der Mönch Anastasius († kurz vor 700) in seiner Schrift über die Häresien den Satz des Legaten Lucentius über das Verbot von Synoden ohne römische Einwilligung zu eigen.[222] In etwa die gleiche Richtung geht der *Horos* des zweiten Nicaenums, wenn er unter die Merkmale einer gültigen Ökumenischen Synode die römische Approbation zählt.[223] Diese *lex conciliorum* der unbedingt notwendigen römischen Beteiligung und Zustimmung kennt auch der Konstantinopler Diakon Stephan († 764).[224] Der Konstantinopler Patriarch Nikephoros († 828) begründet die kirchenrechtliche Bestimmung, ohne Rom keinen Beschluß *(Dogma)* endgültig anzunehmen oder zu verwirklichen, mit dem von Petrus herkommenden Primat.[225] Weitere, ähnlich lautende Zeugnisse aus dem griechischen Bereich ließen sich für das 8. und 9. Jahrhundert anführen.[226]

Mit dem Konstantinopler Patriarchen Nikephoros nähern wir uns der hier untersuchten Zeitspanne. Wie steht es mit der Anerkennung der römischen Ansprüche bezüglich der Synoden im Westen? Da ist zunächst das aufschlußreiche Zeugnis des Walafrid Strabo OSB († 849), der in seinem *Libellus de exordiis et incrementis rerum ecclesiasticarum* die Stellung des Papstes in der hierarchischen Ordnung der Kirche mit der

---

[222] Anastasius, De haer. et syn., JEGH 2, 261: Ἡ οὖν σύνοδος Χαλκηδόνος οὐ τοσοῦτον χάριν πίστεως συνεκροτήθη, ὅσον δι' ἐκδίκησιν τοῦ φονοῦ τοῦ εἰς Φλαβιανὸν γεγενημένου, καὶ μάλιστα ἐκτὸς ἐπιτροπῆς τῆς ἀποστολικῆς Ῥωμαίων καθέδρας γενομένης τῆς τοιαύτης λῃστρικῆς συνόδου, ὅπερ οὔτε ἔξον γενέσθαι οὔτε γέγονέ ποτε.

[223] Zweites Nicaenum, Actio VI, PL 129, 377 C: *Quomodo autem magna aut universalis* (das heißt die Ikonoklastensynode von 753), *quam neque receperunt neque concordaverunt reliquarum praesules ecclesiarum, sed anathemati hanc transmiserunt? Non habuit enim adiutorem illius temporis Romanorum papam vel eos qui circa ipsum sunt sacerdotes, nec etiam per vicarios eius, neque per encyclicam epistolam, quemadmodum lex dictat conciliorum.*

[224] Stephan., Vita sancti Stephani, PG 100, 1144 B—C: Πῶς δὲ καὶ οἰκουμενική, πρὸς ἣν οὐδὲ ὁ Ῥώμης εὐδόκησε, καίπερ κάνονος προκειμένου, μὴ δεῖν τὰ ἐκκλησιαστικὰ δίχα τοῦ πάπα Ῥώμης κανονίζεσθαι.

[225] Nicephorus, Apol. pro s. imaginibus 25, PG 100, 597 A—B: Προῆγε κατ' αὐτὴν (das heißt im zweiten Nicaenum) καὶ προήδρευεν, ὅσον τε τῆς ἑσπερίας λήξεως ἤτοι τῆς πρεσβύτιδος Ῥώμης, μέρος οὐκ ἄσημον· ὧν ἄνευ δόγμα κατὰ τὴν ἐκκλησίαν κινούμενον θεσμοῖς κανονικοῖς καὶ ἱερατικοῖς ἔθεσι νενομισμένον ἄνωθεν, τὴν δοκιμασίαν οὐ σχοίη ἢ δέξαιτ' ἄν ποτε τὴν περαίωσιν, ὡς δὴ λαχόντων κατὰ τὴν ἱεροσύνην ἐξάρχειν καὶ τῶν κορυφαίων ἐν ἀποστόλοις ἐγκεχειρισμένων τὸ ἀξίωμα.

[226] Vgl. C. A. KNELLER, Papst und Konzil im ersten Jahrtausend, in: ZKTh 27 (1903) 1—36; 391—428; 28 (1904) 58—91; 519—544; 699—722, dem wir einige der hier vorgeführten Quellenverweise verdanken.

der Kaiser und ihrer Beamten vergleicht.[227] In diesem Zusammenhang präzisiert er auch die Rolle des Papstes gegenüber den Synoden. Ähnlich wie die römischen Beamten alle Beschlüsse dem absolut regierenden Kaiser vorzulegen und dessen endgültige Entscheidung abzuwarten und anzunehmen hatten, hat es nach den Bestimmungen des Konzils von Sardika (!) auch in der Kirche zu geschehen: alle Konzilsbeschlüsse müssen dem Papst, dem Stellvertreter Petri, vorgelegt und von ihm bestätigt werden.[228] Von besonderem Interesse ist weiter ein Zeugnis des Agobard von Lyon († 840); geht aus ihm doch beides zugleich hervor, einmal, daß zu seiner Zeit die Auffassung vertreten wurde, die Beschlüsse der fränkischen Synoden bedürften zu ihrer Gültigkeit römischer Bestätigung, dann aber auch, daß diese Auffassung noch nicht von allen, zum Beispiel nicht von ihm selber, geteilt wurde. Noch also gab es Theologen, die dieser Ansicht vorsichtig widersprachen und die Gültigkeit der Synoden aus ihrem ordnungsgemäßen Ablauf und der Konformität ihrer Beschlüsse mit der Heiligen Schrift und der Lehre der Väter ableiteten.[229]

Es mag sein, daß der Anspruch des Papstes, die Beschlüsse aller Konzilien zu bestätigen, noch nicht allenthalben im Frankenreich anerkannt war, die Politik des unmittelbaren Vorgängers Leos IV., Sergius' II.

---

[227] Walafrid, De exordiis 32; MGH.Cap 2, 515, 16—21: *Comparetur ergo papa Romanus augustis et caesaribus, patriarchae vero patriciis, qui primi post caesares in imperiis fuisse videntur, ita et isti, qui satis pauci sunt, primi post trium sedium praesules habentur. Deinde archiepiscopos, qui ipsis metropolitanis praeminent, regibus conferamus; metropolitanos autem ducibus comparemus, quia, sicut duces singularum sunt provinciarum, ita et illi in singulis provinciis singuli ponuntur.*

[228] Ebd. 515, 3—6: *Sicut augusti Romanorum totius orbis monarchiam tenuisse feruntur, ita summus pontifex in sede Romana vicem beati Petri gerens totius ecclesiae apice sublimatur; de quo Sardicensi concilio statuitur cunctorum statuta ad eum referri debere idque observandum, quod ipse statuerit.* — Walafrid leitet die besondere Stellung Roms in der Kirche aber nicht nur aus der Analogie mit dem Kaisertum ab. Er beruft sich auch auf die kirchengeschichtliche Erfahrung mit der römischen Kirche: (Romanorum) *morem ideo in sacris rebus tam multae gentes imitantur, quia et tanti magisterii ex apice apostolico primordiis clarent et nulla per orbem ecclesia aeque ut Romana ab omni faece haereseon cunctis retro temporibus pura permansit.* Ebd. 437, 8—10.

[229] Agobard, Ep 5, 20; MGH.Ep 5, 174, 31—175, 1: *Verum quia sunt qui Gallicanos canones aut aliarum regionum putent non recipiendos, eo quod legati Romani seu imperatoris in eorum constitutione non interfuerint, restat, ut etiam sanctorum clarissimorum patrum doctrinas et expositiones diversosque tractatus, ut sunt Cypriani, Athanasii, Hilarii, Hieronimi, Augustini, doceant non esse recipiendos, quia cum haec tractarent vel exponerent, legati Romani sive imperatoris non aderant. Melius mihi sentire videntur, qui secundum domini dictum ,Ubi duo vel tres in nomine domini congregatos' agnoscunt, dominum quoque inter eos affuisse non dubitant; et eum, qui ecclesiam non audierit, sicut ethnicum et publicanum habendum credunt. Ubicumque enim catholici ecclesiarum rectores pro ecclesiarum utilitatibus cum dei timore in eius nomine et honore conveniunt, quicquid consonanter sanctis scripturis statuunt nulli procul dubio spernenda, immo veneranda omnibus esse debent, quod illa quam maxime auctoritate fulcitur, quia bina per annos singulos concilia fieri et Romani pontifices decreverunt et magna concilia sollicite commendarunt.*

(844—847), ging jedenfalls in die genannte Richtung. Die Provinzialsynoden müssen ihre Beschlüsse dem vom Papst eingesetzten *vicarius*
Drogo zur Bestätigung vorlegen. Weiter wird von Sergius II. bestimmt,
daß Appellationen an den Papst zunächst an seinen Stellvertreter gehen
sollen. Bezüglich der Generalsynode besitzt der *vicarius* die gleiche *auctoritas* wie der Papst selbst. Leider wird nicht genauer gesagt, was hier
unter *auctoritas* zu verstehen ist. Ist lediglich das Bestätigungs- oder
auch das Einberufungsrecht gemeint?[230] Interessant ist im gleichen Brief
die Bestimmung Sergius' II., daß der Instanzenweg unbedingt einge-
halten werden soll: an Ort und Stelle des Vergehens ist zunächst Gericht
zu halten. Ein klares Zeugnis dafür, daß Pseudoisidor zu diesem Zeitpunkt in Rom noch unbekannt ist.[231]
Überblicken wir nun die im vorausgehenden vorgestellten Quellen
zum Verhältnis Papst/Synode, so legt sich hinsichtlich unserer doppelten Fragestellung eine doppelte Schlußfolgerung nahe: Erstens, in keiner der herangezogenen Quellen ist von einem formellen und ausschließlichen Einberufungsrecht des Papstes hinsichtlich *aller* Synoden
die Rede.[232] Diejenigen Sätze unserer Autoren, die ein solches Einberufungsrecht des Römischen Stuhles behaupten, stehen also mit einer
an Sicherheit grenzenden Wahrscheinlichkeit unter dem direkten Einfluß der pseudoisidorischen Dekretalen, die nicht müde werden, dieses
exklusive Einberufungsrecht immer wieder zu erwähnen.

---

[230] Sergius II, Ep 1, MGH.Ep 5, 583, 22—31: *Huic ergo in congregandis generalibus synodis in
omnibus supradictarum regionum partibus nostram commodamus auctoritatem; et quicquid provinciali
synodo fuerit definitum, ad eius absque dilatione statuimus notitiam perducendum. Si cui autem ab illis
partibus hanc sanctam sedem appellare opus fuerit, et in nostra audientia se audiri poposcerit, hunc
commonemus, ut ad eius primum audientiam se summittat, et ecclesiasticorum gestorum in sua regione
rationabili digestione prolata, si episcoporum de eo, qui forte criminibus impetitur, sententia
discordaverit, ut ab aliis reus, innocens iudicetur ab aliis, tunc ipsis gestis ad nos delatis, litteris etiam
praefati fratris nostri, cui vicem nostram concessimus, commendatus, sive ad nos, sive ad beatissimi
Petri sedem securus accedat, nullaque eum in veniendo mora praepediat.*
[231] Ebd. 584, 1—6: *Si vero hac admonitione contempta, sola improbitate se criminibus exuendum
existimaverit, noverit a nostra mansuetudine nequaquam se temerariam absolutionem adepturum, nisi
primum et provinciali synodo, et postmodum generali praedicti fratris nostri audientia eius fuerit actio
ventilata. Illic enim causa subtilius examinatur, ubi perpetrata dignoscitur. Tamen si se ad nos venire
poposcerit, ut ante praediximus, non teneatur.*
[232] Das in der älteren Literatur, zum Beispiel noch von PERELS, dem Herausgeber der
Nikolausbriefe MGH.Ep 6, 380 Anm. 2 zitierte Pelagiusfragment JK 954 (*Synodorum congregandorum auctoritas apostolicae sedi privata commissa est potestate, nec ullam synodum generalem
ratam esse legimus, quae eius non fuerit auctoritate congregata vel fulta*) ist unecht, vgl. hierzu
H. FUHRMANN, Studien zur Geschichte der mittelalterlichen Patriarchate II, in: ZSRG.K 40
(1954) 1—84, hier 45, Anm. 139; vgl. auch DERS., Der alte und der neue Mirbt, in: ZKG 79
(1968) 198—205, hier 200. — In der Ausgabe der Briefe des Pelagius von P. M. GASSÒ,
Montserrat 1956, wird das Fragment S. 240 unter die spuria eingereiht.

Unser Überblick führt aber noch zu einem zweiten Ergebnis: Mag auch
der römische Anspruch auf Einberufung aller Synoden eine Neuerung
gegenüber der bisher bestehenden Kirchenverfassung beinhalten und
eine empfindliche Beschneidung der Autonomie der Synode bedeuten,
ein völliger Umsturz der Kirchenverfassung, eine Revolution, wurde
dadurch nicht bewerkstelligt. Die Päpste warteten nicht auf Pseudoisidor, um ihre Primatsansprüche auch im Hinblick auf die Synoden zu
formulieren und zur Geltung zu bringen. Pseudoisidor führt lediglich
einen Schritt weiter auf einem Weg, den die Päpste spätestens seit dem
fünften Jahrhundert mit der sogenannten *lex conciliorum* eingeschlagen
hatten, einen Weg, den die übrige Kirche, wenn auch bisweilen nur
zögernd, mitgegangen war. Nikolaus I. und sein *dictator* Anastasius
stützten sich zur Formulierung ihrer Konzilsidee zwar auf Pseudoisidor,
weil er die traditionelle Lehre griffig formulierte und konsequent einen
Schritt weiterentwickelte, sie haben damit aber nicht die bestehende
Kirchenordnung und -verfassung aus den Angeln gehoben.[233]
Der mit falschen Dekretalen begründete Anspruch Roms auf das Konvokationsrecht der Synoden wurde von der zeitgenössischen Theologie
keineswegs als so grundstürzend und „verfassungswidrig" empfunden,
wie das zum Beispiel Johannes Haller zu unterstellen scheint.[234] Sehr
aufschlußreich ist in dieser Beziehung das Zeugnis zweier fränkischer
Theologen. Ratramnus († nach 868) war dem Appell Nikolaus' I. gefolgt, die abendländische Kirche gegen die Vorwürfe des Photius zu
verteidigen, und kommt 867/68, also nach der römischen Rezeption des
Pseudoisidor und nach dem von Rom geltend gemachten Anspruch auf
Konvokation der Synoden, in seinen *Contra Graecorum opposita* unter

---

[233] Vgl. auch, was Wojtowytsch 15 als Ergebnis seiner Untersuchung mitteilt: „. . . die
Fälscher dieses Machwerks (das heißt der Pseudoisidorischen Dekretalen), die den Päpsten
bereits des 4. Jahrhunderts Aussagen in den Mund legten, wie die reichlich kühne und
wiederum ganz allgemein gefaßte Behauptung, ‚man lese nicht, daß irgendwelche Konzile
je gültig gewesen seien, die nicht durch apostolische (das heißt des Apostolischen Stuhles)
Autorität gestützt' seien — diese Fälscher griffen ihre Thesen nicht aus der Luft, sondern
konnten sich bis zu einem gewissen Grade auf Texte aus den vorangegangenen Jahrhunderten
stützen."
[234] Haller, Nikolaus I. 180: „Indem er (das heißt Nikolaus) das tat, die Sätze der gefälschten Dekretalen für altes Recht der römischen Kirche erklärte, und ihre Geltung durchzusetzen sich bemühte, unternahm er einen Umsturz der bestehenden Kirchenverfassung.
Der Fälscher in Hildesheim oder Reims hatte lediglich persönliche Zwecke im Auge gehabt,
die sich nur im Widerspruch zum geltenden Recht erreichen ließen. Die Rechtsänderung
war ihm nur Mittel zum Zweck gewesen. Als Nikolaus ihm die Hand reichte, sein Machwerk zum Gesetzbuch der Kirche und Richtschnur seiner Regierung machte, wurde aus dem
Mittel der Zweck, der Umsturz selbst war sein Ziel, eine Revolution von oben hatte be-
gonnen."

anderem auf diese Problematik zu sprechen. Er knüpft dabei an das obenerwähnte Zeugnis des Sokrates aus der *Historia tripartita* an und interpretiert es ganz im Sinne Pseudoisidors und des Römischen Stuhles.[235] Im gleichen Sinne legt er auch die Sardicensischen Appellationskanones aus[236], ruft er die Konzilsgeschichte zum Zeugen an[237], interpretiert er den zwischen Kaiser Marcian und Leo dem Großen ausgetauschten Briefwechsel über die Einberufung des Konzils von Chalcedon[238], legt er weitere Leobriefe in Konzilsangelegenheiten aus.[239] Die neue These vom römischen Konvokationsrecht bereitet dem fränkischen Theologen nicht die geringste Schwierigkeit, ganz im Gegenteil, er sieht und interpretiert die ganze Konziliengeschichte in ihrem Lichte.

Sehr erhellend dafür, wie sehr die pseudoisidorische Konzilsidee und damit die Ansprüche des Römischen Stuhles gegenüber den Synoden im Grunde den Vorstellungen der zeitgenössischen Ekklesiologie ent-

---

[235] Ratramnus, Contra Graecorum opposita 4, PL 121, 336 A—B: (nach Zitat von hist.trip. 4, 9, 4) *Ecce fuit hic Graecus historiographus, nec tamen Constantinopolim dicit tanta pollere auctoritate veluti Romam, testificans sine Romani pontificis vel assensu vel iussione nulla posse concilia celebrari.*

[236] Ebd. 336 D: (nach Zitat der Kanones) *Cernimus omnino Romani pontificis auctoritatem super cunctas ecclesias Christi praeeminere, ut omnes episcopi illum habeant caput, et ad eius iudicium pendeat quidquid in ecclesiasticis negotiis disponitur, ut ex eius arbitrio vel maneat constitutum vel corrigatur erratum vel sanciatur quodcumque fuerit innovandum.*

[237] Ebd. 337 A—B: *Quae res ex conciliorum gestis approbatur, siquidem omne concilium vel quod in Oriente vel quod in Africa gestum esse dignoscitur, vel Romani pontificis vicarios semper habuit praesidentes, vel eius auctoritate litterarum, quae fuerunt decreta, firmitudinem acceperunt . . .* (Nach dem Hinweis auf das erste Nicaenum) *Sic reliqua concilia primo in loco semper habuere Romanos pontifices, vel eorum legatos, tamquam apostolorum vicarios. Et revera omnes Orientales ecclesiae simul et occidentales Romanae civitatis praesulem semper quasi caput episcoporum venerati sunt, et ad eius sententiam respexerunt, et de rebus dubiis quaecumque decrevit eius iudicium sustinuerunt, illiusque decreto paruerunt. Quaecumque concilia eius sententia roborata sunt, rata manserunt, quae vero damnavit, pro nihilo reputata fuerunt, nec auctoritatem ullam habere potuerunt.*

[238] Ebd. 338 B: (nach Zitat aus den entsprechenden Briefen) *His litteris Romanorum imperatorum non ostenditur, quod patriarcha Constantinopolitanus Romano pontifici praelatus habeatur; verum quod Romanus pontifex principatum obtineat episcoporum, cuius arbitrio debeat colligi synodus, et quae sunt tractanda per eius dispositionem debeant ordinari.*

[239] Ebd. 341 B: *Advertimus certe Romanae sedis pontificem nec supponi nec conferri sed praeferri Constantinopolitano patriarchae; quandoquidem Chalcedonensem synodum videamus eius permissione fuisse collectam, cuique praesidere maluit per suos legatos, cuique etiam formam dedit propriis litteris, quid de secunda synodo Ephesi collecta foret statuendum; quid quoque de his qui fuerant in ea propter fidei veritatem sedibus propriis expulsi, et in exilia deportati; necnon et ex iis qui minis atque terroribus compulsi contra fidem iudicium protulerunt atque consenserunt . . . synodum quoque primam Ephesinam per beatum Cyrillum Alexandrinum episcopum factam statuit omnibus modis servandam, condemnans tam Nestorium quam Eutychen de incarnatione domini nostri Jesu Christi prave sentientes. Quibus omnibus evidenter instruimur, non solum Constantinopolitano, verum cunctis orientalibus episcopis Romanum pontificem honore praelatum, veluti qui cunctorum sollicitudinem plenam habere debeat episcoporum, et cui specialiter incumbat pro cunctis ecclesiis pervigil sollicitudo.*

sprachen, ist schließlich auch die Kontroverse Hinkmars von Reims mit den zeitgenössischen Päpsten. Hinkmar bestreitet nämlich keineswegs grundsätzlich dieses sich auf Pseudoisidor stützende Einberufungsrecht, er möchte es lediglich eingeschränkt wissen. Die Einberufung der Provinzialsynoden soll wie bisher keiner speziellen römischen Erlaubnis bedürfen. Die soll nur für die verschiedenen Formen des Generalkonzils nötig sein, also dann, wenn Angelegenheiten verhandelt werden, die tatsächlich die ganze Christenheit angehen.[240]

Mit diesem Ergebnis, der grundsätzlichen Bereitschaft der fränkischen Kirche, die neue römische Konzilsidee zu übernehmen, bestätigt sich für das spezielle Feld der Konzilsproblematik, was W. Ullmann mehr allgemein so formuliert hat: „Was die Fälscher nicht erfanden, war die Ideologie. Sie fälschten die Dekrete, die die Ideologie ‚beweisen' sollten".[241]

---

[240] Einzelheiten vgl. 91—95.
[241] ULLMANN, The Growth of Papal Government 148.

Kapitel II

HINKMAR VON REIMS († 882) ODER DIE FRÄNKISCHE KONZILSIDEE IM ZEICHEN REICHSKIRCHLICHER AUTONOMIEBEHAUPTUNG

Wenden wir uns nun von Rom nach Reims. Während all der Jahre, da sich die Päpste Sergius II., Benedikt III., Nikolaus I., Hadrian II. und Johannes VIII. in relativ kurzen Pontifikaten ablösten (844—882), hatte den dortigen fränkischen Metropolitansitz ein und derselbe Mann inne (845—882), Hinkmar[1], den man als den „letzten großen Repräsentanten der karolingischen ‚Hochkirche‘" bezeichnet hat.[2] Der Erzbischof von Reims widersetzte sich hartnäckig der neuen, vor allem von Nikolaus I. propagierten Ekklesiologie und suchte die Rechte der ‚Ortskirchen‘ gegenüber den Machtansprüchen der zentralen römischen Kirchenleitung zu wahren. Friedrich Kempf hat in einer neueren Publikation[3] dieses Ringen zwischen Rom und Reims als einen „Dialog" be-

---

[1] Vgl. die umfassende Biographie von J. DEVISSE, Hincmar, archevêque de Reims (845—882), Genf 1975 und 1976 (1585 Sn.), dazu kritische Ausstellungen bei B. TAEGER, Zum „Ferculum Salomonis" Hinkmars von Reims, in: DA 33 (1977) 153—163, hier 156, Anm. 28, vgl. auch R. SCHIEFFER, in: DA 34 (1978) 279—281; H. PLATELLE, Hincmar, archevêque de Reims (845—882) d'après un ouvrage récent, in: MSR 36 (1979) 113—137. — Trotz dieses dreibändigen neuen Werkes ist nach wie vor unentbehrlich SCHRÖRS, Hinkmar. — Kürzere Einführungen in Leben und Werk Hinkmars geben H. VON SCHUBERT, Geschichte der christlichen Kirche im Frühmittelalter, Tübingen 1921, 439—442; H. NETZER, Art. Hincmar, in: DThC 6, 2 (1925) 2482—2486; R. NAZ, Art. Hincmar, in: DDC 5 (1953) 1135—1154, bes. 1144—1154 („H. et la hiérarchie ecclésiastique"), vor allem Y. CONGAR, L'ecclésiologie du haut Moyen-Age, Paris 1968, 166—177 („H. de Reims. Son ecclésiologie, sa conception de la vie canonique de l'Eglise"); zur Kirchenrechtsproblematik und zum historischen Kontext speziell vgl. E. LESNE, La hiérarchie épiscopale. Provinces, métropolitains, primats en Gaule et Germanie depuis la réforme de saint Boniface jusqu'à la mort d'Hincmar, Lille-Paris 1905, bes. 130—184; H. SCHMIDT, Trier und Reims in ihrer verfassungsrechtlichen Entwicklung bis zum Primatialstreit des neunten Jahrhunderts, in: ZSRG.K 18 (1929) 1—111, hier 77 ff. über H.; K. WEINZIERL, Erzbischof Hinkmar von Reims als Verfechter des geltenden Rechts, in: Episcopus, Fs. M. Faulhaber, München 1949, 136—163; F. ARNOLD, Das Diözesanrecht nach den Schriften Hinkmars von Reims. Eine Untersuchung über den Ursprung und die Entstehungszeit des Diözesanrechts, Wien 1935; anregende Beobachtungen bietet auch K. F. MORRISON, Tradition and Authority in the Western Church 300—1140, Princeton 1969, 240—253; G. H. TAVARD, Episcopacy and Apostolic Succession according to Hincmar of Reims, in: ThSt 34 (1973) 594—623, unterstreicht die Zukunftsträchtigkeit von Hinkmars Ekklesiologie.

[2] E. EWIG, in: HKG(J) III 1; 187.

[3] Primatiale und episkopal-synodale Struktur der Kirche vor der gregorianischen Reform, in: AHP 16 (1978) 27—66.

zeichnet und bedauert, daß er in der Folgezeit nicht fortgesetzt wurde: „Die Art und Weise, wie dieser (das heißt Hinkmar) die Rechte der Provinzialsynode und des Metropoliten verteidigte, verdient trotz mancher Schattenseiten allen Respekt. Hier kommen endlich einmal die Probleme zur Sprache, die das Verhältnis zwischen Papst, Metropolit und Provinzialsynode betrafen. Wäre dieser Dialog fortgesetzt worden, hätte er zu einer genaueren Abgrenzung der primatialen und episkopalsynodalen Rechtsordnung führen können".[4]

Das folgende Kapitel stellt sich die Aufgabe, Hinkmars Vorstellungen vom Konzil als solchem (3), in Sonderheit seine Konzeption des Verhältnisses Papst/Konzil in der Frage der römischen Appellationen (4) und des Verhältnisses Konzilskanones / päpstliche Dekretalen (5) darzustellen. Während Hinkmars Regierungszeit als Erzbischof von Reims (845—882) fanden in der westfränkischen Kirche zahlreiche Synoden statt, die quellenmäßig sehr gut belegt sind. So haben wir die Möglichkeit, uns ein Bild über die synodale Tätigkeit des Metropoliten zu erarbeiten. Das überlieferte Werk des Erzbischofs hat andererseits ein hervorstechendes Merkmal: Wir meinen den ungewöhnlichen Reichtum an Zitaten patristischer Quellentexte. Es erscheint somit verlockend, speziell für den Bereich der Konzilsidee diese patristische Quellenkenntnis Hinkmars zu beleuchten. Den drei Hinkmars Theorie gewidmeten Abschnitten gehen deswegen zwei Untersuchungen voraus, die sich mit den „Quellen" dieser Theorie, nämlich seiner persönlichen Erfahrung mit Konzilien (1) und seiner Kenntnis der einschlägigen Texte der Alten Kirche, befassen (2).

1. Persönliche Erfahrung mit Konzilien

Hinkmars Idee vom Konzil wird aus einer doppelten Quelle gespeist, aus seiner persönlichen Anschauung, seiner Erfahrung mit Konzilien, und seiner Kenntnis der diesbezüglichen patristischen Quellen. In der Tat, der Erzbischof von Reims weiß, wovon er redet, wenn er von Konzilien spricht. Während seines 37jährigen Episkopates hat Hinkmar an rund 40 zum großen Teil „außerordentlichen" Synoden teilgenommen[5]; denn kaum eine der zahlreichen Auseinandersetzungen dieser

---

[4] F. KEMPF, Struktur der Kirche 59.
[5] Zu den außerordentlichen Synoden kommen die „ordentlichen", vorgeschriebenen, hinzu. Hier ist es schwer anzugeben, an wieviel routinemäßig stattfindenden Diözesan- bzw. Provinzialsynoden Hinkmar teilgenommen hat. BARION 31—32, jedenfalls ist der Meinung,

Jahre fand, auf die eine oder andere Weise, nicht auch vor dem Forum der Synode statt. Die Forschung hat diese Seite seiner Aktivität zwar immer wieder berührt, aber auch in den beiden letzten umfassenden Biographien[6] Hinkmars wird seine Teilnahme an Synoden nicht im Zusammenhang behandelt. Deswegen scheint es angebracht, zunächst die synodale Tätigkeit des Reimser Metropoliten in knappen Zügen aufzuzeigen. Das hat auch den Vorteil, daß wir uns damit gleichzeitig die Hauptstationen seines Lebensweges vor Augen führen.[7]

Wahrscheinlich hat Hinkmar schon vor seiner Erhebung zum Erzbischof von Reims (845) an mehreren der wichtigen Reformsynoden teilgenommen — so an der von Aachen (836) —, auf denen die großfränkische Partei des Klerus die Kirchenreform durchzusetzen suchte. Jedenfalls befand er sich seit Februar 835 nach einem Intermezzo von fünf Jahren wieder am Hofe des Kaisers[8], nachdem er zuvor schon einmal bis zur Verbannung seines Lehrers und Freundes Hilduin dort geweilt hatte. Sicher bezeugt ist seine Teilnahme, genauer sein Vorsitz, zusammen mit zwei weiteren Bischöfen und einem Abt auf der Reformsynode (*concilium*) von Verneuil (Dezember 844)[9], deren 9. Kanon die Wiederbesetzung des seit Jahren verwaisten Stuhles von Reims forderte.[10] Die *synodus episcoporum regni* von Beauvais vom 10. April 845 entsprach mit der Wahl Hinkmars dieser Forderung.[11]

Zwei Monate nach seiner Wahl zum Erzbischof von Reims finden wir Hinkmar in führender Rolle auf dem Reformkonzil von Meaux (17. Juni 845), das am 14. Februar 846 in Paris fortgesetzt wurde.[12] Für

---

daß Hinkmar „mit großer Energie und auch mit Erfolg die Abhaltung von Provinzialsynoden förderte". Der gleiche Forscher nimmt aufgrund der vorliegenden Zeugnisse an, daß „Hinkmar grundsätzlich an der nicaenischen Vorschrift von jährlich zwei Provinzialsynoden festhielt . . .". (ebd. 32, Anm. 35).

[6] SCHRÖRS, Hinkmar, und DEVISSE.

[7] Vgl. außer SCHRÖRS, Hinkmar passim, DEVISSE 919—923; HEFELE-LECLERCQ, Histoire des conciles, 4, 1 und 2; vor allem WERMINGHOFF 607—678.

[8] Für weitere Einzelheiten, auch für das folgende, vgl. SCHRÖRS, Hinkmar 24.

[9] *Inscriptio* der Kanones, MGH. Cap 2, 383/4. — Vgl. HEFELE-LECLERCQ 117—118. Wir verzichten hier und im folgenden auf eine genauere moderne Bezeichnung der Art der jeweiligen Synode. Auf die Schwierigkeit einer solchen Kennzeichnung weist neuerdings W. HARTMANN, Zu einigen Problemen 6—15 hin. Vom gleichen Autor vgl. die ausführliche Beschäftigung mit der etwas späteren ostfränkischen Synode: Das Konzil von Worms 868. Überlieferung und Bedeutung, AAWG, Göttingen 1977.

[10] MGH.Cap 2, 385.

[11] Flodoard, *Historia Remensis ecclesiae* III 1; MGH.SS 13, 474; vgl. HEFELE-LECLERCQ 118—119.

[12] Praefatio und canones, MGH.Cap 2, 390—421. — Das Konzil findet statt *secundum synodalis ordinis censuram . . . regis Karoli . . . consensu sub divino nutu*, ebd. 397, 9—11. Zwei Kanones

Ostern des gleichen Jahres war auf päpstlichen Befehl ein Konzil in Trier angesetzt, auf dem die Rechtmäßigkeit von Hinkmars Wahl zum Erzbischof überprüft werden sollte. Dieselbe steht im Zusammenhang mit der Rechtmäßigkeit der Absetzung, Wiedereinsetzung und Wiederabsetzung seines Vorgängers Ebo.[13] Aber dieses Konzil kam nicht zustande. Noch im gleichen Jahr nahm Hinkmar an einem Konzil in Paris teil, das die Angelegenheit in seinem Sinne regelte.[14]

Das nächste zu besonderem Anlaß versammelte Konzil *(synodalis conventus/synodus)* war das von Quierzy im Frühjahr 849[15], auf dem der Theologe und Dichter Gottschalk von Fulda erneut verurteilt wurde. Daß man dem Mönch die Lösung von den Oblationsgelübden verweigert hatte, rächte sich bitter. Gottschalk entfachte unter den führenden Theologen seiner Zeit durch seine Ideen über die Prädestination eine heftige Auseinandersetzung, bei der auch der Reimser Erzbischof Hinkmar nicht ohne Schaden davonkam. Das Pariser Konzil vom Herbst des gleichen Jahres, an dem Hinkmar ebenfalls teilnahm[16], handelte unter anderem möglicherweise von der gleichen Angelegenheit. Ob inzwischen noch die an sich vorgeschriebenen Provinzialsynoden stattgefunden haben, ist nicht sicher, scheint aber wahrscheinlich.[17]

Eine wichtige Diözesansynode *(conventus presbyterorum)* fand jedenfalls am 1. November 852 in Reims statt. Auf ihr wurden ähnlich wie auf den Diözesansynoden vom 10. Juni 856 und vom Juli 874 liturgische Vorschriften über die Verwaltung der Sakramente und sonstige Bestimmungen aufgestellt, die vom strengen Reformgeist des neuen Erzbischofs beredtes Zeugnis ablegen.[18] Für das Jahr 853 ist die Teilnahme

---

beziehen sich auf die Abhaltung von Konzilien: *Ut principes iuxta decreta canonum per singulas provincias saltem bis aut semel in anno a metropolitanis et diocesanis episcopis synodice conveniri concedant, quia quaelibet confusio rerum temporalium dissolvere non debet collegium et studium sacerdotum* (32). — *Ut si quilibet episcopus ad synodum vocatus quacumque occasione venire distulerit, nisi evidens impossibilitas praepedierit, salva censura ex hoc patrum auctoritate decreta cesset ab officio, donec satisfaciat fratribus*, ebd. 406, 22—28; vgl. HEFELE-LECLERCQ 120 ff.

[13] Einzelheiten bei SCHRÖRS, Hinkmar 50 ff.

[14] Flodoard, Historia, MGH.SS 13, 476; vgl. HEFELE-LECLERCQ 130.

[15] Hinkmar, *De praedestinatione* 2; PL 125, 85 A—B. Vgl. HEFELE-LECLERCQ 150 ff.

[16] Mansi 14, 923.

[17] Vgl. BARION 32, Anm. 35.

[18] *Capitula synodica*, PL 125, 773—804, vgl. SCHRÖRS, Hinkmar 458. — Hinkmars Diözesancapitula wurden später sehr geschätzt. Regino von Prüm hat sie zum Teil in seine *Libri de synodalibus causis* aufgenommen. Näheres hierzu bei P. FOURNIER/G. LE BRAS, Histoire des Collections canoniques en occident I, Paris 1931, 260. Zum ersten Auftauchen der pseudoisidorischen Dekretalen in Hinkmars Diözesanstatuten vgl. FUHRMANN, Einfluß I 200—210. Zur Verwendung der Capitula auf dem Konzil von Trosly (909) vgl. G. SCHMITZ, Das Konzil von Trosly (909), in: DA 33 (1977) 341—434, hier 415—420.

Hinkmars an drei wichtigen Synoden bezeugt. Die am 22. April in Soissons zusammengetretene *synodus episcoporum* befaßte sich unter anderem mit dem Problem der von dem abgesetzten Ebo vor Jahren geweihten Reimser Geistlichen.[19] Unmittelbar im Anschluß an letztgenannte Synode trat eine kleinere Versammlung von Bischöfen auf Veranlassung Karls des Kahlen in Quierzy zusammen und stellte vier Kapitel gegen Gottschalk auf.[20] Der nächste Konzilstermin, noch im gleichen Jahr, war der 27. August: das Konzil von Verberie[21], das eine lokale Angelegenheit regelte. Am 24. August 855 nahm Hinkmar an einem Konzil *(conventus)* in Bonneuil-sur-Marne[22] teil, für das Jahr 856 ist die obengenannte Diözesansynode in Reims bezeugt.

Der 14. Februar 857[23] und November 858[24] führten den Erzbischof wiederum nach Quierzy *(synodus episcoporum)*. Das Sendschreiben dieses Konzils an den König stammte aus der Feder Hinkmars. Wie schon das letztgenannte Konzil waren die Versammlungen in Metz vom 28. Mai 859[25] und Savonnières vom 14. Juni *(synodus duodecim provinciarum)*[26] durch die politischen Ereignisse, nämlich den Einfall Ludwigs des Deutschen in das westfränkische Reich bedingt. Das Konzil von Thousey (Oktober 860) brachte unter anderem den Streit über die Prädestination zu einem für alle Parteien annehmbaren Ende.[27] Hinkmar war auch hier der Verfasser des Synodalschreibens.[28]

Kaum war der Streit über die Prädestination zu Ende, kam ein neuer vor das Forum der Synode *(synodus conprovincialis)*: 861 wurde auf einer Provinzialsynode in Soissons der widerspenstige Suffragan Rothad von

---

[19] Mansi 14, 977—990; vgl. Flodoard, Historia, MGH.SS 13, 484 f.; HEFELE-LECLERCQ 192 ff.
[20] *Annales Bertiniani* 853, Ausgabe G. WAITZ, Scriptores rerum Germanicarum, Hannover 1883, 43 (die neue kritische Ausgabe von F. GRAT, J. VIELLIARD und S. CLÉMENCET [Paris 1964], Société de l'histoire de France, war uns leider nicht zugänglich); vgl. auch HEFELE-LECLERCQ 197—199.
[21] Synodalbrief MGH.Cap 2, 421—423; vgl. HEFELE-LECLERCQ 196.
[22] Mansi 15, 21—28; HEFELE-LECLERCQ 211.
[23] Mansi 15, 125—128; SCHRÖRS, Hinkmar 274.
[24] *Epistula synodi*, MGH.Cap 2, 428—441; SCHRÖRS, Hinkmar 80 ff.
[25] MGH.Cap 2, 442—446; HEFELE-LECLERCQ 215.
[26] MGH.Cap 2, 447—450.
[27] Mansi 15, 557—589; HEFELE-LECLERCQ 227—232. — Zur Quellenlage, zum Zusammenhang mit dem folgenden Konzil und zum politischen Hintergrund vgl. P. R. McKEON, The Carolingian Councils of Savonnières (859) and Tusey (860) and their Background. A study in the ecclesiastical and political history of the ninth century, in: RBen 84 (1974) 75—100.
[28] Zur Verwendung von Pseudoisidor in Synodalbriefen vgl. FUHRMANN, Einfluß I 211 bis 218.

Soissons aus der Gemeinschaft der Bischöfe ausgeschlossen.[29] Der Bestätigung dieses Ausschlusses entging Rothad im Juni/August 862 auf einer Synode *(quatuor provinciarum concilium)* in Pîtres durch seinen Appell an den Papst.[30] Im Spätjahr des gleichen Jahres setzte aber der Reimser Erzbischof auf der Fortsetzung des Konzils von Pîtres in Soissons die Absetzung Rothads durch.[31] Die Synode von Verberie (29. Oktober 863) beschloß unter anderem, dem päpstlichen Befehl nachzukommen und Rothad nach Rom ziehen zu lassen.[32]

Die auf Befehl des Papstes am 18. August 866 in Soissons zusammengetretene *synodus*[33] beschäftigte sich mit dem Fall des Wulfad, eines der von Ebo ungültig geweihten Reimser Geistlichen, der aber inzwischen bei Hofe hoch in Gunst stand.[34] Papst Nikolaus I. war mit dem Ergebnis der Versammlung nicht zufrieden und befahl die Abhaltung eines weiteren Konzils in der gleichen Angelegenheit. Die *synodus provinciarum Remensis* (Reims), *Rothomagensis* (Rouen), *Turonensis* (Tour), *Senonum* (Sens), *Burdegalensium* (Bordeaux) *atque Bituricensium* (Bourges)[35] fand am 25. Oktober 867 in Troyes statt.[36] Die Bischofsversammlung von Pîtres im August 868 befaßte sich mit dem gleichen Gegenstand.[37] Im Dezember desselben Jahres fand anläßlich der Wahl und Weihe Williberts von Châlons-sur-Marne eine Synode in Quierzy statt, in der Hinkmar den Kandidaten der vorgeschriebenen Prüfung unterzog.[38]

Ein weiterer Konflikt mit einem seiner Suffragane, seinem Neffen Hinkmar von Laon, kommt zu einer ersten Verhandlung auf der *synodus omnium episcoporum regni*[39] am 24. April 869 in Verberie.[40] Im gleichen Jahr nahm Hinkmar an der Versammlung in Pîtres teil (Juli 869), auf

---

[29] Wir verdanken die Nachricht den *Annales Bertiniani*, deren Verfasser vom Jahre 861 an Hinkmar selber ist: *Hincmarus Durocorthori Remorum archiepiscopus, synodo conprovinciali apud martyrium sanctorum Crispini et Crispiniani secus civitatem Suessionis Rothadum, ipsius urbis episcopum, regulis ecclesiasticis oboedire nolentem episcopali privat communione secundum decreta canonum, donec oboediat ;* WAITZ 56.

[30] An.Bert. 862, WAITZ 59. — Capitulare: MGH.Cap 2, 302—310; vgl. HEFELE-LECLERCQ 304—305.

[31] An.Bert. 862, WAITZ 59; HEFELE-LECLERCQ 308.

[32] An.Bert. 862, WAITZ 66; HEFELE-LECLERCQ 349.

[33] An.Bert. 866, WAITZ 82.

[34] Akten Mansi 15, 703—760; HEFELE-LECLERCQ 392—413.

[35] Zur Provinz- und Diözesanorganisation in der Zeit Hinkmars vgl. LESNE 87—107, ebd. 89 über die zugrunde liegende *Notitia Provinciarum*.

[36] An.Bert. 867, WAITZ 88; Akten Mansi 15, 789—800; HEFELE-LECLERCQ 413—420.

[37] An.Bert. 868, WAITZ 96; WERMINGHOFF 640.

[38] Mansi 15, 861—866.

[39] An.Bert. 869, WAITZ 98.

[40] Mansi 16, 551—556; HEFELE-LECLERCQ 475—477.

der eine Reihe von Kanones aufgestellt wurden.[41] Auf der *synodus episcoporum decem provinciarum*[42] vom Juni 870 in Attigny nahm der Streit der beiden Hinkmare, des Onkels und des Neffen, seinen Fortgang[43]. Der Reimser brachte eine Kurzfassung seiner berühmten *LV capitula* zur Verlesung. Wahrscheinlich im gleichen Jahr nahm Hinkmar noch an der Synode von Verberie teil[44], am Anfang des folgenden an der Synode von Compiègne (Januar 871).[45] Auf der August-September-Synode des gleichen Jahres in Douzy erfolgte dann der entscheidende Schlag gegen den aufsässigen Neffen Hinkmar von Laon[46]: der Neffe wurde abgesetzt, eingekerkert und schließlich geblendet.

873 enthoben die auf dem Konzil von Senlis versammelten Bischöfe Karlmann, den mißratenen Kaisersohn, seiner geistlichen Würden.[47] Für das Jahr 874 sind zwei Konzilstermine des Reimser Erzbischofs zu verzeichnen: am 13. Juni die *sancta synodus plurimarum provinciarum* beziehungsweise das *generale placitum* (!) von Douzy[48], am 11. Juli die oben schon erwähnte Diözesansynode von Reims. Seine Anwesenheit auf derselben macht es unwahrscheinlich, daß Hinkmar am Konzil von Attigny am 1. Juli ebenfalls teilnahm.[49] Im Frühjahr des folgenden Jahres finden wir Hinkmar auf der Provinzialsynode von Soissons (1. März)[50] und auf dem Konzil *(conventus venerabilium episcoporum)* von Chalon-sur-Saône.[51] Für den 21. Juni bis 16. Juli 876 berief Karl der Kahle das Konzil von Ponthion, in dem über die Einsetzung des Ansegis von Sens zum apostolischen Vikar von Gallien und Germanien verhandelt wurde. Wir besitzen in den *Annales Bertiniani* über dieses Konzil einen ausführlichen und die gespannte Atmosphäre gut wiedergebenden Bericht aus der Feder Hinkmars[52], der naturgemäß an dieser Ernennung, dem Ergebnis einer politischen Absprache zwischen Karl und Johannes VIII., kein sonderliches Gefallen finden konnte!

---

[41] *Capitula*, MGH.Cap 2, 332—337; Mansi 16, 559—562; Hefele-Leclercq 477—478.
[42] An.Bert. 870, Waitz 109.
[43] Mansi 16, 856—864; dazu Schrörs, Hinkmar 334, Anm. 115; Hefele-Leclercq 615 bis 618; vgl. P. R. McKeon, Le concile d'Attigny, in: Le Moyen Age 76 (1970) 401—425.
[44] Mansi 15, 785—788.
[45] PL 126, 277—280.
[46] An.Bert. 871, Waitz 117; Mansi 16, 569—688; Hefele-Leclercq 619—635.
[47] An.Bert. 873, Waitz 121; Mansi 17, 281—282.
[48] An.Bert. 874, Waitz 125; Mansi 17, 281—298; Hefele-Leclercq 638—639.
[49] *Capitula*, MGH.Cap 2, 458—460.
[50] Mansi 17, 303.
[51] Mansi 17, 299; Hefele-Leclercq 640.
[52] An.Bert. 876, Waitz 127—131.

Zwei Jahre später begab sich der Erzbischof wieder auf Konzilsreise.
Mit dem Konzil von Troyes (August/September 878) hat es eine besondere Bewandtnis: es war nicht nur vom Papst einberufen, sondern
der Papst war auch in persona auf diesem Konzil zugegen, und er eröff-
nete es am 11. August.[53] Man befaßte sich hauptsächlich mit der trost-
losen Lage des Römischen Stuhles.[54] Auch über dieses denkwürdige
Konzil — Hinkmar nennt es *concilium generale* — besitzen wir einen relativ ausführlichen Bericht aus der Feder des Annalisten Hinkmar.[55] Erst
wieder das Jahr 881 brachte zwei weitere Synoden für den inzwischen
wohl schon 75jährigen Erzbischof: die Synode vom 2. April in Fîmes[56],
auf der der „alte Eiferer für Sitte und Recht sein schneidiges Wort"
noch einmal vernehmen läßt, „das er so oft mit priesterlichem Freimut
und staatsmännischer Weisheit vor Fürst und Volk geführt hatte".[57]
Das von ihm geschriebene Synodalschreiben stellt zusammen mit einem
kurz vor seinem Tode verfaßten Mahnschreiben[58] das geistliche und
politische Testament des greisen Kirchenfürsten dar. Das letzte Konzil,
an dem Hinkmar teilnahm, fand in Reims statt, wohl noch im Juli 881.[59]
Es sprach die Exkommunikation über Odaker aus, den vom jungen
König Ludwig III. „investierten", aber von Hinkmar abgelehnten
Kandidaten für den Bischofsstuhl von Beauvais.[60]

Hinkmar starb auf der Flucht vor brandschatzenden und mordenden
Normannenhaufen, von denen das Königreich heimgesucht wurde, am
21. Dezember 882 in Epernay, einem der Reimser Kirche gehörenden

---

[53] Mansi 17, 345—358; HEFELE-LECLERCQ 666—678.
[54] Von den fränkischen Waffen verlassen, war der Römische Stuhl sizilianischen Arabern
tributpflichtig geworden. Lambert von Spoleto hatte Johann VIII. einen Monat lang in
Rom gefangengehalten.
[55] An.Bert. 578, WAITZ 140—144.
[56] Mansi 17, 537—556; PL 125, 1069—1086; HEFELE-LECLERCQ 685—686, vgl. auch BARION
294—295. Einzelheiten zu der auf dem Konzil von Fîmes durch Hinkmar affirmierten Gewaltenteilung bei H. H. ANTON, Fürstenspiegel und Herrscherethos in der Karolingerzeit,
BHF 32, Bonn 1968, 236—239; DERS., Zum politischen Konzept karolingischer Synoden
und zur karolingischen Brüdergemeinschaft, in: HJ 99 (1979) 55—132, hier 123 ff.; ferner
G. SCHMITZ, Hinkmar von Reims, die Synode von Fismes 881 und der Streit um das Bistum
Beauvais, in: DA 35 (1979) 463—486.
[57] SCHRÖRS, Hinkmar 434.
[58] PL 125, 1007—1008.
[59] WERMINGHOFF 657.
[60] Synodalschreiben, PL 126, 245—253; vgl. SCHRÖRS, Hinkmar 439, Anm. 101. — Zur
kirchenrechtlichen Problematik dieser Exkommunikation vgl. G. EHRENFORTH, Hinkmar
von Reims und Ludwig III. von Westfranken, eine kirchenrechtliche Untersuchung, in:
ZKG 44 (1925) 65—98, hier 65—81.

Hofe in waldeinsamer Gegend. Die Umstände des Todes erinnern an die letzten Lebenstage eines anderen großen Bischofs, Augustinus von Hippo, der während des Vandalensturms auf seine Bischofsstadt aus dem Leben schied. Es kann im Rahmen unserer Untersuchung nun nicht mehr unsere Aufgabe sein, den genauen Anteil Hinkmars an der Redaktion der zahlreichen von diesen Synoden aufgestellten Kanones zu bestimmen. Wir haben übrigens gelegentlich auf seinen besonderen Beitrag hingewiesen.[61]

2. Kenntnis der altkirchlichen Quellen

Die zweite Quelle, aus der Hinkmars Konzilsidee gespeist wird, sind die Konzilien der Vergangenheit. Und dies meint wiederum ein Doppeltes: der Erzbischof kennt die Quellen, und er kennt, wenn man so will, die kirchengeschichtlichen Handbücher des Mittelalters, in denen Informationen, auch über die alten Konzilien, zu finden sind. Devisse hat in seiner dreibändigen Monographie über Hinkmar im Appendice IV[62] eine Liste der in seinen „Bibliotheken"[63] sicher, wahrscheinlich, eher nicht vorhandenen Bücher zusammengestellt. In diesem für damalige Verhältnisse eindrucksvoll langen Katalog[64] stehen auch einige geschichtliche beziehungsweise kirchengeschichtliche Handbücher: die *Historia ecclesiastica gentis Anglorum* des Beda, der *Liber Pontificalis*[65], die *Historiarum adversus paganos libri 7* des Orosius, die *Historia ecclesiastica* des Eusebius in der Übersetzung und Fortführung des Rufinus.

Von Bedeutung für die kirchengeschichtlichen Kenntnisse des Reimser

---

[61] Vgl. BARION 100, Anm. 72 (gegen Ende), der auf Hinkmars Redaktion der Kanones von Metz (859), Pîtres (862), Troyes (867) hinweist.

[62] DEVISSE 1469—1510. — Vgl. auch F. M. CAREY, The Scriptorium of Reims during the Archbishopric of Hincmar (845—882 A. D.), in: Classical and Medieval Studies in honor of E. Kennard Rand, hrsg. v. L. WEBBER JONES, New York 1938, 41—60.

[63] DEVISSE 1469—1475 geht davon aus, daß Hinkmar außer der Kathedralbibliothek von Reims auch die Bibliotheken der benachbarten Abteien, also im wesentlichen von St. Remi und St. Thierry mitbenutzt hat.

[64] Die Liste zählt über 100 Autoren, dabei das Hauptinteressengebiet Hinkmars, die Kirchenrechtssammlungen nicht einbegriffen! Manche Autoren, wie Augustinus, sind dabei mit rund 50 Schriften, die Pseudo-Augustiniana nicht eingeschlossen, vertreten. Das Gros sind natürlich lateinische Kirchenväter, aber auch einige Griechen sind dabei, so die *Epistolae Paschales* Theophils von Alexandrien in der Übersetzung des Rufinus, einige Predigten Gregors von Nazianz, ja einige Bände profaner römischer Literatur, so Seneca und Terenz.

[65] Von Hinkmar *Codex episcopalis* genannt, vgl. MGH.Ep 8, 212.

Erzbischofs ist aber vor allem ein andereres Werk, die *Historia tripartita* des Epiphanius/Cassiodorus[66], die Hinkmar wiederholt zitiert, bald im Singular[67], bald im Plural[68], bald als *Historia tripartita*[69], und die vom 9. Jahrhundert an bald mehr und mehr zu *dem* kirchengeschichtlichen Handbuch des Mittelalters werden sollte.[70] In ihr findet der Reimser Erzbischof vergleichsweise ausführliche und solide Nachrichten über das Konzil von Nicaea[71], Antiochien[72], das gerade für ihn, wie wir später noch sehen werden, so wichtige Konzil von Sardika[73], Sirmium[74], Mailand[75], Rimini[76], Nice in Thracien[77], das für die athanasianische Partei bedeutsame Konzil von Alexandrien (363)[78], das später sogenannte zweite Ökumenische Konzil von Konstantinopel[79], die römische Synode (378) unter Damasus mit der *professio catholica fidei*[80], die sogenannte „Eichensynode" (403), auf der Johannes Chrysostomus abgesetzt wurde[81], und schließlich Ephesus.[82] Außer über die genannten Synoden enthält die *Historia tripartita* noch Nachrichten über weitere, weniger wichtige Konzilien dieser Jahre zwischen 324 und 439, sie enthält vor allem eine Fülle von Quellendokumenten, an denen der Erzbischof auf-

---

[66] Diese umfangreiche, in 12 Bücher aufgeteilte, aus Theodoret, Sokrates und Sozomenus nach der griechischen Vorlage des Theodor Lector zusammengestellte Kompilation behandelt die Jahre 324—439, also die synodenreichsten Jahre der Alten Kirche. Text CSEL 71. Zur Verbreitung im MA vgl. W. Jacob, Die handschriftliche Überlieferung der sog. Historia tripartita des Epiphanius-Cassiodor, in: TU 59 (1954); M. L. W. Laistner, The value and influence of Cassiodor's Ecclesiastical History, in: HThR 41 (1948) 51—67. Der letztgenannte Autor gibt außerdem Hinweise auf die Rehabilitierung, die die Kompilation seit der Jahrhundertwende erfahren hat, u. a. durch J. Bidez, La tradition manuscrite de Sozomène et la Tripartite de Théodore le Lecteur, in: TU 32 (1908), 2, b und durch L. Parmentier, den Herausgeber der Kirchengeschichte des Theodoret (GCS 19).
[67] *Ut in veraci et recipienda hystoria legimus*, MGH.Ep 8, 183, 35; *in historia Theodoreti legitur*, PL 125, 969 B.
[68] *Veridicae monstrant historiae, ait enim Theodoretus ... et Socrates*, PL 125, 974 B—C; *sicut enim in ecclesiasticis historiis legimus*, MGH.Ep 8, 122, 23.
[69] PL 126, 355 A und 365 B.
[70] Vgl. die Anm. 66 angegebene Studie von Laistner.
[71] Hist. trip. I 20—II 14; CSEL 71, 80—108.
[72] Ebd. IV 9—10; 164—167.
[73] Ebd. IV 21—24; 176—191.
[74] Ebd. V 6—7.20; 220—226, 244—246.
[75] Ebd. V 15; 234—235.
[76] Ebd. V 16.20—24, 34—35; 236—237 und 244—253, 267—277.
[77] Ebd. V 25; 253—254.
[78] Ebd. VI 20; 330—332.
[79] Ebd. IX 12—14; 506—516.
[80] Ebd. IX 16; 518—522.
[81] Ebd. X 17; 610—611.
[82] Ebd. XII 5; 670—672.

grund seiner theologischen Methode[83] in besonderer Weise interessiert ist, darunter eine stattliche Zahl von Synodalbriefen.[84] Aber Hinkmar bezieht seine Kenntnisse über die Konzilien der Alten Kirche sicher nur zum geringeren Teil aus Handbüchern, vor allem der *Historia tripartita*. Es stehen ihm eine Reihe von Quellenwerken, vor allem Sammlungen von Kirchenrechtsquellen, zur Verfügung, die es ihm erlauben, sich ein persönliches Bild über die betreffenden Konzilien zu machen. An erster Stelle ist hier die *Dionysio-Hadriana*[85] zu nennen.[86] Devisse nennt neben der *Dionysio-Hadriana*[87] die *Hispana* und die *Quesnelliana*.[88] Wir können im Rahmen dieser Untersuchung nicht im einzelnen angeben, was die beiden genannten Sammlungen über die *Dionysio-Hadriana* hinaus an Konzilsquellentexten enthalten, sondern müssen uns auf einige Hinweise beschränken.

Die *Hispana* bringt in der Serie der griechischen Konzilien in engem Zusammenhang mit dem ersten Constantinopolitanum auch die Glau-

---

[83] Vgl. hierzu SCHRÖRS, Hinkmar 166: „Seine dogmatischen Schriften bestehen zum größten Teil nur aus aneinandergereihten Citaten; und auch da, wo er selbst das Wort ergreift, stößt man allenthalben in den Ausdrücken und Wendungen auf patristische Reminiszenzen." Nach DEVISSE 1471, Anm. 1 beläuft sich der Umfang der patristischen Zitate auf ca. 1900; hinzukommen ca. 1200 Zitate aus kirchenrechtlichen Quellen!

[84] So u. a. die *Epistula Eusebii Pamphili de fide Nicaeni concilii* (II 11), die *Epistula Nicaeni concilii ad Alexandriam et Aegyptum destinata* (II 12), die *Epistula Antiocheni concilii de fide* (IV 10), die *Litterae concilii Serdicensis ad universos episcopos* (IV 24), die *Fides exposita Sirmio* (V 7) und die *Alia fides* (V 8), die *Epistula concilii Ariminensis orthodoxorum episcoporum* (V 21), die *Epistula Ariminensis concilii* (V 23), das *Edictum Valentiniani et Valentis de consubstantiali trinitate* (VII 9), die *Epistula Constantinopolitani concilii ad papam Damasum et occidentales episcopos* (IX 14) und schließlich die *Statuta sedis apostolicae contra diversas hereses* (IX 16), das heißt die Anathematismen der wichtigen römischen Synode von 378 unter Damasus.

[85] Concilia Germaniae, ed. J. HARTZHEIM, I Köln 1759, 131—234; Kennzeichnung gegenüber der *Dionysiana* bei F. MAASSEN, Geschichte der Quellen und der Literatur des canonischen Rechts im Abendlande I, Graz 1870, 444—452.

[86] Hierzu und zum folgenden vgl. DEVISSE, Appendice III 1397—1465. — Die *Dionysio-Hadriana* enthält das Symbolum, die 20 Kanones und die Unterschriften des Konzils von Nicaea (325), die Kanones und mehrmals die Unterschriften der Konzilien von Ancyra (314), Neocaesarea (314/325), Gangra (350), Antiochien in Encaeniis (341), Laodicea (343—381), die Kanones und Unterschriften des ersten Konzils von Konstantinopel (381), die Glaubensdefinition und die Anathematismen des Ephesinums und Chalcedon (451) samt Unterschriften, Sardica (343), an dem Hinkmar besonders interessiert ist, schließlich die in zwei Serien aufgeteilten Kanones des Konzils von Karthago (419). — Diese Aufteilung der Gesamtzahl von 138 Kanones der reinen *Dionysiana* in zwei Serien von je 33 und 105 ist eines der Kennzeichen der *Dionysio-Hadriana*, die Hinkmar stets benutzt. Vgl. zum Beispiel MGH.Ep 8, 138, 25—28. Für weitere Einzelheiten zur Benutzung der Sammlung durch Hinkmar vgl. DEVISSE 1397 ff., der nicht nur die vom Reimser Erzbischof verwendeten Hss. ermittelt, sondern auch die Benutzung nach Jahren und nach dem verhältnismäßigen Anteil zu anderen Sammlungen aufzuschlüsseln sucht.

[87] Vgl. auch SCHRÖRS, Hinkmar 389/90.

[88] DEVISSE 1407 ff.; *Hispana*: PL 84, 93—848; *Quesnelliana*: PL 56, 371—746.

bensdefinition des dritten Constantinopolitanums. Die Kanones der afrikanischen Konzilien sind hier nicht in zwei, sondern 8 beziehungsweise 9 Serien aufgeteilt. Es folgen zusätzlich zur *Dionysio-Hadriana* 10 gallische[89] und 15 spanische Konzilien zusammen mit einigen anderen Dokumenten. Die spanischen Konzilien machen dabei mehr als die Hälfte des Textes aus.[90]

Schließlich benutzt Hinkmar als „offizielle" Sammlung noch die altehrwürdige *Quesnelliana* wohl vom Ende des 5. oder vom Anfang des 6. Jahrhunderts, die sich unter der uns interessierenden Rücksicht dadurch von den beiden vorausgenannten wesentlich unterscheidet, daß sie nicht nur Konzilstexte und Dekretalen enthält, sondern Dokumente verschiedenster Provenienz (Briefe einzelner Bischöfe, kaiserliche Konstitutionen und Edikte usw.) in Dossiers ohne weiter erkennbare Ordnung zusammengefaßt.[91] Es ist uns hier noch weniger möglich als im vorausgehenden, die einzelnen hinzukommenden Stücke zu nennen. Nur en passant sei auf einige für die Konzilsidee des Reimser Erzbischofs relevante Texte hingewiesen. Die Sammlung setzt ein mit der für den römischen Primat wichtigen *praefatio* des Konzils von Nicaea.[92] Statt der sonst üblichen 20 nicaenischen Kanones enthält die *Quesnelliana* eine eigentümliche Rezension von 27 nicaenischen Nummern in fortlaufender Zahlenreihe zusammen mit 19 Canones von Sardika *(Canones Nicaeni concilii sub titulis XLVI)*.[93]

---

[89] Arles I—III, Valence, Turin, Riez, Orange, Agde, Orléans.

[90] 324 der insgesamt 532 Spalten umfassenden Ausgabe in PL 84. — Weitere Einzelheiten bei MAASSEN, Geschichte der Quellen 681—682.

[91] Es lassen sich etwa 9 Dossiers voneinander unterscheiden. 1—5: Kanones von Nicaea, Karthago, Ancyra, Neocaesarea, Gangra; 6—20: Dossier zum Pelagianismus; 21—24: Dekretalen des Innocens; 25—28: Dossier zu Chalcedon; 29—36: Dekretalen des Siricius, Zosimus, Bonifatius, Caelestin; 37—40: vier Glaubensbekenntnisse; 41—57: Dossier zur Eutyches- und Acacius-Krise; 58—66: Briefe verschiedenen Inhalts; 67—98: Briefe Leos des Gr. — Genauere Charakterisierung bei MAASSEN, Geschichte der Quellen 490—500, ferner CH. LEFEBVRE, in: DDC 7 (1965) 434—440.

[92] Vgl. S. 170.

[93] PL 56, 387—412. — Weiter finden wir in der *Quesnelliana* das wichtige Schreiben des Konzils von Karthago (416) an Innocens, das Schreiben der 5 afrikanischen Bischöfe an den gleichen Papst, das Antwortschreiben an Aurelius, das nur in dieser Sammlung überliefert ist, die 9 Anathematismen des Konzils von Karthago vom 1. Mai 418, für das Chalcedonense u. a. das Einladungsschreiben des Kaisers, seine Ansprache an das Konzil und seine Schlußkonstitution. Von besonderer Wichtigkeit ist der Schlußteil: die Sammlung von 32 Leo-Briefen ist um so bemerkenswerter, als die übrigen alten Sammlungen nur insgesamt 45 enthielten. Mehrere dieser Briefe (14, 106, 114, 162) sind von höchster Relevanz für die Konzilsidee Leos des Großen und werden auch in diesem Sinne von Hinkmar benutzt. Doch hiervon weiter unten!

Außer den sogenannten „offiziellen" Sammlungen[94] benutzt[95] Hinkmar in geringem Umfang noch die *Dacheriana*[96], die Sammlung von Arles[97], die Sammlung der Colbert'schen Handschrift[98] usw. Vor allem ist hier natürlich Pseudoisidor zu nennen.[99] Der Erzbischof gab sich aber nicht mit dem in den Kirchenrechtssammlungen enthaltenen Konzilsquellen zufrieden. Er verschafft sich Einsicht in die Geschichte der alten Konzilien auch durch das Studium der unabhängig überlieferten Akten. Ob man aus einer bestimmten Stelle[100] auf die Benutzung der Konzilsakten von Ephesus schließen darf, ist nicht gewiß, sicher aber verfügt Hinkmar über Akten des Konzils von Chalcedon, die über das hinausgehen, was er in den obengenannten Rechtssammlungen vorfindet.[101] Das gleiche gilt für Konstantinopel II[102] und Konstantinopel III[103].

In Hinkmars „Bibliothek" befinden sich — darauf sei abschließend hingewiesen — gewisse Texte einzelner Väter, die für die Entfaltung der Konzilsidee der Alten Kirche von sehr großer Bedeutung gewesen sind. Nicht als ob Hinkmar diese Texte immer in ihrem historischen Sinn versteht und sie in diesem Sinn anführt — nur zu oft ist das Gegenteil der Fall —, aber er zitiert sie, und auf diesen Titel hin verdienen sie hier

---

[94] Devisse 1413 beziffert den jeweiligen Anteil der drei Sammlungen folgendermaßen: Bei einer Gesamtzahl von 961 Zitationen kommen auf die *Dionysio-Hadriana* 587, auf die *Hispana* 125, auf die *Quesnelliana* 159, auf die *Quesnelliana* oder *Hispana* 90 Zitationen.

[95] Devisse 1415 ff.

[96] Ausgabe L. Dachery, Spicilegium, Paris 1723, 512—564.

[97] Maassen, Geschichte der Quellen 767—771.

[98] Maassen, Geschichte der Quellen 536—542.

[99] Vgl. Devisse 1415 ff. — Speziell im Hinblick auf die Leo-Briefe hat Devisse 1445 ff. Hinkmars Benutzung Pseudo-Isidors untersucht: „Il n'y a pas d'indices sûrs d'une utilisation d'Isidore Mercator avant 860. Ils apparaissent, au contraire, à partir de cette date, mais le nombre de cas à retenir est trop faible pour être décisif ... L'archevêque poursuit une recherche dans les décrétales léoniennes, indépendamment des modes, mais ... il est sensible, à la fin de sa vie à l'influence du recueil nouveau." — Allgemein zur Benutzung Pseudoisidors durch Hinkmar vgl. Fuhrmann, Einfluß I 200—224, dort heutiger Forschungsstand und weitere Literatur.

[100] PL 125, ... olim Nestorium Constantinopolitanum ... de scripturis authenticis ac sanctorum dictis quaedam interrasisse atque corrupisse prodentibus gestis comperimus. Vgl. hierzu Schrörs, Hinkmar 391, Anm. 9.

[101] Vgl. zum Beispiel PL 126, 369 A: *Lege gesta synodi Chalcedonensis* ... Nach Devisse 1427, Anm. 3 stammen die Zitate Hinkmars nicht aus der *versio* des Rusticus, sondern aus der *versio antiqua*. Ebd. weitere Einzelheiten zu den benutzten Handschriften.

[102] Vgl. PL 125, 88 AB; 490 D—491 A.

[103] Vgl. PL 125, 88 AB; 93 A; 491 A—B; 492 B; 493 B; 508 D (über Honorius: *Insuper et Honorium magnae Romae papam, quia contra fidem sensisse et prave sentientibus consensisse detectus ac evidentissime conprobatus est, sicut in sexta synodo invenitur, etiam post mortem anathematizaverunt...*); 527 D—528 A; 577 AB. Zur Honoriusfrage im Mittelalter vgl. Kreuzer 115. — Devisse 1427 weitere Einzelheiten.

einen Hinweis. An erster Stelle sind hier Leo[104] und Gelasius zu nennen. Folgende von Hinkmar zitierte Leo-Dekretalen sind für die Entfaltung der Konzilsidee der Alten Kirche bedeutsam: Ep. 14, 11: hierarchische Struktur der Kirche mit dem Papst an der Spitze[105], Ep. 106, 2: „ewige" Geltung der nicaenischen Kanones[106], Ep. 106, 4[107], Ep. 114, 2[108], Ep. 119, 4[109] und schließlich Ep. 162, 1[110]: Unauflöslichkeit der nicaenischen Kanones.

Desgleichen finden wir die für die Konzilsidee relevanten Gelasius-Dekretalen[111] bei Hinkmar zitiert: *tractatus* 4, 1[112] und Ep. 26, 1[113]: Kriterium für ein gutes Konzil, Ep. 26, 2[114]: Verbot der Wiederbehandlung von Konzilsdefinitionen, und Ep. 26, 3[115]: Roms Einsatz für Konzilsbeschlüsse. Weitere für die Konzilsidee aufschlußreiche Texte haben die Aufmerksamkeit des Reimser Erzbischofs auf sich gezogen, so vor allem der Augustinus-Text, dem spätestens von der Reformation an das besondere Interesse der Theologen galt: de bapt. 2, 3, 4: verschiedener Verbindlichkeitsgrad von Schrift, Universal- und Partikularkonzilien.[116] Hinkmar zitiert von Augustinus[117] ferner de bapt. 2, 4, 5: die Partikularsynoden als Wahrheitssuche und das Generalkonzil als gewisser Abschluß derselben[118], de bapt. 2, 9, 14: gestufte Verbindlichkeit der Konzilsautorität[119], de bapt. 7, 53, 102: Beseitigung von Zweifel durch

---

[104] Zur Benutzung der Leo-Dekretalen allgemein vgl. Devisse 1436 ff. Dieser Autor weist darauf hin, daß Hinkmar ab 860 die extravaganten Leo-Dekretalen sammelt, vgl. ebd. 1438—1441 eine übersichtliche Tabelle mit Angabe des Fundortes der von Hinkmar zitierten insgesamt 47/48 Leo-Dekretalen. „Toutes les décrétales qui figurent dans la Dionysiana-Hadriana ont été citées d'après celle-ci, Hincmar ne s'interdisant pas à quelques reprises, de compléter par des emprunts à l'Hispana, à la Quesnelliana ou à la Dacheriana" (1442).
[105] PL 126, 29 C und 326 D. — Das Zitat ist nicht an beiden Stellen gleich lang. Dasselbe gilt auch von den folgenden Zitatwiederholungen. — Text mit Angabe des Fundortes in kritischen Editionen, Interpretation vgl. Sieben, Konzilsidee 137—138.
[106] PL 126, 191 D und 235 A und 322 A; vgl. a.a.O. 113.
[107] PL 126, 192 A und 235 C und 252 B; vgl. a.a.O. 114.
[108] PL 126, 252 B; vgl. a.a.O. 114.
[109] PL 126, 193 B und 369 D—370 B; vgl. a.a.O. 134.
[110] PL 125, 395 B; vgl. a.a.O. 114.
[111] Zur Gelasius-Benutzung insgesamt vgl. Devisse 1448—1450.
[112] PL 126, 373 C—374 C; vgl. Sieben, Konzilsidee 282.
[113] PL 125, 394 B—C und 497 B—D und PL 126, 418 A—C; vgl. a.a.O. 276.
[114] PL 125, 395 C—396 A und PL 126, 582 A—B; vgl. a.a.O. 279.
[115] PL 126, 195 A—B und 390 C—D und 633 D; vgl. a.a.O. 280.
[116] PL 126, 388 C—389 A; vgl. a.a.O. 92.
[117] Zum stattlichen Umfang der „Augustinus-Bibliothek" Hinkmars vgl. Devisse 1479 bis 1485, zur Augustinusbenutzung ebd. 1358—1363.
[118] PL 125, 67 B und PL 126, 474 C; vgl. Sieben, Konzilsidee 93.
[119] PL 126, 389 A—B; vgl. a.a.O. 93.

Konzil[120], Ep. 54, 1, 1: die Plenarkonzilien als *saluberrima auctoritas* in der Kirche[121], und schließlich Ep. 65, 2: die konkrete Anwendung eines Konzilskanons durch Augustinus.[122]
Von den für die Konzilsidee relevanten Hilarius-Texten[123] zitiert Hinkmar de syn. 17, 63: schriftliche Glaubensformulierung als *littera*[124], und de syn. 86: mystische Bedeutung der Zahl der 318 Väter von Nicaea.[125] Den gleichen Gedanken enthält das Ambrosius-Zitat de fide 1, 18, 118[126]. Natürlich zitiert Hinkmar die berühmte Gregordekretale[127] Ep. 1, 24: Primat der vier ersten Ökumenischen Synoden.[128] Sogar ein so spezieller Text wie der des Justinian über die spezifische Konsensmaterie der Konzilien ist nicht der Aufmerksamkeit des Reimser Erzbischofs entgangen.[129] Abschließend sei noch auf ein Cyprian-Zitat[130] hingewiesen, das die Freiheit der Bischöfe bei der Konzilsabstimmung betont.[131]

3. Aspekte des Konzils als solchen

Hinkmar hat als langjähriger Erzbischof von Reims viel persönliche Erfahrung mit Konzilien, er ist zudem von seiner theologischen Methode her ein ausgezeichneter Kenner der Quellen zu ihrer Geschichte. Wenn wir nun im Fortgang unserer Untersuchung die Frage nach seiner Konzilsidee, seiner Konzeption, seinen theoretischen Äußerungen über Konzilien stellen, so bleibt uns eine gewisse Enttäuschung nicht erspart. Gemessen an der Konzilspraxis und der diesbezüglichen Quellenkenntnis ist der Beitrag des Reimser Erzbischofs zur Konzilstheorie nicht sehr erheblich. Mit dieser Feststellung wird übrigens das Urteil bestätigt, das Forscher wie Schrörs über seine Theologie ganz allgemein ausgesprochen haben: Hinkmar ist „weniger Theologe als

---

[120] PL 126, 388 C; vgl. a.a.O. 93.
[121] PL 126, 323 D—324 A; vgl. a.a.O. 101.
[122] PL 126, 399 C—D; vgl. a.a.O. 86.
[123] Hinkmar kannte nach DEVISSE 1496 *De synodis, de trinitate, tractatus super psalmos,* Hymnen und den Mattäuskommentar.
[124] PL 125, 410 A—C und PL 126, 432 C; vgl. SIEBEN, Konzilsidee 203.
[125] PL 126, 235 B; vgl. a.a.O. 222.
[126] PL 126, 235 B; vgl. a.a.O. 221.
[127] Zu Gregordekretalen bei Hinkmar insgesamt vgl. DEVISSE 1433—1435.
[128] PL 126, 415 A—B, vgl. SIEBEN, Konzilsidee 231.
[129] PL 126, 391 C; vgl. a.a.O. 287.
[130] Zur Cyprian-Benutzung insgesamt vgl. DEVISSE 1368—1370.
[131] PL 125, 769 A—B; vgl. SIEBEN, Konzilsidee 479.

Kanonist" gewesen.[132] Er ist wohl eher kein schöpferischer theologischer Kopf.

Findet sich bei ihm auch keine ausgebildete Konzilstheorie, so lohnt es sich nichtsdestoweniger, die über sein Werk verstreuten Elemente seiner Konzilsidee zusammenzutragen. Den wichtigsten Text stellt in dieser Hinsicht cap. 20 des *Opusculum LV capitulorum*[133] dar, also der berühmten Streitschrift gegen seinen Neffen Hinkmar von Laon, die der Reimser Erzbischof der im Juni 870 zu Attigny stattfindenden Synode vorlegte.[134] Für die Interpretation ist nun zu beachten, daß die in diesem Kapitel vorkommenden Äußerungen über Konzilien nicht in einem systematischen Zusammenhang stehen, vielmehr lediglich einen Exkurs darstellen.[135] Der weitere Kontext ist eine grundsätzliche Erörterung über das Verhältnis der Rechtsquellen zueinander, nämlich der päpstlichen Dekretalen und der Konzilskanones. Diese Erörterung ist durch den Neffen veranlaßt, der zur eigenen Verteidigung Rechtssammlungen[136] aus den pseudoisidorischen Dekretalen zusammengestellt hat. Im näheren Kontext geht es um einen ganz bestimmten pseudoisidorischen Satz, nämlich das generelle Verbot der Abhaltung von Synoden ohne römische Einwilligung: *in eisdem epistolis scriptum est, non debere vel*

---

[132] SCHRÖRS, Hinkmar 174. — „Das ganze theologische Wissen Hinkmars bestand in nichts anderem als in einer staunenswerten Belesenheit in den Schriften der Väter und Kirchenschriftsteller. Nicht nur sind seine Gedanken sämtlich aus dieser Quelle geschöpft, sondern auch deren Form; eine selbständige Verarbeitung des überlieferten Stoffes ist bei ihm noch viel weniger anzutreffen wie bei den übrigen Theologen des 9. Jahrhunderts. Seine dogmatischen Schriften bestehen zum größten Teil nur aus aneinandergereihten Citaten." Ebd. 166.

[133] PL 126, 290—494. — Die Schrift ist sehr weitschweifig angelegt und schlecht gegliedert. Es lassen sich jedoch etwa 5 Gedankenblöcke voneinander abheben: 1. eine Zusammenstellung der Vorwürfe gegen seinen Neffen Hinkmar von Laon (1—9), 2. eine kanonistische Abhandlung über das Verhältnis von Metropoliten und Suffraganen (10—19), 3. eine Kritik der von seinem Neffen aus Pseudoisidor zusammengestellten Dekretalensammlung (20—27), 4. weitere Ausführungen über die Obergewalt des Metropoliten (28—34), 5. Abweisung gegen ihn selbst gerichteter Anschuldigungen (35—55).

[134] Zu Einzelheiten und weiterem Schicksal dieser Schrift vgl. SCHRÖRS, Hinkmar 334 ff., ferner FUHRMANN, Einfluß I 667.

[135] Eine erste, sehr informative Auswertung dieses Passus bietet BACHT 223—242.

[136] Vgl. *Hincmari collectio ex epistolis Romanorum pontificum ad Hincmarum Rhemensem* (= Pittaciolus), PL 124, 993—1002, *Collectio altera*, ebd. 1001—1026; zu diesen Sammlungen und einer neuen Quelle in diesem Zusammenhang, nämlich dem Berliner Codex Philippicus 1764, sowie der damit zusammenhängenden pseudoisidorischen Problematik vgl. FUHRMANN, Einfluß I 625—756, ferner: DERS., Zur Überlieferung des Pittaciolus Bischof Hincmars von Laon, in: DA 27 (1971) 517—524, und W. MEYER, Über Hincmars von Laon Auslese aus Pseudo-Isidor, Angilram und aus den Schreiben des Papstes Nicolaus I, in: NGWG.PH 1912, 219—227.

posse convocari synodum sine iussione vel consensu Romani pontificis.[137] Damit
bezieht sich Hinkmar von Reims auf eine oder mehrere der in einer der
Sammlungen[138] des Neffen enthaltenen pseudoisidorischen Dekretalen.[139]

Statt die Fälschung nun als solche zu entlarven[140], entwickelt Hinkmar
zur Widerlegung dieses und anderer pseudoisidorischer Sätze, die den
Metropoliten als Zwischeninstanz zwischen dem Papst und dem Einzel-
bischof praktisch ausschalten, die ihm eigentümliche Theorie von der
absoluten Überlegenheit des konziliaren über das päpstliche Recht, von
der später noch ausführlicher die Rede sein soll. In diesem Kontext,
also einem Beweisgang zugunsten der Konzilseinberufungsbefugnis des
Metropoliten, fallen Hinkmars Äußerungen allgemeiner Art über die
kirchlichen Konzilien.

Wie beweist Hinkmar seine These vom Konzilseinberufungsrecht des
Metropoliten, wohlgemerkt ohne jeweilige spezielle Erlaubnis des
römischen Bischofs? Zwei Schritte sind in seiner Argumentation zu
unterscheiden. Er zeigt zunächst, daß die genannten Dekretalen im
Widerspruch stehen zu anderen Gesetzestexten, nämlich Konzilskanones[141] und Dekretalen.[142] Er glaubt hieraus, insbesondere aus den
(echten!) Dekretalen, schon eine erste Folgerung ziehen zu können:
*Non igitur absque sedis apostolicae auctoritate metropolitani episcopi et primates
provinciarum synodos convocamus.*[143] Mit anderen Worten: Metropoliten
haben das Recht, Provinzialsynoden einzuberufen, und zwar ohne spe-

---

[137] PL 126, 358 B.

[138] Die erste, im Juli 869 zusammengestellte Sammlung, das von Fuhrmann sog. „Unter-
schriftenwerk" selber ist nicht erhalten, lediglich ein Auszug daraus, der sog. *Pittaciolus* vom
November 869, aus dem wir im folgenden zitieren.

[139] P. Hinschius, Decretales Pseudo-Isidorianae, Leipzig 1863, 503, 3—4: *Nam ut nostis,
synodum sine eius auctoritate fieri non est catholicum;* zitiert im *Pittaciolus* des Hinkmar von Laon
PL 124, 998 B; Hinschius 465, 25—26: *canonibus quippe in Nicaeno synodo iubentibus non debere
praeter sententiam Romani pontificis ullo modo concilia celebrari nec episcopos damnari;* zitiert bei
Hinkmar von Laon PL 124, 1018 D, und Hinschius 466, 36—467, 1: *Sui enim iuris erat . . .
ut absque eius sanctae sedis auctoritate nullus deberet aut concilia celebrare aut episcopos ad synodum
convocare vel damnare eos . . .;* zitiert bei Hinkmar von Laon PL 124, 1010 C.

[140] Über das zwielichtige Verhältnis Hinkmars von Reims zu Pseudoisidor vgl. die in ihrer
These überholte, aber materialreiche Studie von J. Weizsäcker, Hinkmar und Pseudo-
Isidor, in: ZHTh 28 (1858) 327—430; heutiger Forschungsstand bei Fuhrmann, Einfluß I
200—224.

[141] Kanon 5 von Nicaea; Kanon 19 von Chalcedon, Kanon 20 von Antiochien, Kanon 62
von Karthago; PL 126, 358 B—C.

[142] Innocenz an Victricius, Leo an Anastasius, Gregor an die gallischen Bischöfe, PL 126,
358 C—359 A.

[143] PL 126, 359 A.

zielle päpstliche Erlaubnis. Sie tun dies insofern „nicht ohne Erlaubnis des Apostolischen Stuhles", als dieser ja die regelmäßige Abhaltung von Synoden vorschreibt.

In einem zweiten Schritt[144] geht er näher auf die Frage ein, welche Konzilien einer ausdrücklichen römischen Erlaubnis bedürfen. So kommt Hinkmar denn in einer Art Exkurs auf die verschiedenen Arten von Konzilien zu sprechen. Derselbe zeichnet sich nicht durch besondere Klarheit aus, deutlich ist jedoch das Ziel: es geht Hinkmar um die Unterscheidung von zwei Arten von Synoden, solchen, die ohne spezielle Erlaubnis des römischen Stuhles stattfinden können, und solchen, die eine ausdrückliche Erlaubnis voraussetzen. Einer speziellen Erlaubnis bedürfen die *concilia generalia*. Das sind diejenigen Konzilien, die eine *causa generalis*, also eine Angelegenheit, die die ganze Christenheit angeht, verhandeln.

Hinkmar begnügt sich aber nicht mit dieser apriorischen Unterscheidung zwischen zwei Arten von Konzilien, die an sich für seinen Beweis genügt hätte. Er nennt konkrete Beispiele für *concilia generalia* und gelangt so zur Unterscheidung von zwei Arten von Generalkonzilien. Da ist auf der einen Seite die Reihe der in der gesamten Kirche rezipierten Synoden: Nicaea I, Konstantinopel I, Ephesus, Chalcedon, Konstantinopel II und III. Sie „werden auf besondere Weise allgemein genannt" *(generales specialiter appellantur)*, denn sie sind von der ganzen katholischen Kirche rezipiert *(a catholica ecclesia receptissimae)*. Hinkmar nennt sie auch *synodi universales*.[145]

Auf der anderen Seite gibt es Konzilien wie das Sardicense oder die afrikanischen Synoden, die wichtige Kanones aufgestellt haben und die nicht weniger zur Regelung einer *causa generalis*, und zwar unter aus-

---

[144] Die Überleitung ist nicht sehr klar. Im Anschluß an die in einer Gregor-Dekretale enthaltene Schriftstelle Mt 18, 20 schreibt Hinkmar: *constat ergo de generali fidei causa hoc dixisse apostolicam sedem.* Worauf bezieht sich dieser Satz? Auf das unmittelbar vorausgehende Schriftzitat? Will Hinkmar sagen, daß Jesus auf den Bischofsversammlungen, auf denen eine *causa generalis* verhandelt wird, sicher anwesend ist? Das erscheint im Zusammenhang wenig sinnvoll. Der Satz *hoc ... sedem* dürfte sich vielmehr auf die weiter oben (358 B) zitierte pseudoisidorische Dekretale, also auf das Verbot von Konzilsversammlungen ohne spezielle römische Erlaubnis beziehen. Hinkmar will sagen: das Verbot, Konzilien ohne römische Erlaubnis abzuhalten, bezieht sich nur auf Konzilien, auf denen eine *generalis causa* verhandelt wird, es bezieht sich auf jedwede Synode.

[145] Op. LV c. 20, PL 126, 359 A—B: *Unde cum plura catholica habeantur concilia, sex synodi tantum generales specialiter appellantur, quia pro generali ad omnes Christianos causa pertinente sunt convocatae, quae sine speciali iussione sedis apostolicae regulariter congregari non poterant, neque possunt. Quarum synodorum universalium, a catholica ecclesia receptissimarum prima est, quae in Nicaea congregata existit ...*

drücklichem Befehl *(iussio)* des Papstes vom Kaiser einberufen worden sind. Was die Größe dieser Versammlungen angeht, so stehen manche von ihnen nicht hinter einigen der erstgenannten Generalkonzilien zurück. Kurz, es handelt sich auch hier um Generalkonzilien, freilich nicht ganz von der gleichen Art wie die oben aufgezählten, denn sie sind nicht wie jene von der gesamten Kirche rezipiert *(receptissimae)*.[146] Da sich die griechische nicht mit der fränkischen Kirche darüber eins ist, ob Nicaea II zur Zahl der *receptissimae synodi* gehört oder nicht, geht Hinkmar schließlich noch auf diese Frage ein. Das führt dann zu einer ziemlichen Verwirrung der Begriffe. Im Rückgriff auf die *Libri Carolini*[147] operiert er mit einem doppelten Begriff von *universalis. Universalis* bezeichnet nicht nur die räumliche Ausbreitung (Ökumenizität), sondern auch die lehrmäßige Orthodoxie. Die vom Papst befohlene und vom Kaiser einberufene *synodus generalis* von Frankfurt (794) hat nun in den Augen Hinkmars das Abweichen von der Orthodoxie des zweiten Nicaenums, im eben genannten Sinne seine fehlende *universalitas*, aufge-

---

[146] Ebd. 361 A: *Claret etiam hac de causa ... universales ac generales synodos nominari, cum plures episcopi, quam in quibusdam praefatis synodis fuerint congregati, apostolicae sedis iussione, et imperiali convocatione: sicut Sardicensis synodus, in qua ab Hesperiis partibus plusquam trecenti convenerunt episcopi. Et in Africanis synodis, cum legatis apostolicae sedis celebratis, interdum amplius quam ducenti fuerunt congregati episcopi; non tamen inter illa universalia concilia computantur, cum constet esse catholica et a sede apostolica atque universali ecclesia receptissima.*

[147] Ebd. 360 B—361 A. — Das zu dieser Stelle der *Libri Carolini* (IV 28) bei SIEBEN, Konzilsidee 334—335, Ausgeführte ist jetzt zu ergänzen und zum Teil zu nuancieren aufgrund der „redaktionsgeschichtlichen" Untersuchungen bei Elisabeth DAHLHAUS-BERG, Nova antiquitas et antiqua novitas. Typologische Exegese und isidorianisches Geschichtsbild bei Theodulf von Orléans, Köln-Wien 1975, 209—211. Die in deutlicher Spannung zueinander stehenden Konzilstheorien von *Libri Carol.* IV 13 und IV 28 gehen nicht auf den gleichen Autor zurück. Die erste Stelle gibt Theodulfs Konzilstheorie wieder. Weil es ihm um die Ablehnung des 2. Nicaenums als allgemeinen Konzils geht, behauptet er die prinzipielle Unmöglichkeit einer siebten universalen Synode. Die zweite Stelle hingegen stammt aus der Feder Alcuins. Sein redaktionell angefügtes Schlußkapitel hat die Rechtfertigung des Konzils von Frankfurt (794) als allgemeiner Synode im Auge. Er legt seiner Konzilstheorie das Verständnis von *universalis* = rechtgläubig zugrunde. Als auf eine mögliche Quelle dieser Auffassung weist FUHRMANN, Das Ökumenische Konzil 682, hin auf Isidor von Sevilla, De eccl. officiis I 1, 3; PL 83, 740 A: *Ecclesia ... catholica autem dicitur, quia per universum mundum est constituta, vel quoniam catholica, hoc est generalis, in ea doctrina est ...* — Bei DAHLHAUS-BERG 216 auch der neueste Stand der Verfasserfrage der *Libri Carolini:* „War Theodulfs Name auch von Anfang an hinter dem Namen des offiziellen Autors Karl völlig zurückgetreten und haben an der Planung und bei den Korrekturen andere Hoftheologen, zuletzt auch Alcuin, mitgewirkt, so sind die LC doch nach inhaltlichem und formalem Aufbau, nach Stil und Konzeption in erster Linie sein Werk." Zum Streit um die Autorschaft und zu den einzelnen Phasen der Entstehung der *Libri Carolini* vgl. im einzelnen das Kap. „Theodulf und die Libri Carolini", ebd. 169—216. Vgl. auch neuerdings P. MEYVAERT, The authorship of the „Libri Carolini", in: RBen 89 (1979) 29—57, der sich entschieden zugunsten von Theodulf ausspricht.

deckt. Der nicaenischen Synode von 787 fehlt Übereinstimmung mit
Schrift und Tradition, somit handelt es sich nicht um eine *synodus uni-*
versalis. Diese Bezeichnung und dieser Charakter kommen vielmehr der
Frankfurter Synode zu.[148] Dies sagt Hinkmar zwar nicht ausdrücklich,
es ist aber ohne Zweifel die Pointe seiner Ausführungen und der Sinn
des langen Zitates aus den *Libri Carolini* über die Bedeutung des Wortes
universalis.

Ausdrücklich nennt der Reimser Erzbischof dann die Versammlung von
Sardika und die afrikanischen Konzilien *universales et generales synodi*.[149]
Das ist einigermaßen verwirrend, weil jetzt nicht mehr deutlich ist, was
mit *universalis* eigentlich gemeint ist. Ist *universalis* ein Synonym von
generalis, oder heißt es soviel wie orthodox? Eines jedenfalls ist sicher:
Hinkmar unterscheidet zwei Arten von *synodi generales*: die einfachen
Generalkonzilien und die qualifiziert rezeptierten *(receptissimae)*, die sogenannten Ökumenischen Synoden. Die Synopse[150] der letzteren hat
übrigens folgende Eigenart: Sie enthält jeweils die Namen von Papst,
Kaiser, verurteiltem Häretiker und den Ort der Versammlung. Der
Name des Papstes steht nicht immer an erster Stelle. Die Zahl der Bischöfe wird nur für Nicaea I, Konstantinopel I, Ephesus und Chalcedon
genannt.[151] Am auffallendsten ist das lange Referat über Konstantinopel III.[152]

Hinkmar zieht schließlich die ihn im Zusammenhang interessierende
Konsequenz aus seinen Darlegungen über die Generalsynode: *sic igitur*

---

[148] Op. LV c. 20, PL 126, 360 A: *Septima autem apud Graecos vocata universalis pseudosynodus*
de imaginibus, quas quidam confringendas, quidam autem adorandas dicebant, neutra vero pars intellectu
sano diffiniens, sine auctoritate apostolicae sedis, non longe ante nostra tempora, Constantinopoli est a
quampluribus episcopis habita, et Romam missa, quam etiam papa Romanus in Franciam direxit.
Unde tempore Caroli magni imperatoris, iussione apostolicae sedis, generalis est synodus in Francia,
convocante praefato imperatore, celebrata, et secundum scripturarum tramitem traditionemque maiorum,
ipsa Graecorum pseudosynodus destructa et penitus abdicata.
[149] Vgl. Anm. 146.
[150] Zu diesem Begriff vgl. SIEBEN, Konzilsidee 344 ff.
[151] Op. LV c. 20, PL 126, 359 B—359 C: *Prima* (scil. der ökumenischen Synoden) *est quae in*
Nicaea congregata existit contra Arium trecentorum decem et octo patrum, temporibus Silvestri papae,
sub Constantino principe; secunda in Constantinopoli centum unius patrum, contra Macedonium et
Eudoxium, temporibus Damasi papae, et Gratiani principis quando Nectarius eidem urbi est ordinatus
episcopus; tertia in Epheso ducentorum patrum, contra Nestorium Augustae urbis episcopum, sub
Theodosio magno principe et papa Caelestino; quarta Chalcedone patrum sexcentorum triginta sub
Leone papa temporibus Marciani principis contra Eutychem nefandissimum praesulem monachorum;
quinta item in Constantinopoli temporibus Vigilii papae sub Justiniano principe contra Theodorum et
omnes haereticos; sexta item in Constantinopoli sub Agathone papa qui ex rogatu Constantini, Heraclii
et Tiberii principum piissimorum misit in regiam urbem legatos suos ...
[152] PL 126, 359 C—360 A.

universales synodi specialiter apostolicae sedis auctoritate convocantur, et aeque provinciales canonicae synodi decreto sedis apostolicae a metropolitanis et provinciarum primatibus convocantur.[153] Es gibt also zwei Hauptarten von Konzilien: Universal/Generalsynoden und Provinzialsynoden. Nur für die ersteren, die ihrerseits nochmals in zwei Gruppen, einfach und qualifiziert *generales synodi*, zerfallen, bedarf es einer speziellen römischen Erlaubnis. Die Provinzialsynode findet ohne spezielle römische Erlaubnis statt. Für sie besteht, kann man interpretierend sagen, eine „generelle" Erlaubnis, und zwar aufgrund der Dekretalen des Römischen Stuhles, die die Abhaltung von Synoden vorschreiben. Damit legt Hinkmar der Sache nach die gleiche Theorie vor wie 300 Jahre später der Dekretist Rufinus, freilich ohne wie dieser den Terminus *licentia generalis* zu gebrauchen.[154]

Hinkmar bleibt nicht bei der kanonistischen Unterscheidung von zwei Arten von Synoden und einem entsprechenden päpstlichen und metropolitanen Einberufungsrecht stehen, er legt auch — das ist der abr schließende Gedanke des Exkurses — einen theologischen Grund füdieses Recht vor: Das exklusive Recht des Papstes auf Einberufung von Generalsynoden ergibt sich aus der speziell ihm übertragenen Schlüsselgewalt. Das „gleicherweise" *(aeque)* den Metropoliten zustehende Recht der Einberufung der Provinzialsynode ist begründet in der ebenfalls allen anderen Aposteln übertragenen Schlüsselgewalt. Der Metropolit beruft die Metropolitansynode nicht kraft päpstlichen, sondern kraft eigenen, ihm unmittelbar von Christus zukommenden Rechts.[155]

Versuchen wir, bevor wir weitere Aspekte von Hinkmars Konzilsidee aus anderen Teilen des *Opus LV cap.* und aus seinem übrigen Werk zusammentragen, seine im Vorausgehenden analysierte Konzilstheorie in die umfassende historische Entwicklung einzuordnen. Worin besteht sein spezifischer Beitrag, und wie ist derselbe zu beurteilen? Wenn wir

---

[153] PL 126, 362 A.

[154] Vgl. S. 236.

[155] Op. LV c. 20, PL 126, 362 A—C: *Sicut de collatis clavibus regni caelorum, id est ligandi et solvendi pontificio specialiter sancto Petro dato et simul omnibus apostolis, et in eis catholicis episcopis collato, sancta et universalis tenet ecclesia . . . Qui regem caelorum, ut Augustinus et caeteri doctores exponunt, maiori prae caeteris devotione confessus est, merito prae caeteris ipse collatis clavibus regni caelestis munere donatus est, ut constaret omnibus quia absque ea confessione ac fide regnum caelorum nullus possit intrare . . . Quae solvendi ac ligandi potestas, quamvis soli Petro data videatur a Domino, absque ulla tamen dubietate noscendum est quia et caeteris apostolis datur.* — Vgl. in diesem Zusammenhang auch den wichtigen Text PL 126, 420 D—421 D: Am gerechten Urteil der kirchlichen Amtsträger hat der Römische Stuhl immer Anteil *(condecernit et coniudicat).*

recht sehen, führt Hinkmar als erster jenen doppelten Begriff von
Generalsynode ein, wie er vor allem auch im *Decretum Gratiani* vorkommt. Es gibt zwei Arten von Universalsynode, die eine entspricht
dem, was der Osten unter Ökumenischer Synode versteht, die andere
ist eine große, bedeutende Bischofsversammlung, deren wesentliches
Merkmal die päpstliche Teilnahme oder Bestätigung darstellt. Hinkmar
trägt damit ohne Zweifel der Realität der kirchlichen Situation Rechnung, indem er die lateinische Teilkirche mit einer höchsten kollegialen
Leitungs- und Schiedsinstanz ausstattet. Aber es ist doch auch andererseits der Preis zu sehen, den er dafür entrichtet: der doppelte Begriff
der Generalsynode stellt einen empfindlichen Bruch mit der im Osten
herrschenden Konzilstheorie dar, für die es zwischen „Ökumenischer
Synode" und „Partikularsynode" keinen dritten Synodentyp gibt.

Wir kommen nun zu den für die Konzilsidee relevanten Texten außerhalb von *Opus LV cap. c. 20*. Da ist zunächst auf die aus den patristischen
Quellentexten übernommene Unterscheidung zwischen *concilium generale*
und *concilium regionale* hinzuweisen.[156] Ein besonderes Wort verdient
der bei Hinkmar öfter vorkommende Terminus *concilium perfectum*[157],
der als solcher aus dem Kanon 16 des Konzils von Antiochien stammt.[158]

---

[156] PL 126, 369 C; 376 B; 388 A.

[157] EOMJA 2, 2; 283: *Perfectum vero concilium illud est, ubi interfuerit metropolitanus antistes.* —
Näheres hierzu bei H. MORDEK, Kirchenrechtliche Autoritäten im Frühmittelalter, in: Recht
und Schrift im Mittelalter, hrsg. von P. CLASSEN, Vorträge und Forschungen 23, Sigmaringen
1977, 237—255, hier 253—254.

[158] G. SCHMITZ, Concilium perfectum 27—54, stellt die über das Werk verstreuten Belege
für den Gebrauch des Terminus zusammen (PL 125, 505 AB, 1096 C, 1111 B, PL 126, 113 D,
238 D, 297 C, 312 C, 361 C, 543 B; Mansi 16, 620 B, 646 A, 682 C, 683 B; ZKG 10, 104/5
und 107/8) und weist auf zwei für die Interpretation besonders aufschlußreiche Stellen,
nämlich *Coll. de ecclesiis et capellis* (ZKG 10, 107/8) und *Ep. ad Ludovicum* 19, 5 (PL 126,
113 D) hin. — In einem zweiten Teil seines Aufsatzes sucht SCHMITZ die Tradition der im
Begriff des *concilium perfectum* zum Ausdruck kommenden Konzilsauffassung näher zu bestimmen und nennt dabei Agobard von Lyon, Ep 5, 20; MGH.Ep 5, 174—175 (vgl. S. 70),
das Vorwort der wahrscheinlich von Agobard stammenden *Collectio Dacheriana* (Ausgabe
L. D'ACHÉRY, Spicilegium sive collectio veterum aliquot scriptorum I, Paris 1723, 512:
In quibus [scil. canonibus] *si quisquam aliquid invenit de talibus conciliis, quae aut despicienda aut
non recipienda iudicat, ignoscat paupertati sensus nostri. Nos tamen dignum putamus plurimorum
sententiam singulorum suspicionibus praeferendam, et in quibuscumque rebus generalium conciliorum
auctoritatem non habemus, magis eorum synodorum quae per singulas provincias facta sunt, quam
proprium nostrum sequendum sensum. Denique ipsa sacra et generalia canonum* [SCHMITZ: concilio-
rum] *decreta praecipiunt, ut bis in anno per singulas provincias episcoporum celebretur concilium, et
plenariam synodum dicunt esse, ubi cum suis dioecesaneis metropolitanus fuerit episcopus. Cum ergo ita
specialia concilia ex generalium auctoritate fiant, constat nullum posse de eorum aliquid improbare statutis, nisi eum qui apertis indiciis potuerit convincere eos aliqua contra fidem aut mores bonos con-
stituisse.*) und die *Libri Carolini* IV 28 (vgl. SIEBEN, Konzilsidee 334—336).

Der Erzbischof von Reims bezeichnet damit nicht eine von den übrigen Konzilsarten, also von der General-, Provinzial- und Diözesansynode unterschiedene Kategorie von Konzilien, sondern er qualifiziert mit diesem Terminus die Provinzialsynode als ‚perfekte', das heißt „vollkommene" Synode, die zu den Rechtsakten, von denen im Kontext jeweils die Rede ist, tatsächlich auch befugt ist. Indem Hinkmar die Provinzialsynode als „perfektes Konzil" bezeichnet, bringt er ganz im Sinne seiner *communio*-Ekklesiologie, von der weiter unten noch die Rede sein soll, die relative Autonomie des Metropoliten sowohl gegenüber Rom als auch gegenüber der weltlichen Macht zur Geltung. Hier, in der Betonung der relativen Selbständigkeit der vom Metropoliten versammelten Provinzialsynode, liegt die Pointe des Terminus *concilium perfectum*. Hinkmar will damit sagen: nicht erst das vom Papst berufene Generalkonzil, nicht erst das vom König berufene Nationalkonzil, auch schon die vom Metropoliten berufene Provinzialsynode ist ein zur Gesetzgebung befugtes, in diesem Sinne ‚perfektes' Konzil. Insofern veranschaulicht der Begriff tatsächlich einen wesentlichen Aspekt der Konzilsidee des Erzbischofs von Reims. Und man versteht, warum der Begriff in der Folgezeit praktisch nicht rezipiert wurde: mit der gemeinten Sache, nämlich der relativen Selbständigkeit des Metropoliten, geht auch das Interesse am Begriff, der darauf abhebt, verloren.

Ein regelrechter Abriß synodalen Gewohnheitsrechts läßt sich aus *Opus LV cap.* c. 28 herausschälen, wo Hinkmar die Verstöße seines Neffen gegen dieses Recht aufzählt. Der Reimser Erzbischof belegt dabei die einzelnen Punkte dieses Synodalrechts jeweils mit dem entsprechenden Quellentext. Im einzelnen geht es zum Beispiel um die für eine Exkommunikation vorgeschriebene Größe der Konzilsversammlung, die Anwesenheit des Angeklagten, verschuldetes und nichtverschuldetes Fernbleiben, den Ausschluß und die Zulassung von Kläger und Zeugen, den Ort der Verhandlung, die Berufung, die Definitivsentenz, die besondere Behandlung der *causae maiores*, die notwendige Verschiedenheit von Kläger und Zeuge, die dreimalige Ladung, das in Abwesenheit des Angeklagten ergehende Urteil, die rechtmäßige Urteilsverkündung, die erforderliche Qualität der Zeugen usw.[159] Aus einer anderen Stelle, immer noch im *Opus LV cap.*, erfahren wir etwas über den eigentlichen Anlaß von Konzilsverhandlungen: vor das Konzil gehören Fälle, für die noch keine eindeutigen Gesetze vorliegen, wo also gewissermaßen Gesetzeslücken bestehen. Liegen klare Bestimmungen vor, be-

---

[159] PL 126, 397 B—403 C.

darf es demnach gar keines Konzils, der betreffende kirchliche Obere
schreitet ohne Konzil zur Anwendung der vorliegenden Rechtsbestim-
mungen.[160]

Aus seiner Schrift *De divortio Lotharii regis* geht hervor, was Hinkmar
unter einer *causa generalis* versteht. Es ist eine wie im vorliegenden Ehe-
fall König Lothars die ganze Kirche angehende Frage, die deswegen
auch nicht von den Bischöfen einer Region, in diesem Fall von den
Bischöfen des fränkischen Mittelreiches, endgültig entschieden werden
kann.[161] In der gleichen Schrift betont Hinkmar unter Hinweis auf die
historischen Beispiele die hierarchische Ordnung der Konzilien. Mit
anderen Worten: die je höhere Konzilsinstanz kann die Entscheidungen
der unteren aufheben.[162] Insonderheit gilt für den Heiligen Stuhl, daß
er die Urteile sowohl der Provinzial- als auch der Generalsynoden kassieren kann.[163]

Modellhaft vorgebildet sieht Hinkmar diese hierarchische Struktur der
Konzilien in der Apostelgeschichte, wo der Definitivsentenz des Jerusalemer Apostelkonzils Antiochien als Instanz vorausgegangen war.[164]
Übrigens finden für den Reimser Erzbischof auch sonst in der Apostelgeschichte außerhalb von Apg 15 mehrere Apostelkonzilien statt, und
zwar bei der Wahl des Matthias, bei der Einsetzung der Diakone, bei
der Abschaffung der Beschneidung für die Heidenchristen, bei der Er-

---

[160] Op. LV c. 6, PL 126, 313 C: *De his denique, ex quibus certas et manifestas atque inviolabiliter et irrefragabiliter sine ulla immutatione tenendas, secundum tramitem scripturarum, sanctorum
conciliorum et apostolicae sedis habemus sententias, si contra eas feceris, non debeo exspectare provinciale
vel generale concilium, vel coepiscoporum nostrorum consultum sive consilium, sed statim secundum
maiorum et orthodoxorum patrum sententiam, ea corrigere debeo, quae contra eorum definitionem
admiseris . . .* Das hört sich an, als ob sich die Funktion der Provinzialsynode gegenüber dem
Erzbischof auf *consultus* und *consilium* beschränkt! Näheres hierzu bei LESNE 153—159.
[161] De divort. 1, PL 125, 747 A—B: *Sed et haec de qua agitur causa, quae generaliter ad omnes
Christiano nomine insignitos pertinere noscatur. De rege enim et regina, de Christiano viro et Christiana
femina, de lege coniugii in Paradiso primis a deo data parentibus et in ecclesia roborata et divinis ac
humanis legibus per deum confirmatis causa, et constituta, benedictione per ministerium sacerdotale et
quorumcunque fidelium more celebrata ratio versatur in medium . . . Haec causa quasi est cunctis in
specula. Quapropter sic eam necesse est diffinire, vel diffinitum a cunctis agnosci, sicut debet ab omnibus
observari.*
[162] De divort. 2, PL 125, 748 C: *Synodus provincialium episcoporum iudicia, generalis autem
synodus comprovincialium diiudicationes sive dissensiones vel probet vel corrigat, ut in Africana synodo
demonstratur, quae nihil de Hipponiensi concilio statuit emendandum.*
[163] Ebd., 748 C: *Apostolica vero sedes et comprovincialium et generalium retractet, refricet, vel
confirmet iudicia, sicut epistolae Leonis atque Gelasii, caeterorumque Romanorum pontificum, et
Sardicensis synodus evidenter ostendunt, et episcoporum recte iudicantium confirmatur et secus iudicantium
corrigitur, et interdum funditus non perit auctoritas.*
[164] PL 125, 749 A.

laubnis der Gesetzesbeobachtung für die Judenchristen (wohl Apg 21, 18 ff.).[165]

Hierarchische Ordnung der Konzilien bedeutet nicht nur, daß die „niederen" Synoden von den je höheren aufgehoben werden können, sondern auch, daß bestimmte Synoden, einmal die Approbation des Apostolischen Stuhles vorausgesetzt, nicht mehr kassiert werden können und von „ewiger" Gültigkeit sind.[166] Hier greift Hinkmar vor allem auf die von Leo dem Großen und Gelasius entwickelten Vorstellungen zurück.[167] Die theologische Begründung der absoluten Geltung gewisser Konzilsentscheidungen ist zum Teil wiederum die gleiche wie in den betreffenden Vätertexten: das Theologoumenon der Anwesenheit Christi auf den Konzilien (Mt 18, 20)[168] und das der Inspiration.[169]

In ganz besonderer Weise gilt diese absolute Unantastbarkeit und Unveränderlichkeit für das Konzil von Nicaea. Hinkmar affirmiert sie positiv[170], er nimmt außerdem Nicaea ausdrücklich von der durch Augustinus behaupteten Präzedenz der späteren vor den früheren Konzilien aus[171]: *Haec de aliis conciliis a beato Augustino sunt dicta.*[172] Der Erzbischof von Reims gibt der Unvergleichlichkeit und einmaligen

---

[165] Op. LV c. 24, PL 126, 376 B—C: *Quoniam sicut in sacra historia legimus, et inde scriptum ab ecclesiae magistris accepimus, prima synodus apostolorum habita est Hierosolymis, de electione duodecimi apostoli pro Juda; secunda de electione septem diaconorum; tertia de circumcisione, ne credentibus ex gentibus imponeretur; quarta facta est de credentibus ex Judaeis illo tempore, ne prohiberentur ubi necessitas exigeret, etiam legalibus caeremoniis initiari, ob devitandum videlicet eorum scandalum, qui putabant eos ita Mosaica decreta tanquam idololatriae dogmata damnasse, quod etiam ante facere consuesse Timothei maxime circumcisione probatum est. Quintam vero synodum apostolorum patres nostri fuisse tradunt, quando secundum quod praedictum est tempus adimpletionis advenit, ut ‚in omnem terram exiret sonus eorum, et in fines orbis terrae verba eorum . . . .‘ (Ps 18, 5) et tunc symbolum, sicut universalis tenet ecclesia, condiderunt, singuli singulas sententias proferentes . . .*

[166] PL 126, 390 A.

[167] Vgl. Sieben, Konzilsidee 116 ff., 278.

[168] Vgl. z. B. PL 126, 251 A; 359 A (Zitat aus Gregor und Caelestin!); 366 B—C; vgl. auch PL 125, 749 D.

[169] Op. LV c. 36, PL 126, 430 B: *Credimus namque ac cum ecclesia catholica confitemur sacros canones spiritu dei conditos;* vgl. auch PL 125, 68 B; 499 A. PL 126, 248 CD; 305 B; 323 C; 354 A; 435 B; 514B; 580 B; 635 C; 640 A.

[170] Op. LV c. 5, PL 126, 304 D: *Quoniam quidem sacra et mystica Nicaena synodus, cui cessit in decretis synodalibus omnis antiquitas, et quam in fidei definitione vel legum latione convellere non praesumpsit catholica ulla posteritas, suggerente sibi sancto spiritu censuit . . .*

[171] Augustinus, De bapt. 2, 9, 14: *Nam et concilia posteriora prioribus apud posteros praeponuntur, et universum partibus semper optimo iure praeponitur.*

[172] PL 126, 389 B. —'Weiter heißt es: *Caeterum de sacra et mystica Nicaena synodo, sicut supra ex verbis Leonis et aliorum ostendi, nihil umquam a quoquam vel apostolicae sedis pontifice vel a plenario concilio, minime autem a regionali, est immutatum, quod non sit penitus irritum.* — Vgl. auch PL 126, 245 C; 246 A; 278 D; 513 A.

Bedeutung dieses Konzils hier und anderswo durch die für Nicaea reservierte Bezeichnung „mystica" besonderen Ausdruck. In einer eigenen kurzen Schrift[173] rechtfertigt er diesen Sprachgebrauch; er hebt auf die mystische Bedeutung der Zahl der 318 Väter ab. Hinkmar beruft sich für dieses Theologoumenon ausdrücklich auf Hilarius und Ambrosius als auf seine Quellen.[174]

Überblickt man nun das Gesamt der im vorausgehenden zusammengetragenen Aspekte zu Hinkmars Konzilstheorie, so kann man sich des Eindrucks nicht erwehren, daß der Bischof von Reims in geradezu außerordentlicher Weise in dem, was er über die Konzilien sagt, von patristischen Vorstellungen bestimmt ist. Dieser Eindruck wird sich im folgenden, wo noch eine spezielle Seite des Konzils, nämlich sein Verhältnis zum Römischen Stuhl untersucht werden soll, noch verstärken.

4. Appellationen vom Konzil an den Römischen Stuhl

Hinkmars Anschauungen über die Konzilien verdienen gewiß unser Interesse, äußert sich in ihnen doch schon sehr frühzeitig, wie wir gesehen haben, ein spezifisch westliches Verständnis der Synoden. Aber nicht hier liegt seine eigentliche Bedeutung für die Geschichte der Konzilsidee, sondern in dem, was er über das Verhältnis von Konzil und Römischem Stuhl ausführt. Dieses Verhältnis kommt nun bei Hinkmar in doppelter Gestalt konkret zur Sprache, in seinen Ausführungen über die Appellation vom Konzil an den Römischen Stuhl und in seiner Konzeption der Beziehung von Dekretal- zu Synodalrecht.

Was nun zunächst die römische Appellation angeht, so war der Erzbischof im Laufe seiner langen Regierungszeit mehrmals gezwungen, seinen eigenen Rechtsstandpunkt in dieser Frage darzulegen. Veranlassung dazu waren die römischen Appellationen seiner Gegner, die jeweils von der sie absetzenden Synode an den Papst appellierten. Dies gilt sowohl für die Reimser Geistlichen als auch für Rothad von Soissons[175] und Hinkmar von Laon.[176] Hinkmars Rechtsstandpunkt in der Frage der Appellationen läßt sich mit einem Wort zusammenfassen: er besteht gegenüber den Päpsten Leo IV., Nikolaus I. und Hadrian II.

---

[173] *Responsio Domini Hincmari ad quorundam quaestiones, cur in quodam suae humilitatis scripto posuerit mysticam Nicaenam synodum,* PL 125, 1197—1200.
[174] Näheres zu diesem Theologoumenon bei Sieben, Konzilsidee 60, 83, 101, 133 usw.
[175] Einzelheiten bei Schrörs, Hinkmar 65 ff.
[176] Einzelheiten bei Schrörs, Hinkmar 246 f., 329 f.

mit Entschiedenheit auf der strikten Anwendung der Kanones 3 und 7 von Sardika. Indem Hinkmar das Verhältnis Konzil/Papst auf die Rechtsbasis von Sardika, Kanon 3 und 7 zu stellen sucht, macht er sich nicht nur zum Anwalt der Autonomie der Synode, sondern tritt auch zwangsläufig für eine innere Begrenzung der päpstlichen Macht ein.

Es kann im Zusammenhang unserer Untersuchung weder unsere Aufgabe sein, den genaueren historisch zutreffenden Sinn dieser Kanones zu ermitteln[177], noch den Gang der Kanones durch die Jahrhunderte zu verfolgen[178], uns geht es ausschließlich darum, Hinkmars Verständnis und Verwendung der in Frage stehenden Appellationskanones 3, 4 und 7 (nach der Zählung der *Dionysio-Hadriana*!) genauer herauszuarbeiten.

---

[177] Vgl. hierüber vor allem die ausgezeichnete Studie von GIRARDET, Kaisergericht und Bischofsgericht 120—132 („Kanon III von Serdika und die Verfassung der Kirche"), der nach sorgfältiger Analyse von Kanon 3 zu folgendem Ergebnis kommt: „Nach Kanon 3 von Serdika überprüft der Bischof von Rom den Einspruch eines Bischofs, der von allen Kollegen innerhalb einer Provinz verurteilt worden war, und kann eine renovatio iudicii anordnen. Der Fall des supplizierenden Bischofs wird zwar nicht an die Richter, seine Konprovinzialen zurückverwiesen; das neue Gericht bilden vielmehr die Bischöfe aus der Nachbarprovinz . . . Aber diese Synode steht im Rang nicht über dem Erstgericht . . . Allein der Bischof von Rom hat die potestas, dies zu veranlassen. Er ist nun gegenüber den generell weiterhin gleichrangigen Synoden die einzig höhere Instanz — mit E. Stein: die kirchliche Supplikationsinstanz. Zentrum der Verfassung von Serdika ist also der römische Bischof. Ihm wird die potestas zuerkannt, einstimmige und bisher ‚inappellable' Entscheidungen von Provinzialsynoden, wenn der Verurteilte Einspruch erhebt, zu überprüfen, sie je nach Lage des Falls zu verwerfen und die Neuverhandlung anzuordnen. Maßgebend für die Übertragung dieser potestas ist seine auctoritas gewesen, die ihn seit alter Zeit schon aus dem Kreis aller anderen Kollegen heraushebt" (128). Ergänzend zur eben genannten Studie vgl. DERS.: Appellatio. Ein Kapitel kirchlicher Rechtsgeschichte in den Kanones des vierten Jahrhunderts, in: Hist. 23 (1974) 98—127, ferner Ch. PIETRI, Roma Christiana, Recherches sur l'Eglise de Rome, son organisation, sa politique, son idéologie de Miltiade à Sixte III (311—440) I, Paris 1976, 220—227. — Von der älteren Literatur ist wichtig für die Interpretation der Appellationskanones vor allem G. R. VON HANKIEWICZ, Die Kanones von Sardika, in: ZSRG.K 33 (1912) 44—99, bes. 63—77, E. CASPAR, Kleine Beiträge zur älteren Papstgeschichte: IV. Zur Interpretation der Kanones III—V von Sardika, in: ZKG 47 (1928) 102—177; vgl. dazu die kritischen Ausstellungen von H. HESS, The canons of the council of Sardica AD 343. A landmark in the early development of canon Law, Oxford 1958, 124—126; letztgenannte Studie enthält auch den Forschungsstand zur Frage der Echtheit der Kanones, der Form der Publikation, der Textüberlieferung usw.

[178] Sieht man einmal von der berühmten Apiariusaffäre im 5. Jahrhundert ab (Einzelheiten bei MARSCHALL 174—183), bei der Kanon 7 von Sardica im Mittelpunkt steht, so spielen die Sardicensischen Appellationskanones weder in der Geschichte der Alten noch der mittelalterlichen Kirche eine bedeutende Rolle. Während des Mittelalters stehen sie im Schatten entsprechender Bestimmungen Pseudoisidors. Erst mit der Gegenreformation und dem Gallikanismus geraten sie in das Zentrum des Interesses. Einzelheiten bei H. J. SIEBEN, Sanctissimi Petri apostoli memoriam honoremus. Die Sardicensischen Appellationskanones im Wandel der Geschichte, in: ThPh 58 (1983) 501—534. E. HECKRODT, Die Kanones von Sardika aus der Kirchengeschichte erläutert, Jena 1917, befaßt sich nicht mit dem hier genannten Thema.

Vor allem wegen dieser Appellationskanones, aber auch wegen einiger anderer Bestimmungen[179] hat Hinkmar ganz allgemein lebhaftes Interesse für das Sardicense.[180] Er findet die Kanones dieses Konzils in den von ihm benutzten Sammlungen.[181] Der Text entspricht mit nur geringen Abweichungen[182] dem vom modernen Herausgeber C. H. Turner so genannten *Canonum Textus authenticus*.[183] Auf eine auffallende Differenz ist jedoch eigens hinzuweisen, einmal vorausgesetzt, daß der Mignetext kritisch gesichert ist. Wenn Hinkmar Kanon 3 zitiert, fehlt in dem Satz *scribatur (vel) ab his qui examinarunt (vel ab episcopis qui in proxima provincia morantur) Romano pontifici* das hier Eingeklammerte, das heißt die Erwähnung der römischen Appellation durch die Nachbarbischöfe.

In den meisten Bezugnahmen auf die Sardicensischen Appellationskanones beschränkt sich Hinkmar auf einen bloßen Verweis[184], an einigen Stellen jedoch zitiert und kommentiert er etwas ausführlicher. Das ausführlichste Zitat und der ausführlichste Kommentar finden sich im 5. Kapitel des *Opus LV cap.*[185] Der Kommentar zum Zitat verdeutlicht

---

[179] Außer auf die sog. Appellationskanones (3, 4, 7 und 17) bezieht sich Hinkmar auch auf Kanon 21 (Translation), Kanon 12 und 21 (Aufenthaltserlaubnis für Bischöfe): PL 126, 214 D und 641 C. — Zu Hinkmars Interpretation der Appellationskanones vgl. LESNE 136—139; ARNOLD, Diözesanrecht 80—90; SCHRÖRS, Hinkmar 372 ff.

[180] PL 126, 361 A erwähnt Hinkmar das Sardicense zusammen mit der „karthagischen Synode" als einziges Beispiel eines *concilium generale*; PL 126, 634 A unterstreicht er die römische Bestätigung; PL 126, 377 B bemüht er sich um die genaue Datierung; PL 126, 369 B—C weist er auf den Konflikt mit Chalcedon, Kanon 9, hin; PL 126, 394 D faßt er mit dem Satz *appellatio episcopi ad sedem apostolicam quando, ubi et pro quibus fieri et qualiter exsequi debeat* formelhaft den Inhalt der Appellationskanones zusammen (vgl. auch PL 126, 587 A).

[181] *Dionysio-Hadriana*, ed. J. HARTZHEIM, Köln 1759, 189—193; *Hispana*: PL 84, 115—122; *Quesnelliana*: PL 56, 400—412 (konnumeriert mit den Kanones von Nicaea!).

[182] Sie entsprechen weitgehend den von TURNER notierten Varianten.

[183] Ecclesiae occidentalis Monumenta iuris antiquissima, I 2, 3, Oxford 1930, 452—486.

[184] Vgl. z. B. PL 126, 313 C; 445 B; 614 CD; 640 C usw.

[185] Op. LV c. 5, PL 126, 305 B—306 B: *Ut si in aliqua provincia aliquis episcopus contra fratrem suum episcopum litem habuerit, ne unus e duobus ex alia provincia advocet episcopum cognitorem. Quod si aliquis episcopus judicatus fuerit in aliqua causa, et putat se bonam causam habere ut iterum concilium renovetur, sancti Petri apostoli* [Einschub: *cui ob robur solidissimae fidei Christus petra a se nomen Petri indidit, dicens: Tu es Petrus, et super hanc petram, scilicet rectae fidei, quam Patre tibi revelante confessus es, aedificabo Ecclesiam meam, et tibi dabo claves regni coelorum et: Tu aliquando conversus confirma fratres tuos videlicet Pasce oves meas.*] *memoriam honorari constituit.* [T. auth.: *honoremus*]. *Ut scribatur ab his qui causam examinarunt Romano episcopo, et si judicaverit renovandum esse judicium, renovetur et det judices; si autem probaverit talem esse causam, ut non refricentur quae acta sunt, quae decreverit confirmata erunt.* (III) *Et cum aliquis episcopus depositus fuerit eorum episcoporum judicio, qui in vicinis locis commorantur, et proclamaverit agendum sibi negotium in urbe Roma, alter episcopus in ejusdem cathedra, post appellationem ejus qui videtur esse depositus, omnino non ordinetur, nisi causa fuerit in judicio episcopi Romani determinata.* (IV) *Placuit ut si episcopus accusatus fuerit, et judicaverint congregati episcopi regionis ipsius, et de gradu suo eum dejecerint, si appellaverit qui dejectus est, et confugerit ad episcopum Romanae Ecclesiae, et voluerit se audiri, si*

zunächst das *Petri apostoli memoriam honorare*.[186] Der Römische Stuhl ist aufgrund seines unmittelbar von Christus sich ableitenden Primats Appellationsinstanz.[187] Näherhin stellen die Sardicensischen Appellationskanones eine „gerechte und sehr vernünftige" Ergänzung der Kanones 4 und 5 von Nicaea dar, die die Einmischung fremder Metropoliten verbieten. Daß gerade der Nachfolger des Petrus als Appellationsinstanz fungiert, und „über die Urteile der Metropolitansitze in den Provinzen und der Bischöfe" urteilt, ist sinnvoll, denn „in seinem Primat trägt der hl. Petrus die Last aller".[188]
Hinkmar versteht dabei offensichtlich Kanon 3 als die prinzipielle Einrichtung Roms zur Appellationsinstanz, Kanon 7 dagegen als die genauere Beschreibung des Appellationsvorgangs.[189] Im Anschluß an das Zitat von Kanon 7 bringt der Reimser Erzbischof eine Art kirchengeschichtlichen Exkurs: an einer Fülle von Beispielen illustriert er die römische Appellationspraxis in der Alten Kirche. Vornehmstes Beispiel ist das Konzil von Sardika selber, das auf Grund der „Autorität des Apostolischen Stuhles" Athanasius restituierte. Schon hier wird deutlich,

---

justum putaverit ut renovetur examen, scribere his episcopis dignetur qui in finitima et propinqua provincia sunt, ut ipsi diligenter omnino requirant, et juxta fidem veritatis diffiniant. Quod si is qui rogat causam suam audiri iterum, deprecatione sua moveri episcopum Romanum, ut e latere suo presbyterum mittat, erit in potestate episcopi quid velit, et quid aestimet ; et si decreverit mittendos esse qui praesentes cum episcopis judicent, habentes ejus auctoritatem a quo destinati sunt, erit in suo arbitrio. Si vero crediderit episcopos sufficere, ut negotio terminum imponant, faciet quod sapientissimo consilio judicaverit. (VII) — Im Vergleich zum Textus authenticus sind hier lediglich ausgelassen 1. das obenerwähnte *vel ab episcopis qui in proxima provincia morantur,* 2. die Einleitungsfloskeln *illud quoque providendum est,* und *Gaudentius episcopus dixit:* addendum, *si placet, huic sententiae quam plenam sanctitatis protulistis,* 3. die Zustimmungsformel *Si hoc omnibus placet? Synodus respondit: placet.*

[186] Vgl. vorausgehende Anm.

[187] Weil Petrus einen felsenfesten Glauben hat, trägt er den Namen ‚Petrus', der sich ableitet von Christus dem Felsen! — Hinkmar ist innerhalb bestimmter Grenzen ein entschiedener Anhänger des römischen Primates sowohl in der Theorie (vgl. Stellen wie PL 125, 88 C—D; 214 B; 623 A; PL 126, 456 B; 609 A ff.) als auch in der Praxis (vgl. PL 126, 37 A—C; 78 B—C). Vgl. u. a. CONGAR, L'ecclésiologie 168: „Sur l'autorité suprême et universelle de celui-là (d. h. des Papstes) Hincmar a des affirmations dépourvues de toute ambiguité."

[188] Op. LV c. 5, PL 126, 305 D—306 A: *Iustum namque ac ratione plenissimum Sardicense vidit concilium, ut quia secundum sacros Nicaenos canones, unaquaeque provincia suo metropolitano debet esse contenta, nec usurpationi locus alicui sacerdoti in alterius conceditur injuria, neque ut alter in alterius provincia quiddam praesumat, sed unaquaeque provincia metropolitani sui in omnibus rebus ordinationem semper exspectet, ne judicatus in provinciali judicio quilibet innocens damnetur episcopus, si necesse illi fuerit, apostolicam beati Petri sedem appellet, et cum appellatione sua ad successorem illius confugiat, ut ipse, de provincialium metropolitanarum sedium atque episcoporum judiciis, misericors et justum decernat judicium, quia in illius primatu ipse beatus Petrus cunctorum onera portat.*

[189] Ebd., 306 A: *Ordinem autem exsequendi iudicii de appellante episcopo idem concilium explanat dicens: Placuit usw.*

was Hinkmars entscheidendes Anliegen bei der Auslegung fraglicher Kanones ist: Appellation bedeutet nicht, daß Rom den betreffenden Fall selber an sich zieht, es bedeutet lediglich, daß es die Urteile überprüft und bestätigt, eventuell die Neuaufnahme des Verfahrens in der Provinz anordnet.[190] Rom ist eben nicht Appellationsinstanz im strikt juridisch technischen Sinn des Wortes, also zweite Instanz, sondern nur eine „Quasi-Appellationsinstanz", die gegebenenfalls die eigentliche zweite Instanz wiederum in der Provinz in Gang bringt.[191]

Von Interesse sind, zweitens, Zitat und Kommentar von Kanon 3, 4 und 7 in Hinkmars Schrift *De iudiciis et appellationibus episcoporum et presbyterorum*, einer im Namen Karls des Kahlen verfaßten, für Papst Johann VIII. bestimmten Abhandlung, in der Hinkmar grundsätzlich die Frage der Appellationen behandelt.[192] Was das Zitat angeht, so fällt hier auf, daß Hinkmar Kanon 3 und 7 nicht nacheinander zitiert, sondern ineinanderschachtelt.[193] Der Kommentar hebt auf die Nichtwidersprüchlichkeit der fraglichen Kanones zu Nicaea Kanon 5, also das Verbot der Einmischung in fremde Provinzen ab. Solcher Widerspruch zu Nicaea wird nur dann vermieden, wenn der Prozeß von Rom an die Provinz zurückverwiesen wird.[194]

---

[190] Ebd., 306 D: *Aggari denique et Tiberiani causam, qui per tumultus et seditiones dicebantur ordinati, provincialium episcoporum iudicio commissam fuisse et ad apostolicam sedem statuta referenda praeceptum fuisse invenies, et si quae causae emerserint quae ad statum Ecclesiarum, et ad concordiam pertineant sacerdotum, in provincia sub timore Domini ventilari, et de compositis ac componendis omnibus ad sedem apostolicam plenissimam relationem mitti, ut ea quae iuxta ecclesiasticum morem iuste et rationabiliter fuerint diffinita, ipsius sententia roborentur.*

[191] Ebd., 308 A: *Lege etiam qualiter Athanasius in synodo Hierosolymitana, sed et in Alexandrina, suae absolutionis ac restitutionis auctoritatem a sede apostolica sumptam, et in Sardicensi synodo executam, relegit, et unanimitatem fraternitatis quaesivit, sicut et in nostra synodo de fratre et consacerdote nostro de quo agitur* (Hinkmar von Laon) *factum fuit.* — Vgl. auch den folgenden Passus, der Rom eine christusähnliche Rolle (nach Ezech 47, 3) zuschreibt: *Quia sicut de redemptore nostro in Ezechiele propheta legimus apostolica sedes funiculum in manu tenens divinae dispositionis intuitu alterum intra censuram electorum misericordia asciscit, et alterum iudicio foras relinquit: ut et redemptor noster, dum alios a suis iniquitatibus abstrahit, et alios in sua iniquitate derelinquit, alibi funiculum trahit, et aliunde retrahit, et huc ducit quem aliunde subducit, quoniam in eadem sede dominus velut in throno suo praesidens, aliorum facta examinat, et cuncta mirabiliter, ut videlicet de sede sua, dispensat* (PL 126, 308 A—B).

[192] Näheres hierzu bei SCHRÖRS, Hinkmar 373—375.

[193] PL 126, 234 C—235 A: Kanon 7a + 3b + 7b + 4.

[194] Ep. 32, 11, PL 126, 235 D—236 A: *Cuius sanctae synodi constitutionem Sardicenses canones non convellunt, qui cum pontificis Romani vicario vel arbitrio causam episcopi in provinciali synodo iudicati etiam episcoporum arbitrio vel iudicio qui eum iudicaverunt, cum episcopis qui in finitima et propinqua provincia sunt praecipiunt terminari, quatenus sive in manenda sive in immutanda sententia, iuxta Nicaenos canones commune sit placitum.* — Vgl. auch PL 126, 236 D und 237 A ff., wo Hinkmar die Frage der Priesterappellation im Anschluß an Sardika, Kanon 17 behandelt!

An zwei exponierten Stellen, nämlich am Schluß seines *Liber expostula-tionis*, Hinkmars Anklageschrift gegen Hinkmar von Laon auf dem Konzil von Douzy (871)[195], und in der *sententia depositionis* des gleichen Konzils[196], zitiert Hinkmar Kanon 3 des Sardicense, an der ersten Stelle mit folgender Einleitung: *Unde apostolica sedes discernet, si appellans episcopus bonam causam habebit velut decrevit Sardicense concilium*, und folgendem Kommentar: *Et hic in canonibus IV. et VII. ordo appellationis episcopi post episcopale iudicium ad apostolicam sedem describitur.* Dieser in Kanon 4 und 7 „beschriebene" *ordo appellationis* ist seinerseits durch Dekretalen der Päpste Innozenz, Bonifatius und Leo bestätigt. Der springende Punkt ist das *post episcopale iudicium*, mit anderen Worten: Rom interveniert nicht, sondern überprüft ein abgeschlossenes Verfahren!

Ein Zitat, das Teile von Kanon 3 und 7 ineinanderschachtelt, finden wir schließlich[197] noch im Brief Hinkmars an Papst Nikolaus I. von Anfang 864.[198] Von höchstem Interesse ist hier Hinkmars Kommentar: In der Form sehr zuvorkommend, aber um so fester in der Sache betont der Reimser Erzbischof zunächst, daß nach Kanon 5 von Nicaea und mehreren päpstlichen Dekretalen Streitfälle in den betreffenden Provinzen selber endgültig entschieden (*terminare*) werden sollen.[199] Mit denselben schon vor dem Urteil der Provinzialsynode Rom durch Appellation zu belästigen (*fatigare*), bedeutete eine Geringschätzung der Privilegien des Römischen Stuhles! Nur in zwei Fällen sehen die

---

[195] PL 126, 633 C.

[196] PL 126, 634 C. — Vgl. auch den Schlußsatz des Synodalbriefes: *Ac per hoc credite iuxta Sardicenses canones posse sufficere, sicut regulariter negotio terminum imposuimus, nostrum iudicium vestra roborante sententia*, PL 126, 640 C.

[197] Zwei weitere Zitate von Kanon 3 (MGH.Ep 8, 130 und 136) sind für unseren Zusammenhang ohne Interesse.

[198] MGH.Ep 8, 144—163. — Genauer historischer Kontext des Briefes und Überblick über den Inhalt bei Schrörs, Hinkmar 252—257. Zum besseren Verständnis ist auch das Schreiben Nicolaus I. an die Synode von Soissons (862) zu beachten (MGH.Ep 6, 355 bis 362), in dem der Papst die Bestätigung der Absetzung Rothads ablehnt. Er zitiert dabei ausführlich Kanon 3 (genau wie Hinkmar ohne *vel ab episcopis qui in proxima provincia morantur!*), 4 und 7 (ebd. 358) und schließt eine zum Teil unannehmbare Auslegung an. (Vgl. dazu Schrörs, Hinkmar 248, Anm. 44). Vgl. auch den Brief des Papstes an Hinkmar vom April 863, MGH.Ep 6, 362—364, in dem Nikolaus sich ebenfalls auf Sardica, Kanon 3 und 4 bezieht.

[199] Vgl. auch *Op. LV c. 28*, PL 126, 614 D: *Sicut ex concilii Sardicensis canonibus Sancti Innocentius, Bonifatius, et Leo promulgaverunt, prius maiores causas, quae ad statum ecclesiarum et ad concordiam pertinent sacerdotum, apud nos sub timore domini, convenit ventilari; et de componendis quae forte nostro nequiverint sopiri iudicio et de iudicio nostro compositis post iudicium oportet ad sedem apostolicam plenam rationem transmitti: ut ea quae iuxta ecclesiasticum morem iuste et rationabiliter apud nos fuerint diffinita, ipsius apostolicae sedis sententia roborentur.* — Beachte die Formulierung: *Innocentius etc. ex canonibus promulgaverunt!*

Kanones die Hinzuziehung Roms schon vor dem Urteil der Synode vor: erstens, wenn eine Gesetzeslücke besteht, zweitens, wenn der Angeklagte ein Metropolit ist. Im übrigen hat der durch die Provinzialsynode rechtskräftig verurteilte Bischof das Recht, in Rom Berufung einzulegen, aber er darf das erst nach dem Urteil der Synode, und Rom kann gemäß den genannten Kanones ein erneutes Verfahren anordnen.[200] Die Provinzialsynode ist also im Normalfall, das heißt, wenn keine Gesetzeslücke vorliegt, befugt, wenn auch nicht einen Metropoliten, so doch einen Bischof rechtskräftig zu verurteilen, und derselbe hat vor dem Urteil kein Recht, in Rom Berufung einzulegen! Und auch nach der Appellation kann der Römische Stuhl den Prozeß nicht nach Belieben an sich ziehen, also als zweite Instanz im eigentlichen Sinne des Wortes fungieren.

Hinkmar besteht Nikolaus gegenüber entschieden auf der strikten Beobachtung der Appellationskanones von Sardika: der erneuerte Prozeß findet entweder unter Beiziehung zusätzlicher benachbarter Bischöfe oder auch unter Teilnahme römischer Legaten an Ort und Stelle, in der Provinz statt. Auch nach der Appellation wird Rom nicht zu einer der Synode im eigentlichen Sinn übergeordneten Instanz, es fungiert lediglich als eine Art „Oberaufsicht" über die kirchlichen Synoden. Hinkmar gibt auch einen praktischen Grund dafür an, warum der Prozeß nicht nach Rom gezogen werden soll: nur mit großen Schwierigkeiten können dort Zeugen vorgeführt und die Wahrheit ermittelt werden.[201]

---

[200] MGH.Ep 8, 147, 16—148, 1: *Absit enim a nobis, ut privilegium primae et summae sedis sanctae Romanae ecclesiae pontificis pro sic parvo pendamus, ut controversias et iurgia tam superioris quam etiam inferioris ordinis, quae Nicaeni et ceteri sacrorum conciliorum canones et Innocentii atque aliorum sanctae Romanae sedis pontificum decreta in sinodis provincialibus a metropolitanis praecipiunt terminari, ad vestram summam auctoritatem fatigandam ducamus. At si forte de episcopis causa nata fuerit, unde certa et expressa in sacris regulis non habeamus iudicia et ob id in provinciali vel in comprovinciali nequeat examine diffiniri, ad divinum oraculum, id est ad apostolicam sedem, nobis inde est recurrendum. Si etiam de maioribus causis a provinciali episcopo ad electorum iudicium non fuerit provocatum et in* aliqua causa idem episcopus fuerit iudicatus, id est a gradu suo *in comprovinciali sinodo* deiectus, et putat se bonam causam habere et appellaverit qui deiectus est et confugerit ad episcopum Romanae ecclesiae et voluerit se audiri: si iustum putaverit, ut renovetur examen, scribendum est ab his, qui causam examinarunt, *post iudicium episcopale eidem summo pontifici, et ad illius dispositionem secundum septimum Sardicensis concilii capitulum renovabitur examen. Nam de metropolitano per sacras regulas constituto, qui ex antiqua consuetudine ab apostolica sede pallium accipit, sicut Leo ad Anastasium, quod et Nicaenum concilium innuit, et ceteri Romanae sedis pontifices in decretis suis ex sacris canonibus monstrant, sedis ipsius pontificis etiam ante iudicium est sententia praestolanda.*
[201] MGH.Ep 8, 154, 5—14: *Et hinc iuxta Sardicense concilium summus primae et sanctae sedis Romanae pontifex pro examinis renovatione ad se reclamantis et confugientis cum sua clamatione deiecti provincialis episcopi non statim singularitate privilegii et auctoritatis suae restituit, sed remittens eum*

Nikolaus I. ließ sich nicht durch Berufung auf die Kanones eines Konzils in die Schranken weisen. Unbeeindruckt durch Hinkmars Auslegungskunst restituiert er selber Rothad, weist den Fall also nicht, wie der Reimser Erzbischof unter Berufung auf die Sardicensischen Appellationskanones verlangt hatte, an die Provinzialsynode zurück, sondern entscheidet kraft eigener Machtfülle.[202] Außerdem schreibt er an die gallischen Bischöfe einen geharnischten Brief[203], in dem er ihnen unter anderem seine Auffassung über die römischen Appellationen vorlegt.[204]

Die schlechthin fundamentale Bedeutung der Sardicensischen Appellationskanones 3 und 7 für Hinkmars Konzeption des Verhältnisses Konzil/Papst, damit für seine ganze Ekklesiologie, erhellt nicht zuletzt aus der Eintragung, mit der der Annalist Hinkmar die Restitution Rothads durch Nikolaus der Nachwelt überliefert: *(Arsenius) Rothadum, canonice a quinque provinciarum episcopis deiectum et a Nicolao papa non regulariter, sed potentialiter restitutum, secum reducens, Carolo praesentavit. Et cum sacri canones dicant*[205] *. . . nihil horum idem apostolicus agere voluit, sed posthabito episcoporum iudicio, qui iuxta sacras regulas post iudicium sub gestorum specie omnia iudicata ad sedem apostolicam retulerunt, ipse sua potestate illum restituit . . . Sicque sine interrogatione vel consensu episcoporum qui eum deposuerunt, per missum Arsenium Rothadus est in sede sua remissus.*[206]

5. Konzilskanones und Dekretalen

Nikolaus I. hatte sich zur Rechtfertigung der durch ihn selbst vollzogenen und nicht, wie Hinkmar verlangt hatte, der Provinzialsynode anheimgestellten Restitution Rothads auf *tot et tanta decretalia* berufen[207],

---

ad provinciam, ubi causa patrata fuerat et in qua iuxta Cartaginenses canones et iura legis Romanae causa potest diligenter inquiri et quo non sit difficile testes producere, veritas inveniri, aut finitimis episcopis dignatur scribere aut e latere suo mittit, qui habentes eius auctoritatem praesentes cum episcopis iudicent et diligenter causam inquisitam diffiniant, aut dignatur credere episcopos sufficere, ut negotio terminum possint imponere.
[202] Vgl. die wohlwollende Darlegung der Rechtsposition Nikolaus' bei Schrörs, Hinkmar 264—267. — Zu seiner Ekklesiologie allgemein vgl. Congar, L'ecclésiologie 206—226, und Ders., S. Nicolas I. († 867): ses positions ecclésiastiques, in: RSCI 21 (1967) 393—410.
[203] MGH.Ep 6, 392—400.
[204] Analyse des Briefes bei Schrörs, Hinkmar 258—261; vgl. auch den Brief des Papstes an Hinkmar vom Januar 865, MGH.Ep 6, 389—391.
[205] Es folgt in etwas freierer Zitation Kanon 7 von Sardika.
[206] An.Bert. 865, MGH.SS 1, 468.
[207] MGH.Ep 6, 393, 25.

die ihm das Recht zu diesem Schritt einräumten. Damit bezieht er sich, wie heute allgemein angenommen wird, auf die pseudoisidorischen Dekretalen.[208] Wir kommen damit zum letzten Punkt unserer Untersuchung, der zweiten konkreten Gestalt, unter der Hinkmar das Verhältnis Synode/Papst thematisiert. In der Tat, der Reimser Erzbischof führt, wie schon angedeutet, um die Autonomie der Synode und damit der Teilkirche gegen die Interventionsmacht des Römischen Stuhles zu verteidigen, nicht den Nachweis der Unechtheit der pseudoisidorischen Dekretalen, er legt vielmehr eine Theorie von der prinzipiellen Überlegenheit des konziliaren über das dekretale Recht vor. Seine diesbezüglichen Ausführungen im *Opus LV cap.* sind zwar unmittelbar an die Adresse seines Neffen Hinkmar von Laon gerichtet, stellen aber in ihrem grundsätzlichen Charakter selbstverständlich auch Hinkmars Antwort auf Nikolaus' Rechtsstandpunkt und -darlegung in seinem Brief an die gallischen Bischöfe dar.

Von verschiedenen Ansätzen aus entwickelt Hinkmar seine Theorie über das Verhältnis von konziliarem und dekretalem Recht. Der Kern seiner Aussagen ist aber jeweils der gleiche und von radikaler Einfachheit: Es besteht ein Wesensunterschied zwischen Kanones und Dekretalen. Diese sind von ihrem Wesen her zeitgebunden, durch bestimmte Umstände bedingt, in diesem Sinne relativ, jene sind überzeitlich, unauflöslich, in diesem Sinne absolut. Insofern es Konzilien erst von einem bestimmten Zeitpunkt an gibt, besteht jedoch zwischen vorkonziliaren und nachkonziliaren, späteren Dekretalen nochmals ein Unterschied. Die vorkonziliaren stellen eine Art „Notstandsgesetze" dar, sie helfen dem Notstand ab, daß es eben noch keine Konzilien gibt; die seit den Konzilien erlassenen sind keine Gesetze im eigentlichen Sinne mehr, sondern lediglich nähere „Ausführungsbestimmungen" zu den Gesetzeskanones der Konzilien.

Diese Verhältnisbestimmung von Kanones und Dekretalen ergibt sich, so Hinkmar, zunächst aus der Geschichte des Kirchenrechts. Daß Dekretalen zeitbedingtes, zeitgebundenes Recht darstellen, kann man schon daran sehen, daß zahlreiche Dekretalen im Laufe der Zeit aufgestellt, abgeändert und wieder abgeschafft wurden. Nicht wenige standen näm-

---

[208] Grundlegender Nachweis bei A. V. MÜLLER 652—663, der auch zeigt, daß Nikolaus seit Bekanntschaft mit Pseudoisidor seine eigene Rechtsauffassung in der Frage der Bischofsabsetzungen geändert hat. Weitere Literatur und Forschungsstand bei FUHRMANN, Einfluß II 257—266 („Die Verwendung Pseudo-Isidors bei der Rehabilitation Rothads von Soissons, Zur Rechtsvorstellung Nikolaus I.").

lich im Widerspruch zueinander.[209] Und Hinkmar nennt eine ganze Reihe solcher widersprüchlicher Dekretalen über Bischofsabsetzungen, „Laieninvestitur", Bischofstranslationen, Bußpraxis, Zeugenfähigkeit der Laien, Konversion schismatischer Geistlicher, Konzilseinberufung, wovon weiter oben schon die Rede war.[210] Einige der genannten Dekretalen widersprechen aber nicht anderen Dekretalen, sondern Konzilskanones. Hier stellt sich die Frage, welches Recht das stärkere ist. Hinkmar entwickelt nun seine Theorie der absoluten Überlegenheit des konziliaren über das dekretale Recht anhand einer spitzfindigen und historisch absolut unhaltbaren Interpretation einer Leo-Dekretale[211]: Leo unterscheide hier zwischen *promulgare leges*, das heißt *leges condere*, und *promulgare de legibus*, das heißt *de illis iudicia sumere et secundum illas iudicare earumque observationem et iudicia omnibus intimare*[212] und beschränke das Dekretalrecht auf das letztere, das *promulgare de legibus*. Die Dekretalen stellen nach dieser Interpretation nicht mehr als eine fällige Auslegung der Kanones dar; sie wären deren nähere Ausführungsbestimmungen und Vollzugserklärungen!

Hinkmar verdeutlicht seine Auffassung vom Wesensunterschied zwischen *promulgare leges* und *de legibus promulgare* durch ein Beispiel, das durch das in der Leo-Dekretale vorkommende Wort *ordines* veranlaßt ist: ein *promulgare ordines* stellt die Einsetzung in die hierarchischen Ämter dar, die näheren Ausführungsbestimmungen dieser Amtsübertragung sind ein *promulgare de ordinibus*.[213] Auf der Basis dieser Unterscheidung von *de legibus promulgare* und *leges promulgare* gilt vom Römischen Stuhl, daß ihm lediglich ein *promulgare de canonibus* zukommen kann.[214] Hinkmar spricht also dem Römischen Stuhl rundweg die legislatorische Gewalt ab und weist diese ausschließlich den Synoden zu.

---

[209] Op. LV c. 20, PL 126, 355 C: *Verum et ut de legibus publicis quaedam sunt abrogata, quaedam vero immutata, quaedam etiam superadiecta, ita nihilominus quaedam decreta catholicorum* (wir lesen: apostolicorum) *pro tempore et ratione atque necessitate prolata, sed postea abrogata vel immutata fuerunt.*
[210] PL 126, 355 D—358 B.
[211] Leo, Ep. 4, 5; PL 54, 614 A: *Omnia decretalia constituta, tam beatae recordationis Innocentii quam omnium decessorum nostrorum, quae de ecclesiasticis ordinibus et canonum promulgata sunt disciplinis ita a vestra dilectione custodiri debere mandamus, ut si quis illa contempserit, veniam sibi deinceps noverit denegari.*
[212] PL 126, 318 C.
[213] PL Op. LV c. 10, 126, 319 A—320 A: *Sacros vero ordines promulgare est a domino constituere ... Sed et reliqui per eos qui a domino ad hoc constituti sunt ecclesiastici ordines promulgantur, eorum scilicet ministerio domino quod suum est exsequente. De sacris autem ordinibus promulgare est, qui et quot sint, et quales ac qualiter, et a quibus vel quando sunt ordinandi, et quomodo ac quantum in singulis gradibus debeant ministrare ...*
[214] PL 126, 320 A.

Die Dekretalen sind dabei ihrem Wesen nach nur für bestimmte Fälle in bestimmten Situationen bestimmt, Allgemeinverbindlichkeit kommt nur den Konzilskanones zu.[215] Hinkmar stützt seine Theorie von der absoluten Überlegenheit des konziliaren über das dekretale Recht auf eine weitere, nicht weniger spitzfindige und historisch unhaltbare Auslegung. Er nimmt gewisse Formulierungen des berühmten *Decretum Gelasianum*[216] zum Anlaß, wiederum einen Wesensunterschied zwischen Dekretal- und Konzilsrecht zu konstatieren: Hinsichtlich der Konzilien spreche „Gelasius" ohne irgendwelche Einschränkung einfach von *custodire* und *recipere*; bezüglich der Dekretalen dagegen sei lediglich von *venerabiliter suscipere* die Rede, ferner werde die Geltung der Dekretalen durch die Hinzufügung *diversis temporibus* und *pro diversorum patrum consolatione* eingeschränkt, schließlich gehörten die Dekretalen nach „Gelasius" zu einer Kategorie von Texten, von denen insgesamt das paulinische „Prüft alles; was gut ist, das behaltet" (1 Thess 5, 21) gelte.[217] Das es sich zwischen zeitbedingtem Dekretal- und überzeitlichem Konzilsrecht tatsächlich um einen Wesensunterschied handelt[218], sucht Hinkmar durch eine Analogie zu verdeutlichen, die man nur als äußerst kühn bezeichnen kann: Die Dekretalen verhalten sich zu den Konzilskanones wie das alttestamentliche Gesetz zum Evangelium. Natürlich sind die Dekretalen genausowenig an sich etwas Böses, wie das Gesetz an sich nicht böse war. Sie waren vielmehr, wie das Gesetz für seine Zeit gut

---

[215] Op. LV c. 25, PL 126, 390 A: ... *cognoscere possumus, quae sint quae singuli quique pro consolatione vel instructione quorundam iuxta temporum et actuum qualitatem et quae communiter atque unanimiter in conciliis sacris ad auctoritatem generaliter ,custodienda et recipienda' decreverunt* ...

[216] Ausgabe DOBSCHÜTZ, TU 38, 36 und 39: *Et si qua sunt concilia a sanctis patribus hactenus* (om. Hincmar) *instituta post istorum* (Hinkmar: horum) *quatuor auctoritatem et custodienda et recipienda decrevimus* ... *Item decretales epistulas, quas beatissimi papae diversis temporibus ab urbe Roma pro diversorum patrum consultatione* (Hincmar: consolatione) *dederunt, venerabiliter suscipiendas.* — Zitiert PL 126, 384 B. — Zur Benutzung des sog. *Decretum Gelasianum* durch Hinkmar vgl. DEVISSE 237, Anm. 243 und 1493. — Vgl. in diesem Zusammenhang die nähere Interpretation des *Decretum Gelasianum* durch Hinkmar im Widmungsbrief seiner zweiten Schrift über die Prädestination an Karl den Kahlen (MGH.Ep 8, 48, 24—49, 16). Gedankliche, wenn nicht wörtliche Anklänge an das *Commonitorium* des Vinzenz von Lerin, das sich nach DEVISSE 1509 in der „Bibliothek" Hinkmars befand, sind nicht zu überhören.

[217] Op. LV c. 25, PL 126, 384 D: *Animadvertenda igitur est discretio ex verbis beati Gelasii inter synodalia concilia et apostolicorum virorum epistulas quas ante concilia celebrata diversis temporibus pro diversorum patrum consolatione dederunt, quasque venerabiliter suscipiendas dicit: si qua sunt autem concilia a sanctis patribus instituta post quattuor conciliorum auctoritatem, custodienda et observanda decrevit.*

[218] Ebd., 385 A: *Quantum enim distet inter illa scilicet concilia quae custodienda et recipienda decrevit, et inconvulsa firmaque deinceps patres catholici manere voluerunt, et illas epistulas, quae diversis temporibus pro diversorum consolatione datae fuerunt, quas venerabiliter suscipiendas dicit, nemo in dogmatibus ecclesiasticis exercitatus ignorat.*

war, für ihre jeweilige Zeit gut![219] Auch Augustinus-Texte müssen zum Aufweis des fraglichen Wesensunterschieds herhalten.[220] Um diesen Wesensunterschied nicht zu verwischen, ist die Bezeichnung *canon* ausschließlich den konziliaren Gesetzen vorbehalten, die Dekretalen dürfen nicht mit diesem Terminus bezeichnet werden.[221] Man kann es nicht leugnen: Hinkmar stehen bei seinem zweiten Waffengang gegen Rom, bei seinem Versuch die päpstlichen Dekretalen zugunsten der Konzilskanones zu relativieren, keine Waffen von der Schlagkraft der Sardicensischen Appellationskanones zur Verfügung. Deswegen nimmt er zu haarspalterischen Auslegungskunststücken seine Zuflucht. Anderseits kann man sich fragen, ob in den schlechten Argumenten sich nicht doch etwas theologisch durchaus Richtiges zu Wort meldet.

Wenn Hinkmar die Überlegenheit der Kanones über die Dekretalen damit zu begründen sucht, daß jene *communiter atque unanimiter* entstanden sind, jene aber nicht, so deutet er damit an, daß im Hintergrund seiner schlechten kanonistischen Argumentation ein bestimmtes Kirchenbild steht. Nach diesem Kirchenbild ist die Kirche eine Einheit, gewiß, aber dieselbe hat ihren Grund nicht so sehr in einer absoluten Gewalt an der Spitze, als vielmehr im *consensus* einer Vielheit. Die Kirche ist eben für den Reimser Erzbischof, wie Y. Congar sehr treffend ausgeführt hat, keine Monarchie, sondern *communio*.[222] So ist zu fragen, ob diese *communio*-Ekklesiologie nicht der tiefere theologische Grund für Hinkmars entschiedenes Plädoyer zugunsten der Überlegenheit des konziliaren über das dekretale Recht darstellt. Hinkmars Ideen über Kirche, Papst und Konzil gehörte bekanntlich nicht die Zukunft[223], was nicht aus-

---

[219] PL 126, 385 C—386 A.

[220] De bapt. 3, 2 ist von Konzilien und *epistolare colloquium* die Rede. Hinkmar kommentiert: *ostend(it) differentiam esse inter epistolare colloquium quo istae epistolae apostolicorum, de quibus agitur, conditae sunt, ac regionale ac plenarium concilium.* PL 126, 388 A—B. — Sogar die berühmte Stelle aus dem Brief an Januarius (Ep 55, 19, 35), an der Augustinus in sehr grundsätzlicher Weise Veränderliches und Unveränderliches in der Kirche gegenüberstellt, wird von Hinkmar auf das veränderliche Dekretal- und das unveränderliche Konzilsrecht, das heißt die Kanones, bezogen, vgl. PL 126, 390 B.

[221] PL 126, 448 A.

[222] CONGAR, L'ecclésiologie 166—177. — Vgl. den Text, den Hinkmar *catholici clerici* zur Zeit des Papstes Vigilius zuschreibt und zweimal zitiert: *Sic semper habuit omnis ecclesia, quia in una communione consentiunt, uno dogmate, una charitate, uno tenentur assensu. Sicut enim communio et ex omnibus offerentibus una fit, et una redit in omnibus, non parte corporea, sed virtute divina: sic unanimitas per omnes illic communicantes excurrit. Nam si non est unius consensionis signum una communio, quid erit quod ad confitendam per omnem ecclesiae consonantiam mystice celebretur?* PL 126, 477 C—D und PL 125, 418 D.

[223] Man hat Hinkmars Ekklesiologie mit dem Gallikanismus in Verbindung gebracht, so zum Beispiel SCHRÖRS, Hinkmar 406: „Unschwer sind in diesen Anschauungen schon

schließt, daß sie zunächst noch weiterwirkten. Hervorragendes Beispiel hierfür ist u. a. Gerbert von Auriac (930/40—1003), der, bevor er selber als Silvester II. den Thron Petri bestieg, das Verhältnis Papst/Konzil ganz im Sinne Hinkmars konzipierte.[224]

---

einige Grundlinien des späteren gallikanischen Systems zu erkennen". Andere bestreiten dies, so Devisse 576, Anm. 65: „Bien entendu, il n'est pas question, pour autant, de voir percer sous ce désir de ne laisser au pape qu'un contrôle a posteriori de la gestion des provinces, la moindre préfiguration du gallicanisme". Vgl. auch Naz, Hinkmar 1151—1152 („Hincmar et le gallicanisme").

[224] Hinkmars Konzeption des Verhältnisses Papst/Konzil klingt zunächst deutlich an in der großen Rede, die Gerbert für das Konzil von St. Bâle (991) verfaßte (MGH.SS 3, 671—676). Sie steht auch im Hintergrund, wenn Gerbert seine Aufforderung zum aktiven Widerstand gegen päpstliche Anordnungen mit der grundsätzlichen Unterordnung der Dekretalen unter die Konzilskanones begründet (Ep 192, MGH.B 2, 233,4: *Sit lex communis ecclesiae catholicae evangelium, apostoli, prophetae, canones spiritu dei conditi et totius mundi reverentia consecrati, decreta sedis apostolicae ab his non discordantia. Et qui per contemptum ab his deviaverit, per haec iudicetur, per haec abiciatur*). Auf sie beruft sich Gerbert schließlich ausdrücklich durch lange Zitate aus dem *Opus LV cap.* (Ep 217, Mansi 19, 153E—166E, hier 156—159), um seine eigenen Ausführungen über das unterschiedliche Gewicht der einzelnen Kirchenrechtsbestimmungen abzusichern. Ziel seiner scharfsinnigen Erörterung *De legum differentia et quae quibus anteferantur in ecclesiasticis causis* (ebd. 155B—160B) ist dabei eindeutig, päpstliches synodalem Recht unterzuordnen. Ebd. 155C: *Legem partim natura, partim auctoritate firmari dicimus; et lex quidem naturae manifesta est; quae autem in auctoritate consistit, partim divina partim habetur humana, et in divinis vel in humanis facienda vel non facienda praescribit. Post legem vero naturae data est lex tum litterae* (loco: naturae) *tum gratiae, quae utraque auctoritate divina subnixa tanto est utraque praestantior, quanto divinitas humanitatem supervenit. Et quoniam legem litterae lex gratiae transcendit, haec eadem subtilis et multiplex velut ab ipso divinitatis fonte emanans ab apostolis* (loco: apostolo) *accepta tum primae sedis pontificum decretis tum ab innumerabilium sacerdotum conciliis dilucidata et quasi per quosdam purissimos rivulos pene in infinitum derivata est. In hac igitur lege summopere . . . auctoritas spectanda est. Multum enim interest, utrum deus loquatur an homo, et si homo, utrum apostolus an simplex* (loco: simpliciter) *episcopus. Porro in episcopis item multa differentia est, quae differentia eadem auctoritate fulcitur. Hanc autem auctoritatem aut numerus aut scientia aut locus, ut quibusdam videtur, attribuit. Et numerus quidem in conciliis, ubi multorum catholicorum consensus adest* (loco: idest), *scientia in particularibus vel individuis supereminens* (loco: in divinis superveniens), *locus vero in maximis consideratur urbibus. Rursum numerus, scientia et locus tum a se, tum inter se differunt. Et numerus quidem a numero vel pluralitate vel rationis et veritatis pondere superatur, pluralitate, cum inter aequo bonos et doctos pars a parte dissentit, rationis et veritatis pondere, ut Ariminensis numero famosa synodus a parvo episcoporum numero cassata. Idem in numerosis ad individua, itemque locorum ad alia et inter se collationem perspici licet. Sit ergo in legibus maximum et praecipuum, quod per Christum, per apostolos, perque prophetas innotuit ; deinde his consona et consensu omnium catholicorum corroborata secundum in legibus vigorem obtineant. Tertio succedunt loco quaecumque a singularibus viris scientia et eloquentia clarissimis in lucem intelligentiae prolata sunt.* — Daß die päpstlichen Dekretalen unter die auf den dritten Rang verwiesenen Rechtssätze „einzelner durch Wissen und Bildung sich auszeichnender Männer" eingeordnet werden, ergibt sich eindeutig aus der Fortsetzung: *Et ne forte ad placitum loqui videar, iniuriamque decretis pontificum Romanae inferre ecclesiae, Gelasium Romanae sedis pontificem sententiae meae primum asseram testem* (d. h. das Decretum Gelasianum). — Zur historischen Einordnung von Brief 192 und 217 vgl. M. Uhlirz, Untersuchungen über Inhalt und Datierung der Briefe Gerberts von Auriac, Papst Sylvester II., Göttingen 1957, 172—175.

Kapitel III

KONZILIEN IN DER SICHT DES GREGORIANERS BERNOLD VON KONSTANZ († 1100)

Das gleiche Jahr 882 raffte beide dahin, Johannes VIII., den wir als letzter Vertreter römischer Konzilsidee vorgestellt haben, und den Gegenspieler Hinkmar von Reims. Im Unterschied zu dem Franken starb jedoch Johannes VIII. nicht eines natürlichen Todes, er ging vielmehr als erster mittelalterlicher Papst, der durch Mörderhand fiel, in die Geschichte ein. Sein Tod war wie ein schlimmes Vorzeichen für das bald beginnende *saeculum obscurum*, eine Periode beispiellosen Niedergangs des Papsttums. Zwar gab es in dieser Zeit vielfältiger Abhängigkeit, Erniedrigung und Entartung auch Männer wie Gerbert von Auriac auf dem Papstthron (als Silvester II., 999—1003), aber ein wirklicher Neuanfang kam doch erst mit Leo IX. (1049—1054), dem Vorläufer der Gregorianischen Reform.

Die Gregorianische Reform stellt für Friedrich Kempf den „vielleicht entschiedensten Durchbruch römisch-katholischer Wesensart in der Geschichte" dar.[1] Augustin Fliche charakterisiert in der Einleitung seiner umfassenden Studie diese Bewegung als das „größte Ereignis der religiösen Geschichte des Mittelalters".[2] Ganz gleich, wie die einzelnen Forscher das Ergebnis der Reform beurteilen, als Befreiung der Kirche aus vielfacher Abhängigkeit und Bevormundung oder als den entscheidenden Schritt auf dem Weg zur spezifisch römischen Papstkirche, darüber, daß sich in der Reform ein tiefer Gestaltwandel der Kirche vollzogen hat, herrscht Einmütigkeit.

Dieser Gestaltwandel vollzieht sich zu einem guten Teil auf den Konzilien dieser Zeit. Hier werden die Ideen eines Petrus Damiani, Humbert von Silva Candida, Anselm von Lucca, vor allem des Mönchs Hildebrand in die Tat umgesetzt — oder nicht weniger leidenschaftlich von der reformfeindlichen Partei bekämpft. Die Serie der Konzilien beginnt

---

[1] Art. Gregorianische Reform, in: LThK 4 (1960) 1196—1201, hier 1196; vgl. Ders., ‚Die gregorianische Reform' und ‚Die innere Wende des christlichen Abendlandes während der gregorianischen Reform', in: HKG (J) III/1, 1973, 401—461 und 485—539.

[2] La réforme Grégorienne I—III, Löwen-Paris 1924/25/37, SSL 6, 9, 16; Ders., La réforme Grégorienne et la reconquête chrétienne (1057—1123), HE 8, Paris 1944, 13—337.

mit den von Leo IX. veranstalteten Synoden von Rom, Reims und Mainz (1049) und hat weitere herausragende Höhepunkte in den Konzilien von Rom (1059), Mantua (1064) und Mainz (1069). Mit dem Jahre 1074 beginnen die von Gregor VII. in Rom fast jährlich abgehaltenen Fastensynoden, auf denen das Reformprogramm verkündet (1075) und der deutsche König zweimal gebannt wird (1076 und 1080). Dem ersten Bann war auf der Synode von Worms (1076) die Absetzung Gregors VII. durch die deutschen Bischöfe vorausgegangen.

Wir brechen hier ab; denn in unserem Zusammenhang, der Frage nach der mittelalterlichen Konzilsidee, interessiert nicht die Geschichte der eben genannten und der im folgenden noch zu erwähnenden Synoden dieser Zeit im einzelnen. Eine andere Frage beschäftigt uns, nämlich diese: Welche Konzeption, welche Vorstellung haben die Männer der Gregorianischen Reform von den Konzilien? Wie verstehen sie selber dieses letztlich doch mit Erfolg verwendete Instrument der Veränderung? Vor allem: in welche Beziehung setzen sie die Synode zum Papstamt, dessen Aufwertung allen anderen Kräften in der Kirche gegenüber ihr leidenschaftlicher Kampf gilt?

Die Synodalakten, soweit sie uns überhaupt überliefert sind, geben uns auf diese Fragen keine ausreichende Antwort. Auch in den Schriften der eben genannten geistigen Wegbereiter der Reform, zumal in den Briefen Gregors VII. selber, findet sich kaum mehr als die eine oder andere gelegentliche Äußerung zu unserem Thema. Günstiger als bei den italienischen Reformern ist dagegen die Quellenlage bei einem deutschen Anhänger der Bewegung, bei Bernold von Konstanz.[3] Bei

---

[3] Kurze Einführung I. S. Robinson, Art. Bernold von St. Blasien, in: VerLex I 1978, 795—798; ausführlich E. Strelau, Leben und Werke des Mönches Bernold von St. Blasien, Jena 1899; G. Meyer von Knonau, Jahrbücher des deutschen Reiches unter Heinrich IV. und Heinrich V., Bd. II, Leipzig 1894, 703—713, IV, ebd. 1903, 103—110, 263—265, 434—437; M. Manitius, Geschichte der lateinischen Literatur des Mittelalters III, München 1931, 37—39; R. Naz, Bernald ou Bernold de Constance, in: DDC 2 (1937) 770—773; nützlich ist auch immer noch M. Gerbert, Observationes in Bertholdi seu Bernoldi Constantiensis presbyteri opuscula ex eius scriptis collectae et illustratae, in: Ae. Ussermann, Prodromus Germaniae sacrae, St. Blasien 1792, VII—LII; unentbehrlich zur Orientierung in der Streitschriftenliteratur C. Mirbt, Die Publizistik im Zeitalter Gregors VII., Leipzig 1894, passim, vor allem 15—16, 36—38, 44—49, 284—295, 312—319; zur Arbeitsweise Bernolds vgl. J. Autenrieth, Die Domschule von Konstanz zur Zeit des Investiturstreites. Die wissenschaftliche Arbeitsweise Bernolds von Konstanz und zweier Kleriker, dargestellt aufgrund von Handschriftenstudien, Stuttgart 1956, bes. 118—142; über die Bernold zur Verfügung stehende Bibliothek informiert dieselbe Autorin außerdem in ihrem Beitrag ‚The Canon Law Books of the curia episcopalis Constantiensis from the ninth to the fifteenth century‘, in: Proceedings of the Second International Congress of Medieval Canon Law, Vatikan 1965, MIC.S 1, 3—15; I. Stuart Robinson, Zur Arbeitsweise Bernolds von

ihm finden wir neben über sein ganzes Werk[4] verstreuten einschlägigen
Äußerungen eine ausdrückliche Reflexion über die kirchenrechtliche
Stellung und Rolle der Konzilien, gerade auch in ihrem Verhältnis zum
Römischen Stuhl. Die wichtigsten Daten über Bernolds Leben sind
schnell berichtet. Der Historiker, Kanonist, Polemiker und Liturgiker
scheint Schwabe gewesen zu sein; wahrscheinlich um 1050 geboren,
starb er am 16. September 1100 im Allerheiligenkloster zu Schaffhausen.
Sein Lehrer in der Domschule zu Konstanz war unter anderen der pro-
päpstliche Kanonist und spätere Scholaster von Hildesheim, Bernhard.

Konstanz und seines Kreises. Untersuchungen zum Schlettstädter Codex 13, in: DA 34 (1978)
51—122, zeigt u. a. die möglichen Verbindungslinien zwischen den gregorianischen Publizisten Gebhard von Salzburg, Bernard, dem ehemaligen Lehrer Bernolds, späteren scholasticus
von Hildeheim, Manegold von Lautenbach, dem Dekan von Rottenbuch, dem Anonymus
von Hirsau usw., und beleuchtet auf instruktive Weise die gelehrte Sammeltätigkeit der Konstanzer Domschule; über Bernolds Beziehung zur 74-Titel-Sammlung (Ausg. GILCHRIST 1973)
und seine Verfasserschaft des *Appendix Suevica* vgl. J. AUTENRIETH, Bernold von Konstanz
und die erweiterte 74-Titel-Sammlung, in: DA 14 (1958) 375—394. Die Studie ist auch aufschlußreich für die Frage nach den von Bernold benutzten Kirchenrechtssammlungen. —
Zur theologischen Methode und weiteren, unsere Fragestellung berührenden Aspekten
vgl. M. GRABMANN, Geschichte der scholastischen Methode I, Freiburg 1909, 234—239;
O. GREULICH, Die kirchenpolitische Stellung Bernolds von Konstanz, in: HJ 55 (1935)
1—54; J. R. GEISELMANN, Bernold von St. Blasien. Sein neuentdecktes Werk über die
Eucharistie, De veritate corporis et sanguinis Domini nach seiner geistesgeschichtlichen
Voraussetzung und theologischen Bedeutung gewürdigt . . ., München 1936; hier 49—57
über Bernolds theologische Erkenntnislehre; A. REINKE, Die Schuldialektik im Investitur-
streit. Eine geistesgeschichtliche Studie (= Geist. Grundlagen römischer Kirchenpolitik 11)
Stuttgart 1937, 65—70; A. VAN HOVE, Een enleiding tot de bronnen van het kerkelijk
recht op het einde van XIe eeuw, in: Misc. A. de Meyer I, Löwen-Brüssel 1946, 358—371;
J. M. SALGADO, La méthode d'interpretation du droit en usage chez les canonistes d'origine à
Urbaine II, in: RUO 21 (1951) 201*—213*; 22 (1952) 23*—35*, hier 25*—32*; W. HART-
MANN, Manegold von Lautenbach und die Anfänge der Frühscholastik, in: DA 26 (1970)
47—149, hier 138—140 vergleicht Bernold mit Manegold.
[4] Bernold ist Verfasser einer von den Historikern sehr geschätzten Chronik, MGH.SS 5,
388—467 (vgl. deutsche Übersetzung: Die Geschichtsschreiber der Vorzeit, 11. Jh., 48,
Berlin 1863), von 16 bzw. 17 ungleich langen Streitschriften, MGH.LL 2, 1—168 und einer
liturgischen Schrift, dem nicht weniger geschätzten Micrologus, PL 151, 973—1022 (hierzu
S. BÄUMER, Der Micrologus, ein Werk Bernolds von Konstanz, in: NA 18 [1893] 430—446,
und V. L. KENNEDY, For a new edition of the Micrologus of Bernold of Constance, in:
Mélanges M. Andrieu, Straßburg 1956, 229—241). J. J. RYAN, Bernold of Constance and an
Anonymus Libellus de lite: De Romani pontificis Potestate universas ecclesias ordinandi, in:
AHP 4 (1966) 9—24, hier 22—24, veröffentlichte schließlich vor einigen Jahren einen Text
aus dem Vaticanus Latinus 3832, fol. 194r—195r, den er mit sehr guten Gründen Bernold
zuschreibt; ebd. 11—17 Begründung für die Zuschreibung und Datierung auf die
frühen 90er Jahre, ebd. 17—22 Kommentar des Textes, der seinerseits aus einer explicatio
von Ps-Julius c. 6 und 8 (= Hinschius 459, 21—460, 3 und 460, 20—22) besteht. — Ergänzungen und Berichtigungen zu Geiselmann bei H. WEISWEILER, Die vollständige Kampf-
schrift Bernolds von St. Blasien gegen Berengar: De veritate corporis et sanguinis domini,
in: Schol. 12 (1937) 58—93.

Als Mitglied der Konstanzer Domschule setzt er sich seit 1075 durch
verschiedene Schriften für die Anliegen der Gregorianischen Reform
ein. 1079 nimmt er an der römischen Fastensynode teil, die Berengar
von Tour verurteilte, ebenda begegnet er dem bedeutenden Kanonisten
Anselm von Lucca. 1084 wird er vom späteren Urban II. zum Priester
geweiht. Bald nach 1085 bezeichnet er sich als *ultimus fratrum de sancto
Blasio*. Etwa 1091 zieht er nach Allerheiligen in Schaffhausen und setzt
sich aktiv für die Klosterreform in Süddeutschland ein.

Wir gehen in unserer Untersuchung in drei Schritten vor. Zunächst beschäftigen wir uns mit einigen Aspekten der Konzilsidee des süddeut-
schen Mönchs im Rahmen seines Gesamtwerkes (1), dann suchen wir
die Konzilsidee seines Traktates *De fontibus iuris ecclesiastici* herauszuarbeiten (2). Wir schließen mit der Frage nach der Hauptquelle dieser
Konzilsidee (3).

1. Aspekte der Konzilsidee im Rahmen des Gesamtwerkes

In diesem ersten Abschnitt werden drei mehr oder weniger zusammenhängende Aspekte der Bernoldschen Konzilsidee behandelt. Wir stellen
zunächst fest, daß der Mönch von St. Blasien in seiner Chronik ein besonderes Interesse an den Konzilien zeigt. Woher dieses Interesse kommt,
wird deutlich, sobald man sich mit Bernolds *usus conciliorum*, das heißt
der Verwendung der Konzilskanones in seinen Streitschriften, beschäftigt. Eine Untersuchung von Bernolds Sprachgebrauch leitet dann zum
zweiten Hauptabschnitt über.

Bernolds Chronik besteht aus zwei Teilen; der erste stellt eine wörtliche
Übernahme der Chronik des Hermannus contractus dar[5], er geht von
der Geburt Jesu bis zum Jahre 1054 einschließlich.[6] Der zweite Teil[7] ist
eine selbständige Arbeit, er umfaßt die Jahre 1055 bis 1100 einschließlich und unterscheidet sich vom ersten Teil rein äußerlich durch ständig
zunehmende Ausführlichkeit der berichteten Ereignisse. In beiden Teilen verrät Bernold auf je verschiedene Weise sein besonderes Interesse
an der Konzilsproblematik.

---

[5] MGH.SS 5, 402—427 entspricht PL 143, 55—262.
[6] Vgl. auch X 46; MGH.LL 2, 132, 35.
[7] MGH.SS 5, 427—467. — Vgl. die kritischen Ausstellungen zu diesem Teil der Chronik
bei STRELAU 76—104.

Im ersten zeigt es sich darin, daß zahlreiche der verhältnismäßig wenigen Ergänzungen zu seiner Vorlage sich auf die Konzilien beziehen.[8] So ergänzt er die sehr kurze Notiz seiner Vorlage[9] zum Konzil von Nicaea: *sub Silvestro papa, in quo Arius condemnatur et 70 capitula constituuntur, sicut Athanasius dicit, qui eidem concilio interfuit.*[10] Beim Konzil von Rimini nennt er zusätzlich die Zahl der teilnehmenden Bischöfe.[11] Beim ersten Constantinopolitanum ergänzt er: *et post damnationem praedicti haeretici* (scil. Macedonius) *tres canones constituuntur*[12], ähnlich beim Konzil von Ephesus[13], Chalcedon[14], Konstantinopel II[15] und Konstantinopel III.[16] In Bernolds Konzeption des konziliaren Rechts ist die Übersendung der sogenannten *Dionysio-Hadriana* von grundlegender Bedeutung, wie wir noch sehen werden. Deswegen bringt er zu dieser Frage zum Jahr 781 die bis dahin ausführlichste Ergänzung seiner Vorlage, nämlich eine genaue Inhaltsangabe dieser Kirchenrechtssammlung.[17] Das gleiche kirchenrechtlich-historische Interesse zeigt die er-

---

[8] Die übrigen Zusätze betreffen fast ausschließlich die Päpste. Es geht bei den frühen Päpsten um ihre Reihenfolge (403, 38) und ihren Todestag (403, 66; 404, 7.29.30.40.43.47.52.64; 405, 7.32.33.51.57.64; 406, 4.31.32.34.42.56; 407, 1.19.34); den späteren trägt Bernold die Zahl der von ihnen erlassenen Dekretalen nach, so zum Jahre 386: *Hoc tempore Siricius papa scripsit decretalia 15 capitula Hymerio Tarraconensi episcopo* (409, 8), zum Jahre 402: (Innocentius) *qui 57 capitula decretalia scripsit* (409, 31), zum Jahre 416, für das die Promulgation von Dekretalen schon erwähnt ist, gibt Bernold die genaue Zahl an, nämlich 4 (409, 53), zum Jahr 419: (Bonifatius) *qui quatuor decreta fecit* (409, 59), zum Jahr 423: (Caelestinus) *qui 22 capitula decretalia episcopis Galliarum scripsit* (409, 64), zum Jahre 440: (Leo) *49 decreta conscripsit* (410, 26) zum Jahr 462: (Hilarius) *sex synodica capitula constituit* (410, 64) usw. für die Päpste Simplicius (411, 6), Felix II. (411, 30), Gelasius (411, 40), Anastasius (411, 50), Symmachus (411, 54), Hormisdas (412, 7), Gregor d. Gr. (414, 2). Bei Papst Agapitus notiert er: *in ecclesiasticis regulis aprime eruditus* (412, 47) usw. — Vgl. auch den der Chronik vorausgehenden Papstkatalog MGH.SS 5, 395—400, dazu Robinson, Arbeitsweise 82—88 („Der Papstkatalog im Schlettstädter Codex 13").
[9] *Concilium in Nicaea congregatur 318 episcoporum.*
[10] MGH.SS 5, 407, 51. — Zur Kapitelzahl vgl. weiter unten.
[11] MGH.SS 5, 408, 26: *Arrianorum 400 episcoporum.*
[12] MGH.SS 5, 408, 64.
[13] MGH.SS 5, 410: *Et 12 capita contra eundem* (scil. Nestorium) *conscribuntur.*
[14] MGH.SS 5, 410, 50: *Ibique damnatis haereticis 27 canones statuerunt.*
[15] MGH.SS 5, 412, 59.
[16] MGH.SS 5, 416, 20.
[17] MGH.SS 5, 418, 44: *Sciendum Karolo Magno Adrianum Papam Romae librum dedisse continentem canones apostolorum, cum conciliis Niceno, Ancyrano, Neocaesariensi, Gangrensi, Antiocheno, Laodicensi, Constantinopolitano, Calcedonensi, Sardicensi et quoddam excerptum ex Africanis conciliis continentem, cum decretis Romanorum pontificum, Siricii 40, Innocentii 42, Zosimi 43, Bonifatii 44, Caelestini 45, Leonis 47, Hilari 48, Simplicii 49, Felicis 50, Gelasii 51, Anastasii 52, Symmachi 53, Hormisdae 54, Gregorii 71. Hunc librum quidam Adrianum cognominant.*

gänzende Notiz zum Jahre 827[18], nämlich die Erwähnung der *capitularium collectio* des Ansegis von Fontenella.[19]

Die Ergänzungen zu den Konzilien von Worms[20] und Altheim[21] geschehen sicher nicht ohne Blick auf aktuelle Fragen seiner Zeit. Zum Jahre 992 verzeichnet Bernold eine Synode von Aachen, die sonst überhaupt nicht überliefert ist.[22] Sie verbietet für bestimmte Zeiten des Jahres *saecularia placita* und Eheschließungen. Ähnliches liturgisch-rechtliches Interesse zeigt die Erwähnung der Synode von Seligenstadt/Mainz im Jahre 1023 mit ihren Fasten- und Abstinenzbestimmungen.[23] Zu der wichtigen römischen Synode von 1049 unter Leo IX., die von der Vorlage erwähnt wird, bringt Bernold eine Ergänzung, nämlich die zwei Hauptpunkte des Reformprogramms: *Hic* (scil. Leo IX.) *in plenaria synodo constituit, ut Romanorum presbyterorum concubinae extunc et deinceps Lateranensi palatio adiudicarentur ancillae. Emptiones et venditiones altarium sub anathemate prohibuit.*[24] Für das folgende Jahr präzisiert beziehungsweise ergänzt er seine Vorlage hinsichtlich der Synoden gegen Berengar in Rom und Vercelli.[25]

Nicht weniger deutlich, wenn auch auf andere Weise, zeigt sich Bernolds Interesse an der Konzilsproblematik im zweiten, von ihm selbst verfaßten Teil der Chronik. Kein Ereignis behandelt er hier mit auch nur annähernd gleicher Ausführlichkeit wie gewisse Konzilien der Zeitspanne von 1055 bis 1100. Für die Synoden von Tours (1056)[26] und Rom (1060) gegen Berengar[27], das Basler Konzil von 1061, die Mainzer Synode von 1071, die römischen Synoden von 1075 und 1076, 1078 (März und Dezember) genügen ihm noch einige wenige Worte.[28] Ausführlicher ist schon die Notiz über die römische Februarsynode von 1079 gegen Berengar und über den Priesterzölibat.[29] Auch zu den römischen

---

[18] MGH.SS 5, 419, 69.
[19] MGH.Cap 1 und 2.
[20] MGH.SS 5, 421, 1.
[21] MGH.SS 5, 422, 12.
[22] MGH.SS 5, 423, 47.
[23] MGH.SS 5, 424, 34.
[24] MGH.SS 5, 426, 16.
[25] MGH.SS 5, 426, 22.
[26] MGH.SS 5, 427, 13.
[27] MGH.SS 5, 427, 35: *Romae Nicolaus papa generali synodo praesidens, Beringarium praesentialiter et synodaliter pro haeresi sua iterum examinavit, qui tandem quasi conversus libros suae haereseos coram synodo concremavit et eandem haeresim ut prius iurando anathematizavit.*
[28] MGH.SS 5, 428, 2; 429, 28; 430, 31; 433, 3; 435, 14, 32.
[29] MGH.SS 5, 435, 41—436, 52. — An dieser Synode hat Bernold selber teilgenommen, wie er in seiner Schrift *De Veritate corporis et sanguinis Domini* bezeugt: *Ultimae quoque generalis*

Synoden von 1080, 1083 und der päpstlichen Synode von Salerno (1084) bringt Bernold nur eine knappe Notiz[30], aber die Generalsynode von Quedlinburg (1085) schildert er dann mit größter Ausführlichkeit. Er nennt zunächst mehrere Teilnehmer mit Namen und berichtet über die auf dem Konzil stattgehabte Kontroverse über den päpstlichen Primat.[31] Dann informiert er über eine Reihe anderer Punkte der Tagesordnung, teilt den Inhalt einiger Kanones mit und schildert den Schluß der Synode mit der feierlichen Erneuerung des Bannfluchs über den Gegenpapst Guibert und seinen Anhang.[32]

Im weiteren Verlauf der Chronik folgen wiederum kürzere Notizen über die Synoden von Rom (1089), Toulouse (1090), Benevent (1091), Apulien (1093).[33] Relativ ausführlich fällt dann der Bericht über die Konzilien von Konstanz (1094), Autun (1094)[34], vor allem über Piacenza (1095) aus. Die Menge der Teilnehmer — Bernold nennt die Zahl von fast 4000 Klerikern und mehr als 30 000 Laien! — war hier so groß, daß keine Kirche sie fassen konnte und die Synode deshalb im Freien abgehalten wurde. Unter anderem wurde auf diesem Konzil auf inständiges Bitten einer byzantinischen Gesandtschaft auch der Plan zu einem Kreuzzug gefaßt. Bernold teilt ferner den Inhalt der Beschlüsse der Synode von Piacenza mit und nennt namentlich einige der teilnehmenden Bischöfe.[35] Kürzer ist dann wieder der Bericht über die Synode von

---

synodi sub Gregorio papa VII anno dominicae incarnationis MLXXVIIII nos ipsi interfuimus et vidimus, quod Beringerius in media synodo constitit et haeresim suam de corpore domini . . . coram omnibus praestitit, propriae manus sacramento abdicavit, videlicet sub praesentia Gregorii papae, Heinrici Aquileiensis patriarchae . . . et reliquorum CL episcoporum et abbatum et innumerabilium clericorum (Ausg. GEISELMANN 95/6).

[30] MGH.SS 5, 436, 24; 438, 31; 441, 34.

[31] MGH.SS 5, 442, 27: *Cum igitur omnes iuxta ordinem suum consedissent, prolata sunt in medium decreta sanctorum patrum de primatu sedis apostolicae, quod nulli unquam liceat eius iudicium rectractare, vel de eius iudicio iudicare ; quod et totius synodi publica professione laudatum et confirmatum est. Et hoc utique contra Heinricianos, qui fideles sancti Petri constringere voluerunt, ut excommunicationem domni papae Gregorii super Heinricum cum illis retractare praesumerent. Quidam autem Babinbergensis clericus, nomine Gumpertus, Romani pontificis primatui derogare volens, in mediam synodum se contulit, asserens, Romanos pontifices hunc sibi primatum ascripsisse non aliunde concessum hereditasse, videlicet ut nullus de eorum iudicio iudicare debeat, nec illi alicuius iudicio subiaceat. Qui cum aperte a tota synodo confutaretur, praecipue tamen a quodam laico convictus est per illud evangelicum ,Non est discipulus super magistrum'. Cum enim hoc generaliter in omnibus ecclesiasticis ordinibus observandum deputetur, ne maior a minore iudicetur, quis hoc vicario sancti Petri denegare poterit, quem omnes catholici pro domino et magistro venerantur?* — STRELAU 90—91 vermutet mit guten Gründen die Anwesenheit Bernolds auf der Synode von Quedlinburg.

[32] MGH.SS 5, 443, 14—21.

[33] MGH.SS 5, 449, 52; 450, 28; 451, 11; 456, 20.

[34] MGH.SS 5, 458, 24 und 461, 6.

[35] MGH.SS 5, 461, 41—463, 10.

Clermont (1095), Tours (1095), *multa concilia* in der Lombardei (1096) und Rom (1099).[36]

Wenden wir uns nun den Streitschriften Bernolds zu, so verstehen wir sogleich, warum der Chronist im ersten Teil seine Vorlage gerade hinsichtlich der Konzilien ergänzt, und warum er im zweiten Teil mit solcher Ausführlichkeit auf die Synoden eingeht: die Konzilskanones stellen neben den Dekretalen für den Gregorianer das hauptsächliche Argument dar, ob es nun darum geht, die Simonie und die Priesterehe zu bekämpfen, oder sich für den römischen Primat einzusetzen oder auf andere Fragen seiner Zeit eine gültige Antwort zu finden. Bekanntlich steht Bernold mit dieser Haltung und diesem Programm nicht allein da. Das Ideal der Gregorianischen Reform ist die Wiederherstellung der *ecclesia primitiva*. Der Kirche soll die Gestalt zurückgegeben werden, die sie an ihrem Beginn und Ursprung gehabt hat. Der Weg dazu ist die Reform nach den Kanones und den Bestimmungen der Väter der Urkirche.[37]

Die alles entscheidende Voraussetzung für die Durchsetzung des Reformprogramms stellt in den Augen der Reformer die ‚Wiederherstellung' der Vollmacht des Römischen Stuhles dar. Dem Papst müssen wieder die Rechte über die ganze Kirche zurückgegeben werden, die er in der Frühzeit der Kirche besessen hatte. Wie umfangreich, wie absolut die Vollmacht des Papstes war, geht nach Auffassung der Reformer in erster Linie aus den alten Dekretalen der Päpste dieser Zeit hervor, also aus den Briefen eines Anaklet[38], des zweiten Nachfolgers des

---

[36] MGH.SS 5, 463, 45; 464, 8; 464, 37; 466, 39.

[37] Vgl. die verschiedenen Studien von J. T. GILCHRIST, Canon Law Aspects of the Eleventh-Century Gregorian Reform Program, in: JEH 13 (1962) 21—38; DERS., Gregory VII and the Juristic Sources of his Ideology, in: StGra 12 (1967) 1—37; DERS., Cardinal Humbert of Silva-Candida, the Canon Law Ecclesiastical Reform in the Eleventh Century, in: ZSRG.K 89 (1972) 338—349; speziell zum Begriff der *ecclesia primitiva* G. MICCOLI, Ecclesiae primitivae forma, in: StMed 1, 2 (1960) 470—498; DERS., Chiesa Gregoriana, Florenz 1966, 225—244; G. OLSEN, The Idea of the ‚Ecclesia primitiva' in the Writings of the Twelfth-Century-Canonists, in: Tr. 25 (1969) 61—86, hier 65—70 Überblick über Verwendung des Begriffs vom 5. Jh. bis zur Gregorianischen Reform; L. PASCOE, Jean Gerson: the ‚ecclesia primitiva' and Reform, in: Tr. 30 (1974) 379—409, hier 380, Anm. 3 weitere Literaturangaben. Vgl. auch J. J. RYAN, Saint Peter Damian and his Canonical Sources. A Preliminary Study in the Antecedents of the Gregorian Reform, Toronto 1956; H. HOESCH, Die kanonistischen Quellen im Werk Humberts von Moyenmoutier, Diss. Berlin 1968.

[38] III 23; 87, 11: *Beatus quoque Anacletus, ab ipso principe apostolorum presbyter ordinatus, in decretis suis capitulo III testatur: Sacrosancta Romana et apostolica ecclesia non ab apostolis, sed ab ipso Domino nostro primatum obtinuit, sicut ipse beato Petro apostolo dixit: Tu es Petrus et reliqua ... Ergo haec apostolica sedes cardo et caput omnium ecclesiarum a Domino non ab alio est constituta. Et sicut cardine ostium regitur, sic huius sanctae sedis auctoritate omnes ecclesiae Domino disponente reguntur.* (Vgl.

hl. Petrus[39], eines Kallixt, Fabian, Sixtus, Silvester, Julius usw.[40] Wir brauchen uns hier nicht ausführlicher mit Bernolds Lehre über den römischen Primat zu befassen; Heinrich Weisweiler, der freilich noch nicht den weiter oben[41] angezeigten Text *De Romani pontificis potestate universas ecclesias ordinandi* kannte[42], hat hierzu das Nötige gesagt.[43] Worauf es in unserem Zusammenhang ankommt, ist zu betonen, daß Bernold für diese seine Lehre vom römischen Primat, von der *cardo-et-caput*-Funktion des Papstes, sich nicht nur auf falsche und echte Dekretalen, sondern auch auf Konzilkanones der Alten Kirche beruft.

Bernold rechtfertigt die entscheidende Voraussetzung für alle Reformpläne, nämlich die ‚Wiederherstellung' der päpstlichen Vollmacht über die ganze Kirche, durch Berufung zunächst auf Kanon 6 des ersten Nicaenums, wo freilich weiter nichts gesagt ist, als daß die Sitze von Alexandrien, Rom und Antiochien die angestammten Privilegien in ihren jeweiligen Herrschaftsbereichen behalten.[44] Worin inhaltlich dieses Privileg des Römischen Stuhles besteht, darüber ist von den Nicaenischen Vätern selbst nichts Genaueres zu erfahren. Auskunft hierüber gibt aber das römische (Pseudo-)Konzil, das gleichzeitig mit dem Nicaenum stattgefunden haben soll: der Papst ist Richter über alle Kirchen, er ist selber keinem Gericht unterworfen.[45] Es sei betont, daß Bernolds

---

Decretales Pseudoisidorianae, Ausgabe Hinschius, Leipzig 1963, 83, 4 ff. und 84, 13 ff.). — Zum Problem der Pseudonymität der hier und im folgenden zitierten Dekretalen vgl. den dritten Abschnitt dieses Kapitels.

[39] Vgl. Bernolds ergänzende Eintragung in seiner Chronik: *Anacletus papa secundus, sedit annis 12, passus 6. kal. Maii. Post Linum papam quidam libri habent Cletum et post Clementem Anacletum, sed historia Eusebii Cletum papam omnino praeterit.* MGH.SS 5, 403, 38. — Zur historischen Problematik der verschiedenen Papstlisten vgl. die im LThK I 524 unter dem Artikel Anenkletus verzeichnete Literatur.

[40] III 23; 87, 23; vgl. den dritten Abschnitt.

[41] Vgl. Anm. 4.

[42] Deutlicher als irgendwo sonst in seinen Schriften kommt hier statt der kanonistischen Beweise Bernolds Schriftargument zugunsten des römischen Primats zur Sprache. RYAN, Bernold 18 fragt sich zu Recht, ob man es hier nicht mit einem Echo der volkstümlichen Predigt der Hirsauer zu tun habe.

[43] H. WEISWEILER, Die päpstliche Gewalt in den Schriften Bernolds von St. Blasien. Aus dem Investiturstreit, in: StGreg 4 (1952) 129—147; vgl. auch GREULICH 14—23.

[44] COD, 3. Aufl. 8—9: *Antiqua consuetudo servetur per Aegyptum, Libyam et Pentapolim, ita ut Alexandrinus episcopus horum omnium habeat potestatem, quia et urbis Romae episcopo parilis mos est. Similiter autem et apud Antiochiam ceterasque provincias sua privilegia serventur ecclesiis.* Bernolds „Kommentar": *Ipsi enim Nicaeni patres nullatenus apostolicae sedi primatum sive privilegium adimunt, cum omnium etiam provinciarum antistites iuxta morem Romani pontificis propria iubeant observare privilegia* (I 5; 21, 28).

[45] I 5; 21, 31: *Est autem privilegium Romani pontificis iuxta assertionem sancti Silvestri, Gelasii et reliquorum patrum, ut ipse de omnibus ecclesiis iudicare valeat, nec alicuius iudicio subiaceat; et ut*

Argumentation zugunsten der These: Rom *cardo et caput* der Kirche nicht nur aus dem Beweis ex conciliis besteht, er zitiert außerdem auch echte Dekretalen.[46] Aber es geht uns hier ja gar nicht um die historisch-kritische Frage, was Bernolds Argumente wert sind, wir wollen vielmehr zeigen, daß er die Voraussetzung der Reform, Roms Stellung als *cardo et caput*, unter anderem auch mit Hilfe von Konzilskanones der Alten Kirche aufzuweisen sucht.

Zum Reformprogramm selber gehört nun bekanntlich der Kampf gegen die Simonie, das heißt den käuflichen Erwerb von Weihen und Ämtern.[47] Hier beruft sich Bernold in seinem *Apologeticus*[48], das heißt seiner Verteidigungsschrift des Briefes Gregors VII. an Otto von Konstanz, der die Hauptprogrammpunkte der Gregorianischen Reform enthält[49], auf

---

ipsorum canonum sive decretorum severitatem pro temporis necessitate valeat immo debeat mitigare. — Bernold bezieht sich mit dieser Anspielung wohl auf die *Excerpta quaedam ex synodalibus gestis sancti Silvestri papae*, das heißt auf die pseudoisidorischen Dekretalen, Ausgabe HINSCHIUS 449, 19—20: *Neque praesul summus a quoquam iudicetur, quoniam scriptus est: non est discipulus super magistrum* . — Diesem Text liegt seinerseits zugrunde das sogenannte Constitutum Silvestri, eine Fälschung aus dem frühen 6. Jh. aus dem Kreis des Papstes Symmachus, Text bei P. COUSTANT, Epistolae Roman. pont. I, Appendix 43—52, hier 47. — An anderer Stelle zitiert Bernold fast wörtlich ein weiteres cap. des gleichen Constitutum Silvestri: *Nemo iudicabit primam sedem, iustitiam temperare desiderantem. Neque enim ab Augusto neque ab omni clero, neque a regibus, neque a populo iudex iudicabitur* (II 9; 51, 1; vgl. auch 162, 10).

[46] III 23; 87, 16: *Cuncta per mundum novit ecclesia, quod sacrosancta Romana ecclesia de omni ecclesia fas habeat iudicare, nec cuiquam de eius liceat iudicare iudicio, si quidem ad illam de qualibet mundi parte appellandum est, ab illa autem nemo appellare permissus est* (Gelasius, Ep 26, 5; Ausgabe THIEL 399).

[47] Vgl. GREULICH 32—37; MIRBT 343—371; H. MEIER-WELCKER, Die Simonie im frühen Mittelalter, in: ZKG 64 (1952/3) 61—93; J. T. GILCHRIST, Simoniaca haeresis and the Problem of Orders from Leo IX to Gratian, in: Proceedings of the Second International Congress of Medieval Canon Law, Vatikan 1965, MIC.S 1, 209—235; R. SCHIEFFER, Spirituales Latrones. Zu den Hintergründen der Simonieprozesse in Deutschland zwischen 1069 und 1075, in: HJ 92 (1972) 19—60.

[48] Vgl. zu dieser Schrift A. FLICHE, L'apologeticus de Bernold de Constance, in: CRAI 1949, 65—71: zur genaueren Datierung und zum Anlaß der Abfassung neuerdings ROBINSON 69—75.

[49] Wiedergegeben am Anfang seines *Apologeticus*: . . . *Haec tamen necessario tibi scribenda fore arbitrati sumus, nos iuxta auctoritatem sanctorum patrum in eadem synodo sententiam dedisse, ut hi, qui per simoniacam haeresim hoc est interventu pretii, ad aliquem sacrorum ordinum gradum vel officium promoti sunt, nullum in sancta ecclesia ulterius ministrandi locum habeant; illi quoque, qui ecclesias datione pecuniae obtinent, omnino eas perdant, nec deinceps vendere vel emere alicui liceat. Sed nec illi qui in crimine fornicationis iacent, missas celebrare aut secundum inferiores ordines ministrare altari debeant. Statuimus etiam, ut si ipsi contemptores fuerint nostrarum immo sanctorum patrum constitutionum, populus nullomodo eorum officia recipiat, ut qui pro amore dei et officii dignitate non corriguntur, verecundia saeculi et obiurgatione populi resipiscant* (III 1; 60, 32).

Kanon 2 von Chalcedon[50], in dem tatsächlich in aller wünschenswerten Deutlichkeit *(plenissime et evidentissime)* jede Form von Simonie verboten und mit der entsprechenden Sanktion versehen wird. Das Verbot des käuflichen Erwerbs von Kirchen, das Gregor VII. im gleichen Brief ausspricht[51], sieht Bernold im *Apologeticus* ebenfalls in Kanon 2 von Chalcedon, wenn auch nur andeutungsweise *(obscure)*, enthalten. Ausführlicher geht er auf diesen Aspekt der Simonie in seiner Schrift *De emptione ecclesiarum* ein. Hier verweist er auf Kanon 6 des Chalcedonense[52] und verdeutlicht, warum es in der Alten Kirche kein formelles Verbot des käuflichen Erwerbs einer Kirche gab[53] und dasselbe einschlußweise im Verbot simonistischer Weihen mitenthalten ist. Deutlicher als in den Konzilien der Alten Kirche findet Bernold dieses Verbot in den jüngeren Synoden *nostrarum provinciarum* ausgesprochen, nämlich auf den Konzilien von Mainz (847), Reims beziehungsweise Tours (813).[54] Aus allen diesen Konzilskanones ergibt sich für Bernold klar und deutlich, daß die Reformmaßnahmen Gregors VII. tatsächlich *iuxta censuram sanctorum patrum* geschehen und kein anderes Ziel haben, als der Kirche wieder ihre ursprüngliche Ordnung und Verfassung zurückzugeben.

---

[50] III 6; 65, 24: *Si quis episcopus per pecuniam fecerit ordinationem et sub pretio redegerit gratiam, quae non potest vendi, ordinaveritque per pecuniam episcopum aut presbyterum aut diaconum vel quemlibet ex his, qui connumerantur in clero, aut promoverit per pecunias dispensatorem aut defensorem vel quemquam qui subiectus est regulae pro sui turpissimi lucri commodo is, cui hoc attemptatus est nihil ex hac ordinatione vel promotione, quae est per negotiationem facta proficiat, sed sit alienus ea dignitate vel sollicitudine, quam pecuniis quaesivit. Si quis vero mediator tam turpibus et nefandis datis vel acceptis extiterit, siquidem clericus fuerit, proprio gradu decidat, si vero laicus vel monachus, anathematizetur. — Vgl. COD 87.*

[51] Vgl. Anm. 49.

[52] COD 90: *Nullum absolute ordinari debere presbyterum aut diaconum nec quemlibet in gradu ecclesiastico, nisi specialiter ecclesiae civitatis aut possessionis aut martyrii aut monasterii qui ordinandus est pronuntietur. Qui vero absolute ordinantur, decrevit sancta synodus, irritam esse huiusce modi manus inpositionem, et nusquam posse ministrare, ad ordinantis iniuriam.*

[53] VIII 3; 107, 26: *Nam sancti patres in Calcedonensi concilio irritam ordinationem cuiuslibet iudicaverunt, qui ad certum locum ordinatus non inveniretur; nempe locus, cui minister erat consecrandus, inprimis pronuntiabatur. Sicque ordinatio ministri ad designatum locum sollemniter celebratur, sicut adhuc in ordinatione episcoporum sive abbatum ubique observatur. Cum ipsa ordinatione minister incardinabatur ecclesiae nec alius ei ecclesiam, alius consecrationem, sed idem contulit utrumque et eodem tempore ; nec plenaria deputabatur ordinatio, quam non praecederet certa loci designatio. Unde et apud antiquos patres non tam specialis prohibitio facta legitur de emptione ecclesiarum, quas in ipsis ordinationibus compraehensas et cum ipsis per pecunias obtineri prohibitas noverunt. Et cum emptas ordinationes simoniacas reputarent, emptiones ecclesiarum procul dubio non exceperunt, immo nec excipere potuerunt.*

[54] III 7; 67, 2 und VIII 5; 108, 16. — Ebd. Verweise auf die entsprechenden Texte.

Das zweite große Reformanliegen der Gregorianer war die Durchsetzung des Zölibats[55] für die Priester.[56] Auch hier setzt Bernold wie bei der im vorausgehenden behandelten Simonie den kanonistischen vor den Schriftbeweis. Für den Priesterzölibat beruft er sich im *Apologeticus* wiederum an erster Stelle auf ein Konzil, nämlich Kanon 3 des Nicaenums[57], in einer Auslegung freilich, die schon J. Hefele im vergangenen Jahrhundert als unhaltbar abgelehnt hat.[58] Treffender ist der im Anschluß zitierte Kanon 1 des Konzils von Neocaesarea[59], der tatsächlich zwar nicht die Verehelichung des Priesters für ungültig erklärt, aber den verheirateten Priester vom Amt ausschließt.[60] Ein nicht weniger eindeutiges Argument zugunsten des Priesterzölibats stellt Kanon 3 des Konzils von Karthago (390) dar[61], auf das Bernold in seinem Briefwechsel mit Alboin hinweist. Aber noch einmal zurück zum *Apologeticus*! Im Anschluß an die beiden echten Kanones von Nicaea und Neocaesarea zitiert Bernold auch aus dem *Constitutum Silvestri* einen Kanon gegen die Priesterehe[62], in dem die Eheschließung mit 12 Jahren Suspension vom Priesteramt bestraft wird! In den gleichen Zusammenhang, nämlich das von den Gregorianern urgierte Verbot der Priesterehe, gehört auch noch Kanon 4 des Konzils

---

[55] Vgl. GREULICH 25—32.

[56] Vgl. Anm. 49.

[57] III 11; 70, 19: *Interdicit per omnia magna synodus non episcopo, non presbytero, non diacono nec alicui omnino, qui in clero est, licere subintroductam habere mulierem nisi forte matrem aut sororem aut amitam vel eas tantum personas, quae suspiciones effugiunt* (Vgl. COD 7). — Zur Verdeutlichung des Ausdrucks *subintroducta mulier* fügt Bernold im Anschluß an die Version des Dionysius auch noch die des Isidor an, in der statt subintroducta *extranea* steht. — Dieser Kanon stellt für Bernold ein Paradebeispiel seiner Methode der Textvergleichung zur Eruierung des richtigen Sinnes dar, vgl. X 43; 131, 25: *Nec otiose notandum, quod multa nobis obscura per diversarum collationem editionum saepenumero declarantur, ut illud de Nicaeno concilio: quid sit ‚subintroducta mulier‘? hoc alia editio apertius ponit id est ‚extraneam‘.* — Zu den Auslegungsgrundsätzen Bernolds allgemein vgl. GREULICH 8—12.

[58] Conciliengeschichte I 2, verb. Aufl. 1873, 381. — Zum heutigen Forschungsstand vgl. R. GRYSON, Les origines du célibat ecclésiastique du premier au septième siècle, Gembloux 1970, 87—93, bes. 91.

[59] III 11; 70, 32: *Presbyter, si uxorem duxerit, ab ordine deponatur, si vero fornicatus fuerit aut adulterium perpetraverit amplius pelli debet et ad paenitentiam redigi.* Vgl. EOMJA 2, 119.

[60] Näheres bei GRYSON 85—87.

[61] I 1; 7, 33: *Placet ut sacerdos et levitae vel qui sacramentis divinis inserviunt, continentes sint in omnibus, quo possint simpliciter quod a deo postulant impetrare ut quod apostoli docuerunt et ipsa servavit antiquitas nos quoque custodiamus.* — Vgl. mit leichten Abweichungen, Concilia Africae, CChr.SL 149, 13. — Zur genaueren Interpretation und Einordnung in die Entwicklung vgl. GRYSON 176—180.

[62] III 11; 71, 2: *Nemo presbyter a die honoris presbyterii sumat coniugium. Quodsi quis neglecto hoc aliter egerit, duodecim annis eum iubemus privari honore. Quodsi quis contra hoc cyrographum praesens et publice dictum egerit, damnabitur in perpetuum.* Vgl. COUSTANT, Appendix 61—52.

von Gangra, auf den sich die Gegner der Reform berufen.[63] Bernold
repliziert unter Hinweis auf den historischen Kontext des Kanons, auf
dem *qui uxorem habuit* insistierend: der Kanon stellt nicht diejenigen
unter Kirchenbann, die die Messe eines in der Ehe lebenden Priesters
ablehnen, sondern diejenigen, die die Messe eines ehemals verheirateten
nicht akzeptieren.[64] Diese Auslegung des vierten Kanons von Gangra
wurde zwar auch von Baronius, Binius und noch von Mittermüller im
19. Jahrhundert vertreten[65], aber Roger Gryson erwähnt sie mit keinem
Wort mehr.[66]

Der Brief Gregors VII. an Otto von Konstanz enthält weiter das Verbot
des Sakramentenempfangs aus den Händen von exkommunizierten
Klerikern.[67] Um dieses Verbot zu rechtfertigen, rekurriert Bernold auch
hier an erster Stelle auf einen Konzilskanon, und zwar auf Kanon 4 der
Synode von Antiochien.[68] Bernold kennt auch die Anwendung dieses
Kanons auf die Anhänger des Timotheus Aelurus durch die pisidischen
Bischöfe im *Codex Encyclius*[69]: wer Gemeinschaft hält mit einem Verur-
teilten, fällt selber unter die ausgesprochene Zensur. In seiner Schrift

---

[63] III 19; 83, 2: *Quicumque discernit a presbytero qui uxorem habuit, quod non oporteat eo ministrante de oblatione percipere, anathema sit.* Vgl. EOMJA 2, 189. — Zur Interpretation vgl. GRYSON 93—94.

[64] III 19; 83, 7: *Sed frustra. Nam praedictum capitulum illos tantum anathematizat, qui respuunt presbyteri oblationem, non qui modo habet, sed qui quondam habuit uxorem. Eo enim tempore, ut prologus Gangrensis concilii testatur, erant haeretici sectatores cuiusdam Eustatii, qui legitimas nuptias quasi mortale crimen condemnabant, asserentes nullum in coniugali gradu positum spem habere apud deum. Unde et oblationes presbyterorum etiam ante ordinationem legitime coniugatorum respuisse traduntur, quippe legitimum coniugium pro mortali crimine deputantes, quale etiam si quis hoc tempore perpetrasse detegitur, altari ministrare iuxta canones non permittitur.* — Die Berücksichtigung des histori-schen Kontextes gehört dabei zu den ausdrücklichen Auslegungsprinzipien Bernolds, vgl. X 57; 139, 36: *Consideratio quoque temporum, locorum, sive personarum saepe nobis competentem subministrat intellectum, ut etiam diversitas statutorum nequaquam absurda vel contraria videatur, cum diversitati temporum locorum sive personarum apertissime distributa reperiatur. Hoc utique lectori multum intelligentiae subpeditabit, si huiusmodi statutorum originales causas singulari diligentia indagare non omittit. Ex tali enim indagatione multa rationabiliter instituta patebunt, quae ignoratis eorum causis minus idonea videri potuerunt.* — Vgl. die in Anm. 3 angegebene Literatur, vor allem W. HARTMANN, Manegold 130.

[65] Belege bei HEFELE I 782.

[66] Vgl. Anm. 58.

[67] Vgl. Anm. 49.

[68] III 17; 80, 11: *Si quis episcopus damnatus a synodo vel presbyter aut diaconus ab episcopo ausi fuerint aliquid de sacro ministerio contingere, sive episcopus iuxta praecedentem consuetudinem sive presbyter aut diaconus, nullo modo liceat ei vel in alia synodo restitutionis spem aut locum habere satis-factionis, sed et communicantes ei omnes abici de ecclesia et maxime, si, posteaquam didicerint adversus memoratos prolatam fuisse sententiam, eisdem communicare temptaverint.* — Vgl. EOMJA 2, 247 bis 249.

[69] ACO 2,5; 51, 20.

Apologeticae rationes beruft er sich für das Verbot, mit Exkommunizierten Gemeinschaft zu haben, auf Kanon 5a des Nicaenums[70] und Kanon 9 des Konzils von Karthago (419).[71] Dies gilt auch für die Gemeinde des exkommunizierten Bischofs[72] nach Kanon 62 der sogenannten dritten Synode von Karthago.[73]

Wir brechen hier wiederum ab.[74] Die beigebrachten Beispiele genügen, um den *usus conciliorum* des Reformers Bernold zu beleuchten. Aber der Mönch von St. Blasien greift nicht nur zur Verteidigung und Durchsetzung der Reformpläne auf die Konzilskanones vorzüglich der Alten Kirche zurück, er bezieht sich auch in seiner Streitschrift gegen Berengar und in seinem *Micrologus* auf Konzilien. Der zweite Teil[75] der genannten Streitschrift *(De veritate corporis et sanguinis Domini)* besteht im wesentlichen aus nichts anderem als aus der Aufzählung der *synodales damnationes* des Berengar[76]: Aus den Verurteilungen dieser Konzilien ergibt sich positiv der eucharistische Glaube der Kirche.[77] Den gleichen eifrigen *usus conciliorum* stellen wir im *Micrologus*, seiner Meß- und Liturgieerklärung fest. Auch hier sind es wiederum vor allem die Konzilien der Alten Kirche, das Nicaenum, die Synoden von Karthago, Laodicaea, Agde usw., auf die sich der Mönch von St. Blasien bezieht.[78]

Bevor wir uns Bernolds Traktat *De fontibus iuris ecclesiastici* und damit der reflexen Darlegung seiner Lehre über die Konzilien zuwenden, sol-

---

[70] V 3; 95, 33; vgl. COD 8: *De his qui communione privantur, seu ex clero seu ex laico ordine, ab episcopis per unamquamque provinciam sententia regularis obtineat, ut hii qui ab aliis abiciuntur, non recipiantur ab aliis.*

[71] V 3; 95; vgl. CChr.SL 149, 135.

[72] VI; 102, 11.

[73] CChr. SL 149, 197.

[74] In der schwierigen Frage der Reordinationen, in der Bernold klarsichtiger war als andere Gregorianer, findet er die entscheidende Orientierung ebenfalls in den alten Konzilskanones, nämlich in Kanon 8 des Nicaenums (II 24; 56, 2; XIV; 151, 17) und Kanon 48 und 68 des Konzils von Karthago von 419 (II 27; 57, 7). — Zum Problem der Reordinationen im Zeitalter des Investiturstreites vgl. Mirbt 403 ff. — Natürlich kennt Bernold Kanon 5 des Nicaenums, Kanon 2 des ersten Constantinopolitanums und Kanon 19 des Chalcedonense, die die jährliche Konzilsversammlung einschärfen (III 4; 63, 25.28.31). Auch für die *reconciliatio* der bekehrten Schismatiker geben ihm die Konzilien der Alten Kirche, nämlich Kanon 8 und 12 von Nicaea (X 15; 118, 8; X 11; 115, 38), Kanon 27 des Konzils von Karthago (X 15; 118, 18) usw. die gesuchte Orientierung.

[75] Der erste Teil enthält Väterzeugnisse und stellt den vertikalen Konsens der Kirche dar.

[76] Ausgabe Geiselmann 92—95. — Zur Interpretation dieses horizontalen Konsenses im Rahmen der theologischen Erkenntnislehre Bernolds vgl. ebd. 49—57.

[77] Ebd. 96: *Indubitanter sane cuilibet catholico, qui non omne quod credit rationibus comprehendere quaerit, ut fides habeat meritum, cui humana ratio non dat experimentum, illi, inquam, catholico tot generalia apostolicae auctoritatis concilia contra haeresim sufficiunt ...*

[78] Vgl. PL 151, 980 D, 981 C, 982 C, 991 BC, 1003 A, 1012 AC usw.

len hier noch einige Beobachtungen zu seinem Sprachgebrauch vorausgeschickt werden. M. Boye kommt in seiner verdienstvollen Studie „Die Synoden Deutschlands und Reichsitaliens von 922—1059" in dem Abschnitt über die „Synodenarten aufgrund der Bezeichnungen der Synoden"[79] zu dem Ergebnis, „daß nicht nur jede einzelne Synode, sondern auch die Synoden jeder Synodenart verschieden bezeichnet werden können. Der Zusatz *generalis* wird gleichermaßen für Provinzial-, National-, Reichs- und Papstsynoden verwandt. Aber alle diese Gruppen können auch die einfache Bezeichnung *synodus* führen. Die größten wie die kleinsten Synoden sind bald eine ‚Synode‘, bald eine ‚Generalsynode‘".[80] Boye schließt aus dieser offensichtlichen Willkür, mit der insbesondere die Bezeichnung *generalis* verwendet wird, auf einen „prätentiösen" Gebrauch dieses Wortes, das heißt, in Anwendung oder Nichtanwendung kommt kein objektiver Tatbestand, sondern die Auffassung des jeweiligen Autors von der Bedeutung der Synode zum Ausdruck.[81] Wie steht es nun bei Bernold in dieser Hinsicht? Haben wir es auch bei ihm mit einem völlig willkürlichen Gebrauch der Bezeichnung *synodus universalis*, *synodus generalis*, *synodus provincialis*, *synodus*, *concilium* zu tun, oder ist vielmehr eine gewisse Gesetzmäßigkeit zu erkennen?

Fangen wir mit dem eindeutigsten Punkt an! Die Bezeichnungen *synodus* und *concilium* werden, soweit wir sehen, mit nur einer Ausnahme[82], nämlich dem Konzil von Basel (1061), den Synoden der Reformpartei vorbehalten.[83] Zweitens, die Termini *synodus* und *concilium* sind zwar grundsätzlich austauschbar — dieselbe Versammlung kann einmal als *synodus*, ein anderes Mal als *concilium* bezeichnet werden[84] — deutlich ist aber die Tendenz, mit dem Terminus *synodus* die Versammlung als solche zu bezeichnen, während das Wort *concilium* eher auf die Konzilsakten, vor allem die Kanones, abhebt.[85] Aber es fehlt auch nicht an Gegen-

---

[79] Boye 177—193.
[80] Ebd. 183. — Zur Terminologie *synodus, concilium* usw. vgl. auch Schmale, *Synodus* — synodale concilium — concilium; kritisch dazu Schmitz, Concilium perfectum 31, Anm. 13.
[81] Boye 191—192.
[82] MGH.SS 5, 428, 2.
[83] Die Konzilien der Gegner heißen *colloquium* (Worms 1076; MGH.SS 5, 433, 1) oder *conventus* (Mainz 1080; 436, 32) oder *multitudo schismaticorum* (Brixen 1080; 436, 29) oder *conciliabulum* (Mainz 1085; 443, 22).
[84] Vgl. *universalis synodus Ephesina* (102, 25) mit *tertium universale concilium Ephesi habitum* (128, 29).
[85] Beispiele: (Gregorius) *in generali synodo anathematizavit* (96, 1); *in antiquis nostrarum provinciarum conciliis . . . statutum legitur* (67, 2).

beispielen in beiden Richtungen.[86] Drittens, die Adjektive *generalis* und *universalis* sind zwar ebenfalls grundsätzlich austauschbar[87], aber es ist auch hier die deutliche Tendenz festzustellen, mit *universale* die sogenannten Ökumenischen Synoden, das heißt die Konzilien von Nicea, Konstantinopel I, Ephesus, Chalcedon, Konstantinopel II bis III, zu bezeichnen, *generalis* hingegen für die unter dem Vorsitz des Papstes[88] oder seines Legaten in oder außerhalb Roms stattfindenden Kirchenversammlungen zu verwenden.[89] Aber es ist zu betonen, daß häufig weder das eine noch das andere Adjektiv steht und das betreffende ‚Universal'- oder ‚Generalkonzil' einfach nach dem Ort benannt wird, gegebenenfalls mit einer Ordinalzahl versehen.[90] In der Verwendung von *generalis* scheint es dabei im Werk Bernolds eine gewisse Entwicklung zu geben. In dem nach 1086 abgefaßten Teil der Chronik erhalten die päpstlichen Synoden mit größerer Konsequenz diese Bezeichnung, während dies in dem vorher geschriebenen Teil nicht der Fall ist.

Viertens, es gibt noch eine Reihe weiterer Bezeichnungen der Synoden neben *universalis* und *generalis*. Nur wenige Synoden erhalten den Titel *sanctus* beziehungsweise *sanctissimus*, so Nicaea und die römische Synode von 1076.[91] Die vier ersten sogenannten Ökumenischen Synoden werden auch *principales synodi* genannt.[92] Die römische Synode von 1049 heißt *plenaria synodus*[93]; statt *generalis* kann es auch schon einmal *generalissimus* heißen.[94] Hier zeigt sich deutlich die Tendenz an, die Boye als ‚prätentiösen' Gebrauch von *generalis* bezeichnet. Es kommt in diesem Wort die persönliche Einschätzung einer Synode durch den betreffenden Autor zum Ausdruck.

---

[86] So heißt die Versammlung von Quedlinburg *generale concilium* (vgl. jedoch die Variante *synodus!*) (111, 16). Vgl. außerdem MGH.LL 2, 114, 5; 116, 35; 121, 28; 128, 29; 128, 39; 129, 11; MGH.SS 5, 428, 2; 429, 28; 435, 14.32; 461, 6; 464, 37). Andererseits bezieht sich mindestens an einer Stelle die Bezeichnung *Ephesina synodus* eher auf die Konzilsakten (121, 13).

[87] Vgl. MGH.LL 2, 156, 25 mit 135, 39.

[88] Bei *synodi generales* außerhalb von Rom wird die Mitwirkung meist ausdrücklich erwähnt (7, 31; 111, 16; MGH.SS 5, 422, 12; 423, 27; 427, 13; 442, 19; 450, 28; 451, 11; 456, 20; 461, 6; 461, 42; 463, 45; 464, 11; Geiselmann 93).

[89] Gegenbeispiele: 1. die römischen Synoden von 1059 und 1078, Altheim (916) und Toledo III heißen *universale concilium* bzw. *universalis synodus* (121, 28; 106, 13 bzw. 162, 37; 106, 4; 63, 36). 2. die sogenannten Ökumenischen Synoden werden mindestens zweimal als *concilia generalia* bezeichnet (156, 25; MGH.SS 5, 428, 2; Geiselmann 96, 6).

[90] *Chalcedonense concilium* (52, 28), *Carthaginiense concilium* (118, 17), *VI Carthaginiense concilium* (114, 5), *Romana synodus* (51, 36).

[91] 122, 15; 122, 35; 70, 18; 51, 36.

[92] 121, 13; 147, 33.

[93] MGH.SS 5, 426, 16.

[94] 102, 16.

Eine letzte Bezeichnung ist noch zu erwähnen: eine bestimmte Kategorie von Synoden heißt *concilia provincialia*.[95] Innerhalb seiner systematischen Konzilslehre, von der im folgenden Abschnitt die Rede sein soll, werden die *concilia provincialia* den *concilia universalia* gegenübergestellt. Außerhalb der Systematik ist diese Bezeichnung aber sehr selten. Sie dient höchstens einmal dazu, ein Konzil einem anderen gegenüber abzuwerten.[96] Da die *concilia universalia* nicht einfach identisch sind mit den *concilia generalia*, kann ein und dasselbe Konzil einmal *provinciale* und ein anderes Mal *generale* heißen. Es ist eben ein *concilium provinciale*, insofern es kein ,Universalkonzil' ist; es heißt *generale*, wenn auf die päpstliche Beteiligung abgehoben werden soll.[97] Wir halten als Hauptergebnis unserer Beobachtungen fest, daß Bernold eine gewisse Tendenz hat, zwischen *synodi generales* und *concilia universalia* zu differenzieren und dabei mit diesem Terminus die sogenannten Ökumenischen Konzilien zu bezeichnen, mit jenem dagegen die Synoden, an denen die Päpste auf die eine oder andere Weise beteiligt sind. Die vergleichsweise nicht willkürliche Verwendung der Bezeichnung *generalis* könnte ihren Grund darin haben, daß Bernold sich eingehender als seine Vorgänger und Zeitgenossen mit Fragen des Konzils allgemein, und speziell mit dem Verhältnis Papst/Konzil beschäftigt hat. Von dieser ausdrücklichen Beschäftigung mit Konzilien soll im folgenden Abschnitt die Rede sein.

2. Die Konzilsidee von Libellus X 25—60 und III 2—4

Der hier an erster Stelle zu analysierende Text[98] ist zwar Teil eines größeren Ganzen[99], eben der Streitschrift, die in der Thanerschen Ausgabe den Titel trägt: *De excommunicatis vitandis, de reconciliatione lapsorum et de fontibus iuris ecclesiastici* (= Libellus X)[100], stellt aber nichtsdestoweniger eine literarische Einheit von großer innerer Geschlossenheit

---

[95] *Tertium Carthaginiense concilium* (102, 13.14).

[96] VII 102, 14: *Si ergo provincialis concilii iudicio* (das heißt Karthago III) *magis oboediendum est quam proprio episcopo, quanto magis sanctissimae sedis apostolicae generalissimae synodo?*

[97] 7, 31 heißt das Konzil von Karthago (419) *concilium generale*; 131, 42 ff. ist es unter die *concilia provincialia* eingereiht.

[98] MGH.LL 2, 123—142.

[99] THANER 112 vermutet wegen einiger Wiederholungen eine nachträgliche Zusammenfügung des Textes.

[100] Libellus X ist von den Herausgebern verschieden überschrieben. GRETSER tituliert: *De vitanda excommunicatorum communione, de reconciliatione lapsorum et de conciliorum, canonum, decretorum, decretalium ipsorum pontificum Romanorum auctoritate liber*, USSERMANN II 311.

und klarem Aufbau dar. Er gliedert sich zunächst in zwei große Abschnitte: die cap. 25 bis 51[101] behandeln die Quellen des kirchlichen Rechts von ihrer formalen Seite her. Von wem stammt das in der Kirche geltende Recht? In welchen Texten ist dieses Recht greifbar? Die cap. 52 bis 60 enthalten einen kurzen Traktat über die Interpretation dieser Quellen. Der erste Abschnitt wiederum, die cap. 25 bis 51, ist noch einmal in drei Teile deutlich untergliedert[102]: der erste, die cap. 25 bis 28, handelt von den Aposteln, der zweite, die cap. 29 bis 32, von den Päpsten, die cap. 33 bis 50 von den Konzilien, cap. 51 nochmals von den Päpsten. Die zahlreichen in den Text eingearbeiteten und deutlich erkennbaren Vorlagen — von der wichtigsten, den pseudoisidorischen Dekretalen, soll gesondert im dritten Abschnitt dieser Untersuchung gehandelt werden — stören in keiner Weise den klaren Gedankenfortschritt unseres Traktates.

Wir beginnen mit dem ersten Abschnitt über die Apostel als Quelle des kirchlichen Rechts.[103] Zur Unterweisung oder Gestaltung der werdenden Kirche[104] haben die Apostel fünf Konzilien abgehalten, das erste bei der Wahl des Matthias, das zweite bei der Wahl der sieben Diakone, das dritte erlaubte den Heidenchristen die Freiheit vom Gesetz (Apg 15), das vierte den Judenchristen die weitere Beobachtung des Gesetzes (wohl Apg 21, 18 ff.), das fünfte, nicht in der Apostelgeschichte verzeichnete, aber in der *traditio maiorum* bezeugte, verfaßte das Apostolische Glaubensbekenntnis. Bernold übernimmt die Nachricht von fünf Apostelkonzilien aus seiner Quelle, nämlich Hinkmar.[105] Von Interesse sind nun gerade die Ergänzungen, die er in seine Quelle einträgt. Zum dritten Apostelkonzil weist er mit einem Text Augustins ausdrücklich darauf hin, daß das Verbot von Blutgenuß höchstwahrscheinlich *dispensatorie* aufgestellt worden sei und deswegen in der Folgezeit von der Beobachtung dispensiert werden konnte. Bernold sagt dies im Blick auf die Nachfolger der Apostel, die Päpste, begründet also deren Dispenspraxis mit dem Vorbild der Apostel.[106] Nicht weniger

---

[101] *Ecclesiasticarum regularum institutiones* (123, 1) und *haec sunt igitur ecclesiastica statuta* (136, 18) stellen eine deutliche Inklusion dar. — Vgl. hierzu vor allem die in Anm. 3 genannte Arbeit von Van Hove.

[102] Wir sehen hier zunächst von cap. 51 ab.

[103] X 25—28; 123, 1—125, 5.

[104] 123, 3: *informatio nascentis ecclesiae.*

[105] Hinkmar, Opusculum LV cap., PL 126, 376 B—C. Bernold bemüht sich, den Text nicht wörtlich auszuschreiben.

[106] X 25; 123, 20: *Non ergo mirandum, si et successores apostolorum aliqua dispensatorie instituerunt, quae eorum posteri, mutatione temporis hoc exigente, rationabiliter aliquando mutare vel penitus abrogare consueverunt.*

interessant ist seine Ergänzung zum fünften Apostelkonzil. Er streicht hier die fundamentale Bedeutung des Apostolischen Glaubensbekenntnisses durch mehrere Zitate aus Leo, Ambrosius und Augustinus heraus, um das *Apostolicum* deutlich als Grundlage aller folgenden konziliaren Glaubensbekenntnisse zu kennzeichnen.[107]

Aber die Apostel haben der Kirche nicht nur das schlechthin grundlegende Glaubensbekenntnis überliefert. Von ihnen stammen außerdem apostolische Kanones und sonstige mündlich überlieferte Traditionen. Die Apostolischen Kanones[108] stellen unter verschiedener Hinsicht ein Problem dar. Erstens wurden sie offensichtlich nicht auf einem der fünf bekannten Apostelkonzilien erlassen, zweitens kann man gegen sie das *Decretum Gelasianum* geltend machen, das sie als apokryph einstuft. Was den ersten Einwand angeht, so steht nach Bernold der Annahme, daß sie nicht von einem Konzil, das heißt einer Versammlung der Apostel, sondern von einzelnen Aposteln erlassen wurden, nichts im Wege. Der Erlaß der Apostolischen Kanones durch einzelne Apostel ist um so weniger von der Hand zu weisen, als ja auch die Päpste auf die gleiche Weise vorzugehen pflegten. Auch das andere Argument gegen die Apostolischen Kanones, ihre Einstufung als apokryph durch das *Decretum Gelasianum*, ist nicht durchschlagend. Gelasius bezieht sich in seiner Warnung doch auf den griechischen Text, die lateinische Version ist aber vielleicht schon purgiert, wie das bekanntlich auch bei anderen Übersetzungen aus dem Griechischen geschehen ist.[109] Entscheidend jedenfalls für die Annahme der *canones apostolorum* ist der Gebrauch, den die frühen Päpste Zephyrinus, Anaklet und Kallixt[110] von ihnen machten.[111] Schon hier, im Abschnitt über die Apostel als Quelle des kirchlichen Rechts, kommt, wenn auch nur auf indirekte Weise, die alles entscheidende und überragende Bedeutung der Päpste zum Vorschein. Apostolische Überlieferung erreicht uns aber nicht nur in Gestalt des *Apostolicums* und der Apostolischen Kanones: es gibt außer-

---

[107] X 26; 123, 37: *Hoc est ergo symbolum catholicum sive fides apostolorum sine eius professione nec baptizamur, nec ad paenitentiam canonice recipimur, quam et cottidie, cum surgimus, iuxta traditionem sanctorum patrum recensere debemus.*

[108] Über die Canones apostolorum vgl. HEFELE I 793—799.

[109] X 28; 124, 20—39.

[110] X 27; 124, 6—19.

[111] X 28; 124, 39: *Ergo iuxta eundem apostolicum* (scil. Gelasius) *utrumque debemus et librum de canonibus apostolorum pro apocrypho repudiare et capitula, si qua in illo ad veritatem pertinentia inveniuntur non reprobare. Illa ... minime, quae sancti patres* (scil. die Päpste) *pro authenticis receperunt, immo quorum auctoritate suas sanctiones saepissime firmaverunt.*

dem noch *multa*, vieles, was auf die Apostel zurückgeht und nur mündlich überliefert ist.[112]

Die zweite Quelle des kirchlichen Rechts stellen die Verlautbarungen der Päpste dar, der Nachfolger der Apostel *tam in potestate quam in praedicatione*. Die Päpste sind für Bernold zwar nicht ausschließlich, wohl aber par exellence die Nachfolger der Apostel. Es geht Bernold in unserem Abschnitt[113] nicht so sehr um die Existenz dieses päpstlichen Rechts als vielmehr um das Problem der Widersprüche einerseits zwischen einzelnen Dekretalen und andererseits zwischen dem Dekretalrecht und den Konzilskanones. Die Lösung liegt für den Mönch aus St. Blasien im Hinweis auf die verschiedenen historischen Umstände, für die die jeweiligen Gesetze erlassen wurden. Als Paradigma, an dem er seine Lösung anschaulich macht, wählt er die von den früheren Päpsten gewährte, aber vom Nicaenum abgeschaffte Immunität der Bischöfe. In der Verfolgungszeit drängte sich niemand in das Bischofsamt, das ihn bekanntlich das Leben kosten konnte. Deswegen erlaubten die Päpste keine Anklagen gegen die Bischöfe, und entsprechend wurde das Recht geändert.[114] Das Nicaenum stellt nicht nur insofern einen Einschnitt in der kirchlichen Rechtsentwicklung dar, als von jetzt an ältere Gesetze, zum Beispiel päpstliche Dekretalen, abgeändert wurden, seit dem Konzil widmen sich die Päpste überhaupt viel intensiver als vorher der kirchlichen Gesetzgebung, und zwar in doppelter Gestalt: durch die eigenen Dekretalen und indirekt durch die in ihrem Namen stattfindenden Konzilien.[115] Und Bernold unterstreicht schon hier, im Abschnitt über die Päpste als Rechtsquelle, das zwischen Papst und Konzil ob-

---

[112] X 28; 124, 43: *Multa quidem et alia apostolos instituisse non dubitamus; quae tamen nullo eorum speciali scripto promulgata reperimus. Unde beatus Augustinus in libro I* (IV, 37) *contra Donatistas de baptismo: ,quod, inquit, universa tenet ecclesia, nec conciliis institutum, sed semper retentum est, non nisi apostolica auctoritate traditum rectissime creditur'. Ergo nec huiusmodi traditionum contemptores minus coercendi sunt quam praevaricatores divinarum legum . . .*

[113] X 29—32; 125, 6—126, 10.

[114] X 29; 6: *Post apostolos autem Romani pontifices, tam in potestate quam in praedicatione eorum successores, ecclesiasticam disciplinam studiosissime suis institutis formasse et informatam propagasse reperiuntur; et hoc utique diverso modo. Sicut enim ipsi sanctae ecclesiae diversis temporibus praefuisse leguntur, ita et diverse suis temporibus consuluisse inveniuntur.* — Zur Interpretation des Rechtes aus dem jeweiligen historischen Kontext vgl. die prinzipiellen Ausführungen in X 57; vgl. Anm. 64.

[115] X 30; 125, 33: *Ante illud sane concilium tantae persecutiones undique saevierunt, ut Romani pontifices tribulatos vix quoquomodo scriptis suis consolari sive contra improbos defensare sufficerent; nedum ecclesiasticam disciplinam usquequaque pleniter et regulariter instituere possent. A tempore autem huius concilii iam aliquantulum sedatis persecutionibus, idem pontifices multo plenius et decentius ecclesiasticas regulas tum per se in decretis suis, tum per alios in conciliis promulgare sive promulgatas confirmare ceperunt, quas in perpetuum ecclesiastici doctores magis in usu habere consueverunt.*

waltende Verhältnis: *Nec mireris quod ipsorum conciliorum Romano pontifici asscribimus. Nam nulla concilia rata leguntur quae apostolica auctoritate fulta non fuerint* . . . *Nam illius sedis episcopus iudex est totius ecclesiae, nec aliquod iudicium valet absque legitimo iudice.*[116] Die Päpste haben es nicht nur insofern mit den Konzilien zu tun, als diese in ihrem Namen stattfinden, sie setzen sich auch für deren Rezeption in der Kirche ein. Beispiel hierfür ist Hadrian, der Kaiser Karl dem Großen die bekannte *Dionysio-Hadriana* zugesandt hat.[117]

Der Abschnitt über die Konzilien ist nochmals in sich streng gegliedert. Bernold stellt zunächst den sechs Universalkonzilien (cap. 33—39) die Provinzialkonzilien (cap. 40—50) gegenüber. Die „Synopse"[118] der sechs Universalkonzilien, die die Bearbeitung einer Vorlage[119] darstellt,

---

[116] X 32; 126, 3—10; vgl. auch XV 1; 156, 24: *Omnia decreta Romanorum pontificum omni reverentia sunt recipienda quorum auctoritas etiam ipsa generalia concilia canonizavit, quae beatus Gregorius in synodica sua et evangeliis comparat et omnes ab eis dissentientes anathematizat.*

[117] X 31; 125, 40: *Has* (scil. ecclesiasticas regulas) *etiam beatus Hadrianus papa cum canonibus apostolorum ad instructionem occidentalium ecclesiarum dirigendas destinavit; videlicet ut ipsum Nicaenum et alia huiusmodi concilia, quorum quaedam etsi Nicaeno concilio antiquiora, tamen post Nicaenum in auctoritate recepta, item et illa Romanorum pontificum decreta, quae post idem concilium instituta leguntur. Nec hoc utique ideo fecisse credendus est, quasi antiquioribus statutis in aliquo praeiudicaverit, immo potius ideo, ut competentiora quaeque regulari ecclesiarum instructioni procuraverit.*

[118] Zu diesem Begriff vgl. Sieben, Konzilsidee 344—380. Vorliegende Synopse enthält neben der Ortsangabe die Zahl der versammelten Bischöfe, den Namen des verurteilten Häretikers, den Inhalt der Irrlehre, die Namen der Inhaber der Hauptsitze, die Zahl der aufgestellten Kanones.

[119] Es handelt sich um die sogenannte *Adnotatio I*, eine Konzilssynopse „aus der zweiten Hälfte des achten oder Anfang des neunten Jahrhunderts" (vgl. W. Lippert, Die Verfasserfrage der Canones gallischer Synoden, in: NA 14 [1889] 11—58, hier 47/8), die gewissen Handschriften der pseudoisidorischen Dekretalen vorausgeschaltet ist. Merlin hat sie in seiner Ausgabe Pseudoisidors, Köln 1530, abgedruckt: Migne PL 130, 3 hat sie von dort übernommen. Näheres zu den entsprechenden Handschriften bei Hinschius XII, LXVII, LXXII. Auch Gratian hat den Text in sein *Decretum* aufgenommen, dist. 16, cap. 10, Ausgabe Friedberg 45. — Der Text ist ebenfalls, wie Autenrieth, Domschule 108 mitteilt, der Freiburger *Dionysio-Hadriana* vorausgeschickt. Unmittelbare Vorlage für Bernold ist aller Wahrscheinlichkeit nach die *Brevis denotatio VI principalium synodorum* der Stuttgarter Handschrift Cod. HB VI 107 (Weingarten C 6), fol. 63v—64r, deren Inhalt Autenrieth, Domschule 106—115, angibt. Unter den verschiedenen Händen, die zu dieser Handschrift Randglossen verfaßt haben, ist zwar diejenige Bernolds nicht vertreten. Doch läßt sich nach Autenrieth, Domschule 106, mit Hilfe der Randbemerkungen zu *de damnatione schismaticorum*, das sich fol. 112r—141v in der gleichen Handschrift befindet, „eine enge Beziehung zu Bernold herstellen". Der *Brevis denotatio (= Adnotatio I)* folgt im genannten Stuttgarter Codex fol. 64rv, also unmittelbar anschließend die Gregordekretale über die vier Prinzipalsynoden, auf die Bernold vor seiner Synopse aufmerksam macht (126, 10) und die er im Anschluß daran im Wortlaut zitiert (129, 31). Autenrieth, Domschule 108, weist eigens darauf hin, daß die Dekretale in der Form, in der sie Bernold zitiert, eher zusammenhengt „mit dem hier in der Hs. aufgeführten gegen den Text im Registrum Gregorii und auch Johannes Diakonus zusammen". Auch dies deutet auf den engen Zusammenhang zwischen dem Cod. Stuttgart HB VI 107 und dem Lib. X hin.

ist eingerahmt von der bekannten Gregordekretale über die vier Prinzipalkonzilien.[120] Wir sehen zunächst einmal von diesem Rahmen ab und wenden uns der Synopse selber zu. Da es sich um die Bearbeitung einer Vorlage handelt, ist es wiederum sehr angezeigt, Bernolds Zusätze ins Auge zu fassen, geben sie doch Aufschluß über seine charakteristische Sicht der Konzilsproblematik.

Gleich in der Notiz über das Nicaenum ersetzt er das *temporibus* . . . *Silvestri* der Vorlage durch *ex auctoritate Silvestri*, das heißt die Angabe der Zeit des Konzils durch den Hinweis auf seine rechtliche Grundlage. Nicht weniger aufschlußreich sind die weiteren Zusätze: Bernold nennt ausdrücklich die Namen der päpstlichen Legaten Ossius, Victor und Vincentius, die das Konzil *primaria subscriptione* bestätigt haben. Eine zusätzliche Bestätigung des Nicaenums fand dann anschließend auf der römischen Generalsynode unter Silvester statt. Bernold weist in diesem Zusammenhang auf die Gewohnheit der Päpste hin, an auswärtigen Konzilien nicht in persona teilzunehmen, sondern sich durch Legaten vertreten zu lassen, eine Gewohnheit, die schon Leo ausdrücklich erwähne.[121] Nach einem Ambrosius- und zwei Leo-Zitaten[122], die die schlechthinnige Unantastbarkeit des Konzils von Nicaea herausstellen, kommt Bernold auf das leidige Problem der Anzahl der Nicaenischen Kanones zu sprechen[123] und findet dafür eine plausible Lösung.[124] Der Abschnitt über das Nicaenum schließt mit einer Erklärung darüber, warum in den Konzilsakten so wenig lateinische Bischöfe unterschrie-

---

[120] 126, 10 und 129, 31.

[121] 126, 15—29.

[122] Ambrosius, *De fide* I 18 und Leo, Ep 106, 2 und 4.

[123] In den Sammlungen sind zwar nur 20 Kanones überliefert, aber aus zahlreichen Zeugnissen geht hervor, daß es ursprünglich mehr Kanones gegeben haben muß. Neben Belegen aus Pseudoisidor zitiert Bernold auch Kanon 1 des Konzils von Antiochien. Er kennt auch die anläßlich der Apiariusaffäre zwischen Karthago und Rom geführte Diskussion um die Anzahl der nicaenischen Kanones (127, 4 ff.).

[124] Es ist zwischen Nicaenischen Kanones im strengen und weiteren Sinn zu unterscheiden. Nicaenische Kanones im weiteren Sinn sind diejenigen Kanones, die in Nicaea zwar nicht neu aufgestellt, aber nach der Gewohnheit der alten Konzilien dort ,kommemoriert' wurden. X 33; 127, 20: *Hoc autem ideo factum ex litteris maiorum didicimus, quia Nicaeni patres illa tantum quasi specialius instituisse leguntur ; reliqua vero usque ad LXX non tam ipsi principaliter instituisse, quam ab aliis iam confirmasse instituta reperiuntur. Nam Osius, Cordubensis episcopus, aliunde illa mutuasse et in synodo recitasse legitur. Erat enim consuetudo sanctorum patrum in huiusmodi conciliis non solum propria instituere, sed aliorum statuta firmare. Multa quippe in aliis ventilare et ventilata pertractare consueverunt ; quae tamen ecclesiastica consuetudo eorum specialius statutis annumerasse non reperitur. Sic utique Calcedonense concilium multa per XX dies pertractasse et confirmasse legitur, cui tamen solummodo unius diei statuta videntur asscripta. Ita ergo et Nicaeno concilio sua specialia statuta competenter asscribimus, nec tamen attestationi sanctorum patrum de LXX capitulis contradicere debemus.*

ben haben.[125] Sonstige Ergänzungen zur Vorlage, so die genauere Ortsbezeichnung Nicaea Bithiniae und der Name des Konstantinopler Bischofs, sind in unserem Zusammenhang nicht von Bedeutung. Die Angabe der Vorlage zum ersten Constantinopolitanum ergänzt Bernold vor allem in einem wichtigen Punkt: er fügt eine relativ ausführliche, historisch treffend informierende Darstellung der Filioque-Problematik ein[126] und gesteht dabei zu, daß das nicaenische Symbolum von größerer Autorität ist als das konstantinopolitanische. Aber letzteres ist insofern nützlicher, als es mehr Häretiker zurückweist.[127] Die Ergänzungen zur Vorlage hinsichtlich des Ephesinums heben wiederum hauptsächlich auf die für Bernold entscheidende Mitwirkung des Römischen Stuhles ab.[128] Für Chalcedon beziehen sich die Ergänzungen ebenfalls bezeichnenderweise auf den Konzilsvorsitz der päpstlichen Legaten und auf deren Widerspruch gegen Kanon 28.[129] Schließlich weist unser Mönch noch auf den *Codex Encyclius* hin, das Referendum Kaiser Leos über die Gültigkeit des Chalcedonense.[130] Zum fünften Allgemeinen Konzil bringt Bernold keinen Zusatz. Der Notiz über das dritte Con-

---

[125] X 33; 127, 35: *Sciendum autem, quod in Latinis exemplaribus non omnium CCCXVIII patrum nomina reperiuntur, qui tamen Nicaeno concilio subscripserunt. Nam studiosi servi Dei, ut legitur, non tam occidentalium quam orientalium patrum nomina conscribere studuerunt, quia occidentales non similiter quaestionem de haeresibus habuerunt.*

[126] 127, 43—128, 28.

[127] X 34; 128, 17: *Quamvis autem Nicaenum symbolum maioris auctoritatis esse videatur quam Constantinopolitanum, nos tamen Constantinopolitanum magis in ecclesia non immerito frequentamus. Nam in illo plura contra haereticos necessaria, quam in Nicaeno reperimus, quia contra Arianos specialiter agit: nec tot haeresibus quot Constantinopolitanum suis sententiis obviavit. In illo enim de unitate ecclesiae sive baptismi, de resurrectione mortuorum et vita futuri saeculi habetur, quod in Nicaeno non reperitur. Plenius etiam agit de Spiritu sancto, quam Nicaenum: unde et nostratibus potissimum in usum venisse asseritur.*

[128] X 35; 128, 34: *Huic synodo legati sedis apostolicae id est Cyrillus et Arcadius episcopus ex Italia, vice sancti Caelestini papae praefuerunt et ipsam apostolica auctoritate roboraverunt.* — Wenn Bernold die Einladung Augustins zu diesem Konzil eigens erwähnt, dann nicht nur, weil Augustinus allgemein für die damalige Theologie eine bedeutende Rolle spielt (vgl. hierzu C. Mirbt, Die Stellung Augustins in der Publizistik des Gregorianischen Kirchenstreites, Leipzig 1888, für Bernold bes. 9—24, 57—58), sondern Bernold auch speziell vom Konzilsgedanken her an diesem Aspekt interessiert ist: die Autorität der Konzilien beruht ja auf der ‚Qualität‘ der auf ihnen versammelten Synodalen, vgl. dazu weiter unten. — Die Zahl der ephesinischen Kanones korrigiert Bernold von 15 auf 12, außerdem formuliert er vorsichtiger hinsichtlich des Autors: *quae saepissime beato Cyrillo ascribuntur*, statt: *auctore eodem sancto Cyrillo* (128, 34).

[129] X 36; 129, 2: *Huic synodo legati sedis apostolicae Paschasinus et Lucentius episcopi et Bonifatius presbyter vice sancti Leonis papae praefuerunt; qui et statuta illius synodi firmaverunt et praedicto Anatolio quiddam temere praesumenti in synodo liberaliter contradixerunt.*

[130] X 36; 129, 5: *De hoc concilio multi postea dubitaverunt et, ut retractaretur, omnimodis efficere studuerunt. Sed quia hoc nequaquam a beato Leone papa permittebatur, tandem ab imperatore impetraverunt, ut per provincias universas ad omnes episcopos, qui Chalcedone convenerunt, litteras dirigeret, quibus eorum sententiam de eodem concilio exploraret. Qui omnes unanimiter rescripserunt Chalcedonense concilium usque ad sanguinem esse defendendum.*

stantinopolitanum fügt er außer einer zweifelhaften Geschichte aus dem
Liber pontificalis den Hinweis hinzu, daß die päpstlichen Legaten dem
Konzil präsidierten.[131]

Der Abschnitt über die sechs Universalsynoden ist nun, wie oben schon
angedeutet, eingerahmt durch die Erwähnung, beziehungsweise das
Zitat der bekannten Gregordekretale über die vier Prinzipalkonzilien.
Bernold betont im Anschluß an das Zitat ausdrücklich, daß die genannte Dekretale nicht in einem die folgenden Synoden abwertenden
Sinn verstanden werden darf. Die Vierzahl ist rein zufällig. Hätte Gregor zu seiner Zeit mehr Universalkonzilien gekannt, das heißt Versammlungen, die in gleicher Weise wie die vier ersten den horizontalen
Konsens *(universaliter instituta)* repräsentieren, vom Römischen Stuhl
bestätigt und für den katholischen Glauben notwendig sind, hätte er
sie in seiner Dekretale sicher genannt.[132] Es kommt Bernold hier also
gar nicht auf die Vierzahl als solche an. Der Primat der vier ersten
Konzilien scheint ihn im Zusammenhang gar nicht zu interessieren.
Die Funktion dieses „Rahmentextes" besteht vielmehr darin, die für die
Gültigkeit der Universalkonzilien entscheidende Rolle des Römischen
Stuhles zu unterstreichen.

Der folgende Abschnitt über die Provinzialkonzilien ist auch streng
untergliedert. Sie zerfallen in östliche (cap. 41—43) und westliche, die
westlichen ihrerseits in afrikanische (cap. 44—47), gallische, spanische
und sonstige (cap. 48—50). Der Synopse der sechs östlichen Provinzialsynoden Ancyra, Neocaesarea, Gangra, Antiochien, Laodicea und Sardica, der wiederum eine Vorlage zugrunde liegt, nämlich der erste Teil
der sogenannten *Adnotatio II*[133], schickt Bernold eine Belehrung über

---

[131] 129, 11—25.

[132] X 39; 129, 43: *Nequaquam autem illorum IIII conciliorum excellentiam ita praedicare debemus,
ut reliquorum auctoritati in hoc quoquo modo praescribamus; illorum, inquam, quae eodem modo et universaliter instituta et apostolica auctoritate confirmata non dubitamus. Nam quia antiquitus patriarchae
illa IIII tantummodo in suis synodicis se venerari protestati sunt, nullatenus hoc in contemptu reliquorum
huiusmodi conciliorum fecisse credendi sunt, sed ideo potius, quia nondum alia habuerunt. Si enim iam
habuissent, procul dubio non magis illa quam ista IIII contemnerent, utpote quae non minus authentica et
universalia et catholicae professioni necessaria perspicerent. Unde beatus Gregorius papa quintum
concilium post illa IIII congregatum in sua synodica adiecit, quod de sexto facere non potuit, quia illud
nondum institutum, sed sub sextodecimo successore suo postea instituendum longe praecessit.*

[133] Diese Konzilssynopse schließt sich in den obengenannten Handschriften der pseudoisidorischen Dekretalen und bei Gratian (vgl. PL 130, 3 und dist. 16, cap. 11, Ausgabe
FRIEDBERG 47—49) unmittelbar an die *Adnotatio I* an. Vgl. auch die kritische Edition bei
LIPPERT 25—28. In der Handschrift Stuttgart Cod. HB VI 107 folgt sie jedoch nicht unmittelbar auf die *Adnotatio I*, sondern nach einer Zwischenschaltung von drei anderen Texten,
vgl. AUTENRIETH, Domschule 108—109, ferner H. MORDEK, Dionysio-Hadriana und Vetus
Gallica — historisch geordnetes und systematisches Kirchenrecht am Hofe Karls des Großen,
in: ZSRG.K 55 (1969) 39—63, hier 49—53.

den Rechtsgrund dieser Konzilien voraus: Ihre Gültigkeit ergibt sich einerseits aus der vorgängigen Anweisung der Päpste und Universalsynoden, jährlich Konzilien abzuhalten, andererseits aus der nachträglichen Bestätigung durch die genannten Instanzen.[134] Auch hier ist der Vergleich mit der Vorlage[135] wieder aufschlußreich. Bernold hat einerseits die Reihenfolge der Synoden geändert. Sardica steht nicht mehr an vierter, sondern an letzter Stelle; er hat andererseits seine Vorlage gerade hinsichtlich des Sardicense ergänzt. Er gibt einige zusätzliche Informationen über Ossius, und zwar nach der Chronik des Sulpitius Severus, bemerkt, daß die sardizensischen Kanones, obwohl mit den östlichen Bischöfen zusammen aufgestellt, eher im Westen als im Osten „gefunden" werden[136], weist darauf hin, daß es verschiedene Übersetzungen der östlichen Provinzialkonzilien ins Lateinische gibt[137] und zeigt schließlich an konkreten Beispielen, daß deren Vergleich sehr nützlich ist, um den wahren Sinn eines Kanons herauszufinden.[138] Einen besonderen Platz unter diesen verschiedenen Übersetzungen der östlichen Synoden nimmt freilich die in der *Dionysio-Hadriana* enthaltene ein.[139]

Die Behandlung der westlichen Provinzialsynoden setzt mit den afrikanischen ein (cap. 44—47). Bernold verläßt hier seine Vorlage, die *Adnotatio II*, die lediglich zwei afrikanische Konzilien enthält. Die Angaben, die er zu den acht afrikanischen Provinzialsynoden (Karthago I bis VII und Mileve) macht, nämlich über die Zahl der teilnehmenden Bischöfe und aufgestellten Kanones, den Zeitpunkt und den Namen des leitenden Bischofs, stammen höchstwahrscheinlich aus den pseudoisidorischen Dekretalen.[140] Einige Abweichungen in der Zahl der Bischöfe

---

[134] 130, 9—23.

[135] Lippert 25—26.

[136] 130, 40—131—9. — Bernold weist auf Ep 44, 6 von Augustinus hin, wo dieser das Konzil für arianisch hält. Näheres hierzu bei Sieben, Konzilsidee 81.

[137] 131, 10—22. — Vorlage hierfür ist ein Text, der sich auch in der Stuttgarter Handschrift, fol. 81rv befindet, vgl. Autenrieth, Domschule 108.

[138] 131, 23—39.

[139] X 43; 131, 23: *Sed harum editionum illam nos maxime sequimur, quae caeteris emendatior et apostolicae sedi acceptior [!] videtur, videlicet quam beatus papa Hadrianus per manum Karoli imperatoris occidentalibus direxit ecclesiis.*

[140] Zu den zahlreichen echten Texten, die Pseudoisidor in seine Sammlung aufgenommen hat, gehören auch die afrikanischen, gallischen und spanischen Konzilien der *Hispana*. Da die genannten Konzilien also in beiden Sammlungen enthalten sind, ist die Frage zunächst offen, aus welcher Sammlung Bernold sie zitiert. Beide Sammlungen werden zur Zeit Bernolds außerdem Isidor von Sevilla zugeschrieben. Seine wiederholte Berufung auf Isidor als solche kann deswegen auch noch nicht die gewünschte Klarheit bringen. Diese ergibt sich aber, wenn wir diese Berufungen überprüfen. Das sehr freie Zitat 34, 22 könnte zwar sowohl aus der *praefatio* zu

oder Kanones erklären sich leicht als Schreibfehler.[141] Der Synopse der afrikanischen Provinzialkonzilien[142] folgt der Hinweis auf die römische Bestätigung dieser Synoden und ihr Vorhandensein in zwei weiteren Sammlungen.[143] Bernold beschließt den Abschnitt über die afrikanischen Provinzialsynoden mit einer Erklärung des Begriffs *aera*: es handelt sich um eine Zeitrechnung, die 37 Jahre vor Christi Geburt einsetzt.[144] An die Belehrung über *aera* knüpft er dann eine interessante Bemerkung über die Bedeutung des Datums bei kirchlichen Dokumenten an. Sie ist nicht dieselbe wie bei profanen. Kirchliche Texte beziehen ihre Gültigkeit nicht aus dem Datum, sondern aus dem allgemeinen Konsens und der Bestätigung durch den Römischen Stuhl. Deswegen ist es auch nicht gravierend, wenn bestimmte Texte nicht genau datiert werden können.[145]

Auf die afrikanischen Provinzialsynoden folgen die 10 gallischen: Arles I—III, Valence, Turin, Riez, Orange, Vaison, Agde und Orléans (cap.

Pseudoisidor (= Hinschius 20, 30) als auch aus der *Hispana* (PL 84, 91) stammen. Tatsächlich ist aber durch den Vergleich mit 64, 7 gesichert, daß als Quelle nur Pseudoisidor in Frage kommt. Denn hier steht das Zitat in unmittelbarem Zusammenhang mit einer wörtlichen Übernahme aus Pseudoisidor (Hinschius 20, 9). 119, 20 und 124, 10 bezieht sich Bernold ausdrücklich auf den *prologus* zu den pseudoisidorischen Dekretalen (= Hinschius 27, 24), desgleichen 127, 33 auf Hinschius 19, 38. 131, 21 weist Bernold auf verschiedene editiones des Nicaenums bei Isidor hin. Nimmt man alle diese Stellen zusammen, kann eigentlich kein Zweifel mehr bestehen, welche Sammlung Bernold benutzt. Das *collectarium*, das er als Vorlage für seinen Überblick über die Provinzialkonzilien verwendet, sind die pseudoisidorischen Dekretalen und nicht die Hispana: *Haec sunt igitur diversarum provinciarum concilia, quae praedictus Isidorus in collectario suo de canonibus diligentissime descripsit, quem utique collectarium si quis studiose perlegerit, plenissime illa, quae nos summatim supra tetigimus, se invenisse gaudebit* (X 49; 135, 16). — Vgl. auch das zusätzliche Argument in Anm. 151.

[141] So wenn für das dritte Konzil von Karthago bei Bernold (132, 4) XLVII Bischöfe, bei Pseudoisidor XCVII (Hinschius 296) angegeben werden.

[142] 13, 42—132, 21.

[143] 132, 22—29.

[144] 132, 30—133, 27. — Bernold kennt auch die Bedeutung von *aera* = *capitulum* (133, 26). Hierüber vgl. H. Mordek, Aera, in: DA 25 (1969) 216—222.

[145] X 47; 133, 12: *Sciendum autem, quia maiores nostri scripta adnotatione temporum firmare consueverunt; sicut et Romanae leges quas suscepit ecclesia, praecipiunt. Dicunt enim: Si qua post haec edicta sive constitutiones sine die et consule fuerint deprehensae, auctoritate careant* (Cod. Theod. 1, 1, 1). *Hinc est, quod sancti patres etiam ecclesiasticis statutis sive scriptis diem et consulem assignare solent annumque ipsius consulis sive consulum signanter asscribunt; ut illud ‚Honorio duodecies et Theodosio septies' subauditur in consulato annuato, factum est VI Carthaginiense concilium. Africani quoque canones praecipiunt, ut litterae, quas episcopi ab ordinatoribus suis accipiunt, diem et consulem habeant, ut tempus suae ordinationis semper attendant nec his, qui prius ordinati sunt, temere se praeferant. Sed ecclesiastica statuta, non tam ex temporis sive consulis annotatione, quam ex apostolica et universali assensione tantum firmitatis acceperunt, ut nequaquam de eorum auctoritate dubitetur. Quapropter et nos eorum auctoritati praeiudicare non debemus, etiamsi certum tempus institutionis eorum ignoremus.*

48). Sie schließen sich bei Pseudoisidor beziehungsweise in der *Hispana* unmittelbar an die afrikanischen an mit der Überschrift *dehinc sequuntur Galliae concilia.*[146] Die von Bernold vorgelegten Angaben über Datum, Zahl der teilnehmenden Bischöfe und der aufgestellten Kanones dürften wiederum im wesentlichen[147] aus Pseudoisidor stammen.[148] Als Zusatz zur Vorlage fällt eigentlich nur auf, was Bernold zum ersten Arelatense schreibt: die Konzilsakten werden Papst Silvester zur Bestätigung vorgelegt.[149] Das gleiche Anliegen, nämlich die Rolle des Römischen Stuhles zu unterstreichen, genauer, auf den Vorsitz der Legaten hinzuweisen, verrät Bernold, wenn er beim zweiten Arelatense die Namen der päpstlichen Legaten angibt.[150]

Die letzte Gruppe der westlichen Provinzialsynoden besteht aus 24 spanischen Konzilien.[151] Irgendwie relevante Zusätze zur Vorlage sind nicht erkennbar. Zum Abschluß seines Überblicks weist Bernold auf die *sexcenta*, das heißt die unzähligen sonstigen Provinzialsynoden hin, die zu rezipieren sind, zumal wenn sie vom Römischen Stuhl oder den Universalkonzilien bestätigt sind. Als Beispiele nennt er das Konzil von

---

[146] HINSCHIUS 320—338.

[147] Die *Adnotatio II* scheint mitbenutzt zu sein; so dürfte zum Beispiel die bei Pseudoisidor fehlende Zahl der Bischöfe des Arelatense I (HINSCHIUS 320) aus der *Adnotatio II* stammen (LIPPERT 27), desgleichen die Angabe des vorsitzenden Bischofs Marinus. Im übrigen stimmt die Serie der 10 gallischen Konzilien der *Hispana* (= Pseudoisidor) nicht mit den 16 der *Adnotatio II* überein.

[148] HINSCHIUS 320—338.

[149] 133, 31.

[150] X 48; 133, 34: *Cui synodo Theodorus episcopus ex Dalmatia et Agathon diaconus, sancti Silvestri papae legati, cum sancto Marino Arelatensi episcopo praefuere.* Mit dieser Angabe unterläuft ihm ein doppelter Fehler: 1. die Teilnehmerliste, der er diese Angabe entnimmt, gehört nicht, wie sich das aus der Vorlage zu ergeben scheint (HINSCHIUS 321), zum zweiten, sondern zum ersten Arelatense; 2. nach eben dieser Liste sind nicht der Bischof Theodorus und Agathon aus Dalmatien die päpstlichen Legaten, sondern die Priester Claudianus und Avitus und die Diakone Eugenius und Cyriacus, mit anderen Worten: Bernold hat hier entweder den Text falsch gelesen oder doch einen anderen Text als Vorlage gehabt.

[151] Elvira, Tarragona, Gerona, Saragossa, Lerida, Valencia, Toledo I—XII, Braga I—IV, Sevilla I—II. — Der Vergleich dieser Konzilienliste mit Pseudoisidor (HINSCHIUS 338—444) bzw. der *Hispana* (PL 84, 301—626) zeigt, daß Bernold als Vorlage nicht die *Hispana*, sondern Pseudoisidor folgt. Denn er zählt mit Pseudoisidor nur 12 Konzilien von Toledo (HINSCHIUS 419—420 wird nicht als 13. gezählt und fehlt in zahlreichen Handschriften) und nicht 17 mit der *Hispana*, und er folgt Pseudoisidor wiederum darin, daß er die sechs letzten Konzilien der *Hispana* ausläßt. — Über den genaueren Zusammenhang zwischen der Hispana und den pseudoisidorischen Dekretalen, u. a. die verschiedenen Rezensionen der *Hispana* (mit je verschiedener Zahl der spanischen Konzilien!) vgl. neuerdings J. RICHTER, Stufen pseudoisidorischer Verfälschung. Untersuchungen zum Konzilsteil der pseudoisidorischen Dekretalen, in: ZSRG.K 95 (1978) 1—72.

Mainz (847) und das von Nantes.[152] Bernold unterstreicht dabei unter Hinweis auf Augustinus den absoluten Vorrang des Universal- vor dem Provinzialkonzil.[153]

Ausdrücklich gibt er rückblickend die Kirchenrechtssammlung an, aus der er seine summarische Übersicht entnommen hat: das *collectarium* des Isidor von Sevilla. Damit können an sich sowohl die *Hispana* als auch die pseudoisidorischen Dekretalen gemeint sein; denn Isidor von Sevilla gilt als Verfasser beider Sammlungen. Die Entscheidung darüber, welche davon er tatsächlich verwendet hat, kann nicht auf der Basis dieser Aussage gefällt werden.[154]

Zum Schluß seines Überblicks über die Kirchenrechtsquellen kommt Bernold erstaunlicherweise noch einmal auf die päpstlichen Dekretalen zu sprechen (cap. 51). Dieses Kapitel wirkt aufgesetzt im Vergleich zum vorausgehenden, es entspricht nicht der zu Beginn angegebenen Gliederung[155] und sprengt tatsächlich die im übrigen konsequent durchgeführte Systematik des Traktates. Die einfachste Erklärung für dieses Anhang-Kapitel stellt natürlich der Hinweis auf seine Vorlage dar, der er bisher gefolgt ist: bei Pseudoisidor schließt sich an den Konzilsteil[156] ein Abschnitt über die Dekretalen der nachnicaenischen Päpste an.[157] Aber diese Erklärung, nämlich der Rekurs auf die Vorlage, erscheint nicht befriedigend; denn Bernold weiß sich an anderen Stellen sehr wohl von seiner Vorlage zu trennen. So folgt er zum Beispiel in der systematischen Gegenüberstellung von Universal- und Provinzialkonzil keineswegs seiner Vorlage, nämlich Pseudoisidor[158], sondern geht hier

---

[152] X 50; 135, 20: *Praeter haec autem plura inveniuntur concilia, ut Moguntiense, Nannetense et alia huiusmodi sexcenta, quae tamen nequaquam contemnere debemus, cum multa in his ecclesiasticae dispositioni necessaria reperiamus, praesertim cum et Romani pontifices illa per provincias celebrari iusserint eaque suis legationibus auctorizare consueverint. Hoc vero generaliter in quibuslibet provincialibus conciliis est observandum, ut illa semper capitula recipiamus, quaecumque apostolicis et universalibus institutis consonare et ecclesiasticae utilitati competere videamus. Nam sancti patres sub districto anathemate illum damnasse leguntur, quicumque orthodoxorum patrum statuta non receperit, quae universalibus conciliis consonare perspexerit.*

[153] X 50; 135, 34: *Beato quoque Augustino asserente didicimus, quod illa concilia, quae per singulas regiones vel provincias fiunt, plenariorum conciliorum auctoritati, quae ex universo orbe christiano fiunt, sine ullis ambagibus cedunt.*

[154] X 49, 135, 16. Vgl. Anm. 140.

[155] X 25; 123, 1: *Ecclesiasticarum regularum institutiones* a) *partim ab ipsis apostolis accepimus* (cap. 25—28) b) *partim a Romanis pontificibus* (cap. 29—32), c) *partim aliis sanctis patribus, quorum tamen iudicia Romani pontifices firmaverunt* (cap. 33—55).

[156] HINSCHIUS 254—444.

[157] HINSCHIUS 445—754.

[158] Bei Pseudoisidor sind die vier Universalkonzilien chronologisch in die Serie der Provinzialkonzilien integriert.

ganz selbständig vor. Man darf also zu Recht vermuten, daß er zugunsten eines systematischen Anliegens eine Sprengung seiner Gliederung
in Kauf nimmt. Offensichtlich geht es ihm darum, das Konzilsrecht
(cap. 33—50) durch päpstliches Recht (cap. 29—32 und 51) fest zu um-
klammern und einzurahmen. So unterstreicht denn noch einmal dieses
Schlußkapitel das zwischen den Konzilien und den Päpsten obwaltende
Verhältnis: Alle Geltung kommt den Konzilien vom Papst zu. Den
päpstlichen Dekretalen ist von allen, auch den Königen, Gehorsam zu
leisten.[159]

Auf den zweiten Hauptteil des Traktats *De fontibus iuris ecclesiastici*, die
Interpretation der Quellen des kirchlichen Rechts (cap. 52—60), brauchen wir in unserem Zusammenhang nur insoweit einzugehen[160], als
die Frage des Verhältnisses der päpstlichen Dekretalen zu den Konzilskanones angeschnitten wird. Dies ist hauptsächlich in der Dispenspraxis des Römischen Stuhles der Fall. Bernold weist zunächst darauf
hin, daß solche Dispens vom Recht selber vorgesehen ist.[161] Es kann

---

[159] X 51; 135, 38: *De auctoritate autem ipsorum pontificalium decretorum nulla nobis dubitatio*
relinquitur, cum et ipsa universalia concilia auctoritatem exinde perceperint nec aliunde synodicam
firmitatem habere potuerint. Haec ergo et nos inretractabiliter observare debemus . . .

[160] Die cap. 52—60 befassen sich mit der Frage der Interpretation, des rechten Verständnisses
der in den cap. 25—51 vorgestellten Kirchenrechtsquellen. Insbesondere geht es Bernold
darum, zu zeigen, daß zwischen Kanones, Dekretalen usw. keine Widersprüche bestehen
(139, 21: *Sic ergo et in aliis canonum diversitatibus competentem sensum inquirere debemus . . .*).
Bernold weist einleitend auf die Notwendigkeit intensiven Studiums der kanonischen Rechtsquellen hin (136, 29: *Quapropter sacerdotibus necessaria est scientia canonum. Hanc autem nobis*
ita potissimum comparare poterimus, si eos frequenter legere et in legendo competentiam sensus inquirere
studeamus. Nam quamvis sacri canones apertam videantur praetendere litteraturam, multa tamen in eis
obscura reperiuntur, quae a neglegentioribus aliquando lectoribus quasi minus idonea deputantur, quae
aptissima sunt, si competenter intelligantur). Dann zeigt er, daß die fraglichen Bestimmungen
der Rechtsquellen, zum Beispiel in der Frage der Translation (cap. 53—54) oder der
Immunität der Bischöfe (cap. 55—56) durchaus bei genauerem Hinsehen in Übereinklang
gebracht werden können. Es gilt, die jeweiligen Bestimmungen nicht im Kontext der
übrigen Bestimmungen zu interpretieren, sondern überhaupt die ‚Umstände' ihrer Entstehung
mit in die Interpretation einzubeziehen (139, 31: *Nam quaelibet capitula locis suis considerata*
nonnunquam satis aperte patebunt, quae per se inspecta, aut vix aut ullomodo competenter intellegi
potuerunt). Wichtig ist zum Beispiel die Unterscheidung zwischen allgemeinem, jederzeit
geltendem Recht und Recht, das nur für eine bestimmte Zeit Geltung hat (139, 43: *hoc*
utique studiosissime indagandum memoriae tenaciter commendandum, quid sancti patres dispensatorie
quasi ad tempus servandum instituerint, quid etiam generaliter omni tempore tenendum censuerint; alia
enim ratio est eorum quae dispensatorie instituta videntur, alia generalium). In diesem Zusammenhang geht Bernold dann näher auf das spezielle Recht des Römischen Stuhles ein, von der
Beobachtung gewisser Kanones zu dispensieren (cap. 58—60).

[161] Leo-Dekretale, Ep 167: *Sicut quaedam sunt, quae nulla ratione convelli possunt, ita nonnulla*
sunt, quae aut pro consideratione aetatum aut pro necessitate rerum oporteat temperari, illa semper
conditione servata, ut in his, quae vel dubia fuerint vel obscura id noverimus sequendum, quod nec
praeceptis evangelicis contrarium nec decretis sanctorum patrum inveniatur adversum (zitiert 140, 21).

nicht verwundern, daß ihre Gewährung in besonderer Weise dem Römischen Stuhl zusteht, denn die Päpste haben ja selber das betreffende Recht begründet. Die Päpste sind die *auctores canonum*.[162] Dieses Recht, von gewissen Canones zu dispensieren beziehungsweise diese *canones* überhaupt abzuändern, hat nicht einmal der hl. Petrus, geschweige einer seiner Nachfolger, den Päpsten weggenommen. Daß die Päpste das Dispensrecht stets ausgeübt haben, bezeugt übrigens die Geschichte.[163] Aber die Inhaber des Stuhles Petri erscheinen deswegen noch lange nicht als Neuerer. Wenn sie es auch im Laufe der Geschichte immer wieder waren, die das Recht den Erfordernissen der jeweiligen Zeit anpaßten, so ging doch ihr Hauptbestreben dahin, für die Beobachtung des überlieferten Rechts zu sorgen.[164]

Noch an einer anderen Stelle seines Werkes hat Bernold sich systematisch mit den Konzilien befaßt, nämlich in den cap. 2—4 seines *Apologeticus* (= Libellus III).[165] Bevor wir die wesentlichen Aspekte von Bernolds Konzilsidee zusammenzufassen versuchen, ist zunächst noch III 2—4 in die Analyse miteinzubeziehen. Es handelt sich in den drei Kapiteln im wesentlichen zwar um die Wiederholung oder besser Antizipation[166] der hauptsächlichen Gedanken von X 25—60, aber Bernold bringt auch für uns Neues, und er setzt bestimmte Akzente. Völlig neu

---

[162] X 58; 140, 26: *Hanc facultatem temperandorum sive mutandorum canonum Romano pontifici potissimum adiacere non dubitamus, ut sancti patres docuerunt ... Nec mireris, si Romani pontifices hanc semper peculiariter habuerint potestatem, ut canones pro tempore dispensarent. Ipsi enim sunt auctores canonum et illa sedes semper habuit hoc privilegium, ut ligatum vel solutum sit, quicquid ipsa ligaverit vel solverit. Unde iuxta attestationem sanctorum patrum omnibus ecclesiis praeeminet et de omnibus iudicare potest.* — Bernold liebt besonders diese knappe Formel vom Papst als *auctor canonum*. Er verwendet sie mehrmals, vgl. *Silvester Nicaenorum canonum auctor* (50, 43), *Leo Chalcedonensium canonum auctor* (85, 33) usw.

[163] X 58; 140, 42: *Nec ipse sanctus Petrus, necdum aliquis Romanae sedis episcopus, aliquem suum successorem aliquo praeiudicio ea potestate privavit, quin eadem auctoritate omni ecclesiae, non solum antiquis sed etiam novis institutis nunc lenius, nunc severius consulere posset, immo deberet, prout tempori suo oportunum fore videret. Hoc utique singularia Romanorum pontificum decreta testantur, in quibus ipsi suorum temporum necessitatibus diverso modo consuluisse leguntur.*

[164] X 60; 141, 29: *Sciendum sane, quod Romani pontifices semper magis antiqua exsequi et observare, quam nova instituere, nisi aliqua rationabilis causa perurgeret, consueverunt ... In hoc utique sancti Romani pontifices aliis pares esse voluerunt, quod non tam novae institutionis auctores, quam veteris executores existere studuerunt, quod non solum Romano, sed cuilibet episcopo idem Gelasius licere testatur* (Ep 14, 9; THIEL 367).

[165] III 2; 61, 10: *Sed priusquam haec statuta singulatim consideremus, quiddam de ipsorum canonum auctoritate non incommodum estimo praelibare ut tanto firmius teneatur, quicquid ex eis ad observandum nobis denuntiatur.*

[166] Der *Apologeticus* geht dem *Libellus X* aller Wahrscheinlichkeit nach voraus. THANER datiert die beiden Schriften auf „nicht viel nach 1076" und 1084. ROBINSON, Arbeitsweise 72 setzt den *Apologeticus* „um die Jahresmitte 1075" an. Darauf, daß Bernold jedenfalls *Libellus X* nicht zur Abfassung des Apologeticus verwendet hat, deutet auch die Reihenfolge der Konzilien 63, 4—5 hin, vgl. dagegen 130, 27—38.

ist zum Beispiel ein zusätzliches Argument für die Autorität der Konzilien: An den Konzilien der Alten Kirche nahmen zahlreiche hervorragende Glaubenslehrer und unzählige Heilige teil. Das verschafft ihren
Beschlüssen zusätzliches Gewicht, und es wäre töricht, solche Weisheit
zu verachten.[167] In gewisser Weise neu ist auch die eindeutige Betonung
des Primats der vier ersten Konzilien[168] und die Art und Weise, wie
die absolute Superiorität des Papstes über die Konzilien ausgesagt wird:
Die Dekretalen stehen noch über diesen vier Prinzipalkonzilien, denn
diese leiten ja ihre ganze Autorität von jenen her.[169] Bernold hebt im
Zusammenhang auf die Rolle der päpstlichen Legaten bei den vier
Prinzipalkonzilien ab. Sie sind es, die die *primaria subscriptio* geleistet
haben. Das zeigen eindeutig die Konzilsakten.[170] Nicht neu ist für uns

---

[167] III 4; 64, 8: *Est ergo dignum, ut et huiusmodi conciliorum statutis obtemperetur. Si enim non par-
vae stultitiae constat, si quis cuiuslibet unius hominis sano consilio acquiescere detractat, quanto magis
reprehensibile videtur, si quis impudenter resistit huiusmodi conciliorum statutis non unius, sed plurimorum
sapientium auctoritate et iudicio prolatis atque probatis? Nempe huiusmodi conciliis plures catholici et
eximii doctores interfuisse leguntur, ut in Africanis conciliis legati sedis apostolicae Faustinus Honoratus
Urbanus episcopi, sanctum etiam Aurelius Carthaginiensis archiepiscopus, item ipse vir omnium virtutum
Augustinus Hipponeregiensis episcopus … Hi igitur, quos praedixi, et alii innumerabiles sancti patres
Africanis conciliis interfuere, immo praefuere. Sic etiam sanctus Marinus Arelatensi concilio per sanctum
Silvestrum papam approbato, sic sanctus Caesarius Agathensi, sanctus Hilarius Aurasicensi, sanctus
Albinus Aurelianensi, sanctus Bonifatius Mogontiensi concilio, sic et alii aliis concilis non soli, sed cum
pluribus aliis sanctis patribus interfuisse leguntur, qui in christiana religione et doctrina tam insignes
fuisse creduntur, ut vel unius eorum singulari iudicio obviare nimium esset temerarium. Ergo multorum
sapientium iudicio non acquiescere multo magis est intolerabile in his dumtaxat capitulis, quae praedictis
authenticis statutis non adversantur, sed institutioni christianae religionis procul dubio suffragantur.*
[168] III 2; 62, 4: *Patet igitur evidentissime, quam magnae sint auctoritatis illa IIII concilia, quae
sanctus Gregorius, immo per ipsum Spiritus sanctus non semel, ut praedictum est, sed saepius et evangeliis
comparat et omnes ab eisdem dissentientes anathematizat, quae et quilibet novitius patriarcha se
observaturum per epistolam suam reliquis sedibus profiteri debeat, si se inter catholicos patriarchas in
dypticis describi volebat.*
[169] III 3; 62, 10: *Decreta vero sanctissimorum Ramanorum pontificum, si possemus etiam studiosius
quam illa quatuor concilia venerari et observari deberemus, cum et ipsa concilia omni firmitate carerent, si
non apostolicae sedis pontifices eadem per apostolicam auctoritatem et congregare et corroborare decrevis-
sent … Si igitur illa quatuor concilia omni auctoritate carerent, nisi principaliter ex decretis
Romanorum pontificum firmitatem obtinerent, quis infitiari poterit, quin decreta per ipsos apostolicos
viros promulgata maiori veneratione digna merito censeantur quam ipsa concilia, quae non per ipsorum
apostolicorum praesentiam, sed tantum per eorum legationem authentica fieri merebantur.*
[170] III 3; 62, 35: *Sic enim legati sedis apostolicae eorundem principalium conciliorum sanctiones
primaria subscriptione apostolica vice canonizabant. Nempe sub piissimo imperatore Constantino magnus
Osius Cordubensis episcopus, Victor et Vincentius presbyteri Romanae ecclesiae ex parte sancti Silvestri
Nicaeno concilio praefuerunt et ipsum principali subscriptione firmaverunt. Item temporibus Theodosii
iunioris augusti sanctus Cyrillus patriarcha Alexandrinus et Arcadius episcopus ex Italia vice beatissimi
papae Caelestini Ephesino concilio praefuerunt et ipsum apostolica vice corroboraverunt. Item tempore
Marciani principis Paschasinus et Lucentius episcopi et Bonifatius presbyter vice sancti Leonis papae in
Calcedonensi concilio per XII dies celebrato primi fuerunt, qui et Anatolio patriarchae Constantinopolitano quoddam privilegium in concilio usurpanti liberaliter contradixerunt et reliquis statutis apostolica
vice subscripserunt, ut liber sancti Liberati Carthaginiensis archidiaconi de eodem concilio testatur.*

dagegen, was Bernold über die Autorität der Provinzialkonzilien sagt, nämlich, daß ihre Geltung von den Universalkonzilien und der päpstlichen Bestätigung abhängt. In diesem Zusammenhang erinnert er an die Überreichung der *Dionysio-Hadriana* durch Hadrian an Kaiser Karl den Großen.[171]

Welches sind nun die wesentlichen Züge der Bernoldschen Konzilsidee aufgrund von X 25—60 und III 2—4? Ein erster Punkt ist die innerhalb der beiden Schriften klar durchgeführte Unterscheidung zwischen *concilia universalia* auf der einen und *concilia provincialia* auf der anderen Seite. Diese sind dabei jenen eindeutig im Rang untergeordnet. Bernold weist wiederholt darauf hin, daß die Geltung der Provinzialkonzilien in doppelter Weise von den Universalkonzilien abhängt: ihre Existenz geht auf entsprechende Bestimmungen der Universalkonzilien zurück, und ihre Geltung in der ganzen Kirche hängt von der Rezeption durch Universalkonzilien ab. Weil Bernold in diesen zwei Schriften die beiden Arten von Konzil eindeutig gegenüberstellt, kommt es auch — anders als im übrigen Werk — zu keinen Kompromissen im Sprachgebrauch.

Auffallend ist freilich nun, daß Bernold innerhalb seiner systematischen Reflexion über die Konzilien offensichtlich nichts mit dem *concilium generale* anzufangen weiß. Es wird mit keiner Silbe erwähnt. Eine Erklärung für die deutliche Ausklammerung des Generalkonzils dürfte darin liegen, daß dieser Begriff erst im Entstehen ist. Darauf deutet ja auch der noch schwankende Sprachgebrauch hin. Das Generalkonzil kommt deswegen nur bei Beschäftigung mit den neueren Konzilien in den Blick, nicht hingegen, wenn über die altkirchlichen Rechtsquellen reflektiert wird.

Ein zweiter Zug an Bernolds Konzilsidee — und zwar der charakteristischste — ist die absolute Überordnung des Papstes über das Konzil. Das Universalkonzil ist keine in gewisser Weise mehr selbständige Größe neben dem Papst, sondern total in Existenz und Geltung vom

---

[171] III 4; 63, 15: *Sed nec reliqua concilia parvipendere debemus, in quibus multa nusquam alibi inventa, ecclesiasticae tamen dispensationi necessaria, reperimus, quae quidem a superioribus authenticis sanctionibus nullomodo discrepant, cum christianae religioni apertissime conveniant. Huiusmodi, inquam capitula in quibuslibet conciliis inventa nullatenus ab aliquo catholico sunt contemnenda, praesertim cum ipsa reliqua concilia ex sacratissimarum auctoritate sanctionum descendisse non dubitentur, quae per singulas provincias bina episcoporum concilia annuatim fieri firmissime decernunt.* — III 4; 65, 6: *Ergo eadem et in Calcedonensi synodo non dubitantur esse roborata, quae etiam cum Africanis canonibus beatus Hadrianus papa Karolo imperatori ad disponendas ecclesias in regno suo Romae tradidisse legitur. Quapropter nec provincialium conciliorum statuta a quolibet temere sunt respuenda, quae et apostolica sedes censuit recipienda.*

Römischen Stuhl abhängig. Die Formel *Romanus pontifex canonum auctor*
gibt treffend das nach Bernold zwischen Konzil und Papst obwaltende
Verhältnis wieder: der Papst ist die Quelle des Konzilsrechts. Der
Papst setzt Recht entweder unmittelbar in seinen Dekretalen oder mittelbar auf den Konzilien *(tum per se in decretis suis tum per alios in conciliis)*.
Klare Unterordnung des Konzils unter den Papst, ja; aber dennoch
keine totale Reduktion des Konzilsrechts auf das päpstliche. Das konziliare Recht hängt in seiner Existenz und Geltung vom Papst ab. Es
gibt insofern in der Kirche keine zwei voneinander unabhängigen Prinzipien des Rechts, aber das konziliare Recht ist nicht schlechthin nur
ein anderer Modus des päpstlichen. Bernold sieht (noch) eine Komponente, die nicht einfach auf den Papst zurückgeführt werden kann: den
universalen Konsens der Kirche. Daß er diese Komponente sieht,
kommt nicht nur darin zum Ausdruck, daß er in X 25—51 das konziliare Recht dem päpstlichen — bei aller Nachordnung hinter dasselbe
und aller Einklammerung durch dasselbe — gewissermaßen dennoch
zur Seite stellt, sondern auch in ausdrücklichen Einzelaussagen, wie
der zum Beispiel, daß alle diejenigen Konzilien anzuerkennen sind, die
gleichermaßen wie die vier ersten vom universalen Konsens der Kirche
getragen sind.[172] Man hat den Eindruck, daß Bernold in solchen Aussagen Papst und Konzil in ähnlicher Weise aufeinander bezieht, wie das
Leo der Große getan hatte: Papst und Konzil sind im Grunde keine
miteinander konkurrierende Größen, sie sind vielmehr wesentlich einander zugeordnet und haben je verschiedene Funktionen und Aufgaben.
Der Papst ist der Exponent des vertikalen Konsenses der Kirche, der
Garant der Tradition, der Verkünder der *fides apostolica*, das Konzil dagegen ist der Exponent des horizontalen Konsenses der Kirche, die
Manifestation der *fides catholica*, das Zeugnis des katholischen Erden-
runds.

Vor dem Hintergrund der eindeutigen Einzelaussagen Bernolds über
das Verhältnis Papst/Konzil fällt nun auch noch einmal bezeichnendes
Licht auf die Struktur und Gliederung des Traktates X 25—60. Die
Reihenfolge Apostel — Papst — Konzil bedeutet nicht nur, wie es auf
den ersten Blick erscheinen mag, ein zeitliches Nacheinander der Quellen, sondern Autoritätsstufen, bedeutet Hierarchie der Quellen. So wie

---

[172] Vgl. Anm. 132 und 145, ferner GEISELMANN 96: *Hoc utique quilibet catholicus simpliciter
sapiens et sapienter simplex dum fideliter attendit, cavillationes haereticorum . . . etiam audire contem-
nit, dum tantum ipse sit securus, quid credere debeat iuxta sanctorum patrum attestationem et universalis
ecclesiae consensionem.*

die Apostel grundlegend sind für die Päpste, sind die Päpste ihrerseits das Fundament für die Konzilien. Mit anderen Worten, das wiederholte *post*[173] ist nicht so sehr zeitlich, sondern bezeichnet ein Ursprungsverhältnis. So wie die Päpste als *successores apostolorum* den apostolischen Glauben über die Zeit hin erhalten, verbreiten die Konzilien eben diesen apostolischen Glauben der Päpste in den Raum, das heißt über das Erdenrund *(fides apostolica et catholica*, vertikaler und horizontaler Konsens).

Bernold vertritt diese schlechthinnige Überordnung des Papstes über das Konzil bis in die letzte Konsequenz. Weil die Gewalt des Papstes nicht vom Konzil her kommt, sondern das Ursprungsverhältnis umgekehrt ist, kann der Papst auch ohne, ja gegen ein Konzil entscheiden.[174] Konsequenz zeigt Bernold auch in der Interpretation der Geschichte. Die bei den Kanonisten später viel diskutierte Symmachussynode (Decretum dist. 17, c. 6), vor der der Papst sich rechtfertigt, ist nach

---

[173] 125, 6; 130, 9.

[174] Der aktuelle Hintergrund für die Frage, ob der Papst ohne Synode Bischöfe absetzen könne oder ob es zumindest in bestimmten Fällen einer Synode bedürfe oder diese wenigstens angeraten erscheine, war das Vorgehen Gregors VII. gegen die deutschen Bischöfe, die sich in Worms (1077) gegen ihn ‚verschworen' hatten: Gregor hatte sie ohne Synode abgesetzt. Bernolds Gesprächspartner Bernhard unterscheidet in diesem Zusammenhang je nach Art des *crimen* verschiedene Formen des *ordo iudicarius*. Wo die Tat zugegeben, aber die Schuld geleugnet wird, ist nach seiner Auffassung eine Synode zumindest sehr angeraten. Bernold stimmt dem insofern zu, als er die Möglichkeit einer synodalen Überprüfung einräumt. Aber ein eigentliches Recht auf eine Synode kann es nicht geben. Es bedeutet nämlich eine Einschränkung der Vollmacht des Römischen Stuhles. Vgl. auch WEISWEILER, Päpstliche Gewalt 136—138, ferner B. J. FRIED, Die römische Kurie und die Anfänge der Prozeßliteratur, in: ZSRG.K 59 (1973) 151—174, zur Stelle 155—160. — II 4; 48, 25: *Illud etiam, quod singularum discussioni causarum synodicam vocationem praerogari vultis, et nos utique laudamus. Nam et decreta sanctorum patrum itidem praecipiunt, quippe ut dubiis rebus infamati ad conventum sacerdotalem vocentur, per canonicas indutias expectentur, tunc demum, si venerint, in conventu audiendi, aut si venire noluerint, pro contemptu a communione suspendendi. Hoc, inquam, illis iure conceditur, qui de obiectis aut nihil se fecisse fatentur, aut hoc quod fecerint, crimen esse diffitentur. Nec hoc etiam negamus, quin et publicis criminibus obligati ad synodale iudicium pro contemptu vocentur, ut tanto cautius tanto inrefragabilius, et demum ecclesiae tanto fructuosius quanto a pluribus auditi, iudicentur. Sed hanc synodicam vocationem nullatenus tam generalem ponere audemus, ut ipsius apostolicae sedis privilegium, non ab apostolis, sed ab ipso domino ei concessum infringere temptemus. Est enim privilegium sedis apostolicae, ut nulla proveniente synodo quoslibet damnandos possit damnare, et reconciliandos reconciliare ... Huius igitur privilegii auctoritate sanctissimi Romanae sedis episcopi absque omni synodo damnare consueverunt, quorum contumaciam ex cuiuslibet indubitabili relatione cognoverunt .—* Vgl. auch II 19; 54, 10, wo Bernold das Privileg des Römischen Stuhles, ohne vorausgehende Synode urteilen zu können, gegen Bestimmungen der Synode von Tribur zur Geltung bringt: *Tres modi anathematismi, quos Triburiense concilium nobis praescribit, non tam generales affirmare praesumimus, ut nullum absque synodica vocatione damnandum fore contra sedis apostolicae privilegium asseramus; satius nobis, si et vobis, ita videtur, ut idem concilium potius aliquem modum anathematis dicatur praetermisisse, quam apostolicae sedis privilegio praeiudicasse.*

Bernold natürlich von ihm selber einberufen.[175] Freilich ist die Vollmacht des Papstes nicht unbegrenzt, besser: sie hängt an einer entscheidenden Bedingung: der Papst muß rechtgläubig sein. Bernold formuliert im Zusammenhang eine Klausel über die Rechtgläubigkeit des Papstes, die der berühmten Klausel[176] von *De sancta Romana ecclesia*[177] des Humbert von Silva Candida nicht unähnlich ist: *Nec hoc utique dicimus quasi quaelibet nefanda Romano pontifici licere credamus, quasi non et ipse sit impetendus, si in aliqua haeresi fuerit publicatus, sed contra illos agimus, qui pro dubiis rebus apostolicae sedis episcopum temere iudicaverunt expellendum.*[178]

3. Die Hauptquelle der Bernoldschen Konzilsidee

Bernolds Auffassung von den Konzilien ist fast diametral der Konzilsidee zum Beispiel eines Hinkmar von Reims entgegengesetzt. Dies zeigt sich besonders darin, wie beide die Dekretalen beziehungsweise die Kanones ins Verhältnis bringen. War bei Hinkmar der Konzilskanon die absolute Größe und die Dekretale die relative[179], so ist es bei Bernold gerade umgekehrt: die absolute Größe ist die päpstliche Dekretale und die relative ist der Konzilskanon.

Wo ist die Quelle seiner Konzeption? Was erklärt die Abkehr von älteren Auffassungen, wie sie sich zum Beispiel in der Konzilsidee eines Hinkmar von Reims spiegeln? Die erste Antwort, die hier zu geben ist, lautet natürlich: Bernolds Konzeption liegt „une certaine idée de l'église"

---

[175] II 10; 51, 10: *Quippe praedictus papa Symmachus, catholicae fidei propugnator indefessus, cum pluribus criminibus infamaretur, nec ab Ariano rege Theodorico tunc Romanis imperante tam temere proscribitur, sed in synodo Romana, non ab alio, nisi ab illo legitime congreganda, discutiendus expectatur. Synodus igitur Romae per auctoritatem ipsius congregata, nullatenus tamen eum, licet hoc permittentem, contra decreta sanctorum patrum discutere praesumpsit, sed totam eius causam divino iudicio, ut gesta eiusdem synodi testantur, commisit.*

[176] *Nisi deprehendatur a fide devius*, Decretum dis. 40, cap. 6.

[177] Kritische Edition bei E. SCHRAMM, Kaiser, Rom und Renovatio II, Leipzig-Berlin 1929, 128—129; stilistische, inhaltliche, historische Analyse bei J. J. RYAN, Cardinal Humbert „De S. Romana Ecclesia": Relics of Romano-Byzantine Relations 1053—54, in: MS 20 (1958) 206—238, hier 219 über Häresieklausel.

[178] II 10; 51, 16. — Vgl. auch einen sehr ähnlich lautenden Text, nämlich den Schlußsatz der von RYAN, Bernold 24, Bernold zugeschriebenen Schrift: *Nam etiam statutum est firma ratione ut sit anathema quisquis damnare temptaverit ordinationem summi pontificis Romani, etiamsi ebriosus sit, aut adulter, aut homicida, vel in alio aliquo sceno obnoxius teneatur, nisi de haeretica rabie fuerit accusatus et ab orthodoxis ecclesiasticisque viris bene comprobatus atque convictus.*

[179] Vgl. S. 107—112. Den Gegensatz zwischen der alten und der neuen Ekklesiologie arbeitet scharf heraus I. S. ROBINSON, „Periculosus homo": Pope Gregory VII and episcopal Authority, in: Viator 9 (1978) 103—131.

zugrunde, eben die der Gregorianischen Reform, für die die massive Aufwertung des Papstamtes charakteristisch ist. Die logische Folge dieser Aufwertung der Stellung des Papstes in der Kirche ist eine Abwertung des Konzils. Bernolds Leistung besteht eben darin, dies mit der ihm eigenen Konsequenz aufgedeckt zu haben. Neue Kirchenidee und logische Stringenz sind aber nur die eine Seite, sind nur die Hälfte der Antwort. Die Reform versteht sich ja selber als Rückkehr zur Urkirche, zur *ecclesia primitiva*, gerade auch in der Konzeption des Papsttums als *cardo et caput* der Kirche. Nach dem Selbstverständnis der Gregorianer muß deswegen auch die ,neue' Konzeption des Verhältnisses Papst/Konzil im alten Recht der Kirche begründet sein. Es ist nun längst bekannt, welchen Namen dieses vermeintlich alte Recht der Kirche trägt, nämlich pseudoisidorische Dekretalen. Mit Pseudoisidor als Hauptquelle von Bernolds Konzilsidee wollen wir uns abschließend befassen.

In einer im übrigen aufschlußreichen Untersuchung über Bernold als Autor des Anhangs der 74-Titel-Sammlung vertritt Johanne Autenrieth die Meinung, daß Bernold als Kirchenrechtssammlungen vorwiegend die *Dionysio-Hadriana* und die *Quesnelliana* verwendet. „Nicht nachweisbar und vielleicht nur an wenigen Stellen herangezogen wird . . . von Bernold nur mit ausdrücklicher Zurücksetzung gegenüber der Dionysio-Hadriana die pseudoisidorische Sammlung".[180] Zu diesem Ergebnis kommt die Forscherin auf paläographischem Wege, das heißt aufgrund der Untersuchung der jetzt noch zufällig erhaltenen Bestände der Konstanzer Bibliothek, die von Bernold benutzt wurden. Zu einem völlig anderen Resultat kommt, wer Bernolds Schriften unter der Rücksicht der von ihm ausdrücklich zitierten Quellen durchgeht, vor allem, wer die Zitate nicht nur zählt, sondern wägt![181]

Erstens, Bernold beruft sich in seinen größeren Streitschriften, also dem *Libellus II*[182], *Libellus III*[183] und *Libellus X*[184] kontinuierlich und regel-

---

[180] AUTENRIETH, Bernold 378. — In ihrem Beitrag, The Canon Law 7, weist Johanne AUTENRIETH auf die Existenz der pseudoisidorischen Dekretalen im Bodenseegebiet hin: „Suffice to say that the Pseudo-Isidorian Decretals were indeed not missing from Constance."
[181] Dies hatte Johanne AUTENRIETH übrigens keineswegs ausgeschlossen, vgl. ebd. Anm. 6.
[182] Wörtliche Zitate aus Pseudoisidor: 50, 22; 50, 24; 50, 31; 51, 3; 51, 6; 51, 32; 52, 14; 52, 18; 54, 6; 56, 4; 56, 34.
[183] Wörtliche Zitate aus Pseudoisidor: 62, 15; 62, 17; 62, 21; 62, 25; 62, 26; 63, 23; 64, 5; 80, 30; 82, 14; 85, 25; 85, 31; 86, 17; 87, 11.
[184] Wörtliche Zitate aus Pseudoisidor: 113, 19; 117, 15; 137, 7; 137, 18; 137, 20; 138, 38; 138, 39; 138, 41; 140, 10; 140, 30; 141, 36; ferner sehr zahlreiche ausdrückliche Verweise, zum Beispiel 118, 32; 119, 18; 119, 20; 123, 31 usw.

mäßig auf Pseudoisidor.[185] Die pseudoisidorischen Dekretalen werden im *Libellus III* kaum weniger oft als die *Dionysio-Hadriana* zitiert, zumal wenn man davon ausgeht, daß Bernold die *Hispana* nicht kennt und deswegen die entsprechenden Konzilien nicht aus der spanischen Sammlung, sondern aus Pseudoisidor anführt. Aber auch in den kleineren Streitschriften, im *Libellus I*[186], *Libellus V*[187], *Libellus VI*[188], *Libellus VII*[189], *Libellus VIII*[190], *Libellus IX*[191], *Libellus XI*[192], *Libellus XV*[193] und im Appendix[194] rekurriert Bernold entweder im wörtlichen Zitat oder in ausdrücklichem Verweis auf die pseudoisidorischen Dekretalen. Lediglich in *Libellus IV und XIV* und in den beiden Fragmenten *Libellus XII* und *XIII* finden sich weder Zitat noch Verweis.

Wichtig für unsere Fragestellung ist jedoch nicht die Benutzung der pseudoisidorischen Dekretalen allgemein, entweder unmittelbar oder aufgrund einer Kompilation, sondern deren spezieller Gebrauch in der Konzilsproblematik, besonders in der Frage des Verhältnisses Papst/ Konzil. Und hier ist nun zu konstatieren, daß Pseudoisidor als Bernolds Kronzeuge auftritt. Dies ist schon im dritten Kapitel des *Apologeticus* der Fall, wo Bernold den Satz rechtfertigt, daß den Konzilien jede Gültigkeit abgeht, wenn sie nicht vom Papst versammelt und bestätigt worden sind.[195] Bernold zitiert hier wörtlich Ps-Marcellus: *Ipsi apostoli eorumque successores Domino inspirante constituerunt, ut nulla fieret synodus*

---

[185] Wir behaupten hier nicht, daß Bernold überall dort, wo er Pseudoisidor zitiert, die Sammlung des Fälschers auch als formale Quelle benutzt. A. MICHEL, Die Sentenzen des Kardinal Humbert, das erste Rechtsbuch der päpstlichen Reform, MGH.SRI 7 Stuttgart 1943, 151—154, kann überzeugend aufzeigen, daß Bernold im *Libellus* II (Ep. 3), III, V, X, XII und im Appendix die 74-Titel-Sammlung (Ausgabe J. T. GILCHRIST, Diversorum patrum sententiae sive collectio in LXXIV titulos digesta, MIC. C 1, Rom 1973) benutzt. In einer Reihe von Fällen ergibt sich die Benutzung aus der spezifischen Textform des Zitates (vgl. zum Beispiel II 48, 40—49, 3 und 51, 1—3). In anderen Fällen, wo das einzelne Zitat keine oder keine nennenswerten Varianten im Vergleich zum Text bei Pseudoisidor aufweist (vgl. II 51, 7—8 = HINSCHIUS 98, 24), deutet die Zusammenreihung mit anderen Zitaten auf die Verwendung der Kompilation hin (vgl. III 23; 87, 11—35). Keineswegs jedoch stammen alle Pseudoisidorzitate aus der 74-Titel-Sammlung.

[186] Ausdrückliche Verweise: 8, 16; 8, 20; 8, 33; 21, 32; 23, 13.

[187] Wörtliches Zitat: 95, 29; ausdrücklicher Verweis: 95, 32; 97, 27 *(Capitula Angilramni!)*.

[188] Ausdrücklicher Verweis: 103, 17.

[189] Ausdrücklicher Verweis: 104, 8.

[190] Ausdrücklicher Verweis: 108, 9.

[191] Wörtliches Zitat: 104, 8; 110, 35; ausdrücklicher Verweis: 110, 22; 110, 23; 110, 25.

[192] Wörtliches Zitat: 143, 38; 146, 17; ausdrücklicher Verweis: 143, 31; 144, 3; 145, 34; 145, 42.

[193] Ausdrücklicher Verweis: 156, 36; 163, 17.

[194] Wörtliches Zitat: 163, 17.

[195] Vgl. Anm. 169.

praeter Romanae sedis auctoritatem[196], Ps-Athanasius: *Scimus in Nicaena magna synodo CCCXVIII episcoporum ab omnibus concorditer esse roboratum non debere absque Romani pontificis sententia concilia celebrari*[197], Ps-Julius: *Ipsi vero primae sedi ecclesiae convocandarum generalium synodorum iura et iudicia episcoporum singulari privilegio evangelicis et apostolicis atque canonicis concessa sunt institutis*[198], Ps-Damasus: *Nulla umquam concilia rata leguntur, quae non sunt fulta apostolica auctoritate.*[199] Bernold schließt seine Beweiskette aus den pseudoisidorischen Dekretalen mit einem Zitat aus dem Vorwort ebendieser Sammlung: *His autem sententiis beatus Isidorus, rimator scripturarum sagacissimus, fideliter astipulatur dicens: Synodorum vero congregandorum auctoritas apostolicae sedi privata commissa est potestate, nec ullam synodum ratam esse legimus, quae eius non fuerit auctoritate congregata vel fulta. Haec canonica testatur auctoritas, haec ecclesiastica historia roborat, haec sancti patres confirmant.*[200]

An diesen Pseudoisidorzitaten ist nun bemerkenswert, erstens, daß sie mit Ausnahme von Ps-Damasus[201] nicht in der 74-Titel-Sammlung enthalten sind. Hat Bernold diese seine Sammlung von Autoritäten zum Verhältnis Papst/Konzil in irgendeiner anderen Kompilation gefunden? Das ist natürlich grundsätzlich nicht auszuschließen, aber sehr unwahrscheinlich. Da sowieso eine direkte Benutzung von Pseudoisidor vorauszusetzen ist[202], ist es wahrscheinlicher, daß er diese Beweiskette selber aus den pseudoisidorischen Dekretalen zusammengestellt hat. Er dokumentiert damit übrigens sein besonderes Interesse an dieser Frage des Verhältnisses Papst/Konzil. Bemerkenswert ist zweitens an diesem Autoritätsbeweis Bernolds zugunsten der päpstlichen Oberhoheit über das Konzil[203] der Umstand, daß er sich auf Pseudoisidor beschränkt. Bernold kennt offensichtlich keine anderen *auctoritates*, die in solcher Eindeutigkeit seine These unter Beweis stellen.

Im *Libellus X* verweist unser Autor dann zugunsten seiner These von der Oberhoheit des Papstes über die Konzilien[204] zunächst auf drei der im *Libellus III* angeführten *auctoritates*, nämlich Ps-Damasus, Ps-Athana-

---

[196] 62, 15 = Hinschius 224, 9.
[197] 62, 18 = Hinschius 479, 25.
[198] 62, 21 = Hinschius 459, 9.
[199] 62, 26 = Hinschius 503, 9.
[200] 62, 26 = Hinschius 19, 9.
[201] Dieses Zitat stammt aus c. 90 der 74-Titel-Sammlung, Ausgabe Gilchrist 66, 10—11.
[202] Vgl. Anm. 140.
[203] Vgl. Anm. 169.
[204] Vgl. Anm. 116.

sius und Ps-Julius und zitiert wörtlich Ps-Marcellus.[205] Auch hier wie schon im *Libellus III* bringt er keine weiteren *auctoritates* zugunsten seiner These. Beim zweiten Eingehen auf die päpstlichen Dekretalen in cap. 51 wiederholt er nochmals seine Anschauung von der totalen Unterordnung der Konzilien unter den Papst[206], führt aber keinen förmlichen Autoritätsbeweis mehr, sondern beschränkt sich darauf, auf die Bestätigung des zweiten Allgemeinen Konzils durch Damasus und des vierten durch Leo hinzuweisen.[207]

Wo Bernold in seinen übrigen Streitschriften das Verhältnis Konzil/ Papst streift und gleichzeitig Beweise für die römische Oberhoheit vorlegt, fehlt nie ein Hinweis auf die pseudoisidorischen Dekretalen. So zitiert er in *Libellus I* zugunsten seiner Auffassung, daß der Papst die Kanones mildern oder gegebenenfalls ändern kann, Ps-Silvester[208], im *Libellus X* zum Beweis der Immunität des Papstes und damit auch indirekt seiner Oberhoheit über das Konzil Ps-Symmachus[209], in derselben Schrift nochmals Ps-Symmachus zugunsten der These von der Vollmacht des Papstes, Kanones abzuändern.[210]

Bernold beruft sich allgemein für zahlreiche in seinen Streitschriften vertretene Auffassungen auf Pseudoisidor, der Fälscher ist vor allem sein Kronzeuge in der von ihm mit solcher Entschiedenheit gelehrten Oberhoheit des Papstes über das Konzil. Zum Abschluß ist noch auf einen

---

[205] 126, 4—9. — Vgl. auch 127, 7.

[206] Vgl. Anm. 159.

[207] X 51; 135, 40: *Haec ergo et nos inretractabiliter observare debemus, ut apostolici patres nobis ex apostolica auctoritate praeceperunt, per quam et aliorum statuta nobis ad observandum canonizasse leguntur, nempe beatissimi patres nostri Damasus et Leo magnus, quorum alter secundum universale concilium, alter quartum, id est Calcedonense, concilium apostolica auctoritate firmavit.*

[208] I 5; 21, 31: *Est autem privilegium Romani pontificis iuxta assertionem sancti Silvestri, Gelasii et reliquorum patrum, ut ipse de omnibus ecclesiis iudicare valeat, nec alicuius iudicio subiaceat, et ut ipsorum canonum sive decretorum severitatem pro temporis necessitate valeat, immo debeat mitigare.* Der fragliche Passus lautet: *Neque praesul summus a quoquam iudicetur, quoniam scriptum est: non est discipulus super magistrum.* HINSCHIUS 449, 20. — Im *Libellus II* verweist Bernold auf den gleichen Ps-Silvester in einer ähnlichen Frage: *Nemo iudicabit primam sedem, iustitiam temperare desiderantem. Neque enim ab augusto, neque ab omni clero, neque a regibus neque a populo iudex iudicabitur.* Quelle ist jedoch nicht Pseudoisidor, sondern das sogenannte *Constitutum Silvestri,* cap. 20, Ausgabe COUSTANT Appendix 52 (jedoch mit Variante!). — Mittelbar belegen die weiteren 51, 6 ff. angeführten auctoritates natürlich auch die Oberhoheit des Papstes über das Konzil.

[209] X 56; 138, 33: *Oves suum pastorem accusare non possunt nisi, pro haeresi aut propria iniuria* (= HINSCHIUS 676, 9, nicht wörtlich!).

[210] X 58; 140, 30: *Necessaria rerum dispositione constringimur et apostolicae sedis moderamine convenimur sic canonum paternorum decreta librare et retro praesulum decessorumque nostrorum praecepta metiri ut, quae praesentium necessitas temporum restaurandis ecclesiis deposcit, adhibita consideratione diligenti, quantum potest fieri, temperemus* (= HINSCHIUS 679, 16).

wichtigen Aspekt der Abhängigkeit Bernolds von den pseudoisidorischen Dekretalen hinzuweisen, der bisher von der Forschung anscheinend übersehen wurde: Bernolds Traktat über die Quellen und die Interpretation des kirchlichen Rechts, *Libellus X* 25—60, stellt in seinem ersten Teil, also den cap. 25—51, nichts anderes dar als ein Kompendium der pseudoisidorischen Dekretalen. Die Gliederung von Bernolds Traktat ist die gleiche wie die des Fälschers. Nur in einem einzigen Punkt folgt Bernold nicht seiner Vorlage: er kennt nicht nur die vier Universalkonzilien wie Pseudoisidor, sondern sechs, und er ordnet dieselben nicht chronologisch, sondern systematisch ein, indem er sie den Partikularsynoden voranstellt. Mit dieser relativ geringfügigen Korrektur seiner Vorlage bekommt sein eigener Plan eine klare hierarchische Gliederung: 1. Apostel, 2. Dekretalen, 3. Universalkonzilien, 4. Provinzialkonzilien (5. Dekretalen). Im übrigen entspricht der Abschnitt über die Apostel (cap. 25—28) Hinschius 27—30, der über die Dekretalen (cap. 29—32) Hinschius 30—247, der über die östlichen Provinzialsynoden (cap. 44—47) Hinschius 291—319, der über die gallischen Provinzialsynoden (cap. 48) Hinschius 320—338, der über die spanischen Provinzialsynoden (cap. 49—50) Hinschius 338—444, der über die Dekretalen (cap. 51) Hinschius 445—754. Der Abschnitt über die Universalkonzilien (cap. 33—39) hat seine Entsprechung in Hinschius 247—260 (Nicaea) und 276—319 (Konstantinopel I, Ephesus, Chalcedon).

Die Gegenprobe ist leicht zu machen. Keine andere der von Bernold sicher oder möglicherweise benutzten Sammlungen, weder die *Dionysio-Hadriana* noch die *Quesnelliana*, noch die *Hispana* weisen diese Struktur auf. Die Vorordnung der Dekretalen vor die Konzilien, vor allem die ,Einklammerung' der Konzilien durch die Dekretalen ist charakteristisch für Pseudoisidors Sammlung. Es kann kein Zweifel sein: Bernold hat den Aufbau und die Gliederung der pseudoisidorischen Dekretalen für seinen eigenen Traktat übernommen und sich insbesondere die in ihr zum Ausdruck kommende Konzeption des Verhältnisses von Papst und Konzil angeeignet. Pseudoisidor ist Bernolds Quelle nicht nur in dem Sinne, daß er aus ihm einzelne Sätze zitiert. Er hat sich vielmehr die Konzilsidee des *rimator scripturarum sagacissimus* zu eigen gemacht.

Kapitel IV

ANSELM VON HAVELBERG († 1158) ODER GREGORIA-NISCHE KONZILSIDEE VERSUS GRIECHISCHE

Für Bernolds von Konstanz Konzilsidee ist die absolute Unterordnung des Konzils, auch des ökumenischen, unter den Papst außer Frage. Im Westen scheint diese Lehre keinen besonderen Anstoß erregt zu haben. In der Streitschriftenliteratur dieser Zeit ist jedenfalls kein Protest greifbar. Die lateinische Kirche hatte eben keine eigene, der griechischen vergleichbare, Tradition Ökumenischer Konzilien. So empfand man den entsprechenden Superioritätsanspruch des Papstes offensichtlich nicht als Infragestellung der bestehenden Kirchenverfassung. Und daß der Papst Oberherr seiner eigenen römischen Synode sein sollte, dürfte wohl auch von den Gegnern der Gregorianischen Reform nicht ernsthaft bestritten worden sein. Wie aber wurde diese neue Lehre von der Unterordnung des Ökumenischen Konzils unter den Papst in der Ostkirche aufgenommen?

Zur Beantwortung dieser Frage verfügen wir über eine ausgezeichnete Quelle. Der Prämonstratensermönch Anselm von Havelberg (kurz vor 1099—1158)[1] hat darüber mit einem führenden Theologen der griechischen Kirche diskutiert und das Ergebnis seines Streitgesprächs in seinen *Dialogi*[2] für uns festgehalten. Der besondere Wert, ja Reiz, dieser

---

[1] Kurze biographische Einführung mit neuerer Literatur vgl. J. W. BRAUN, Art. Anselm von Havelberg, in: VerLex I (1978) 384—391, hier 384—386; ältere Literatur und „Itinerar" bei G. WENTZ, Das Bistum Havelberg, in: GermSac I 2 (Berlin 1933) 33—40; vgl. auch M. FITZTHUM, Die Christologie der Prämonstratenser im 12. Jh., Plan 1939, 25—40; DERS., Anselm von Havelberg als Verteidiger der Einheit mit der Ostkirche, in: APraem 37 (1961) 137—141; TH. N. RUSSELL, Anselm of Havelberg and the Union of the Churches, in: Kl. 10 (1978) 85—120; W. BERGES, Anselm von Havelberg in der Geistesgeschichte des 12. Jahrhunderts, in: JGMOD 5 (1956) 39—57, hier 40—45 über Anselms Stellung zum Problem des Verhältnisses von Regnum und Sacerdotium.

[2] Wir legen unserer Untersuchung der Dialoge PL 188, 1139—1248 zugrunde. Wegen der zahlreichen Druckfehler und Textlücken in der Migneausgabe verwenden wir zusätzlich ST. BALUZE, E. MARTÈNE, F. J. DE LA BARRE, Spicilegium sive Collectio veterum aliquot scriptorum I, Paris 1723, 160—207. Über die in Vorbereitung befindliche kritische Edition, ferner über die verschiedene Qualität der gedruckten Ausgaben berichtet J. W. BRAUN, Studien zur Überlieferung der Werke Anselms von Havelberg I. Die Überlieferung des

Quellenschrift liegt darin, daß ihr Verfasser beides zugleich ist, Ökumeniker und eifriger Anhänger der Gregorianischen Reform.
Anselm von Havelberg, den Prämonstratenser aus dem 12. Jahrhundert, den Zeitgenossen eines Bernhard von Clairvaux, Gerhoch von Reichersberg, Hugo von St. Victor, Rupert von Deutz und Otto von Freising, als Ökumeniker zu bezeichnen, ist gewiß ein Anachronismus. Denn das Wort stammt aus unseren Tagen. Dennoch ist es der Sache nach zutreffend. Denn Anselm war ein Ökumeniker, zunächst mit der Feder. Vom Ordensstifter Norbert von Xanten 1129 zum Bischof von Havelberg geweiht, verbrachte er den größten Teil der folgenden Jahre fern seiner Diözese im diplomatischen und politischen Dienst von drei deutschen Kaisern, Lothar III. (1125—1137), Konrad III. (1137—1152) und Friedrich Barbarossa (1152—1190). Für kurze Zeit in Ungnade gefallen (um 1150), benutzte er die Unterbrechung seiner Karriere bei Hof, um sein einziges größeres theologisches Werk zu verfassen, seine Dialoge, deren eigentliches Thema, wie wir im folgenden zu zeigen versuchen, die Einheit der Kirche ist. Aber Anselm war nicht nur literarisch für die Ökumene tätig. Als Legat Kaiser Lothars III. 1135/36 am oströmischen Kaiserhof nutzte er seine politische Mission, um mit griechischen Theologen, vor allem mit einem ihrer führenden Köpfe, Niketas von Nikomedien, intensive Gespräche[3] über die theologischen Differenzen zwischen Ost und West zu führen.[4] Auf einer zweiten Gesandtschaftsreise in den Osten (Ostern 1155), kurz vor seiner Ernennung zum Erzbischof und Exarchen von Ravenna (1155), disputierte Anselm mit

---

Anticimenon, in: DA 28 (1972) 133—209. — Dial I liegt in französischer Übersetzung vor: Anselm de Havelberg, Dialogues, livre I, ,,Renouveau dans l'Eglise", texte latin, note préliminaire, traduction, notes et appendices par G. SALET, Paris 1966, SC 118. Dial II ebenfalls in französischer Übersetzung: P. HARANG, Dialogue entre A. de H. et Néchitès de Nicomédie sur la procession du Saint Esprit, in: Ist. 17 (1972) 377—424, mit einer Einleitung von J. M. GARRIGUES, ebd. 375—377. — Zu Einführungsfragen vgl. K. FINA, A. v. H., Untersuchungen zur Kirchen- und Geistesgeschichte des 12. Jahrhunderts, in: APraem 32 (1956) 69—101; 193—227; 23 (1957) 5—39; 268—301; 34 (1958) 13—41, hier 93—100.
[3] Diese Gespräche stellen ihrer Substanz nach das zweite und dritte Buch der Dialoge dar. — Über die Person des Nicetas vgl. H. LAUERER, Die theologischen Anschauungen des Bischofs Anselm von H. († 1158) auf Grund der kritisch gesichteten Schriften dargestellt, Erlangen 1911, 55, Anm. 16.
[4] Hierüber vor allem J. DRÄSEKE, Bischof Anselm von Havelberg und seine Gesandtschaftsreisen nach Byzanz, in: ZKG 21 (1900) 160—185, und G. SCHREIBER, Anselm von Havelberg und die Ostkirche, in: ZKG 60 (1941) 354—411.

einem anderen griechischen Theologen, mit Basileios von Achrida.[5] Offensichtlich besaß er für solche Gespräche nicht nur die nötigen theologischen Kenntnisse, sondern das, was für den ökumenischen Dialog noch wichtiger ist: Takt und Verständnis.[6] Vor allem aber ist Anselm deswegen als Ökumeniker zu bezeichnen, weil ihm die Einigung der Kirchen Herzensanliegen war. Davon zeugt fast jede Zeile der Dialoge, davon zeugt insbesondere seine Bereitschaft, der anderen Seite ihre Eigenart zu lassen, wo immer es nicht um das Wesen des christlichen Glaubens geht.[7] Daß der Ökumeniker Anselm selber Anhänger der Gregorianischen Reform[8] ist, zeigt der Part des Dialogs, den er im eigenen Namen

---

[5] J. SCHMIDT, Des Basilius von Achrida, Erzbischof von Thessalonich unedierte Dialoge, München 1901, hat die genannte Disputation ediert. Zu ihrer Datierung vgl. V. GRUMEL, Quand eut lieu la controverse théologique de Basile d'Antioche et d'Anselme de Havelberg à Salonique?, in: EOr 29 (1930) 336.

[6] Vgl. hierzu das geradezu überschwengliche Lob, das ihm von griechischer Seite zuteil wurde, 1211 A, 1204 B—C.

[7] Vgl. den folgenden Text, der zwar von Niketas gesprochen wird, aber wohl auch Anselms eigene ökumenische Einstellung wiedergibt (zum Problem der Historizität der Dialoge siehe weiter unten), Dial III 19, 1240 B—D: *Ex multis quippe granis in unum collectis sacra frumenti sive azymi hostia confecta, totius ecclesiae populum in unam eandemque charitatem in Christo collectum significat, qua videlicet hostia non sine magno periculo quantumlibet securum se existimet, communicat, qui se a charitate fraterna quae est in Christo Jesu, quoquo modo sequatrat. Maius etiam peccatum videtur temeraria perversitas iniquorum iudiciorum, quibus invicem nos commanducamus, quam ipsa sacramentorum diversitas propter quam dissentimus, quia istud satis indifferenter . . . videtur posse fieri in Domino. Illud autem, scilicet temerarium praeiudicium, altrinsecus maligne discordantium, nulli unquam licet Christiano . . . Quidquid igitur sit de diversitate sacrae oblationis ad unitatem charitatis necesse est omnes concurrere ; quia sicut charitas in sacra oblatione, ita sacra oblatio in vera charitate operit multitudinem peccatorum ; et sicut hostia salutaris salutem non operatur sine charitate, ita perfecta charitas non scandalizatur in eiusdem hostiae diversa oblatione. Qua videlicet charitate absente, caetera bona omnia inaniter habentur, et qua praesente quaedam bona venialiter non habentur.*

[8] Interessant ist freilich hinsichtlich dieser theologischen Vorstellungen über den Primat im besonderen, aber auch ganz allgemein, der Sprachgebrauch des Anselm. Die Sprache der päpstlichen Kanzlei, der synodalen Satzungen usw. ist zwar bereits gefestigt, aber keineswegs ganz abgeschlossen. „So werden die Ausführungen des Prämonstratensers auch nach der kanonistischen Seite eine bemerkenswerte Quelle"; G. SCHREIBER, Zur theologischen Prämonstratenserliteratur des 12. Jahrhunderts, in: APraem 17 (1941) 5—33, hier 9. — Zu diesem sich allmählich festigenden Sprachgebrauch gehören Termini wie *apostolicus vir* (1202 A), *vicarius Christi* (1210 B), *mater omnium ecclesiarum* (1209 A), *auctoritas* (1266 B u. ö.), *discretio* (1232 C), *privilegium* (1215 A), *sollicitudo omnium (ecclesiarum)* (1215 A), *Romana ecclesia* (1210 A) usw., was den Papst angeht. Zum allgemeinen theologischen Sprachgebrauch vgl. *articulus fidei* (1146 D und 1162 A), *status ecclesiae* (1148 ff.), *ius divinum* (1214 C), *institutum* unterschieden von *consuetudo* (1229 B), *constitutum* (1229 B), *ritus* unterschieden von *doctrina* (1248 A und 1139 B), *concilium generale* und *universale* (1248 A), *primitiva ecclesia* (1148 C), *fides/mores* (1156 C), *ante legem, sub lege, sub gratia* (1160 A), *mores/consuetudines* unterschieden von den *ecclesiastica sacramenta* (1217 B) usw.

spricht. Seinem griechischen Gesprächspartner gegenüber vertritt er kompromißlos die Konzilsidee der Gregorianer[9], also die Lehre von der völligen Unterordnung des Ökumenischen Konzils unter den Papst. Aber sein Beitrag zur Konzilsidee erschöpft sich nicht in dieser (papalistischen) Verhältnisbestimmung von Papst und Konzil. Der Theologe[10] Anselm reflektiert auch über das Konzil als solches und begreift es vor dem Hintergrund seiner Geschichtstheologie[11] als heilsgeschichtliches Ereignis. Hier nun liegt auch seine eigentliche Originalität innerhalb der Konzilsproblematik.

Tatsächlich würde jedoch ein einseitiges Bild vermittelt, beschränkte man sich auf die Behandlung dieses in der Tat originellen Aspekts seiner Theologie (3). Das große Problem des Ökumenikers Anselm ist nämlich der römische Primat. Wir beziehen diesen deswegen in unsere Untersuchung ein und erörtern im Zusammenhang mit ihm das Verhältnis römischer Primat/Synode (2). Die Vorstellungen von Primat und Konzil kommen bei Anselm in dem größeren Rahmen seiner

---

[9] Vgl. hierzu J. Spiteris, La Critica Bizantina del Primato Romano nel secolo XII, in: OrChrA 208 (Rom 1979) 90—108, bes. 100 ff.

[10] Die Dialoge sind nach Fitzthum, Christologie 27, „ein Werk von großer dogmatischer Bedeutung und eine der besten Apologien des Mittelalters". Nach J. Beumer, Der theologische Beitrag der Frühscholastik zu dem Problem des Dogmenfortschritts, in: ZKTh 74 (1952) 205—226, hier 214, hat Anselm von Havelberg „in der theologischen Kontroverse mit den Griechen ... alle anderen Theologen an Gründlichkeit übertroffen". Fr. Petit, La spiritualité des Prémontrés aux XII et XIII siècles, Paris 1947, 56, nennt Anselm von Havelberg einen „écrivain de race". — Auch das 19. Jahrhundert wußte unseren Autor schon zu würdigen, vgl. Dräseke 172, für den die Dialoge wegen der „Gründlichkeit und lichtvollen Anordnung der Gedanken", der „wohlabgerundeten Form, feingefügten Dialektik und würdevollen Sprache" „zu den besten apologetischen Schriften des Mittelalters" gehören.

[11] Mit diesem Aspekt seines Denkens hat sich die moderne Forschung besonders intensiv beschäftigt und ist dabei zu Einseitigkeiten gelangt. Die Eingebundenheit dieser Ideen in den größeren Kontext von Dial I müßte viel stärker berücksichtigt werden. Mit der Geschichtstheologie haben sich befaßt u. a. A. Dempf, Sacrum Imperium. Geschichts- und Staatsphilosophie des Mittelalters und der politischen Renaissance, Berlin 1929, 1—243; W. Kamlah, Apokalypse und Geschichtstheologie. Die mittelalterliche Auslegung der Apokalypse vor Joachim von Fiori, Berlin 1935, 64—70; J. Spörl, Grundformen hochmittelalterlicher Geschichtsanschauungen, München 1935, 18—31, bes. 27—30; Fina 13—41; O. Brunner, Abendländisches Geschichtsdenken, in: Geschichtsdenken und Geschichtsbild im Mittelalter, hrsg. von W. Lammers, Darmstadt 1965, 450—455; H. Grundmann, Die Eigenart mittelalterlicher Geschichtsanschauungen, ebd. 430—433; A. Funkenstein, Heilsplan und natürliche Entwicklung. Formen der Gegenwartsbestimmung im Geschichtsdenken des hohen Mittelalters, München 1965, 60—67; W. Edyvean, Anselm of Havelberg and the Theology of History, Exc. diss. Rom 1972; und schließlich L. F. Barman, Reform Ideology in the Dialogi of Anselm of Havelberg, in: ChH 30 (1961) 379—395.

Schrift, den Dialogen, zur Sprache. Es gilt also, zunächst deren eigentliches Thema und die Natur dieses Textes zu untersuchen (1).

1. Anselms Dialoge: ein mittelalterliches De unitate ecclesiae

Zur Bestimmung der Natur eines Textes gehört die Frage nach der Quellenbenutzung. Hier wird die angekündigte kritische Edition sicher große Überraschungen bringen. Schon in der Vergangenheit haben Forscher gelegentlich auf eingearbeitete Quellen aufmerksam gemacht. So weist M. Van Lee in der Anzeige[12] seiner Dissertation[13] auf die Benutzung von Gregor von Nazianz hin.[14] Diese zum Teil wörtlichen Ausschreibungen aus dem Kappadozier sind um so auffallender, als sie nicht der im Mittelalter verbreiteten Übersetzung des Rufinus[15] entnommen sind. H. Finke[16] zeigt eine deutliche Abhängigkeit von Abaelard auf.[17] W. Berges seinerseits vermutet, daß Anselm „auf weite Strecken hin kanonistische Texte im Wortlaut" zitiert, und fragt, ob dem Havelberger nicht die *Collectio canonum* des Anselm von Lucca vorgelegen hat.[18] A. Funkenstein nennt schließlich noch Hugo von St. Victor[19] als mögliche Quelle. Vielleicht hängt Anselm außerdem unmittelbar von der *Glossa ordinaria* ab.[20]

---

[12] Annuaire de l'université de Louvain 1936/1939, 750—753, hier 752.

[13] Les idées d'Anselme de Havelberg sur le développement du dogme, in: APraem 14 (1938) 3—35.

[14] Vgl. Dial I 5 und 6 mit Or. 31 (= Oratio Theologica V) 25.26.29; Dial II 5 mit Or.Th. V 8; Dial II 13 mit Or. Th. V 29.30; Dial II 19 mit Or. Th. V 27 (weniger evident!). Funkenstein 183, Anm. 67a entdeckt in Dial II 1 eine Ausschreibung von Or. Th. III 2 ff.

[15] Orationes 38, 39, 41, 26, 17, 6, 16 und 27.

[16] Die Lehre Anselms von Havelberg über den Ausgang des Hl. Geistes in den Unionsgesprächen mit den Griechen, Rom 1942. — Die Arbeit selber war uns nicht zugänglich. Die Angabe der Stellen verdanke ich Berges 56, Anm. 62 und 57, Anm. 63.

[17] Vgl. Dial II 24 und Abaelard, *Introductio ad theologiam* II PL 143, 1077 A—1079 D. — Anselm bringt hier die *auctoritates* in der gleichen Reihenfolge (Athanasius, Didymus, Ephesinum, Cyrill, Chrysostomus, Augustinus, Hieronymus, Augustinus, Hilarius) wie sein Gewährsmann. Er kürzt zum Teil die Zitate und bleibt auch im Kommentar von seiner Quelle abhängig. Zwischen Augustinus und Hieronymus (1203 D) erwähnt er zusätzlich Ambrosius, Isidor, Hilarius und Leo, aber bezeichnenderweise ohne Textzitat! Daß Anselm an unserer Stelle die *Introductio* des Abaelard ausschrieb und nicht dessen *Theologia christiana* (vgl. CCL 12, 328—330) ergibt sich daraus, daß er das Ephesinum erwähnt, das hier fehlt. — Dial I 10 (1154 C) scheint von Abaelard, *Ethica* 13, PL 143, 652—653 inspiriert zu sein.

[18] Berges 45.

[19] Funkenstein 184, Anm. 73. — Es handelt sich um Dial I 13; 1160 A und De sacr. II 6, 3; PL 176, 345 D.

[20] Edyvean 22—23 parallelisiert Dial I 7—13; 1149—1159 mit der *Glossa ordinaria*, PL 114, 721—723. Der Autor spricht von einer „Benutzung" („uses") der Glossa durch Anselm, wörtliche Anleihen sind jedoch kaum zu erkennen.

Uns selber fiel bei der Durchsicht des Textes die Benutzung folgender Quellen auf: Augustinus[21], Boëthius[22], die *Historia tripartita*.[23] Massiv hat Anselm weiter den *Liber pontificalis* ausgeschrieben. Alle ‚historischen' Nachrichten über die Päpste in Dial III stammen — weitgehend wörtlich — von dort.[24] Weiter: Dial III 5; 1213 D bis 1214 C (Sciendum sane . . . exortum est) stellt sich die Frage, ob der zitierte Abschnitt der sogenannten *praefatio Nicaeni concilii* aus Pseudoisidor[25] oder aus einer anderen Sammlung entnommen ist. Die *praefatio*[26] selber stammt noch aus der ersten Hälfte des 5. Jahrhunderts[27], verarbeitet ihrerseits als Quellen Damasus, *De explanatione fidei*, Rufinus, *Historia ecclesiastica*[28] und ist in mehreren Sammlungen überliefert.[29] Die Entscheidung, aus welcher von ihnen Anselm seinen Abschnitt entnommen hat, ist nicht leicht zu fällen. Wichtiger jedoch als die Frage der unmittelbar verwendeten Vorlage ist die Feststellung, daß die *praefatio* eine relativ alte Quelle darstellt. Diese Feststellung ist deswegen von Bedeutung, weil

---

[21] Dial III 3; 1212 D ist direkt oder indirekt von Augustinus, *De bapt.* II 8, 13, PL 43, 134 D abhängig; Dial III 4; 1212 D von Augustinus, ebd. III 6, 9, PL 43, 143 C und III 8, 11, PL 43, 144 A; Dial III 12; 1225 C von Augustinus, *Contra ep. Man.* 8, 9, PL 42, 179 A. — Was sich aus der Quellenbenutzung für die Frage der Historizität der Dialoge ergibt, wird weiter unten erörtert.

[22] Dial III 2; 1211 B—C *(universalis . . . gubernatur)* entspricht nur mit unbedeutenden Abweichungen einem Passus aus Boëthius, *De fide catholica*, Ausgabe St. STEWARD (London 1953) 70, Z. 257—265. — Zur Echtheit von *De fide catholica* vgl. LThK II 556.

[23] Dial III 21; 1246 C *(aegritudine . . . adeptus)* entspricht *Hist. trip.* III 12; CSEL 71, 154; vielleicht auch Dial III 12; 1226 B Hist. trip. IV 9; CSEL 71, 165.

[24] Vgl. Dial III 7; 1218 A mit *Liber pontificalis* Nr. 68, Ausgabe DUCHESNE I 316; Dial III 12; 1226 C—1228 A mit Lib. pont. Nr. 34, 42, 47, 50, 51, 59, 75, 76, 80, 81, Ausgabe DUCHESNE I 170, 171, 220, 238, 252, 255, 287, 331, 336, 337, 348, 350—354 (die Namen der päpstlichen Legaten auf dem Konzil von Nicaea [1226 C] hat Anselm jedoch nicht aus dem Lib. pont., sondern woandersher); Dial III 13; 1229 A mit Lib. pont. 33 und 40, Ausgabe DUCHESNE I 168 und 216; Dial III 21; 1246 B—C mit Lib. pont. 38, Ausgabe Duchesne I 211.

[25] HINSCHIUS, *Decretales Pseudo-Isidorianae* 255, 4—14 und 18—25. — Aus Pseudoisidor könnte auch Dial III 12; 1226 B = HINSCHIUS 459, 20 stammen.

[26] Zu diesem Text, vgl. MAASSEN, Geschichte der Quellen 40—41.

[27] „Bald nach 419", vgl. E. SCHWARTZ, Zum Decretum Gelasianum, in: ZNW 2 (1930) 161—168, hier 161—162.

[28] Zu den komplexen Abhängigkeitsverhältnissen zwischen dieser *praefatio* und dem sogenannten *Decretum Gelasianum* vgl. neuerdings PIETRI, Appendice II 881—884. — Die *praefatio* ist kritisch ediert von C. H. TURNER, Ecclesiae occidentalis Mon.iur. antiqua I, Oxford 1899, 155—163. Dort sind in paralleler Anordnung auch die eingearbeiteten Quellen abgedruckt: Damasus und Rufinus.

[29] Sie steht an der Spitze der um 500 in Gallien oder Rom entstandenen *Quesnelliana* (näheres dazu bei MAASSEN 486—500); Ivo von Chartres hat sie teilweise übernommen (vgl. Decretum V 26; PL 161, 330 D—331 D). Nach FUHRMANN, Einfluß III 800—801, befindet sie sich jedoch in keiner weiteren von ihm untersuchten Sammlungen.

Anselm sie, wie wir später noch sehen werden, als Hauptargument seiner kanonistischen Beweisführung für den römischen Primat verwendet. Unsere besondere Aufmerksamkeit verdient schließlich noch eine in Dial II 22 verarbeitete Quelle. Es handelt sich um das Glaubensbekenntnis Papst Leos IX. (1049—1054), das sich in dessen Antwort *Congratulamur vehementer* vom 13. April 1053 auf die Inthronistica des Petrus von Antiochien befindet.[30] Die Quellenbenutzung ist hier deswegen von besonderer Bedeutung, weil Anselm von dieser Quelle her den ganzen betreffenden Abschnitt des Dialogs gliedert, sie darüber hinaus zur gedanklichen Grundlage eines wichtigen Aspekts seiner Konzilstheorie macht. Doch davon soll erst weiter unten die Rede sein. Im Zusammenhang geht es um die Widerlegung des Sola-Scriptura-Prinzips seines Gesprächspartners. Anselm konfrontiert ihn mit dem dreigliedrigen Glaubensbekenntnis Leos IX. *(trinitas, filius, spiritus sanctus)*, in dem er — kurioserweise — den Inbegriff des von den Konzilien definierten, über die Schrift hinausgehenden kirchlichen Glaubens sieht. Der erste Artikel dieses Credos *(trinitas)* ist dabei gegen Arius und Sabellius gerichtet[31], der zweite *(filius)* gegen Nestorius und Eutyches[32], der dritte *(spiritus sanctus)* gegen Macedonius.[33]

Aus der Systematik der Vorlage ergibt sich somit folgender ‚systematischer' Häretikerkatalog: Arius, Sabellius, Nestorius, Eutyches, Macedonius. Dieser nicht historisch aufgebaute Häretikerkatalog taucht noch an einer zweiten Stelle auf, in Dial I 9; 1151 A—B. Auf ihn abgestimmt ist dann die unmittelbar folgende[34], in der Tat auffallende ‚Konzilssynopse': Nicaea, Antiochien[35], Ephesus, Chalcedon, Konstantinopel. Diese ‚Konzilssynopse' ist deswegen auffallend, weil sie weder die sonst üblichen 7 sogenannten Ökumenischen Konzilien nennt (Nicaea I, Konstantinopel I, Ephesus, Chalcedon, Konstantinopel II und III, Nicaea II), noch die gewöhnliche Reihenfolge einhält. Die merkwürdige Zusammen-

---

[30] Kritische Edition der *Epistula ad Petrum episcopum Antiochenum* bei A. MICHEL, Humbert und Kerullarius, Quellen und Studien zum Schisma des XI. Jahrhunderts II, Paderborn 1930, 458—474, das Glaubensbekenntnis ebd. 468—472, Analyse des Briefes und nähere historische Umstände desselben ebd. 416—427. — Vgl. Anm. 132.

[31] Credis *in Patrem et Filium et Spiritum sanctum sanctam trinitatem . . . creatorem omnium creaturarum?* 1198 C.

[32] *Ipsum filium Dei . . . passione,* 1199 A.

[33] *Credis etiam . . . per omnia,* 1199 B. — Bezeichnenderweise ist das *a Patre filioque procedentem* der Vorlage, Ausgabe MICHEL 470, 9, ausgelassen.

[34] 1151 D.

[35] Der Vorstellung, daß Sabellius in Antiochien gebannt wurde, liegt wohl eine Verwechslung mit Marcellus von Ankyra zugrunde, der in der Tat in Antiochien (341) als Sabellianer verurteilt wurde.

setzung vorliegender Konzilssynopse erklärt sich nur durch die zugrunde liegende Systematik des Papstcredos von Dial III 22.[36] Woher kennt Anselm selber dieses Credo? Der Leo-Brief, aus dem es stammt, befindet sich im ‚Briefbuch' des Kardinals Humbert.[37] Hat Anselm vielleicht diesen Codex auf einer seiner Romreisen kennengelernt, oder hat er das Original in Byzanz ausgeschrieben?[38]

Mit der letztgenannten Quelle, dem Brief Leos IX. *Congratulamur vehementer*, ist schärfer noch als durch die übrigen Quellenbenützungen das Problem der Historizität des Dialogteils unseres Textes gestellt. Hierauf soll nun näher eingegangen werden. Das Werk besteht aus drei Büchern, von denen das zweite und dritte als Dialog abgefaßt sind. Sie geben sich als Niederschrift des Glaubensgesprächs, das Anselm am 10. April 1136 in Konstantinopel bei der Kirche der Hagia Eirene und eine Woche darauf in der Hagia Sophia mit Niketas von Nikodemien abgehalten hat. Erst 14 Jahre später hat er auf Betreiben von Eugen III. das Gespräch aufgezeichnet. Wie ist es um die Historizität dieser Niederschrift bestellt? Inwieweit haben wir in Dial II und III den wirklichen Ablauf des Gesprächs vor Augen?

Im vorigen Jahrhundert scheint man in dieser Frage skeptischer gewesen zu sein als in diesem[39], geht doch zum Beispiel J. B. Beumer von einer eher wortgetreuen Aufzeichnung aus.[40] Schon das Bekenntnis des Autors selber sollte jedoch vor übertriebenem Vertrauen warnen. Er gibt nicht nur rundheraus zu, daß er *quaedam non minus fidei necessaria*

---

[36] Dieses nach MICHEL, Humbert 423 von Kardinal Humbert v. Silva Candida abgefaßte Credo hat im ersten „trinitarischen" Artikel Anklänge an das Credo des IV. Konzils von Karthago (398). Es wird, mit Zusätzen versehen, auch in Zukunft noch eine Rolle spielen: Michael Palaeologus unterschreibt es 1274 für das Konzil von Lyon (Mansi 24, 70), und es wird nach MICHEL 424, Anm. 3 noch heute bei der Ordination der Bischöfe verwendet.

[37] Codex Bernensis 292 aus dem 11. Jahrhundert aus dem Arnulfkloster in Metz, vgl. MICHEL, Humbert 423, Anm. 1.

[38] Über die Probleme der griechischen Übersetzung dieses Briefes vgl. MICHEL, Humbert 426.

[39] So rechnet zum Beispiel J. M. SCHRÖCK, Christliche Kirchengeschichte, Bd. 29, Leipzig 1799, 390, damit, daß „vieles, was damals nicht gesprochen worden ist, dem Papste und seiner Kirche zu Gefallen nachher eingerückt worden sein mag". Ähnlich DRÄSEKE 172, der daran erinnert, daß „die Schrift den Zweck und die Absicht hatte, das allerhöchste Wohlgefallen des Papstes zu erregen. Vor allem aber mußte es für Anselm nahezu unmöglich sein, noch nach 14 Jahren sich an Einzelheiten genau zu entsinnen".

[40] J. BEUMER, Ein Religionsgespräch aus dem 12. Jahrhundert, in: ZKTh 73 (1961) 465—482, hier 466, räumt zwar ein, daß die „historische Treue … sich indessen mehr auf den Gesamtverlauf der Rede erstreckt, nicht auf Einzelheiten", schreibt aber dann eher pauschal: „Die historische Echtheit der Dialoge steht außer Zweifel"; ähnlich SPITERIS 89—90. Vgl. dagegen FINA 97—98 und J. DARROUZÈS, Les documents byzantins du XIIᵉ siècle sur la primauté Romaine, in: REByz 23 (1965) 42—88, hier 59 und 64.

quam huic operi congrua[41] ergänzt habe, sondern gesteht auch ein, sich im übrigen lediglich auf sein Gedächtnis, nicht auf Notizen zu stützen.[42] Skeptisch stimmt weiter die doch vergleichsweise blasse Rolle des Gesprächspartners. An vielen Stellen liefert er nur das Stichwort für die Rede des Lateiners. Auffallen muß in diesem Zusammenhang auch seine Nachgiebigkeit. Außer in der Frage des Primates schließt Niketas sich überall schließlich und endlich der Meinung des Anselm an. Wie anders verläuft das Gespräch, das derselbe Anselm am 9./10. April 1155 in Thessalonich mit Basileios von Achrida geführt hat!

Ein weiteres Argument gegen die Historizität ist die äußerst strenge Gliederung der Dialoge (vgl. hierüber weiter unten). Kaum irgendeinmal gibt es eine überraschende Wendung des Gesprächs, wie es doch in einem echten Dialog gang und gäbe ist. Einzelheiten im Sprachgebrauch des Niketas lassen zumindest aufhorchen.[43] Das entscheidende Argument gegen die Historizität, zumindest großer Teile des Dialogs, ergibt sich aber von der obenerwähnten Quellenbenutzung her. Mehrere Quellen tauchen im Mund des ‚falschen‘ Partners auf. So zum Beispiel Passagen aus der *Oratio theologica V* des Gregor von Nazianz in Redeteilen des Anselm[44], ein Augustinuszitat[45] und eine wörtliche Passage aus dem *Liber pontificalis* in Ausführungen des Niketas.[46] Ein starker Einwand gegen die Historizität stellt auch das Väterflorilegium in Dial II 24—26 dar. Daß die *auctoritates* in derselben Reihenfolge wie in der Quelle, nämlich Abaelard, *Introductio in theologiam*, erscheinen, ist noch erträglich, auch noch der Umstand, daß die kommentierenden Zwischenbemerkungen zum großen Teil auch aus der Quelle stammen. Wie aber soll man unter Voraussetzung einer Niederschrift des wirklichen Gesprächsverlaufs erklären, daß das abschließende Hilariuszitat[47] gerade auf eine Frage paßt, die der Gesprächspartner stellt?[48]

---

[41] 1141 A.

[42] *Conservavi autem quantum memoria subministrabat tenorem dialogi*, 1141 A; 1163 B ist zwar von Stenographen die Rede, aber die Protokolle scheinen Anselm bei seiner Redaktion der Dialoge nicht zur Verfügung gestanden zu haben.

[43] So spricht Niketas 1224 A von *concilia generalia* in Chalcedon, Konstantinopel, Ephesus, Antiochien und Alexandrien. Das scheint höchst unwahrscheinlich im Mund eines Griechen; es handelt sich hier vielmehr um einen typisch westlichen „Sprachgebrauch", wo im 12. Jahrhundert der Begriff der *concilia generalia* keineswegs mit dem der ‚ökumenischen‘ Konzilien des Ostens identisch ist; vgl. hierzu 92—97, 253—255.

[44] Dial II 5; 1171 D; Dial II 23; 1201 AB.

[45] Dial III 3 1212 D.

[46] Dial III 7; 1218 A.

[47] 1207 A.

[48] 1206 D.

Schließlich ist noch zu bedenken, was sich aus dem Leo-Brief-Zitat von Dial II 22 für unsere Frage nach der Historizität ergibt. Erklärt werden muß in jedem Fall der sicher von der zitierten Quelle abhängige Häretikerkatalog in Dial I 9 und Dial II 22. Wir stehen vor der Alternative, entweder anzunehmen, daß Dial II 22 historisch ist und entsprechend Dial I 9 antizipiert wird, oder aber — und das dürfte das Wahrscheinlichere sein —, daß Dial II 22 nicht historisch ist, sondern zusammen mit Dial I 9 konzipiert wurde und einen Zusatz zum ‚echten' Dialog darstellt.

Für jedes einzelne der vorgetragenen Argumente gegen die Historizität der Dialoge mag man noch Gegenargumente finden. Läßt man sie jedoch in ihrer Gesamtheit auf sich wirken, besonders die aus der Quellenbenutzung sich ergebenden, so scheint es vernünftiger, von einer globalen Nichthistorizität auszugehen. Wir haben es in den beiden Büchern nicht mit der Aufzeichnung des tatsächlichen Verlaufs des Glaubensgesprächs zu tun, sondern vielmehr mit einem literarischen Produkt, mit einem fingierten Dialog, der freilich in seinem gedanklichen Kern und seiner Substanz auf Gespräche zurückgehen mag, die 14 Jahre vorher in Byzanz geführt worden waren.

Haben wir es aber mit einem fingierten Dialog[49] zu tun, dann könnten sich daraus wichtige Konsequenzen für die Interpretation gerade auch der Lehrpunkte ergeben, die uns interessieren. Was Anselm zum Beispiel über den päpstlichen Primat sagt, müßte dann nicht unbedingt seine eigene oder seine einzige Meinung sein. Vielleicht sagt er auch andererseits durch den Mund des Niketas, was zwar nicht er selber, aber andere im Westen vom römischen Primat halten. So interpretiert, haben wir in den Büchern II und III nicht nur einen west-östlichen Dialog, sondern auch einen west-westlichen. Speziell in der Frage des Verhältnisses Papst/Konzil hätten wir es mit einer mehr papalistischen und einer mehr ‚konziliaristischen' westlichen Sicht zu tun. Was die von Niketas ausgesprochene Papstkritik angeht, hätten wir ein westliches Gegenstück zu Bernhards *De consideratione* vor uns.

Doch bevor wir auf die Primatsproblematik zu sprechen kommen, ist noch kurz auf das in der bisherigen Forschung völlig vernachlässigte

---

[49] Vgl. *Dialogus inter Cluniacensem monachum et Cisterciensem* (um 1156); *Gisleberti Crispini disputatio Judaei et Christiani*; Petrus Abaelardus, *Dialogus inter philosophum Judaeum et Christianum*. — Nach SCHREIBER, Anselm von Havelberg und die Ostkirche 361, entspricht der Dialog dem „Lebensgefühl des Zeitalters". Vgl. auch G. R. EVANS, Anselm of Canterbury and Anselm of Havelberg, The controversy with the Greeks, in: APraem 53 (1977) 158—175, hier 163—164, ferner FINA 96—97.

Gesamtthema der Schrift einzugehen. Was will Anselm mit der Schrift als ganzer? Worum geht es ihm eigentlich? Geht es ihm tatsächlich nur um die Erstellung eines „apologetischen Compendiums für die Hand des Kontroverstheologen"?[50] Gewiß, diese Abzweckung nennt er ausdrücklich.[51] Aber will er wirklich nur das: Argumente für die Diskussion gegen die Griechen liefern, eventuell Mißverständnisse zwischen Ost und West aufklären? Diese Auffassung, das heißt die Einordnung der Dialoge in die Kategorie des damals im Westen blühenden Schriftgenus *Contra Graecos*, ist vor allem deswegen unhaltbar, weil sie keine Erklärung dafür geben kann, warum Anselm eigentlich den Dialogteil (Buch II und III) mit Buch I zu einem einzigen Werk — zugestandenermaßen etwas holprig und unbeholfen — zusammengefügt hat. Er kann das doch nur deswegen getan haben, weil er in beiden Teilen — trotz der Verschiedenheit der in Dial I einerseits und Dial II/III andererseits abgehandelten Themen — ein übergreifendes Thema deutlich vor Augen hat.

Dieses übergreifende, Dial I und Dial II/III inhaltlich zusammenhaltende Thema ist die Einheit der Kirche. Wir haben es näherhin nicht mit einem *liber de conservanda* oder *recuperanda unitate ecclesiae*, sondern mit einem *liber de unitate ecclesiae* zu tun. Anselm legt eine Schrift darüber vor, daß die Kirche eins ist — trotz der Spaltungen und Zerwürfnisse! Anselm sieht die konkrete Kirche seiner Zeit von zwei Seiten in ihrer Einheit bedroht: Die neuentstandenen Orden, Zisterzienser, Prämonstratenser usw.[52] drohen die Einheit der lateinischen Kirche in ihrem Innern zu zerreißen. Fataler und schmerzlicher noch ist das scheinbare Auseinanderbrechen der Kirche in eine westliche und östliche Hälfte.[53] Auf das Ordensproblem antwortet Buch I mit der ‚monologischen' Unterscheidung zwischen Glauben und Lebensformen. Auf die ungemein schwierigere Frage, wie Griechen und Lateiner eine Kirche sind, antworten die Bücher II und III in tiefer Bedeutsamkeit ‚dialogisch'.

Zunächst zu Buch I: Hier lautet die These des Autors: Die durch die neuen Orden bedingte Vielheit *(varietas)* berührt nicht den Glauben

---

[50] Vgl. FINA 97, ebd. 98—99 Hypothesen zur Abfassungsgeschichte der Dialoge. FINA sieht in Dial I „einen ursprünglich selbständigen Traktat" und stellt zwischen Dial I und Dial II/III eine nur „unvollkommen geschlossene Kompositionsfuge" fest.
[51] 1142 AB.
[52] Vgl. 1141 C—1143 B und 1154 D—1156 D. — Zum Problem der neuen Orden vgl. G. SCHREIBER, Studien über Anselm von Havelberg. Zur Geistesgeschichte des Hochmittelalters II. Mehrheit der Orden, in: APraem 18 (1942) 5—90; 32 (1956) 69—101 und 193 bis 227, hier 23—38.
[53] 1161 A—1162 A.

und somit nicht die Einheit der Kirche. Diese *varietas* ist kein Zeichen von Zerfall, sondern von innerem Reichtum, sie geht letztlich auf den Heiligen Geist als Ursache zurück. Thesenartig und prinzipiell ist das am Anfang und am Schluß von Buch I formuliert: Die Kirche ist *ein* Leib, weil sie von *einem* Geist beseelt ist. An sich einer, ist dieser Geist in seinen Gaben vielfältig. Deswegen ist die Kirche vielförmig in der Lebensweise.[54]

Den Beweis dafür, daß die Kirche eins ist, weil es *varietas* nur in der *forma vivendi*, aber nicht im Glauben[55] gibt, bringt Anselm durch einen Überblick durch die Heilsgeschichte (cap. 3—13). Diese Geschichte der Kirche im weiteren Sinn gliedert er vom Christusereignis in der Mitte her in einen vorchristlichen (cap. 3—6) und einen nachchristlichen (= Kirche im engeren Sinn) Abschnitt (cap. 7—13). Um die bunte Vielfalt *(varietas)* der verschiedenen Lebensformen bei jeweils einem und demselben Glauben dem Leser möglichst plastisch vor Augen zu führen, bedient sich Anselm zweier Mittel: er unterteilt die vor- und nachchristliche Heilsgeschichte in möglichst viele Abschnitte[56] und er hebt mit allem Nachdruck auf die großen Unterschiede zwischen allen diesen Abschnitten ab. Das ergibt für die vorchristliche Heilsgeschichte

---

[54] Dial I 2; 1144 B—C: *Ecce apparet manifeste unum corpus Ecclesiae uno Spiritu sancto vivificari qui et unicus est in se, et multiplex in multifaria donorum suorum distributione. Verum hoc corpus Ecclesiae Spiritu sancto vivificatum, et (per) diversa membra diversis temporibus et aetatibus discretum et distinctum, a primo Abel justo incoepit, et in novissimo electo consummabitur, semper unum una fide, sed multiformiter distinctum multiplici vivendi varietate.* — Dial I 13; 1160 C: *Ideoque iam deinceps nullus fidelis suspicetur in hoc esse aliquod scandalum, si ecclesiae cuius semper est eadem fides credendi, non semper est eadem forma vivendi. Sed iam nunc sufficiat respondisse eis qui calumniantur tot varietates in ecclesia sancta.*

[55] Vgl. die leitmotivliche Wiederholung 1144 C, 1145 BC, 1146 D. — Zu dieser Interpretation paßt, was P. CLASSEN, Der Häresiebegriff bei Gerhoch von Reichersberg und in seinem Umkreis, in: The Concept of Heresy in Middle Ages, Löwen 1976, 27—41, hier 40—41, hinsichtlich Anselms beobachtet: der Vorwurf der Häresie wird vermieden. „Allein die in der alten Kirche verurteilten Lehren werden hier Häresien genannt. Von den gegenwärtig strittigen Lehren — insbesondere filioque und Azymen — wird keine als häretisch bezeichnet." (41).

[56] Die vorchristliche Heilsgeschichte gliedert sich in 6 Perioden: A. von Adam bis Noe, B. von Noe bis Abraham, C. von Abraham bis Mose, D. von Mose bis David, E. von David bis Christus; die nachchristliche gliedert sich zunächst in 2 *status ecclesiae*: den vorösterlichen und den nachösterlichen (Dial I 6; 1148 C—D): *Fuit nempe una facies Christianae religionis in primitiva Ecclesia, quando Jesus regressus a Jordane, et ductus a Spiritu in desertum, et post tentationes relictus a tentatore, pertransiens Judaeam e Galilaeam duodecim apostolos elegit, quos speciali doctrina Christianae fidei instituit, quos ut essent pauperes spiritu, et caetera quae in sermone in monte ad eos habito scripta sunt, edocuit, quos, ut saeculum hoc nequam calcarent, instruxit, quos salubribus et innumeris evangelicae doctrinae praeceptis informavit. Sed post Christi passionem, resurrectionem et ascensionem, et post datum Spiritum sanctum multi videntes signa et prodigia quae fiebant per manus apostolorum, collegerunt se in eorum societatem, et factum est, sicut Lucas scribit: . . .* (Apg 4, 32 bis 35 und 5, 13) *Et collecta est nova fidelium ecclesia per gratiam sancti spiritus.*

eine äußerst differenzierte ‚Kultgeschichte'[57] und für die Zeit der Kirche im engeren Sinn wiederum Unterscheidungen, wie man sie bei einem mittelalterlichen Autor nicht erwartet, so zum Beispiel zwischen einer vor- und nachösterlichen Gemeinde, die nur allmählich *(paulatim)* sich vom Juden- und Heidentum löst und der erst nach und nach die Glaubenswahrheiten aufgehen.[58] Ja, selbst was den Glauben angeht, gibt es Wandel, insofern nämlich, als der Glaube immer tiefer erkannt wird.[59]

Näherhin gliedert Anselm die Zeit der Kirche im engeren Sinn, ausgehend von Offb 6, 2[60], in 7 *status*[61], das heißt 7 Perioden, die sich charakteristisch voneinander unterscheiden.[62] Diese Periodisierung der Kirchengeschichte dient Anselm aber nicht nur zum Aufweis der Generalthese: *una eademque ecclesia praesente iam filio Dei innovatur, nequaquam unus aut uniformis, sed multi et multiformes status inveniuntur.*[63] Unser Bischof hat auch das spezielle Problem dieses ersten Buches im Auge: die neuen Orden. Deswegen interessiert ihn an den 7 *status* speziell der

[57] Dial I 3; 1144 C—1148 B. — Zu den Geschichtsperioden vgl. u. a. LAUERER 74—76.

[58] Dial I 6; 1148 D—1149 B: *Et collecta est nova fidelium ecclesia per gratiam sancti spiritus, renovata primum ex Judaeis, deinde ex gentibus deposito paulatim ritu tam Judaeorum quam gentium, servatis tamen quibusdam differentiis naturalibus et legalibus, quae tam ex lege naturae, quam ex lege scripta abstracta et excepta. Christianae fidei, nec erant, nec sunt contraria, sed omnibus devote et fideliter servantibus constat esse salubria. Coepit etiam iam tunc manifeste praedicari integra fides sanctae trinitatis, cum testimonio veteris et novi testamenti, quae prius quasi sub umbra et quasi gradatim insinuata, revelabatur. Surgunt sacramenta nova, ritus novi, mandata nova, institutiones novae. Scribuntur epistolae apostolicae et canonicae. Lex Christiana doctrinis et scriptis instauratur, fides quae vocatur catholica, in universo mundo annuntiatur ; et sancta ecclesia pertransiens per diversos status sibi invicem paulatim succedentes usque in hodiernum diem sicut iuventus aquilae renovatur* (Ps 103, 5) *et semper renovabitur, salvo semper sanctae trinitatis fidei fundamento, praeter quod nemo aliud deinceps ponere potest, quamvis in superaedeficatione diversa plerumque diversarum religionum structura crescat in templum sanctum Domino.*

[59] Vgl. hierzu VAN LEE, Anselm de Havelberg sur le développement du dogme 12—20. — Der Abschnitt 1146 D—1148 B scheint den Hauptgedankengang (ein Glaube bei vielen Lebensformen) zu unterbrechen und auf die Objektion, es gäbe doch auch hinsichtlich des Glaubens Wandel, zu antworten: In der Tat, auch im Glauben gibt es insofern Wandel, als die *fides sanctae trinitatis secundum virtutem credentium paulatim mensurata et quasi particulariter distributa et in integrum crescens, tandem perfecta est.* 1148 B. Das *ita quippe* von 1148 B wirkt zusammen mit dem *omnes quippe* von 1146 CD wie die Klammer eines Exkurses.

[60] Auf die Schriftstelle weist präludierend Anselm schon im Prolog 1142 A hin.

[61] Zu diesem Begriff vgl. CONGAR, Status ecclesiae 1—31. — Solche Periodisierungen waren zu dieser Zeit sehr beliebt; vgl. die Zusammenstellung bei W. BEINERT, Die Kirche — Gottes Heil in der Welt. Die Lehre von der Kirche nach den Schriften des Rupert von Deutz, Honorius Augustodunensis und Gerhoch von Reichersberg. Ein Beitrag zur Ekklesiologie des 12. Jahrhunderts, Münster 1973, 323—332.

[62] 1. *nascens ecclesia*, 2. *persecutio*, 3. *doctrina haereticorum*, 4. *falsi fratres*, 5. *animae sanctorum* ‚subtus altare', 6. *Antichristus*, 7. *silentium post tribulationes*. — Zu Einzelheiten vgl. SCHREIBER, Anselm von Havelberg und die Ostkirche 363—370; EDYVEAN 20—35.

[63] 1148 C.

vierte, in dem die Kirche unter den *falsi fratres*, das heißt unter den bloßen Namenschristen leidet.[64] Diesen gegenüber haben die Orden die im strikten Sinn heilsgeschichtliche Rolle, die Kirche zu „erneuern": *et fit mira Dei dispensatione quod a generatione in generationem succrescente semper nova religione renovatur ut aquilae iuventus ecclesiae.*[65] Solche ‚Neuerung', solcher Wandel, fällt nicht auf den unwandelbaren Gott zurück und bedroht nicht die Einheit der Kirche, die dem unwandelbaren Gott in einem Glauben, einer Hoffnung und einer Liebe anhängt. Solcher Wandel *(varietas)* trifft die Kirche nicht im Innern, in ihrem Glauben, sondern, wie Anselm in einem schönen Bild im Anschluß an Ps 44, 14 ausführt, nur im Äußeren, dem „goldenen Saum" ihres Gewandes.[66]

Das umfassende Thema von Dial II und III ist ebenfalls wie in Dial I die Einheit der Kirche, freilich mit dem Unterschied, daß die Einheit hier nicht ‚monologisch' konstatiert, sondern ‚dialogisch' dargestellt wird. Das Proömion verknüpft Dial II/III mit Dial I, indem es die Gegensätze zwischen Griechen und Lateinern im Glauben (Filioquefrage) und in der Sakramentenpraxis als einen Einwand gegen die in Dial I aufgestellte These von der Einheit der Kirche einführt.[67] Auf diesen Einwand antworten die Dialoge gleichsam als Vollzug: Die Kirche ist trotz dieser Gegensätze zwischen Lateinern und Griechen in den wesentlichen Fragen eins. Nur eine Frage wird von diesem Konsens ausgenommen, besser nicht ausdrücklich wie die übrigen strittigen Punkte in diesen Konsens eingeschlossen: die Frage des römischen Primats.

---

[64] Bernhard von Clairvaux, in Cant 33, 14—15, PL 193, 958—959 D, unterscheidet vier tentationes: *persecutio, haeresis, hypocrisis (falsi fratres)*, Antichrist.

[65] Dial I 10; 1157 B. — Zur Ordensproblematik speziell G. SEVERINO, La discussione degli ‚Ordines' di Anselmo di Havelberg, in: Bull. Ist. Stor. Medio Evo 78 (1967) 75—122, bes. 94 ff.

[66] Dial I 13; 1160 B—C: *Facta est autem varietas non propter invariabilis Dei, qui semper idem est, et cuius anni non deficiunt, mutabilitatem et temporalem mutationem de generatione in generationem. Nempe una est electorum ecclesia, uni deo obnoxia: una est fide, qua ea quae credenda sunt tam de praeteritis quam de futuris, fideliter credit, et una est spe, qua ea quae fidelibus speranda sunt, longanimiter sperat, et est una charitate qua deum, et in Deo proximum diligit, et cuius latitudine ad inimicos etiam propter deum se extendit. Est ergo ‚gloria filiae regis', quae est ecclesia, ab intus fidei decore, et testimonio purae conscientiae, sed ‚fimbribus aureis circumamicta varietate'* (Ps 44, 14) *diversarum religionum et actionum, et est ‚currus dei decem millibus multiplex millia laetantium'* (Ps 67, 18).

[67] 1161 A—B: *Verum quid est, quod aliqui in ecclesia in fide sanctae trinitatis et in sacramentorum ritu videntur discrepare, quemadmodum Graeci a Latinis? Quod si salva unitate fidei, et uno sacramentorum ritu in caeteris omnibus dissimiles essent, utcumque tolerari posset, et minus scandalum seu periculum esse videretur. Vere quoniam de fide sine qua impossible est placere Deo, dissentire videntur, nec in uno sacramentorum ritu convenire dignoscuntur, necessarium est ut super hoc nobis respondeas, quid de illis sit sentiendum, vel nobis tenendum.*

Zum Aufweis dieser ‚These' von der Einheit der Kirche auch zwischen Ost und West gliedert Anselm nun den Dialogteil seiner Schrift nicht weniger streng als das vorausgehende Buch. Dial II gelangt zur Einheit in der Glaubensfrage des Filioque[68] in folgenden vier Schritten: A. *ratio* (cap. 1—13), B. *scriptura* (cap. 14—19), C. *concilia* (cap. 20—23), D. *patres* (cap. 24—27). Dial III gelangt zum Konsens in der Sakramentenpraxis[69] für folgende drei Probleme: A. Azymenfrage (cap. 2—19), B. Vermischung von Wein und Wasser in der Eucharistie (cap. 20), C. Taufpraxis (cap. 21). Die Azymenfrage ihrerseits ist untergliedert in zwei Beweisgänge: 1. *auctoritas* (identisch mit der Frage des römischen Primates) (cap. 2—16), 2. *ratio* (hier: Schriftargumente) (cap. 17—19). Auffallend ist in dieser Disposition, daß Anselm die Primatsfrage logisch unterordnet, statt sie mit den Glaubens- und Sakramentenpraxisfragen auf gleicher Ebene zu behandeln. Will er durch diese Disposition andeuten, daß die Primatsfrage nicht zu den Dingen gehört, in denen unbedingt Konsens bestehen muß? Wenn schon logische Unterordnung der Primatsfrage, warum dann, kann man sich weiter fragen, Subsumption nicht unter die Frage der *fides*, sondern des *ritus sacramentorum*?

2. Östliche und westliche Sicht des Primats und der Konzilien

Die Primatsfrage, sagten wir, scheint vom ausdrücklichen Konsens ausgenommen. Wie stellt Anselm hier die beiden Sichten, die östliche und westliche, gegenüber? Zunächst ist, was die jeweilige Begründung angeht, ein auffallender Unterschied zu konstatieren: Während Anselm die westliche Primatstheorie kanonistisch[70], ‚historisch' (= faktische Irrtumslosigkeit)[71] und biblisch[72] begründet, beschränkt er sich hinsichtlich der östlichen auf eine historische[73] und biblische[74] Argumentation.

Nach östlicher Sicht sind drei Phasen der Primatsgeschichte zu unterscheiden. Die erste Phase ist dadurch gekennzeichnet, daß es drei grundsätzlich zunächst gleichgestellte Patriarchalsitze gab — Niketas nennt sie

---

[68] 1208 C.
[69] 1232 D, 1239 C, 1254 B, 1247 B.
[70] 1213 D—1214 C. — Zum folgenden vgl. auch SPITERIS 90—108; DARROUZÈS, Documents 62—63.
[71] 1214 C—1217 A.
[72] 1222 A—1223 A.
[73] 1217 D—1219 B.
[74] 1221 B—D.

sedes sorores —: Rom, Alexandrien und Antiochien. Unter ihnen hatte Rom als Reichshauptstadt einen Primat und hieß deswegen *prima sedes*. Rom war in dieser ersten Phase in Disziplinarfragen Appellationsinstanz. Der römische Bischof hatte nur einen einzigen Titel: *primae sedis episcopus*. Er nannte sich weder *princeps sacerdotum* noch *summus sacerdos*. Um die Einheit im Glauben zu wahren, war man übereingekommen, daß jeder Sitz an die beiden anderen Schwesternsitze je einen theologisch versierten Legaten entsende, der die Verkündigung des schwesterlichen Sitzes an Ort und Stelle beobachtet. Dadurch wurde erreicht, daß die Verkündigung jedes einzelnen dieser Sitze ‚katholisch‘ war, das heißt von der Autorität und vom Zeugnis der anderen beiden Sitze mitgetragen. Gab es einmal Lehrdifferenzen, wiesen die beiden Legaten den betreffenden Sitz in „brüderlicher und demütiger Liebe" darauf hin. Half dies nichts, dann wurden die beiden Schwesternsitze informiert. Es kam dann zu einem Austausch von „kanonischen Briefen". Fruchteten auch diese nicht, wurde ein *concilium generale* einberufen.[75] Die zweite Phase ist durch das Hinzustoßen von Konstantinopel zu den Patriarchensitzen charakterisiert. Es ist dies eine logische Folge der *translatio imperii* von Rom nach Byzanz. Fortan, genauer durch Beschluß der Konzile von Konstantinopel und Chalcedon[76], ist Byzanz

---

[75] Dial III 7; 1217 D—1218 C: *Primatum Romanae Ecclesiae, quem tam excellentem mihi proponis, ego non nego, neque abnuo, siquidem in antiquis nostrorum historiis hoc legitur, quod tres patriarchales sedes sorores fuerant, videlicet Romana, Alexandrina, Antiochena, inter quas Roma eminentissima sedes imperii primatum obtinuit, ita ut prima sedes appellaretur, et ad eam de dubiis causis ecclesiasticis a caeteris omnibus appellatio fieret, et ejus judicio ea quae sub certis regulis non comprehenduntur, dijudicanda subjacerent. Ipse tamen Romanus pontifex, nec princeps sacerdotum, nec summus sacerdos, aut aliquid hujusmodi, sed tantum primae sedis episcopus vocaretur. Nam et Bonifacius tertius, natione Romanus, urbis Romanae episcopus, ex Patre Joanne, obtinuit apud Phocam principem ut sedes apostolica beati Petri apostoli caput esset omnium Ecclesiarum, quia Constantinopolitana tunc temporis se primam omnium scribebat propter translatum imperium. Verumtamen ne vel Romanus pontifex, vel Alexandrinus, vel Antiochenus aliquid in suis Ecclesiis docerent vel instituerent, quod vel a fide, vel aliorum concordia discreparet, et ut omnes unum dicerent et praedicarent, statutum est quod duo legati in fide et sana doctrina eruditi a Romana Ecclesia semper mitterentur, quorum alter Alexandrino, alter Antiocheno patriarchae assisterent, qui eos in anologio stantes, et publice de fide praedicantes diligenter observarent. Similiter duo ab Alexandria mitterentur, quorum alter Romano pontifici, alter Antiocheno in idem opus assisterent. Item ab Antiochia duo mitterentur, quorum alter Romano pontifici, alter Alexandrino pontifici in idem opus assisterent. Et ita quidquid in una istarum Ecclesiarum praedicaretur, quod catholicum esset, auctoritate et testimonio aliarum confirmaretur: si quid vero forte contrarium fidei, et dissonum communioni, et alienum a veritate apud aliquam istarum Ecclesiarum diceretur, legati aliarum fraterna charitate ac humili monitione hoc corrigerent; et si quidem corrigere non possent, et ille tanquam temerarius, et de se praesumens, errorem suum contentiose defendere vellet, statim per eosdem legatos ad aliarum sororum audientiam hoc deferretur. Quod si per epistolas canonice missas revocari posset ad concordiam sanae doctrinae, bene esset; sin autem, concilium generale super hoc celebraretur.*

[76] Vgl. die energische Bestreitung dieser These durch ʾnselm, 1220 D—1221 B.

caput in oriente und als *secunda sedes* Appellationsinstanz für den Osten. Entsprechend erweitert wurde die Anzahl der *legati custodes catholicae fidei*.[77] Erst im 7. Jahrhundert wurde Rom der Titel *caput omnium ecclesiarum* verliehen, und zwar von Kaiser Phokas († 610) als ,Ausgleich' gegenüber Byzanz, das wegen der *translatio imperii* sich unterdessen *prima omnium ecclesiarum* nannte.[78]

Das Merkmal der dritten Phase ist die Absonderung Alt-Roms aus dem Verband der *sedes sorores*. An die Stelle der Tri- beziehungsweise Tetrarchie ist die römische Monarchie getreten. Das westliche *concilium* findet fortan ohne das *consilium* der östlichen Seite statt und trifft dort entsprechend auf kein Gehör mehr.[79]

Die biblische Begründung für die östliche Primatsauffassung stellt Joh 20, 23 und Mt 16, 29 dar.[80] Die ,monarchische' Primatsidee ist nach Auffassung der östlichen Seite weder durch die Tradition (geschichtliche Begründung) noch durch die Schrift gedeckt, sie entspricht vor allem nicht dem brüderlichen Geist, der in der Kirche herrschen soll:

„Wenn der römische Pontifex auf dem erhabenen Thron seiner Herrlichkeit gegen uns wettern und aus der Höhe seiner Erhabenheit Befehle auf uns herabschleudern will, wenn er unsere Kirche richten, ja über sie herrschen will, nicht nach unserem Rat, sondern nach seinem eigenen Gutdünken, wie er verlangt, — welche Brüderlichkeit, ja welche Väterlichkeit könnte darin noch liegen? Wer könnte so etwas jemals ruhig ertragen? Denn dann könnten wir nicht mehr Söhne der Kirche genannt werden, wir wären es auch nicht mehr, sondern wahre Sklaven ... Freiheit würde dann nur noch die Römische Kirche genießen; für alle andern das Gesetz aufstellend, wäre sie selber ohne Gesetz. Sie wäre nicht mehr die fromme Mutter ihrer Kinder, sondern die harte und gebieterische Herrin über Sklaven. Wozu dienten dann noch die Bibelwissenschaft, die geistige Gelehrsamkeit, die theologischen Studien und die edle Weisheit der Griechen? Der römische Bischof macht allein mit seiner Autorität, die über allen steht, dies alles leer und zunichte. Soll er doch dann auch allein Bischof, allein Lehrer, allein praeceptor sein. Er soll allein für alles, was ihm allein anvertraut ist, vor Gott allein als einziger ,guter Hirt' Rechenschaft ablegen! Wenn er aber Wert legt auf Mitarbeiter im Weinberg des Herrn ..., dann verachte er nicht seine Brüder, die die Wahrheit Christi im Schoß der Mutter Kirche nicht in die Sklaverei, sondern in die Freiheit geboren hat."[81]

---

[77] Dial III 7; 1218 C—1219 A.

[78] 1218 A. Quelle für diese ,historische' Nachricht ist der *Liber pontificalis*, vgl. weiter oben. — Die Tendenz, das politische Primatsprinzip zur Geltung zu bringen, ist überdeutlich. Die gleiche Nachricht bei Paulus Diaconus, *De gestis Langobardorum* IV 37, PL 95, 37. — Zum historischen Hintergrund vgl. L. BREHIER, Avant la séparation du XI. siècle. Les relations normales entre Rome et les églises d'Orient, in: Istin. 6 (1959) 352 bis 372, hier 52, Anm. 230.

[79] Dial III 8; 1219 A—B.

[80] Dial III 9; 1221 B—D. Die Bilanz dieser Exegese: *Sic autem honoretur Petrus apostolorum duodecimus, ut caeteri undecim apostoli ab auctoritate sui apostolatus non excludantur, quem certe non a Petro, sed ab ipso Domino, sicut et ipse Petrus, aequali et non dissimili dispensatione acceperunt.*

[81] Dial III 8; 1219 C—D: *Si enim Romanus pontifex in excelso throno gloriae suae residens nobis tonare, et quasi projicere mandata sua de sublimi voluerit, et non nostro consilio, sed proprio arbitrio, pro beneplacito suo de nobis et de ecclesiis nostris judicare, imo imperare voluerit, quae fraternitas seu*

Auch für die westliche Sicht des Primats liefert das entscheidende Argument die Tradition. Aber nicht unverbindliche Tradition, wie sie in Chroniken[82] greifbar ist, sondern absolut verbindliche, wie sie das Konzil von Nicaea darstellt: *(Sancta Romana ecclesia) per Deum et a Deo et post Deum proximo loco auctoritatis primatum obtinuit in universa quae per totum mundum sparsa est ecclesia. Ita enim de illa in Nicaeno concilio primo a trecentis decem et octo patribus statutum legitur.*[83] Der im folgenden zitierte Text stammt tatsächlich nicht vom Nicaenum, es handelt sich vielmehr um die *praefatio Nicaeni concilii*, von der oben schon die Rede war. In ihr wird der römische Primat — *nullis synodicis decretis* — unmittelbar auf die göttliche Stiftung (Mt 16, 18) zurückgeführt und der Patriarchalrang von Rom, Alexandrien und Antiochien aus dem Martyrium, beziehungsweise der Verkündigung des Petrus in den betreffenden Städten abgeleitet.[84]

---

etiam quae paternitas haec esse poterit? Quis hoc unquam aequo animo sustinere queat? Tunc nempe veri servi, et non filii Ecclesiae recte dici possemus et esse. Quod si sic necesse esset, et ita grave jugum cervicibus nostris portandum immineret, nihil aliud restaret, nisi quod sola Romana Ecclesia libertate qua vellet, frueretur, et aliis quidem omnibus ipsa leges conderet, ipsa vero sine lege esset et jam non pia mater filiorum, sed dura et imperiosa domina servorum videretur et esset. Quid igitur nobis Scripturarum scientia? Quid nobis litterarum studia? Quid magistrorum doctrinalis disciplina? Quid sapientum Graecorum nobilissima ingenia! Sola Romani pontificis auctoritas quae sicut tu dicis, super omnes est, universa haec evacuat. Solus ipse sit episcopus, solus magister, solus praeceptor, solus de omnibus sibi soli commissis, soli Deo sicut solus bonus pastor respondeat. Quod si in vinea Dei voluerit habere cooperatores, ipse quidem conservato primatu suo exaltatus glorietur in humilitate sua, et non contemnat fratres suos, quos veritas Christi non in servitutem, sed in libertatem in utero matris Ecclesiae generavit. — Diese Rede ist in den größeren Rahmen mittelalterlicher Romkritik zu stellen. Man denke u. a. an Bernhard von Clairvaux, *De consideratione*. Vgl. hierzu J. BENZINGER, Invectiva in Romam. Romkritik im Mittelalter vom 9. bis zum 12. Jahrhundert, (= Historische Studien 404) Lübeck-Hamburg 1968, der auch die Publizistik in seine Studie miteinbezieht.

[82] *Historiae*, 1217 D u. 1219 A.

[83] Dial III 5; 1213 D.

[84] Dial III 5; 1213 D—1214 C: *Sciendum sane est, et nulli catholico ignorandum, quoniam sancta Romana ecclesia nullis synodicis decretis praelata est, sed evangelica voce Domini ac Salvatoris nostri primatum obtinuit, ubi dixit beato apostolo ‚Tu es Petrus . . .'* (Mt 16, 18.19) *Addita est societas in eadem urbe Romana beatissimi Pauli apostoli, qui uno die unoque tempore gloriosa morte cum Petro sub principe Nerone agonizans coronatus est, et ambo pariter sanctam Romanam Ecclesiam Christo Domino, sanguine fuso, consecraverunt, aliisque omnibus in universo mundo sua praesentia atque reverendo triumpho praetulerunt. Prima ergo sedes est coelesti beneficio Romanae Ecclesiae, quam beatissimi Apostoli Petrus et Paulus suo martyrio dedicaverunt. Secunda autem sedes est apud Alexandriam, etiam beati Petri nomine a Marco ejus discipulo et evangelista consecrata, quia et ipse primus in Aegypto verbum veritatis directus a Petro praedicavit, et gloriosum suscepit martyrium: cui etiam successit venerabilis Abilius. Tertia vero sedes apud Antiochiam, etiam beati Petri apostoli veneratione habetur honorabilis, quia illic priusquam Romam veniret, habitavit: et Ignatium episcopum instituit vel constituit, et illic primum nomen Christianorum novellae gentis exortum est.* — Zum petrinischen bzw. politischen Primatsprinzip vgl. A. MICHEL, Der Kampf um das politische oder petrinische Primatsprinzip der Kirchenführung, in: Das Konzil von Chalkedon II, Würzburg 1953, 491—562, speziell zur Vorherrschaft der 3 Petrusstühle 504 ff.

An die historisch-kanonistische Begründung (Mt 16, 18 und Petrusgrab gemäß der *praefatio Nicaeni concilii*)[85] schließt sich eine weitere historische Begründung an: das Faktum der Glaubensreinheit des Römischen Stuhles[86], die erst vor der dunklen Folie des von Häresien immer wieder heimgesuchten Stuhles von Byzanz richtig zum Leuchten kommt.[87] Zur biblischen Begründung des römischen Primats schließlich gehört einerseits der Hinweis auf Mt 16, 17.19 und Joh 21, 17, also die Exegese der Primatsworte, andererseits eine Analyse der Rolle des Petrus nach den Evangelien und besonders der Apg.[88] Aus dieser Exegese ergibt sich: *Petrus a Domino princeps apostolorum (est) constitutus. Quemadmodum autem solus Romanus pontifex vice Petri vicem Christi ita sane caeteri episcopi vicem gerunt apostolorum sub Christo, et vice Christi sub Petro, et vice Petri sub pontifice Romano eius vicario.*[89] Allein der römische Pontifex ist ‚Stellvertreter' des Petrus. Die griffige Formel für diesen Tatbestand lautet: *Roma caput ecclesiae.*[90] Eine Mehrzahl von *capita*, so wie sie die östliche Primatstheorie vorsieht, ist absurd. Zu dieser Absurdität führt aber die Anwendung des Prinzips der politischen Primatsbegründung. Warum schließlich nur zwei *capita* und nicht so viele, als es politische Macht-

---

[85] 1213 D—1214 C.

[86] Dial III 5; 1214 C: *Ad hoc etiam sancta Romana Ecclesia prae caeteris a Domino praeelecta, speciali privilegio ab ipso donata est et beatificata, et quasi quadam praerogativa omnibus Ecclesiis praeeminet, et jure divino antecellit. Aliis namque diversis in temporibus variis haeresibus occupatis, et in fide catholica nutantibus, illa supra petram fundata et solidata semper mansit inconcussa.*

[87] Dial III 6; 1215 A—1216 D. — Eine ähnliche Auflistung von Häresien vgl. Leo IX., Ep.ad Mich.Cerul. (1053), PL 143, 748 A—751 A, zitiert bei Spiteris 92, Anm. 139.

[88] Darin, daß Jesus nur die *navicula Petri* und nicht die eines anderen Apostels besteigt, um das Volk zu belehren, sieht Anselm eine *figura* seines zukünftigen Primates. Im Apostelkonzil ist es, weiter, Petrus, *tamquam primatum habens, qui sententiam promulgavit et collata sibi a Domino auctoritate quod dubium videbatur, definivit.* Sonstige ‚Beweise' für den von Petrus ausgeübten Primat: *Petrus inter apostolos aetate senior, fide certior, in audiendis verbis vitae aeternae simplicior, unde et Barjona, id est ‚filius columbae' appellatus est; in dandis reddendisque responsis inter Christum et apostolos promptior, in sanandis infirmis etiam sui corporis umbra efficacior; qui etiam post ascensionem Domini vice Christi illam novellam et primitivam suscepit Ecclesiam. Ipse Ananiam et Saphiram Spiritu sancto mentientes, spiritu oris sui exstinctos, ab Ecclesia et ab illa sancta societate sequestravit. Ipse Simonem Magum cum pecunia sua damnavit, et primatum sui apostolatus inter caeteros apostolos humiliter, major ubique virtutibus et miraculis, cooperante Domino, honorificavit.* Dial III 10; 1222 B—1223 A.

[89] Dial III 10; 1223 A. — Zu Vicarius vgl. M. Maccarrone, Vicarius Christi, Storia del titulo papale, Rom 1952, zur Stelle 98—99.

[90] Dial III 12; 1225 A—B: *Sed caput Ecclesiae Christus, ascendens in altum, vicem suam in terris Petro apostolorum principi commisit. Petrus ad martyrium vestigia Christi sequens, Clementem sibi vicarium subrogavit, et sic Romani pontifices per ordinem consequenter vice Christi substituti, caput Ecclesiae sunt in terris, cujus Ecclesiae caput Christus est in coelis. Noli itaque in uno corpore Ecclesiae duo vel plurima capita facere, quia valde est indecens in quolibet corpore, et indecorum, et monstruosum, et perfectioni contrarium et corruptioni proximum.* — Zu dieser Formel vgl. Congar, L'ecclésiologie 191 ff.

---

zentren gibt? *Et iam non unus Petrus, non unus princeps apostolorum, sed multi Petri et multi principes apostolorum.*[91] Vor dem Hintergrund dieser kanonistischen, historischen und biblischen Primatsbegründung bekommt ein Satz aus der Einleitung, der bisher, soweit wir sehen, nicht gebührend bemerkt wurde, sein ganzes Gewicht. Anselm schreibt hier, er habe dem päpstlichen Auftrag, diese Dialoge abzufassen, entsprochen, weil der Gehorsam gegenüber der *apostolica sedes* „heilsnotwendig" sei.[92] Eines ganz ähnlichen Satzes wegen wurde bekanntlich sehr viel Tinte vergossen; wir meinen den Schlußsatz der Bulle *Unam sanctam* Bonifaz' VIII.[93] Als Quelle für diesen Satz nennen die Forscher Thomas von Aquin.[94] Anselm bietet eine analoge Formulierung schon ein Jahrhundert früher!

Die unterschiedliche Sicht des Primats im Osten und im Westen bedingt notwendig eine abweichende Auffassung des Verhältnisses Papst/Konzil. Die westliche Sicht dieses Verhältnisses kommt zur Sprache, als Niketas zwar eingesteht, daß die großen Häresien alle im Osten entstanden sind, zumal auch den Stuhl von Byzanz heimgesucht haben[95], aber gleich-

---

[91] Dial III 12; 1225 B—D.

[92] 1141 A: *Feci itaque quod iussit apostolica auctoritas, cui semper obtemperandum est, non tantum devota humilitate, verum etiam aeternae salutis necessitate.*

[93] *Porro subesse Romano pontifici, omni humanae creaturae declaramus, dicimus, et diffinimus omnino esse de necessitate salutis,* ed. E. DIGARD, Les registres de Boniface VIII, Bd III, Paris 1921 890. — Exakte Analyse bei J. RIVIÈRE, Le problème de l'église et de l'état au temps de Philippe le Bel, Paris 1926, über *Unam sanctam* 79—91. Zur genauen Interpretation dieses Schlußsatzes vgl. neuerdings W. ULLMANN, Die Bulle Unam sanctam: Rückblick und Ausblick, in: RÖHM 16 (1974) 45—77, bes. 47 ff. — Entschieden bestritten wird der Satz vom heilsnotwendigen Gehorsam gegenüber dem Papst von einem Abt Johannes von St. Maria in Trastevere, der 1171 der Frage ein ganzes Kapitel seines *De vera pace contra schisma sedis apostolicae* widmet; Ausgabe A. WILMART, Lat. 4, 2, Rom 1938, 41: *Quod sine Romano pontifice possit homo salvus esse: An forte Romanus pontifex utpote primae sedis episcopus et specialis beati Petri, immo et Christi vicarius, in tantum esse principalis causa ecclesiae probatur, ut nullus sine ipso esse possit ecclesiae filius? ... Verum quid Romanus pontifex, nisi membrum ecclesiae, etiamsi primae sedis episcopus vel papa universalis ecclesiae appelletur? Nonne et tu similiter es membrum ecclesiae? Nec tamen debes in te vel in alium christianum professionem fidei extorquere ... Absit hoc, absit a fidelium mentibus, ut in Romanum pontificem ... vel in aliquem purum hominem nos credere fateamur, licet in spiritum sanctum et sanctam ecclesiam catholicam firma professione credamus ...* Eine Analyse der Schrift bietet J. RIVIÈRE, Un prélude au grand schisme d'Occident, in: BLE 41 (1940) 27—39.

[94] *Contra errores Graecorum* 38, Ed. Leonina, t. 40, 103a: *Ostenditur etiam quod subesse Romano pontifici sit de necessitate salutis.*

[95] Die Ursache für diesen Unterschied zwischen dem Osten und dem Westen ist in der Pflege der Wissenschaften, der Dialektik, kurz, der geistigen Überlegenheit von Byzanz über den intellektuell uninteressierten Westen zu sehen. Dial III 11; 1223 C—1224 D: *Et quoniam nova et pluribus inaudita fides subito publice praedicabatur, et in hac civitate studia liberalium artium vigebant, et multi sapientes in logica, et in arte dialectica subtiles in ratione disserendi praevalebant, coeperunt fidem Christianam disserendo examinare, et examinando et ratiocinando deficere; scrutantes*

zeitig die Behauptung aufstellt, der Osten habe diese Häresien auch aus eigener Kraft überwunden.[96] Dies wird von Anselm mit aller Entschiedenheit negiert. Er erweist sich in diesem Zusammenhang als strenger Anhänger der papalistischen Konzilstheorie: Die Konzilien im Osten fanden alle statt *auctoritate Romani pontificis*. Den Vätern dieser Konzilien unterstellt Anselm ohne Abstrich seine eigene papalistische Konzilstheorie: *Auctoritas* über Konzilien hat einzig und allein der römische Pontifex. Kein einzelner sonst hat sie und auch nicht die Gesamtheit von Konzilsvätern. Selbstverständlich ist der Papst der Vorsitzende des Konzils, entweder in eigener Person oder durch seine Legaten.[97]

Auctoritas bedeutet in unserem Zusammenhang: der Papst hat absolute Vollmacht über die Konzilien, diese Vollmacht umfassend verstanden. Sie schließt sowohl das Recht der Berufung als auch das des Vorsitzes und der Bestätigung ein. Dieser Sinn von *auctoritas* ergibt sich eindeutig aus dem Kontext unserer Stelle und entspricht im übrigen dem Sprachgebrauch der kanonistischen Quellen.[98] Hier nur ein einziges Beispiel für diesen Sprachgebrauch, der *Collectio canonum* des Anselm von Lucca entnommen: *Quod auctoritas congregandarum synodorum generalium soli apostolicae sedi sit commissa, nec sine eius auctoritate rata esse potest. Petitio Nicaeni synodi, ut ab apostolica auctoritate confirmetur.*[99] Nicht nur der Sprachgebrauch von *auctoritas* entspricht dem der damaligen, das heißt der gregorianischen, Kirchenrechtssammlungen, vor allem die Konzeption selber vom Verhältnis Papst/Konzil geht ganz offensichtlich auf sie zurück:

---

scrutinia, et dicentes se esse sapientes, stulti facti sunt, et evanuerunt in cogitationibus suis, quia non humiliter investigaverunt quod pie et humiliter credere debuerunt; et dum superba ratione humanae scientiae tendunt in altum, ceciderunt in infidelitatis profundum, et facti sunt haeretici multi, et fecerunt sibi sectas multas, et confusa et lacerata est fides Christiana, in multas et diversissimas haereses divisa. ... Et fortasse in Romana civitate idcirco non surrexerunt haereses, quia non adeo sapientes, et subtiles, et Scripturarum investigatores ibi fuerunt quemadmodum apud nos; et sicut haereticorum qui apud nos fuerunt, vana sapientia qua seducti sunt, culpanda est, ita nimirum laudanda est Romana imperitia, qua ipsi nec hoc, nec illud de fide dixerunt, sed alios inde dicentes et docentes simplicitate quasi minus docta audierunt. Quod contigisse videtur vel ex nimia negligentia investigandae fidei, vel ex grossa tarditate hebetis ingenii, vel ex occupatione ac mole saecularis impedimenti.

[96] Dial III 11; 1223 D—1224 D.

[97] Dial III 12; 1226 B: *Qui videlicet sancti Patres, qui eisdem conciliis interfuerunt, si hodie omnes viverent, nullus eorum nec omnes quidem simul aliquam auctoritatem alicujus concilii sibi usurparent, quin potius omnem conciliorum auctoritatem Romano pontifici recognoscerent, aut in propria persona praesidenti, aut per legatos suos universa confirmanti.*

[98] Mittellateinisches Wörterbuch I, München 1967, Art. Auctoritas 1173—1182. (Vgl. dazu W. HESSLER, Auctoritas im deutschen Mittellatein, in: AKuG 47 [1965] 255—265): de summo principatu, i. q. perfecta atque absoluta potestas = Machtvollkommenheit, Machtfülle, a) de pontifice Romano.

[99] Ausgabe F. THANER, Innsbruck 1906, 27.

der Papst hat die absolute Oberhoheit über die Konzilien.[100] Anselm transponiert diese zeitgenössische Sicht des Verhältnisses Papst/Konzil genauso unbekümmert in die kirchliche Vergangenheit, wie das diese Kirchenrechtssammlungen selber tun.[101]

Die griechische Seite befindet sich im Irrtum, wenn sie meint, ihre Häresien selber ausgerottet zu haben. Nicht die östlichen Konzilien haben die Häresien vernichtet, sondern der Papst hat es getan![102] Die Begründung für diese westliche Konzeption ist wiederum einerseits kanonistisch, andererseits historisch, das heißt, sie enthält den Hinweis auf die Tradition. Der kanonistische Beweis besteht in dem berühmten Satz: *Non oportet praeter sententiam Romani pontificis concilia celebrari.* Diesen Satz bezeichnet Anselm als *regula ecclesiastica.*[103] Er kann ihn aus Pseudoisidor entnommen haben[104] oder einer von diesem Fälscher abhängigen Sammlung oder auch unmittelbar aus der *historia tripartita.*[105] Diese *regula,* so Anselm, kannten die Väter der alten Konzilien, und deswegen schrieben sie dem Papst alle *auctoritas* über die Konzilien zu.[106]

Daß dieser Satz in Geltung war, zeigt ein Blick in die Geschichte der Konzilien: das Nicaenum fand statt auf Befehl *(praecepit)* von Papst Silvester. Vorsitzende des Konzils waren seine beiden Stellvertreter Victor und Vincentius. Sie unterschrieben auch als erste die Konzilsakten. Parallel zu Nicaea fand übrigens auch in Rom ein Konzil statt, das Kallixt(!), Arius und Sabellius verurteilte. Innocens verurteilte Pelagius und Caelestius, Leo veranstaltete *(constituit fieri)* das Chalcedonense, dem wiederum die römischen Legaten vorsaßen. Es folgt noch eine lange Liste von Päpsten, die mit oder ohne Konzil hauptsächlich östliche Häresien vernichtet haben.[107] Anselm schließt in die stolze Serie ‚päpstlicher' Konzilien auch ausdrücklich die afrikanischen ein,

---

[100] Vgl. hierzu S. 262—268.

[101] In Deusdedits *Collectio canonum* heißt es: *Quod eius* (das heißt des römischen Stuhles) *auctoritate iam VIII universales synodi celebratae sunt.* Ausgabe V. W. VON GLANVELL, Die Kanonessammlung des Kardinals Deusdedit I, Paderborn 1905, 7, 28; vgl. S. 216—220.

[102] Anselm sagt ironisch: *miror tuam prudentiam, quod ascribas membris quod erat capitis; et quod assidentibus hoc attribuas, quod constat esse praesidentis . . . Haereses hic exortae sunt, Graecorum quidem errore; sed et hic quidem destructatae sunt, non Graecorum sed Romani pontificis auctoritate.* Dial III 12; 1226 B—C. Viel deutlicher als bei Anselm ist der Topos von den Griechen als den Urhebern von Häresien bei Petrus Diaconus, *Altercatio pro Romana ecclesia contra Graecum quendam,* in: MCass 1, Montecassino 1897, 10—32, hier 13—14 und 26—27.

[103] Dial III 12; 1226 BC.

[104] HINSCHIUS 459, 20; vgl. ähnliche Formulierungen dieses Satzes in Pseudoisidor S. 208 bis 209.

[105] Hist.trip. IV 9; CSEL 71, 165. Zur historischen Interpretation vgl. S. 67.

[106] *Ecclesiastica namque regula, quam ipsi non ignoraverunt, ita iubet.* Dial III 12; 1226 B.

[107] Dial III 12; 1226 C—1228 A.

wenn er schließlich die Bilanz aus dem geschichtlichen Überblick zieht: *Ecce vides quaslibet haereses hic et ubique exortas a petra fidei per Petrum apostolum collisas et destructas.*[108] Die Geschichte, das heißt die Tradition lehrt: *Romana ecclesia duo divina privilegia hab(et), videlicet prae omnibus incorruptam puritatem fidei, et super omnes potestatem iudicandi.*[109] Diese *potestas super omnes iudicandi* bedeutet, daß der Papst unter anderem die Vollmacht hat, Synoden aufzulösen. Verschiedene Gründe können ihn dabei bestimmen, so der Nutzen, den ein Konzil verhindert, oder eine Notlage, immer geschieht jedoch die Auflösung *iuxta discretionem.*[110] Denn der Papst hat die *claves discretionis et potestatis*, das heißt die Befugnis zu Entscheidungen, für die er vor keinem Gremium Rechenschaft ablegen muß.[111]

Am Ende von Dial II spricht Anselm in begeisterten Worten von seiner Hoffnung, daß es auf einem Ökumenischen Konzil zu einer vollständigen Einigung zwischen Osten und Westen kommen möge. Hier kommt auch seine Vorstellung über das Verhältnis Papst/Konzil zu einem abschließenden Ausdruck: Auf diesem zukünftigen Konzil wird „Petrus, der *princeps apostolorum*, in der Person seines Stellvertreters, des römischen Pontifex, mit der in eins versammelten, ihm von Gott anvertrauten Kirche gemeinsam zusammensitzen. Der Heilige Geist wird auf alle herabsteigen und alle Wahrheit in dieser Stunde und bis zur Vollendung der Welt lehren. Der Geist wird alle ‚in Christus' eins machen — zusammen mit Petrus und im Glauben des Petrus!"[112] Petrus, das heißt der Papst, ist die Mitte des Konzils, das Prinzip seiner Einheit. Er sitzt nicht als Gleicher unter Gleichen mit den Bischöfen des Ostens und des Westens, sondern als Haupt zusammen mit den Gliedern.[113] Die Einheit

---

108 Dial III 12; 1228 A.

109 Dial III 12; 1228 B.

110 Der Begriff *discretio* verdiente eine genauere Untersuchung. Vgl. Ch. Du Cange, Glossarium ad scriptores med. et infimae lat.: Discretio justiciariorum. Quod iudices arbitratu suo praeter iuratorum veredictum statuunt. Das Lexicon Med.Lat.Minus übersetzt: jugement arbitraire, discrétionnaire. — Zur Sache, das heißt zur hier angesprochenen Konzeption der päpstlichen Vollmacht, vgl. Morrison, Tradition and authority 274.

111 Dial III 15; 1232 C: *Synodus synodum solvit aliquando considerata meliori ratione, aliquando necessitate, aliquando utilitate, aliquando temporum qualitate: et hoc totum fit iuxta discretionem praesidentium, quos tunc vel nunc Deus suae Ecclesiae praeesse voluit; quibus et claves discretionis et potestatis in omne opus divinum commisit, salvo semper et immoto catholicae fidei fundamento.*

112 Dial II 27, 1210 B: *Utinam hoc videam, et tam sancto concilio interesse merear, ubi princeps apostolorum Petrus in persona vicarii sui Romani pontificis cum universa Ecclesia in unum collecta, quae illi a Deo commissa est, consedeat, et Spiritus sanctus ... super omnes descendens, et omnem veritatem tunc et usque ad consummationem saeculi docens, omnes unum in Christo cum Petro et in fide Petri faciat!*

113 Vgl. Anm. 102.

‚in Christus‘, zu der der Geist das Konzil führt, ist konkret die Einheit der Kirche mit Petrus. Ihr einer Glaube ist der Glaube des Petrus! Die östliche Sicht des Verhältnisses Papst/Konzil ergibt sich wie die westliche aus einer geschichtlichen Rückschau. Wie war das damals in Wirklichkeit mit Nicaea? Die entscheidende Figur in der damaligen Vernichtung der Häresie war nicht der Papst, sondern der Kaiser. Er hat die Initiative ergriffen, und nur so haben „Rom zusammen mit seinem Westen und Konstantinopel zusammen mit seinem Osten kraft kaiserlicher Dekrete" die gemeinsame Glaubensformel aufgestellt.[114] Gegen die immer wieder neu aufkommenden Häresien hat die östliche Kirche „an den verschiedensten Orten und zu den verschiedensten Zeiten" „zahlreiche Konzilien" versammelt, nachdem zuvor die erforderlichen Einladungsschreiben an die Bischöfe versandt und die Zustimmung der jeweiligen Kaiser eingeholt worden waren. Auf Nicaea, wo „das für alle Katholiken unantastbare Glaubenssymbol kraft der Autorität des Heiligen Geistes und der 318 Väter verfaßt und bekräftigt worden war", folgten im Laufe der Zeit zahlreiche weitere Synoden. So in Chalcedon, Konstantinopel, Ephesus, Antiochien und Alexandrien.[115]

Wie steht es mit der Rolle des Papstes auf allen diesen Synoden? Daß er auf ihnen oft eine entscheidende Rolle spielte, wird kein Vernünftiger leugnen. Die Konzilsakten sprechen diesbezüglich eine zu deutliche Sprache. Aber es ist entschieden in Abrede zu stellen, daß er allein handelte „ohne den Konsens, ohne die Zustimmung, ohne die Unterstützung" der Bischöfe der östlichen Reichshälfte. Die Päpste der großen Konzilien der Vergangenheit handelten, um einen modernen Begriff ins Spiel zu bringen, kollegial, nicht monarchisch autoritär. Die nicht zu bestreitende Autorität des Papstes beruhte im Osten auf der kollegialen Zustimmung der Bischöfe der übrigen Sitze. Ohne sie hätte weder einer von seinen Legaten noch er selber die geringste *auctoritas* gehabt! Im übrigen: Es gab auch Synoden, die ganz ohne römische

---

[114] Dial III 11; 1223 B: *Siquidem Constantino Magno imperatore ad fidem converso, et scribente Deo placitas leges pro Christianis, Roma cum suo occidente, et Constantinopolis cum suo oriente ex decretis imperatoris ad fidem cucurrit.*

[115] Dial III 11; 1223 D—1224 A: *Itaque Ecclesia orientis videns tales abuti saeculari scientia, et per diversa loca diversis temporibus ebullire capita haeresiarcharum, missis ubique synodicis epistolis, adnitentibus piissimis imperatoribus, multa concilia celebravit. Primum in Nicaea Bithyniae provinciae, ubi damnata est haeresis Ariana, et symbolum fidei omnibus catholicis inviolabile auctoritate Spiritus sancti et trecentorum decem et octo compositum et confirmatum est. Deinde succedente tempore, succedentibus quoque diversis haeresibus, alia multa concilia ad destructionem diversarum haeresum, et ad aedificationem catholicae Ecclesiae celebrata sunt. Nam et in Chalcedonensi ecclesia, et in hac Constantinopolitana, et in Ephesina, et in Antiochena, et in Alexandrina generalia concilia solemniter habita sunt in damnationem haereticorum, et ad corroborandam fidem et unitatem omnium Ecclesiarum*

Beteiligung stattfanden.[116] Die alten Konzilien waren vom echten Konsens der Bischöfe des Ostens getragen. Deswegen wurden sie auch im Osten rezipiert. Welchen Grund zur Rezeption durch den Osten gibt es hingegen hinsichtlich der neueren im Westen vom Papsttum abgehaltenen Synoden? Diese Konzilien sind ohne das *consilium* des Ostens entstanden. Der Westen, der an ihrer Entstehung mitgewirkt hat, möge sich an sie halten, für den Osten können sie keine Bedeutung haben.[117] Wie sollte nach der östlichen Sicht des Verhältnisses von Papst und Konzil eine zukünftige Ökumenische Synode aussehen? Welche Rolle sollte der Papst auf ihr spielen?[118] Aufgrund seines Primates *(primatus inter sorores)* würde er den Vorsitz des Konzils haben. Er würde den ersten Platz der Ehre und Würde nach einnehmen.[119] Der Papst wäre für die Einberufung des Konzils zuständig, freilich unter Zustimmung und Mitsprache der Kaiser. Die zu fassenden Beschlüsse und Definitionen aber würde nicht er allein fassen und aufstellen, sondern alle Bischöfe des Westens und Ostens müßten daran beteiligt sein — *communi voto et pari consensu.*

Der Primat des Papstes käme zuvorderst im Einberufungsrecht und im Vorsitz zur Geltung, in Beschlußfassung und Abstimmung über die Konzilsgegenstände käme hingegen die Kollegialität zum Zuge.[120] Jedenfalls müßte das Konzil die Freiheit besitzen, vom Papst abweichende Meinungen zu äußern. Alles, was zur Sache gehört, müßte ge-

---

[116] Dial III 12; 1228 B—C: *Nos in hoc archivo hagiae Sophiae antiqua Romanorum pontificum gesta, et conciliorum habemus actiones, in quibus haec eadem quae dixisti de auctoritate Romanae Ecclesiae, reperiuntur: et ideo non parva verecundia nobis esset, si ea negaremus, quae apud nos a Patribus nostris scripta prae oculis habemus. Verum neque ipse Romanus pontifex, neque missi sui aliquam auctoritatem in aliquo concilio neque in damnatione alicujus in Oriente habuissent nisi consensu et suffragio et adminiculo orthodoxorum episcoporum per Orientem constitutorum, qui zelo fidei aliquando etiam sine illa haereses damnaverunt, et rectitudinem catholicae fidei confirmaverunt.*

[117] Dial III 8; 1219 B: *Et ob hoc si aliquando cum occidentalibus episcopis concilium sine nobis celebrat, illi decreta ejus suscipiant, et debita veneratione observent, quorum consilio dictat ea quae dictanda judicaverit, et quorum conniventia statuuntur quae statuenda decrevit. Nos quoque quamvis in eadem catholica fide a Romana Ecclesia non discordemus, tamen quia concilia his temporibus cum illa non celebramus, quomodo decreta illius susciperemus quae utique sine consilio nostro, imo nobis ignorantibus scribuntur?*

[118] Dial II 27; 1210 A: *Sed aliquod generale concilium occidentalis et orientalis Ecclesiae auctoritate sancti Romani pontificis, admittentibus piissimis imperatoribus celebrandum esset, ubi haec et nonnulla alia Catholicae Ecclesiae necessaria secundum Deum diffinirentur.*

[119] Dial III 8; 1219 AB: *(Romanae ecclesiae) nos quidem inter has sorores primatum non negamus et ... in concilio generali praesidenti primum honoris locum recognoscimus ...*

[120] Dial II 27; 1210 A: *Extunc omnes nos qui in partibus orientis Christiani sumus, una cum sancta Romana Ecclesia, et cum caeteris Ecclesiis quae sunt in occidente, communi voto et pari consensu sine aliquo nostrorum scandalo verbum hoc,* Spiritus sanctus procedit a Filio, *libenter susciperemus, et praedicaremus, et doceremus, et scriberemus, et in Ecclesiis orientis publice cantandum institueremus.*

sagt werden dürfen.[121] Man müßte den Papst ermahnen, ja ihn zur
Rechenschaft ziehen dürfen. Und er sollte dann in aller Demut zu-
hören, so wie Petrus das Paulus gegenüber getan hat (Gal 2). Gerade
der mit Geduld *(patientia)* hörende Papst würde zum wirklichen Einheitsprinzip des Konzils: der römische Pontifex wäre den Lateinern
Lateiner, den Griechen Grieche, „allen alles, um alle zu gewinnen"
(1 Kor 9, 20). Einem geduldig alle Seiten hörenden Papst fiele die entscheidende Rolle des Ausgleichs und der Vermittlung zu.[122]
Die Vision vom Papst, der auf den Osten eingeht, der auf dem zukünftigen Generalkonzil nicht nur Lehrer ist, sondern Hörer, vom Papst,
der den Griechen Grieche wird, der sich mahnen und kritisieren läßt in
Milde *(mansuetudo)*, wer beschwört sie wirklich, der historische Niketas
oder der Ökumeniker Anselm?

3. Konzilien im Rahmen der Heilsgeschichte

Wir kommen zum originellsten Aspekt von Anselms Konzilsidee, seiner
Vorstellung von der Rolle der Konzilien im Rahmen der Heilsgeschichte.[123] Hiervon ist im Laufe der Dialoge zunächst mehrmals andeutungsweise die Rede. So ist der dritte *status ecclesiae* durch die Häretiker charakterisiert, „gegen die zahlreiche Konzilien an passenden
Orten zu passenden Zeiten abgehalten wurden".[124] Auf die alten Kon-

---

[121] *Communicato omni consilio!*

[122] Dial III 19; 1240 D—1241 B: *Proinde si generale concilium communicato omni consilio
adnitentibus piissimis imperatoribus fieret, et personam meae parvitatis interesse contingeret, ego plane
haec eadem in medio omnium fiducialiter dicerem, nec Graecum, nec Latinum in hac sententia perti-
mescerem, et mansuetudinem Romani pontificis debita humilitate et reverentia commonerem, quatenus
ipso opitulante, sublata omni occasione simultatis et discordiae omnes efficeremur unum in sacramentorum
observatione, qui semper fuimus unum in catholica fide. Et spero quod ipse me humiliter monentem
patienter audiret, sicut Petrus cum esset princeps apostolorum Paulum aliquando constanter reprehen-
dentem humiliter audivit, ubi et constantia Pauli fiducialiter et juste reprehendentis commendatur, et
humilis patentia Petri in mansuetudine supportantis plurimum laudatur, ... et ille non inferior debeat
esse Petro. Ita nimirum fieri posset quod Romanus pontifex Latinis Latinus, Graecis Graecus,
omnibus omnia factus, omnes lucrifaceret, et humili auctoritate apostolicae sedis universa pro quibus
discordamus, adaequaret, vel altero prorsus sublato, et alterum universaliter instituendo, vel sublato
utriusque scandalo utrumque indifferenter instaurando.* Die Vorstellungen der östlichen Seite vom
Konzil sind auch etwa 200 Jahre später noch die gleichen; vgl. J. MEYENDORFF, Projet de
concile oecuménique en 1347: Un dialogue inédit entre Jean Cantacuzène et le légat Paul,
in: DOP 14 (1960) 147—177, hier 177 (§ 25).

[123] Vgl. hierzu den sehr instruktiven Artikel von VAN LEE, Anselme de Havelberg sur le
développement du dogme.

[124] *Fuerunt et alii quamplures haeretici, contra quos celebrata multa concilia congruis in locis et
temporibus, et damnata est haeretica pravitas.* Genannt werden Nicaea, Antiochien, Ephesus,
Chalcedon, Konstantinopel usw. (Zu diesem auffallenden Konzilskatalog vgl. weiter oben)
Dial I 9; 1151 D.

zilien, die den Glauben befestigten, scheint eine Phase zu folgen, in der
es um die kirchliche Disziplin geht und in der die entsprechenden Kanones von den Konzilien aufgestellt werden.[125] Zur offiziellen, feierlichen Feststellung der tatsächlich zwischen West und Ost bestehenden
fundamentalen Einheit im Glauben und in der Sakramentenpraxis beziehungsweise zur Behebung von Differenzen, die zwar „nicht das
Seelenheil in Frage stellen, aber die Liebe nicht auferbauen", wird so-
dann wiederholt von Anselm und Niketas ein Generalkonzil gefordert[126],
so hinsichtlich des Filioque[127] und des gesäuerten oder nichtgesäuerten
Brotes für die Feier der Eucharistie.[128]

Aber es bleibt nicht bei diesen Andeutungen einer heilsgeschichtlichen
Rolle der Konzilien, in Dial II 23—24 kommt es zu einer ausdrücklichen
Behandlung dieses Themas. Bevor wir diese Ausführungen in ihren
weiteren dogmengeschichtlichen Kontext stellen, sind die beiden Kapitel
zunächst im Detail zu untersuchen. Im Zusammenhang geht es um die
Widerlegung des Einwandes der griechischen Seite, das Filioque sei
nicht statthaft, denn das Nicaenum habe ausdrücklich jede Hinzufügung
zum Symbolum verboten.[129] Anselm von Havelberg gibt hierauf die seit
Anselm von Canterbury ‚klassische' Antwort[130] und geht dann gleichsam zum Gegenangriff über: Mit der Berufung auf das Nicaenum ver-
wickelt sich die Gegenseite in einen Selbstwiderspruch. In der Tat, kurz
vorher hatte sich Niketas zur Abwehr des Filioque als entschiedener

---

[125] Dial A, 9; 1152 B: *Radicata itaque fide catholica ad informandam Ecclesiae disciplinam
accesserunt diversae regulae, quas quia sancti Patres sanxerunt, digne canones appellatae sunt, in quibus
reperitur quid sint praeceptiones, prohibitiones, dispensationes, rigor, necessitas, indulgentia, remissio,
terror, admonitio* . . .
[126] Dial III 22; 1247 B—1248 A: *Quia vero non in magnis, sed in minimis aliquatenus discrepare
videmur, quae licet salutem animarum non impediant, tamen charitatem non aedificant: summo
studio* . . . *elaborandum esset, ut generale concilium congruo loco et tempore fieret, ubi universa quae
nos et vos ab eodem ritu dissociant, in unam reducta concordiam formarent, et tam Graeci quam Latini
unus populus sub uno Domino Jesu Christo, in una fide, in uno baptismate, in uno sacramentorum
ritu efficeretur.*
[127] 1210 A.
[128] 1245 B.
[129] 1197 C—D. Mit diesem Einwand leitet Anselm die Behandlung des dritten in der
Disposition 1165 A angekündigten Punktes ein: nach den Argumenten *ex ratione* und *ex
auctoritate* (= Schrift) folgt das Argumentum *ex silentio conciliorum*. Anselm vermeidet eine
präzise Auskunft auf die Frage, von welchem Konzil das Filioque definiert wurde. Statt
dessen erklärt er 1202 B ausweichend, die Frage sei *diversis conciliis* geklärt worden. Vgl. zu
dieser Problematik S. 300.
[130] Verboten ist nicht das *aliud*, sondern lediglich das *contrarium*. Dial II 22; 1198 A: *Sed cum
processionem Spiritus sancti a Filio, quae ibi non prohibetur affirmo, nihil contrarii doceo vel appono,
unde illud anathema mihi sit formidandum: hoc enim sub anathemate ibidem inhibitum est, ut nihil
quod contrarium sit illi symbolo addatur; non autem prohibitum est, ut nihil aliud doceatur; nec enim
aliter, sed aliud doceri permittitur.*

Anhänger des Sola-Scriptura-Prinzips erklärt.[131] Die Berufung auf das Nicaenum muß ihm also verwehrt werden! Wer sich auf den Standpunkt des Sola-Scriptura-Prinzips stellt, so führt Anselm weiter aus, ist nicht nur außerstande, unter Berufung auf das Nicaenum gegen das Filioque zu argumentieren, er ist vielmehr überhaupt nicht in der Lage, den jetzigen im Vergleich zur Schrift entfalteten katholischen Glauben zu rechtfertigen.

Den Beweis für diese Behauptung bringt Anselm durch Vorlage des dreigliedrigen Glaubensbekenntnisses, von dem oben schon die Rede war. Es handelt sich um das Credo[132] aus dem Antwortschreiben Leos IX. an Petrus von Antiochien.[133] Indem die Gegenseite das zu glauben bekennt, was in diesem Credo über Vater, Sohn und Heiligen Geist gesagt wird, verläßt sie das Sola-Scriptura-Prinzip und rechnet grundsätzlich mit der Existenz einer zusätzlichen Glaubensquelle.[134] Darüber läßt sich Anselm im folgenden näher aus.

Er beginnt mit der Feststellung einer Tatsache: der Glaube an die Trinität ist deswegen stark und mächtig, weil es diese Konzilien gegeben hat. Ohne sie gäbe es diesen Glauben entweder gar nicht, oder er wäre sehr umstritten. Die Stärkung des Glaubens kam aber dadurch zustande, daß von den Konzilien Zusätze zu dem gemacht wurden, was in der Schrift steht. Die Frage lautet natürlich: Sind diese Zusätze zulässig?

---

[131] 1194 BC und 1198 B—C.

[132] Dial II 22; 1198 C—1199 B: *Credis in „Patrem et Filium et Spiritum sanctum sanctam Trinitatem, unum Deum omnipotentem, totamque in Trinitate deitatem essentialem et consubstantialem, coaeternam et omnipotentem, unius voluntatis, potestatis et majestatis, creatorem omnium creaturarum?"* . . . *„singulam quamque in Trinitate sancta personam, unum verum Deum, plenum et perfectum?"* . . . *Credis „ipsum Filium Dei, Verbum Dei, aeternalem, natum de Patre, consubstantialem, omnipotentem et aequalem Patri per omnia in divinitate, temporaliter natum de Spiritu sancto et Maria semper virgine cum anima rationali, duas habentum nativitates, unam ex Patre aeternam, alteram ex matre temporalem, Deum verum et hominem verum, proprium in utraque natura atque perfectum, non adoptivum, non phantasticum, unicum et unum Filium Dei in duabus et ex duabus naturis, sed unius personae singularitate; impassibilem et immortalem in divinitate, sed in humanitate pro nobis et pro nostra salute passum vera carnis passione"* ? . . . *Credis „etiam Spiritum sanctum, plenum et perfectum, verumque Deum, Patri et Filio coaequalem et coessentialem, coomnipotentem et coaeternum per omnia"* ?

[133] Warum Anselm an dieser entscheidenden Stelle, wo es um die Widerlegung des Sola-Scriptura-Prinzips geht und um die systematische Verknüpfung der kirchlichen Konzilsinstitution mit dem Filioque, statt eines von einem Konzil aufgestellten Glaubensbekenntnisses ein päpstliches zur Grundlage seines Beweises macht, muß völlig rätselhaft erscheinen.

[134] Dial II 22; 1200 C: *Vide ergo quomodo haec tua sententia stare possit, qua dicis te ita Evangelium venerari, ut nihil addere (audeas) ad fidem quam ibi putas sufficienter institutam. In hoc quippe convinceris adversum teipsum dixisse, quod illud equidem primum sensisti et dixisti, ad fidem Evangelii nihil addendum; et postea Christiana professione fidem sanctae Trinitatis in Nicaeno concilio, et aliis conciliis distinctam et traditam et contra haereses roboratam confessus es.*

Wie sind sie vereinbar mit der Tatsache, daß Jesus Christus alle Wahrheit den Aposteln geoffenbart hat?[135] Anselm sieht die Lösung des Problems in der systematischen Verknüpfung der Konzilsinstitution mit dem Filioque: die von den Konzilien im Laufe der Kirchengeschichte aufgestellten ,Zusätze' zur Schrift sind legitim, denn sie stammen von dem auf den Konzilien wirkenden Geist, der seinerseits ,vom Sohne ausgeht'. Letzte Quelle dieser Zusätze bleibt somit der Sohn, seine Rolle als *conditor fidei* bleibt unangetastet. Diese heilsgeschichtliche Rolle der Konzilien hatte der Herr vorausgesehen und vorausgesagt:

„Der Herr wußte, daß vieles noch zur Begründung (instauratio)[136] des katholischen Glaubens ,ergänzt' werden mußte, und er fügte deswegen hinzu, nachdem er seinen Jüngern alles gesagt hatte, was für jene Zeit angemessen war: ,Noch vieles habe ich euch zu sagen, aber ihr könnt es noch nicht tragen; wenn aber jener Geist der Wahrheit kommt, dann wird er euch alle Wahrheit lehren' (Joh 16, 12) … Der Herr sagt von sich selber im Evangelium: ,Ich bin der Weg, die Wahrheit und das Leben' (Joh 14, 6), und hier sagt er: ,Wenn aber jener Geist der Wahrheit kommt, wird er euch alle Wahrheit lehren' (Joh 16, 13). Der Heilige Geist, die Liebe des Vaters und des Sohnes, die Verbindung beider, die Mitteilung beider, die Liebe beider[137], des Geistes, ja des Sohnes, ,der alle Wahrheit lehrt', der selber vom Sohne ausgeht, der die Wahrheit ist, hat das Evangelium geschaffen und den für die Zeit der Apostel passenden Glauben begründet. Dieser Geist wird nun vom Sohn, der sagt, er habe noch vieles zu sagen, verheißen, nämlich daß er zur rechten Zeit sagt, wovon der Sohn sagte, er es noch zu sagen habe … Was anderes hat derselbe Geist, der Geist der Wahrheit, gelehrt, als das, wovon er wußte, daß es der Sohn, der die Wahrheit ist und von der ausgeht, noch zu sagen habe? Genau das und nichts anderes lehrte er als das, wovon der Sohn gesagt hatte, daß er es noch zu sagen habe."[138]

---

[135] Vgl. Dial II 19; 1194 BC: *Dominus noster Jesus Christus salvator generis humani, conditor fidei, conditor evangelii, amator nostrae salutis fidem sufficientem ad omnium salutem apostolis instituit: non enim esset sufficiens salvator, nisi fuisset sufficiens doctor.*

[136] Die genaue Bedeutung von *instauratio* ist nicht leicht zu bestimmen. 1201 D hat *instaurare* die Bedeutung „einsetzen", „begründen". Nach dem Thes. Ling. Lat.: 1. fere id quod renovatio a) praevalenti notione iterandi, b) restituendi, 2. fere id quod creatio, institutio. — Die Nuance bei Gellius Aulus, Noct. Att. 13, 25, 9: *haec repetitio instauratioque eiusdem rei sub alio nomine*, könnte hier bei Anselm auch mitschwingen: die Konzilien ,wiederholen' sub alio nomine, was in der Schrift steht. Vgl. auch Tertullian, Scorp. 2, 14, CChr.SL 1,1074: *sed deinceps omne os prophetarum eiusdem dei vocibus sonat eandem legem suam eorundem praeceptorum instauratione.*

[137] Die Idee ist natürlich augustinisch, wenn auch, soweit wir sehen, wörtlich nicht belegbar. Vgl. De trin. VI 5, 7: *Spiritus ergo sanctus commune aliquid est Patris et Filii, quidquid illud est. At ipsa communio, consubstantialis et coaeterna, quae si amicitia convenienter dici potest dicatur, sed aptius dicitur charitas.* Ebd. XV 19, 37: *Et si charitas qua Pater diligit filium, et patrem diligit filius, ineffabiliter communionem demonstrat amborum, quid convenientius quam ut ille dicatur charitas proprie, qui spiritus est communionis ambobus?* — Zur Interpretation vgl. B. DE MARGERIE, La doctrine de s. Augustin sur le Saint Esprit, in: Aug. 12 (1972) 107—119. — Direkte Vorlage ist wahrscheinlich ein Vertreter des mittelalterlichen Augustinismus.

[138] Dial II 23; 1200 D—1201 B: *Unde et Dominus sciens tam multa adhuc addenda ad instaurationem catholicae fidei postquam discipulis suis universa quae illi tempori congruebat dixerat, adjecit ita dicens: ,Adhuc multa habeo vobis dicere, sed non potestis portare modo ; cum autem venerit*

Im zitierten Passus ist das eindringliche Anliegen des Anselm nicht zu
überhören, den dogmatischen ‚Fortschritt', den die Konzilien mit ihren
Zusätzen unweigerlich bringen, mit dem Axiom der in Christus abgeschlossenen Offenbarung in Übereinklang zu bringen. Er sieht die
Lösung in einer trinitarisch gegliederten Heilsgeschichte, wovon nachher noch die Rede sein soll. Im vorliegenden Passus liegt der Akzent
auf der Betonung der Identität dessen, was Sohn und Heiliger Geist
sagen: Was der Geist — auf den Konzilien — sagt, ist das, was der Sohn
selber noch zu sagen hatte, was er selber noch zu sagen verheißen hat,
durch den Geist. Die unvermeidliche Konsequenz dieser Konzeption
eines Geistes, der „vom Sohn ausgehend" sagt, was der Sohn noch zu
sagen hat, ist, daß Schrift und Konzilien fast auf eine Ebene gestellt
werden. Beide sind, man ist versucht zu sagen, in gleicher Weise Werk
des Heiligen Geistes:

> „Der Heilige Geist, der vom Mund der Wahrheit ausgeht, welche Christus ist, hat zunächst
> das Evangelium hervorgebracht, später war er bei den Konzilien der heiligen Väter, wie
> er verheißen worden war, zugegen als Urheber und Lehrer der Wahrheit. Den Glauben, den
> er selber im Evangelium in Kürze grundgelegt hatte, hat er (der Heilige Geist), vom Sohn
> ausgehend, in aller Wahrheit bekanntgemacht und voll dargelegt. Was damals die Apostel
> allein nicht haben tragen können, trägt nun zusammen die ganze auf dem Erdenrund ver-
> breitete Kirche."[139]

Anselm scheint — wenigstens in unserem Zusammenhang — keinen
wesentlichen Unterschied zwischen der Inspiration der Heiligen Schrift
und der der Konzilien zu sehen: der Geist ist der *magister utriusque scripturae*. Es sieht so aus, als ob der Unterschied einzig in der größeren oder
geringeren Ausdrücklichkeit der geoffenbarten Wahrheit besteht: die

---

*ille Spiritus veritatis, docebit vos omnem veritatem.' Meminit fraternitas tua quod Dominus in
Evangelio de seipso dicit: ‚Ego sum via et veritas et vita.' Et hic dicit: ‚Cum autem venerit ille Spiritus
veritatis, docebit vos omnem veritatem.' Ecce Spiritus sanctus amor Patris et Filii, connexio amborum,
communicatio amborum, charitas amborum ; Spiritus, inquam, Filii qui est veritas, Spiritus veritatis
docens omnem veritatem, qui et ipse procedens a Filio, qui est veritas, Evangelium condidit, et fidem
secundum tempus sufficientem apostolis instituit ; ecce a filio, qui adhuc multa se ad dicendum habere
dicit, promittiur, ut videlicet ipse congruo tempore dicat, quod Filius adhuc ad dicendum se habere
dicebat. Quid ergo aliud putas eumdem Spiritum sanctum, Spiritum veritatis docuisse, nisi quod novit
Filium qui est veritas, a quo procedit, adhuc ad dicendum habere? Id ipsum quippe, et non aliud
docuit, quam quod Filius se ad dicendum adhuc habere dixerat.*
[139] Dial II 23; 1201 B—C: *Siquidem Spiritus sanctus procedens ab ore veritatis, qui Christus est,
Evangelium prius condidit, postea sanctorum Patrum conciliis auctor et doctor veritatis, sicut promissus
fuerat interfuit. Fidem quam idem ipse in Evangelio breviter condiderat, in conciliis sanctorum Patrum
explanavit, et quae Filius adhuc dicere habuit, ipse procedens a Filio veraciter edidit, et pleniter docuit ;
et quae tunc soli apostoli non potuerunt portare, ea nunc tota simul portat Ecclesia per universum
mundum diffusa.*

Konzilien sagen *manifeste*, was das Evangelium *minus aperte* gesagt hatte.[140] Um welche Wahrheiten handelt es sich konkret, die der *magister utriusque scripturae* hier implizit, dort explizit mitteilt? Anselm unterscheidet zwei Arten: 1. solche, die die *fides trinitatis*, 2. solche, die die *sacramenta ecclesiastica* betreffen. Was die letzteren angeht, so nennt Anselm zwar schon in etwa eine Siebenzahl[141], aber es handelt sich noch nicht um den bei anderen Autoren seiner Zeit zum erstenmal bezeugten klassischen Katalog der uns bekannten sieben Sakramente.[142] Dies zur objektiven Seite des Konzilswerkes des Heiligen Geistes. Interessant ist auch, was Anselm zur subjektiven Seite desselben Werkes mitteilt, das heißt zur Art und Weise, wie der Heilige Geist sein Werk der Entfaltung der Offenbarung in den Konzilien vollbringt. Hier unterscheidet Anselm nochmals zwischen einem äußeren und einem inneren Aspekt. Die Entfaltung der Offenbarung geschieht ‚von außen' *(extrinseco pluendo)* dadurch, daß „katholische Lehrer" als „Organ des Geistes" die Heilige Schrift auslegen. Zu beachten ist hier, daß der durch die Konzilien in Gang gehaltene Prozeß der ‚Dogmenentwicklung'[143] ganz selbstverständlich als ein Vorgang von Schriftauslegung konzipiert ist. Sah es weiter oben bei der Parallelisierung von Schrift und Konzilien

---

[140] Dial II 23; 1202 B: *Itaque et ipsum Evangelium, et ipsa concilia ab orthodoxis Patribus celebrata idem Spiritus sanctus dictavit, et paulatim docens omnem veritatem, nihil veritati contrarium dixit ; ideoque secure jam potes dicere, quod Spiritus sanctus procedat a Filio, quoniam quod idem Spiritus sanctus in hoc de seipso minus aperte in Evangelio videtur expressisse, hoc postea in diversis conciliis tanquam magister utriusque Scripturae manifeste supplevit.*

[141] Dial II 23; 1201 C—D: *Paulatim omnem veritatem tradidit, sacramenta ecclesiastica instituit, formam baptismi quem Dominus instituerat, convenienti moderamine ordinavit, et ritum quem in consecratione corporis et sanguinis Domini tenet sancta Ecclesia, disposuit: patriarchas, metropolitas, archiepiscopos, episcopos, presbyteros, diaconos, et alios inferiores ordines ecclesiasticos in ministerium divinum ad decorem domus Dei instauravit, chrismales unctiones, necnon sacramentum poenitentiae, et impositiones manuum ordine sacratissimo et bono distinxit ; missarum solemnia et caetera divina officia in laudem Dei apposuit.*

[142] Zur Entstehungsgeschichte dieses Katalogs vgl. B. GEYER, Die Siebenzahl der Sakramente in ihrer historischen Entwicklung, in: ThGl 10 (1918) 325—348; J. FINKENZELLER, Die Zählung und die Zahl der Sakramente. Eine dogmatische Untersuchung, in: Wahrheit und Verkündigung, Fs. M. Schmaus II, München 1967, 1005—1033, bes. 1013—1019. — Der sehr interessante Stand der Entwicklung in dieser Frage bei unserem Autor scheint in den genannten Untersuchungen nicht berücksichtigt zu sein. Darf man unter *chrismales unctiones* Firmung und Krankensalbung verstehen, würde bei Anselm eigentlich nur die Ehe fehlen.

[143] Nach VAN LEE, Anselme de Havelberg sur le développement du dogme 28—34, ist der Prozeß der Dogmenentwicklung mit den Konzilien des Altertums abgeschlossen. Dies ist in der Tat der vorherrschende Eindruck. Es gibt aber auch Texte, die einen gewissen Fortgang der Entfaltung auch des Dogmas nahezulegen scheinen (1201 C u. 1202 A). Der Harmonisierungsversuch VAN LEE's diesen Texten gegenüber ist kaum befriedigend.

(magister utriusque scripturae) so aus, als ob Anselm die grundlegende Rolle der Schrift im Vergleich zu den Konzilien aus den Augen verloren habe, so wird hier dieser falsche Eindruck korrigiert: Die ‚Zusätze‘ der Konzilien können nichts anderes sein als Auslegung der Schrift, die Konzilien sind in ihrem Wesen ein Vorgang von Schriftinterpretation! Von ‚innen gesehen‘ *(intrinsecus rorando)* besteht der ‚Dogmenfortschritt‘ in der Inspiration, gemeint ist wohl: der „katholischen Lehrer", durch den Heiligen Geist.[144]

Worin ist eigentlich das Neue in der vorgestellten Konzeption des Anselm hinsichtlich der Rolle des Heiligen Geistes in den Konzilien zu sehen? Daß die Konzilien vom Heiligen Geist inspiriert sind, ist älteste kirchliche Überlieferung. Manchen Zeitgenossen galt schon das erste Nicaenum als vom Heiligen Geiste inspiriert. Später brachte man die ganze kirchliche Konzilsinstitution in Zusammenhang mit dem Heiligen Geist.[145] Das Neue in Anselms Inspirationsbegriff älteren Aussagen gegenüber besteht in drei Punkten: Erstens, die älteren Aussagen verstehen den Heiligen Geist nicht streng als dritte göttliche Person, kontradistinguiert von Vater und Sohn. Der Geist wird hier ähnlich wie in der zeitgenössischen heidnischen Theologie als eine unpersönliche göttliche Kraft verstanden. Bei Anselm dagegen handelt es sich in aller Eindeutigkeit um die dritte göttliche Person als solche.

Zweitens, die älteren Aussagen über die Inspiration bringen die Konzilien mit Gott in Verbindung, lassen sie von ihm ‚inspiriert‘ sein, um die auf ihnen formulierten Wahrheiten ‚abzusichern‘. Wo Gott selber Autor ist, ist die Wahrheit unüberbietbar verbürgt. Dies ist nicht der Gesichtspunkt, der Anselm interessiert. Ihm geht es nicht um Absicherung definierter Wahrheit, sondern tatsächlich um die Lösung des Problems der Dogmenentwicklung, um einen modernen Terminus zu gebrauchen. Wie ist der Hiatus zwischen dem zeitgenössischen Trinitätsglauben und dem, was *aperte* in der Schrift steht, zu überwinden? Drittens, neu ist vor allem die spekulative Verknüpfung der beiden Fragen: der Geist, der auf den Konzilien die Schrift ‚ergänzt‘, ist der Geist, der ‚vom Sohn ausgeht‘. Das Filioque ist die Antwort auf die Frage nach dem ‚Zusammenhang‘ von Schrift und Konzil, zwischen Jesusoffenbarung und kirchlichem Dogma. Der Kommentar des Niketas

---

[144] Dial II 23; 1201 D—1202 A: *Per catholicos doctores, quasi per organum suum sacras Scripturas Veteris et Novi Testamenti nobis, tanquam extrinsecus pluendo, aperuit: arcana quoque divina sub sigillo divinarum Scripturarum mysterialiter clausa familiari inspiratione nobis insinuando, tamquam intrinsecus rorando, innotuit.*

[145] Einzelheiten hierzu bei SIEBEN, Konzilsidee vgl. Register „Inspiration".

zur vorgeschlagenen Lösung trifft das Entscheidende: *satis convenienter contexuisti evangelium et sancta sanctorum patrum concilia.*[146] Alles in allem, die Originalität der vorgetragenen Ideen zur Lösung des Problems der durch die Konzilien in Gang gehaltenen Dogmenentwicklung besteht in der Herausstellung der heilsgeschichtlichen Rolle und Funktion des Heiligen Geistes. Seine Rolle auf den Konzilien ist nun zu sehen vor dem größeren Hintergrund seiner Funktion in der Heilsgeschichte überhaupt. Darüber finden sich einige beachtliche Aussagen in den Dialogen, auf die wir noch eingehen wollen, bevor wir abschließend die Frage nach dem dogmengeschichtlichen Kontext dieser Pneumatologie stellen.

Die hervorragende Rolle des Heiligen Geistes in der theologischen Konzeption des Anselm kommt zunächst dadurch zum Ausdruck, daß er ihn sogleich am Beginn der Dialoge, dort wo er die prinzipielle Lösung des Problems der Vielheit in der Kirche vorlegt, in feierlichster Weise einführt. Die Kirche ist „ein Leib, der durch den Heiligen Geist gelenkt und geleitet wird. Der Heilige Geist ist mit ihr vereint". Und nun folgen gleich zwei lange Zitate, um diesen Geist näherhin zu charakterisieren: Der Geist ist *multiplex*[147], *subtilis, mobilis, disertus, incoinquinatus, certus, suavis, amans bonum, acutus, qui nihil vetat benefacere, humanus, benignus, securus, omnem habens virtutem, omnia prospiciens et qui capiat omnes spiritus, intelligibilis, mundus.*[148] „Siehe", heißt es dann im Anschluß an das ausführliche Zitat von 1 Kor 12, 4.7—11, „ganz offenbar wird der eine Leib der Kirche durch den einen Heiligen Geist belebt, der an sich ein einziger, durch die mannigfaltige Verteilung seiner Gaben aber vielfältig ist. Dieser durch den Heiligen Geist belebte Leib der Kirche, der in seinen verschiedenen Gliedern zu den verschiedenen Zeiten und Altern je und je anders in Erscheinung tritt, begann zuerst mit Abel dem Gerechten, und er wird vollendet werden mit dem letzten Auserwählten, immer eins im einen Glauben und auf vielförmige Weise verschieden durch die vielfache Vielfalt *(varietas)* des Lebens".[149] Die folgenden Kapitel belegen diese prinzipielle Aussage, daß alle Vielfalt und damit alles Neue in der Kirche auf den Heiligen Geist als Ursprung zurückgeht, durch den „Anschauungsunterricht" der konkreten Heilsgeschichte. Deren hervorra-

---

[146] 1202 B.
[147] Anselm schreibt dem Heiligen Geist die Eigenschaften der Weisheit nach Weish 7, 22—23 zu!
[148] Dial I 2; 1144 A.
[149] Dial I 2; 1144 B—C, vgl. Anm. 54.

gende Momente charakterisiert Anselm ausdrücklich als geistgeschaffen. So entsteht zum Beispiel die nachösterliche Gemeinde unter der Wirkung des Heiligen Geistes.[150] Die alles entscheidende Erneuerung der Kirche vollzieht sich im vierten *status ecclesiae* durch die neuentstandenen Orden. Deren Gründer sind „voll des Heiligen Geistes".[151] Der Heilige Geist ist es, der die durch die Gewöhnung erschlafften Herzen der Menschen durch Neues zu neuem Eifer erweckt. Die neuen, auf den Antrieb des Geistes hin entstandenen Orden bringen auch die alten wieder zu neuer Lebendigkeit. Denn nun herrscht ein gegenseitiges Sich-Anfeuern und Nacheifern.[152]

Einen Aspekt dieser je vom Heiligen Geist gewirkten Erneuerung der Kirche *(renovatus ut aquilae iuventus ecclesiae)*[153] stellen nun auch die von ihm inspirierten Konzilien dar. Das allgemeine in der Heilsgeschichte stattfindende Geistwirken ist der größere Rahmen, von dem aus Anselm ihre Rolle in der Kirche konzipiert.[154] Was Anselm Dial II 23 über die heilsgeschichtliche Rolle des Heiligen Geistes hinsichtlich der Konzilien sagt, ordnet sich also nahtlos in den größeren Zusammenhang seiner Pneumatologie ein.

Wie ist diese Pneumatologie nun dogmengeschichtlich näher zu charakterisieren? Wie ist Anselms Lehre vom Heiligen Geist in die dogmengeschichtliche Entwicklung einzuordnen? Anselm ist zusammen mit Rupert von Deutz († 1130), Gerhoch von Reichersberg († 1169) und anderen ein Vertreter der sogenannten heilsökonomischen Trinitätsauffassung. Es handelt sich dabei um eine theologische Richtung des hohen Mittelalters, die sich gegenüber der spekulativen Trinitätstheologie der aufkommenden Scholastik nicht durchzusetzen vermochte.

Ihre markanteste orthodoxe Ausprägung findet die heilsökonomische Trinitätstheologie in dem imposanten Werk des Rupert von Deutz, der die drei Phasen des augustinischen ,Gottesstaates', Begründung, Entwicklung und Vollendung, je als eigenes Werk der drei göttlichen Per-

---

[150] Dial I 6; 1148 D: ... *post spiritum sanctum multi videntes signa et prodigia ... collegerunt se in eorum (der Apostel) societatem ... et collecta est nova fidelium ecclesia per gratiam sancti spiritus ...*

[151] *Spiritu sancto plenus*, 1155 C (vom heiligen Benedikt).

[152] Dial I 10; 1157 A: *Novit quippe Spiritus sanctus, qui tantum corpus Ecclesiae ab initio et nunc et semper regit, hominum animos torpentes, et diu usitata religione satiatos fideles aliquo novae religionis exordio renovare, ut cum viderint alios magis ac magis in altiorem religionis arcem conscendere, novis exemplis fortius excitentur, et relicta pigritia et amore saeculi, quo tenebantur, alacriter et sine formidine, quod perfectum est apprehendant et imitentur. Nam insolita et inusitata magis solent mirari omnes, quam solita et usitata.*

[153] 1157 B.

[154] Vgl. auch 1210 B und 1221 C—D.

sonen versteht. Vater, Sohn und Geist haben damit einen je eigenen Weltbezug. Die dritte Weltzeit, die jetzige, ist in besonderer Weise dem Heiligen Geist zugeordnet. Es geht Rupert darum, die ‚immanente' Trinität in ihren ‚Außenwerken' erkennbar werden zu lassen. In Joachim von Fiori gelangt diese heilsökonomische Trinitätsauffassung schließlich zu einer Systematisierung, die von der Kirche verworfen wurde.[155] Von solcher Systematisierung ist bei Anselm noch keine Spur zu entdecken. In der uns interessierenden Frage, der Konzilsinspiration, geht es ihm gerade nicht darum, das Werk des Sohnes und des Geistes auseinanderzureißen, sondern sie im Gegenteil eng miteinander zu verbinden.

Blickt man zum Schluß noch einmal auf den Zusammenhang der Dialoge, in Sonderheit auf die etwas gewaltsam anmutende Verknüpfung von Dial I mit Dial II/III, so erweist sich gerade diese heilsökonomische Pneumatologie als äußerst fruchtbar zum tieferen Verständnis der Einheit der Kirche: Anselm begreift die zwischen der lateinischen und griechischen Kirche bestehenden Differenzen, die ja die *fides trinitatis* und die *ecclesiastica sacramenta* nicht tangieren (Ergebnis von Dial II/III), im Lichte der in Dial I dargelegten Pneumatologie (Geist als Prinzip der kirchlichen *varietas*) als eine echte Bereicherung der Kirche, als Zeichen ihres vielgestaltigen geistgewirkten Lebens: *nullus fidelis suspicetur in hoc esse aliquod scandalum, si ecclesiae cuius semper est eadem fides credendi, non semper est eadem forma vivendi.*[156] Mit anderen Worten, der Ökumeniker Anselm von Havelberg bejaht nicht nur einen vertikalen, sondern auch einen horizontalen Pluralismus der Kirche: es darf nicht nur die *ecclesia moderna* von der *ecclesia primitiva* verschieden sein, sondern es darf auch innerhalb der *ecclesia moderna*, zwar nicht im Glauben und in den Sakramenten, wohl aber in der *forma vivendi* Vielfalt geben. Denn diese Vielfalt ist Frucht, Gabe des Geistes.

---

[155] Vgl. L. SCHEFFCZYK, Die heilsökonomische Trinitätslehre des Rupert von Deutz und ihre dogmatische Bedeutung, in: Kirche und Überlieferung, Fs. J. R. Geiselmann, Freiburg/Br. 1960, 90—118; über eventuelle Abhängigkeit des Joachim von Fiori von Anselm von Havelberg vgl. u. a. M. BLOOMFIELD, Joachim of Fiori, A critical Survey of his Canon, Teachings, Sources, Biography and Influence, in: Tr. 13 (1957) 248—311.

[156] Dial I 13; 1160 C. — Aufschlußreich für den Stand der Konzilsidee in der zweiten Hälfte des 12. Jahrhunderts ist der nur handschriftlich überlieferte *Liber de sectis haereticorum*, auf den wir demnächst im AHC eingehen werden.

Kapitel V

DAS KONZIL
UND SEIN VERHÄLTNIS ZUM RÖMISCHEN STUHL
IN KIRCHENRECHTSSAMMLUNGEN (485—1140)

Indem wir im vorausgehenden nach der Konzilsidee eines Hinkmar von Reims und Anselm von Havelberg fragten, indem wir herauszufinden suchten, wie die Päpste Nikolaus I. und Johannes VIII. oder der Mönch Bernold von Konstanz das Verhältnis zwischen dem Römischen Stuhl und den Konzilien konzipierten, kam schon so etwas wie Entwicklung der betreffenden Anschauungen in den Blick. Man brauchte die Linien nur durchzuziehen von Nikolaus über Bernold zu Anselm. Aber unsere eigentliche Intention ging doch nicht dahin, Entfaltung und Entwicklung auszumachen, sondern punktuell zu vertiefen, das heißt von einigen aufgrund günstiger Quellenlage besonders geeigneten Autoren repräsentative Antworten auf unsere Frage nach der mittelalterlichen Konzilsidee zu bekommen. Umfassendes Ziel unserer Untersuchung ist gleichwohl, Entwicklung und Fortschritt aufzuzeigen. Die folgenden vier Kapitel werden unmittelbarer als die vorausgegangenen dieses Ziel im Auge haben.

Welche Art von Quellentexten eignen sich nun, um uns gewissermaßen einen Durchblick durch die Entfaltung der mittelalterlichen Konzilsidee zu erlauben? Man sollte meinen, daß hier vor allem die Konzilsakten selber in Frage kommen, von denen uns, vor allem aus dem frühen Mittelalter, eine große Zahl überliefert ist. Aber die Erwartung täuscht. Die Konzilsakten enthalten, von ganz wenigen Ausnahmen abgesehen, keine Äußerungen über die Konzilien. Man reflektiert dort nicht über die Synoden, sondern nimmt Stellung zu den tausend konkreten Fragen, die die Kirche jeweils beschäftigen und bewegen. Diese negative Bilanz gilt für die unzähligen kleinen und kleinsten Partikularsynoden nicht weniger als für die mit großem Aufwand und Glanz gefeierten, später sogenannten Allgemeinen Konzilien des Mittelalters.

Eine andere Quelle bietet sich jedoch für den gesuchten Durchblick an. Die abendländischen Kirchenrechtssammlungen stellen eine längst noch nicht ausgeschöpfte Quelle für die Geschichte der Kirche, zumal ihrer Institutionen, dar. Ihre Vielfalt nach Alter, Inhalt, Aufbau, Autorschaft, Intention und Tendenz spiegelt auf unvergleichliche Weise das vielseitige Leben dieser Institutionen, zugleich deren Kontinuität und Wandel, wider.[1] Das gilt auch für eine Institution wie das Konzil. Die Kirchenrechtssammlungen haben auf zweifache Weise mit dem Konzil zu tun. Sie enthalten, erstens, inhaltliche Aussagen über Konzilien; Konzilien stellen, zweitens, meist auch eine formale Quelle dieser Sammlungen dar. Beiden Weisen der Bezugnahme auf Konzilien wollen wir nachstehend unsere Aufmerksamkeit widmen. Die inhaltliche Bezugnahme auf Konzilien geschieht in den Kirchenrechtssammlungen in verschiedener Form. Sie zu unterscheiden, bedeutet, im folgenden den „Stellenwert" der Konzilsidee in der betreffenden Sammlung zu bestimmen. In den frühen Sammlungen werden die Konzilien lediglich anläßlich anderer Fragen erwähnt. Bald finden sich jedoch einzelne Kanones, die ausschließlich Bestimmungen über Konzilien enthalten. Wir nennen sie im folgenden ‚Konzilskanones'. Einen weiteren Schritt in der Bewußtwerdung des Konzilsgedankens stellt dann die Zusammenstellung mehrerer ‚Konzilskanones' dar. Sie sollen im folgenden ‚Konzilstraktate' heißen. Wird einem solchen ‚Konzilstraktat' dann auch eine Überschrift, etwa „de conciliis" gegeben, dann hat eine weitere Entfaltung der Konzilsidee stattgefunden. Schließlich erhält der ‚Konzilstraktat' dann wie bei Gratian seinen systematischen Ort innerhalb einer Reflexion über die kirchlichen Rechtsquellen. Ein vorläufiger Endpunkt der Entwicklung ist damit erreicht. Etwas grundsätzlich Neues ist dann

---

[1] Zum folgenden vgl. A. M. Stickler, Historia iuris canonici Latini I, Historia fontium, Turin 1950; W. M. Plöchl, Geschichte des Kirchenrechts II, Das Kirchenrecht der abendländischen Christenheit 1055—1517, Wien-München ²1962. — Eine ausgezeichnete erste Einführung in die Literaturgattung der Kirchenrechtssammlung bietet G. Fransen, Les collections canoniques, Typologie des sources du Moyen Age occidental, A III 10, fasc. 10, Tournhout 1973; unverzichtbares Standardwerk für die Geschichte dieser Sammlungen ist nach wie vor P. Fournier-G. Le Bras, Histoire des Collections canoniques en occident, depuis les fausses Décrétales jusqu'au décret de Gratien, 2 Bde, Paris 1931/2; für die Zeit vor Pseudoisidor ist immer noch auf Maassen, Geschichte der Quellen, zurückzugreifen. Brauchbare Einleitungen bieten: A. M. Stickler, Art. Kirchenrechtsquellen, Sammlungen der, in: LThK 6 (1961) 253—256, und vor allem C. Vogel-H. Fuhrmann-C. Munier-L. Boyle, Art. Canon Law 1—4, in: NCE 3 (1967) 35—45. Eine anregende Einführung in neuere Probleme und Methodenfragen vgl. bei St. Kuttner, Methodological Problems Concerning the History of Canon Law during the Middle Ages, in: Spec. 30 (1955) 539 bis 549, und J. J. Ryan, Observations on the Pre-Gratian Canonical Collections: Some Recent Work and Present Problems, in: Congrès de Droit Canonique Médiéval, Löwen-Brüssel 1959, 88—103. Die beiden folgenden spanischen Beiträge waren uns leider nicht zugänglich: P. Pinedo, Fragmentación, titulación y sistema en las primeras colecciones canónicas, Sonderdruck von „Homenaje a D. Ramón Carande", Madrid 1963; R. Losada Cosme, La unificación interna del derecho y las colecciones anteriores a Graciano, in: REDC 10 (1955) 353—382. — Mit Titulus bezeichnen wir durchgehend, das heißt auch dort, wo in der Sammlung selber statt Titulus caput oder canon steht, die Überschrift, mit der der Sammler den Inhalt seiner Quelle (= auctoritas) zusammenfaßt.

erst wieder ein selbständiger Konzilstraktat, wie er sich im Spätmittelalter bildet.[2]

Den entscheidenden Einschnitt in der Geschichte der abendländischen Kirchenrechtssammlungen stellt das *Decretum Gratiani* (um 1140) dar. In ihm kommt nämlich die ganze vorausgegangene Periode zu einem Abschluß; andererseits ist es der Anfang für die folgende Entwicklung praktisch bis zum *Codex Iuris Canonici.* Hinsichtlich der Aussagen über die Konzilien sind von einschneidender Bedeutung die pseudoisidorischen Dekretalen. Die Aussagen der vorgratianischen Kirchenrechtssammlungen zum Konzil zerfallen deutlich in vor- und nachisidorische.[3] Einen kleineren Einschnitt hinsichtlich der Aussagen über die Konzilien stellt die *Hispana* dar. Somit ergibt sich die Einteilung dieses Kapitels. In einem ersten Schritt untersuchen wir die vorisidorischen Kirchenrechtssammlungen ausschließlich der *Hispana*; der zweite Schritt befaßt sich mit der *Hispana*, der dritte mit den pseudoisidorischen Dekretalen. Im vierten Abschnitt fragen wir nach dem Konzil in den nachisidorischen Sammlungen. Der fünfte ist schließlich Gratian gewidmet. Auf eine wichtige, bedauerliche Begrenzung vorliegender Studie ist noch ausdrücklich hinzuweisen: sie berücksichtigt nur edierte, keine handschriftlich überlieferten Kirchenrechtssammlungen.

Ziel unserer Studie ist nicht, einen Beitrag zur Geschichte der Kirchenrechtssammlungen zu liefern, etwa ihre wechselseitige Abhängigkeit zu beleuchten unter der speziellen Rücksicht der auf Konzilien bezogenen Kanones. Die Wanderung[4] solcher Kanones von einer Sammlung in die andere interessiert uns nicht als solche. Es geht uns vielmehr um die Geschichte der Konzilsidee, die sich eben in diesen Kirchenrechtssammlungen erdnäher, möchte man sagen, als in der übrigen theologischen Literatur spiegelt. Diese Konzilsidee interessiert uns zunächst als solche, in der Vielzahl ihrer Aspekte. Es wird sich also vorab darum

---

[2] Vgl. H. J. SIEBEN, Traktate und Theorien zum Konzil (1378—1521), Frankfurt 1983.

[3] Tatsächlich wurde die päpstliche Oberherrschaft über die Synode erst durch die Gregorianische Reform schrittweise verwirklicht; aber fast alle hierauf bezüglichen entscheidenden Texte, auf die sich die gregorianischen Kirchenrechtssammlungen stützen, stammen aus Pseudoisidor. Wie sehr die Reformbewegung selber sich auf die Kirchenrechtssammlungen berief, sich selber als Einsatz zur Verwirklichung des kanonischen Rechts verstand, zeigt u. a. GILCHRIST, Gregory VII.

[4] Ein wichtiges Hilfsmittel zur Identifikation der Tradition eines Kanons durch die verschiedenen Kirchenrechtssammlungen hindurch ist die der Ausgabe des *Decretum Gratianum* durch E. FRIEDBERG (vgl. Anm. 208) beigegebene Initienliste. Vgl. auch M. FORNASARI, Initia canonum a primaevis collectionibus usque ad Decretum Gratiani I; A—G, Rom 1972, Monumenta Ital. eccl. Subs. 1.

handeln, diese Vielzahl mit Namen zu nennen. Daraus ergibt sich ein konkreter Begriff von Konzil.

Unser zweites Anliegen ist dann, auf diesem allgemeinen Hintergrund der frühmittelalterlichen Konzilsidee eine Frage besonders zu untersuchen, nämlich das Verhältnis Synode / Römischer Stuhl. Tatsächlich ist die Geschichte des päpstlichen Primats in der Vergangenheit für diesen Zeitraum[5], auch gerade im Spiegel der Kirchenrechtssammlungen, wiederholt unternommen worden[6], und dabei kam auch das Verhältnis Römischer Stuhl / Synode in den Blick[7]; aber was fehlt, ist, so weit wir sehen, eine Untersuchung, in der die Blickrichtung umgekehrt verläuft, nämlich von der Synode auf den Römischen Stuhl hin. Nur so wird der Prozeß adäquat erfaßt, der sich im Übergang von der alten zur mittelalterlichen Kirche vollzieht: nämlich der Abbau der relativen Autonomie der Teilkirchen zugunsten der monarchisch verfaßten Papstkirche. „The Growth of Papal Government" ist nur die eine Seite der Medaille, die andere ist die Entmachtung der ursprünglich selbständigen Synode. Diese Entmachtung findet im *Decretum Gratiani* ihren nachgerade klassischen Ausdruck: *Episcoporum igitur concilia, ut ex praemissis apparet, sunt invalida ad definiendum et constituendum, non autem ad corrigendum.* Im folgenden soll der Entwicklung innerhalb der Kirchenrechtssammlungen bis zu diesem Satz des Gratian nachgegangen werden.

1. Vorisidorische Kirchenrechtssammlungen außer der Hispana

Mit welcher Sammlung hat die Untersuchung zu beginnen? Von den griechischen[8] darf bei einer Studie der lateinischen Kirchenrechtssammlungen ohne Willkür abgesehen werden. Auch scheint es angebracht, nicht schon bei den frühen afrikanischen Sammlungen, dem *Breviarium*

---

[5] Vgl. u. a. ULLMANN, The Growth of Papal Government; CONGAR, L'ecclésiologie 187—246; MORRISON, Tradition and Authority 205—360.

[6] J. C. BESSE, La suprématie romaine dans la Collection „Anselmo Dedicata" à travers quelques textes conciliaires, in: Acan 18 (1963) 76—70; F. ATIANZA, Primado Romano y episcopado en la Dionisiana. Un estudio teológico-canonico del contenido de la colección Dionisiana, Ottawa 1963; A. M. STICKLER, De primato Romano historia collectionum iuris canonici illustrato, in: ME 79 (1954) 409—425.

[7] Vgl. zum Beispiel BARION 350—397 und FRANSEN, Papes, conciles généraux et oecuméniques 214—222.

[8] Vgl. W. SELB, Die Kanonessammlungen der orientalischen Kirchen und das griechische Corpus canonum der Reichskirche, in: Speculum iuris et ecclesiarum, Fs. W. M. PLÖCHL, Wien 1967, 371—383.

des Konzils von Hippo (393) beziehungsweise dem *Codex canonum ecclesiae Africanae* des Konzils von Karthago (419), einzusetzen, denn diese beiden Sammlungen unterscheiden sich in einem wichtigen Punkt von den folgenden von uns zu untersuchenden: diese sind private, jene von Konzilien aufgestellte Sammlungen. So scheint es ratsam, mit der Untersuchung der *Statuta ecclesiae antiqua*[9] zu beginnen. Sie stehen gerade aufgrund ihres stark liturgischen Interesses noch in großer Nähe zu den älteren griechischen Sammlungen (Didache, *Traditio apostolica, Canones Apostolorum* usw.)[10], andererseits ist auch der Weg nicht mehr weit zur *Dionysiana*.

Das Konzil hat gleich in dieser ersten Sammlung schon einen relativ bedeutenden Platz. In der Tat, die *Statuta*[11], die zwischen 476 und 485 entstanden sein dürften, erwähnen nicht nur mehrmals das Konzil beiläufig eines anderen Themas, 6 von insgesamt 102 Kanones haben es zum eigentlichen Gegenstand. Dieser hohe „Stellenwert" des Konzils hängt mit der Tendenz der Sammlung zusammen. Dem Verfasser, höchstwahrscheinlich Gennadius von Marseille, geht es um eine Begrenzung der Macht des monarchischen Episkopates.[12] Er sieht in der Synode ein wirksames Mittel hierzu. Ein erster Kanon schärft die Teilnahmepflicht des Bischofs in eigener Person oder, im Verhinderungsfall, durch einen Legaten ein.[13] Die Synoden sind mit beträchtlicher Gewalt ausgestattet. Sie können zum Beispiel Bischöfe *per sententiam synodi* von einem Stuhl auf einen anderen versetzen.[14]

---

[9] MAASSEN, Geschichte der Quellen 382 ff. zählt die *Statuta* nicht unter die Kirchenrechtssammlungen, sondern unter die Quellen derselben, und zwar anschließend an die Konzilien, Dekretalen, Erlasse der Könige usw. unter der Rubrik „Stücke unbekannter Verfasser". Tatsächlich sind die *Statuta* Quelle für die folgenden Kirchenrechtssammlungen, aber das gleiche gilt doch auch für die folgenden Sammlungen, zum Beispiel die *Dionysiana*.

[10] Darüber A. FAIVRE, Naissance d'une hiérarchie. Les premiers étapes du cursus clérical, Paris 1977.

[11] Ausgabe CH. MUNIER, Les Statuta ecclesiae antiqua, Édition-Etudes critiques, PUF, Paris 1960, 75—100, (wieder abgedruckt in CChr.SL 148, 164—185), ebd. 187—236. Näheres zur Gesamttendenz der Sammlung, zur Verfasserfrage und zur Datierung. Vgl. auch C. VOGEL, Statuta ecclesiae antiqua, in: NCE 13 (1967) 682; M. COQUIN, Le sort des ‚Statuta Ecclesiae antiqua' dans die Collections canoniques jusqu'à la „Concordia" de Gratien, in: RThAM 28 (1961) 193—224, bringt 221—224 eine sehr nützliche Tabelle mit den Zitaten der *Statuta* in den Kirchenrechtssammlungen.

[12] Näheres zu dieser Tendenz bei MUNIER, Statuta 187 ff.

[13] Statuta, K. 9, MUNIER 80: *Ut episcopus ad synodum ire satis gravi necessitate inhibeatur, sic tamen ut in persona sua legatum mittat, suscepturus salva fidei veritate quidquid synodus statuerit.*

[14] Statuta K. 11, MUNIER 81: *... ut episcopus, si id utilitas ecclesiae fiendum poposcerit, decreto pro eo clericorum et laicorum episcopis porrecto, per sententiam synodi transferatur, nihilominus alio in loco eius episcopo subrogato.*

Die Synode hat ferner die Aufgabe, miteinander im Streit liegende Bischöfe zu versöhnen[15]; sie ist auch zuständiges Forum für widerspenstige Priester.[16] Für unschuldig Verurteilte ist sie höhere Instanz[17], ebenfalls für die *contumaces*, die sich den *iudices ecclesiae* nicht stellen.[18] Eine massive Machtbegrenzung des monarchischen Episkopates stellt schließlich Kanon 89 dar: *Episcopus, si clerico vel laico crimen impegerit, deducatur ad probationem in synodo*.[19] Der Bischof hat vor der Synode den Schuldnachweis bei Vergehen von Klerikern oder Laien zu führen. Die Absicht des Verfassers der *Statuta* ist deutlich: die Synode soll die Machtfülle des Einzelbischofs begrenzen und Gläubige wie Priester vor dessen Willkür schützen. Der Bischof ist der Versammlung seiner Kollegen für seine Amtsführung verantwortlich.[20]

Wir kommen zur *Dionysiana*, die in mindestens drei verschiedenen Editionen von dem skytischen Mönch Dionysius Exiguus vor 523 in Rom zusammengestellt wurde. Sie ist zwar nicht in der ausschließlichen Weise Grundlage aller folgenden Sammlungen, wie W. M. Peitz angenommen hatte[21], ist aber doch von kaum zu überschätzender Bedeutung für die folgenden Kirchenrechtssammlungen geworden.[22] Die *Dionysiana*[23] enthält ‚Konzilskanones‘ in der Reihenfolge, in der sie in den Quellen vor-

---

[15] Statuta K. 47, Munier 87: *Dissidentes episcopos, si non timor Dei, synodus reconciliet.*

[16] Statuta K. 48, Munier 87: *Discordantes clericos episcopus vel ratione vel potestate ad concordiam trahat, inoboedientes synodus per audientiam damnet.*

[17] Statuta, K. 51, Munier 88: *Irritam esse iniustam episcoporum damnationem et idcirco a synodo retractandam.* Kanon 88, Munier 95: *Clericus, qui episcopi circa se districtionem iniustam putat, recurrat ad synodum.*

[18] Statuta, K. 53, Munier 88: *Caveant iudices ecclesiae ne, absentante eo, cuius causa ventilatur, sententiam proferant, quia irrita erit, immo et causam in synodo pro facto dabunt.*

[19] Munier 95.

[20] Zur Interpretation der ‚Konzilskanones‘ vgl. auch Munier 191—192; zu den Quellen der ‚Konzilskanones‘ ebd. 105—185.

[21] Vgl. W. M. Peitz, Dionysius Exiguus-Studien. Neue Wege der philologischen und historischen Text- und Quellenkritik, bearbeitet u. hrsg. von H. Foerster, in: AKG 33, Berlin 1960 und die kritischen Stellungnahmen von W. Holtzmann, in: JEH 14 (1963) 217—219; G. Martínez Díez, in: MCom 39 (1963) 297—308; C. Munier, in: SE 14 (1963) 236—250; W. Schäferdiek, in: ZKG 74 (1963) 353—368; J. Semmler, in: ZSRG.K 48 (1962) 382—386.

[22] Einzelheiten bei H. Wurm, Studien und Texte zur Dekretaliensammlung des Dionysius Exiguus (= KStT 16) Bonn 1939, Einführung J. Rambaud-Buhot, Denys le Petit, in: DDC 4 (1949) 1131—1152, hier 1138—1152 über *Dionysiana*; ferner Ders., Dionysiana Collectio, in: NCE 4 (1967) 876. Vgl. auch H. Mordek, Il diritto canonico fra tardo antico et alto medioevo. La ‚svolta dionisiana‘ nella canonistica, in: La cultura in Italia fra Tardo Antico et Alto Medioevo. Atti convegno tenuto a Roma dal 12 al 16 nov. 1979, Rom 1981, 149—164, bes. 160—164.

[23] Wir beziehen uns auf die zweite Edition, PL 67, 136—230.

kommen[24], mit anderen Worten, es gibt noch keinen ‚Konzilstraktat'. Die Zahl der ‚Konzilskanones' ist im Vergleich zu der der *Statuta* gewachsen: 11 Kanones haben die Synode zum unmittelbaren Gegenstand. Wir finden eine ganze Reihe dort noch fehlender Bestimmungen, so zur Häufigkeit und zum Termin[25], zum Verhandlungsgegenstand usw.[26] Vor allem wird das Recht der Berufung an den Römischen Stuhl affirmiert[27], Modalitäten der Teilnahme und der Einberufung werden festgelegt, so die schriftliche Ladung[28], die Teilnahmepflicht, die Wahl der Delegierten, die schriftliche Entschuldigung im Verhinderungsfall, die Sanktion für die unentschuldigt Fernbleibenden[29], die Konzilsunterschrift.[30]

Weitere Kanones sehen eine gewisse Entlastung der Bischöfe vor: die Einberufung eines *concilium generale* wird dem Fall einer *causa communis* der ganzen Landeskirche vorbehalten, im übrigen genügen die jährlichen

---

[24] *Canones Apostolorum*, Kanones der Konzilien von Antiochien (341), Laodicea, Chalcedon, Sardica, Karthago.

[25] Dion., K. 38 der *Canones Apostolorum*, PL 67, 145 D: *Bis in anno concilia episcoporum celebrentur; ut inter se invicem dogmata pietatis explorent, et ermergentes ecclesiasticas contentiones amoveant: semel quidem quarta septimana Pentecostes; secundo vero 12 die mensis Hyperberetaei, id est juxta Romanos quarto idus Octobris.*

[26] Dion., K. 98, Antiochien, PL 67, 163 C: ... *In ipsis autem conciliis adsint presbyteri, et diaconi, et omnes qui se laesos existimant: et synodi experiantur examen. Nullis vero liceat apud se celebrare concilia, praeter eos quibus a metropolitanis videntur esse iura commissa.*

[27] Dion., K 3, Sardica, PL 67, 177 C: ... *Quod si in aliqua provincia aliquis episcopus contra fratrem suum episcopum litem habuerit, unus de duobus ex alia provincia advocet episcopum cognitorem. Quod si aliquis episcopus iudicatus fuerit in aliqua causa, et putat se bonam causam habere, ut iterum concilium renovetur, si vobis placet, sancti Petri apostoli memoriam honoremus, ut scribatur ab his qui causam examinarunt Julio Romano episcopo, et si iudicaverit renovandum esse iudicium, renovetur, et det iudices: si autem probaverit talem causam esse, ut non refricentur ea quae acta sunt, quae decreverit confirmata erunt.* Vgl. auch Kanon 4 und 7, ebd. 177 C—D und 178 C—179 A. — Die Sardicensischen Appellationskanones spielten eine gewisse Rolle in der Geschichte des römischen Primatsanspruchs; vgl. SIEBEN, Sanctissimi Petri. Zu den Kanones vgl. HESS. PIETRI, I 220—227, faßt den Forschungsstand zur modernen Interpretation der betreffenden Kanones zusammen; vgl. auch die ausführliche Darstellung der Problematik bei GIRARDET, Kaisergericht und Bischofsgericht 106—154.

[28] Dion., K. 73, Karthago, PL 67, 205 C: ... *Et scribendum ad singularum quarumque provinciarum primates, ut quando apud se concilium congregant, istum diem non impediant.*

[29] Dion., K 76, Karthago, PL 67, 205 D—206 A: *Item placuit, ut quotiescumque concilium congregandum est, episcopi qui neque aetate, neque aegritudine, neque aliqua graviori necessitate impediuntur, competenter occurrant, et primatibus suarum quarumque provinciarum intimetur, ut de universis episcopis vel duae, vel tres turmae fiant, ac de singulis turmis vicissim, quotquot electi fuerint, ad diem concilii instantissime occurrant. Quod si non potuerint occurrere, excusationes suas in tractatoria conscribant, vel si post adventum tractatoriae aliquae necessitates repente forsitan ortae fuerint, nisi rationem impedimenti sui apud suum primatem reddiderint, Ecclesiae suae communione debere esse contentos.*

[30] Dion., K 85, Karthago, PL 67, 207 C: *Ab universis etiam episcopis dictum est, ut si quae litterae dictandae in concilio placuerint, venerandus episcopus qui huic sedi praesidet, omnium nomine dictare et subscribere dignetur ...*

beiden Provinzialsynoden.[31] Die Vollversammlung des Episkopates darf sich durch Ausschüsse vertreten lassen.[32] Weiter bringt die *Dionysiana* das Verbot für niedere Kleriker, an den Römischen Stuhl zu appellieren[33], Bestimmungen zur Anklagefähigkeit usw.[34]

Kurz hinzuweisen ist an dieser Stelle auf die *Collectio canonum Mutinensis*[35], die vom modernen Herausgeber bald nach der *Dionysiana* datiert[36] und als Ergänzung dieser Sammlung charakterisiert wird[37]: Nur Kanon 38 der *canones apostolorum*, der oben schon erwähnt wurde, geht in dieser Sammlung ausdrücklich auf Konzilien ein.[38]

Acht der zwölf von Dionysius Exiguus vorgelegten ‚Konzilskanones‘ stammen vom ‚Konzil von Karthago‘ 419. Geht man davon aus, daß die *Dionysiana* den Grundstock für die späteren Kirchenrechtssammlungen darstellt, erhellt die Bedeutung der afrikanischen Kirche für das entstehende Synodalrecht der frühmittelalterlichen Kirche. Bleiben wir zunächst noch bei der afrikanischen Kirche. Zwischen 523 und 546 stellte hier der Diakon Ferrandus eine eigene *Breviatio canonum*[39] zusammen, die insofern eine Neuerung im Vergleich zu den früheren Sammlungen darstellt, als die *canones*, das heißt die *auctoritates*, nicht mehr im Wortlaut zitiert sind. Ferrandus formuliert selber einen eigenen Rechtssatz und verweist lediglich auf seine Quelle.

Eine zweite Eigenart seiner Sammlung: Er ordnet seine Quellenextrakte oder *Tituli* systematisch an.[40] Die Systematik ist noch nicht so

---

[31] Dion., K 95, Karthago, PL 67, 213 D—214 A: *Placuit ut non sit ultra fatigandis fratribus anniversaria necessitas, sed quoties exegerit causa communis, id est totius Africae, undecumque ad hanc sedem de hac re datae litterae fuerint, congregandam esse synodum in ea provincia ubi opportunitas persuaserit: causae autem quae communes non sunt, in suis provinciis iudicentur.*

[32] Dion., K. 127, Karthago, PL 67, 221 D: *Item placuit, ne diutius universi episcopi qui ad concilium congregati sunt tenerentur, ab universo concilio iudices ternos de singulis provinciis eligi . . .*

[33] Kanon 125, Karthago, PL 67, 221 B—C.

[34] Kanon 228, Karthago, PL 67, 222 C; vgl. auch zur Teilnahmepflicht und Häufigkeit, Kanon 143, PL 67, 168 D—169 A, und Kanon 19, ebd. 175 B.

[35] Kritische Ausgabe und Charakterisierung vgl. M. FORNASARI, Collectio canonum Mutinensis, in: STGra 9 (1966) 245—356.

[36] Unter Voraussetzung einer Frühdatierung der *Dionysiana* schon 500—505; vgl. FORNASARI, Collectio canonum Mutinensis 270—271.

[37] Ergänzung der Dekretalensammlung des Dionysius, die erst mit Siricius einsetzt, durch unechte Texte früherer Päpste, so daß die Traditionsreihe zwischen den *Canones Apostolorum* und Siricius geschlossen wird. Der Sammler entnimmt die Texte dem *Liber Pontificalis*. Zur Tendenz der Sammlung vgl. FORNASARI, Collectio canonum Mutinensis 253—258.

[38] FORNASARI, Collectio canonum Mutinensis 295.

[39] Näheres hierzu bei A. VETULANI, Breviatio canonum Ferrandi ou Fulgentii Ferrandi, in: DDC 2 (1937) 1111—1113; G. BARDY, Afrique, in: DDC 1 (1935) 288—307, hier 289—290.

[40] Tituli 1—144 handeln über die kirchlichen Ämter, 145—198 über kirchliche Delikte, 199—232 über heilige Sachen, u. a. die Taufe, die Fastenzeit usw.

rigoros, daß alle ‚Konzilskanones‘ an einer einzigen Stelle zusammengetragen sind, aber er zieht immerhin seine 5 *Tituli* auf zwei Stellen zusammen: die Titel 75, 76 und 77 schärfen die Teilnahmepflicht ein, bestimmen die entsprechenden Sanktionen für Fernbleibende und regeln
den Ausschluß nicht delegierter Bischöfe vom Universalkonzil.[41] An
anderer Stelle kommt er auf die Konzilshäufigkeit zu sprechen und
klärt bei dieser Gelegenheit die Terminologie.[42]

Das *Breviarium* des Ferrandus, also die systematische Zusammenstellung
von *Tituli* ohne Zitat der *auctoritas* im Wortlaut, wurde später als nicht
genügend hilfreich empfunden. Ein nicht näher zu identifizierender
Cresconius, höchstwahrscheinlich Afrikaner wie Ferrandus, verfaßte
im 6./7. Jahrhundert schließlich eine Kirchenrechtssammlung, die *Concordia canonum*[43], in der die *auctoritates* wieder zitiert werden.[44] Sieben
der insgesamt 300 Titel umfassenden Sammlung beziehen sich auf
‚Konzilskanones‘. Die Sammlung ist nur mäßig systematisch aufgebaut,
entsprechend ist an sieben verschiedenen Stellen von Konzilien die Rede.
Aber der erste diesbezügliche *Titulus* (39)[45] mit seinen 5 *auctoritates*[46]
stellt doch schon eine systematische Zusammenstellung von ‚Konzilskanones‘, einen ‚Konzilstraktat‘, dar.

Die *auctoritates* gehen jedenfalls in ihrem Wortlaut weit über das im
Titulus angegebene Thema, nämlich die jährliche Abhaltung von Konzilien, hinaus. Nicht nur die Häufigkeit und der Termin werden ge-
regelt, sondern auch präzisiert, wer teilnahmeberechtigt ist, wer das
Einberufungsrecht hat, was in Fällen zu geschehen hat, die an Ort und

---

[41] Brev., T. 75, CChr. SL 149, 293: *Ut episcopi ad concilium occurrant aut non occurrentes in
tractoria vel apud primatum excusationes suas allegent.* — Titulus 76, ebd.: *Ut exceptis senibus qui
loco moveri non possunt et infirmis episcopis, qui admonitus ad concilium non occurrerit, communione
privetur.* — Titulus 77, ebd.: *Ut episcopus qui non suscepta legatione, universali concilio interesse
praesumpserit, ab eis episcopis qui legationem suscipiunt ad ipsum concilium non admittatur.*
[42] Zu unterscheiden ist zwischen „Provinzialkonzil", das jährlich zweimal stattfinden soll,
„Universalkonzil", das nur bei einer *causa communis* versammelt wird, und schließlich „Plenar-
konzil", das durch die Anwesenheit des Metropoliten zustande kommt. Titulus 143—144,
CChr. SL 149, 299: *Ut bis in anno per singulas provincias concilia fiant.* Concilio Nicaeno, tit. 5.
Concilio Antiocheno, tit. 20. Concilio Carthaginensi, tit. 3. (143). *Ut concilium universale non
fiat nisi causa communis, idest totius Africae coegerit.* (Concilio Carthaginensi, tit. 1). *Ut synodus
plenaria tunc dicatur cum episcopus metropolitanus adfuerit.* Concilio Antiocheno, tit. 16 (144).
[43] PL 88, 829—942.
[44] Vgl. Maassen, Geschichte der Quellen 806—813; Fournier-Le Bras I 35; J. Ph. Levy,
Cresconius ou Crisconius, in: DDC 4 (1949) 762—763; P. Pinedo, Concordia canonum
Cresconii, in: Jus canonicum 4 (1964) 35—64.
[45] Conc., PL 88, 857 C—858 D: *Ut bis in anno concilia celebrentur.*
[46] Kanon 38 der *Canones Apostolorum*, Kanon 5 von Nicaea, Kanon 20 von Antiochien,
Kanon 19 von Chalcedon und Kanon 37 aus den Dekretalen des Papstes Leo.

Stelle nicht gelöst werden können, nämlich, daß sie nach Rom weiter-
zuleiten sind.[47] Weitere *Tituli* bringen Ergänzungen zu *Titulus* 39, so
Titulus 149 und 153 das römische Appellationsrecht[48], *Titulus* 179 die
Teilnahmepflicht[49], *Titulus* 268 außer Teilnahmepflicht auch die entsprechenden Sanktionen[50], *Titulus* 272 die Beschränkung des *concilium
universale* auf Ausnahmefälle[51] und schließlich *Titulus* 285 das Verbot
für niedere Kleriker, in Rom Berufung einzulegen.[52]

Von Afrika wieder nach Europa! Hier ist, bevor wir zur *Hispana* kommen, noch auf drei kleinere Kirchenrechtssammlungen hinzuweisen.
Die *Capitula Martini*[53], verfaßt wohl kurz nach 572, enthalten zwei
‚Konzilskanones': *De synodo facienda* (Kanon 18) und *De episcopo qui
noluerit venire ad synodum* (Kanon 19).[54]

Die *Collectio vetus Gallica*[55], wohl um 600 in Lyon vielleicht vom dortigen Bischof Etherius verfaßt[56], hat die Besonderheit, daß sie in ihrer
ursprünglichen Gestalt gleichsam programmatisch einen ‚Konzilstraktat'
an den Anfang stellt. Unter dem *Titulus*: *Ut per singulos annos synodus bis
fiat* (3) zitiert der Autor fünf ‚Konzilskanones'[57], und zwar meist nicht

---

[47] Conc., PL 88, 858 D: ... *ut si coram positis partibus, nec tuo res fuerit sopita iudicio, ad
nostram cognitionem, quidquid illud est, transferatur ... Et si inter eos de negotio fuerit oborta
contentio, cuncta Romano pontifici sub gestorum insinuatione pandantur, ut ab eo quod Deo placuerit
ordinetur.*
[48] Conc., PL 88, 890 B—C: *Ut inter discordes episcopos, conprovinciales antistites audiant ; quod si
damnatus appellaverit Romanum pontificem, id observandum, quod ipse censuerit. Auctoritas* ist
Kanon 3 von Sardica. — Ebd. 891 B—C: *De provinciali synodo retractanda per vicarios episcopi
urbis Romae, si ipse decreverit* (Sardica Kanon 7).
[49] Conc., PL 88, 897 D: *Ut episcopi ad synodum impraetermisse occurrant.*
[50] Conc., PL 88, 932 A: *De episcopis, qui ad concilia non occurrant.*
[51] Conc., PL 88, 932 D: *Concilium universale non nisi necessitate faciendum.*
[52] Conc., PL 88, 936 A: *De presbyteris et clericis, ut non appellentur nisi Africana concilia.*
[53] Ausgabe C. W. Barlow, Martini Episcopi Bracarensis Opera Omnia (= PMAAR 12)
New Haven 1950, 123—144; voller Titel: Capitula ex orientalium patrum synodis a Martino
episcopo ordinata atque collecta.
[54] Barlow 129, Kanon 20 von Antiochien, Kanon 40 von Laodicaea.
[55] Ausgabe H. Mordek; Kirchenrecht und Reform im Frankenreich, Die Collectio Vetus
Gallica, die älteste systematische Kanonessammlung des fränkischen Gallien, Studien und
Edition, Berlin-New York 1975, 343—617, ebd. 21—36 zur Arbeitsweise und Tendenz des
Sammlers.
[56] Zu Einzelheiten vgl. Mordek, Kirchenrecht 62—85.
[57] Kanon 5 von Nicaea, Kanon 19 von Chalcedon, Kanon 38 der *Canones Apostolorum*,
Kanon 20 von Antiochien und Kanon 1 des dritten Konzils von Orléans (538). Mordek, Kirchenrecht 366—368. — Der letzte Kanon bestimmt eine Sanktion für säumige Metropoliten:
*quod si intra biennium divinitus temporum tranquillitate concessa admonitis comprovincialibus a metro-
politano synodus indicta non fuerit, metropolitanus ipse pro evocationis tarditate anno integro missas
facere non praesumat. Quod si evocati non corporali infirmitate detenti et adesse sua abusione dispexerint,
simile sententiae subjacebunt.* Mordek, Kirchenrecht 367—368.

im vollen Wortlaut, sondern in starker Verkürzung. Der Herausgeber H. Mordek weist auf die darin zum Ausdruck kommende Tendenz des Sammlers hin. Er fordert zur Durchführung seines Reformprogramms zwei Synoden im Jahr, deshalb läßt er den ersten Teil von Kanon 1 des Konzils von Orléans weg, in dem nur von einem jährlichen Konzil die Rede ist.[58] Unter dem *Titulus De discordantes* (sic) bringt der Verfasser schließlich noch Kanon 47 und 48 der *Statuta*.[59] Wie sehr der erste *Titulus* programmatischen Charakter hat, geht auch aus dem abschließenden hervor: *Titulus* 62[60] stellt zusammen mit *Titulus* 3 eine Klammer dar: das Reformprogramm der *Vetus Gallica* besteht wesentlich in der Einschärfung der auf den alten Konzilien erlassenen Gesetze.

Eine sehr bedeutende frühe Kirchenrechtssammlung ist schließlich noch die *Collectio Hibernensis*[61], entstanden um 700. Hier wird die Teilnahme an der Synode lediglich als eine unter zahlreichen anderen bischöflichen Pflichten genannt.[62] Sonst kommt sie in der relativ umfangreichen Sammlung nicht in den Blick.

2. Hispana

Die *Hispana* ist die umfangreichste und bedeutendste Kirchenrechtssammlung des ersten Jahrtausends und galt gewissermaßen als die offizielle Rechtssammlung der spanischen Kirche. Ursprünglich chronologisch angeordnet[63], wurde der Sammlung zum praktischen Gebrauch ein Inhaltsverzeichnis *(tabulae)* vorausgeschickt.[64] Zwischen 656 und 675 wurden kurze Auszüge der Kanones selber verfaßt, die sogenannten *Excerpta*.[65] Eine Weiterentwicklung stellt schließlich die Einordnung der *auctoritates* der chronologischen *Hispana* in dieses systematische

---

[58] Vet. Gal., CChr. SL 148 A, 114: *Ut unusquisque metropolitanus in provincia sua cum conprovincialibus suis singulis annis synodale debeat oportuno tempore habere concilium.* Vgl. MORDEK, Kirchenrecht 24—25.

[59] Vgl. weiter oben.

[60] MORDEK, Kirchenrecht 588—590.

[61] Ausgabe H. WASSERSCHLEBEN, Die irische Kanonensammlung, Leipzig 1885, 1—243; vgl. R. NAZ, Hibernensis (Collectio), in: DDC 5 (1953) 1124—1125; L. BIELER, Hibernensis Collectio, in: NCE 6 (1967) 1095.

[62] Hib., WASSERSCHLEBEN 7, cap. 10i. *De variis episcopi observationibus: Ut episcopus ad synodum ire satis gravi necessitate inhibeatur, sic tantum per personam legatum mittat, suscepturus salva fidei veritate, quidquid synodus statuerit.*

[63] PL 84, 23—848.

[64] Ausgabe G. MARTÍNEZ DÍEZ, La colección canónica Hispana II, Colecciones derivadas, Teil 2, Madrid 1976, MHS.C 1, 504—583.

[65] Ausgabe MARTÍNEZ DÍEZ, ebd. Teil 1, 43—214.

Gerüst der *Excerpta*, die sogenannte *Hispana systematica*, dar.[66] Unser höchstes Interesse verdienen die *Excerpta*, enthalten sie doch im Buch III unter der Überschrift *De conciliis celebrandis*[67] einen regelrechten kleinen ‚Konzilstraktat', soweit wir sehen, den ersten überhaupt und zugleich den vollständigsten vor den betreffenden *distinctiones* des *Decretum Gratiani*.

Unser Traktat besteht aus 26 *Tituli*, die die jeweilig angezogenen *auctoritates* prägnant zusammenfassen. Die Bedeutung dieser *Tituli* liegt auf der Hand; denn sie fassen nicht nur die *auctoritates* zusammen, in ihnen kommt auch die jeweilige Interpretation derselben durch den Sammler zum Ausdruck. Sie geben den Sinn an, den der Sammler beziehungsweise hier der Exzerptor aus den Quellen liest. Aus ihrer Anordnung und Reihenfolge ergibt sich außerdem eine gewisse systematische Intention des Autors.

Die beiden ersten *Tituli* schärfen unter Berufung auf Kanon 5 von Nicaea und Kanon 19 von Chalcedon die Notwendigkeit von zwei jährlichen Konzilien ein.[68] In *Titulus* 3 scheint der Exzerptor so etwas wie eine „Definition" des Konzils geben zu wollen. Konzilien sind Bischofsversammlungen. Jedenfalls sollen die Akten von den Bischöfen unterschrieben werden.[69] Nach der Definition des Konzils kommt die wichtige Frage des Einberufungsrechts. Es steht ausschließlich dem Metropoliten zu, Konzilien einzuberufen.[70] Sogar die Modalität dieser Einberufung wird festgelegt: es bedarf eines Schreibens mit persönlicher Unterschrift des Metropoliten.[71] Die beiden folgenden *Tituli*

---

[66] Ausgabe, jedoch ohne die *auctoritates*, Martínez Díez, ebd. 280—426. — Über die Probleme der Datierung, der chronologischen Reihenfolge und der wechselseitigen Abhängigkeit von *Excerpta* und Summarien der *Hispana Systematica* besteht unter den Spezialisten keine Einigkeit, vgl. u. a. Martínez Díez in den verschiedenen Einleitungen seiner Edition, ferner Ders., La colección canónica Hispana, I, Estudio, Madrid 1966 MHS.C 1; Ders., Hispana Collectio (Isidoriana), in: NCE 7 (1967) 1; R. Naz, Hispana ou Isidoriana (collectio), in: DDC 5 (1953) 1159—1162. — Zur Frage der Verfasserschaft neben Martínez Díez, der sich für Isidor von Sevilla einsetzt, vgl. Ch. Munier, Saint Isidor de Séville est-il l'auteur de l'Hispana chronologique?, in: SE 17 (1966) 230—241; Ders., Nouvelles recherches sur l'Hispana chronologique, in: RSR 40 (1966) 400—410; P. Landau, Rezension zu G. Martínez Díez, in: ZSRG.K 54 (1968) 406—414.

[67] ‚Titulus' XXVI, Ausgabe Martínez Díez II 1, 128—130.

[68] Hisp. exc., T. 1 und 2, Martínez 128: *Ut bis in annum episcoporum concilium fiat. Quod oportet bis in anno concilii fieri per singulas provincias.*

[69] Hisp. exc., T. 3, ebd. 128: *Ut gesta conciliorum episcoporum subscriptionibus roborentur.*

[70] Hisp. exc., T. 4, ebd. 128: *Ut ad metropolitani arbitrium synodus congregetur.*

[71] Hisp. exc., T. 5, ebd. 128: *Ut epistulas ad concilium revocandum metropolitanus subscribat et dirigat.*

handeln von der *qualitas*[72] der Konzilien. *Titulus* 7 schärft die pünktliche Teilnahme ein[73], 8 bezieht sich auf die äußere Ordnung, die Konzilsliturgie.[74]

Die folgenden 5 *Tituli* regeln die Fragen der Vertretung im Krankheitsfall[75], des jährlichen Termins[76], der Häufigkeit.[77] *Titulus* 16 betont nochmals das ausschließliche Einberufungsrecht des Metropoliten.[78] Die beiden folgenden *Tituli* regeln Modalitäten der An- und Abwesenheit beim Konzil.[79] *Titulus* 19 und 20 nennen neben den Bischöfen sonstige Teilnehmer, unter anderen auch „einige Laien".[80] Bis zu *Titulus* 20 einschließlich waren die jeweils angezogenen *auctoritates* ohne Ausnahme Konzilskanones. *Titulus* 21—25 beziehen sich demgegenüber auf päpstliche Dekretalen. Inhaltlich geht es hier teils um die Frage der Konzilshäufigkeit (22 und 25), teils um die Anzahl der zu delegierenden Bischöfe.[81] 24 und 26 (keine Dekretale, sondern wieder Konzilskanon als *auctoritas*) bestimmen die Dauer des Konzils[82] und weisen auf die Möglichkeit zur Bildung einer Kommission hin.[83]

Der Überblick zeigt, daß der Exzerptor seine *Tituli* durchaus in eine gewisse Systematik gebracht hat. Er geht von der Notwendigkeit der Konzilien überhaupt aus (1—3) und kommt dann auf Einzelheiten in der Reihenfolge der Wichtigkeit zu sprechen: Einberufungsrecht (4—5),

---

[72] Hisp. exc., T. 6 und 7, ebd. 128: *Quod in communes causas ecclesiae generale concilium congregare oporteat, in privatis vero causis speciale uniuscuiusque provinciae. De qualitate conciliorum vel quare aut quando fiant.*

[73] Hisp. exc., T. 8, ebd. 128: *Ut episcopus ad diem concilii occurrat.*

[74] Hisp. exc., T. 9, ebd. 128: *Formula qualiter concilium fiat.* Vgl. in diesem Zusammenhang den ‚Ordo de celebrando concilio'. Einzelheiten vgl. Sieben, Konzilsidee 502—510.

[75] Hisp. exc., T. 10, ebd. 129: *Ut episcopus aegrotus pro se legatum ad synodum mittat.*

[76] Hisp. exc., T. 11, ebd. 129: *De tempore Paschae et diem concilii quo celebrari oporteat.*

[77] Hisp. exc., T. 12—15, ebd. 129: *De synodo annis singulis congregando. Ut per singulos annos concilium fiat. Ut bis in anno concilium fiat. Ut bis in anno synodus celebretur.*

[78] Hisp. exc., T. 16, ebd. 129: *De bis in anno synodo faciendo et non licere alteri episcopo proprie apud se concilium facere nisi soli metropolitano.*

[79] Hisp. exc., T. 17 und 18, ebd. 129: *Ut nulli episcopo a synodo liceat deesse vel ante peracto synodo discedere. Ut nullus episcopus de concilio sine consensu discedat aut ad concilium ire excuset; neque officia sua presbyteris iniungat sed episcopi alii ea coram se agant.*

[80] Hisp. exc., T. 19 und 20, ebd. 129: *Quod semel in anno ad concilium sacerdotes et iudices ecclesiae atque actores patrimonii fiscales debeant convenire. Ut episcopus diocesanos presbyteros et quosdam ex laicis convenire litteris ad synodum moneat.*

[81] Hisp. exc., T. 21 und 23, ebd. 129: *Ut de Sicilia terni annis singulis episcopi die tertio kalendarum octobrium Romam pro synodo occurrant. Ut bini de provinciis episcopi, quos metropolitani probaverint ad Thessalonicam dirigantur.*

[82] Hisp. exc., T. 24, ebd. 129: *Ut non amplius quam dies quindecim in concilio remorentur episcopi.*

[83] Hisp. exc., T. 26, ebd. 129: *De episcopis qui post acta Cartaginensi synodo retenti sunt ad reliqua peragenda.*

Art und Form (6.7.9), Vertretung (10), Termin und Häufigkeit (11—16), Teilnahmepflicht (17—18), sonstige Teilnehmer (19—20), Delegation und Dauer (21.23.24.26).

Unser Exzerptor handelt nicht nur unter der Nummer 26 von Konzilien, sondern sporadisch schon vorher in den Nummern 19—23. Von Bedeutung ist vor allem Nummer 23, weil hier vom römischen Appellationsrecht die Rede ist.[84] Für die Interpretation des ‚Konzilstraktates‘ der *Excerpta* erscheint es uns nun sehr aufschlußreich, daß diese in Nummer 23 doch schon sehr weit gehenden römischen Rechte gegenüber der Synode — *auctoritas* sind außer Sardica päpstliche Dekretalen — vom Exzerptor nicht in seine „systematische" Behandlung des Konzilsrechtes miteinbezogen werden. Offensichtlich sind die Synode und der Römische Stuhl in seiner Vorstellung doch noch eher zwei voneinander „unabhängige" Größen. Deswegen kann er ausführlich und systematisch über Konzilien schreiben, ohne mit einer Silbe den Römischen Stuhl zu erwähnen!

Anders ist das in der *Hispana systematica.* Ihr Verfasser nimmt in die Behandlung der einschlägigen Konzilsfragen, das heißt in seinen ‚Konzilstraktat‘, auch die Beziehung Synode / Römischer Stuhl mit auf. *Titulus* 22 und 25 formulieren dieses Verhältnis so: *Et si res difficilis emerserit nec fuerit Thessalonicensis episcopi iudicio terminata, ad Romanum refferatur antestitem.*[85] *Ut non amplius ab statuto concilii tempore quam dies quindecim remorentur episcopi, et si inter eos de negotiis fuerit oborta contentio, cuncta Romano Pontifici sub gestorum insinuatione pandantur ut ab eo quod Deo placuerit ordinetur.*[86]

Die hier festgestellte Differenz zwischen Nummer 26 der *Excerpta* und der *Systematica* hinsichtlich der Einbeziehung des Verhältnisses Synode / Römischer Stuhl ist deswegen nicht ganz ohne Bedeutung, weil es sich

---

[84] Hisp. exc. ‚Titulus‘ 23, ebd. 126—127: *De convellendis et confirmandis iudiciis: De episcopo adiudicato ut si voluerit episcopus Romanus aut renovet aut confirmet iudicium (1). Ut si episcopus a synodo fuerit depositus in cathedram eius nullus per omnia ordinetur nisi eius causam episcopus romanus determinaverit (2). De causis clericorum tam superioris quam inferioris quae in provincia minime finiuntur ut apostolica sede determinentur (3). Quod surreptum fuerit apostolicae sedi; et suam in melius sententiam commutaverit; quando damnationem Photini rescindit (4). Item de episcopo adiudicato ut per quos voluerit episcopus romanus renovet iudicium (5). De episcopis accusatis ut a Romano episcopo vel ab iis quos miserit actio finiatur (7).*
[85] Titulus 22, ebd. 347. — Der als Rechtsquelle angezogene Leo-Brief bezieht sich historisch auf das Verhältnis Römischer Stuhl/illyrisches Vikariat. Für den Bearbeiter der *Hispana* hat diese partikuläre Regelung offensichtlich universalen Modellcharakter. Zur historischen Interpretation dieser *auctoritas* vgl. SIEBEN, Konzilsidee 136—137.
[86] Titulus 25, MARTÍNEZ 347, 348.

hier — mit einer andern Ausnahme — um die einzige inhaltliche Abweichung zwischen den beiden Texten handelt.[87] Offensichtlich hält der Verfasser der *Systematica* die Korrektur oder Ergänzung seiner Vorlage für notwendig. Für ihn ist ein ‚Konzilstraktat‘ ohne ausdrückliches Eingehen auf das Verhältnis Synode / Römischer Stuhl unvollständig. Freilich handelt es sich nur um eine marginale Korrektur. Er spricht die fragliche Problematik ganz am Ende seines Traktates an. Wie wenig er noch die Synode unter der Oberherrschaft des Römischen Stuhles sieht, ergibt der Vergleich mit den nachisidorischen ‚Konzilstraktaten‘, von denen später die Rede sein soll.

Zwei weitere wichtige vorisidorische Kirchenrechtssammlungen sind die sogenannten *Hadriana* aus dem Jahre 774[88], eine überarbeitete Fassung der *Dionysiana*, und die *Dacheriana*, entstanden um 800 aus einer Verschmelzung von *Hadriana* und *Hispana*.[89] Wir brauchen uns mit keiner der beiden Sammlungen länger aufzuhalten, denn sie bringen im Vergleich zu den oben analysierten unter der uns interessierenden Rücksicht nichts Neues.[90]

Fassen wir das Ergebnis unserer Durchsicht der vorisidorischen Kirchenrechtssammlungen zusammen! Alle, selbst die ganz frühen Kirchenrechtssammlungen, wie die *Statuta ecclesiae antiqua*, bringen eine Reihe

---

[87] Den 26 Tituli der *Excerpta* stehen 25 der *Systematica* gegenüber. Geändert hat der Verfasser der *Systematica* hauptsächlich die Reihenfolge der *Tituli*. 11 seiner *Tituli* stimmen wörtlich mit denen der *Excerpta* überein. Bei 10 *Tituli* sind leichte Differenzen im Wortlaut festzustellen, bei einem eine gravierende Abweichung im Wortlaut, aber nicht im Sinn. Die zweite inhaltliche Abweichung neben Titulus 22 und 25 stellt Titulus 24 dar: hier geht es um die Zahl der von Metropoliten einzuberufenden Bischöfe: *Ut in revocandis provincialibus episcopis ad Thessalonicensem pontificem moderatio conservetur, ne sub hoc colore sacerdotalis honor contumeliis addicatur.* (24) Ebd. 347/348.
[88] Ausgabe J. HARTZHEIM, Concilia Germaniae I Köln 1759, 131—235 (der erste die Konzilien enthaltende Teil); vgl. MAASSEN Geschichte der Quellen 441—452, ferner MORDEK, Dionysiana-Hadriana.
[89] Ausgabe D'ACHÉRY 512—564; vgl. MAASSEN, Geschichte der Quellen 848—852; FOURNIER-LE BRAS I 103 f.; ferner G. HAENNI, Note sur les sources de la Dacheriana, in: STGra 11 (1967) 3—22, und DERS., La Dacheriana mérite-elle une réédition?, in: RHDF 34 (1956) 376—390. Als Autor der *Dacheriana* schlägt MORDEK, Kirchenrechtliche Autoritäten 253, Agobard von Lyon vor.
[90] Vgl. Hadriana, Tituli 43, 62, 94, usw., HARTZHEIM 216, 222, 228. — Dacheriana: Liber II Tituli 47, 48, 49, 52, 53, 62, 63; D'ACHÉRY 537—539: *De episcopis ab eiusdem provinciae sacerdotibus consonanter exclusis. De synodis quae ab episcopis suis debent temporibus in provincia celebrari. De episcopis qui ad concilia non occurrunt. Ut episcopus dioecesanos presbyteros et quosdam ex laicis convenire litteris ad synodum moneat. Ut ad metropolitani arbitrium synodus congregatur. Si episcopus a metropolitano admonitus pro synodo vel ordinatione episcopali venire distulerit. Ut episcopus, qui contra suam possessionem in concilio habitam venerit, deponatur.* — Vgl. auch über die römische Appellation Titulus 31, ebd. 535.

von ‚Konzilskanones' an einer *(Collectio Vetus Gallica, Capitula Martini)* oder mehreren Stellen *(Breviatio canonum* des Ferrandus). Den frühesten, relativ umfangreichen ‚Konzilstraktat' enthalten aber erst die *Excerpta* der *Hispana*. Das Verhältnis der Synode zum Römischen Stuhl kommt auch schon hier und da in den Blick der Sammler *(Dionysiana, Concordia canonum* des Cresconius, *Hispana systematica)* — die angezogene *auctoritas* ist dabei Kanon 4 von Sardica — aber die Synode wird noch überall als autonome, selbständige Größe gesehen, selbst in der *Hispana systematica* noch, in der jedoch das römische Appellationsrecht schon sehr klar formuliert ist.

3. Pseudoisidor

Mit keiner der hier untersuchten Kirchenrechtssammlungen hat sich die Forschung auch nur annähernd so intensiv befaßt wie mit den pseudoisidorischen Dekretalen, der „kühnsten und großartigsten Fälschung kirchlicher Rechtsquellen, die jemals unternommen worden ist und durch die sich die Welt Jahrhunderte hindurch hat täuschen lassen".[91] Mehrmals wurde in neuerer Zeit auch der Primat des Römischen Stuhles nach den Vorstellungen des Pseudoisidor untersucht.[92] Dabei kommen die betreffenden Autoren auch auf die uns in diesem Abschnitt interessierende Problematik zu sprechen, nämlich das Verhältnis Synode / Römischer Stuhl.[93] Aber die Blickrichtung ist dabei nicht ganz die gleiche. Man geht nicht wie wir von der Synode aus, sondern entsprechend der ‚klassischen' Problemstellung vom Primat und stößt dabei

---

[91] SECKEL, Pseudoisidor 265. Dieser Artikel ist immer noch die beste Einführung zu Pseudoisidor, vgl. auch H. FUHRMANN, False Decretals (Pseudo-Isidorian Forgeries), in: NEC 5 (1967) 820—824. Ältere Literatur bei SECKEL, a.a.O., neuere bei E. SECKEL, Die erste Zeile Pseudo-Isidors . . ., Aus dem Nachlaß mit Ergänzungen hrsg. von H. FUHRMANN, in: SDAW.P Heft 4, Berlin 1959. Unentbehrlich zur Erarbeitung des augenblicklichen Forschungsstandes und zur Einführung in die Vielzahl der Probleme ist die dreibändige „Summe" von FUHRMANN, Einfluß. Vgl. hierzu Y. CONGAR, Les fausses décrétales, leur réception, leur influence, in: RSPhTh 59 (1975) 279—288, und J. GAUDEMET, Les Fausses Décrétales du IX au XI siècle, in: RHDF 54 (1976) 569—576. — Ausgabe HINSCHIUS, Decretales Pseudo-Isidorianae. Wichtige kritische Ausstellungen zu dieser Ausgabe bei RICHTER 32—35. Der Artikel informiert über einen wichtigen Abschnitt der Entstehungsgeschichte der Fälschung. Vgl. auch K.-G. SCHON, Eine Redaktion der pseudoisidorischen Dekretalen aus der Zeit der Fälschung, in: DA 34 (1978) 500—511.

[92] Vgl. G. HARTMANN, Der Primat des römischen Bischofs bei Pseudo-Isidor, Stuttgart 1930; A. MARCHETTO, Episcopato e primato pontificio nelle decretali Pseudo-Isidoriane, ricerca storico-giuridica, Rom 1971.

[93] So G. HARTMANN 39—44, 57—70; MARCHETTO 85—109, 195—199, der HARTMANN hier weitgehend folgt.

auf die Synode. Wir halten es deshalb für angebracht, unseren Blickwinkel zur Geltung zu bringen und folgende Fragen zu untersuchen:
1. Unter welcher Perspektive kommt Pseudoisidor die Synode überhaupt in den Blick?, 2. Wie konzipiert er die Synode als solche?,
3. Wie lauten seine Kerngedanken zum Verhältnis Synode / Römischer
Stuhl?[94]

Auszugehen ist bei unserer ersten Frage vom heute einstimmigen Konsens der Forschung bezüglich der Grundtendenz des Fälschers. Diese
besteht nicht, wie man in der Vergangenheit bisweilen irrtümlicherweise behauptet hat, in der Vermehrung der Machtbefugnis des Römischen Stuhles, sondern in der Stärkung des Episkopates.[95] Was aber
den Episkopat, genauer den einzelnen Bischof bedrohte, war wesentlich
die Synode, durch die die weltlichen Herren gegen die Bischöfe wirksam wurden.[96] Unserem Fälscher fehlt somit von vornherein und entsprechend der ganzen Tendenz seines Machwerkes die Unbefangenheit

---

[94] Zur genaueren Charakterisierung der pseudoisidorischen Dekretalen als Fälschung vgl.
das Kapitel „Über Fälschungen im Mittelalter. Überlegungen zum mittelalterlichen Wahr-
heitsbegriff" bei FUHRMANN, Einfluß I 64—136; ebd. 191—194 auch der neueste Stand der
Frage nach Heimat und Person des Fälschers: „Die Frage nach Ort und Verfasser ist bei
einem Non liquet stehengeblieben und kaum auch mit Vorschlägen eines im Geist mit den
Fälschern übereinstimmenden Autors oder Autorenteams bündig zu beantworten" (194).
[95] „Das große Hauptziel der Fälschungen Pseudoisidors . . . ist die Emanzipation des
Episkopates sowohl von der weltlichen Gewalt als von dem überragenden Einfluß der
Metropoliten und Provinzialsynoden; der Festigung der bischöflichen Gewalt dient auch die
Unterdrückung der Chorbischöfe und die Erhöhung der päpstlichen Macht . . . Die oberste
Richtergewalt des Papstes, dem . . . allein die definitive Verurteilung (zum Beispiel Absetzung) eines Bischofs als causa maior vorbehalten wird, ist von Pseudoisidor lediglich
gedacht als eines der Mittel, um den Episkopat gegen Anklagen zu decken . . . Ein Ein-
greifen des Papstes zum Schaden der Bischöfe fürchtete Pseudoisidor nicht, da er glauben
mochte, durch seine Prozeßkautelen auch dem Papst die Hände gebunden zu haben. Er hat
sich darin schwer getäuscht, da der Papst alle Vorschriften zum Schutze der Bischöfe
gegebenenfalls auf die Seite schob. Dem sonst so klugen Fälscher entging es, welche Waffen
gegen den Episkopalismus seine Dekretalen dem Papst in die Hände spielten . . . Der Haupt-
zweck des pseudoisidorischen Prozeßrechtes war die Befestigung und Erweiterung des
päpstlichen Primats gewiß nicht, und die gegenteilige Ansicht . . . teilt niemand mehr."
SECKEL, Pseudoisidor 279.281—282. — Vgl. ähnlich FUHRMANN, Einfluß I 147: „Die Vermehrung der Machtbefugnis des Papstes dient deutlich der Sicherheit der Bischöfe; ja sie —
nicht der Papst — werden in einem cyprianischen Verständnis die ‚Schlüssel' der Kirche
genannt, an deren Unversehrtheit alle mitwirken sollen."
[96] Zum historischen Hintergrund der Fälschungen ist zu beachten: 818 war Theodulf von
Orléans, 830 Jesse von Amiens, 835 Ebo von Reims und Agobard von Lyon abgesetzt
worden. Bartholomäus von Narbonne, Herebold von Auxerre und Burchard von Vienne
verließen aus Furcht vor dem Kaiser 835 ihre Sitze. „Die Reichssynoden, vor die der König
die auf den Tod anzuklagenden Bischöfe stellte, waren ad hoc aus beliebigen Bischöfen
(statt aus Konprovinzialen) zusammengesetzt und fällten, weil aus politischen Gegnern bestehend, parteiische Sentenzen." SECKEL, Pseudoisidor 284.

der Synode gegenüber, die man in den älteren Kirchenrechtssammlungen beobachten kann. Für den Autor der *Hispana* zum Beispiel ist die Synode eine nützliche kirchliche Institution, für Pseudoisidor ist sie wesentlich eine mißbrauchte.

Mit der Tendenz der Fälschung, die ihrerseits vom konkreten historischen Hintergrund bedingt ist, hängt zusammen, daß die Synode nur unter einer sehr beschränkten Rücksicht, und zwar einer negativen, gesehen wird, als eine die Freiheit der Bischöfe bedrohende Gerichtsinstanz, deswegen als ein zu begrenzender Machtfaktor. Dementsprechend fehlen fast ganz andere, in den älteren Sammlungen im Vordergrund stehende Aspekte der Synode: die Synode als gesetzgebende Institution in Disziplinarfragen, in Kult und Liturgie. Genauso begrenzt und einseitig wie die Rücksicht, unter der die Synode in den Blick kommt, ist dann auch der Gesichtspunkt, unter dem der Römische Stuhl vom Fälscher gesehen wird: wesentlich nur als Gegenmacht, als (noch) höhere Gerichtsinstanz.

Was von der allgemeinen Tendenz der Fälschung her zu erwarten war, findet seine Bestätigung am Text des Pseudoisidor: Aussagen über Konzilien unter Absehung des Verhältnisses zum Römischen Stuhl sind in der immerhin doch sehr umfangreichen Sammlung höchst selten.[97] So bezeugt Pseudoisidor die Tradition der vier *principalia concilia*[98], schreibt auch einmal einen Satz über den rechten ‚Geist' einer Synode[99], hat aber dabei fast immer, wie schon in diesem Fall, das Konzil als Gerichtsinstanz vor Augen, so, wenn er genauere Anweisungen für das Synodal-

---

[97] Hier stellt sich freilich ein methodisches Problem. Bezieht man die echten Stücke der Sammlung mit ein, dann ist das Ergebnis weniger negativ. Man begegnet vielmehr fast allen ‚Konzilskanones' der älteren Sammlungen wieder. Zu den echten Stücken gehören die Kanones von 54 Konzilien (Hinschius 258—444), unter ihnen zum Beispiel Kanon 4 von Nicaea (Hinschius 258), Kanon 4 von Sardica (Hinschius 267), Kanon 20 von Antiochien (Hinschius 272), Kanon 40 von Laodicaea (Hinschius 275), Kanon 19 von Chalcedon (Hinschius 285), Kanones afrikanischer Konzilien (Hinschius 297, 304, 307 usw.), Kanon 18 und 19 von Arles (Hinschius 322), Kanon 29 von Orange (Hinschius 329), Kanon 35 und 71 von Agde (Hinschius 334 und 336), Kanon 6 des Konzils von Tarragona (Hinschius 344) usw. — Ganz anders ist das Bild, wenn man die gefälschten Texte zur Grundlage des Urteils über das Konzilsinteresse des Pseudoisidor macht!

[98] Hinschius 20, 9 ff.: *Nosse etiam oportet licet cetera non infirmentur, quatuor esse principalia concilia ex quibus plenissimam fidei doctrinam tenent ecclesiae . . .*

[99] Hinschius 504, 5 ff.: *Decet enim Domini sacerdotes fratrum causas pie tractare et venerabiliter intendere, atque eorum iudicia super sacrificia ordinare, nec proterva aut tyrannica dominatione, ut de quibusdam refertur, sed caritative pro deo et fraterna amore cuncta peragere, et quod sibi quis fieri iuxta dominicam vocem non vult, alii inferre non praesumat, et in qua mensura mensi fueritis remetietur vobis.* Vgl. auch Hinschius 752, 25 ff.

verfahren gibt[100], die Anwesenheit aller *conprovinciales* bei ebendiesen Gerichtssitzungen verlangt[101] usw.

Am ausführlichsten noch stellt Pseudoisidor seine Vorstellungen vom Konzil im *compendium* des Ps-Felix zusammen.[102] Auch hier wird das Konzil ausschließlich als Gerichtsinstanz gesehen: Erst nach Scheitern der gemäß Mt 18, 17 vorgeschriebenen Versöhnungsversuche soll das Konzil einberufen werden. Die Anklagepunkte müssen zeitig schriftlich vorgelegt werden, damit der Angeklagte seine Verteidigung gehörig vorbereiten kann. Entsprechend lang hat die Frist bis zum Zusammentritt des Konzils zu sein. Der Angeklagte muß vor Beginn des Konzils wieder in alle seine Rechte eingesetzt werden[103], andernfalls kann von einem kanonischen Verfahren überhaupt nicht die Rede sein. In den weiteren Ausführungen des *compendium* wird eine Fülle von Bestimmungen gegeben, die praktisch jedem Angeklagten die Handhabe geben, sich dem Verfahren zu entziehen: er kann einen Stellvertreter schicken, um Aufschub bitten, Verlegung des Prozeßortes erwirken, die Zeugen ablehnen, ja schließlich kann er mit dem Appell nach Rom das ganze Konzil als befangen ablehnen.[104]

Pseudoisidor sagt verhältnismäßig wenig Eigenes über das Konzil und verrät damit sein geringes Interesse an dieser Institution. Aufschlußreich ist in dieser Hinsicht jedoch nicht nur, was er sagt, oder besser nicht sagt, also der materiale Aspekt seiner Sammlung, sondern auch ihre Komposition, das heißt der formale Aspekt. Während die älteren Kirchenrechtssammlungen *(Concordia canonum, Hispana chronologica)* den Dekretalen die konziliaren Kanonessammlungen vorausgehen lassen — entsprechend dem größeren ihnen zugemessenen Gewicht —, hat sich Pseudoisidor eine andere Anordnung einfallen lassen: er stellt die Kon-

---

[100] HINSCHIUS 201, 3 ff.: *Si quis episcopus ab illis accusatoribus qui recipiendi sunt fuerit accusatus, postquam ipse ab eis caritative conventus fuerit ut ipsam causam emendare debeat et eam corrigere noluerit, non olim, sed tunc ad summos primates causa eius canonice deferatur, qui in congruo loco infra ipsam provinciam tempore congruo, id est autumnali vel aestivo, concilium regulariter convocare debebunt, ita ut ab omnibus eiusdem provinciae episcopis inibi audiatur. Quo et ipse regulariter convocatus, si eum aut infirmitas aut alia gravis necessitas non detinuerit, adesse debebit ; quia ultra provinciae terminos accusandi ante licentia non est, quam audientia rogetur.*

[101] HINSCHIUS 114, 15 ff.; vgl. auch HINSCHIUS 176, 13, wo vom *consensus omnium* die Rede ist.

[102] HINSCHIUS 485, 15—488, 35.

[103] HINSCHIUS 485, 26 ff.: *Si primates accusatores episcoporum cum eis pacificare familiariter minime potuerint, tunc tempore legitimo eos ad synodum canonice convocatam non infra angusta tempora canonice convocent, et non prius quam eis per scripta significent, quid eis opponatur ut ad responsionem praeparati adveniant. Nam si aut vi aut timore eiecti aut suis rebus expoliati fuerint, nec canonice vocari ad synodum possunt, nec respondere emulis debent, antequam canonice restituantur et sua omnia eis legaliter reddantur.*

[104] HINSCHIUS 486, 7—488, 35.

zilstexte zwischen „älteste" und jüngere Dekretalen, rahmt sie damit gleichsam durch päpstliches Recht ein.[105]

In seiner *praefatio* sucht er diese Anordnung zu begründen. Dabei muß man wohl unterscheiden zwischen dem, was er sagt, und dem, was er indirekt suggeriert. Die größere Autorität komme den *Canones apostolorum* zu im Vergleich zu den Konzilien, sagt er. Deswegen seien sie vorausgestellt. Auf die *Canones apostolorum* lasse er die Dekretalen *virorum apostolicorum* folgen. Den Grund gibt er nicht ausdrücklich an, aber die Terminologie ist aufschlußreich. Die Päpste werden *apostolici* genannt[106], ihre Dekrete damit zunächst terminologisch, zugleich aber auch sachlich in die Nähe der *Canones apostolorum* gerückt. Sie und nicht die Konzilien stellen die direkte apostolische Tradition dar! Die Konzilien, so wird durch diese Anordnung suggeriert, beginnen ja erst mit Nicaea, einem gewiß bedeutenden Konzil, aber zwischen ihm und den Aposteln stehen 300 Jahre päpstlicher Dekretalen als Vermittlung. Ist durch diese Anordnung schon Nicaea erheblich abgewertet, um wieviel mehr erst sind es die *cetera concilia*, mag Pseudoisidor noch so ausdrücklich versichern, den Dekretalen komme lediglich die gleiche Autorität wie den Konzilien zu *(non impar)*.[107] Für den Fälscher ist jedenfalls die ‚Einheit' der ‚apostolischen' Überlieferung grundlegender als die synodale ‚Vielheit'. Diese apostolische Einheit bezeichnet Pseudoisidor gelegentlich mit dem Terminus *viva traditio*[108], im gleichen Zusammenhang

---

[105] Nach den Einleitungsstücken und den *Canones Apostolorum* (HINSCHIUS 20—30) kommen zunächst 60 Dekretalen von 30 Päpsten von Klemens I. bis Miltiades (HINSCHIUS 30—247), dann erst die Konzilssammlungen (HINSCHIUS 247—444), es folgen Dekretalen von Silvester I. bis Gregor II. (HINSCHIUS 444—754).

[106] Über diesen Terminus als Bezeichnung der Päpste vgl. M. WILKS, The ‚apostolicus' and the bishop of Rom, in: JThS 13 (1962) 290—317; 14 (1963) 311—354.

[107] HINSCHIUS 17, 27 ff.: *Deinde quarumdam epistolarum decreta virorum apostolicorum intersedavimus, id est Clementis, Anacleti, Evaristi et ceterorum apostolicorum, quas hactenus repperiri potuimus epistolas usque ad Silvestrum papam: postmodum vero Nicenam synodum constituimus propter auctoritatem eiusdem magni concilii: deinceps diversorum conciliorum Graecorum ac Latinorum, sive quae antea, seu quae postmodum facta sunt, sub ordine numerorum ac temporum capitulis suis distincta sub huius voluminis aspectu locavimus, subicientes etiam reliqua decreta praesulum Romanorum usque ad sanctum Gregorium et quasdam epistolas ipsius, in quibus pro culmine sedis apostolicae non inpar conciliorum exstat auctoritas . . .*

[108] HINSCHIUS 205, 41 ff.: *Haec vero apostolorum est viva traditio, haec vera caritas quae praedicanda est et veraciter diligenda ac fovenda atque fiducialiter ab omnibus tenenda. Haec sancta et apostolica mater omnium ecclesiarum Christi ecclesia quae per dei omnipotentis gratiam a tramite apostolicae traditionis numquam errasse probabitur, nec haereticis novitatibus depravanda subcubuit: sed, ut in exordio normam fidei christianae percepit, ab auctoribus suis apostolorum Christi principibus inlibata fine tenus manet secundum ipsius domini salvatoris divinam pollicitationem . . .* Vgl. auch HINSCHIUS 179, 29 ff.; 453, 39 ff. — Von der Unfehlbarkeit des Römischen Stuhles ist auch sonst öfter die Rede, vgl. HINSCHIUS 240, 3 ff.; 453, 28 ff.; 454, 3 ff.

spricht er meist von der ‚Unfehlbarkeit' des Römischen Stuhles, oder genauer: von der Tatsache, daß der Römische Stuhl sich noch nie geirrt hat.

Wir kommen zum Hauptteil dieses Abschnitts, Pseudoisidors Konzeption des Verhältnisses Synode / Römischer Stuhl. Sieht man zunächst einmal von einer juridisch genaueren Fassung dieses Verhältnisses ab, so läßt es sich in einem einzigen Satz sagen: Die Synode besitzt keine Autonomie mehr, dem Römischen Stuhl kommt die Oberherrschaft über alle Synoden zu. Die Entmachtung der Synode zugunsten des Einzelbischofs durch Behauptung und Stärkung der absoluten Oberherrschaft des Papstes über die Synode ist *das* Leitmotiv, das der Fälscher in unzähligen Variationen wiederholt: *Multis denuo apostolicis et canonicis atque ecclesiasticis instruimur regulis non debere absque sententia Romanorum pontificum concilia celebrari.*[109]

Dieses allgemeine Prinzip „kein Konzil ohne römischen Spruch" bedeutet konkret: Einzig der Römische Stuhl hat das Einberufungsrecht: *Synodorum vero congregandorum auctoritas apostolicae sedi privata commissa est potestate.*[110] An anderen Stellen heißt es einschränkend: *. . . generalium synodorum convocandi auctoritas apostolicae beati Petri sedi singulari privilegio (est) tradita et nulla umquam synodus rata leg(i)tur quae apostolica auctoritate non fuerit fulta.*[111] Der Fälscher nennt die päpstliche Einberufung *regularis* beziehungsweise *canonica vocatio.*[112] Nur aufgrund derselben wird eine Bischofsversammlung eine *legitima synodus.*[113]

---

[109] HINSCHIUS 721, 19 ff.; vgl. ähnliche Formulierungen dieses Prinzips: ebd. 224, 10 ff.; 228, 5 ff.; 459, 20 ff.; 465, 23 ff.; 466, 36; 471, 21 ff.; 472, 1 ff.; 479, 19 ff.; 479, 26 ff.; 503, 3 ff.

[110] HINSCHIUS 19, 9 ff. HINSCHIUS nennt im Quellenapparat zu dieser Stelle u. a. Cassiodor, Hist.trip. IV 9, 4 (vgl. S. 68). Nach SCHON, Exzerpte 556, stellt Cassiodor aber nur eine Sachparallele dar. Quelle für HINSCHIUS 99, 9 f. ist vielmehr eine Fälschung aus der Werkstatt Pseudoisidors, enthalten in der Berliner Philippshandschrift 1764: *Quia ex iussione domini et meritis beati Petri apostoli singularis sanctae sedi apostolicae congregandorum conciliorum auctoritas data et sanctorum canonum venerandorumque patrum decretis privata ac multiplex tradita est potestas . . .* (Ausgabe ROSE 193b). Diese Fälschung stellt ihrerseits eine Überarbeitung eines Passus der römischen Synode vom 23. 10. 501 dar: *. . . quia eius* (scil. papae Symmachi) *sedi primum Petri apostoli meritum vel principatus, deinde secuta iussione domini conciliorum venerandorum auctoritas singularem in ecclesiis tradidit potestatem . . .* (MGH.AA 12, 427, 2—4). — Dieses ausschließlich dem Römischen Stuhl zustehende Einberufungsrecht erhellt, so der Fälscher, aus der Geschichte: *Nec ullam synodum ratam esse legimus, quae eius non fuerit auctoritate congregata vel fulta. Haec canonica testatur auctoritas, haec historia ecclesiastica roborat, haec sancti patres confirmant,* HINSCHIUS 19, 10 ff.; vgl. auch HINSCHIUS 459, 13 ff.

[111] HINSCHIUS 721, 9 ff.; vgl. auch ebd. 459, 9.

[112] HINSCHIUS 449, 2 und HINSCHIUS 465, 14.20.

[113] HINSCHIUS 459, 5.

Nicht nur der Beginn der Synode, ihre Einberufung, steht allein dem Papst zu, auch ihre definitive Beendigung. Kein synodales Urteil hat Rechtskraft ohne päpstliche Bestätigung: *Finis vero eius causae ad sedem apostolicam deferatur, ut ibidem terminetur. Nec antea finiatur . . . quam eius auctoritate fulciatur.*[114] Der Provinzialsynode steht nur die Untersuchung, Pseudoisidor sagt die *discussio*, zu, nicht die *definitio*, die Schlußsentenz, das abschließende Urteil.[115]

Die Oberherrschaft des Römischen Stuhles über die Synode kommt mehr noch als in der päpstlichen Berufung und Bestätigung in dem praktisch unbegrenzten Appellationsrecht zur Geltung. Der Appell an den Papst bringt jede Synode zum Stillstand.[116] Die Provinzialsynode kann entsprechend durch den Römischen Stuhl zur *retractio* veranlaßt werden.[117]

Die Oberherrschaft des Papstes über die Synode kommt schließlich dadurch zur Geltung, daß bestimmte Dinge grundsätzlich der Zuständigkeit der Synode entzogen und dem Papst vorbehalten werden.[118] Der Papst ist allein zuständig für die definitive Verurteilung oder Absetzung von Bischöfen. Ausdrücklich werden Verfahren der „übrigen Kleriker", das heißt der niederen Weihestufen, von dieser Zuständigkeit ausgeschlossen.[119] Im übrigen sind die Bestimmungen des Fälschers nicht ganz frei von Widersprüchen. Gelegentlich formuliert er so, daß man den Eindruck hat, er bemesse die Zuständigkeit nach dem Subsidiaritätsprinzip: die je höhere Instanz, Provinzialsynode, Primatialsynode, Römischer Stuhl, sind zuständig in dem Maße, als Fälle auf unteren

---

[114] HINSCHIUS 132, 5 ff.; vgl. auch ebd. 128, 22 ff.

[115] HINSCHIUS 502, 31 ff.: *Discutere namque episcopos et summorum ecclesiasticorum causas negotiorum metropolitanos una cum omnibus suis conprovincialibus, ita ut nemo ex eis desit et omnes in singulorum concordent negotiis licet, sed definire eorum atque ecclesiarum summas querellas causarum vel damnare episcopos absque huius sanctae sedis auctoritate minime licet.* Vgl. auch HINSCHIUS 467, 31 ff.

[116] HINSCHIUS 190, 26 ff.: *Unde placuit ut accusatus vel iudicatus a conprovincialibus in aliqua causa episcopus licenter appellet et adeat apostolicae sedis pontificem, qui aut per se aut per vicarios suos eius tractari negotium procuret . . .* Vgl. auch HINSCHIUS 168, 12 ff.; 174, 19 ff.; 563, 33 ff.; 563, 45 ff.

[117] HINSCHIUS 470, 1 ff.: *Ut provincialis synodus retractetur per vicarios urbis Romae episcopi, si ipse decreverit;* vgl. auch HINSCHIUS 198, 13.

[118] HINSCHIUS 190, 23 ff.: *Cuius* (das heißt des Römischen Stuhles) *dispositioni omnes maiores ecclesiasticas causas et episcoporum iudicia antiqua apostolorum earumque successorum atque canonum auctoritas reservavit . . .;* vgl. auch HINSCHIUS 74, 9 ff.; 243, 19 ff.; 459, 5 ff.; 460, 17 ff.; 466, 5 ff; 712, 16 ff.

[119] HINSCHIUS 125, 33 ff.: *. . . quamvis liceat apud provinciales et metropolitanos atque primates eorum ventilare accusationes vel criminationes, non tamen licet definire secus quam praedictum est. Reliquorum vero clericorum apud provinciales et metropolitanos ac primates et ventilare et iuste finire licet . . .*

Ebenen nicht entschieden werden können. Ausgenommen aber bleiben ausdrücklich die *iudicia episcoporum*.[120] In der ersten Dekretale des Ps-Marcellus ist dem Fälscher eine recht glückliche Formulierung seines eigentlichen Anliegens gelungen, das er mit der „geradezu rhapsodischen Häufung von Rechten des Römischen Stuhles"[121] verfolgt: Es ist die *pastoralis cura* gegenüber den zu Unrecht verurteilten Bischöfen und der Einsatz für die Reform der Kirche.[122]

Was ist nun neu und anders bei Pseudoisidor im Vergleich zu den vorausgegangenen Kirchenrechtssammlungen? Der Unterschied liegt auf zwei Ebenen. Zunächst ist das Interesse des Fälschers ganz anders gelagert als bei den Vorgängern. Pseudoisidor fürchtet die Synode, sein Anliegen ist deswegen ihre möglichste Entmachtung. Entsprechend erwähnt er sie fast nur im Zusammenhang mit jener Macht, die er ihr beschwörend überordnet, mit dem Römischen Stuhl. Damit ist das quantitative Verhältnis der Aussagen über Synode und Synode / Römischer Stuhl im Vergleich zu den älteren Kirchenrechtssammlungen umgekehrt und auf den Kopf gestellt: Waren dort die Aussagen über das Verhältnis Synode / Römischer Stuhl — sofern solche Aussagen überhaupt vorkamen — nur ein Aspekt des ‚Konzilstraktates‘, so sind sie hier zum fast ausschließlichen Inhalt geworden.

Wichtiger als dieser quantitative Unterschied ist der qualitative: die Neukonzeption des Verhältnisses Synode / Römischer Stuhl selber! Hier

---

[120] Hinschius 74, 5 ff.: *Si autem difficiles causae aut maiora negotia orta fuerint ad maiorem sedem referantur, et si illic facile discerni non potuerint, aut iuste terminari, ubi fuerit summorum congregatio congregata, quod per singulos annos bis fieri solet et debet, iuste et deo placite coram patriarcha aut primate ecclesiastico et coram patricio saeculari iudicentur negotia in commune. Quod si difficiliores ortae fuerint quaestiones aut episcoporum vel maiorum iudicia aut maiores causae fuerint, ad sedem apostolicam, si appellatum fuerit, referantur, quoniam hoc apostoli statuerunt iussione salvatoris, ut maiores et difficiles quaestiones semper ad sedem deferantur apostolicam* ... Vgl. auch Hinschius 724, 19 ff.

[121] Fuhrmann, Einfluß I 4.

[122] Hinschius 224, 9 ff.: *Simulque idem inspirante domino constituerunt ut nulla fieret synodus praeter eiusdem sedis auctoritate, nec nullus episcopus nisi in legitima synodo suo tempore apostolica auctoritate convocata super quibuslibet criminibus pulsatus, audiatur vel iudicetur episcopus, quia, ut paulo superius praelibatum est, episcoporum iudicia et summarum causarum negotio sive cuncta dubia apostolicae sedis auctoritate sunt agenda et finienda, et omnia conprovincialia negotia per huius sanctae universalis et apostolicae ecclesiae sunt auctoritatem retractanda, si huius ecclesiae pontifex praeceperit. Nec cui liceat sine praeiudicio Romanae ecclesiae quae omnibus causis debetur reverentia custodire relictis his sacerdotibus qui in eadem provincia dei ecclesias nutu divino gubernant, ad alias convolare provolare provincias vel aliarum provinciarum episcoporum iudicium expeti vel pati, sed omnibus eiusdem provinciae episcopis congregatis iudicium auctoritate huius sedis terminetur; quod tamen, ut praefatum est, per eius vicarios, si libuerit, erit tractandum et quicquid iniuste actum est reformandum. Pastoralis ergo cura officii nos admonet et destitutis succurrere et cuncta neglecta vel male acta reformare, ut ignis ille, quem dominus veniens misit in terram, motu crebrae meditationis agitatus sic calescat ut ferveat, et sic inflammetur ut luceat.*

liegt im Vergleich zu den Vorgängern unseres Erachtens keine konti-
nuierliche Weiterentwicklung mehr vor, sondern ein Bruch mit der
Tradition. In der Tat, was die älteren Kirchenrechtssammlungen zum
Verhältnis Synode / Römischer Stuhl sagen, hält sich im Rahmen von
Kanon 3 und 7 des Sardicense: Der Römische Stuhl ist eine Appellationsinstanz über der Synode, aber die Synode bleibt für alle *causae* — auch die
causae maiores — erste Instanz. Es steht im Belieben des Verurteilten, an
den Römischen Stuhl zu appellieren. Er kann es tun, er kann es auch
lassen. Appelliert er nicht, hat der Römische Stuhl keine Handhabe
gegenüber dem Konzil.

Ganz anders bei Pseudoisidor. Hier kann der Römische Stuhl, ganz
gleich, ob eine Berufung an ihn vorliegt oder nicht, von sich aus ein-
greifen. Mit anderen Worten: der Römische Stuhl ist nicht mehr nur
Appellationsinstanz, Letztinstanz, sondern für alle *causae maiores*, das
heißt für Verfahren gegen Bischöfe, Erst- und Letztinstanz zugleich.
Bezüglich der *causae maiores* bleibt der Synode nur noch das Recht der
Voruntersuchung, nicht das der Entscheidung selber. Die Synode kann
selbst zu dieser Voruntersuchung nur mit päpstlicher Ermächtigung
schreiten. Das bedeutet das Ende der synodalen Autonomie. Pseudoisidor räumt dem Römischen Stuhl nicht nur eine Art Oberaufsicht ein —
das ist die Idee von Sardica —, sondern schafft ihre in der Alten Kirche
vom Subsidiaritätsprinzip geregelte Freiheit ab.[123]

4. Nachisidorische, vorgratianische Sammlungen

H. Fuhrmann ist im 5. Kapitel seiner monumentalen Studie („Die
pseudoisidorischen Dekretalen in den kirchenrechtlichen Sammlungen
bis zum Dekret Gratians") der Rezeption isidorischer Sätze in den nach-

---

[123] G. HARTMANN 62 ff. macht den Einwand, Pseudoisidor könne sich sehr wohl für seine
Konzeption der römischen Zentralgewalt auf patristische Zeugnisse stützen, so auf den Satz
der *Historia tripartita* IV 9: *non oportere praeter sententiam Romani pontificis concilia celebrari*
(CSEL 71, 165). Er widerlegt den Einwand unseres Erachtens richtig, indem er den genauen
Sinn dieses Satzes bei Cassiodor ermittelt. Er bezieht sich hier auf Konzilien mit dogmatischen
Streitpunkten, welche die Gesamtkirche betreffen. Pseudoisidor verallgemeinert diesen Aus-
nahmefall und bezieht den Satz nicht nur auf ökumenische, sondern auch auf partikulare
Synoden, nicht nur auf dogmatische Streitfragen, sondern einfache Disziplinarentschei-
dungen. — Die weiteren Versuche HARTMANN's, den „fundamentalen Unterschied zwischen
dem Recht der alten Kirche und Pseudoisidors" durch Vergleiche mit Sätzen Leos,
Innozenz I usw. herauszustellen, können methodisch nicht ganz befriedigen. Unseres Erachtens hat es wenig Sinn, über viele Jahrhunderte hinweg isolierte Texte verschiedenster
Intention und Aussageabsicht zu vergleichen. Ein Text Papst Leos aus dem 5. Jahrhundert
mag einen Anspruch auf Primatialgewalt zum Ausdruck bringen. Der gleiche Text hat aber

isidorischen Kirchenrechtssammlungen nachgegangen. Er stellt zudem im dritten Teil seiner Studie in Gestalt verschiedener Indices und Register ein ausgezeichnetes Hilfsmittel für die weitere Forschung zur Verfügung.[124] Im Rahmen unserer Untersuchung geht es uns im folgenden darum, innerhalb der bunten Fülle der von Fuhrmann aufgewiesenen Pseudoisidor-Sätze auf ein einziges, freilich zentrales Thema abzuheben: Isidors Aussagen zur Synode, beziehungsweise zum Verhältnis Synode / Römischer Stuhl.

Gleich die erste der großen nachisidorischen systematischen Kirchenrechtssammlungen, die *Collectio Anselmo dedicata*[125] (ca. 882—896), hat Pseudoisidor massiv rezipiert. Der ‚Konzilstraktat‘ befindet sich am Anfang des leider noch nicht edierten Buches III. Aus dem von Fuhrmann aufgestellten Register[126] ergibt sich, daß dieser ‚Konzilstraktat‘ zwar weitgehend aus Pseudoisidor-Stücken aufgebaut ist[127], anscheinend jedoch das Verhältnis Synode / Römischer Stuhl außer acht bleibt. Dieses Verhältnis ist nun in der Tat Gegenstand des ersten Buches, das *De primatu et dignitate Romanae Sedis aliorumque primatum, patriarcharum, archiepiscoporum atque metropolitorum* handelt.[128]

Hier lautet gleich *Titulus 9*: *quod auctoritas congregandarum synodorum apostolicae sedi commissa sit privata potestate.*[129] *Auctoritas* hierfür ist der berühmte Satz der *praefatio* des Pseudoisidor.[130] *Titulus 10* enthält das Appellationsrecht[131], *auctoritas* ist Hinschius 74, 5 ff. *Titulus 16* reser-

---

eine völlig verschiedene Bedeutung, wenn er Eingang in eine Kirchenrechtssammlung gefunden hat. Vergleiche erscheinen uns nur sinnvoll innerhalb homogener Texttraditionen. Mit anderen Worten, der Bruch des Pseudoisidor mit der Tradition der Alten Kirche ergibt sich nicht durch Vergleich mit einzelnen Texten der patristischen Zeit, sondern durch Messen an den älteren Kirchenrechtssammlungen.

[124] Teil II 408—585. — Teil III 784—1005 enthält ein alphabetisches Initienverzeichnis von Pseudoisidor-Sätzen mit ihrem jeweiligen Vorkommen in den betreffenden Kirchenrechtssammlungen; ebd. 1012—1018 ein Register zu Pseudoisidor in der Reihenfolge der HINSCHIUS-Edition, das also zusammen mit dem Initienverzeichnis die Identifikation der Pseudoisidor-Stellen sehr erleichtert.

[125] Ausgabe von Buch I vgl. J. C. BESSE, Collectio Anselmo dedicata liber primus (sic!), in: RDC 9 (1959) 207—296; zur Einführung vgl. FOURNIER-LE BRAS I 234—296; A. AMANIEU, Anselmo dedicata (collectio), in: DDC 1 (1935) 578—583; C. G. MOR, Anselmo dedicata, collectio, in: NCE 1 (1967) 585. Zum Gesamteinfluß des Pseudoisidor auf die Collectio vgl. FUHRMANN, Einfluß II 425—435. Zur Eigenart der Sammlung vgl. auch R. KNOX, Finding the Law. Developments in Canon Law during the Gregorian Reform, in: SGSG 9 (1972) 421—466, hier 428—538.

[126] FUHRMANN, Einfluß III 1020—1021.

[127] HINSCHIUS 17, 15—24; 458, 25—33; 20, 1—8; 17, 2—3; 18—31 usw.

[128] BESSE, Anselmo 213.

[129] Ebd. 217—218.

[130] HINSCHIUS 19, 9 ff.

[131] BESSE, Anselmo 218.

viert das endgültige Urteil dem Römischen Stuhl[132]: *ut post examinationem et accusationem episcopi legitimam finis eius causae ad sedem apostolicam deferatur*, auctoritas ist Hinschius 132, 5 ff. *Titulus* 39 affirmiert das Appellationsrecht und schärft den Grundsatz ein, daß ohne Erlaubnis des Römischen Stuhles kein legitimes Konzil zustande kommt[133], *Titulus* 44 handelt von der Befugnis römischer Legaten auf Provinzialsynoden[134], *Titulus* 46 von der Konzilsdauer und vom Rekurs zum Römischen Stuhl[135], *Titulus* 58 beruft sich auf das Nicaenum für das Verbot, Konzilien ohne römische Erlaubnis abzuhalten.[136] Weitere auf das Verhältnis Synode / Römischer Stuhl sich beziehende *Tituli*[137] zitieren Pseudoisidor als *auctoritas*.

Damit ergibt sich eindeutig: die *Collectio Anselmo dedicata* konzipiert das für die Ekklesiologie so grundlegende Verhältnis der Synode zum Römischen Stuhl in den Fragen der Konzilseinberufung, Bestätigung, Appellation usw. fast ausschließlich[138] auf der Basis der pseudoisidorischen Fälschungen. Die *Collectio* hat sich die Grundidee des Pseudoisidor, die Entmachtung der Synode zugunsten der Oberherrschaft des Römischen Stuhles, zu eigen gemacht.

Einige Jahrzehnte jünger als die *Collectio Anselmo dedicata* ist die *Sammlung in neun Büchern*[139], entstanden etwa 910—925 in Süditalien. Die ersten

---

[132] Ebd. 221.

[133] Ebd. 234: *Quod omnes possint appellare Romanam sedem et de synodo atque conciliis et quo tempore vel qualiter damnandi sint episcopi.* — Auctoritas ist HINSCHIUS 502, 3 ff.

[134] BESSE, Anselmo 237: *De provinciali synodo retractanda per vicarios episcopi urbis Romae, si ipse decreverit.* — Auctoritas ist jedoch hier nicht Pseudoisidor, sondern das Sardicense, Kanon 7.

[135] BESSE, Anselmo 238: *Ut non amplius ab statuto concilii tempore, quam dies quindecim remorentur episcopi, et si inter eos de negotio fuerit oborta contentio, cuncta Romano pontifici sub gestorum insinuatione pandantur: ut ab eo quod Deo placuerit ordinetur.* — Auctoritas ist wiederum nicht Pseudoisidor, sondern eine echte Leo-Dekretale.

[136] BESSE, Anselmo 246: *Non debere concilia celebrari nec episcopos damnari absque sententia romani pontificis secundum Nicaeni statuta concilii.* — Auctoritas ist hier Pseudoisidor (HINSCHIUS 479, 25 ff.).

[137] Tituli 59.62.63.68.69.

[138] Von insgesamt 14 auf das Verhältnis Synode/Römischer Stuhl sich beziehenden Tituli basieren lediglich zwei, nämlich Tituli 44 und 46, nicht auf Pseudoisidor. — Etwa gleichzeitig mit der *Collectio Anselmo dedicata*, jedenfalls vor 895, entstand die *Collectio canonum* des Pseudo-Remedius (Ausgabe H. JOHN, MIC.CC, Rom 1976, 131—193). Die Konzilsidee dieses handlichen Auszugs aus Pseudoisidor (75 der insgesamt 80 cap. stammen aus dem Fälscher) entspricht der der Vorlage. Vgl. zum Beispiel cap. 54: *quod synodus non sit legitima absque auctoritate Romani episcopi.*

[139] Die Sammlung selber ist unediert, die *Capitulationes* vgl. PL 138, 397—442; vgl. auch FOURNIER-LE BRAS I 341—347; R. NAZ, Collection en neuf livres in: DDC 6 (1957) 997 bis 999.

acht Titel des zweiten Buches sind den Konzilien gewidmet.[140] Ein
Einfluß des Pseudoisidor ist nicht spürbar.[141] In einer zweiten italienischen Kirchenrechtssammlung, der *Sammlung in fünf Büchern*[142], aus
den Jahren 1014—1023 ist ebenfalls im Zusammenhang des kleinen
‚Konzilstraktats‘ (Buch II 4—7)[143] kein Pseudoisidor-Text rezipiert,
obwohl der Sammler andernorts, wenn auch selten, Pseudoisidor verwendet.[144]

Von Italien nun nach Deutschland! Der wesentliche Unterschied der
Decretorum libri XX (um 1023) des Burchard von Worms[145] im Vergleich zu den Kirchenrechtssammlungen der Vorgänger besteht darin,
daß Pseudoisidor im Zusammenhang des ‚Konzilstraktats‘[146] rezipiert
ist. Gleich der erste *Titulus* lautet: *quod auctoritas congregandorum synodorum apostolicae sedi commissa sit privata potestate.*[147] Aber die *auctoritas*
selber ist bezeichnenderweise im Vergleich zum Original abgeändert.
Burchard schreibt statt *nec ullam synodum*[148] *nec ullam synodum generalem.*
Die ausschließliche Zuständigkeit des Römischen Stuhles für die Einberufung von Konzilien bezieht sich nur auf „Generalsynoden", was
immer man unter diesem Terminus zu verstehen hat. Die Provinzialsynode jedenfalls behält ihre Autonomie!

---

[140] IX lib., PL 138, 403 C—D: *Ut bis in anno concilia celebrentur. Quibus temporibus synodi ab
episcopo debeant in provincia celebrari. Ut episcopi ad synodum impraetermisse occurrant. De episcopis
qui ad concilia non occurrunt. Ut episcopus dioecesanos presbyteros et quosdam ex laicis conveniat litteris.
Ut metropolitani arbitrio synodus congregetur. Si quis episcopus a metropolitano admonitus ad synodum
vel ordinationem episcopalem venire distulerit. Dissidentes episcopos si non timor Dei, synodus reconciliet.*

[141] In anderen Teilen der Sammlung ist Pseudoisidor, wenn auch sehr begrenzt, rezipiert.
„Les fausses Décrétales n'ont fourni qu'un nombre très limité d'extraits." FOURNIER-LE
BRAS I 345.

[142] Ausgabe M. FORNASARI, Collectio canonum in V libris, CChr. SM 6; vgl. FOURNIER-
LE BRAS I 421—431.

[143] V lib., CChr. CM 6, 180—182: *Ut bis in anno concilia celebrentur. De synodis quae ab episcopis
suis debentur temporibus in provincia celebrari. Ut episcopi ad synodum inpraetermisse occurrant.*

[144] Zur Pseudoisidor-Rezeption vgl. die Einleitung zur Edition p. XI.

[145] Text PL 140, 537—1058. — Vgl. FOURNIER-LE BRAS I 364—421; J. PÉTRAU-GAY,
Burchard de Worms, in: DDC 2 (1937) 1147—1157; CH. MUNIER, Burchard, Decretum
of, in: NCE 2 (1967) 887—888; E. VAN BALBERGHE, Les éditions du Décret de Burchard
de Worms, in: RThAM 37 (1970) 5—22; G. FRANSEN, Une suite de recherches sur le Décret
de Burchard de Worms, in: Tr. 25 (1969) 514—515; vor allem FUHRMANN, Einfluß II
442—485. Zur Pseudoisidorrezeption vgl. auch M. KERNER u. a., Textidentifikation und
Provenienzanalyse im Decretum Burchardi, in: StGr 20 (1976) 17—63, hier 33—44. Vgl.
ferner KNOX 438—441.

[146] Buch I 42—63, PL 140, 561—565.

[147] PL 140, 561 B.

[148] HINSCHIUS 19, 11.

Im Vergleich zu *Titulus* 42, der das Verhältnis Synode / Römischer Stuhl regelt, fallen die übrigen Anleihen bei Pseudoisidor nicht ins Gewicht. Pseudoisidor wird zwar als *auctoritas* zu *Titulus* 51[149] zitiert[150], tatsächlich aber handelt es sich um Kanon 21 der afrikanischen Kanonessammlung, den Pseudoisidor zum Teil übernommen hat.[151] *Auctoritas* zu *Titulus* 54 ist zwar Pseudoisidor[152], aber es handelt sich lediglich um einen eher moralischen Appell zu Bescheidenheit.[153] Auch *Titulus* 63[154] bezieht sich auf Pseudoisidor als Quelle[155], aber die dort affirmierte römische Oberhoheit ist nicht sehr „isidorisch". Der übrige ‚Konzilstraktat' mit seinen Bestimmungen über die Konzilshäufigkeit (*Titulus* 43), den Jahrestermin (*Titulus* 44), die Sanktion für Fernbleibende (*Titulus* 45 und 50), für säumige Metropoliten (*Titulus* 46 und 52), die Teilnahmepflicht (*Titulus* 47 und 49), das Einberufungsschreiben (*Titulus* 48), den Unterschied zwischen General- und Provinzialkonzil (*Titulus* 53), die Präzedenz (*Titulus* 55 und 56), die Tagesordnung (*Titulus* 58), das Konzil als Instanz gegen den Metropoliten (*Titulus* 59), die Gerechtigkeit der Urteile (*Titulus* 60), die Einhaltung der Kanones (*Titulus* 61), „dissentierende" Bischöfe (*Titulus* 62)[156], bezieht sich auf echte *auctoritates*, nämlich päpstliche Dekretalen, ‚Konzilskanones' älterer Sammlungen, die wir schon kennen, aber auch auf eine Reihe von Kanones neuerer gallischer Synoden (Meaux, Reims usw.), die wir in unseren Kirchenrechtssammlungen bisher noch nicht angetroffen haben.

Besondere Beachtung verdient noch *Titulus* 57[157], der in Zweifelsfällen keinen Rekurs auf den Römischen Stuhl vorsieht, sondern als Letzt-

---

[149] *De episcopo qui per aegritudinem ad synodum venire non potuerit.*
[150] PL 140, 563 A: *Ex decretis Felicis papae, cap. 11.*
[151] HINSCHIUS 202, 1 f.
[152] HINSCHIUS 176, 22 ff.
[153] Burch., PL 140, 563 C: *Ut episcopi posteriores se prioribus suis non praeferant.*
[154] Burch., PL 140, 564 D—565 A: *De inflatione metropolitanorum et fastu et de episcopis ac reliquis clericis qui laeduntur a metropolitano.*
[155] HINSCHIUS 121, 14 ff.
[156] Burch., PL 140, 561 B—564 D: *Quod bini conventus episcopales singulis annis fieri debeant. De synodis quo tempore sint habendae. De synodo congreganda. De archiepiscopo qui tempore pacis ultra biennium synodum annuntiare neglexerit. De episcopis ad synodum vocatis, ut venire non contemnant. Quales epistolae a metropolitano sint fratribus dirigendae. De episcopo qui synodo adesse neglexerit. De episcopo qui per aegritudinem ad synodum venire non potuerit. De episcopis ad synodum vocatis et venire et missos suos mittere dedignantibus. Concilium universale non nisi necessitate faciendum. Ut episcopi sui ordinis tempus observent, alter alteri honorem praebentes. De episcoporum ordine ut qui posterius ordinati sunt prioribus se non audeant anteferre. Ut episcopi in synodo residentes, quae ad emendationem vitae pertineant primum emendent. De metropolitano si conprovincialem episcopum in sua causa audire distulerit. Ut episcopi iusta iudicia semper diiudicent. Ut canonum statuta ab omnibus rite custodiantur, et nullus ea suo sensu diiudicare praesumat. De dissidentibus episcopis.*
[157] Burch., PL 140, 564 A: *De rebus dubiis in conciliis episcoporum emergentibus.*

instanz den Primas der jeweiligen Region benennt. Die Rechtsquelle dieser Bestimmung ist angeblich eine päpstliche Dekretale.[158] Dies steht in Übereinklang mit dem ersten *Titulus* des Burchardschen ‚Konzilstraktats' (*Titulus* 42): der Bischof von Worms erweist sich im Zusammenhang seines ‚Konzilstraktats' als Verteidiger der kirchlichen und synodalen Autonomie.

Wie ist nun insgesamt die Pseudoisidor-Rezeption im Zusammenhang des ‚Konzilstraktates' (I 42—63) Burchards zu beurteilen? Sie hält sich, zunächst quantitativ gesehen, in Grenzen. Von 17 ‚Konzilskanones' insgesamt stammen tatsächlich nur 3 aus Pseudoisidor. Das ist bei der Masse des angebotenen ‚Materials' nicht viel. Entscheidend jedoch ist der qualitative Aspekt. Nur einer von diesen drei Texten hat Gewicht, nämlich *Titulus* 42, der die römische Oberherrschaft über die Synode affirmiert. Und selbst dieser kardinale Text ist noch durch eine kühne Korrektur entschärft[159]: nicht jede Synode, nur die „Generalsynode" bedarf päpstlicher Bestätigung.

In schroffstem Gegensatz zur behutsamen Pseudoisidor-Rezeption eines Burchard von Worms stehen die Kirchenrechtssammlungen, die im folgenden zu analysieren sind. Zum Einstieg in die Sammlungen der Gregorianischen Reform eignet sich hervorragend der *Dictatus Papae*[160] von 1075, der selber höchstwahrscheinlich nichts anderes als eine aus 27 *Tituli* bestehende *capitulatio* einer solchen Kirchenrechtssammlung darstellt.[161] Uns interessiert *Titulus* 16: *quod nulla synodus absque praecepto eius debet generalis vocari*, *Titulus* 17: *quod nullum capitulum nullusque liber*

---

[158] Ebd.: *Ex epistula Bonifatii papae ad episcopos Galliae: Si inter episcopos eiusdem concilii dubitatio emerserit de ecclesiastico iure vel de aliis negotiis, primum metropolitanus eorum cum aliis quibusdam in concilio considerans rem iudicet. Et si non acquiescat utraque pars iudicatis, tunc primas illius regionis inter ipsos audiat, et quod ecclesiasticis canonibus et legibus nostris consentaneum sit, hoc definiat, et nulla pars valeat calculo eius contradicere.* — Der Text stimmt, jedoch nicht völlig wörtlich, überein mit Justinianus, Novel. 123, c. 22, Corpus Iuris civilis, Ausgabe Kroll III, 611 und wurde von dort in den Nomokanon XIV tit. und L tit. übernommen.

[159] Weitere Einzelheiten zu dieser Korrektur und zum vermutlichen Traditionszusammenhang von Hinschius 19, 9 ff. vgl. Fuhrmann, Mittelalterliche Patriarchate II 45, Anm. 139.

[160] Ausgabe E. Caspar, MGH.ES 2a, 201—208. — Zur Einführung vgl. K. F. Morrison, Dictatus Papae, in: NCE 4 (1967) 858—859, speziell zum Verhältnis Synode/Römischer Stuhl K. Hofmann, Der „Dictatus Papae" Gregors VII. Eine rechtsgeschichtliche Erklärung, Paderborn 1933, § 8: „Papst und Synode", 80—97. Über Gregor VII. als Kanonisten vgl. H. Fuhrmann, Das Reformpapsttum und die Rechtswissenschaft, in: Investiturstreit und Reichsverfassung, Vorträge und Forschungen 17, Sigmaringen 1973, 175—203, hier 185—192.

[161] K. Hofmann, Der Dictatus Papae Gregors VII. als Index einer Kanonessammlung? in: STGra 1 (1947) 531—537.

canonicus habeatur absque illius auctoritate, und *Titulus* 4: *quod legatus eius omnibus episcopis praesit in concilio etiam inferioris gradus et adversus eos sententiam depositionis potest dare.*[162] *Titulis* 16 bezieht sich auf das Berufungsrecht des Römischen Stuhles[163]: keine „wichtige"[164] Synode darf ohne Erlaubnis des Römischen Stuhles einberufen werden. *Titulus* 17 stellt das Bestätigungsrecht des Römischen Stuhles fest[165]: kein Konzilskanon soll kanonisch gelten, das heißt Gesetzeskraft haben, ohne Bestätigung durch den Römischen Stuhl. *Titulus* 4 nennt das entscheidende konkrete Mittel der päpstlichen Machtausübung über die Synode: den Vorsitz des Legaten des Römischen Stuhles. Der Legat, selbst vielleicht niederen Ranges als die Bischöfe, hat über alle Bischöfe der Synode den Vorsitz.[166]

Das neue Kirchenrecht der Reformer fand seinen ersten Ausdruck in den *Diversorum patrum sententiae sive collectio in LXXIV titulos digesta*[167] etwa aus dem Jahre 1074, die vielleicht Kardinal Humbert von Silva Candida zuzuschreiben sind.[168] Die Sammlung verkörpert in Reinkultur, was alle gregorianischen Kirchenrechtssammlungen mehr oder weniger charakterisiert: das Desinteresse an der Konzilsinstitution als solcher. Kein einziger der 74 *Tituli* dieser Sammlung ist expressis verbis den Konzilien gewidmet, mit anderen Worten, es fehlt der in den älteren Sammlungen übliche ‚Konzilstraktat' vollständig. Die Konzilien kom-

---

[162] CASPAR, Dictatus Papae 205 und 203.

[163] Zur philologischen Interpretation von *vocari* und *generalis* vgl. K. HOFMANN, § 8 „Papst und Synode" 80 ff.

[164] *generalis* bezeichnet im Sprachgebrauch Gregors VII. nicht notwendig „ökumenisches" Konzil, ebd. 80.

[165] *capitulum* hat „hier den Sinn von Abschnitt aus einer Sammlung oder von Kanonen (sic) eines Konzils", ebd. 87, Anm. 42. Anders ST. KUTTNER, Liber canonicus. A Note on „dictatus papae", c. 17, in: SGSG 2 (1947) 387—401, der den Satz in der Linie des *Decretum Gelasianum de recipiendis libris* sieht, also der römischen Lehrautorität, die den Umfang der autoritativen Quellen des Glaubens festlegt.

[166] Historischer Hintergrund und Einzelheiten der Auslegung bei G. HARTMANN 89—97.

[167] Ausgabe J. GILCHRIST, MIC.C 1, Rom 1973. — Zur Einführung DERS., Seventy-Four-Titles, collection of, in: NCE 13 (1967) 141; FUHRMANN, Einfluß II 486—509. Vgl. auch KNOX 442—448. FOURNIER-LE BRAS II 14—20. Vgl. auch die sehr nuancierte Interpretation bei O. CAPITANI, La figura del vescovo in alcune collezione canoniche della seconda metà del secolo XI, in: Vescovi e Diocesi in Italia nel medioevo (sec. XI—XIII) (= Italia sacra 5) Padua 1964, 161—191; DERS., Über den Reformgeist der 74-Titel-Sammlung, in: Fs. H. Heimpel II, Göttingen 1972, 1101—1120.

[168] Vgl. MICHEL, Die Sentenzen des Kardinals Humbert; die Zuschreibung bleibt umstritten, vgl. GILCHRIST in der Einleitung seiner o. a. Edition, XXVI: „The question remains open." — Zum Zusammenhang zwischen dem *Dictatus Papae* und der Collectio vgl. DERS., Canon Law Aspects 21—38.

men dem Sammler nur noch im Zusammenhang der Geltendmachung der Rechte des Römischen Stuhles in den Blick.[169] Die angezogenen *auctoritates* stammen mit ganz wenigen Ausnahmen aus Pseudoisidor. Der Sammler hat sich hinsichtlich der Synode weitestgehend die Sicht seiner Hauptquelle zu eigen gemacht.[170]

Nur einige Jahre jünger als die 74-Titel-Sammlung ist eine weitere gregorianische Kirchenrechtssammlung, die *Collectio canonum* des Anselm von Lucca, verfaßt um 1083.[171] Hinsichtlich der Behandlung der Konzilien ist das gleiche zu sagen wie zur vorausgehenden Sammlung. Es fehlt ein eigentlicher ‚Konzilstraktat‘, die Synode kommt nur im Zusammenhang der Rechte des Römischen Stuhles zur Sprache.[172] *Auctoritas* dieser Sätze über das Verhältnis Synode / Römischer Stuhl ist fast ausschließlich Pseudoisidor.[173]

---

[169] *De primatu Romanae ecclesiae* 1, 3.10.12.16. (GILCHRIST 20.24.25.28). — *De iudicio et examinatione episcoporum* 10, 83.85.86.87.90 (ebd. 62.63.64.66). — *De episcopis sine Romana auctoritate depositis* 11, 95 (ebd. 68). — *De episcoporum indutiis et de synodica vocatione* 14, 108. 110 (ebd. 73—74).

[170] Vgl. die jeweiligen Angaben bei GILCHRIST und FUHRMANN, Einfluß III 1029.

[171] Ausgabe THANER. — Vgl. A. AMANIEU, Anselme de Lucque, in: DDC 1 (1935) 567—578; J. GILCHRIST, Anselm II of Lucca, St., in: NCE 1 (1967) 584—585; FOURNIER-LE BRAS II 509—522. Vgl. auch KNOX 449—459.

[172] I 52, Thaner 27: *Quod auctoritas congregandarum synodorum generalium soli apostolicae sedi sit commissa, nec sine eius auctoritate rata esse potest.* — I 58; 29: *Petitio Nicaeni Synodi, ut ab apostolica auctoritate confirmetur.* — I 59; 30: *Petitio Aegyptiorum episcoporum pro capitulis LXX Nicaeni concilii ab auctoritate sedis apostolicae.* — II 7; 77: *Quod omnes quibus necesse fuerit ad Romanam debent ecclesiam suffugere absque omni impedimento et ut nullus episcopus iudicetur vel audiatur, nisi in synodo apostolica auctoritate vocata.* — II 9; 79: *Quod absque auctoritate apostolica nulli licet episcoporum causas definire, quamvis scrutari liceat conprovincialibus episcopis.* — II 11; 80: *Ut omnes episcopi in gravioribus causis pulsati ad apostolicam ecclesiam quasi matrem confugiant, quae per se aut per vicarios suos iudicatorum a conprovincialibus negotia retractet.* — II 12; 81: *Ut primates accusatum episcopum discutiant, sententiam vero damnationis sine apostolica auctoritate non proferant.* — II 13; 81: *Quod dubiae ac maiores causae ab apostolica sede debent terminari.* — II 26; 87: *Quod apostolica sedes ius habeat convocandi synodos et iudicandi omnes maiores causas ecclesiae.* — II 27; 87: *Quod ideo Romanae ecclesiae concessa sunt privilegia congregandarum conciliorum ac restitutionum episcoporum et iudiciorum, ut omnibus oppressis succurrat.* — II 34; 90: *Ut nec concilium nominetur quod sine consensu papae congregatum fuerit et ut difficiliores quaestiones ad ipsum referantur.* — II 40; 92: *Quod absque auctoritate sedis apostolicae nulla potest synodus regulariter congregari, nec episcopus qui eam appellaverit potest sine illa damnari.* — II 45; 95: *Ut absque apostolica sede nec concilium celebretur nec episcopus damnetur.* — II 47; 97: *Quod irritum sit concilium, nisi fuerit apostolica auctoritate firmatum.* — II 55; 101: *Quod papa non per se, sed per legatos conciliis provincialibus soleat interesse.* — II 60; 103: *Quod metropolitano cum omnibus conprovincialibus episcopis summas ecclesiasticas causas licet discutere, sed non definire, nec episcopum damnare nec synodum congregare absque apostolicae sedis auctoritate.* — III 99; 179: *De conciliis ex apostolica auctoritate congregatis contra diversas haereses.*

[173] Ausnahme: II 55 bezieht sich auf Ep 31 (JW 425) von Leo dem Großen, und III 99 auf echte Konzilsakten (Mansi 11, 662 ff.).

Deusdedits *Collectio canonum*[174], die man nach 1087 datiert, unterscheidet sich unter der uns interessierenden Rücksicht von der Kirchenrechtssammlung des Anselm von Lucca in einem wichtigen Punkt: Zwar hat auch er innerhalb der Sammlung selber keinen ‚Konzilstraktat', aber er stellt in den *capitulationes* des ersten Buches, einer Art Inhaltsverzeichnis, 15 Sätze zusammen[175], mit denen er auf die konzilsbezüglichen Rechtsquellen seiner Sammlung hinweist.[176] Man hat es hier also doch mit so etwas wie einem ‚Konzilstraktat' zu tun, freilich ganz aus der Sicht der Gregorianer abgefaßt. Überdeutlich springt der Unterschied zum Beispiel zu Burchard von Worms in die Augen. Diese 15 Sätze selber entbehren nicht ganz eines systematischen Aufbaus.

Deusdedit beginnt, wie zu erwarten, mit der Affirmation der Oberhoheit des Römischen Stuhles über die Synoden.[177] Dann kommt er ganz natürlich auf die konkrete Ausübung dieser Oberhoheit durch die Legaten zu sprechen.[178] Der nächste Satz faßt das Verhältnis Römischer Stuhl / Universalkonzil ins Auge und räumt ausdrücklich die Möglichkeit des Appells von diesem an jenen ein.[179] Im folgenden geht Deusdedit auf die Beziehung der östlichen Synoden zum Römischen Stuhl ein.[180] Die vorausgehenden Sätze bezogen sich vorwiegend oder ausschließlich auf das Verhältnis Universalkonzil / Römischer Stuhl. Jetzt wird ausdrücklich seine Oberhoheit auch über das Provinzialkonzil betont.[181] Der folgende Satz stellt eine historische Tatsache fest: Schon 8 „Universalsynoden" wurden aus der Ermächtigung des Römischen Stuhles gefeiert.[182] Dann folgt die Definition der Universalsynode.[183]

---

[174] Ausgabe GLANVELL. — Vgl. CH. LEFEBURE, Deusdedit, in: DDC 4 (1949) 1186—1191, hier 1186—1189; J. J. RYAN, Deusdedit, Collectio of, in: NCE 4 (1967) 823; vor allem FOURNIER-LE BRAS II 37—54; FUHRMANN, Einfluß II 522—533. Vgl. auch KNOX 459—462.

[175] GLANVELL, Deusdedit 7, 8—34.

[176] Auch in weiteren *Capitulationes* des 1. Bd.s ist vom Verhältnis Synode/Römischer Stuhl die Rede, aber nicht mehr im ‚systematischen' Zusammenhang, vgl. GLANVELL, Deusdedit 8, 27 ff.

[177] Ebd. 7, 8—12: *Quod apostoli constituerunt, nullam debere fieri synodum absque auctoritate (scil. Romanae ecclesiae). Quod generales synodos ipsa convocare debeat. Quod non fit regularis synodus sine huius auctoritate.*

[178] Ebd. 7, 15—20: *Quod non sit consuetudo papae praeesse universalibus synodis nisi per legatos suos. Quod legati eius in omnibus synodis primi damnationis sententiam inferunt et primi subscribunt. Quod legatis ipsius fit proclamatio sub nomine eiusdem.*

[179] Ebd. 7, 21—22: *Quod necessitate exigente universalibus synodis ad R(omanam) sedem appellatur.*

[180] Ebd. 7, 23: *Qualiter orientales synodis subscribunt, quas mittunt papae.*

[181] Ebd. 7, 25—26: *Quod ei liceat comprovinciales synodos et omnia provincialia negotia etiam per vicarios suos retractare.*

[182] Ebd. 7, 28: *Quod eius auctoritate iam VIII universales synodi celebratae sunt.*

[183] Ebd. 7, 30: *Quae synodus dicitur universalis.*

Der ‚Konzilstraktat' schließt endlich mit drei Sätzen, die nicht vom
Verhältnis Synode / Römischer Stuhl, sondern von den Synoden als
solchen handeln: ihrer Hierarchie untereinander, der Emendierbarkeit
oder relativen ‚Unfehlbarkeit' selbst der „Universalsynoden" (!), ihrer
Häufigkeit.[184]

Die Reihenfolge dieser 15 Sätze ist höchst aufschlußreich: sie ist im
Vergleich zu den älteren Sammlungen, zum Beispiel den *Excerpta* der
Hispana, auf den Kopf gestellt. Deusdedit konzipiert die Synode vom
Römischen Stuhl aus. Am Ende seiner ‚Systematik' steht die Synode
als solche; die *Hispana* konzipiert sie von den Einzelkirchen her, am
Ende ihrer ‚Systematik' steht der Appell an den Römischen Stuhl. Zu
fragen ist schließlich noch, ob der die Universalsynode so abwertende
Satz von ihrer Emendierbarkeit[185] durch die ‚Systematik' des Deusdedit
bedingt ist. Brauchen Universalkonzilien nicht unfehlbar zu sein, weil
der Papst die Wahrheit garantiert?

Eine Überraschung bringen uns die 37 *auctoritates,* auf die die 15 Sätze
der *capitulatio* hinweisen. Nur 12 davon stammen aus Pseudoisidor, die
übrigen sind, echten Quellen entnommen, meist Konzilsakten, und
tauchen hier zum ersten Mal in einer Kirchenrechtssammlung auf. Freilich beweisen auch diese echten Texte oft nicht, was sie beweisen sollen.
Deusdedit überinterpretiert und läßt den Kontext seiner *auctoritates*
außer acht.[186]

Mit dem von 1075 stammenden *Breviarium (Capitularium)* des Kardinals
Atton[187] können wir uns sehr kurz fassen. Was das Interesse an Konzilien angeht, ist der Kardinal nämlich am ehesten mit der 74-Titel-
Sammlung zu vergleichen. Er behandelt sie nicht im Zusammenhang,
nur an ganz wenigen Stellen kommen sie in den Blick.[188]

---

[184] Ebd. 7, 31—34: *Quod provincialia concilia cedant universalibus. Quod priora universalia interdum
emendantur a posterioribus universalibus. De celebratione concilii in anno.*
[185] Augustinus, De bapt. 2, 3, 4. — Dieser berühmte Text scheint hier zum ersten Mal in
den Kirchenrechtssammlungen aufzutauchen. (Vgl. auch Ivo von Chartres, Decretum IV
227). Zur historisch-kritischen Interpretation vgl. SIEBEN, Konzilsidee 91—93.
[186] Akten des Konzils von Ephesus 431, Chalcedon, 3. und 4. Konzil von Konstantinopel,
2. Konzil von Nicaea, Sardica, Lateransynode von 649, römische Synode von 744, Leo-Brief
und *Hispana.*
[187] Die Sammlung selber ist unediert. A. MAI bringt lediglich die Tituli, vgl. SVNC 6,
Anhang 60—100; ferner FOURNIER-LE BRAS II 20—25, FUHRMANN, Einfluß II 529 ff.
[188] MAI 78u: *De mora concilii: non ultra quindecim dies qui conveniunt retardentur.* — 80m: *Sed
nec illud praeterimus, quod ab apostolica sede frequenter actum est, more maiorum, etiam sine ulla
synodo praecedente, ut solvendi quos synodus iniqua damnaverat, et damnandi nullo resistente quos
oportuit, habuerit facultatem.* — 83u: *Sicuti sancti evangelii quattuor libros, sic quattuor concilia
suscipere et venerari fateor, id est Nicaenum, Ephesinum, Chalcedonense, Constantinopolitanum.* —

Zu diesen gregorianischen Kirchenrechtssammlungen gehört auch Bonizo von Sutris *Liber de Vita Christiana* (ca. 1095).[189] Der Bischof bringt im Zusammenhang von den Episkopat betreffenden Fragen einen kleinen ‚Konzilstraktat' (Buch III 48—53.58) zu den Fragen der Häufigkeit, der Teilnahmepflicht, der Vertretung im Krankheitsfall, der Präzedenz und der kanonischen Form der Einladung.[190] Besondere Beachtung verdient wiederum wie bei Burchard von Worms die Bestimmung, daß in Zweifelsfällen lediglich der Metropolit und nicht der Römische Stuhl zuständig ist.[191] Auf die römische Oberherrschaft über Synoden kommt Bonizo nicht im Zusammenhang seines ‚Konzilstraktates' zu sprechen — hier ist lediglich Pseudoisidor rezipiert — sondern dort, wo er die *praerogativa* dieses Stuhles behandelt.[192] Dort tauchen auch entsprechend die bekannten Pseudoisidor-*auctoritates* auf.[193] Dort stehen auch die Sätze *quod omnes synodi Romana sint auctoritate vocandae*[194], *quod synodus non possit sine auctoritate Romanae sedis celebrari*[195], *quod Romana ecclesia possit solvere, quod inique synodus damnavit*[196], und: *quod particularis synodus universalem non possit iudicare synodum.*[197] An den Schluß der gregorianischen Kirchenrechtssammlungen stellen wir die *Collectio duorum librorum* (Cod. Vat. lat. 3832), deren zeitliche Einordnung umstritten ist. Sie zeichnet sich durch besonders entschiedenes Eintreten für die Anliegen der Reform, vor allem die alles beherrschende Stellung des Papstes aus. Ent-

---

90o: *Episcopos secundum ordinationis tempus, sive ad considendum in concilio, seu ad subscribendum, vel in qualibet alia re, sua tenere loca decernimus.* — 94m: *Concilia vero celebrent, unum quidem ante quadragesimam paschae, ut omni dissensione sublata munus offeratur Deo piissimum ; secundum vero circa tempus autumni.*

[189] Ausgabe E. Perels, Bonizo, Liber de Vita Christiana, Berlin 1930. — Vgl. Fournier-Le Bras II 139—150; Fuhrmann, Einfluß II 534—541; J. Pétrau-Gay, Bonizo, in: DDC 2 (1937) 951—965; R. Kay, Bonizo of Sutri, in: NCE 2 (1967) 674—675; W. Berschin, Bonizo von Sutri, Leben und Werk, Berlin 1972, 57—75. Vgl. auch Knox 462—466.

[190] Perels, Vita Christiana 87—88: *Ut bini conventus episcoporum sint per annum (48). Quod episcopus vocatus ad synodum venire festinet (49). Quod episcopus aegrotus legatum ad synodum mittat (50). Ut episcopi prioribus suis non se anteponant (51). Quod vocatio episcopi per intervalla temporis debeat fieri (52).*

[191] Perels, Vita Christiana 88: *Ut de dubiis rebus metropolitanus diiudicet (52).*

[192] IV 46 ff., Perels, Vita Christiana 133.

[193] Perels, Vita Christiana 134—141: *Quod difficiles quaestiones ad Petri sedem referantur (49). Quod pulsatus Romanam sedem appellet (53). Quod episcoporum causae non possint sine Romani pontificis iudicio terminari (55). Quod episcoporum iudicia ad Romanam sedem deferantur (56). Quod episcopus non possit damnari sine consulto papae (65).*

[194] IV 69, Perels, Vita Christiana 142. — *Auctoritas* ist Pseudoisidor (Hinschius 459, 9 ff.).

[195] IV 71, Perels, Vita Christiana 142. — *Auctoritas* ist Pseudoisidor (Hinschius 502, 26 ff.).

[196] IV 74, Perels, Vita Christiana 143. — *Auctoritas* ist Gelasius, Brief an die dardanischen Bischöfe, auch bei Pseudoisidor, vgl. Hinschius 643, 24 ff.

[197] IV 84, Perels, Vita Christiana 147. — *Auctoritas* ist Pelagius I.

sprechend reduziert ist das Interesse am Konzil. Es kommt fast ausschließlich im Sinne Pseudoisidors in den Blick.[198]
Wir beschließen unseren Überblick über die vorgratianischen Sammlungen mit Ivo von Chartres[199], dessen Kirchenrechtssammlungen nicht
mehr zu den gregorianischen gehören, sondern die Brücke schlagen
zwischen dem eher „episkopalistischen" Burchard von Worms und den
„zentralistischen" Reformern. Die *Panormia* (um 1095)[200] ist wie das ihr
zeitlich vorausgehende Werk des gleichen Autors, das *Decretum,* eine
systematische Sammlung. Sie behandelt im 4. Buch zunächst den Primat des Römischen Stuhles. Dort wird auf das Verhältnis Synode /
Römischer Stuhl noch nicht eingegangen. Unmittelbar daran anschlie-

---

[198] Text mit Kommentar bei J. Bernard, La collection en deux livres (Cod.Vat.lat. 3832)
I: La forme primitive de la collection en deux livres, source de la collection en 74 Titres et
de la collection d'Anselme de Lucques, in: RDC 12 (1962) 1—601, vgl. auch Fournier-
Le Bras II 127—131. — Bernard supponiert eine verlorengegangene Fassung A, von der
abhängen sollen 1) die vorliegende erweiterte Fassung B, 2) die *Diversorum patrum sententiae*
(Extrakt), 3) Anselm von Luccas *Collectio.* Die Priorität von *Diversorum patrum sententiae*
verteidigt u. a. J. Gilchrist, The collection of Cod.Vat.lat. 3832, a source of the Collection
in Seventy Four Titles?, in: Etudes d'histoire du droit canonique dédié à Gabriel Le Bras I,
Paris 1965, 141—156. — Das Verhältnis Papst/Konzil bestimmen im Sinne Pseudoisidors
die *Tituli* I 20 *(Quod nullum concilium sine auctoritate sit firmum),* I 51 *(Quod synodus
non debeat fieri absque iussu apostolici),* I 76 *(Quod sedes apostolica synodos convocare debeat),* I 77
(Quod privilegium Romanae sedis sit congregare concilia), I 98 *(Ut nec concilium nominetur quod sine
consensu papae congregatum est),* I 226 *(De eadem re).* Lediglich zwei weitere *Tituli* befassen
sich mit Konzilsmaterie: II 129 *(Quod non licet particulari synodo generalem diiudicare, sed ad
apostolicam sedem convenire,* echte Pelagiusdekretale als *auctoritas)* und II 211 *(De auctoritate
IV conciliorum,* echte Gregordekretale JW 1092). — Mit Titulus I 51 taucht zum ersten Mal,
soweit wir sehen, der berühmte Lucentius-Satz aus den Akten des Konzils von Chalcedon
(... *Synodum ausus est facere sine auctoritate sedis apostolicae, quod numquam rite factum est nec
fieri licuit,* ACO II 3, 1; 40, vgl. S. 67—68) in einer Kirchenrechtssammlung auf. — Hingewiesen sei im Zusammenhang der *Collectio duorum librorum* auf eine weitere wichtige bisher
aber nicht edierte gregorianische Kirchenrechtssammlung, die u. a. aus der vorgenannten
Collectio schöpft, den *Polycarpus* des Gregor von S. Grisogono (wohl erst nach 1100), deren
Edition von H. Fuhrmann vorbereitet wird; vgl. U. Horst, Die Kanonessammlung Polycarpus des Gregor von S. Grisogono, Quellen und Tendenzen, MGH Hilfsmittel 5,
München 1980, ebd. 56—80 Überblick über den Inhalt der 8 Bücher. Die *capitulatio* wurde
von A. Theiner, Disquisitiones criticae in praecipuas canonum et decretalium collectiones,
Rom 1836, 341 veröffentlicht. Die gregorianische Tendenz hinsichtlich der Konzilien
kommt zum Ausdruck in I 16: *Nullum concilium esse firmum sine auctoritate papae.*
[199] Vgl. L. Chevailler, Yves de Chartres, in: DDC 7 (1965) 1641—1666; Ch. Munier,
Ivo of Chartres, Collection of, in: NCE 7 (1967) 778; Ders., Pour une édition de la
‚Panormia' d'Ives de Chartres, in: RevSR 44 (1970) 153—164; Fournier-Le Bras II 55 bis
114; Fuhrmann, Einfluß II 542—562; für unsere Fragestellung vgl. auch besonders
J. Gaudemet, Collections canoniques et primauté pontificale, in: RDC 16 (1966) 105—117;
vgl. auch R. Sprandel, Ivo von Chartres und seine Stellung in der Kirchengeschichte,
Stuttgart 1962, 52—85.
[200] PL 161, 1041—1344.

ßend folgt der aus 10 *Tituli* bestehende ‚Konzilstraktat', der durch die
Überschrift *De conciliis synodalibus* (!) als solcher gekennzeichnet ist.[201]
Hier ist nun der Aufbau von höchstem Interesse. Ivo stellt im Gegensatz zu den Gregorianern nicht die Affirmation der römischen Oberherrschaft an die Spitze seines ‚Konzilstraktats', sondern die Verpflichtung der zweimaligen Konzilsversammlung im Jahr.[202] Auch die zugehörige *auctoritas* ist mit Bedacht gewählt. Es ist nicht, wie sonst meistens
in den älteren Kirchenrechtssammlungen, ein Konzilskanon, sondern
eine Leo-Dekretale, die im zweiten Teil für *maiora peccata* den Rekurs
nach Rom vorschreibt.[203] Erst im Anschluß daran kommt *Titulus* 14,
die römische Oberherrschaft über die Synode[204], aber bezeichnenderweise mit der Textkorrektur des Burchard von Worms.[205] Diese Reihenfolge, erst allgemeine Konzilsinstitution, dann römische Oberherrschaft,
ist um so bemerkenswerter, als sie von der unmittelbaren Vorlage der
Panormia, nämlich dem ‚Konzilstraktat' des *Decretum* (ca. 1094)[206], abweicht. In der Tat, hier hatte Ivo die Reihenfolge seiner Quelle in diesem Abschnitt des *Decretum*, nämlich des *Decretum* Burchards von
Worms, beibehalten[207]: zunächst die römische Oberherrschaft, dann die
Konzilsinstitution als solche.

Bevor wir uns abschließend Gratian, dem „Vater der kirchlichen Rechtswissenschaft", zuwenden, soll noch zusammenfassend nach dem Einfluß des Pseudoisidor auf die vorgratianischen Kirchenrechtssammlun-

---

[201] PL 161, 1185—1188.

[202] Pan., IV 13, PL 161, 1185 B: *Bini conventus per singulos annos ab episcopis celebrentur.*

[203] Pan., PL 161, 1185 D: *At si forte inter ipsos qui praesunt de maioribus peccatis (quod absit)
causa nascitur, quae provinciali nequeat examine definiri, fraternitatem tuam, de totius negotii qualitate
metropolitanus curabit instruere, ut si coram positis patribus nec tuo fuerit res sopita iudicio, ad nostram
cognitionem quidquid illud est transferatur.*

[204] Pan., IV 14, PL 161, 1185 B: *Absque Romani pontificis auctoritate synodum aliquibus congregari non licet.*

[205] Die folgenden Titel bestimmen den Termin und die Teilnehmer (15.16), die nötige
Sanktion für Säumige (17.18), die Stellvertretung (19), die Präzedenz (20), die Tagesordnung (21) und den Rekurs an die höhere Instanz des Primas (und nicht an den Papst)
(22). Keiner der zugehörigen *auctoritates* stammt aus Pseudoisidor. Titulus 19 will Ivo zwar
ex decretis Felicis papae übernommen haben, vgl. aber Anm. 150 u. 151.

[206] PL 161, 74—1022, hier Pars V T 153—172.

[207] Der ‚Konzilstraktat' des *Decretum* ist wörtlich von Burchard von Worms übernommen,
Ivo hat lediglich 1. den Titel *de eadem re* (I 49) bei Burchard durch *quibus causis episcopi ad
synodum vocati abesse possunt* (V 159) verdeutlicht, 2. *aegritudinem* (I 51) durch *infirmitatem*
(V 161) ersetzt, 3. Titel 43 ganz weggelassen. Dieser im *Decretum* weggelassene Titulus
(*quod bini conventus episcopales singulis annis fieri debeant*, PL 140, 561 D) erscheint in der
Panormia in folgender Form an der Spitze des ‚Konzilstraktates': *Bini conventus per singulos
annos ab episcopis celebrentur* (PL 161, 1185 B). Die zugehörige *auctoritas* ist beide Male die
gleiche, nämlich eine echte Leo-Dekretale, bei Ivo richtig, bei Burchard falsch adressiert
(Ep 14 an Anastasius von Thessaloniki; zur Interpretation vgl. SIEBEN, Konzilsidee 107—108).

gen gefragt werden. Einige Kirchenrechtssammlungen *(Collectio canonum in V libris* und die *Collectio canonum in IX libris)* bleiben innerhalb
ihres ‚Konzilstraktates‘ von seinem Einfluß praktisch frei. Eine extreme
Position nehmen andererseits die gregorianischen Sammlungen ein: sie
haben entweder überhaupt keinen ‚Konzilstraktat‘ mehr (74-Titel-Samm-
lung, Anselm von Lucca, Kardinal Atton), oder sie konzipieren denselben fast ausschließlich unter der Rücksicht des Verhältnisses Römischer Stuhl / Synode (Deusdedit in den *Capitulationes).* Eine mittlere
Position nehmen Burchard von Worms und Ivo von Chartres ein. Sie
rezipieren zwar beide Pseudoisidors Satz von der römischen Oberherrschaft, schränken ihn aber bezeichnenderweise auf das *concilium generale*
ein. Auch zwischen diesen beiden gibt es noch eine Nuance: der eine,
nämlich Burchard, stellt an die Spitze seines ‚Konzilstraktates‘ den Satz
von der Oberherrschaft des Römischen Stuhles, Ivo ersetzt ihn in seinem späteren Werk, der *Panormia,* durch einen *Titulus* über die Konzilsinstitution als solche. Bei den Gregorianern ist die Frage nach dem Verhältnis Synode / Römischer Stuhl entschieden, bei Burchard von Worms
und Ivo von Chartres ist sie — trotz der Rezeption des Pseudoisidor —
noch offen. Für welche Alternative wird sich Gratian entscheiden?

5. Decretum Gratiani

Das *Decretum* oder, wie Gratian selber sein Werk genannt hat, die
Concordia discordantium canonum[208] steht nicht nur als Sammlung weit
über denen seiner Vorgänger, auch sein ‚Konzilstraktat‘, die *distinctiones* 15—18[209], überragt beträchtlich die diesbezüglichen Ansätze der
älteren Kirchenrechtssammlungen. Bevor wir uns mit den einzelnen
Teilen dieses Traktates befassen, ist zunächst ein Blick auf den Traktat
als ganzen zu werfen. Für die Interpretation ist dabei von Wichtigkeit
der größere Zusammenhang, in dem er selber steht.

---

[208] Ausgabe E. Friedberg, Corpus Iuris Canonici, pars prior, Decretum Magistri Gratiani,
Leipzig 1922. — Zur Einführung vgl. P. Torquebiau, Le décret de Gratien, in: DDC 4
(1949) 611—627; J. Rambaud-Buhot, in: L'Age classique 1140—1378, Sources et théories
du droit, in: HDIEO, Paris 1965, 49—129; Diess., Gratian, Decretum of (concordia
discordantium canonum), in: NCE 6 (1967) 706—709; vgl. auch Fuhrmann, Einfluß II
563—585. Zur Person Gratians vgl. neuerdings J. T. Noonan, Gratian slept here: the
changing identity of the father of the systematic study of canon law, in: Tr. 35 (1979)
145—172.
[209] Speziell zu diesem Abschnitt des *Decretum* vgl. u. a. J. Gaudemet, La doctrine des
sources du droit dans le décret de Gratien, in: RDC 1 (1951) 5—31; F. Arnold, Die Rechtslehre des Magister Gratianus, in: STGra 1 (1953) 451—482, hier 476—480.

Das *Decretum Gratiani* besteht bekanntlich aus drei Teilen. Der erste Teil enthält das Weihe- und Amtsrecht *(ministeria, distinctiones 1—101)*. Der zweite Teil ist den Sachangelegenheiten und Streitfragen gewidmet *(negotia rerum, causae 1—36)*. Der dritte Teil schließlich ist mit dem Sakramentenrecht befaßt *(sacramenta, distinctiones 1—5)*.

Der erste Teil wiederum setzt sich aus zwei Abschnitten zusammen: A. Die Lehre von den Rechtsquellen *(distinctiones 1—20)*, B. Die kirchlichen Personen und Ämter *(tractatus ordinandorum, distinctiones 21—101)*. Der Abschnitt A über die Rechtsquellen ist nochmals untergliedert in zwei Abteilungen: 1. allgemeine Fragen *(ius naturale, ius divinum, lex* und ihre Arten, *constitutio, consuetudo, privilegium, dispensatio, distinctiones 1—14)*, 2. die kirchlichen Rechtsquellen *(ecclesiasticae constitutiones, distinctiones 15—20)*.

Von den letztgenannten 6 *distinctiones* befassen sich die ersten 4 mit den Konzilien — sie stellen den ‚Konzilstraktat' des Gratian dar — die beiden letzten mit den Dekretalen (dist. 9) und den Schriften der Kirchenväter (dist. 20).[210] Der systematische Ort des ‚Konzilstraktats' ist also die Frage nach den kirchlichen Rechtsquellen, das Konzil kommt in den Blick als Quelle des actu in der Kirche geltenden Rechtes. Dieser Zusammenhang ist nicht ohne Bedeutung. Nicht übersehen werden darf auch, was an zweiter und dritter Stelle neben den Konzilien als Rechtsquelle in Frage kommt: die Dekretalen und die Schriften der Kirchenväter. Die Konzilien stehen immerhin an erster Stelle, aber mit den Dekretalen auf folgende Weise verknüpft: *Decretales itaque epistolae canonibus conciliorum pari iure exequantur.*[211]

Nun zum Aufbau des ‚Konzilstraktates' selber! Er zerfällt bei genauerem Zusehen in drei Teile. Der zweite und dritte Teil läßt sich am leichtesten erkennen. *Distinctio* 17 handelt von der römischen Oberherrschaft über die Synode, *distinctio* 18 von den „Partikularsynoden".[212] Wovon handeln *distinctiones* 15 und 16? Das *distinctio* 17 einleitende *Dictum Gratiani* gibt klare Auskunft: *Generalia concilia, quorum tempore celebrata sint, vel quorum auctoritas ceteris praemineat, supra monstratum est.*[213] Es ist in den beiden Distinktionen also von den „Generalkonzilien" die Rede, genauerhin von ihrer Geschichte *(quorum tempore)* und ihrer Hierarchie *(quorum auctoritas ceteris praemineat)*. Mit anderen Worten, Generalkonzil

---

[210] Zum Aufbau des Decretum vgl. u. a. H. E. FEINE, Gliederung und Aufbau des Decretum Gratiani, in: STGra 1 (1953) 357—370, und ARNOLD, Rechtslehre.
[211] Dist. 20, DG, FRIEDBERG 65.
[212] Speziell zu diesem Teil vgl. BONICELLI 30—61.
[213] FRIEDBERG 50.

ist nicht gleich Generalkonzil, es gibt solche mit größerer und solche mit geringerer Autorität.

In der Tat unterscheidet Gratian innerhalb der *distinctio* 15 und 16 drei „Arten" von „Generalsynoden". Die höchste Autorität haben die vier ersten „Generalsynoden", das Nicaenum, das erste Constantinopolitanum, das Ephesinum und das Chalcedonense.[214] Gratian bezeugt hiermit die alte patristische Tradition vom Primat der vier ersten Ökumenischen Synoden.[215] Eine zweite „Art" von „Generalsynoden" stellen die *sancta octo*, das heißt die 8 sogenannten Ökumenischen Konzilien der Alten Kirche dar, von denen die griechische Kirche freilich das achte nicht anerkennt. Gratians Quelle, Beda, nennt sie *concilia universalia*.[216] Zu ihnen gehören außer den obengenannten vier *venerabiles synodi* das zweite, dritte und vierte Constantinopolitanum und das zweite Nicaenum.[217] Auf der untersten Stufe der Autorität steht schließlich eine dritte „Art" von „Generalsynoden". Gratian nennt 24 von ihnen namentlich.[218] Dazu gehören unter anderen die Konzilien von Ankyra, Karthago, Arles, Oranges, Epaon, Lyon usw. Es handelt sich um mehr oder weniger bedeutende Synoden der Vergangenheit. Während die Zahl der ersten „Art" von „Generalsynode" sicher abgeschlossen, die der zweiten höchstwahrscheinlich ebenfalls festliegt, handelt es sich bei der dritten „Art" um eine offene Kategorie: auch in Zukunft werden „Generalsynoden" dieser Kategorie stattfinden.

Es zeigt sich, daß Gratians Begriff der „Generalsynode" — zumindest innerhalb seines ‚Konzilstraktates' — keineswegs identisch ist mit „Universalsynode". Der Begriff ist viel umfassender und schließt eine Kategorie von Synoden ein, die im ostkirchlichen Sprachgebrauch als „Partikularsynode" bezeichnet wird.[219] Die ostkirchliche Unterscheidung zwischen „ökumenischen" Synoden[220] und „partikularen" und die gratianische Gegenüberstellung von „Generalsynoden" und „Partikularsynoden" deckt sich also keineswegs. Der westliche Begriff „Generalsynode" ist umfassender als der östliche „ökumenische" Synode; der

---

[214] Mit den Worten der angezogenen Quelle, nämlich Isidor von Sevilla, Etym. 6, 16: *Inter cetera autem concilia quatuor sunt venerabiles synodi, quae totam principaliter fidem complectuntur, quasi quatuor evangelia, vel totidem paradisi flumina*. Dist. 15, Titulus 1, FRIEDBERG 34.
[215] Vgl. hierzu SIEBEN, Konzilsidee 350—351, dort weitere Literatur.
[216] FRIEDBERG 45.
[217] Dist. 16, Tituli 8—10, FRIEDBERG 45—47: *Auctoritate Romani pontificis sancta octo concilia roborantur. De temporibus conciliorum.*
[218] Dist. 16, Titulus 11, FRIEDBERG 47—49.
[219] Vgl. SIEBEN, Konzilsidee 360, 369—370.
[220] Zur genaueren Definition vgl. ebd.

östliche Begriff „Partikularsynode" ist seinerseits umfassender als der westliche Begriff „Partikularsynode", der ausschließlich die jährlich stattfindenden *concilia episcoporum*[221] bezeichnet. Als „Partikularsynode" hingegen betrachtet der Osten auch die 24 Synoden, die Gratian unter die „Generalsynoden" zählt.[222]

Distinctiones 15 und 16 handeln, wie hier angedeutet, im wesentlichen vom „Generalkonzil"[223], *distinctio* 17 geht nun ausdrücklich auf das Verhältnis Konzil beziehungsweise „Generalkonzil" / Römischer Stuhl

---

[221] Dist. 18, Dictum Gratiani, FRIEDBERG 53.

[222] Der hier vorgelegte Versuch zur Klärung der Terminologie geht vom Aufbau des ‚Konzilstraktates' aus, vgl. auch BONICELLI 33, der ebenfalls feststellt, daß *concilium generale* und *concilium universale* nicht deckungsgleich sind. Der umfassendere Begriff sei das *concilium generale*. Zur patristischen Terminologie vgl. A. LUMPE, Zur Geschichte der Wörter Concilium und Synodus in der antiken christlichen Latinität, in: AHC 2 (1970) 1—21, bes. 18—21; zum frühmittelalterlichen Gebrauch vgl. FUHRMANN, Das ökumenische Konzil 681 ff. und SCHMALE, der die Synonymität von *concilium generale* und *universale* mit Berufung auf Quellen ablehnt.

[223] Dist. 15, Titulus 1 enthält einen Abriß der Geschichte der ersten vier Konzilien, also einen Text, den man als ‚Synopse' bezeichnen kann, ferner eine Begriffserklärung der Wörter „Konzil" und „Synode" nach Isidor von Sevilla. Tituli 2 und 3 bringen dazu, das heißt zur ‚historischen' Information über den Primat der vier ersten Konzilien, die Bestätigung durch den Römischen Stuhl (Gregor d. Gr. und Gelasius). Der Rest von Titulus 3, die Liste der Bücher, *qui in ecclesia catholica recipiuntur*, ist als Abschweifung vom Thema zu betrachten. Verantwortlich dafür ist die zitierte Quelle. Auch die folgenden vier ersten Titel von Dictum Gratiani 16, die Diskussion über die Echtheit und Zahl der *Apostolorum canones*, scheint eine durch die Quelle bedingte Abschweifung vom Thema zu sein. Tatsächlich fallen aber auch hier schon wichtige Vorentscheidungen zur Frage des Verhältnisses von Synode und Römischem Stuhl. Letztentscheidend für die Echtheit dieser *Canones* ist nämlich die Bestätigung einer diesbezüglichen Konzilsentscheidung durch den Römischen Stuhl. Zur Entscheidung der Echtheitsfrage werden zunächst 4 *auctoritates* angeführt, die einander widersprechen. Dann wird die Entscheidung des 6. Allgemeinen Konzils zugunsten von 85 Apostolischen Kanones genannt. Ihre Echtheit ergibt sich für Gratian aber erst aus der Bestätigung dieses Konzils durch Papst Hadrian und die allgemeine Anerkennung der ersten 8 „allgemeinen" Konzilien durch den Römischen Stuhl (Dictum Gratiani, FRIEDBERG 42: *Item cum Adrianus Papa sextam synodum recipiat cum omnibus canonibus suis, cum etiam sancta octo universalia concilia professione Romani pontificis sint roborata, in septima autem synodo, sive in sexto concilio, apostolorum canones sint recepti et approbati*). — Mit den Titeln 5—14 ist Gratian dann wieder ganz beim Thema. Es geht zunächst um die ersten 8 „allgemeinen" *(universales)* Konzilien, ihren Zeitpunkt, ihre Beschlüsse, ihre Autorität und ihre Bestätigung durch den Römischen Stuhl (FRIEDBERG 43—45: *Sexta synodus auctoritate Hadriani corroboratur* (5). *Sexta synodus canones conscripsit* (6). *Constitutiones synodi sextae* (7). *Auctoritate Romani pontificis sancta octo concilia roborantur* (8). *De temporibus conciliorum* (9 u. 10), mit dem vorausgehenden Dictum Gratiani: *Quo autem tempore sexta synodus et secunda et prima et quarta et quinta congregatae sunt, Beda in libro de temporibus scribit . . .*). Titulus 11 bringt eine „Synopse" von 24 Synoden: Ankyra, Karthago, Arles, Orange, Epaon, Lyon usw. — Titulus 12 und 13 befassen sich mit der durch die pseudoisidorischen Fälschungen veranlaßten Frage nach der Zahl der Kanones des ersten Nicaenums. Titulus 14 hebt speziell auf die Rezeption des Sardicense durch den Römischen Stuhl ab (FRIEDBERG 50: *Sardicense quoque concilium auctoritate Nicolai Papae recipitur*).

ein. Der letzte Satz des einleitenden *Dictum Gratiani* enthält die entscheidende Aussage von *distinctio* 17: *Auctoritas vero congregandorum conciliorum penes apostolicam sedem est.* Die ersten 5 *Tituli* der *distinctio* wiederholen die These[224], *Titulus* 6 verdeutlicht: *provincialia concilia sine
Romani Pontificis praesentia pondere carebunt.*[225] Wie sind diese beiden
Sätze näherhin zu verstehen? Soll wirklich gesagt sein, alle Arten von
Konzilien, die *concilia generalia* sowohl als die *concilia provincialia* sind
ohne Erlaubnis des Römischen Stuhles ungültig? Bedarf schlechthin
jedes Konzil der Bestätigung durch den Papst? Wir brauchen hier auf
diese Frage nicht näher einzugehen. Die Ausleger des *Decretum Gratiani*,
die Dekretisten, werden sich unter anderem mit ihr befassen, und wir
werden ihre Antwort im nächsten Kapitel kennenlernen.

Wichtig aber ist nun die Feststellung: Die den drei ersten entscheidenden *Tituli* von *distinctio* 17 zugehörigen *auctoritates* stammen alle aus
Pseudoisidor[226], ebenfalls die *auctoritates* zu *Titulus* 5.[227] Auch die zu
Titulus 6 gehörige *auctoritas* ist nicht echt.[228] Die *auctoritas* zu *Titulus* 4
ist zwar echt, sie beweist aber nicht, was sie beweisen soll, nämlich daß
ohne den Römischen Stuhl kein Partikularkonzil versammelt werden
darf.[229] An dieser entscheidenden Stelle des Gratianischen ‚Konzilstraktates‘, an der es um die Frage geht, ob der Synode eine gewisse Autonomie dem Römischen Stuhl gegenüber erhalten bleibt oder nicht,
macht sich das Gewicht Pseudoisidors ausschlaggebend geltend. Der
Satz: Der Römische Stuhl hat die Oberherrschaft über alle Synoden,

---

[224] Decr., FRIEDBERG 50—52: *Absque Romani pontificis auctoritate congregari synodus non debet
(1). Non est ratum concilium, quod auctoritate Romanae ecclesiae fultum non fuerit (2). Nullus
usurpet concessa Romanae ecclesiae (3). Absque apostolicae sedis auctoritate synodum aliquibus congregare non licet (4). Non est concilium, sed conventiculum, quod sine sedis apostolicae auctoritate
celebratur (5).*

[225] FRIEDBERG 52.

[226] HINSCHIUS 228, 5; 471, 17; 508, 3.

[227] HINSCHIUS 721, 19.

[228] Die *auctoritas* ist unecht, insofern sie nicht, wie Gratian behauptet, von Papst Symmachus
stammt *(Item Symmachus Papa)*, sondern von seinem Verteidiger Ennodius *(Libellus contra eos,
qui contra synodum scribere praesumpserunt*, MGH.AA 7, 48—67, hier 60). Die Worte *Concilia . . .
perdiderunt* stellen die rhetorische Frage des Ennodiusgegners dar, das folgende ist lediglich
die Negation dieser Frage. Alles in allem haben wir es weder inhaltlich noch, was die Person
des Autors angeht, mit einer gewichtigen *auctoritas* zu tun. Zur historischen Interpretation
des Satzes vgl. E. CASPAR, Geschichte des Papsttums II, Tübingen 1933, 102—103.

[229] Der Text stammt von Pelagius I. (Ep 59, Ausgabe GASSÒ 157—158). Er verbietet aber
keineswegs die Abhaltung von Partikularsynoden schlechthin ohne Erlaubnis des Römischen
Stuhles, sondern die Korrektur „ökumenischer Synoden" durch „partikulare". Bestehende
Zweifelsfälle sind nicht durch Partikularsynoden, sondern durch Rekurs an die „apostolischen Stühle" zu klären (in unserem vorliegenden Text ist *ad apostolicas sedes* durch *ad
apostolicam sedem* ersetzt).

die universalen sowie die partikularen, basiert bei Gratian auf der pseudoisidorischen Fälschung, einer relativ unbedeutenden und einer sicher falsch interpretierten *auctoritas*.

Von seinen Voraussetzungen aus, nämlich der Echtheit der pseudoisidorischen *auctoritates*, folgt für Gratian nun mit zwingender Logik das *distinctio* 18 einleitende *Dictum Gratiani*: *Episcoporum igitur concilia, ut ex praemissis apparet, sunt invalida ad definiendum et constituendum, non autem ad corrigendum. Sunt enim necessaria episcoporum concilia ad exhortationem et correctionem, quae etsi non habent vim constituendi, habent tamen auctoritatem imponendi, quod alias statutum est et generaliter seu specialiter observari praeceptum.*[230] Im Zusammenhang des ‚Konzilstraktates‘, in dem es ja gerade um die Konzilien als Quelle kirchlichen Rechts geht, kann das nur heißen: die Partikularsynoden kommen als eine solche Quelle nicht in Frage. Sie sind *invalida ad definiendum, ad constituendum*, das heißt, sie sind keine autonome Rechtsquelle. Eine solche ist allein der Römische Stuhl.

Was ist dann die Funktion der Partikularsynode? Nicht die Konstituierung des Rechts, die Legislative, sondern die Durchsetzung des alias statuierten Rechts, die Exekutive. Dazu freilich sind die Partikularsynoden nicht nur tolerierbar oder nützlich oder wichtig, sondern notwendig *(necessaria)*. Die Notwendigkeit der Partikularsynoden ist dabei für Gratian keine Konzession an das Kirchenverständnis der älteren ihm wohl bekannten Kirchenrechtssammlungen, sondern bedingt durch seine eigenen Rechtsvorstellungen. Zur Rechtskraft des Rechts gehört seiner Auffassung nach die Rezeption durch die fragliche Gemeinschaft. Diese Mitwirkung der Gesamtkirche ist unverzichtbar, sie vollzieht sich unter anderem in den Partikularsynoden.[231] Das oben zitierte *Dictum Gratiani* ist der entscheidende Satz der *distinctio* 18, er bestimmt das Verhältnis Synode / Römischer Stuhl mit aller wünschenswerten Eindeutigkeit.

Im ungeklärten Verhältnis Synode / Römischer Stuhl lag für Gratian die ausschlaggebende *discordia canonum* der älteren Sammlungen, die übrigen Widersprüche zwischen den *auctoritates* hinsichtlich der Konzilien waren im Vergleich dazu von geringem Gewicht. Gratian löst sie in ziemlich systematischer Reihenfolge in den Titeln 1—10 der *distinctio* 18. Es geht um Fragen der Präzedenz, der Konzilshäufigkeit, den Zeitpunkt, den Gegenstand der Verhandlung, die Teilnahmepflicht, die Sanktionen, auch für den säumigen Metropoliten, die Frage der

---

[230] HINSCHIUS 53.
[231] Vgl. hierzu BONICELLI 59—60.

Eulogien[232], der Stellvertretung, die Entschuldigungsschreiben.[233] Die Palea[234] fügt noch weitere sieben Bestimmungen hinzu.[235] Die *auctoritates*, auf die sich Gratian für die erwähnten Bestimmungen beruft, sind zum größten Teil aus den älteren Kirchenrechtssammlungen bekannt. Pseudoisidor ist hier nicht mehr unter ihnen.

Gratian hat, wie wir gesehen haben, die bei Burchard von Worms und Ivo von Chartres noch in etwa offene Frage nach dem Verhältnis Synode / Römischer Stuhl eindeutig zugunsten der Vorherrschaft des Römischen Stuhles entschieden. Es ist eine Entscheidung von nicht zu überschätzender Tragweite. Denn es geht bei der Frage nach dem Verhältnis Synode / Römischer Stuhl um nichts Geringeres als um die Struktur und Gestalt der Kirche selber. Heißt das, daß ohne das mächtige Gewicht der Fälschung bei Gratian und den anderen nachisidorischen Kirchenrechtssammlungen diese Entscheidung anders ausgefallen, die relative Autonomie der Kirchen erhalten worden wäre? Eine solche Annahme unterstellt den Kirchenrechtssammlungen eine Funktion, die sie in Wirklichkeit nicht haben. Sie sind nicht Motor, sondern Spiegel der Entwicklung. Gratian hätte sich auch ohne Pseudoisidor zugunsten der monarchisch verfaßten Papstkirche entschieden; diese Option lag ‚in der Luft', sie war in gewissem Sinne unvermeidbar.[236] Freilich, die

---

[232] Es handelt sich offensichtlich um Geschenke der Priester an die Bischöfe und der einzelnen Bischöfe an die Metropoliten aus der Vorstellung eines Lehensverhältnisses heraus.

[233] Decr., FRIEDBERG 53—57: *Bini conventus per singulos annos ab episcopis celebrentur (2). Quo tempore concilia episcoporum sint celebranda (3). Ad morum correctionem et controversiarum dissolutionem bis in anno episcopale concilium fiat (4). Se ipsos accusant, qui vocati ad synodum venire contemnunt (5). Corripiantur episcopi, qui ad concilium vocati venire recusant (6). Canonicis subiaceat metropolitanus poenis qui saltem semel in anno celebrare concilium negligit (7). Non cogantur presbyteri, sacerdotalia eulogia ad concilium deferre (8). Sine gravi necessitate episcopus ad synodum ire non tardet (9). Excusatorias litteras dirigant, qui gravati ad synodum ire non possunt (10).*

[234] *Paleae:* Bezeichnung für die 166 ergänzenden Zusätze zum *Decretum Gratianum.*

[235] Decr., FRIEDBERG 57—58: Äbte dürfen nicht zur Teilnahme gezwungen werden. *A communione sit alienus, qui contempsit synodo adesse. Usque ad proximum synodum a communione abstineat, qui a metropolitano vocatus absque gravi necessitate synodo adesse contempserit. Communione privetur episcopus, qui a metropolitano vocatus ad synodum venire contempserit. Presbyteri et diaconi, qui se laesos existimant, ad metropolitanum synodum conveniant. Quae in conciliis statuuntur, singuli episcoporum suis ecclesiis notificent.*

[236] FUHRMANN, Einfluß II 622, warnt unseres Erachtens zu Recht vor einer Überschätzung des Einflusses des Pseudoisidor. „Die pseudoisidorischen Dekretalen — seit Nikolaus I (858—867) dem Papsttum bekannt und von da an in Rom weder ‚völlig verschollen' noch mit ‚äußerster Zurückhaltung' benutzt, haben als bewegende Kraft ‚eine vollständige Umwandlung der kirchlichen Verfassung und Verwaltung' ebensowenig herbeigeführt, wie sie den ‚ganzen Boden des Papalsystems' abgaben. Bei der verschiedentlich — zum Beispiel von Döllinger — vorgetragenen gegenteiligen Behauptung sind die Akzente falsch gesetzt, denn wohl waren die Papstbriefe des Isidor Mercator sehr bald so weit verbreitet wie

auctoritas, auf die Gratian sich für seine Entscheidung beruft, ist eine gefälschte: insofern spiegeln die Kirchenrechtssammlungen nicht nur eine Entwicklung, sondern auch einen Bruch derselben wider: das Verhältnis Römischer Stuhl / Synode, damit aber ein wesentlicher Aspekt der Struktur der Kirche, ist in der abendländischen mittelalterlichen Kirche nicht mehr das gleiche wie in der Väterzeit.

---

keine andere mittelalterliche Kirchenrechtssammlung historisch-chronologischer Ordnung, aber sie haben zu der sich allmählich herausbildenden Überzeugung von der normativen Stellung des römischen Bischofs wenig beigetragen. Sie mögen mit diesem oder jenem Satz bestätigend gewirkt haben, aber die Ausrichtung der Rechtswelt auf eine heilsmäßig notwendige Übereinstimmung mit Rom — ein Vorgang, der in der Kirchenreform des 11. und beginnenden 12. Jahrhunderts seine dramatische Zuspitzung erfuhr — hatte ekklesiologische Gründe und außerhalb der Fälschung liegende Argumente."

Kapitel VI

KONZILSGEDANKE UND -PROBLEME
BEI DEKRETISTEN UND DEKRETALISTEN (1150—1378)

Das vorliegende Kapitel schließt unmittelbar an das vorausgehende an. War es dort unser Ziel, den Weg der Konzilsidee durch vorgratianische Kirchenrechtssammlungen bis zum *Decretum Gratiani* zu verfolgen, so geht es uns hier darum, den Konzilsgedanken in Werken nachgratianischer Kanonisten[1] aufzuspüren.[2] Das Ergebnis dieses Kapitels kann nur als äußerst vorläufig bezeichnet werden. Denn die Untersuchung leidet an einem doppelten Mangel, der ihre Wissenschaftlichkeit nicht wenig beeinträchtigt. Einerseits wurde aus der großen Masse kanonistischer Literatur zweier Jahrhunderte nur eine relativ kleine Zahl von Werken überhaupt eingesehen. Andererseits wurden selbst wichtige Quellenwerke wegen fehlender Editionen nicht ganz, sondern nur stellenweise gelesen. Hinzukommen die dieser Literaturgattung inhärenten Schwierigkeiten der Interpretation, auf die die Spezialisten hinweisen.[3]

Wäre es angesichts dieser ungünstigen Quellenlage, so mag man fragen, nicht vernünftiger, die Kanonistik bei der Erforschung der mittelalter-

---

[1] Zur Einführung in die dekretistische und dekretalistische Literatur vgl. A. van Hove, Prolegomena, Com.Lov. in cod. I. C. I 1, erweiterte und verbesserte Auflage, Mecheln-Rom 1945, 423—495; Plöchl, Geschichte des Kirchenrechts II 465—525; K. W. Nörr, Die kanonistische Literatur, in: Handbuch der Quellen und Literatur der neueren europäischen Privatrechtsgeschichte, hrsg. von H. Coing I, München 1973, 365—397. — Für die Handschriften ist unentbehrlich St. Kuttner, Repertorium der Kanonistik (1140—1234), StT 71, Città del Vaticano 1937.

[2] Wir verwenden folgende Zitierweise: dist. 17.3 = Decretum Gratiani, erster Teil, distinctio 17, caput 3. — 5 q. 6.4 = Decretum Gratiani, zweiter Teil, causa 5, quaestio 6, caput 4. — extra 3.4.6 = Liber extra, das heißt Dekretalen Gregors IX., liber 3, titulus 4, caput 6. — C. 1.17.2.8 = Corpus iuris civilis, Codex Justinianus liber 1, titulus 17, lex 2, § 8. — D. 5.4.2 = Corpus iuris civilis, Digesta, liber 5, titulus 4, lex 2. In den gedruckten Texten ersetzen wir, um Raum zu sparen, die ursprünglichen Allegationen (Initien der Titel, Gesetze, Kapitel, Paragraphen) durch moderne Ziffern. In den aus Handschriften zitierten Quellentexten enthalten runde Klammern konjekturierte Hinzufügungen, eckige Klammern vorgeschlagene Streichungen.

[3] Vgl. St. Kuttner, The Scientific Investigation of Medieval Canon Law. The Need and the Opportunity, in: Spec. 24 (1949) 493—501; Ders., Methodological Problems 539—549; vor allem A. M. Stickler, Sacerdotium et Regnum nei decretisti e primi decretalisti: considerazioni metodologiche di ricerca e testi, in: Sal. 15 (1953) 572—612.

lichen Konzilsidee zunächst überhaupt auszuklammern und das Erscheinen wissenschaftlich zuverlässiger Editionen abzuwarten?[4] Wir haben uns zu dem hier vorgelegten Kompromiß entschlossen, weil die folgende Periode mit der Konzilsidee eines Wilhelm Durandus junior, Johannes von Paris, vor allem eines Marsilius von Padua und Wilhelm von Ockham, ferner die ganze konziliarische Phase nur vor dem Hintergrund der mittelalterlichen Kanonistik verständlich sind. Gewiß ist zuzugeben, daß man bei der Erforschung dieses kanonistischen Hintergrundes des Konziliarismus in den letzten Jahrzehnten bedeutende Fortschritte gemacht hat. Man denke nur an die bahnbrechenden Arbeiten von B. Tierney[5], die Ergebnisse, die W. Ullman[6], J. Watt[7] und andere Forscher[8] vorgelegt haben. Man könnte von daher fragen, ob die von den genannten Forschern erzielten Resultate nicht zur Erhellung des Konzilsgedankens der Kanonistik genügen.

Trotz allem Erreichten erscheint uns jedoch eine erneute Befragung der Quellen notwendig. Denn unsere Fragestellung unterscheidet sich von der der genannten Wissenschaftler in doppelter Hinsicht. Unser Gegenstand ist nicht der gleiche, und wir fragen aus einer anderen Perspektive. Uns geht es um die Konzilsproblematik in ihrer ganzen Breite und nicht nur um die Aufhellung des partikulären Verhältnisses zwischen Papst und Konzil. Was die Perspektive angeht, so fragen wir nicht

---

[4] Vgl. zum Stand der Editionsvorhaben unter anderem St. Kuttner, Notes on the Presentation of Text and Apparatus in Editing Works of the Decretists and Decretalists, in: Tr. 15 (1959) 452—464; R. Weigand, Neue Mitteilungen aus Handschriften, in: Tr. 21 (1965) 480—491.

[5] B. Tierney, A Conciliar Theory of the Thirteenth Century, in: CHR 36 (1950/1) 415 bis 440; Ders., Ockham, The Conciliar Theory and the Canonists, in: JHI 15 (1954) 40—70; Ders., Some Recent Works on the Political Theories of the Medieval Canonists, in: Tr. 10 (1954) 594—625; Ders., Foundations 47—67; Ders., Pope and Council: Some New Decretist Texts, in: MS 19 (1957) 197—218; Ders., The Crisis of Church and State 1050—1300, with selected documents, Prentice-Hall 1964; Ders., The Continuity of Papal Political Theory in the Thirteenth Century. Some Methodological Considerations, in: MS 27 (1965) 227—245; Ders., ‚Sola Scriptura' and the Canonists, in: StGra 11 (1967) 345—366; Ders., Hostiensis and Collegiality, in: Proceedings of the Fourth Intern. Congres Med. Canon Law, Vatikan 1976, 401—409; Ders., „Only truth has authority": The Problem of „Reception" in the Decretists and in Johannes de Turrecremata, in: Law/Church and Society, Essayes in honor of St. Kuttner, hrsg. von K. Pennington, Philadelphia 1977, 69—96.

[6] W. Ullman, Medieval Papalism. The Political Theories of the Medieval Canonists, London 1949.

[7] Watt, Medieval Canonists.

[8] Speziell zu den Partikularkonzilien in den Dekretalen Gregors IX. vgl. Bonicelli 63 bis 82; vgl. ferner M. Fernandez Rios, El primado del Romano pontifice en el pensamiento de Huguccio de Pisa decretista, in: Comp. 6 (1961) 47—97; 7 (1962) 97—149; 8 (1963) 64—99; 11 (1966) 29—67, hier 42—67.

nach den frühen Ansätzen von später voll Entfaltetem, uns interessiert vielmehr der Beitrag der Kanonistik zum Problemkomplex Konzil als solcher.

Wir gehen in unserer Untersuchung in drei Schritten vor. Zunächst versuchen wir uns über das Interesse der mittelalterlichen Kanonistik am Konzilsgedanken überhaupt zu informieren. Zu diesem Zweck durchmustern wir in chronologischer Reihenfolge zuerst eine größere Anzahl von frühen Dekretsummen (ab ca. 1148), dann einige bedeutendere dekretalistische Werke (bis ca. 1378, Beginn des Großen Abendländischen Schismas). Auf diesen eher historischen Durchblick folgt ein mehr systematisch angelegter Teil. Wir versuchen hier vor allem die bei den frühen Dekretisten angetroffenen Elemente und Aspekte der Konzilsproblematik zusammenzufassen, also eine Art Abriß ihrer Konzilslehre vorzulegen. Im dritten Teil fragen wir nach einem Grundmuster, nach Denkvoraussetzungen, die den kanonistischen Konzilsgedanken bestimmen oder zumindest entscheidend mitbestimmen. Wir stellen hier fest, daß zwei, übrigens gegenläufige, Axiome des Römischen Rechts von beträchtlichem Einfluß auf die kanonistische Lehre vom Konzil waren. An der Ausbildung so entgegengesetzter ekklesiologischer Entwürfe wie des Papalismus und des Konziliarismus ist das Römische Recht nicht unbeteiligt.

1. Das Interesse am Konzil
von den Dekretisten zu den Dekretalisten

a) Dekretisten bis 1234:

Gradmesser für das Interesse der von uns untersuchten Autoren am Konzil ist natürlich in erster Linie der quantitative Aspekt, mit anderen Worten die Frage: wieviel Raum widmen die Dekretisten und Dekretalisten der Konzilsproblematik? Welche Probleme behandeln sie überhaupt? Mit welchem Nachdruck gehen sie auf die eine oder andere Frage ein? Aber dieser quantitative Aspekt ist keineswegs allein entscheidend. Wichtiges Kriterium für ihr Interesse an der Konzilsidee ist ebenfalls der ‚Stellenwert', den ihre Ausführungen im Gesamt des Werkes haben. Das größere oder geringere Interesse unserer Autoren zeigt sich darin, an welcher Stelle ihres Werkes sie auf Konzilien zu sprechen kommen: lediglich am Rande, gleichsam in einer Fußnote oder einem Corollarium oder schon im Ansatz, in der Grundlegung?

Bevor wir nun im folgenden die Vertreter der einzelnen Schulen der Dekretistik und die wichtigeren Dekretalisten vorstellen, ist gerade auf diesen Wechsel des ,Stellenwertes' der Behandlung der Konzilsproblematik aufmerksam zu machen, der sich im Übergang von den Dekretisten zu den Dekretalisten vollzieht. In der Tat, Gratian — und damit die ihn kommentierenden Dekretisten — behandeln die Konzilsproblematik nicht nur relativ ausführlich, nämlich in vier *distinctiones* (15—18) und zusätzlich zu dieser *sedes materiae* noch an einer Reihe weiterer Orte ihrer Werke[9], sondern auch an zentraler Stelle, nämlich innerhalb der Behandlung der kirchlichen Rechtsquellen.[10] Hier nun, im Stellenwert der Konzilsproblematik, vollzieht sich ein einschneidender Wandel im Übergang von Gratian beziehungsweise den Dekretisten zu Gregor IX. beziehungsweise den Dekretalisten: Die Konzilsproblematik wandert vom Ansatz, von der Grundlegung des Werkes an den Rand ab, sie wird vergleichsweise zur Fußnote, zum Corollarium, zur Marginalie.

Die Forschung unterscheidet bekanntlich innerhalb der frühen Dekretistik drei verschiedene Schulen. Den Anfang macht die Bologneser Schule, in leichtem zeitlichen Abstand folgen die rheinisch/französische und die anglo/normannische.[11] Für unseren Gegenstand nun, die Konzilien, zeigen die Summen, mit denen wir uns hier ausschließlich beschäftigen[12], ein deutlich wachsendes Interesse, bevor dann mit Huguccio ein Höhepunkt erreicht wird, nicht nur innerhalb der Bologneser Schule, der er angehört, sondern in der frühen Dekretistik überhaupt. Zu Beginn stehen summarische, wenig präzise und kaum Problembewußtsein verratende Zusammenfassungen der betreffenden Distinktionen 15—18. Sie stimmen zum Teil weitgehend mit den *Dicta Gratiani* an den betreffenden Stellen überein, so zum Beispiel bei dem ersten Vertreter der Bologneser Schule, Paucapalea[13], der zwischen

---

[9] Vgl. unter anderem dist. 3.2; 12.11; 21.7; 21.8; 31.12; 50.28; 50.29; 50.58; 54.3; 54.18; 90.6; 92.8; 96.2; 96.4; 96.7; 3 q.6.9; 3 q.9.10; 5 q.4.1; 5 q.4.3; 9 q.3.17; 24 q.1.2; 24 q.3.35; 24 q.3.36; 25 q.1.1; 25 q.1.14; 25 q.1.16.

[10] Vgl. S. 225.

[11] Einzelheiten bei St. Kuttner, Les débuts de l'école canoniste française, in: SDHI 4 (1938) 193—204; Ders., und E. Rathbone, Anglo-Norman Canonists of the Twelfth Century, in: Tr. 7 (1949/51) 279—358.

[12] Zur dekretistischen Literaturgattung der Summe vgl. Kuttner, Repertorium 123—125, ferner J. Juncker, Summen und Glossen, in: ZSRG.K 14 (1925) 384—474. Zur Frage der Priorität von Summen oder Glossen vgl. unter anderem R. Weigand, Welcher Glossenapparat zum Dekret ist der erste?, in: AkathKR 139 (1970) 459—481; Ders., Der erste Glossenapparat zum Dekret „Ordinaturus Magister", in: Bul.Med.Canon Law 1 (1971) 31—42.

[13] Die Summa des Paucapalea über das Decretum Gratiani, hrsg. von J. F. Schulte, Gießen 1890, 18—20.

1145 und 1148 seine Summe verfaßt hat. Sein Kommentar zu dist. 15 enthält außer einigen Angaben zum Inhalt der verurteilten Häresien nichts, was über die bei Gratian zitierten Quellen hinausgeht. Ohne Kommentar bleibt zum Beispiel die hochwichtige Gregordekretale *Sicut sancti* (2). Für dist. 16 stellt Paucapalea zu Recht heraus, daß nicht die Konzilien, sondern das Problem der Apostelkanones behandelt wird. In gedrängter Kürze gibt er dann wiederum in weitgehender Übereinstimmung mit den *Dicta Gratiani* den Inhalt von dist. 17 und 18 wieder.[14] Noch knapper als Paucapalea, nämlich in ganzen vier Sätzen, faßt Rolandus Bandinellus[15] in seiner vielleicht etwas jüngeren Summe (1148) die betreffenden Distinktionen zusammen.[16]

Zeitlich folgt auf Rolandus zunächst Rufinus (1157—59), der einen beträchtlichen Fortschritt im Vergleich zu den beiden Vorgängern darstellt. Er bringt als erster eine Unterscheidung von zwei Arten von Konzilien, nämlich *concilia generalia* beziehungsweise *universalia* auf der einen, und *concilia provincialia* beziehungsweise *particularia* auf der anderen Seite und legt mit seiner Gegenüberstellung von *auctoritas generalis* und *specialis* eine Theorie vor, wie der Römische Stuhl als einzige Rechtsquelle beider Arten von Konzilien verstanden werden kann.[17]

---

[14] Ausgabe SCHULTE 18—19.

[15] Die Summa Magistri Rolandi, nachmals Alexander III, hrsg. von F. THANER, Innsbruck 1874. — Zur Person dieses Dekretisten vgl. neuerdings J. T. NOONAN, Who was Rolandus?, in: Fs. Kuttner, Law/Church and Society, Philadelphia 1977, 21—48.

[16] Rolandus, dist. 15—18, THANER 6: *Quo tempore generalia concilia coeperunt et quorum patrum recipiuntur opuscula (15) ; quod synodalia concilia roborentur auctoritate Romana (16) ; quod absque auctoritate Romani pontificis synodus non debeat congregari (17) ; de poena eorum, qui synodo adesse contemnunt et de auctoritate Romanae sedis (18).* — Daß in drei der vier Summarien auf die Rolle des Römischen Stuhles hingewiesen wird, ist genauso bemerkenswert wie die Herausstellung der Konzilsrelevanz von dist. 16. Papst und Konzil, diese Problematik steht im Zentrum des Interesses der Bologneser Dekretisten.

[17] Rufinus von Bologna, Summa decretorum, hrsg. von H. SINGER, Paderborn 1902, Ndr. Aalen-Paderborn 1963, 38—39: *In distinctione ista continetur quod concilia absque auctoritate Romani pontificis celebrata vigorem non habent. Sciendum autem est quod conciliorum alia sunt generalia vel universalia, alia provincialia sive particularia ; item auctoritas vel licentia aliquando generalis, aliquando specialis intelligitur. Et generalia quidem concilia intelliguntur ea, quae metropolitanorum et episcoporum plurimorum ex diversis provinciis et regionibus convenientium praesentia celebrantur ad nova statuta facienda vel ad maiora difficilioraque negotia terminanda, puta fidei quaestiones ; particularia vero seu provincialia sunt illa, quae praesentia metropolitani vel auctoritate a comprovincialibus episcopis per annos singulos fiunt, non ad nova condenda, sed ad peccata corrigenda et quae sunt statuta confirmanda. Denique generalis auctoritas vel licentia in ea re intelligitur, quae ita primum speciali auctoritate vel licentia est indulta, ut postmodum semper licite exerceri valeat pro tempore, loco et causa: sicut quando iste in sacerdotium promovetur, speciali et nova licentia vel auctoritate ei conceditur, ut postmodum quandocumque voluerit — secundum tempus tamen, locum et causam — dicendae missae officium exequatur ... De speciali auctoritate habemus quod metropolitani, quamvis causas episcoporum cognoscere valeant, non tamen definire possunt sine auctoritate, scilicet speciali Romani pontificis ... Ergo generalia concilia non licet facere absque auctoritate speciali Romani*

Aus dem übrigen Kommentar der Distinktionen 15—18 ist auch die Ansicht festzuhalten, daß dist. 18 von den Provinzialkonzilien handelt.[18] Etwa um die gleiche Zeit ist die Summe des Stephanus Tornacensis anzusetzen. Nachdem dieser Autor wie auch Rufinus auf die in dist. 16 enthaltene historische Problematik des 5. und 6. Allgemeinen Konzils eingegangen ist, hebt er durch die Bezeichnung *digniora concilia* die ersten acht Universalsynoden von den übrigen in der Quelle aufgezählten Konzilien ab. Von Rufin übernimmt er die Unterscheidung zwischen *licentia generalis* und *specialis*.[19] Die zwischen 1160 und 1170 anzusetzende Summa *De multiplici iuris divisione* bringt zu den Distinktionen 15—18 nur eine kurze Zusammenfassung ohne jeden Kommentar zu den einzelnen Texten des Dekrets.[20] Keinen weiteren Fortschritt in der uns interessierenden Problematik bringt auch Simon von Bisignano in seiner Summe (1177—79)[21] und das *Commentum Atrebatense* (1170—80).[22] Die

---

pontificis; provincialia vero quamvis absque speciali auctoritate apostolicae sedis celebrentur, non tamen praeter generalem eius auctoritatem praesumuntur, quia semel eius auctoritate est confirmatum, ut unaquaeque provincia concilia anniversaria celebret. — Vom gleichen Rufinus stammt auch die von G. Morin (Le discours d'ouverture du concile général du Latran [1179] et l'oeuvre littéraire de Maître Rufin, évêque d'Assise, in: APARA 3, 2, Rom 1928, 113—133, hier 116—120) herausgegebene feierliche Eröffnungsrede des Lateranense III. Sie bringt im Zusammenhang von Ausführungen über die Pentarchie den römischen Primat, auch hinsichtlich der Konzilien, deutlich zur Geltung. Vgl. die deutsche Übersetzung, in: Raymonde Foreville, Lateran I—IV (= Geschichte der ökumenischen Konzilien 6), Mainz 1970, 236—240.
[18] Rufinus, dist. 18.2: *Hic agit de conciliis provincialibus. Ubi ostenditur, quibus temporibus in anno fieri debeant* ... (Ausgabe Singer 40); vgl. dagegen die *S. Coloniensis*, Anm. 34.
[19] Die Summa des Stephanus Tornacensis über das Decretum Gratiani, hrsg. von J. F. Schulte, Gießen 1891, 24—28.
[20] S. De mult., dist. 15—18: *De origine et processu constitutionis ecclesiasticae. Primo quaeritur de [gradibus] generalibus conciliis, a quibus temporibus ceperunt celebrari et canones promulgari. Secundo de auctoritate quattuor conciliorum. Tertio de opusculis sanctorum patrum, qui in ecclesiis recipiantur. Qui canones in ecclesia recipiuntur vel non. Quod vi. synodus bis fuerit congregata, primo sub Constantino et nullos ediderit canones, secundo sub Justiniano filio eius et CII canones promulgaverunt. De approbatione quoque viii conciliorum et temporibus omnium. Quot etiam capitula concilii Nicaeni Romana habeat ecclesia. Quod penes sedem apostolicam resideat auctoritas congregandorum conciliorum. Quare secundum Pelagium (?) non dicendum concilium, quod sine sedis apostolicae auctoritate fuerit celebratum. Quod concilia provincialia bis in anno debeant celebrari.* (MS Cambridge Pembroke College 72, fol 68); vgl. zu dieser Summe Kuttner, Repertorium 139—141. Zu dem hier und später noch öfter vorkommenden Begriff *Romana ecclesia* vgl. die Summa *Et est sciendum*, dist. 21.3: *Nota quod nomine Romana ecclesia accipitur interdum universalis ecclesia, quae a Romani pontificis sententia non discordat; quae dicitur esse sine macula heresis et ruga duplicitatis* ... *Dicitur etiam Romana ecclesia ipsa sedes et ecclesia Petri; in qua acceptione accipitur illud quod res Romanae ecclesiae, id est beati Petri, non possunt nisi centenaria praescriptione prescribi* ... *Accipitur etiam pro capite et membris, id est papa et cardinalium collegio, ut hic; et interdum pro solo papa ut cum dicitur: Appello Romanam sedem id est papam* (MS Stuttgart hist. f 419, fol 36, zitiert bei F. Gillmann, Die Dekretglossen des Cod.Stuttgart.hist.f. 419, Mainz 1927, 42, Anm. 2).
[21] MS Bamberg Can. 38, fol 5.
[22] MS Arras, Stadtbibliothek 271, fol 149.

Summe des Johannes Faventinus (1171/79) stimmt in dem uns vor allem interessierenden Abschnitt, dem Kommentar zu dist. 17, wörtlich mit der des Rufinus überein.[23] Nichts Relevantes für unsere Fragestellung enthält auch die Summe *Dubitatur a quibusdam* (um 1179).[24] Die mit der des Huguccio verwandte *Summa Reginensis* (nach 1199)[25] unterscheidet wie die im vorausgehenden genannten Summen zwischen zwei Arten von Konzilien und schneidet zusätzlich das Problem der päpstlichen Bestätigung von Partikularsynoden an.[26]

Den ausführlichsten Kommentar zu den Distinktionen 15—18 bietet Huguccio von Pisa, dessen Summe als das bedeutendste Werk der Schule überhaupt gilt. Schon die die Distinktionen einleitenden Zusammenfassungen unterscheiden sich durch Umfang und Klarheit von denen der vorausgegangenen Summenwerke.[27] Auf die Konzilsproble-

---

[23] MS Arras, Stadtbibliothek 271, fol 6vb. Die einzige ins Gewicht fallende Differenz zwischen Rufinus und Johannes Faventinus stellt der Zusatz des letzteren *Romani pontificis vel legatorum eius* zwischen *praesentia* und *celebrentur*, Rufinus, Ausgabe SINGER 38, dar.

[24] MS Arras, Stadtbibliothek 271, fol 162.

[25] Zur genauen Art ihres Abhängigkeitsverhältnisses vgl. KUTTNER, Repertorium 160 bis 166, ferner A. M. STICKLER, Vergessene Bologneser Dekretisten, in: Sal. 14 (1952) 476 bis 503, dort 486—503.

[26] S. Reg., dist. 17 ad v. CONCILIORUM: *Conciliorum alia sunt generalia et non possunt celebrari sine auctoritate Romani pontificis; alia particularia sive localia et ista possunt celebrari singulis annis per singulas provincias auctoritate metropolitani vel primatum dioeceseos. Si aliquid in talibus decernitur, non generaliter vigorem habet, sed tantum in provincia, in qua celebratur. Unde quaeritur: si confirmet dominus papa, utrum generalem ei conferat potestatem? Videtur quod non, quia confirmatio nihil novi iuris solet conferre, ut contingit in sententiam, quam apostolicus confirmat, nec videtur causam confirmare nisi quatenus lata est unde videtur et hic.* REGULA. LEGATIO. *Quaeritur, utrum legatus possit concilium provinciale convocare. Respondeo non posse, nisi super hoc speciale mandatum suscepit* (MS Vat.Bibl. Apost. Reg. 1061, fol 3ra).

[27] Hug., dist. 15: *Hic intitulatur xv distinctio. Hactenus Gratianus tractavit de iure naturali eius divisiones et differentias ad cetera iura multipliciter assignans, ut competentius ad tractandum de iure canonico descenderet. Nunc autem incipit tractare de iure canonico. Assignat ergo in hac distinctione originem et auctoritatem iuris canonici. Ostendit etiam, quae opuscula recipiantur ab ecclesia et quae non* (MS Admont, Stiftsbibliothek 7, fol 17vb). — Hug., dist. 16: *Hic intitulatur distinctio xvi, in qua primo probat, quod canones apostolorum sunt recipiendi. Postea ostendit, quo tempore et quo residente in papatu vel imperio quod concilium sit celebratum. Et nota, quod Gratianus in principio ponit quandam contrarietatem de canonibus apostolorum et eam non solvit. Probat enim auctoritate Isidori, quod canones apostolorum non sunt recipiendi, quia sunt apocryphi. Postea probat auctoritate Zephyrini et Leonis et vi synodi et eiusdem Isidori, quod sunt recipiendi et non sunt apocryphi. Solutio brevis est; cum dicitur, quod canones apostolorum non sunt recipiendi, intelligitur de illis, qui ab haereticis et pseudoapostolis sub nomine verorum apostolorum compositi sunt. Cum dicitur, quod sunt recipiendi, intelligitur de illis, qui a veris apostolis editi sunt* (MS Admont fol 18rb). — Hug., dist. 17: *Hic intitulatur xvii distinctio. Supra in distinctione xv et distinctione xvi ostendit, a quo tempore concilia universalia fuerint celebrata et quae aliis praemineant et quae quo tempore sint celebrata. Nunc autem in hac distinctione ostendit, cuius auctoritate concilia universalia debeant congregari et celebrari. Et dicit quod auctoritate papae. Aliter nullius momenti sunt* (MS Admont fol 19rb). — Hug., dist. 18: *Hic intitulatur xviii distinctio. In praecedenti distinctione in illo*

matik kommt Huguccio nicht erst in seinem Kommentar zu dist. 15 bis 18 zu sprechen. Schon dist. 3 geht er relativ ausführlich darauf ein. Im Rahmen einer Erörterung der verschiedenen Formen kirchlicher Rechtsetzung[28] bringt er unter anderem die Unterscheidung zwischen zwei Arten von Konzilien, den General- beziehungsweise Universalsynoden auf der einen, den Provinzial- beziehungsweise Partikularsynoden auf der anderen Seite.[29] Hier, in seinen Ausführungen zu dist. 3, innerhalb seines Kommentars zu den dist. 15—18 und an anderen Stellen seiner Summe, behandelt Huguccio weitere zahlreiche konzilsrelevante Fragen, die in den übrigen Summenwerken entweder überhaupt nicht oder nicht in vergleichbarer Ausführlichkeit angegangen werden, so den Unterschied zwischen Kanon, Dekret und Dekretale, ferner mit dem römischen Konzilslegaten zusammenhängende Fragen, die Mitwirkung des Kaisers bei der Konzilseinberufung, die Teilnahme von Laien, die Rechte der Provinzialsynode, die Interpretation von Generalsynoden, die verschiedenen Aspekte des Verhältnisses Papst und Konzil, die Rangordnung der einzelnen Konzilien untereinander, vor allem den Primat der ersten vier beziehungsweise acht Universalsynoden und so weiter.[30]

---

capitulo CONCILIA (6) *dictum est, quod concilia provincialia non habent valitudinem generalem, quia non possunt aliquid generaliter statuere. Ideo consequenter ostendit, ad quid sint utilia. Adicit etiam, quotiens in anno et quo tempore anni et cuius auctoritate sint celebranda et quod metropolitanus nihil exigat ab episcopis convenientibus ad concilium. Addit etiam, quod si episcopus vocatus non venerit, nisi rationabilem excusationem ad synodum mittat, debet usque ad sequentem synodum communione fratrum privari. In fine tandem subiicit, quod quilibet episcopus post peractum concilium infra vi menses abbates et omnes clericos suos convocet et eis statuta concilii indicet* (MS Admont fol 20rb). — Zu Leben und Werk Huguccios vgl. FERNANDEZ RIOS 54—67.

[28] Hug., dist. 3: *Nam ecclesiasticae constitutionis vii sunt species. Quaedam enim dicitur dogma, scilicet quae de fide promulgata est et quodam mandatum, scilicet quae praecipit id, sine quo salus haberi non potest ut coli deum; quodam interdictum, scilicet quae prohibet id, cum quo salus haberi non potest ut furtum et adulterium, et huiusmodi fit quaedam sanctio, scilicet quae dicitur ecclesiastica disciplina. Edita est de his iiii breviter in xxv q.ii* SI QUIS DOGMA (18). *Alii vero ista iiii ita distinguunt et dicunt dogma, quod pertinet ad fidem catholicam, mandatum, quod ad ecclesiasticam disciplinam, interdictum, quod ad correctionem praesentium et imminentium malorum, sanctionem, quod ad cautelam futurorum. Item quaedam dicitur canon, quaedam decretum, quaedam decretalis epistula. Haec iii cum praedictis iiii habent se ut excedentia et excessa* (MS Admont fol 5vb).

[29] Hug., dist. 3: *Ut autem inter haec tria melius pateat differentia, notandum quod conciliorum quaedam dicuntur generalia sive universalia sive provincialia sive particularia. Generalia sive universalia dicuntur illa, quae in praesentia domini papae vel eius legati convocatis ad hoc generaliter episcopis et aliis ecclesiarum praelatis celebrantur. Et dicuntur universalia et generalia, quia omnes generaliter astringunt, vel quia ibi conveniunt pariter de universis partibus mundi. Provincialia sive particularia dicuntur illa, quae a primate vel metropolitano suis tantum convocatis suffraganeis per diversas provincias fiunt* (MS Admont fol 5vb).

[30] Ausführliche Behandlung der gesamten Probleme mit Zitation der betreffenden Texte des Huguccio im zweiten Teil dieses Kapitels.

Die Dekretsummen der rheinisch/französischen Schule sind uns mit
Ausnahme der Summe des Sicardus von Cremona anonym überliefert.
Die erst jüngst herausgegebene *Summa Coloniensis* (1169)[31] bringt im
Gegensatz zu den im vorausgehenden erwähnten Dekretsummen keinen
fortlaufenden Kommentar zum Dekret, sondern stellt ein in sich ruhen-
des, sehr reifes Werk dar, das sich freilich im Aufbau an die Stoffanord-
nung des *Decretum* anschließt. Im ersten Teil behandelt eine Reihe von
capitula Konzilsfragen.[32] Der anonyme Autor unterscheidet scharf zwischen Universal- und Konprovinzialsynoden auf der einen[33] und den
Diözesansynoden auf der anderen Seite[34], beziehungsweise genauer gesagt, er rückt die Provinzialsynode deutlich in die Nähe der Universalsynode. Beide können Kanones aufstellen. Die bei Gratian selber und
anderen Dekretisten in etwa offengelassene Frage, welche Konzilien
eigentlich in Distinktion 18 gemeint sind, entscheidet er eindeutig:
Gemeint sind die Diözesansynoden.

Die etwa aus der gleichen Zeit stammende *Summa Parisiensis* (1160 bis
1170)[35] ist wiederum eine kommentierende Summe in der Art der übrigen weiter oben erwähnten. Der Autor geht in großer Ausführlichkeit

---

[31] *Summa „Elegantius in iure divino" seu Coloniensis*, t. I und II, hrsg. von G. Fransen und
St. Kuttner, MIC.G, Ser. A. Città del Vaticano 1969/78.
[32] S. Col.: *Quae differentia inter canonem, decretum et decretalem epistulam (49). Quae concilia
universalia quae conprovincialia (50). De preminentia universalium conciliorum (51). Quibus et quo
ordine in decisione causarum utendum est (52). De quadripartita canonum differentia (54). Ubi
scripturis patrum sententiae apostolicorum virorum preferendae et ubi posthabendae et quare (55).
Quibus temporibus conprovincialia concilia celebranda et ad quid (56). Quod euxenia in sinodis ne
exigenda nec respuenda (57). De pena episcopi sinodum subterfugientis (58). Quod tribus causis
excusari valeant ad sinodum non venientes episcopi (59). Quare quinta sinodus sub filio, vi sub patre
habita memoretur (60). Quare vi sinodus canones fecerit (61). Canonum apostolorum quot sint rata
capitula (62). Leges canonibus cedere, et ubi canon habeatur pro lege (63). Utrum in decretis per
posteriora prioribus derogetur (113).* (Ausgabe Fransen-Kuttner I 14—20, 39—40).
[33] S. Col., cap. 50: *Canonum ergo alii sunt decreta pontificum, alii statuta conciliorum. Ipsorum
quoque conciliorum alia sunt generalia, ut quae summi pontificis auctoritate, sive ipso presidente sive
legato presente qui plenariam potestatem accepit, celebrantur convocatis ad hoc generaliter episcopis et
ceteris ecclesiae prelatis. Alia comprovincialia, quae a metropolitano vel primate convocatis ad hoc
suffraganeis tantum peraguntur episcopis. Comprovinciale enim sic demum integri ordinis et perfectae
provinciae dici meretur. Unde in concilio Antiocheno: „Integrum et prefectum concilium dicimus cui
metropolitanus interfuerit." In utrisque canones instituuntur, set in generalibus editi ad omnes ecclesias
vim suam extendunt; in comprovincialibus constituti provinciam non egrediuntur, nisi generalem eis
summus princeps (!) sua approbatione auctoritatem impertiatur* (Ausgabe Fransen-Kuttner
14—15).
[34] S. Col., cap. 56: *Sunt autem, praeter praedicta universalia et comprovincialia concilia singulorum
episcoporum bini sinodales conventus annuatim celebrandi ... Et sunt huiusmodi cetus invalidi ad
constituendum, non ad corrigendum vel imponendum quod alias fuerit constitutum. Valent etiam ad
diffinitionem minorum negotiorum* (Ausgabe Fransen-Kuttner 17).
[35] The *Summa Parisiensis* on the Decretum Gratiani, hrsg. von T. P. McLaughlin,
Toronto 1952.

auf die historische Problematik der 5. und 6. Universalsynode ein, wo er *multae contrarietates de tempore harum synodorum* feststellt.[36] Die Konzilsarten bestimmt er etwas anders als die *Summa Coloniensis*; er unterscheidet zwischen *concilium generale* und *provinciale* und spricht dem letzteren die Kompetenz zur Aufstellung von Kanones ab.[37] Ausdrücklich weist der Autor die Ansicht zurück, die Julius-Dekretale (dist. 16.2) sei durch eine spätere Dekretale überholt.[38]

Die nach 1170 in der gleichen rheinisch/französischen Schule entstandene Summe *Antiquitate et tempore* greift in ihrem Kommentar zu dist. 17 zum Aufweis der These vom Papst als einziger Rechtsquelle der Kirche auf die Unterscheidung des Rufinus zwischen *licentia generalis* und *specialis* zurück.[39] Besonderes Interesse zeigt der Autor für die Anfänge

---

[36] Ausgabe McLaughlin 15—16. — Interessant auch ein Kommentar zu dist. 16, ad v. prima adnotatio: *Quae ista sunt octo principalia et ista quae sequuntur eis adnotata ut secundum ordinem adnotationis distinguatur quae illarum alii praeiudicare debeat . . . Sed aliter: synodus dicitur adnotari quando scilicet papa praecipit eam scribi in registro, et sic in aliis connumerari.* — Auch zu Rubr. ad c. 14, ad v. Sardicense: *Quasi diceret praeterea supradictas synodos aliae sunt adnotatae ut et Sardicensis quae est auctoritate papae firmata. Forte haec synodus continebat de processione Spiritus sancti a Filio, quod est contra Graecos, quare eam se ignorare dicebant, licet in suis partibus, i. e. in Oriente celebrata* (Ausgabe McLaughlin 16—17).

[37] S. Par., dist. 17, ad v. Generalia: *Epilogat ut transeat ad ostendendum cuius auctoritate concilia debeant celebrari. Sciendum itaque quod concilium aliud generale quod fit praesente papa vel eius legato vel alias eius habita auctoritate, puta per litteras, et hoc solum potest canones constituere vel episcopum deponere. Aliud concilium est provinciale et hoc quandoque fit annuatim consuetudine, quandoque aliqua imminente necessitate fit alia vice, et huiusmodi concilia possunt de civilibus ut de decimis et similiter iudicare, vel constitutum generalis concilii vel mandatum domini papae indicere, episcopi etiam actionem audire, sed eum deponere sine mandato domini papae, vel canones condere, non possunt, quia neutrum istorum valent nisi firmaretur a domino papa, et secundum has distinctiones sequentia decreta sunt determinanda* (Ausgabe McLaughlin 17). Vgl. auch dist. 3, p.c.2: conciliorum universalia *ut cum vocatur ecclesia tota sub praesentia domini papae* (Ausgabe McLaughlin 4).

[38] S. Par., dist. 17.2 ad v. fultum: *Duobus modis dicitur fultum, vel generali institutione, scilicet quod concilia annuatim facta sunt fulta quia praeceptum est ut fiant propter ea ad quae instituta sunt, vel fulta speciali mandato ad aliquid eorum quae diximus. Quidam solent dicere haec decreta esse antiquita propter novum decretum postea latum quo datur episcopis licentia congregandi synodos, sed non est necessarium hoc dici. Prohibentur enim et conceduntur ut distinximus et ita non erit contrarium quod habebimus, scilicet illud concilium esse perfectum cui interfuerit metropolitanus. Perfectum enim dicitur in genere suo, inter provincialia* (Ausgabe McLaughlin 17). Der Kommentar zu dist. 17.6 spricht dann die Problematik des Verhältnisses Papst/Konzil an.

[39] S. Antiquit., dist. 17: *Sciendum autem, quod conciliorum alia sunt generalia vel universalia, alia sunt provincialia sive particularia. Et particularium alia sunt statutis temporibus celebranda, alia necessitate compellente. Item auctoritas vel licentia aliquando generalis, aliquando specialis intelligitur. Generalia quidem concilia sunt ea, quae metropolitanorum et episcoporum plurimorum ex diversis provinciis et regionibus convenientium et Romani pontificis vel autem legati eius praesentia celebrantur. Et haec valent ad nova statuta facienda vel ad maiora et difficiliora negotia determinanda, puta fidei quaestiones, episcoporum depositiones et huiusmodi. Particularia vero sive provincialia illa sunt, quae praesentia metropolitani vel auctoritate a conprovincialibus episcopis per annos singulos fiunt vel per biennium vel alio tempore certo secundum diversas diversarum regionum consuetudines vel tempore incerto*

der Konziliengeschichte, unter anderem für das Apostelkonzil.[40] Hierzu äußert sich auch die um 1175/80 abgefaßte *Summa Monacensis*.[41] Neu im Vergleich zu den im vorausgehenden genannten Dekretsummen ist hier die systematische Behandlung der einzelnen Konzilsfunktionen und Kompetenzen.[42] Was die Konzilien nicht können und Rom vorbehalten

aliqua necessitate urgente, non ad nova condenda, sed ad prava corrigenda et quae sunt statuta confirmanda. Tamen si canones inveniuntur et comprobati postea fuerint a Romano pontifice, tenebuntur inmutati et sic, quod ab initio non valuit, tractu temporis convalescit. Generalis denique auctoritas vel licentia in ea re intelligitur, quae ita primum speciali auctoritate vel licentia indulta est, ut postmodum semper exerceri valeat pro tempore, pro loco et causa, sicut quando iste in sacerdotem promovetur speciali et nova auctoritate vel licentia ei conceditur, ut postmodum quandocumque voluerit secundum tempus tamen, locum et causam dicendae missae officium exequatur. De qua generali auctoritate vel licentia intelligitur illud, quod est infra dist. XCiiii capitulum Ordinationes. *Item illud, quod invenitur in dist. lxxx capitulum* Non debere *(5). Ibi namque dicitur, quod presbyteri nihil agant sine praecepto episcopi, quod si de speciali auctoritate exaudiendum esset, totiens necesse esset eum ab episcopo licentiam petere, quotiens missam proponeret (cantare). De speciali auctoritate habemus, quod metropolitani, quamvis causas episcoporum cognoscere valeant, non tamen diffinire possunt sine auctoritate id est speciali Romani pontificis, ut in causa iii q. vi capitulum* Qamvis liceat *(7) reperitur. Quippe si de generali auctoritate ibi intelligendum esset, iam eadem ratione non liceret eis cognoscere sine auctoritate Romani pontificis (Ergo generalia concilia non licet facere absque speciali Romani pontificis:* aus Rufinus, Ausgabe Singer 39 ergänzt), *provincialia quamvis absque speciali auctoritate apostolicae sedis celebrentur, non tamen praeter generalem eius auctoritatem praesumuntur, quia semel auctoritate eius est confirmatum, ut unaquaeque provincia concilia anniversaria celebret. Vel aliter: non licet aliqua celebrare concilia sive universalia sive particularia sine auctoritate summi pontificis scilicet generali vel speciali* (MS Göttingen, Universitätsbibliothek iur. 159, fol 23ra—23rb).

[40] S. Antiquit., dist. 15 ad v. A temporibus Constantini ceperunt: *Opponitur de apostolis et eorum discipulis, qui post ascensionem ante haec tempora congregati statuerunt caeremonias legis non esse observandas ad litteram cum veritate evangelii, nisi in his tribus ut idolothytum non comederetur neque suffocatum neque caro cum sanguine. Sed hoc quod apostoli fecerunt continetur in canonica scriptura, sed hic de eis est sermo, quae postea inceperunt. Vel aliter et melius: hic loquitur de illis synodis, ad quas celebrandas de omnibus mundi partibus sancti patres manifeste convenerunt. Et quidem ante tempora Constantini aliqui convenerunt sed pauci et occulte* . . . (MS Göttingen fol 20ra—20rb).

[41] S. Mon., dist. 15 ad v. Temporibus Constantini ceperunt: *Primitiva enim ecclesia imminente persecutione latuit. Sub Constantino vero christianissimo principe vires sumens ad haeresim exsurgentem destruendam congregari coeperunt. Sequitur, qui quibus maiorem vim obtineant, dicente Gregorio iiii evangelia et iiii concilia scilicet* (Nicaenum, Constantinopolitanum), *E*(phesinum) *et Cal*(cedonense) *parem vim obtinere cum eis. His conciliis additur v Constantinopolitanum, quod etiam dicitur vi, quia bis fuit congregatum. Sed quia praesentes, qui in primo fuerunt, nihil statuerunt et idem in secundo fuerunt, potius dicendum est unum solum vi. Sancta alia quoque concilia auctoritate summi pontificis celebrata vel auctorizata similiter tota veneratur ecclesia* (MS München, Staatsbibliothek 16084 fol 4ra). — Vgl. W. Stelzer, Die Summa Monacensis (Summa ‚Imperatorie maiestatis‘) und der Neustifter Propst Konrad von Albeck. Ein Beitrag zur Verbreitung der französischen Kanonistik im frühstaufischen Deutschland, in: MIÖG 88 (1980) 94—112.

[42] S. Mon., dist. 17 ad v. Generalia: *Gratianus sequens primum continuat. Conciliorum aliud enerale seu universale, aliud provinciale seu particulare, aliud singulare seu episcopale. Generale vel universale advocante papa vel eius legato cum diversarum provinciarum episcopis celebratur. Particulare vel provinciale est, quod auctoritate patriarchae vel primatis vel metropolitani celebratur. Singulare est unius episcopi cum suis clericis. Sunt autem effectus conciliorum iiii. Nam decernit, instruit, decidit et*

ist, wird ebenfalls systematisch behandelt.[43] Ähnlich systematisieren Sicardus von Cremona (1179)[44], die Summe *Permissio quaedam* (1179/87)[45] und die Summe *Tractaturus Magister* (um 1174/81) die Rolle und Kompetenz der Konzilien.[46] Offensichtlich handelt es sich in dieser Lehre von den *effectus/officia* der Konzilien um eine Eigenart der rheinisch/ französischen Schule. Nichts weiter Relevantes zu unserem Thema enthalten die Summe *Et est sciendum* (1181/85)[47] und die *Summa Douacensis* (um 1200).[48]

Am Schluß unseres Überblicks über die Dekretsummen der rheinisch/ französischen Schule steht die „bedeutende und großangelegte"[49] *Summa*

---

corrigit. Decernere est nova decreta promulgare. Instruere autem ad ea, quae fidei sunt, pertinet. Decidere dico causas civiles vel etiam criminales finaliter diffinire. Corrigere de criminibus cognoscere et cognita punire. Harum quaedam competunt provincialibus conciliis, sed non omnia valent diffinire et corrigere. Decernere vero id est nova decreta promulgare solius generalis est concilii et illa ubique terrarum sunt recipienda. Sinodi etiam provinciales quaedam promulgare possunt in illa tantum provincia observanda. Velut de observatione aliquorum ieiuniorum vel aliarum festivitatum. Et de minoribus quaestionibus cognoscere possunt, sed non de maioribus (MS München fol 4ra—4rb).

[43] S. Mon., dist. 17: *Sunt autem istae, quas solus apostolicus diffinire potest: Actio fidei, depositio episcoporum, restitutio depositorum, divisio episcopatuum, coniunctio eorundem, translatio episcoporum, commutatio locorum, auctoritas congregandorum conciliorum* (MS München 4ra—4rb). — Vgl. auch ad v. DE CONCILIIS (2): *Ubi super aliquam causam synodus provincialis iudicare non potest, sed ad sedem apostolicam oportet referri, iiii praecipue sunt in causa. Primo quidem qualitas negotii (. . .) aut ambiguitas rei (. . .) aut dissensio iudicantium (. . .) aut provocatio (. . .)* (MS München fol 4rb).

[44] Sicard., dist. 17: *Officia conciliorum: docere hoc est de fide tractare; instituere hoc est canones promulgare; diffinire hoc est lites decidere; corrigere hoc est moribus instituere* (MS Rouen, Stadtbibliothek 710 fol 3rb). — MS Bamberg Can. 38 fol 59 schreibt die 3 ersten *officia conciliorum* den General- und die zwei letzten den Partikularkonzilien zu.

[45] S. Perm., dist. 17: *Quadruplex autem est officium secundum diversas differentias: instituere, docere, diffinire, corrigere. Instituere id est promulgare leges. Ad haec et alia tria sequentia valent generalia* (concilia). *Integra non* (?) (valent) *ad illa tria, id est leges* (?) *divulgare non valent generaliter, sed ad suos suffraganeos tantum. Non tamen docere, sed de fide iudicare, sed haec*(?) *duo: diffinire et corrigere* (MS Bamberg, Staatsbibliothek, Can. 17 fol 76).

[46] S. Tract., dist. 17 ad v. GENERALIA: *Concilium aliud generale cui interest dominus papa vel legatus eius ad hoc missus. Aliud particulare ut archiepiscopi vel primatis. Aliud singulare singulorum episcoporum. Effectus concilii est, decernere de his, quae pertinent ad generalem statum ecclesiae, instruere de his, quae ad fidem, decidere causas, corrigere mores. Generale concilium potest omnia ista, particulare ii ultima, id est intra provinciam, singulare duo ultima tantum* (MS Paris, Bibliothèque Nat., 15994 fol 5rb).

[47] MS Rouen 710 fol 119va.

[48] S. Douacen., dist. 15—18: *xv de origine iuris ecclesiastici et conciliis, xvi de temporibus conciliorum, xvii de generalibus conciliis, xviii de provincialibus. Ab hoc loco principale propositum Gratianus aggreditur agens de origine iuris ecclesiastici, auctoritate et processu. Agit ergo de conciliis tum generalibus tum particularibus, de sanctorum patrum opusculis, de summorum pontificum decretis et decretalibus epistulis usque ad xxi distinctionem. Et in hac distinctione et sequenti de temporibus conciliorum et opusculis tam approbatis quam reprobatis. In (?) distinctione xvii (de) generalibus conciliis distinguit et a quo habeant auctoritatem, in xviii de particularibus et quibus sunt temporibus celebrandae . . .* (MS Douai, Stadtbibliothek, 649 fol 96vb).

[49] KUTTNER, Repertorium 207.

Bambergensis (1206/10), deren Kommentar zu den ersten 20 Distinktionen des Dekrets ediert vorliegt.[50] Die Summe ist in dem uns angehenden Abschnitt durch ein vergleichsweise geringes Interesse an Konzilsfragen gekennzeichnet. Dem auffallend knappen Referat über die verschiedenen Konzilsarten[51] entspricht einerseits die wiederholte Feststellung, daß die Metropoliten keine Konzilien versammeln[52], andererseits die häufige Allegation des *ius novum*[53], des Dekretalrechts, das dem Konzil, wie wir noch sehen werden, nur noch am Rande einen Platz einräumt.

Die anglo/normannische Schule wird in unserem historischen Überblick über den Beitrag der frühen Dekretistik durch die *Summa Lipsiensis* (um 1186) vertreten.[54] Sie bringt in dem für unsere Fragestellung entscheidenden Kommentar zu dist. 17 nichts, was über die weiter obengenannten Quellen hinausginge.[55] Als Abschluß unseres Überblicks

---

[50] E. M. DE GROOT, Doctrina de iure naturali et positivo humano in Summa Bambergensi, Noviomagi 1970.

[51] S. Bam., dist. 17 ad v. UNDE ALIA: *Hic intitulatur xvii dist. in qua ostendit magister quod auctoritas congregandi generalia concilia consistit tantum penes dominum papam. Et sciendum quod conciliorum quoddam est generale, quoddam provinciale, quoddam speciale. Generale est quod fit auctoritate domini papae vel eius legati ad hoc specialiter destinati, supra* dist. 16.9 *et istud generale potest condere canones et tractare de generali statu ecclesiae et de fide et causas decidere et corrigere mores. Particulare et provinciale est, quando metropolitanus vel primas convocat episcopos suos. Et istud bene potest causas decidere et corripere mores, set non potest circa generalem statum ecclesiae. infra eadem dist. per totum. Speciale est, quando episcopus convocat suos sacerdotes et istud potest similiter in suo episcopatu mores corripere et lites decidere,* dist. 18.7 et 17 (Ausgabe DE GROOT 79).

[52] S. Bam., dist. 18, ante c. 1: *Neque hodie videmus quod metropolitani congregent provincialia concilia, licet bene possint hoc facere.* — c. 3 ad v. HABEATUR: *Et sciendum quod ista capitula quae loquuntur de celebrandis conciliis, discordant in temporibus. Unde dicendum quod localia sunt nec tenent hodie, quia non videmus hodie alia concilia congregari a metropolitanis, licet hoc possint* (Ausgabe DE GROOT 83 und 84).

[53] Ebd. 85.

[54] Weniger relevant für unser Thema sind die aus der anglo-normannischen Schule stammenden Summen *De iure canonico tractaturus* (MS Laon, Stadtbibliothek 371 bis fol 83), die Randglosse *Ordinaturus Magister* (MS München, Staatsbibliothek Clm. 10244) und die *Glossa Palatina* (MS Vatikan Reg.Lat. 977 fol 8vb).

[55] S. Lip., dist. 17 ad v. GENERALIA: *In hac distinctione dicitur quod non possunt concilia celebrari sine speciali licentia summi pontificis. Sciendum est, quod concilia quaedam sunt generalia, quae celebrantur in praesentia summi pontificis convocatis praelatis ecclesiarum, quae vim suam extendunt ad omnes. Quaedam provincialia sunt in quibus praesident primates vel metropolitani. Quae in huiusmodi statuuntur, provinciam non egrediuntur. Item quaedam sunt episcopalia, in quo casu loquitur illud* in xv q.vii EPISCOPUS (7). *Item quidam adiciunt archidiaconalia concilia, in quibus agit de excessibus subditorum. Item generalis auctoritas est, quae semel speciali auctoritate alicui confertur, ut postmodum licite valeat exerceri pro loco et tempore et causa, sicut quando iste in sacerdotem promovetur speciali et nova licentia ei conceditur, ut postmodum quandocumque voluerit secundum tempora et locum et causam missae officium exerceatur. De hac auctoritate generali intelligitur illud in* (dist.) *lxiiii* ORDINATIONES (2) *et* (dist.) *lxxx* NON DEBERE (5). *Ibi namque loquitur quod presbyteri nihil agant sine licentia episcopi; quod si de speciali auctoritate intelligi debeat, totiens ab episcopo licentiam peteret, quotiens*

bietet sich naturgemäß die *Glossa ordinaria* des Johannes Teutonicus (1217) an.[56] Die Glossen erstrecken sich nicht gleichmäßig über den gesamten Text des *Decretum*, vielmehr geben sie zu den einzelnen Kapiteln jeweils nur eine kurze einleitende Inhaltsangabe[57] und weisen auf bestimmte Probleme hin.[58] Mehrere Glossen zeigen das deutliche Interesse des Johannes Teutonicus an den durch das Verhältnis Papst/Konzil gegebenen Fragen, so zum Beispiel an dem Problem der Interpretation von Statuten Allgemeiner Konzilien[59], der Kassation von durch Rom nicht autorisierten Konzilien[60], der Konzilseinberufung durch den Papst

---

missam celebrare deberet. De speciali auctoritate habemus quod metropolitanus, quamvis de causis episcoporum cognoscere valeat, non tamen diffinire sine speciali licentia summi pontificis ut in causa iii qu. vi QUAMVIS. *Ergo concilia provincialia, item episcopalia, etsi possint celebrari sine licentia speciali summi pontificis non tamen sine generali, quae eis semel in ordinatione est collata* (MS Leipzig Universitätsbibliothek 986 fol 11rb—11va).

[56] Wir benutzen die Glossa in der von Bartholomaeus Brixiensis überarbeiteten und ergänzten Version, die in zahlreichen älteren Drucken des *Decretum Gratiani* als Randglosse beigegeben ist. — *Decretum Gratiani emendatum et notationibus illustratum una cum glossis,* Paris 1585. — Zu Abfassungszeit und Quellen des Johannes Teutonicus vgl. KUTTNER, Repertorium 93—95, ferner A. M. STICKLER, Johannes Teutonicus (Zemecke), in: NCE 7 (1967) 998.

[57] Glossa dist. 17: *In hac 17. dist. ostenditur qui possunt facere concilia. Sunt autem conciliorum quaedam universalia, quaedam particularia sive provincialia, quaedam episcopalia. Universale est, quod a papa vel eius legato cum omnibus episcopis statuitur, particulare sive provinciale est quod metropolitanus vel primas facit cum suffraganeis suis ut dist. 18.1 ; dist. 92.7. Sed universale non debet fieri sine auctoritate papae ut hic, nec particulare sine auctoritate metropolitani vel primatis, nec episcopale sine auctoritate episcopi. Metropolitanus tamen potest facere concilium sine auctoritate primatis ut dist. 92.7, similiter episcopus sine auctoritate metropolitani ut dist. 38.2 et 12 q.2.51. Nec obest quod legitur infra dist. 18.4 in fine et dist. 18.15, quia illud est intelligendum de provincialibus conciliis. Vel intellige illud de canonibus constituendis* (Ausgabe Paris 1585 col. 82—83).

[58] So notiert Johannes Teutonicus z. B. zu dist. 15.2 ad v. PRAESUMIT: *Videtur ergo quod papa non possit destruere statuta concilii, quia orbis maior est urbe, dist. 93.24 circa medium. Unde requirit papa consensum concilii dist. 19.9. Argumentum contra dist. 17 a. c. 7* (HINC ETIAM) *et extra 1.6.4, ubi dicitur quod concilium non potest papae legem imponere, et 35 q.9.5. Sed intellige quod hic dicitur circa articulos fidei, 25 q. 1.6* (Ausgabe Paris 1585 col. 68).

[59] Glossa, dist. 17.4 ad v. PARTICULAREM: *Ad aliquid generaliter statuendum vel ad revocandum illud quod in universalibus conciliis est statutum ut isti episcopi, qui volebant retractare statuta Constantinopolitanae synodi. Videtur hic quod ad solum papam spectat interpretari statuta universalis concilii ut extra 3.8.12. Argumentum contra quod ab omnibus episcopis vel a saniore parte eorum qui interfuerunt potest fieri interpretatio, quia ab eo iudice prodire debet interpretatio qui ius statuit, extra 5.39.31.* — Zum Begriff der *sanior pars* vgl. O. GIERKE, Über die Geschichte des Majoritätsprinzips, in: Essays in Legal History, hrsg. von P. VINOGRADOFF, Oxford 1913, 312—327.

[60] Glossa, dist. 17.5 ad v. MULTIS: *In prima parte* (distinctionis) *dicitur quod Constantinopolitani episcopi celebraverunt concilium ad vocationem Joannis, qui tunc erat patriarcha, quod factum fuit absque sedis apostolicae licentia. Quare papa concilium illud evacuat et cassat et quidquid in eo fuit constitutum et prohibet, ne de cetero talia fiant* (Ausgabe Paris 1585 col. 85). — dist. 17.6 ad v. CONCILIA: *Quidam episcopi singulis annis sine sede apostolica concilia faciebant, quare Symmachus papa ea cassat, cum non inveniatur aliquid constitutum sine auctoritate sedis apostolicae, immo semper ei maiora negotia reservantur* (ebd. 86).

oder den Kaiser⁶¹, der Ableitung der Autorität der Konzilien⁶² und so weiter.

b) Dekretalisten von 1234 bis 1378:

Nicht nur allgemein in ihrem Werk, sondern auch speziell innerhalb des uns interessierenden Abschnittes allegieren Dekretisten wie der Autor der *Summa Bambergensis* und Johannes Teutonicus fleißig das *ius novum*, das heißt, die neueren Dekretalen. Im Jahre 1230 beauftragte Gregor IX. schließlich Raimundus de Peñaforte, dieses päpstliche Recht in einer umfassenden Sammlung zu vereinigen. 1234 ist das Werk vollendet⁶³ und verdrängt in der Folgezeit sehr schnell das ältere und an die Zeit nicht mehr genügend angepaßte *Decretum Gratiani* aus seiner beherrschenden Stellung — ein Vorgang, der nicht ohne Folgen für die weitere Entfaltung der Konzilsproblematik innerhalb der Kanonistik blieb. Hatte nämlich im *Decretum Gratiani* diese Problematik ihren zentralen „Ort" in den Distinktionen 15—18 innerhalb eines Traktates über die kirchlichen Rechtsquellen, so ist das fortan in den Dekretalen Gregors IX. nicht mehr der Fall. Zwar ist das Konzil nicht völlig aus dem neuen Gesetzeswerk verdrängt, aber kein einziger der insgesamt 185 auf fünf Bücher verteilten *Tituli* befaßt sich ausdrücklich mit den Konzilien. Der kommentierende Kanonist, der Dekretalist, stößt nur noch incidenter auf etwa zehn (von insgesamt 1971) konzilsrelevante Kapitel.⁶⁴

Bevor wir uns diesen für die weitere Entwicklung der Konzilsidee wichtigen Unterschied zwischen beiden Gesetzeswerken, das heißt die Verlegung der *sedes materiae* aus dem Zentrum an die Peripherie und von

---

⁶¹ Glossa, dist. 17 Dicta Gratiani p.c. 6 (HINC ETIAM): *In prima parte dicitur quod Summachus papa erat de quibusdam criminibus diffamatus. Unde Theodoricus rex veniens Romam concilium congregavit ut examinarentur ea quae obiiciebantur papae. Tunc surgentes episcopi Liguriae et Aemiliae et Venetiae dixerunt imperatori quod ad papam spectabat convocare concilium. Imperator ad hoc benigne respondit omnia esse in potestate synodi, committens negotium auctoritati pontificum, dummodo pax in civitate Romana servetur. In secunda parte . . . dicitur quod episcopi ibi congregati auctoritate eiusdem Symmachi interveniente absolverunt ipsum ab humano iudicio, a solo deo iudicandum et restituendos clericos, qui recesserant a Symmacho papa, in suis officiis decreverunt, dummodo primo Symmacho satisfaciant.* (Ausgabe Paris 1585 col. 86).

⁶² Glossa, dist. 17 Dicta Gratiani p. 6 c. ad v. IUSSIONE DOMINI: *Habet ergo Romana ecclesia auctoritatem a conciliis, sed imperator a populo ut dist. 93.24 in fine. Contrarium huic signatur dist. 21.3 et dist. 22.1, ubi dicitur quod Romana ecclesia habet primatum a Domino et non a conciliis. Sed dic principaliter habuit a Domino, secundario a conciliis* (Ausgabe Paris 1585 col. 86).

⁶³ Aufbau usw. vgl. J. F. SCHULTE, Die Geschichte der Quellen und Literatur des canonischen Rechts von Papst Gregor IX bis zum Konzil von Trient II, Stuttgart 1877, 3—25.

⁶⁴ *Sedes materiae* sind im wesentlichen 1.1.1 *(de constitutionibus)*; 1.6.4; 1.6.5; 1.6.28; 1.9.11; 2.1.1; 3.5.29; 3.10.10; 5.1.25 (vor allem die beiden letzten Stellen!).

einer Stelle an mehrere, an einigen Beispielen aus dem Bereich der Dekretalistik verdeutlichen, ist noch kurz ein Blick auf den Autor der Dekretalensammlung selber, auf Raimundus de Peñaforte, zu werfen. Er hat nämlich vor der Vollendung seines Gesetzeswerkes (1234) um 1222/24 eine *Summa de iure canonico*[65] verfaßt, in der von den zwölf Titeln des ersten Teiles einer ganz den Konzilien gewidmet ist (das Werk hat insgesamt nur 39 Titel!).[66] Dieser *Titulus VI De conciliis* resümiert knapp die aus dem vorausgehenden bekannte Lehre.[67] Die Summe ist offensichtlich noch in großer Nähe zum *Decretum Gratiani* konzipiert. Dies war schon nicht mehr der Fall bei der *Summa Decretalium* des Bernhardus Papiensis (um 1198)[68], die sich im Aufbau an die *Compilatio prima*, also seine eigene vorgregorianische Dekretalensammlung, anschließt. In diesen Sammlungen, deren Prototyp die eben genannte Summe des Bernhardus Papiensis darstellt, gibt es keinen *Titulus De conciliis* mehr. Titulus I *(de constitutionibus)* § 2 lautet: *constituere potest in saecularibus imperator, civitas etiam potest facere legem municipalem. In ecclesiasticis constituere potest apostolicus, synodus universalis, synodus patriarchalis et synodus metropolitana.*[69] An späterer Stelle seines Werkes (Tit. IX und X liber III) kommt Bernhardus Papiensis zwar noch einmal auf *concilia* zu sprechen, aber es handelt sich hier nicht um Konzilien im strengen Sinn des Wortes.[70] Immerhin spielt er in diesem Zusammenhang auf

---

[65] Ausgabe X. Ochoa und A. Diez, Raimundus de Pennaforte, Summa de iure canonico, t.A. Universa bibliotheca iuris, v. 1, Rom 1975; vgl. zu dieser Edition jedoch St. Kuttner, On the Method of Editing Medieval Authors, in: The Jurist 3/4 (1977) 385—386.

[66] Die fünf vorausgehenden Titel lauten: De iure naturali, de iure gentium, de iure civili, de origine iuris, de constitutionibus (hier ist unter 3. schon von Konzilien die Rede!); die sechs folgenden lauten: de rescriptis et earum interpretationibus, de privilegiis, de consuetudine, de differentia iuris naturalis ad alia iura, de differentia constitutionis ecclesiasticae ad saecularem, de iuris et facti ignorantia (Ausgabe Ochoa-Diez 3—40).

[67] Raim. P., Sum.: *Quia supra facta est mentio de conciliis, videamus quot sint species conciliorum, et cuius auctoritate unumquodque debeat celebrari. Species conciliorum sunt tres: aliud est universale, aliud provinciale, aliud episcopale. Universale est quod celebratur auctoritate papae, vel eius legati habentis ad hoc speciale mandatum,* usw. (Ausgabe Ochoa-Diez 11).

[68] Ausgabe E. Laspeyres, Regensburg 1860; Charakterisierung bei Kuttner, Repertorium 386—390.

[69] Ausgabe Laspeyres 3. — Auf die Parallele Kaiser/Papst wird weiter unten noch näher eingegangen. — Zur Entstehung des *ius novum* vgl. P. Landau, Die Entstehung der systematischen Dekretalensammlungen und die europäische Kanonistik des 12. Jahrhunderts, in: ZSRG.K 96 (1979) 120—148. Vgl. auch J. Hanenburg, Decretals and Decretal Collections in the Second Half of the XIIth Century, in: TRG 34 (1966) 522—599; W. Holzmann-C. R. Cheney-M. Cheney, Studies in the Collecions of Twelfcentury Decretals, MIC.B Rom 1979.

[70] Zumindest nach einer Handschrift. Die Verwechslung von *concilium* und *consilium* ist häufig.

das wichtige Prinzip *Quod omnes tangit, ab omnibus comprobetur* an, auf das weiter unten noch ausführlicher einzugehen sein wird.

Der Dekretalist Goffredus de Trano geht in seiner *Summa super titulos decretalium* (1241/43)[71] weder in 3.5 noch in 5.1 auf die Konzilien ein, dafür sind seine Ausführungen zu 1.1 *(de constitutionibus)* von höchstem Interesse; wird hier doch deutlich, wie sehr die damalige Kanonistik das Verhältnis Papst/Konzil nach Vorstellungen des Römischen Rechts konzipierte.[72] Eine Art „Konzilstraktat" bietet schließlich der *Apparatus in V libros decretalium* des Sinnibaldus Fliscus (Innocens IV.)[73], und zwar in 3.5.29.[74] Da es in der kommentierten Decretale Innocenz' III. *Grave nimis* um die Pfründenverteilung durch das Provinzialkonzil geht, sieht der Kommentator keine Veranlassung, weiter auszuholen, das Universalkonzil und die ganze Problematik des Verhältnisses Papst/Konzil bleibt unerwähnt. Was Innocenz IV. interessiert, sind Fragen wie: wer nimmt am Provinzialkonzil teil, wie viele Bischöfe gehören notwendig dazu, wer beruft ein usw. Der Schlußabschnitt nennt als Ziel des Konzils: *Item concilium sit ob hoc maxime scilicet ad correctionem morum.*[75]

Die *Summa aurea* des Heinrich von Segusia (Hostiensis) (1250/61), eine der bedeutendsten Schriften der mittelalterlichen kanonistischen Literatur, ist wiederum im Gegensatz zu der vorausgehenden eine Titelsumme. 3.5 und 5.1 bringen nichts über Konzilien, dafür enthält 1.2 *(de constitutionibus)* in einem kurzen Unterabschnitt *(Quis possit constitutionem facere?)* einen kleinen „Konzilstraktat", der die Lehre der Vorgänger knapp zusammenfaßt und dabei vor allem die Oberhoheit des Papstes über die Konzilien klar herausstellt.[76]

Auch zu den Dekretalen gibt es wie zum *Decretum* eine *Glossa ordinaria*; sie stammt von Bernhardus Parmensis de Botone (1263/66) und ist in den älteren Ausgaben der Dekretalen mitabgedruckt.[77] Der Kommentar bietet lediglich eine kurze Paraphrase der konzilseinschlägigen Stellen.[78]

---

[71] Ausgabe Venedig 1490.

[72] Einzelheiten weiter unten.

[73] „Man kann kaum einen zweiten Kommentar der Dekretalen als ganz ebenbürtig zur Seite stellen", SCHULTE, Geschichte II 92.

[74] Ausgabe Frankfurt 1570, Ndr. Frankfurt 1968, 365—366.

[75] Ausgabe Frankfurt 1570, 366b.

[76] Host., 1.2: *Sed et legati et praelati et capitulum et concilia sub ipso sunt et ab eo auctoritatem assumunt* (Ausgabe Köln 1512 col. 19).

[77] Decretales Gregorii IX cum glossis diversorum, Lyon 1624.

[78] 1.6.4 (Ausgabe Lyon 1624 col 110); 1.33.9 (ebd. 429); 3.5.29 (ebd. 1051); 3.10.10 (ebd. 1099); 5.1.25 (ebd. 1600). 1.2 (ebd. 14) wird auf das Decretum verwiesen: *de conciliis tractatur dist. 15 usque dist. 19 exclusive.*

Ein Schüler des Bernhardus Parmensis, Wilhelm Durandus, auch Speculator genannt und nicht mit seinem Neffen, dem jüngeren Wilhelm Durandus († 1330), dem Autor der für unser Thema wichtigen Schrift *De modo celebrandi concilii* zu verwechseln, befaßt sich in seinem *Speculum iuris* (1272/76) näherhin mit der Frage, welche Vollmachten der römische Legat für die Abhaltung von Konzilien besitzt.[79] Eine Art Ergänzung der *Glossa ordinaria* will der Dekretapparat des Guido de Baysio (Archidiaconus) bieten. Das vom Autor selber *Rosarium* genannte Werk vom Ende des 13. Jahrhunderts (1281/1302) gehört strenggenommen nicht hierhin, denn es handelt sich nicht um einen Kommentar zu den Dekretalen, sondern zum Dekret. Das Rosarium wird jedoch hier erwähnt, denn seine Ausführungen zu den Distinktionen 15—18 beleuchten eindrucksvoll das Desinteresse der zeitgenössischen Kanonistik an der Konzilsproblematik. Man ist in den einschlägigen Fragen auf dem Stand des Huguccio stehengeblieben.[80] Dasselbe gilt im Grunde auch von Johannes Andreae, dem bedeutendsten Kanonisten seines Jahrhunderts. Die *In quinque decretalium libros novella commentaria* (nach 1321)[81] zeigen bei aller Fülle des an den konzilseinschlägigen Stellen ausgebreiteten Wissens[82], daß die Kanonistik

---

[79] Durantis, Spec.iuris I, 1, 42, nr. 19: *Sed numquid legatus ecclesiae Romanae potest concilium celebrare? Et videtur quod sic, particulare tamen, non generale ut d. 3.2, § Porro; dist. 17.2. Multa nam concilia particularia sine praesentia domini papae praesente legato Romanae sedis celebrata inveniuntur ut dist. 16.9 ; dist. 63.2 ; 1 q. 7.4. Sed Hugutio, Laurentius et Johannes contra, nisi id hoc ei specialiter committatur, et secundum hoc intelligunt iura innuentia legatum concilium facere posse. Talis enim legatus potest facere concilium generale, si de generali fuerit ei specialiter iniunctum, vel particulare, si de particulari. Privilegium enim de concilio congregando sibi Romanus pontifex specialiter reservavit ut 2 q. 6.10 et ideo non transit in generali legatione* (Ausgabe Frankfurt 1715 S. 33).
[80] Rosarium decretorum, Ausgabe Venedig 1481, dist. 16 und 17 fol 16b.
[81] Reprint der Ausgabe Venedig 1581 in 5 Bden, mit einer Einleitung von St. Kuttner, Bottega d'Erasmo, Turin 1963.
[82] 3. 5.29, nr. 5—9 bringt Johannes Andreae seinen ersten „Konzilstraktat": 5. *ad concilium provinciale qui vocandi, qui ad synodale vel episcopale et qui prius faciant, annuatim congregandum et quo casu. In concilio provinciali quem locum teneant episcopi, an continue necessarii et qui definiant et quae ad ipsum causae deferantur ... Episcopi accusationem potest audire, sed non definire, et qualiter episcopi debeant interesse. Domum revocandi ius quando competat in concilio et quo ... 6. Ad capitulum pertinet quandoque collatio, 7. Superioris appellatione continetur papa vel patriarcha ... Denunciare potest quilibet, concilio negligente. Universitatis nomen in diligenti stat. 8. Praesidens concilio non punitur ab eo et ratio. Papa non potest per generale concilium puniri. Minor in maiorem non habet potestatem. Suspendendo potestatem habet concilium, non relaxando, 9. Ab excommunicationis sententia lata per canonem synodalem qui possunt absolvere et quando* (Ausgabe Venedig 1581, t. II 37) — 5.1.25 geht Johannes Andreae nochmals kurz auf die Konzilsproblematik ein. Das Summarium lautet: *1. Metropolitani ad correctionem excessuum et reformationem morum singulis annis faciant concilium provinciale et quid praeterea statuant in eo, quod futuro concilio ... 2. Episcopi singulis annis faciant synodos, 3. Concilio generali Innocentis quod Lateranense etiam fuit, at quot constitutiones in hac novissima sint, et sub quibus titulis ...* (Ausgabe Venedig 1581, t. V 18) — Die übrigen *Sedes materiae* enthalten nichts Relevantes.

in der Behandlung der Konzilsproblematik stagniert. Der große Kanonist kennt, was das Konzil angeht, keine großen Fragen. Er breitet in 3.5.29 und 5.1.25 stupendes Detailwissen aus und verfeinert die Fragestellungen seiner Vorgänger.

Doch steht das Neue, für das kein Wort treffender ist als das Wort Revolution, unmittelbar vor der Tür: 1324 erscheinen der *Defensor Pacis* des Marsilius von Padua und 1334 die Dialoge des Wilhelm von Ockham! Die Konzilstheorie dieser beiden Männer, vor allem aber die durch das Große Abendländische Schisma (1378) ausgelösten praktischen Probleme zwingen dann freilich auch die Kanonistik, sich erneut mit der Konzilsproblematik auseinanderzusetzen. Dies ist zum Beispiel der Fall bei Baldus Perusinus (1309—1400). In seinen *In decretalium volumen commentaria* geht er gleich 1.3.25 auf die bald im Zusammenhang mit Pisa 1408/09 brennende Frage seiner Zeit ein: *Concilium generale quis congregare debeat et qui ad hoc sunt vocandi? Quis ergo congregabit concilium?*[83] und beruft sich für die Antwort auf Huguccio.[84] Eine weitere Frage: Wenn die Kirche selber kein Konzil zustande bringt, kann dann der Kaiser Hilfestellung leisten? Baldus antwortet mit einem vorsichtigen Ja.[85] Ferner: *concilium totum an possit esse suspectum?* Antwort: Ja, in drei

---

[83] Ausgabe Turin 1578 fol 41ra. — Nicht eingesehen wurde J. A. Wahl, Baldus de Ubaldis: A Study in Reluctant Conciliarism, in: Manuscripta 19 (1974) 21—29.

[84] Baldus, in decr. 1.3.25, nr. 20: *Ugucio determinat expense in dist. 79.8, ubi dicit, ubi est dissensio inter cardinales, debent concilium convocare auctoritate cardinalium. Nam concilium est sicut bonus vir electus et approbatus a canone et sufficit maior pars cardinalium ut* D. 50.1.19 (quod maior pars, immo maior pars praesentium), *si saltem duae partes sint praesentes, requiritur maior pars omnium praesentium ut* D. 3.4, *si nulli, non obest, extra* 1.6.6, *quia hic non sumus in electione sed in concilii congregatione ; et istud quod dicit, quod concilium pertinet ad cardinales non est in glossa dicti, dist. 79.8, et ideo recurre ad glossam Ugutionis, quia glossa Bartolomaei Brixiensis est truncata. Et nota quod ad concilium generale de necessitate non sunt vocandi nisi episcopi, ut notat Innocens in extra 3.5.29. Et ideo cardinales episcopi sunt illi, ad quos principaliter pertinet convocatio. Argumentum dist. 23.1. Sed certe cardinales non convocant concilium ut singuli, sed ut collegium ; quia collegium cardinalium maius est quam aliquis singularis episcopus, quam patriarcha. Et tamen non est negandum, quod cardinales episcopis sint in concilio praestantiores. Item non est negandum, quin singulus cardinalis etiam diaconus vel subdiaconus sit maior episcopo Florentino vel Perusino ... In hac congregatione non requiritur auctoritas eius, qui se praetendit papam, quia tractatur de sua exauctoritatione et sic de causa propria. Ultimo subicio quod datur mirabile dictum Ugutionis in dist. 79.8, qui dicit quod propter scandalum vitandum uterque potest per concilium repelli, dist. 40.6, et tertius eligi, qui non sit eiusdem scandali prosecutor. Et in hoc advertat rex Francorum, ne veniat. Scribitur enim, incidit in scyllam cupiens evitare caribdim. Et si permittitur depositio, permittitur eius praeambula, scilicet substractio oboedientiae solitae* (Ausgabe Turin 1578 fol 41ra).

[85] Baldus, in decr. 1.3.25, nr. 14: *Concilium formatum et essentiatum seu canonisatum a iure non potest imperator facere nec ei praesidere, sed quandam congregationem facit, quae potius dicitur conventicula. Sed Johannes dicit, quando ecclesiae potestas deficit, imperator supplet, 23 q. 5.20. Sed intelligendum, quod supplet patrocinando* (Ausgabe Turin 1578 fol 40vb).

Fällen.[86] Letzte Frage: *Concilium an possit statuere, quod papa possit sibi eligere successorem?* Antwort: Eher nicht.[87]

Aber nicht alle zeitgenössischen Kanonisten werden von den neuen Fragen umgetrieben. Antonius de Butrio (ca. 1338—1408) zum Beispiel trägt in seinen *Commentaria in quinque libros decretalium* 3.5.29[88] das bekannte Material aus den älteren Quellen wohlgeordnet zusammen, geht aber nicht auf die neuen Probleme seiner Zeit ein.[89] Oder darf man in seinem Kommentar zu 3.10.10, wo er sich eher gegen eine Teilnahme von Laien am Konzil äußert, ein Echo auf die ‚Anfragen' eines Marsilius oder Ockham heraushören?[90]

c) Was ergibt nun unser Überblick über etwa 200 Jahre kanonistische Literatur zum Konzil? Zunächst sind, was das Interesse am Konzil als solchem angeht, deutlich drei Phasen zu unterscheiden: Die ersten Summen zum Dekret zeigen ein relativ geringes Interesse an Konzilsfragen,

---

[86] Baldus, in decr. 2.1.1, nr. 7: *Concilium est congregatio multorum maximorumque virorum. Ergo totum concilium non potest esse suspectum ut D. 3.3.15. So(lutio?), immo potest esse suspectum concilium in tribus casibus. Primo si omnes praesidentes sunt suspecti; secundo, si maior pars eorum. Nam concilium vicem unius personae gerit, personae dico intellectualis, non naturalis. Et quia est unum corpus, praevalet dignior pars ipsius, D. 50.1.19; D. 46.1.22, cum si et facit, quod notat Archidiaconis* (Guido de Baysio) *dist. 35.12, ubi omnino videas. Tertio etiam si unus sit magnae auctoritatis in concilio, dummodo sit tantae praeeminentiae et auctoritatis, quod alii non audeant contradicere. Argumentum D. 4.8.17* (Ausgabe Turin 1578 fol 134ra). Freilich ist zu beachten, daß es sich im Kontext um iudicia = Gerichte handelt!

[87] Baldus, in decr. 1.6.6, nr. 13: *Johannes tenet, quod non, 8 q. 1 p. c. 7 HIS OMNIBUS alii dicunt contra, dist. 63.22, quia cardinales, ad quos spectat eligere, possunt hoc una cum papa statuere. Prima verior, si volunt facere generale statutum de quocumque papa, quia ius eligendi non est apertum eis, sicut nec electores imperii una cum imperatore possunt mutare formam pro statu imperii generaliter constitutam* (Ausgabe Turin 1578 fol 59va—b). Zum Problem vgl. auch F. GILLMANN, Die Designation des Nachfolgers nach dem Urteil der Dekretglossatoren des zwölften Jahrhunderts, in: AKathKr 90 (1910) 407—417.

[88] Antonius legt einen „Konzilstraktat" in 6 Punkten vor: *Venio ad glossam Innocentii et reduco eam ad sex membra. Primum erit, qui sunt vocandi ad concilium provinciale; secundum, quae possunt expediri in concilio provinciali vel synodali et circa quae; tertium qualem habent potestatem in concilio congregati, an ordinariam an delegatam; quartum, quot exigentur in cognitione causarum episcopi aut alterius sacerdotis* (die Antwort ist in 4 Punkte untergliedert); *quintum, qui faciant concilium; sextum, an citati vel vocati ad concilium ibidem cogantur et teneantur indifferenter de quaestionibus eis illatis respondere* (Ausgabe Venedig 1578 t. III fol 41 A).

[89] Vgl. Ausgabe Venedig 1578 t. III fol 41—41 A; fol 65 A.

[90] Antonius B., Com. 3.10.10: *Glossa ultima in fine quaerit, an laici sunt vocandi ad concilia. Dicit quod non, nisi specialiter invitentur vel nisi tractaretur causa fidei vel matrimonialis eos tangens, quo casu, quia negotium eos tangit, sunt vocandi, 35 q. 5.2. Item dicunt doctores, quod vocabuntur ut audiant, non ut iudices iudicent vel doceant, dist. 6.2.2. Sed doctores dicunt, quod ad illa adhuc non est necesse, quod vocentur, cum postea possint omnes tales in praedicationibus publicari, quod fieri potest eis etiam existentibus excommunicatis, infra 5.39.43. Possunt etiam laici illuc venire pro petenda vel defendenda iustitia, extra 2.1.13. Ab ecclesiasticis tamen negotiis tractandis eorum auctoritas omnino est excludenda. Argumentum extra 1.6.56* (Ausgabe Venedig 1578 t. III fol 65 A).

es folgt sehr schnell eine Phase wachsender Aufmerksamkeit, die in Huguccio ihren Höhepunkt findet. Mit dem Erscheinen der Dekretalen (1234), bedingt durch die Natur dieses Gesetzeswerkes, erfolgt ein deutlicher Einschnitt: Konzilsfragen verlieren die zentrale Stelle, die sie im Dekret innehatten. Die Marginalisierung der Konzilsproblematik in den Dekretalen zeigt sich, zweitens, besonders deutlich für die Fragen um das Ökumenische Konzil. Das Ökumenische Konzil mit seiner Problematik scheint dem Bewußtsein der Dekretalisten fast völlig entschwunden zu sein, obwohl in der untersuchten Zeitspanne mehrere später sogenannte Ökumenische Konzilien stattgefunden haben. Drittens fällt bei den frühen Dekretisten auf, eine wie einheitliche Lehre sie über das Konzil entwickelt haben. Im folgenden, systematischen Teil wird es unsere Aufgabe sein, einige wichtigere Aspekte dieses Lehrkonsenses der frühen Dekretistik zur Darstellung zu bringen.

2. Einige Konzilsprobleme hauptsächlich bei den frühen Dekretisten

a) Arten von Konzilien:

Zu den stereotyp behandelten Fragen unserer Kanonisten gehört die nach den *species conciliorum*. Sie wird nur bei den ganz frühen (Paucapalea, Rolandus, Stephanus Tornacensis) ausgelassen beziehungsweise nicht ausdrücklich behandelt. Abgesehen von Rufinus, dem von ihm abhängigen Johannes Faventinus, der *Summa Parisiensis*, der Summe *Antiquitate et tempore*, der *Summa Reginensis* und der *Summa Coloniensis*, die nur zwei Arten von Konzilien benennen *(generalia* und *provincialia)*[91], unterscheiden die anderen Autoren drei Arten von Konzilien[92]: *generalia, provincialia, episcopalia.* Freilich ist hier die Terminologie schwankend. Das *concilium generale* wird von einigen ausdrücklich mit dem *concilium universale* identifiziert (Rufinus, Johannes Faventinus, Huguccio, Summe *Antiquitate et tempore, Summa Monacensis): concilium generale sive universale.*

---

[91] In der *Summa Coloniensis* ist die Sache nicht ganz klar. Je nachdem, ob man die Kapitelüberschrift mitberücksichtigt, unterscheidet der Autor zwischen zwei oder drei Arten von Konzilien. — Vgl. Anm. 25, 33, 34, 37, 39.

[92] Huguccio, der dist. 3 zunächst nur zwei Arten von Konzilien genannt hatte (vgl. Anm. 29), ergänzt zu dist. 17 ausdrücklich: *Supra in dist. iii distinximus quod conciliorum quaedam universalia vel generalia, quaedam specialia vel particularia et quae sint haec vel illa ibi distinctum est. Sed illud addendum est, quod praeter haec vel illa concilia sunt alia, quae dicuntur episcopalia vel singularia. Nam et episcopus potest congregare concilium* (MS Admont 19rb). — Vgl. Anm. 150, 42, 46, 51, 55, 57, 67, 93.

Das *concilium provinciale* wird andererseits von einigen Autoren ausdrücklich auch *particulare* genannt: Rufinus, Johannes Faventinus, Huguccio, Summe *Antiquitate et tempore, Summa Monacensis*. Die Summe
Permissio quaedam kennt hierfür auch die Bezeichnung *integrum*[93], die
Summa Reginensis den Namen *locale*.[94] Das *concilium episcopale* schließlich
heißt bei Huguccio, in der *Summa Monacensis*, Summe *Tractaturus Magister* auch *concilium singulare*.[95] Raimundus de Peñaforte bringt das ganze
in die klassische Formulierung: *species conciliorum sunt tres: aliud est universale, aliud provinciale, aliud episcopale*.[96] Der Hostiensis subdistinguiert:
den *universalia seu generalia* stehen die *particularia* gegenüber, *quorum
quaedam sunt provincialia, quaedam episcopalia*.[97]

b) Das Generalkonzil

Unmittelbar anschließend an die Frage der Konzilsarten definieren
unsere Dekretisten die einzelnen Species, und zwar zunächst das *concilium generale*. Hierbei ist eine interessante Entwicklung von Rufinus
bis Raimundus de Peñaforte festzustellen, nämlich die fortschreitende
Relativierung beziehungsweise schließliche Eliminierung des ökumenischen Moments der Definition zugunsten des päpstlichen. Ein erster
Schritt vollzieht sich schon von Rufinus zu Johannes Faventinus: Während Rufinus die Mitwirkung des Papstes überhaupt noch nicht in die
Definition des *concilium generale* aufgenommen hatte, ist dies bei Johannes Faventinus der Fall. Von diesem zu Huguccio vollzieht sich der
zweite Schritt: die Reihenfolge wird vertauscht. Nannte Johannes
Faventinus in seiner Definition des Generalkonzils zunächst das ökumenische Element und dann erst das päpstliche[98], so ist es bei Huguccio
umgekehrt.[99] Diese umgekehrte Reihenfolge, also erst Mitwirkung des
Papstes, dann ökumenischer Charakter der Versammlung, wird in den

---

[93] Vgl. Anm. 98, 29, 39, 42, bes. 119. S. Per., dist. 17: *Consiliorum alia sunt generalia id est
auctoritate vel praesentia Romani pontificis sive legati ipsius celebrantur, alia integra seu provincialia,
ubi scilicet metropolitani resident [. . .], alia episcopalia sive singularia, ubi scilicet episcopi cum clericis
resident* (MS Bamberg fol 76).
[94] Vgl. Anm. 26.
[95] Vgl. Anm. 92, 42, 46.
[96] Ausgabe Ochoa-Diez 11.
[97] Ausgabe Köln 1512 col. 19.
[98] Joh. Fav., dist. 17: *Et generalia quidem concilia intelliguntur ea, quae* a) *metropolitanorum et
episcoporum plurimorum ex diversis provinciis et regionibus convenientium*, b) *in praesentia* Romani
pontificis vel legatorum eius *celebrantur*, c) *ad nova statuta facienda vel ad maiora difficilioraque
negotia terminanda, puta fidei quaestiones* (MS Arras fol. 6vb). — Die hier gekennzeichneten
Worte hat Johannes Faventinus zum Text des Rufinus ergänzt. Text des Rufinus Ausgabe
Singer 38.
[99] Vgl. Anm. 29.

Dekretsummen beibehalten, die überhaupt noch die Ökumenizität als konstitutiv für die Definition des Generalkonzils ansehen *(Summa Coloniensis, Summa Monacensis, Summa Lipsiensis*[100]*)*. Das ist nämlich keineswegs bei allen der Fall: Die *Summa Parisiensis*[101], Sicardus von Cremona, die Summe *Tractaturus Magister*, die *Summa Reginensis*[102] sowie Raimundus de Peñaforte[103] nennen in ihrer Definition des Generalkonzils die Ökumenizität überhaupt nicht mehr! Vor diesem Hintergrund ist es alles andere als eine Selbstverständlichkeit, nämlich ein Zeichen für die Qualität der *Glossa ordinaria*, wenn Johannes Teutonicus definiert: *universale est, quod a papa vel eius legato cum omnibus (!) episcopis statuitur.*[104] Die Definition des Rufinus enthält neben dem ökumenischen und päpstlichen Moment noch ein drittes Konstitutivum des Generalkonzils, die Aufstellung neuer Statute (Kanones) und die Entscheidung wichtiger Fragen. Dieses Moment wird außer in den von Rufinus wörtlich abschreibenden Summen (Johannes Faventinus und Summe *Antiquitate et tempore*) nur noch von der *Summa Parisiensis* in die Definition des Generalkonzils hineingenommen.[105] Vor allem Huguccio bestreitet ausdrücklich, daß die Provinzialkonzilien keine neuen Kanones aufstellen können. An der Definition des Generalkonzils ist nun weiter bemerkenswert, wie die einzelnen Summen das päpstliche Element genauerhin bestimmen. Einige Summen sprechen lediglich vage von der *auctoritas* des Papstes, die für das Generalkonzil konstitutiv ist (Raimundus de Peñaforte, *Summa Reginensis, Summa Bambergensis*), die Mehrzahl aber verlangt die *praesentia* des Papstes oder eines zur Abhaltung des Generalkonzils eigens geschickten Gesandten (Johannes Faventinus, Huguccio, *Summa Parisiensis*, Summe *Tractaturus Magister, Summa Lipsiensis*)[106], andere präzisieren: der Papst oder sein Legat hat auf dem Generalkonzil notwendig den Vorsitz *(Summa Coloniensis*, Sicardus von Cremona*)*, beziehungsweise er beruft das Konzil ein *(Summa Monacensis)*.[107] Bevor wir unsere Quellen zu weiteren Aspekten des Generalkonzils zu Wort kommen lassen, ist kurz auf die Frage einzugehen, was die hier vorgelegten Definitionen des Generalkonzils im Blick auf die Gesamtgeschichte der Konzilsidee bedeuten. Hinsichtlich der älteren spätpatri-

---

[100] Vgl. Anm. 33, 42, 55.
[101] Vgl. Anm. 37.
[102] Vgl. Anm. 46, 51, 93, 26.
[103] Vgl. Anm. 67.
[104] Ausgabe Paris 1585 col. 83.
[105] Vgl. Anm. 37.
[106] Vgl. Anm. 67, 26, 51, 98, 29, 37, 46, 55.
[107] Vgl. Anm. 33, 42.

stischen Tradition und damit der Ostkirche stellen sie einen klaren Bruch dar. Sieht man einmal von den weiter oben angeführten Varianten der Definition ab, so besteht doch darüber ein deutlicher Konsens, daß das General- und Universalkonzil wesentlich durch die Teilnahme, Mitwirkung, vor allem Einberufung des Papstes konstituiert wird. Das Generalkonzil ist im Unterschied zum Provinzialkonzil geradezu das Konzil des Papstes. In mehreren der analysierten Dekretsummen erscheint der ökumenische Aspekt, wenn er überhaupt erwähnt wird, als völlig sekundär im Vergleich zur Rolle des Papstes. Darin aber liegt ein Bruch mit der älteren Tradition, denn hier war ein Ökumenisches Konzil zwar auch undenkbar ohne Mitwirkung des Papstes, aber genauso notwendig war die Teilnahme der übrigen Inhaber der großen Sitze der Christenheit. Wir spielen hier auf die Konzilsidee der Pentarchie[108] an.

Die vorgelegten Definitionen des Generalkonzils sind aber auch sehr aufschlußreich, wenn wir uns jetzt der anderen Richtung der Geschichte der Konzilsidee zuwenden und uns fragen, ob und inwieweit unsere Kanonisten den Konziliarismus vorbereitet haben. Die eingangs genannten Forscher berufen sich für ihre These, daß der spätere Konziliarismus zumindest ansatzweise schon bei unseren Kanonisten vorkomme, ausschließlich auf deren Denkmodelle für Ausnahmesituationen, sehen aber völlig davon ab, zunächst den grundsätzlichen Standpunkt unserer Kanonisten zu analysieren. Wie verhalten sich Konzil und Papst normalerweise zueinander, das heißt, wenn es beides gibt, einen rechtmäßigen Papst und ein Konzil? Wer ist wem über- oder untergeordnet in der Struktur der Kirche als solcher? Freilich ist es richtig, daß Ausnahmesituationen aufschlußreich sind für das wechselseitige Verhältnis der Gewalten, nichtsdestoweniger stehen dieselben in einem Verhältnis zueinander, auch abgesehen von Ausnahmesituationen. Über dieses grundsätzliche Verhältnis zueinander geben unsere Definitionen des Generalkonzils eine Auskunft, wie sie klarer nicht sein kann: das Generalkonzil gibt es schlechterdings nicht ohne den Papst, wohl aber den Papst ohne das Generalkonzil! Wenn die päpstliche Erlaubnis konstitutiv ist für die Definition eines Generalkonzils, dann ist das Generalkonzil dem Papst von seinem Wesen her untergeordnet. Wenn das Generalkonzil ohne päpstliche *licentia nullius momenti* ist (Huguccio), dann ist der Papst wesentlich dem Konzil übergeordnet, freilich immer vorausgesetzt, daß es überhaupt einen Papst gibt.

---

108 Vgl. hierzu unsere Studie ‚Die Konzilsidee der Alten Kirche' 319 ff.

Im Anschluß an die Definition des Generalkonzils gehen einige Summen der rheinisch/französischen Schule *(Summa Monacensis,* Summe *Tractaturus Magister,* Summe *Permissio quaedam,* Sicardus von Cremona)* näher auf seine wesentlichen Aufgaben ein. Einhellig werden, bei leicht variierender Reihenfolge, vier Funktionen unterschieden: 1. *decernere,* das heißt die Setzung neuen Kirchenrechts, 2. *instruere,* das heißt Lehramt in Glaubensfragen, 3. *decidere,* das heißt Entscheidung von Zivil- und Kriminalfällen, 4. *corrigere,* das heißt Aufklärung und Bestrafung von Vergehen.[109] Zum Wesen des Generalkonzils gehört es, daß ihm alle genannten vier Funktionen zukommen, während das Provinzialkonzil die Kompetenz lediglich zu den beiden letztgenannten Funktionen besitzt, dem *decidere* und *corrigere.* Huguccio stellt sich, freilich in einem anderen Zusammenhang, im Hinblick auf das *instruere,* das heißt die Behandlung von Glaubensproblemen, die Frage, ob das Diskutieren über den Glauben überhaupt erlaubt ist. Es kommt dabei ganz auf das Ziel an, lautet seine Antwort.[110]

Obwohl die Frage der Teilnahme von Laien an den Konzilien von unseren Dekretisten nicht speziell im Hinblick auf Generalkonzilien gestellt wird, scheint es angebracht, schon hier auf diesen Punkt einzugehen. Die Frage der Laienteilnahme an Konzilien stellt sich in einer allgemeinen und einer speziellen Form. Auf die allgemeine Frage antwortet Huguccio mit einem etwas zögernden Ja. Der Grund, den er für die Zulassung von Laien zum Konzil nennt, ist ein rein psychologischer: die Laien lassen sich so leichter von den Beschlüssen überzeugen.[111] Ein spezielles Problem ist die Teilnahme des Kaisers. Stephanus Tornacensis läßt sie zu, wo es um den Glauben geht, denn hier braucht die Kirche den Kaiser als weltlichen Arm gegen die Häretiker.[112]

---

[109] Vgl. Anm. 44, 45, 46. — In diesem Zusammenhang kommt der wichtige Begriff *status ecclesiae* vor, vgl. hierzu J. H. HACKETT, „State of the Church": A concept of the Medieval Canonists, in: The Jurist 23 (1963) 259—290.

[110] Hug., dist. 96.4: *Sed numquid de fide est disputandum, cum inveniatur non esse disputandum de deo vel articulis fidei ut C.* DE SUM.TRIN.NEMO CLERICUS *(C. 1.1.4). Sed dico quod ea disputatio de articulis fidei prohibetur, quae fit ut occasio perfidiae oriatur et articuli fidei in dubium revocentur. Sed quae fit ad confusionem haereticorum et confirmationem catholicorum non prohibetur ut hic xxiiii q. 1* QUOTIENS *(12) et C.* DE EPISCOPIS ET CLERICIS, QUONIAM VENERABILIS *(1.3.23) (MS Admont fol 123ra).*

[111] Hug., dist. 18.17 ad v. PLEBE: *Ergo et laici debent interesse episcopali concilio, quod verum est in tali casu. Sed non sufficeret congregare clericos et ipsi postea talia significarent parochiis suis? Credo quod sic. Sed hoc fit ad maiorem fidem habendam. Maior enim fides adhibetur verbis episcopi quam alterius clerici* (MS Admont fol 21va). Vgl. auch Anm. 82 und 90.

[112] Steph. T., dist. 96.4: UBI NISI . . . FORSITAN *id est nisi quando contra haereticos de fide agebatur, ubi necessaria erat principum praesentia, ne contra ecclesiam deseviret haereticorum pravitas* (Ausgabe SCHULTE 117).

Huguccio nennt noch einen zweiten Grund für die Teilnahme des Kaisers gerade an den Konzilien, in denen es um den Glauben geht: Der Kaiser vertritt die Gesamtheit der Laien, die durch Glaubensfragen als Gesamtheit betroffen ist.[113] Bevor wir auf die delikate Frage des Verhältnisses Papst/Konzil eingehen, sind die verschiedenen Beziehungen der Konzilien untereinander zu untersuchen. Generalkonzil ist nicht einfach Generalkonzil. Die Frage nach dem Rang des jeweiligen Konzils stellt sich vor allem, wenn Widersprüche zwischen ihnen bestehen. Unsere Dekretisten unterstreichen einerseits die im *Decretum Gratiani* (dist. 16.2) bezeugte patristische Überlieferung vom Primat der ersten vier beziehungsweise acht Generalsynoden[114], in besonderer Deutlichkeit zum Beispiel die *Summa Coloniensis: Inter universalia vero concilia VII praeeminentem et horum IIII superlativam habent auctoritatem.*[115] Huguccio versucht auch, den Grund für diesen Vorrang anzugeben: auf den ersten vier beziehungsweise acht

---

[113] Hug., dist. 96.4 ad v. Ubinam: *Vel licet hic specialiter exemplificet de fide, tamen secundum rationem quae hic supponitur, datur intelligi quod similiter debet vocari ubi tractatur quod communiter spectat ad omnes. Sed illud quod ibi tractabatur, communiter spectat ad omnes etc. Argumentum quod ex quo non invenitur concessum intelligitur esse prohibitum. Argumentum ii q.* v Consuluisti (20). Monomachiam (22). Nisi forte in quibus, *id est nisi cum de fide agebatur, ubi propter haereticos necessaria erat principum praesentia, ne contra ecclesiam vellent calcaneum erigere. Debebat etiam tunc interesse princeps, quia causa communiter ad omnes pertinebat. Unde sequitur* quae, *id est quia ipsa* universalis est, *id est quae id est quia ipsa* omnium, *et cum argumento, quod omnes tangit, ab omnibus debere tractari et approbari. Argumentum dist. lxvi, c. 1* Et ad omnes (MS Admont fol 123ra). — Zu dem letztgenannten Prinzip, das auch von der *Glossa ordinaria* zu dist. 96.4 aufgegriffen wird (Ausgabe Paris 1585 col 589d) vgl. weiter unten. — Kürzer das gleiche: Hug., dist. 96.2 ad v. Nos ad fidem: *Catholicam. Haec est ratio qua re princeps debet interesse conciliis, tum quia causa fidei omnes tangit tum propter haereticos reprimendos. Similiter etiam solet interesse electioni papae propter schismaticorum et haereticorum tumultum et scandalum removendum ut dist. lxiii* Quia sancta (28) (MS Admont fol 122 va).

[114] Vgl. Sieben, Konzilsidee 350 ff.

[115] S. Col., I 51: Der Text geht weiter: *Sunt enim velut iiii flumina paradisi quae in tantum aliis conciliis in quantum evangelia aliis scripturis preminent. Sunt autem haec Calcedonense, Nicenum, Constantinopolitanum, Ephesinum primum. Quae nullo dispensationis colore vel mutare vel mutilare nec ad unum iota sancta Romana ecclesia praevalet. Unde Gregorius: „Sicut sancti evangelii iiii libros sic iiii concilia suscipere ac venerari me fateor,* usw. (Ausgabe McLaughlin 15). — Vgl. auch die *S. Antiquit.* dist. 15: *Quatuor enim sunt generalia concilia, quae omnibus aliis derogarent, si in eis statutum esset aliquid, quod esset statutis illorum vel unius eorum contrarium. Demum sunt alia quatuor, minus digna istis sed omnibus aliis digniora* (MS Göttingen fol 19vb). Zur Beseitigung von gewissen chronologischen Unstimmigkeiten die zu kommentierenden Textes stellt die gleiche Summe prinzipiell fest: *Ad hoc dicimus removentes omnem ambiguitatem quod hic dicuntur v et vi synodus secundum quod ordinatae sunt viii synodi principales non secundum temporis institutionem, id est non secundum ordinem temporum, in quibus institutae sunt. Quia istae octo synodi ordinatae sunt secundum quod digniores in eis erant congregati et secundum dignitatem rei, quae in eis tractabatur et magis necessaria fidelibus. Unde Nicaena synodus prima dicta est, non quia primo sit instituta. Unde etiam in sequentibus dicetur* (MS Göttingen fol 22ra).

Generalkonzilien seien die Glaubensfragen gründlicher als später behandelt worden.[116] Erstaunlich ist immerhin in diesem Zusammenhang, daß dem größeren Alter als solchem keinerlei Bedeutung beigemessen wird.[117] Wie sehr bei der Betonung des Primats der ersten vier Konzilien andererseits die Zahlensymbolik wirksam ist, wird daran deutlich, daß mehrere Dekretisten die acht ersten Konzilien ausdrücklich auf vier reduzieren: *ratione pluralitatis* gab es zwar acht, *ratione locorum* jedoch nur vier Synoden.[118] Hier stellt sich die Frage, ob unsere Kanonisten die Generalkonzilien der lateinischen Kirche, also die Lateransynoden I bis IV, mit den acht *concilia principalia* der Alten Kirche irgendwie konnumerierten. Soweit wir sehen konnten, liegen dafür kaum Zeugnisse vor. Aufschlußreich jedoch ist vielleicht ein gewisses Schwanken bei Huguccio und Hostiensis, der zur Verteidigung des Zehnten sich auf Kanon 54 des vierten Laterankonzils (1215) bezieht

---

[116] Hug., dist. 50.28 ad v. DISCORS SENTENTIA: *Sed quaeras, qua re illa iiii vel octo generalia concilia sunt maioris auctoritatis quam alia. Dico quod plenius ibi de fide tractatum est quam in aliis ut xv dist.* SICUT *(2) et dist. xvi* SANCTA *(8); et plenius in antiquis quam in modernis quia tunc pauci erant fideles et multi infideles nec fides erat ita dilatata sicut nunc. Et ideo diligentior erat tunc inquisitio de talibus quam nunc. Et haec est causa, qua re in multis potius attenditur auctoritas antiquorum conciliorum quam modernorum. Sed qualiter est contrarietas in canonibus, cum dicuntur esse conditi per spiritum sanctum? Potest dici, quod sancti patres non semper loquebantur per spiritum sanctum et ita potuerunt dicere contraria, vel ignoranter vel scienter. Vel potest dici, quod non est ibi contrarietas nisi quoad nos, qui non plene intelligimus* (MS Admont fol 70vb). — Zu der im letzten Teil des Zitats angeschnittenen Problematik vgl. weiter unten.

[117] Hierzu vgl. Anm. 123.

[118] Die *S. Bambergensis* macht den Ausgangspunkt dieser Spekulation deutlich, nämlich die Feststellung eines ‚Widerspruchs' zwischen zwei Kapiteln des *Decretum Gratiani* und deutet die Lösung kurz an: SANCTA OCTO. *Ecce quod hic dicit viii fuisse concilia generalia. Contrarium supra dist. proxima* SICUT *(dist. 16.2), ubi dicitur iiii fuisse tantum, quoniam in iiii locis tantum fuerunt celebrata* (Ausgabe DE GROOT 77). — Ausführlicher Huguccio, dist. 17.8: *Ista concilia dicuntur iiii et dicuntur viii universalia, quia iiii universalibus locis sunt celebrata ut distinctione xv* SICUT SANCTI *(2), octo quia octies sunt celebrata ut hic, primum Nicaenum, secundum Constantinopolitanum, tertium Ephesinum, quartum Chalcedonense, v et vi iterum Constantinopolitanum, sicut puncta, vii iterum Nicaenum, octavum quoque Constantinopolitanum. Quartum concilium fuit celebratum* (dafür vielleicht: quattuor concilia celebrata fuerunt?) *Constantinopoli et illae iiii congregationes pro uno concilio reputantur. Apud Chalcedonem semel fuit celebratum, apud Ephesum bis, sed secunda congregatio non fuit recepta. Et sic non nisi iiii principalia concilia ratione locorum, licet viii dicantur ratione pluralitatis congregationum* (MS Admont fol 19ra). — Einen ähnlichen Kommentar gibt auch noch G. de Baysio, Rosarium dist. 16.8: *Nicaenum ut scias punctare litteram. Nota quod primum fuit Nicaenum et septimum similiter. Unde dicit littera septimum item Nicaenum. Et haec duae congregationes, quae apud Nicaenum factae sunt pro uno reputantur. Secundum Constantinopolitanum. Item sextum et quintum, item Constantinopolitanum. Unde habes in littera octavum quoque Constantinopolitanum. Et istae quattuor congregationes, quae factae fuerunt apud Constantinopolim, pro una reputantur. Tertium fuit Ephesinum, quia licet duae congregationes factae fuissent apud Ephesum ut supra dist. praecedenti, sicut quartum fuit* (apud) *Chalcedonem, quia ibi non fuit nisi semel concilium celebratum* (Ausgabe Venedig 1481 fol 16vb).

2. Einige Konzilsprobleme

und dabei das Lateranense als *consimile* der vier ersten Konzilien bezeichnet.[119] Hierher gehört vielleicht auch ein Text aus der Summe *Antiquitate et tempore*, in dem von den „übrigen Konzilien" die Rede ist, die rezipiert seien und nach deren Maßgabe die kirchlichen Angelegenheiten zu entscheiden seien.[120]

Unsere Dekretisten begnügen sich aber nicht mit der Bekräftigung des Vorrangs der vier beziehungsweise acht ersten Konzilien vor den folgenden, sie stellen sich auch der Frage, wie eine Lösung gefunden werden kann, wenn innerhalb dieser *concilia principalia* ein Kanon einem anderen widerspricht. Stephanus Tornacensis geht auf die Frage sehr kurz ein und meint, das Alter eines Kanons sei keineswegs allein ausschlaggebend.[121] Die *Summa Coloniensis* hebt auf den Unterschied zwischen weltlichem und geistlichem Recht ab. Jedenfalls ist das Alter nicht einfach entscheidend, wenn auch natürlich die acht Universalkonzilien besondere Autorität haben. Eine ähnliche Lösung legt die *Summa Parisiensis* vor.[122] Sehr ausführlich geht Huguccio auf die Problematik

---

[119] Hug., 1 q. 7.4 ad v. UNIVERSALIBUS ET LOCALIBUS: *Videtur innuere quod universalia concilia dicantur solummodo octo principalia ut dist. xvi* SANCTA OCTO (8), *reliqua omnia dicantur localia (Vel omnia illa dicantur universalia quae habent locum in universa ecclesia; localia quae non excedunt provinciam ubi facta sunt). Vel universalia dicantur quibus interest Romanus pontifex vel eius legatus; localia quae faciunt primates vel metropolitani vel episcopi absque praesentia domini papae vel eius legati, sed haec melius sunt distincta dist. iii c. i et c. ii* (MS Admont 159va, der eingeklammerte Satz stammt aus dem Vat.lat. 2280 fol 104rb). — Host., decr. 3.30, nr. 16: *Quis ergo magistrorum contra concilium generale dicere attentabit? Nam talia sicut quattuor evangelia sunt servanda: nec enim ecclesia universalis errare potest, ad hoc C. 1.8 et d. 15.2. Licet enim illa iura non loquuntur de concilio generali praedicto, loquuntur tamen de consimili et necesse est ut cum ecclesia generalis illorum et istius auctrix sit, quod de uno dicitur de altero intelligatur* (Ausgabe Köln 1612 col 974/5).

[120] S. Antiquit., dist. 16.11 ad v. PRIMA ADNOTATIO FUIT: *De iv synodis principalibus ostensum est igitur, quibus temporibus fuerint congregatae et de septima vero et octava nihil dixit quantum ad congregationis tempus, quia forte nihil certi de his determinatum invenit. Consequenter ostendit quorum temporibus celebrata sunt reliqua concilia, quae et recepta sunt et secundum quae etiam definienda sunt ecclesiastica negotia sicut per illa octo principalia. Enuntiat autem ista concilia non secundum quod prius sunt statuta vel posterius, sed secundum dignitatem eorum. Dicit ergo quod prima annotatio fuit Anquiritanae synodi. Synodi annotatio est eius cum aliis inscripta annumeratio. Sicut enim principum et apostolicorum nomina in scripto sunt notata, ita forte et synodorum nomina. Vel annotatio dicitur eius synodi cum aliis notatio. Sunt enim octo generales et principales aliae annotatae* (MS Göttingen fol 22va—vb).

[121] Der kommentierte Text (dist. 50.28 gegen Ende) lautet: *... quotiescumque in gestis conciliorum discors sententia invenitur, illius concilii magis teneatur sententia, cuius antiquior et potior exstat auctoritas.* Dazu Stephanus Tornacensis: *Ut haec duo concurrant; nec enim sufficit esse antiquiorem, cum saepe priora trahantur ad posteriora. Vel antiquiorem dicit non tempore, sed sapientia et auctoritate* (Ausgabe SCHULTE 71/2).

[122] S. Col., I 113—114: *Quaeri ergo potest an similiter per canones posteriores prioribus derogetur. Quod sic ex praedictis colligitur, itemque ex legum ac consuetudinum similitudine in quibus quae posteriores digniores quia principes quanto iuniores tanto perspicaciores in iure. Set hoc in humanis, que*

ein. Auch seiner Auffassung nach ist im Konfliktsfall keineswegs das Alter einfachhin entscheidend, vielmehr die sachliche Richtigkeit, wenn man das Wort *pietas* so übersetzen darf. Das zeigt nach Huguccio deutlich die Geschichte. Ältere Kanones, zum Beispiel die strengen Bestimmungen des Apostelkonzils über die Unzucht von Priestern, wurden durch spätere Konzilien außer Kraft gesetzt. In gewisser Hinsicht stimmt also das Kirchenrecht mit dem weltlichen Recht überein, in dem auch frühere Gesetze durch spätere aufgehoben werden. Aber man darf das nicht verallgemeinern. Denn öfter ist es im Kirchenrecht auch umgekehrt, nämlich daß ältere Kanones Vorrang haben vor jüngeren. Wie steht es, fragt Huguccio weiter, wenn zwei Konzilskanones von nicht verschiedener, sondern von gleicher *pietas* aufeinandertreffen? Dann, so lautet die Antwort, ist das größere Alter ausschlaggebend. Aber auch dieses nicht einfach schlechthin. Es kann nämlich sein, daß das jüngere Konzil mehr verbreitet ist als das ältere. In diesem Fall ist die weitere Rezeption ausschlaggebend, und dem jüngeren Konzil kommt vor dem älteren Priorität zu. Huguccio bestimmt auch die Art, wie ein älteres Konzil durch ein jüngeres „aufgehoben" wird: durch Ergänzung, genauere Bestimmung, Korrektur. Abschließend betont er nochmals den Primat der vier ersten Generalkonzilien, fügt aber bezeichnenderweise hinzu, daß auch sie in vielem *(in multis)* durch spätere Konzilien überholt sind.[123]

---

ex placito hominum vigorem habent. In divinis vero, quae Spiritus Domini dictavit, secus esse ex epistula Ysidori evidenter ostenditur. De tribus casibus quibus canones canonibus praeiudicant. ‚Quotiens, inquit, in gestis conciliorum discors sententia reperitur, illius concilii constitutio praeferatur cuius antiquior et potior extat auctoritas'. Ergo in canonibus nec prior posteriori nec posterior priori set auctorabilior et ad decidendas lites utilior praevalet, ut his canonibus praeiudicetur qui in particularibus conciliis fuerint promulgati vel de rebus minus necessariis constituti vel quibus generali consuetudine in contrarium faciente derogatur. Verum quia haec interpretatio plus verborum quam sensus habet, potest non incongrue sic accipi ut eius concilii praeferatur auctoritas quae inde potior quod antiquior est, ut sic ad viii universalia concilia referatur. Eorum enim conciliorum auctoritas potior est quorum auctores potiores (Ausgabe Fransen-Kuttner 39—40). — S. Par., dist. 50.28: *Contrarium videtur quod dicitur: Priora trahantur ad posteriora, cum frequenter dicamus: illud vetus, istud novum. Si vero intelligamus, non quia antiquior, sed quia potior, hoc sine auctoritate Isidori planum esset. Dicimus ergo hoc intelligendum de illis octo universalibus synodis vel de quatuor principalibus, quia si in aliquo sibi obvient, prior et quae potiores habuit patres praeiudicabit* (Ausgabe McLaughlin 45).

[123] Hug., dist. 50.28 ad v. discors sententia; *quae scilicet placari non possit.* Antiquior *tempore et* potior *praesertim pietate, ut haec duo concurrant. Sicut sanctorum exempla, quae magis sunt pia, amplius sunt sequenda ut dist. ix* Sana (11), *item est et de canonibus. Non ergo sufficit, si antiquior sit ; quia nova corrigunt vetera, similiter veterem faciant mitiorem. Nam canones apostolorum ceteris vetustiores existunt et tamen in multis eorum rigida sententia per pietatem aliorum canonum mitigatur. In illis enim erat statutum, ut presbyter fornicationem quolibet modo committens deponeretur. Sed talis rigor per Gangrense concilium hodie mitigatur et emendatur ut dist. lxxxii* Presbyter (5). *Sufficit autem, si est potior pietate vel dignitate ut de Hieronymo et Innocentio dist. xxvi* Deinde (3),

Auch die *Glossa ordinaria* befaßt sich relativ ausführlich mit dem Problem des Vorrangs unter den Konzilien und schlägt eine etwas andere Lösung als Huguccio vor.[124] Johannes Teutonicus stellt sich in diesem Zusammenhang der Frage, wie Widersprüche zwischen Konzilien mit ihrer Inspiration durch den Heiligen Geist vereinbar sind.[125] Die gleiche Frage beschäftigt auch Huguccio. Beide von ihm vorgelegten Antworten, die Konzilsväter sprächen nicht immer im Heiligen Geist, und, von Widerspruch kann nicht an sich, sondern nur *quoad nos* die Rede sein, können nicht sonderlich befriedigen.[126] Huguccio geht in einem anderen Kontext, nämlich dem der *derogatio legis*, nochmals auf das Pro-

---

de ieiunio ut dist. iiii STATUIMUS (4). *Et secundum hoc non est contrarium quod assignatur in lege ff* DE LEGIBUS ET SENATUSQUE, NON EST NOVUM *(D. 1.3.26), ubi dicitur quod posteriores leges trahunt ad se priores, quod hic non negatur. Verum tamen est, quod hoc non est ita generale in canonibus ut in legibus. Ibi generale est, ut priores trahuntur ad posteriores, sed in canonibus frequentius fit e contrario, quia alia est ratio in saecularibus, alia in ecclesiasticis ut de consecratione dist. iii* CELEBRITATEM (22) *et ii q. vi* NON ITA (18). *Sed quid facit antiquitas, cum idem est scilicet quia sententia modernorum conciliorum vel canonum praeferatur, si nitatur maiori pietati? Respondeo ad hoc, potest valere, quod si ambae sententiae concurrunt et sint aequalis pietatis et contradicunt, sententia antiquioris concilii praefertur, nisi sententia novi concilii a pluribus observetur, tunc illa debet praeponi ut dist. xviii.* IN CANONICIS (6). *Non tamen altera removet alteram ut nec Petrus Cyprianum ut ii q. vii* PUTO (35). *Vel* ANTIQUIOR *dignitate vel auctoritate, ideo praeponenda. Argumentum dist. xviiii* IN CANONICIS (6). *Priora trahuntur ad posteriora, ut suppleantur vel determinentur vel corrigantur, nisi priora sint summae dignitatis ut quattuor generalia concilia, quae vicem obtinent quattuor evangeliorum ut dist. xv* SICUT SANCTI (2). *Sed et hae trahuntur in multis. Argumentum xxxiiii dist.* COGNOSCAMUS (14), LECTOR (18). *Ad ultimum illud nota, quod si papa ex certa scientia statuat contra statutum alicuius concilii vel papae vel Augustini vel alterius, praevalebit eius constitutio. Argumentum dist. xviii* QUONIAM QUIDEM (7) *et extra* LICET PRAETER (vgl. 4.4.3.), *exceptis articulis fidei et praeceptis utriusque testamenti et illis, quae spectant ad generalem statutum ecclesiae, contra quae papa statuere non potest, sed ea usque ad sanguinem defendere* (tenetur) *ut xxv q. 1* SUNT QUIDAM (6) (MS Admont fol 70va—vb). — Auf die Dispensgewalt des Papstes gegenüber Konzilien wird weiter unten noch eingegangen.
[124] Glossa, dist. 50.28 ad v. DISCORS: *Nonne illa sententia est potius sequenda quae maiorem continet pietatem ut dist. 9.11? Licet enim canon apostolorum potior sit, quia antiquior sit aliis canonibus, tamen praeiudicatur ei per posteriores ut dist. 82.5. Idem patet in canone Hieronymi ut dist. 26.3 et capite 2. Item quandoque praeiudicat ille canon, qui non est potior ut 25 q. 1.7. Quod ergo dicitur hic, intellige, cum ambae constitutiones sunt particulares et locales et de illis loquitur dist. 19.6. Sed si ambae sunt generales, semper posterior praeiudicat ut extra 4.11.1; D. 1.3.26. Sed qualiter praefertur unus canon alteri, cum omnes sint promulgati instinctu spiritus sancti, 16 q. 3.17? Respondeo quod duo canones possunt esse contrarii et tamen uterque sit iuste institutus. Quod enim unus statuit et iuste, alter contrarium potest statuere et iuste, dist. 63 Dicta Gratiani a. c. 29; extra 4.14.8* (Ausgabe Paris 1585 col. 312 h).
[125] Vgl. vorausgehende Anm.
[126] Vgl. Anm. 116. — Vgl. auch den Kommentar zu dist. 50.28 ad v. CCCXVIII EPISCOPORUM, wo Huguccio ausdrücklich von der Inspiration der Väter von Nicaea spricht: *Per hoc intelligitur Nicaena synodus, ubi tot fuerunt congregati episcopi ut dist. xv c. 1.* IN QUIBUS *id est per quos spiritum sanctum credimus locutum ut supra c.* SI QUIS DIACONUS (29) (MS Admont fol 79ra).

blem des Widerspruchs zwischen Konzilskanones ein[127] und diskutiert die Frage, ob der spätere Kanon auf den derogierten Kanon ausdrücklich Bezug nehmen muß.[128]

c) Das Verhältnis Papst/Konzil

Das Verhältnis Papst/Konzil kommt bei unseren Dekretisten in konkreten Fragen wie der Konzilseinberufung, des päpstlichen Konzilslegaten, der Dispensgewalt des Papstes, der römischen Interpretation von Generalkonzilien und so weiter zur Sprache. Daß die Einberufung des Generalkonzils ausschließliches Recht des Römischen Stuhles ist, steht für unsere Dekretisten außer Frage. Die zugunsten dieses Prinzips von Gratian zitierten *auctoritates* sprechen in der Tat eine zu eindeutige Sprache.[129] In der Sache ist deshalb der Kommentar unserer Kanonisten von Anfang an einhellig, lediglich die Formulierung variiert leicht.[130]

---

[127] Hug., dist. 18.3: *In sequenti capitulo dicitur ,post tertiam hebdomadam paschalis festivitatis' et ita videtur, quod alterum deroget alteri. Et dici potest quod hoc capitulum deroget sequenti, quia hoc est Nicaeni concilii, quod maioris est auctoritatis. Vel potest dici, quod neutrum derogeat alteri sed loquuntur secundum diversas consuetudines diversorum locorum. Sed et illud verum est, quod generali consuetudine derogatur istis capitulis in hoc, quia quilibet metropolitanus pro sua voluntate eligit tempus ad concilium. Immo plus dico, quod omnibus istis capitulis est derogatum, quia raro fiunt huiusmodi concilia, nec bis in anno vel etiam semel. Praesertim dico derogatum eis generali consuetudine utentium in contrarium, quia ecclesia Romana bene novit hanc consuetudinem et non impediebat. Unde tacite videtur eam confirmare* (MS Admont fol 20rb—va).

[128] Hug., dist. 18.7 ad v. Regula: *Et nota quod sexta synodus volens corrigere antiquam constitutionem, facit mentionem de ea et est argumentum, quod cum una constitutio per aliam immutatur, in secunda debet fieri mentio de prima. Aliter non videtur ei derogari per secundam. Sicut et in litteris secundae commissionis, quae si faciunt mentionem de prima commissione, derogant primis litteris. Aliter nullius sunt momenti ut in extra* Ex parte. Quamvis simus (vgl. extra 1.29.13 und 1.29.6). *Hoc fecit Alexander in extra* Licet praeter (vgl. extra 4.4.3). *Sic ergo videtur quod tunc demum canon canoni, lex legi derogat, cum facit mentionem praecedentis canonis vel legis et in contrarium statuit. Quia tunc videtur papa vel princeps ex certa scientia derogare praecedenti et statuere in contrarium. Inde est de litteris papae vel privilegiis, scilicet quod tunc demum prioribus posteriora derogant, quando in posterioribus fit mentio priorum. Sed numquid est ita verum indistincte? Non credo. Aliud enim est in canonibus vel legibus et aliud in litteris vel privilegiis papae vel imperatoris. Nam in canonibus vel legibus posterior derogat priori, sive faciat de priori mentionem sive non, quia non videtur per ignorantiam constitui, cum totius iuris canonici notitia sit in pectore domini papae et totius iuris legalis sit in pectore imperatoris. Secus est de litteris vel privilegiis, quorum omnium papa vel imperator memoriam habere non potest. Hoc enim potius est divinitatis quam humanitatis. Et ideo, si in secundis non fiat mentio priorum, praesumuntur esse impetrata per mandatum et ideo nullius momenti iudicantur* (MS Admont 20vb—21ra). — Zum genauen Sinn des Satzes *Romanus pontifex . . . habere* vgl. F. Gillmann, Romanus Pontifex omnia iura in scrinio pectoris sui censetur habere, in: AKathKR 92 (1912) 3—17.

[129] Zu diesen Quellentexten vgl. S. 227—229.

[130] Paucapalea, dist. 17: *Nunc de auctoritate congregandorum generalium conciliorum, quae penes apostolicam tantum est sedem* (Ausgabe Schulte 19); Stephanus Torn. dist. 17: *Quod auctoritatem congregandorum generalium conciliorum sola Romana ecclesia habeat, hic ostenditur* (Ausgabe

Von Interesse ist in unserem Zusammenhang nicht die Affirmation des Prinzips, sondern die Interpretation von „anstößigen" Quellentexten, in denen das Prinzip durchbrochen zu sein scheint. Ist das nicht zum Beispiel dist. 17.6 der Fall? Beruft hier nicht König Theoderich das Konzil ein? Huguccio legt mehrere Hypothesen vor, um zu zeigen, daß auch im Fall des Papstes Symmachus der Papst selber das Konzil, das über ihn zu Gericht sitzen sollte, einberufen hat.[131] Im Zusammenhang kommt Huguccio dann auf die Frage der grundsätzlichen Stellung des Papstes gegenüber den Konzilien[132] und entsprechend auf das Problem der Papstabsetzung durch das Konzil zu sprechen.

Welche Vollmachten haben päpstliche Legaten hinsichtlich der Konzilseinberufung? Die Frage schließt sich sachlich an die im vorausgehenden behandelte an. Die *Summa Monacensis* unterscheidet hinsichtlich der Konzilien zwei Arten von Legaten, solche, die mit einer Generalvollmacht ausgestattet sind, und solche, die lediglich eine begrenzte Vollmacht haben. Nimmt ein Gesandter der ersten Kategorie am Konzil

---

SCHULTE 26). Rufinus verdeutlicht dann die genauere Form dieser auctoritas: *Ergo generalia concilia non licet facere absque auctoritate* speciali *Romani pontificis* (Ausgabe SINGER 39). Vgl. Anm. 20, 26, 27, 29, 33, 37, 39, 42, 51, 55, 57, 67, 78, 79, 82, 98, 150.

[131] Hug., dist. 17, Dicta Gratiani a. c. 7: *Id est ad ostendendum, quod auctoritas congregandi concilia generalia non sit nisi penes apostolicum. Certum est quod hic paragraphus est, in quo* Gratianus *primo verba ex gestis Romanorum pontificum sumpta ponit quasi sua, exinde ponit verba episcoporum in synodo existentium, quae synodus congregata fuit pro causa Symmachi papae, cui quaedam crimina obiciebantur.* PRAECIPISSET, *de facto, nam de iure imperator non potest congregare concilium nisi de auctoritate papae ut ii q. v* MANDASTIS (10). *Unde postea redargutus ab episcopis revocavit mandatum ut postea dicitur.* SUGGESSERINT *ipsi regi id est notificaverunt et significaverunt. Potest esse quod episcopi licet non tenerentur venerunt tamen ad praeceptum et vocationem regis et tunc ipsi congregati dixerunt ei hoc non spectare ad officium suum quod ille confessus est. Vel potest esse, quod episcopi sic vocati non venerunt, sed significaverunt papae, qualiter convocati essent a rege et tunc papa praecepit eis, ut venirent et ita convenerunt ad vocationem papae et postea congregati dixerunt illud regi et illud papae. Vel potest esse, quod antequam venirent, significaverunt illud regi et illud papae. Et sic postea convenerunt ad mandatum papae ipsum scilicet Symmachi.* DEBERE SYNODUM CONVOCARE. *Argumentum quod quae communem tangunt utilitatem, non potest quis obmittere vel renuntiare. Item arguit impeditum de crimine suis debere uti privilegiis ante sententiam condemnationis, quae prius habuerat* (MS Admont fol 19vb). — Vgl. auch Anm. 61.

[132] Hug., dist. 17.6 ad v. IUSSIONE DOMINI: *Et tunc planior est littera infra dist. xxi* QUAMVIS (3) *et dist. xxii* OMNES (1), SACROSANCTA (2). *Ibi enim dicitur quod ecclesia Romana habuit primatum a Domino et non a conciliis. Sed dico quod a Domino principaliter et per auctoritatem habuit, a conciliis vero secundario et per voluntariam concessionem se illi submittens.* SYMMACHUS, *ab hinc usque ad illum paragraphum* ILLUD *sunt verba episcoporum in synodo residentium et de Symmacho et de clericis eius loquentium.* AD HOMINES *id est ad iudicium hominis sit immunis, infra ii q. vii* SECUTI SUNT VIAM BALAAM (31) *in fine. Contra enim dicitur quod fuit statutum ut accusatoribus responderet, si ita recte videretur scilicet si accusaretur de haeresi. Sed plana est solutio. Postea enim, cum in eadem synodo esset compertum, quod non accusabant eum de haeresi vel quod accusabant eum per calumniam, repulsi sunt et ipse absolutus est et iudicatus immunis ut hic dicitur. Et hoc totum factum fuit in eadem synodo. Nec illa solutio valet quod ibi dicitur de alio Symmacho et de alio hic, cum unus solus fuit Symmachus sicut probatur per chronica* (MS Admont fol 20ra). Vgl. auch Anm. 62.

teil, handelt es sich um ein Generalkonzil; bei einem Gesandten der zweiten Kategorie wird es lediglich ein Provinzialkonzil.[133] Huguccio lehrt ähnlich, fügt aber ausdrücklich hinzu, daß zur Abhaltung beider Arten von Konzilien eine spezielle Beauftragung gehört.[134] Die *Glossa Palatina* betont, daß aus der allgemeinen Jurisdiktion des Legaten keine Vollmacht zur Einberufung eines Allgemeinen Konzils abgeleitet werden kann.[135] Die gleiche Lehre trägt die *Glossa ordinaria* vor.[136]

Eine weitere Frage zum Verhältnis Papst/Konzil beschäftigt unsere Kanonisten immer wieder: Welche Vollmacht hat der Papst im Hinblick auf Generalkonzilien? Hier ist zu unterscheiden zwischen Generalkonzilien, die actu stattfinden, und solchen, die in der Vergangenheit ihre Bestimmungen aufgestellt haben. Im Hinblick auf die actu stattfindenden Konzilien stellt die These von der Unterordnung des Papstes unter das Konzil das dar, was man unter Konziliarismus versteht.[137]

---

[133] S. Mon., dist. 3 ad v. PORRO: *Argumentum qua ratione provinciale et non magnum generale aliquod concilium appelletur, quod praesente legato sedis apostolicae celebratur, cum ipsum habet ius condendi canones, quod omnino provincialibus denegatur ut dist. xviii adhibetur. Sciendum quod legatus Romanus quando mittitur vel plena auctoritate ad omnia in concilio statuenda potiatur et tunc est generale. Aliquando autem vel aliquod speciale negotium ibi participet et ubi etiam canones condere potest, et tunc est provinciale. Ergo quando praesentia summi pontificis vel eius legati ad omnia in concilio statuenda partem habentis celebratur concilium, tunc ex ordine et regulari iure omnem obligat ecclesiam. Quando vero praesentia celebratur legati non habentis omnimodam potestatem vel metropolitani, non obligat omnem ecclesiam, nisi forte postea auctoritate Romani pontificis roboretur ad ecclesiam totam obligandam. Aliter nequaquam* (MS München fol 2ra—rb).

[134] Hug., dist. 3 p. c. 2 ad v. PORRO: *Haec subdistinctio* (das heißt der Hinweis auf die Gegenwart eines römischen Legaten) *non multum valet, nisi sic intelligatur ‚legato ad hoc specialiter misso', ut particularia et non generalia concilia. Nam ex maiori parte universalia concilia celebrata sunt sine praesentia domini papae in praesentia legati vel legatorum eius, quod potest colligi dist. xvi* SEXTA (9) *et dist. xvii* REGULA (2) *et dist. lxiii c. ii et i q. vii* CONVENIENTIBUS (4). *Sic ergo quae celebrantur praesente legato domini papae generalia sunt, si ad hoc mittatur, ut celebret generale concilium, si particulare, illud particulare erit. Et his duobus casibus legatus potest condere canones tam generales quam provinciales, si ei iniunctum est. Aliter non. Quid si legatus nec ad hoc nec ad illud mittatur? Respondeo. Credo quod non possit concilium facere etiam particulare, nisi super hoc speciale mandatum susceperit* (MS Admont fol 5vb—6ra). — Vgl. auch die *Summa Reginensis*, zitiert Anm. 26; außerdem K. RUESS, Die rechtliche Stellung der päpstlichen Legaten bis Bonifaz VIII., Paderborn 1912, besonders 142—144; ferner R. A. SCHMUTZ, Medieval Papal Representatives: Legates, Nuncios, and Judges/Delegate, in: StGra 15 (1972) 441—463.

[135] Glossa pal., dist. 17.2 ad v. LEGATO: *Etiam si legato in aliqua provincia destinato generaliter commissa sit iurisdictio, non poterit generale concilium celebrare. Hoc specialiter ei mandatum sit, ff* DE MINORIBUS, ILLUD (D. 4.4.25), *extra*, DE OFF. LEGATI, QUOD (1.30.4) (MS Vat. Reg. Lat. 977 fol 8vb).

[136] Glossa dist. 3, p. c. 2 ad v. LEGATO: *ad hoc specialiter destinato. Licet enim aliquis sit generalis legatus, non tamen potest facere generale vel etiam provinciale concilium, quia ea quae specialiter Romano pontifici conceduntur, mandata generali iurisdictione non transferuntur ut extra 1.30.4, et mandata generali iurisdictione concilium non potest exercere is cui mandatur ut D. 1.21.2.* (Ausgabe Paris 1585 col. log). — Vgl. zu Wilhelm Durandus Anm. 79.

[137] Vgl. hierzu die in Anm. 5 bis 7 angegebenen Studien.

Davon soll weiter unten noch die Rede sein. Hier zunächst die andere Frage: Welche Vollmacht hat der Papst früheren Generalkonzilien gegenüber? Kann er sie außer Kraft setzen oder abändern? Welche Gewalt hat er zum Beispiel den ersten vier Generalkonzilien gegenüber? Die *Summa Coloniensis* stellt lapidar fest: *Nullo dispensationis colore vel mutare vel mutilare nec ad unum iota sancta Romana ecclesia praevalet.*[138] In der *Summa Monacensis* wird dagegen mit der Möglichkeit einer Dispens diesen vier Konzilien gegenüber gerechnet, und zwar im Bereich der *mores*.[139] Die Summe *Antiquitate et tempore* zieht aus der Unantastbarkeit der ersten acht Konzilien die Konsequenz: Also muß man sich vor Gericht gerade auf sie stützen, gibt andererseits aber zu, daß der Papst im Bereich der *mores* die Bestimmungen dieser Konzilien ändern kann.[140] Eine ähnliche Unterscheidung zwischen der Glaubenslehre, wo keine Änderung, und Sitten, wo Änderung von Konzilskanones möglich ist, lehrt die *Summa Parisiensis*. Für sie fällt zum Beispiel der Priesterzölibat unter die *indifferentia ante prohibitionem*. Deswegen konnte die römische Kirche hier anders als das Nicaenum entscheiden, das die Priesterehe ausdrücklich nicht verboten hatte.[141] Nach Huguccio kann der Papst

---

[138] Vgl. Anm. 115.

[139] S. Mon., dist. 15 ad v. DE IURE (Fortsetzung des in Anm. 41 zitierten Textes): *Sed potest obici Gregorio. Si iiii concilia parem vim habent cum iiii evangeliis, ergo sicut summus pontifex non potest contra iiii evangelia dispensare, igitur neque contra iiii concilia. Ad quod dicimus quod iiii evangelia formam negotiorum non continent, sed iiii concilia. Unde pro necessitate, pro tempore, pro loco et huiusmodi dispensatio in his admittitur. Servato tamen forma ubi in fine privilegiorum semper subiungitur ,,sine praeiudicio sanctorum canonum"* (MS München fol 4ra).

[140] S. Antiquit., dist. 16.8: *Ecce viii concilia, quae profitetur Romanus pontifex se immutilata servare et nota ad constrictionem faciendam in fine capituli sumendum esse hoc verbum ,profiteor'. Hoc modo profiteor me servare sancta viii universalia concilia scilicet primum Nicaenum et caetera usque ad UNUM APICEM. Decretis igitur horum conciliorum praecipue utendum est in causis, quia nullum eorum mutare audebit summus pontifex. Si tamen opponatur, quod quiddam ibi dicitur de continentia clericorum quod modo non servatur, illud loco suo solvetur. Dicatur autem ad praesens, si placet, quod dicitur praecipue exaudiendum esse de his ibi statutis quae pertinent ad articulos fidei. Sed similiter de omnibus conciliorum statutis dici posset* (MS Göttingen fol 22rb).

[141] S. Par., 25 q. 1: *Deinceps adversatur ostendens quoniam statuta suorum decessorum potest summus pontifex immutare. Tandem contrarietatem determinans, dicit quoniam Romana ecclesia decretis alligata non ex necessitate, sed ex voluntate; unde quia mater canonum est, decreta potest condere, condita immutare pro persona, loco, tempore, causa. Decreta quae ei necessitatem decreta observandi imponunt exaudienda sunt non de necessitate necessitatis sed de necessitate voluntatis. Possumus tamen aliter dicere. Quaedam namque sunt quae in lege et in evangelio continentur et illa ullo modo, quoniam ad fidem specialiter pertinent, immutare non potest. Quaedam sunt quae in octo conciliis sunt celebrata, quae profitetur summus pontifex usque ad unum iota servaturum, et illa similiter non potest Romana ecclesia mutare. Alia vero sunt quae ante prohibitionem quidem erant indifferentes, post prohibitionem vero necessitatem habent, ut decreta quae promulgata sunt de clericorum continentia. Decretis his potest summus pontifex et abrogare et derogare pro persona, causa, loco, tempore. Illa igitur decreta quae dicunt summum pontificem decessorum suorum statuta mutare non posse, intelligenda sunt de illis quae*

sowohl Bestimmungen seiner Vorgänger als auch eines Konzils oder eines Kirchenvaters wie Augustinus abändern, ausgenommen sind jedoch *articuli fidei*, die Gebote des AT und NT und Dinge, die den *status generalis ecclesiae* betreffen.[142] Eine ähnliche Position vertritt die *Glossa ordinaria* des Johannes Teutonicus.[143] Hat der Papst die Vollmacht, Entscheidungen von Generalkonzilien abzuändern und aufzuheben, einmal von den obengenannten Ausnahmen abgesehen, steht ihm a fortiori das Recht zur Interpretation, zur Auslegung solcher Bestimmungen zu. Huguccio führt aus, daß er allein, sonst niemand das Recht dazu hat.[144]

---

ad fidem specialiter pertinent, sine quibus haberi salus aeterna non potest. Quae vero dicunt posse (mutare) de illis intelligenda sunt, quae ante prohibitionem indifferentes, post prohibitionem vero necessitatem habent observantiae. (Ausgabe McLAUGHLIN 230).

[142] Text zitiert Anm. 123. Vgl. auch Hug., dist. 63 p. c. 34 ad v. CUM ERGO: *Sed nonne Nicaenum concilium comparatur evangelio ut dist. xv* SICUT SANCTI (2)? *Item nonne quidquid in eo continetur usque ad unum apicem debemus venerari et custodire ut dist. xv* SANCTA (3)? *Qualiter ergo potuit ei derogari ab Innocentio et Nicolao? Respondeo: in his quae spectant ad articulos fidei vel ad generalem statum ecclesiae, ut in sacramentis conficiendis et conferendis, non potest ei derogari a papa, argumentum in praedictis duobus capitulis. In animadversionibus vero penarum et in aliis quae non spectant ad articulos fidei vel generalem statum ecclesiae, saepe ei et aliis conciliis et canonibus apostolorum derogatur a papa, argumentum hic et dist. lxxxii* PRESBYTERI (5) *et dist. xxxiiii* COGNOSCAMUS (14), LECTOR (18) *et dist. lxxvii* EPISCOPUS (6) (MS Admont fol 93ra). — Zum Begriff *status ecclesiae* vgl. die in Anm. 109 zitierte Studie. Vgl. auch G. POST, Copyists' Errors and the Problem of Papal Dispensations „contra statutum generale ecclesiae" or „contra statum generalem ecclesiae" according to the Decretists and Decretalists? ca. 1150—1234, in: StGra 9 (1966) 357—405; für die vorkanonistische Begriffsgeschichte vgl. CONGAR, Status ecclesiae 3—31.

[143] Glossa, 25 q. 1.3 ad v. NULLA COMMUTATIONE: *Ex hoc patet quod papa non potest contra generale ecclesiae statutum dispensare, nec contra articulos fidei. Nam et si omnes assentiant ei, non valet statutum, sed omnes haeretici essent, ut dist. 15.2. Et sic potest intelligi infra 25 q. 1.6 et caput sequens. Sed contra statutum ecclesiae, quod non est ita generale, sicut de continentia sacerdotum, bene potest dispensare* (Ausgabe Paris 1585 col. 1780c). Vgl. auch Anm. 58. — Vgl. zum ganzen Komplex der päpstlichen Dispensation auch J. BRYS, De Dispensatione in iure canonico, Brügge 1925, 89—149, über Dekretisten, ferner K. PENNINGTON, The Canonists and Pluralism in the thirteenth century, in: Spec. 51 (1976) 35—48.

[144] Hug., dist. 17.4: *Celebrato concilio quinto apud Constantinopolim episcopi Venetiae et Istriae et Liguriae nolentes recipere statuta in illo concilio convenerunt, ut examinarent ea quae ibi statuta fuerant, an essent recipienda necne. Contra quos invehitur hic Gregorius et dicit, quod si aliqua dubitatio de statutis in illo concilio orta movebat eos, debuerint mittere ad Romanam sedem pro ratione inde suscipienda. Et hoc faciendum esse generaliter, quotienscumque de generali concilio aliquibus dubitatio innascitur. Si vero ex contumacia hoc nolint facere coercendi sunt ab ecclesia, et si ab ecclesia non possunt coerceri, coercendi sunt per saecularem potestatem. Et in eodem canone et de eadem materia loquitur Pelagius praedecessor istius infra xxiii q. v* DE LIGURIBUS (43). *Uterque enim fuit post v synodum et ante sextam. Ex illo ergo capitulo intellecto planum est intelligere casum istius capituli.* PARTICULAREM *ad aliquid generaliter decernendum vel quod statutum est generaliter retractandum vel examinandum, sicut isti episcopi volebant facere, volentes statuta generalis synodi examinare et revocare. Vel* PARTICULAREM *scilicet quam faciunt haeretici et schismatici, qui partem id est sectionem faciunt, separantes se ab unitate ecclesiae sicut isti fecerunt* (MS Admont fol 19va). Vgl. auch Anm. 59.

Johannes Teutonicus bringt gegen dieses ausschließliche Recht des Papstes einen Einwand, ohne ihn zu entkräften: das Recht zur Auslegung müssen auch die Konzilsteilnehmer selber haben.[145] Der letzte Aspekt des Verhältnisses Papst/Konzil, die Vollmacht des Papstes gegenüber einem actu stattfindenden Konzil — hat er oder das Konzil das letzte Wort? — ist natürlich der ekklesiologisch vergleichsweise relevanteste. Die Frage, inwieweit bei unseren Dekretisten die Wurzeln des Konziliarismus zu suchen sind, wurde von der Forschung wiederholt gestellt[146] und braucht deswegen hier nicht in extenso angegangen zu werden. Watt dürfte recht haben, wenn er zwei Tendenzen unterscheidet, eine mehr papalistische und eine mehr konziliaristische. Wir weisen deshalb hier lediglich auf zwei Autoren hin, die für die beiden Tendenzen repräsentativ sein dürften. Für die papalistische These stehe Huguccio. Nach ihm hat bei Uneinigkeit zwischen Papst und Konzil im entscheidenden Punkt, nämlich einer *quaestio fidei*, der Papst das letzte Wort.[147] Für die konziliaristische These stehe Alanus

---

[145] Glossa, dist. 17.4: *Videtur hic quod ad solum papam spectat interpretari statuta universalis concilii ut extra 3.8.12. Argumentum contra, quod ab omnibus episcopis vel a saniore parte eorum qui interfuerunt, potest fieri interpretatio, quia ab eo iudice prodire debet interpretatio, qui ius statuit, extra 5.39.31 ; extra 2.1.12* (Ausgabe Paris 1585 col. 84 f.).

[146] Vgl. unter anderem die in Anm. 7 angegebenen Studien.

[147] Hug., 9 q. 3.17 ad v. PRO SUO PRINCIPATU: *Fluctuare potest Petri navicula sed non submergi, quia non deficiet fides eius, nec ipsa potest esse nulla ut xxi dist. i et xxiiii q. i* PUDENDA (33). A RECTA (9), *et quidem ex illo verbo* ET DAMNANDI NULLA EXISTENTE SYNODO *colligitur quod papa potest quoslibet iudicare et invitis episcopis suis et absque synodo sive concilio potest novos canones condere, et contra voluntatem totius concilii sententiare. Sed ecce congregatum est concilium de toto orbe, oritur dubitatio, fertur una sententia a solo papa, alia ab omnibus aliis. Quae ergo cui est praeponenda? Argumentum hic, quod sententia papae. Distinguo tamen et dico quod si altera continet iniquitatem illi praeiudicatur ; si vero neutra videtur continere iniquitatem, et dubium est quae veritatem contineat, pares debent esse, et ambae teneri, et haec vel illa pro voluntate potest eligi, quia paris sunt auctoritatis, cum hinc sit maior auctoritas, inde maior numerus, argumentum dist. xviiii* IN CANONICIS (6), *nec sunt hae sententiae contrariae, quia ambae teneri possunt, argumentum dist. xxxi* QUONIAM (13) ALITER (14). *Si tamen papa praecipiat ut sua sententia teneatur, et non teneatur sententia concilii, oboediendum est ei, et sua sententia est tenenda, et non illa, argumentum hic et dist. xi* NOLITE (3). *Hoc intelligo verum esse, si de articulis fidei est, vel de aliis quae non pendent de arbitrio aliorum ; si autem est de eo, quod pendet de arbitrio aliorum non valet sine voluntate illorum, etiam si concilium consentiat. Puta vult indicere continentiam exorcistis vel acolitis, non potest, nec valet sine eorum voluntate, si hoc statuit, argumentum xxxi* ANTE (1). *Ergo cum Alexander sententialiter dixit, quod Christus est aliquid secundum quod homo in extra* CUM CHRISTUS *et hic non contineat iniquitatem nec pendeat ex arbitrio aliorum, ita tenendum est, et peccat qui dissentit, et macula excommunicationis et haeresis notatur, ut in extra* CUM CHRISTUS *(vgl. 5.7.7), et xxiiii q. 1.* HAEC EST (14) (MS Admont fol 214vb). — Vgl. auch Hug., dist. 19.9 ad v. SINE CONCILIO: *Videtur assensu contrario, quod eorum assensu licite potuerit ei communicare et est argumentum papam non debere communicare ei cui cardinales vel concilium non communicat vel censetur non communicandum. Ergo a simili, si in aliqua*

Anglicus, der das Konzil dem Papst in einem solchen Konflikt überordnet.[148]

d) Das Provinzialkonzil

Was das Provinzialkonzil angeht, so können wir uns kurz fassen, denn seiner Natur nach kommt ihm eine geringere Bedeutung als dem Generalkonzil zu. Die relativ umfangreichste *Definition* dieser Konzilsspecies

---

quaestione discordat concilium a sententia papae maior est sententia concilii quam papae quod non credo, sed potius credo contrarium. Dico ergo quod hoc non est argumentandum assensu contrario, quia nec cum assensu nec sine consensu eorum potuit papa licite communicare Fotino in errore iam damnato (MS Admont fol 24ra). — Zum gleichen Ergebnis, nämlich der Überlegenheit des Papstes über das Konzil, kommt Huguccio an anderer Stelle, wo er Dekretale mit Konzilskanon vergleicht. dist. 19 a. c. 1 ad v. DE EPISTULIS: *Et quidem si alterum illorum* (Dekretale und Konzilskanon) *statuit contra rationem, ei derogatur per alterum. Quid si nec ibi nec illic aliquid statuitur contra rationem? Dicunt quod canon debet praevalere, quia nititur auctoritate papae et totius concilii sed decretalis sola auctoritate papae. Ego tamen dico quod potius decretalis praeiudicare debet. Quia cum apostolicus, in quo iuris ignorantia non cadit, decretalem constituit contrarium canoni ex certa scientia, videtur velle derogare canoni, quod ei licet. Argumentum viiii q.iii* CUNCTA (17). *In canonibus enim condendis semper tacite vel expresse servatur interpretatio et dispensatio papae ut i q. v caput i et viiii q. iii* SALVO (4) *et xxv q. i* SI ERGO (MS Admont fol 22ra). — Mit der gleichen Entschiedenheit verteidigt Huguccio 25 q. 1.1 die Überlegenheit des Papstes über das Konzil. Der Text ist im MS Admont stark verdorben, wir zitieren aus MS Vat. 2280: *In prima parte videtur dici, quod non liceat papae contradicere constitutioni universalis ecclesiae et ita universalis ecclesia potior in constituendo quam papa. Sed finis principium corrigit et nota quod constitutio solius papae potior est quam totius ecclesiae et est quaestionis hoc solutio: si omnes homines ferrent unam sententiam et papa aliam, eius (?) (sententiae) potius standum esset. Similiter, viiii q. iii* CUNCTA (17), *ii q. vii* PUTO (35), *xviii dist.* REGULA (2). OPORTERE, *non quod alligata sit quoquemodo, sed ut exemplum praestetur caeteris similiter observandi. Per hoc exemplum probatur quod quaelibet synodus congregata est auctoritate Romanae ecclesiae* (MS Vat. Bibl.Apost. 2280, fol 254va). — Zum Primat bei Huguccio allgemein vgl. die in der Forschung leider unbeachtet gebliebene Studie von M. FERNANDEZ RIOS.

[148] Alanus, ap. 9 q. 3.17 ad v. AB ILLA AUTEM: *Solus papa ex plenitudine potestatis suae, sine praesentia synodi vel collegii cardinalium suorum potest causas omnes civiles et criminales audire et diffinire, ut hic innuitur, quaestionem etiam fidei modicam [sit] decidere, argumentum extra,* DE HAERET. c. CHRISTUS (5.7.7), *xxiiii q. 1* HAEC EST FIDES (14). *Profundam vero fidei quaestionem non sine concilio vel saltem cardinalium collegio non debet: nonne potest errare ut Anastasius? xix dist.* ANASTASIUS (9). *Sed quaeritur, cum ipse (cum) concilio vel cardinalibus quaestionem fidei ventilat et contingit papam aliam habere sententiam, aliam cardinales, cuius sententia praevalebit? Respondeo, concilii vel cardinalium, si omnes in concilium opinione concordent. Immo etiam si maior pars; sed si cum papa tanta pars concordat, quanta est quae (concilio) consensit, papae adhaereo, et haec in quaestione fidei tantum. In aliis autem controversiis iudicialibus omnibus papae sententiam omnium aliorum sententiis praefero. Sed numquid solus canones novos condere potest? Utique, quibus status ecclesiae non mutatur, quoniam si statum universalis ecclesiae constitutione nova vellet immutare, necesse est haberet synodum convocare [sic], qui si citra synodi consilium fecerit, ipso iure non valebit* (MS Paris Bibl. Nat. 15393 fol 127a, zitiert bei WATT 31). Wie vorsichtig jedoch über einen Autor wie Alanus geurteilt werden muß, zeigt A. M. STICKLER in seiner Studie: Alanus Anglicus als Verteidiger des monarchischen Papsttums, in: Sal. 21 (1959) 346—406.

finden wir bei Rufinus.[149] Spätere Summen, so die des Huguccio[150], nehmen die Zielsetzung des Provinzialkonzils, seine Kompetenz aus der eigentlichen Definition heraus und gehen auf diesen Punkt gegebenenfalls in einem eigenen Abschnitt ein. Die *Summa Bambergensis* definiert kurz: *Particulare et provinciale est, quando metropolitanus vel primas convocat episcopos suos.*[151] Gratian selber hatte den *concilia episcopalia* alle Gesetzgebungsgewalt abgesprochen[152], Rufinus hatte dem in seiner Definition des Provinzialkonzils zugestimmt. Huguccio hingegen bestreitet diese Auffassung vom Provinzialkonzil ausdrücklich: Diese Konzilien können sehr wohl, wenn auch natürlich nicht für die ganze Kirche, so doch für ihren eigenen Jurisdiktionsbereich, Kanones aufstellen.[153] Die Pro-

---

[149] Rufinus, dist. 17: *Particularia vero seu provincialia sunt illa, quae praesentia metropolitani vel auctoritate a conprovincialibus episcopis per annos singulos fiunt non ad nova condenda, sed ad prava corrigenda et quae sunt statuta confirmanda* (Ausgabe SINGER 38).

[150] Hug., dist. 17 a.c. 1: *Generale vel universale concilium est, quod a papa vel eius legato cum diversarum provinciarum episcopis celebratur. Particulare vel speciale est provinciale, est scilicet quod facit metropolitanus vel primas cum suis suffraganeis ut dist. xviii c. i et dist. xcii* SI QUIS EPISCOPUS (5). *Episcopale vel singulare est, quod episcopus facit cum suis clericis. Nam et episcopus cum suis clericis potest facere concilium ut dist. xxxviii* QANDO (2), *xii q. 2* PLACUIT (51), EPISCOPUS QUI (58). *Generale non debet fieri sine auctoritate papae aut hic. Particulare non debet esse sine auctoritate metropolitani vel primatis, episcopale sine auctoritate episcopi. Sed sine auctoritate papae speciali primas potest facere suum particulare et sine auctoritate primatis metropolitanus suum ut dist. xcii* SI QUIS EPISCOPUS (5), *et sine auctoritate metropolitani episcopus suum ut dist. xxxviii* QUANDO (2), SYNODUM (1), *videtur quod metropolitani vel episcopi sua auctoritate congregare possint concilia. Sed dupliciter intelligitur tale verbum ubique, synodum scilicet generalem vel synodum provincialem ad aliquid generaliter decernendum.* ABSQUE HUIUS SEDIS AUCTORITATE *scilicet speciali. De speciali auctoritate habetur hic per totum et iii q. vi* QUAMVIS (7), DUDUM (9). *De generali auctoritate papae habetur in dist. lxiiii* ORDINATIONES (2) *et dist. lxxx* NON DEBERE (5) *et xvi q. 1* CUNCTIS (41). *Quod ergo dicitur generale concilium non debere esse sine auctoritate papae intellige speciali. Nam sine generali eius auctoritate nec etiam particulare vel episcopale concilium licet congregari. Generalis auctoritas congregandi concilia particularia vel episcopalia intelligitur esse data a papa, cum eius auctoritate confirmatum est, ut archiepiscopi et episcopi sua celebrent concilia* (MS Admont fol 19rb). Vgl. auch Anm. 26, 29, 37, 39, 42, 46, 51, 55, 57, 82.

[151] Ausgabe DE GROOT 79. — Vgl. auch die S. Coloniensis Anm. 33.

[152] Decretum Gratiani, dist. 18 a. c. 1: *Episcoporum igitur concilia ut ex praemissis apparet sunt invalida ad diffiniendum et constituendum* (Ausgabe FRIEDBERG 53). Vgl. S. 229.

[153] Hug., dist. 18.1: *Dicit ergo* CONCILIA EPISCOPORUM *scilicet provincialia,* AD DIFFINIENDUM, AD CONSTITUENDUM. *Hoc non est verum generaliter. Possunt enim constituere canones provinciales et multa diffinire et statuere in suis provinciis. Quaelibet enim civitas et quivis populus et quaevis ecclesia potest sibi constituere aliquod ius ut dist. i* IUS CIVILE *(8) et dist. viii* QUAE CONTRA (2). *Non possunt tamen constituere de magnis nec de his quae inducunt privilegium honoris nec aliquid generaliter, sed hoc distinctum supra dist. iii* PORRO (p.c. 2). *Est ergo intelligendum* AD DIFFINIENDUM, AD CONSTITUENDUM *de magnis, in quibus specialis auctoritas papae exigitur ut supra dist. proxima* MULTIS (5) *et de his, quae spectant ad honorem et aliquid generaliter. Quia nemo sumit sibi honorem. Non enim eorum constitutio omnes generaliter obligat. Quid si aliquid, quod omnes alios astringit, in tali concilio statuatur vel praecipiatur? Dico non ideo obligat omnes quia ibi sit statutum, sed quia generaliter omnes ad illud tenentur. Quid si papa velit, ut statuta talis concilii ab omnibus*

vinzialkonzilien sind nicht für die großen Probleme der Kirche zuständig — sie sind Sache der Generalkonzilien — wohl aber für weniger
wichtige Fragen, vor allem aus dem Bereich der Moral.[154] Aber es gibt
doch Bestimmungen von Partikularkonzilien, die in der Kirche allgemeine Geltung haben? Sie gelten allgemein, antwortet Huguccio, nicht
weil sie von den betreffenden Konzilien aufgestellt wurden, sondern
weil der Papst sie bestätigt und befohlen hat.[155] Kann man sagen, daß
die päpstliche Bestätigung eines Provinzialkonzils als solche diese Wirkung hat, nämlich die allgemeine Geltung in der Kirche? Nein, antwortet Huguccio. Die päpstliche Bestätigung als solche bringt nicht
die allgemeine Geltung, sondern sein ausdrücklicher Wille, die Bestimmung eines Partikularkonzils solle in der ganzen Kirche gelten.[156]
Die Auffassung Huguccios, daß Provinzialsynoden durchaus zur Aufstellung von Kanones befugt sind, wird auch von anderen Summen vertreten, so von der *Summa Monacensis*[157] und der *Summa Bambergensis*,
die dabei ausdrücklich dem Generalkonzil die Veränderung des *generalis
status ecclesiae* vorbehält.[158]

Eine abschließende Frage zum Thema Provinzialkonzil: Sind auch alle
Priester und Diakone wie die Bischöfe zur Teilnahme verpflichtet?

---

*observentur? Tunc omnes astringerentur, non quia ibi sunt statuta, sed quia a papa conprobata et
iubentur generaliter recipi. Sic scripta Augustini et Hieronymi et multorum aliorum generaliter omnes
astringunt, non quia dicta sint ab illis, sed quia sunt a papa conprobata et generaliter ab ecclesia
recepta. Sic et leges Ulpiani auctoritatem habent generalem non ratione personae promulgantis, sed quia
a principe sunt confirmatae et receptae generaliter* (MS Admont fol 20rb).

[154] Hug., dist. 3 a.c. 3 ad v. Patriarcharum vel primatum vel metropolitanorum:
*ut universalia concilia in suis provinciis. Sed quaeritur de his, an speciali auctoritate domini papae
possint condere novos canones provinciales. Videtur quod non. Argumentum xvii dist.* Nec licuit (4),
Multis (5), Concilia (6). *Sed dicendum quod possunt cum distinctione tamen, scilicet de parvis et
de his quae spectant ad honus, scilicet ut numquam vescantur carnibus, (camisiis) lineis non utantur et
huiusmodi. Argumentum de con.dist.iii c. 1 et dist. xi* Catholica (8) *et dist. xii* Illa (11) *et dist.
xvii* Multis (5). *De magnis non possunt, quia in his exigenda est specialis auctoritas papae ut [dist.]
xvii* Multis (5), Concilia (6) *et xxiiii q. i* Quotiens *(12). Item nec de his quae spectant
ad honorem. Quia nemo sibi sumit honorem ut viii q. i* In scriptis (9), qui episcopatum (11) *et
dist. c* Contra morem (8) *et dist. xciii* Pervenit (14). *Illud autem [concilium] et tales canones
erunt particulares et non adstringunt omnes. Sed si papa eos approbaverit, nonne fiunt generales? Non,
quia sic confirmantur, ut eis tantum valeant. Confirmatio enim nihil novi (iuris) solet conferre, ut
contingit in sententiam, quam apostolicus confirmat. Nec videtur eam confirmare nisi quibus data est.
Idem videtur et hic dicendum. Si tamen papa vellet eos facere generales, posset. Sed hoc non esset ex
prima promulgatione, sed ex secunda a domino papa facta* (MS Admont fol 6ra).

[155] Vgl. Anm. 154.

[156] Vgl. Anm. 154, für die *S. Reginensis* Anm. 26, für die *S. Coloniensis* Anm. 33.

[157] *Synodi etiam provinciales quaedam promulgare possunt in illa tantum provintia observanda*, vgl.
Anm. 42.

[158] S. Bam., dist. 17, a.c. 1: *Et istud (concilium particulare) bene potest causas decidere et corrigere
mores, sed non potest circa generalem statum ecclesiae* (Ausgabe de Groot 79).

Nein, lautet die Antwort Huguccios. Teilzunehmen braucht nur, wer ein eigenes Anliegen auf dem Konzil vorzutragen hat oder wessen Teilnahme für das Konzil notwendig ist.[159]

3. Einfluß des Römischen Rechts

Die Natur unserer Quellen schließt die systematische Erörterung der das Konzil betreffenden Fragen aus. Soweit wir sehen, wird die Konzilsinstitution weder in irgendeiner Weise begründet noch abgeleitet. Entsprechend befindet sich auch nirgends eine ausdrückliche Begründung des Verhältnisses zur konkurrierenden Instanz, nämlich zum Papsttum. Beider Existenz wird als gegeben vorausgesetzt und die eine Institution der anderen radikal untergeordnet. Gründe gerade für diese prinzipielle Unterordnung des Konzils unter den Papst — wir sehen hier von den Ausnahmefällen, zum Beispiel dem des häretischen Papstes ab — werden kaum ausdrücklich vorgelegt. Freilich ist die nächstliegende Erklärung dafür, daß das Konzil so fraglos dem Papst untergeordnet wird, die Lehre des zu kommentierenden Textes selber: Gratian ist ein entschiedener Vertreter des päpstlichen Primats.[160]

Aber hinzu kommt etwas Entscheidendes, nämlich der Einfluß von Vorstellungen Römischen Rechts auf das Denken unserer Kanonisten.[161]

---

[159] Hug., dist. 18.15: PROPTER usque OMNES PRESBYTERI ET DIACONI, *qui ergo celebrabunt divina populo. (Quaeritur), si omnes presbyteri et omnes diaconi conveniunt ad concilium. Sed littera sequens determinat, de quibus dicit quod* OMNES PRESBYTERI ET DIACONI, QUI SE LAESOS EXISTIMANT *vel quia aliter sunt necessarii synodo etc.* ET HI, *alii, sive clerici sive laici, qui se laesos existimant vel qui aliter sunt necessarii concilio. Et sic haec dictio, quae refertur ad capitula praecedentia non ergo dicit quod omnes presbyteri et omnes diaconi et omnes alii veniant vel debent venire* (MS Admont fol 21rb).

[160] Vgl. S. 227—228.

[161] Eine Einführung in die Problematik gibt R. NAZ, Droit Romain, in: DDC 4 (1949) 1502—1514, ferner H. E. FEINE, Vom Fortleben des römischen Rechts in der Kirche, in: ZSRG.K 42 (1956) 1—24; P. LEGENDRE, La pénétration du droit Romain dans le droit canonique de Gratien à Innocent IV (1140—1254), Paris 1964; CH. MUNIER,· Droit canonique et droit Romain d'après Gratien et les décrétistes, in: Etudes du droit canonique dédiées à G. Le Bras II, Paris 1965, 943—954. — Nach ST. KUTTNER, Some considerations on the rôle of secular law and institutions in the history of canon law, in: Scritti di sociologia e politica in onore di L. Sturzo II, Bologna 1953, 351—363, vollzieht sich im Bereich des kanonischen Rechts ein Rezeptionsvorgang, welcher nicht so sehr eine Aufnahme römischer Rechtsregeln als geltende Gesetzesnormen darstellt, sondern vielmehr eine Interpretation älterer kanonischer Rechtsnormen im Sinn der Grundsätze ziviler Jurisprudenz, soweit eine solche Auslegung tunlich und möglich war. Das Römische Recht wurde als subsidiäres Recht zugelassen, wo kanonische Regeln fehlten, aber viel bezeichnender noch war seine indirekte Anwendung als ‚argumentum rationis et auctoritatis‘ bei der Auslegung bestehender Normen; vgl. auch DERS., On the place of Canon Law in general history of Roman Law during the

Sie sehen im Papst im Grunde den Kaiser der Kirche und bestimmen entsprechend das Verhältnis Papst/Konzil stillschweigend nach der Maxime des Römischen Rechts *Quod principi placuit, legis habet vigorem*.[162] Es gibt aber außer dem papalistisch-absolutistischen Prinzip noch ein weiteres, kurioserweise ebenfalls aus dem Römischen Recht stammendes Prinzip, das im Denken unserer Kanonisten wirksam ist und das zu dem ersten gegenläufig ist. Wir meinen das Prinzip *Quod omnes tangit, debet ab omnibus approbari*. Auf beide eher latent wirksame als offen affirmierte Elemente im Denken unserer Kanonisten sei hier abschließend noch hingewiesen.

Schon bei Huguccio fällt die bedenkenlose Parallelisierung von Papst und Kaiser auf *(papa vel princeps, papa vel imperator)*, wenn zum Beispiel dem Papst die Kenntnis des ganzen Kirchenrechts *(totum ius canonicum)* in gleicher Weise wie dem Kaiser die Kenntnis des ganzen weltlichen Rechts *(totum ius legale)* zugeschrieben wird.[163] Man wird sicher nicht fehlgehen in der Annahme, daß diese Parallele Papst/Kaiser auch die Konzeption des Verhältnisses Papst/Konzil bestimmt. Aber im Zusammenhang der Konzilsproblematik haben wir bei Huguccio keinen Text gefunden, in dem ausdrücklich die Unterordnung des Konzils unter den Papst durch den Hinweis auf die Stellung des römischen Kaisers begründet wird. Ein solcher Text findet sich jedoch bei dem Dekretalisten Goffredus de Trano. Im Kontext geht es um die Frage, wer *constitutiones*, das heißt, Gesetze erlassen kann. Unser Dekretalist nennt als Gesetzgeber der Reihe nach den Papst „zusammen mit den Kardinälen", die Legaten und die übrigen Prälaten „zusammen mit ihren Kapiteln und Kanonikern". Aber nicht nur einzelne Personen, auch Kollegien wie Kapitel, Provinzial- und Bischofssynode können Gesetze aufstellen. Pikanterweise fehlt bei dieser Aufzählung kirchlicher Gremien und Kollegien mit Gesetzgebungsbefugnis das Generalkonzil! Weiter werden aus dem weltlichen Bereich genannt: der Kaiser „zusammen mit seinen Räten *(proceres)*", der *praefectus praetorio*, kurz alle, die dazu vom Kaiser beauftragt sind. Als Kollegien, die befugt sind, Gesetze aufzustellen, nennt Goffredus de Trano das römische Volk und

---

middle age, in: Seminar 13 (1955/6) 51—55; für die vorgratianische Zeit C. G. Mor, La recezione del diritto Romano nelle collezioni canoniche dei secoli IX—XI in Italia e oltr' Alpe, in: Acta congr. iuridici internat. II, Rom 1935, 281—302; vor allem aber G. Le Bras, Le droit Romain au service de la domination pontificale, in: RHDF 27 (1949) 377—398, besonders 390—392.

[162] D. 1.4.4.1.

[163] Vgl. Anm. 128, ferner Anm. 120.

den Senat. Aber heißt es nicht, wendet Goffredus ein, daß der Kaiser allein befugt ist, Recht zu setzen? Die Antwort lautet: Alles vom Kaiser nicht in eigener Person unmittelbar von ihm selber gesetzte Recht wird in seinem Namen gesetzt. Entsprechendes gilt — und das ist die entscheidende Aussage — vom kirchlichen Bereich. „So muß auch vom Papst gesagt werden, daß die Legaten, Prälaten, Kapitel und Konzilien in seinem Namen Recht setzen. Auch bei den Konzilien handelt es sich um vom Herrn Papst empfangene *auctoritas"*.[164] Was an diesem Passus frappiert, ist nicht die inhaltliche Aussage, daß das Konzil kraft päpstlicher Oberhoheit Recht setzt, sondern die Selbstverständlichkeit, mit der dies in Parallele zu dem weltlichen, das heißt Römischen Recht gesehen wird. Was unsere Kanonisten theologisch bestimmte, das Konzil eindeutig und schlechterdings dem Papst unterzuordnen, ist das Gewicht der *auctoritates*, die Gratian in dist. 17 zusammenstellt, den klaren Begriff für dieses Verhältnis aber schenkt ihnen das Römische Recht: *papa vel imperator*. Die Konzilsidee unserer Kanonisten ist in einem entscheidenden Punkt, nämlich der Unterordnung des Konzils unter den Papst, wirksam und tief von Vorstellungen des Römischen Rechts geprägt.[165]

---

[164] Goffredus, S. super tit., de constit.: *dicitur constitutio quasi commune statutum. Nam papa cum fratribus suis et caeteri praelati cum capitulis suis et canonicis constitutiones facere possunt ut infra extra 5.39.31; 3.10 per totum. Potest et legatus constitutionem facere ut infra extra 5.20 ex parte ... Item capitulum circa ea, quae ad ipsum spectant ut infra extra 1.2.8 ... Potest et aliud collegium approbatum ut infra extra 1.2.11. Item synodus provincialis ut dist. 16.14, synodus episcopalis ut dist. 18.2 et 17. Sic et princeps cum suis proceribus constitutionem facere potest ut C. 1.14.8. Et praefectus praetorio ut C. 1.26.2, item hi, quibus mandat imperator ut et in prologo inest (prooem. 3) et hoc est quod alibi dicitur omnia nostra facimus quibus a nobis auctoritas impertitur ut C. 1.17.5 et 6. Item populus Romanus etiam legem hodie vel constitutionem legis ut instit. I. 2.4, licet dicatur potestas in principem translata ut C. 1.17.1.7. Dicitur enim translata id est concessa, non quia omnis populus a se addicavit potestatem et sic dicitur transferri iurisdictio a delegante in delegatum ut D. 1.21.1.1. Nam et si olim potestatem condendi legem populus in principem transtulisset, tamen postea revocavit ut D. 1.2.2.3 et 14 ... Item senatus legem condere potest ut D. 1.3.9. Nec obstat quod alias dicitur soli principi licere condere leges ut C. 1.17.23, quia superiores de quibus dictum est, quod possint condere legem, principis auctoritate condere intelliguntur. Sic et in papa dicendum est ut legati, praelati, capitula et concilia auctoritate ipsius facere constitutiones intelligantur. Unde et in conciliis excepta intelligitur auctoritas domini papae ut infra extra 1.6.4; dist. 17 per totum; 3 q. 6.9 et c. 12; 9 q. 2.18 et c. 4 et ita videmus quid sit constitutio, unde dicatur et quis constitutionem facere potest* (Ausgabe Venedig 1490 fol 2rb—2va).

[165] Kanonisten erweisen sich bei der Behandlung der Konzilsproblematik als gute Kenner des Römischen Rechts. Auch das Umgekehrte kommt vor: Legisten, die sich im kanonischen Recht auskennen. Bartholomaeus de Salyceto († 1411) bezieht sich in seinem Kommentar zu C. 1.2.1 auf die kanonistische Definition des Konzils und führt dafür Huguccio als Gewährsmann an. Diese Definition ist deswegen besonders interessant, weil sie das Konzil mit der alten Tradition im Anschluß an die Definition des Isidor als Konsensus versteht (congregatio in unum) und darüber hinaus den Zusammenhang zwischen dem Konzil und der ‚Konziliarität' der Kirche betont. Konstitutiv ist natürlich die Einberufung durch den Papst, und zwar ohne daß es sich deswegen schon ausdrücklich um ein *concilium generale*

Ebenfalls aus dem Römischen Recht stammt die Maxime, auf die sich mehr und mehr die gegenläufige Tendenz, der Konziliarismus, berufen wird. Das Prinzip *Quod omnes tangit, ab omnibus debet approbari* erregt schon seit langem das lebhafte Interesse der Forschung[166], denn in ihm kristallisiert sich im späten Mittelalter der „demokratische" Gedanke in der Kirche und in der weltlichen Gesellschaft. Der Weg des Prinzips durch die Geschichte ist in seinen großen Zügen bekannt. Nur an die wichtigsten Stationen sei hier erinnert.

Wir finden die Maxime zunächst im *Codex Justinianus*. Sie bezieht sich hier auf einen ganz speziellen Fall des Mündelrechts. Wenn mehrere Tutores eine unteilbare *tutela* verwalten, dann kann die gemeinsame Verwaltung derselben nur mit gegenseitigem Einverständnis beendet werden.[167] Gegen Ende des 12. Jahrhunderts taucht das Prinzip bei Bologneser Kanonisten auf. Bernhardus Papiensis zitiert es um 1198, und zwar unter ausdrücklicher Berufung auf den *Codex Justinianus*.[168]

---

handelt. Barth. de Salyceto, Prima com. in prim. et sec. codicis, 1.2.1 ad v. CONCILIO: *Textus dicit quod unusquisque potest relinquere sanctissimo concilio etc. Contra, quia concilium est quaedam congregatio sanctorum patrum in unum per summum pontificem convocatorum ad aliquid statuendum et providendum ut supra (1.1.7.19). Sed tales congregationes sunt temporales, quia modico tempore duraturae. Et tunc non expedit convocatis habere nisi solum victum, cum finito tempore illo unusquisque redeat ad propria loca et desinat esse concilium . . . Hic non loquitur de tali concilio, sed de tali, quod faciat corpus et collegium monachorum vel clericorum vel de universali collegio catholicorum (!). Nam et quodlibet collegium monachorum vel religiosorum potest dici concilium. Nam inquit Hugutio, quod concilium est advocatio gentium et componitur ex ‚con‘ et ‚cilium‘ et dictio ‚con‘ simultatem notat, et ‚cilium‘ idem est quod ordo pilorum et sicut cilia coniunguntur quando oculi quiescere volunt, sic et homines iunguntur in concilio. Unde concilio, (concili)as idem est quod concordo, (concord)as. Et coniungo, (coniung)is quasi conciliare sit, idem quod animos varios vel contrarios in unum coniungere et concordare. Sed haec concordia et pacificatio est in collegiis religiosorum et maxime claustralium ut in authentico (Nov. 5.3). Et de his hic loquitur, licet ex more et usu loquendi congregatio sanctorum patrum, quam dominus papa mandat fieri et in qua interest ut aliquid statuatur et ordinetur super observatione spectantium ad universalem ecclesiam dicatur concilium, elegantiore nomine sumpto et quod faciunt episcopi vocatur synodus* (Ausgabe 1532, s. l. fol 7ra).

[166] G. POST, A Romano-Canonical Maxime ‚Quod omnes tangit‘ in Bracton, in: Tr. 4 (1946) 197—251, vor allem 200—209; Y. M. CONGAR, Quod omnes tangit ab omnibus tractari et approbari debet, in: RHDF 35 (1958) 210—251, vor allem 243—258; A. MARONGIÙ, Il principio della democrazia e del consenso (quod omnes tangit ab omnibus approbari debet) nel xiv secolo, in: StGra 8 (1962) 553—575; R. E. GIESEY, ‚Quod omnes tangit‘: a postscriptum, in: StGra 15 (1972) 321—332 (über Fr. Hotman) und E. HALL, King Henry III and the English reception of the Roman Law Maxim Quod omnes tangit, in: ebd. 127—145.

[167] C. 5.59.5 § 2: *Tunc et enim sive testamentarii sive per inquisitionem dati sive legitimi sive simpliciter creati sunt, necesse est omnes suam auctoritatem praestare, ut quod omnes similiter tangit, ab omnibus comprobetur.*

[168] Bern. Pap., Summa Decretalium 3.10: *Sciendum est igitur, quod in his quae a capitulo fieri vel ordinari debent omnium consensus est requirendus, ut quod omnes tangit ab omnibus comprobetur ut argumentum D. 39.3.8 et D. 5.59.5 § 2* (Ausgabe LASPEYRES 75).

Innocenz III. zitiert es in einer Dekretale zwischen 1198 und 1215, wieder unter ausdrücklicher Berufung auf den *Codex Justinianus*. Im Zusammenhang rechtfertigt das Prinzip die gemeinsame Wahl des Dekans.[169] B. Tierney[170] weist auf einen noch früheren Beleg für die Verwendung der Maxime durch Bologneser Kanonisten hin, nämlich auf die Summe *Reverentia sacrorum canonum*[171], die von Kuttner auf 1183—1192 datiert wird.[172] Hier taucht die Maxime im Zusammenhang der Frage der Absetzung eines häretischen Papstes auf. Die Häresie ist eine Sache, die alle Richter in der Kirche betrifft und deshalb ist jeder rechtgläubige Bischof befugt, gegen den Papst vorzugehen. In der *Glossa ordinaria* (1217) taucht unsere Maxime zu dist. 96.4 auf.[173] Die Quelle des Glossators dürfte Huguccio sein, der sich dist. 96.4 ebenfalls auf unsere Maxime beruft.[174] Damit wäre Huguccio der früheste Beleg — was bisher übersehen wurde — für unsere Maxime bei Bologneser Kanonisten, unter der Voraussetzung, daß die Summe *Reverentia sacrorum canonum* erst nach 1190 entstanden ist.[175]

Die Bedeutung von Huguccios Kommentar zu dist. 96.4 liegt aber nicht nur darin, daß hier die Maxime vielleicht zum erstenmal in kanonistischer Literatur vorkommt, sondern darin, daß sie gleich hier, bei ihrem ersten Auftauchen, im Zusammenhang mit der Konzilsproblematik genannt wird! Sie rechtfertigt nämlich die Teilnahme des Kaisers am Konzil. Glaubensfragen, also Fragen, die alle angehen, führt Huguccio aus, müssen von allen behandelt und gebilligt werden. Folglich müssen alle hinzugezogen werden *(vocari)*. Der Kaiser repräsentiert aber alle. Also muß er am Konzil als Repräsentant aller teilnehmen.

Huguccio bleibt hier stehen, bei der Repräsentanz aller durch den einen. Das Prinzip gibt aber mehr her. Vor allem Wilhelm Durandus junior

---

[169] Innocenz III: extra 1.23.7: *Ad hoc breviter respondemus, quod cum iuxta imperialis sanctionis auctoritatem ab omnibus quod omnes tangit approbari debeat, et cum commune eorum decanus officium exerceat, communiter est eligendus vel etiam amovendus.*

[170] TIERNEY, Pope and Council: Some New Decretist Texts, in: MS 19 (1957) 197—218, hier 216.

[171] S. Rev. sacr. can, dist. 40.6 ad v. A FIDE DEVIUS: *Set numquid metropolitanus vel episcopus alius in eum animadvertere posset? Quod forte videtur, quia haeresis omnes ecclesiae iudices tangit et quod omnes similiter tangit ab omnibus sicut si bonum est debet comprobari, ita si malum est improbari ut colligi potest ex eo quod dicitur in C. 5.59.5. § 2.*

[172] KUTTNER, Repertorium 194.

[173] Glossa, dist. 96.4: *Argumentum quod omnes tangit ab omnibus debere tractari et approbari; argumentum dist. 66.1; C. 5.59.5; de hoc extra 3.10.10* (Ausgabe Paris 1585 col. 589d).

[174] Vgl. Anm. 113.

[175] Bei Huguccio findet sich die Maxime in zwei Formen: a) *similiter debet vocari, ubi tractatur, quod communiter spectat ad omnes,* b) *quod omnes tangit, ob omnibus debet tractari et approbari.* Vgl. Anm. 113.

wird das sehen. Bei ihm wird die Maxime zum Ceterum censeo seines Traktates *De modo generalis concilii celebrandi et de corruptelis in ecclesia reformandis* (1311).[176] Die Zukunft wird gekennzeichnet sein durch die Auseinandersetzung zwischen beiden Tendenzen, der papalistischen und der konziliaristischen. *Papa vel imperator* heißt es bei den einen, *quod omnes tangit ab omnibus tractandum et approbandum est* bei den anderen. Es ist nicht ohne Reiz, festzustellen, daß die Ansätze zu beiden Konzeptionen des Konzils, und damit letztlich auch der Kirche, von Anfang an in der Kanonistik anzutreffen sind, und daß — was dabei noch entscheidender ist — bei der Entfaltung beider, des Papalismus und des Konziliarismus, das Römische Recht Pate steht.

---

[176] Über die Maxime bei Marsilius von Padua, Wilhelm von Ockham usw. vgl. CONGAR, Quod omnes tangit, und MARONGIU (Anm. 166).

Kapitel VII

MITTELALTERLICHE KONZILSIDEE IM KONTEXT DER FILIOQUE — KONTROVERSE (867—1378)

Wir haben in den beiden vorausgegangenen Kapiteln zusammengetragen, was in Kirchenrechtssammlungen bis zum *Decretum Gratiani* einschließlich und in Werken einer Anzahl von Dekretisten und Dekretalisten über Konzilien gesagt wird. Bei diesem Durchblick durch relativ homogene Quellen über einen längeren Zeitraum hinweg ließ sich deutlich eine bestimmte Entwicklung der mittelalterlichen Konzilsidee ausmachen. Gibt es noch andere Quellen in unserem Zeitabschnitt, in denen nicht sporadisch, sondern kontinuierlich, eventuell Jahrhunderte hindurch, das Konzil thematisch ist, so daß das aus den Kirchenrechtsquellen erhobene Bild nach der einen oder anderen Seite hin ergänzt und vervollständigt werden könnte?

Es gibt in der Tat einen weiteren methodisch günstigen Zugang zur früh- und hochmittelalterlichen Konzilsidee. In dem von uns anvisierten Zeitraum steht die lateinische Kirche fast kontinuierlich in Kontroverse mit der griechischen. In den zahlreichen literarischen Zeugnissen dieser Auseinandersetzung kommt es im Zusammenhang des Hauptgravamens der Griechen gegenüber den Lateinern, nämlich der Hinzufügung des Filioque in das Nicaeno-konstantinopolitanische Symbolum[1],

---

[1] Zur historischen Information über die Kontroverse vgl. M. Jugie, De processione spiritus sancti ex fontibus revelationis et secundum orientales dissidentes, Rom 1936, 233—319; Ders., Theologia 154—310; zur Vorgeschichte und Geschichte des Schismas: D. M. Nicol, Byzantium and the Papacy in the Eleventh Century, in: JEH 13 (1962) 1—20; R. G. Heath, The Western Schism of the Franks and the Filioque, in: JEH 23 (1972) 97—113; zum weiteren ekklesiologischen Kontext: Congar, L'ecclésiologie; Ders., Quatre siècles de désunion et d'affrontement. Comment Grecs et Latins se sont appréciés réciproquement au point de vue ecclésiologique, in: Istin. 13 (1968) 131—152; speziell zur Autoritätsproblematik der lateinischen Seite: Morrison, Tradition and Authority 155 ff.; Ullmann, The Growth of Papal Government; J. Leclerc, Le Pape ou le Concile? Une interrogation de l'Église médiévale, Lyon 1973. Zur heutigen ökumenischen Dimension des Filioque vgl. W. Ullmann, Das *Filioque* als Problem ökumenischer Theologie, in: KuD 16 (1970) 58—76; P. Henry, Contre le Filioque, in: Irén. 48 (1975) 170—177; A. de Halleux, Pour un accord oecuménique sur la procession de l'Esprit Saint et l'addition du ‚Filioque' au symbole, in: Irén. 51 (1978) 451—469; Y. Congar, Pour le centenaire du concile de 381: Diversité dogmatique dans l'unité de foi entre Orient et Occident, in: Irén. 54 (1981) 25—35.

bei mehreren der betreffenden Autoren zu ausdrücklichen Aussagen über Konzilien. Mit anderen Worten, wir haben in diesen literarisch relativ homogenen Texten so etwas wie einen locus de conciliis vor uns. Der Anlaß, *contra Graecos* über Konzilien zu schreiben, ist dabei meist rein äußerlicher Art. Die Griechen stellen an die Lateiner die ‚Anfrage‘, wie ohne Konsultation eines Ökumenischen Konzils das Filioque in das Credo eingefügt werden konnte. Zumindest bei einem Autor jedoch, Thomas von Aquin, kommt es darüber hinaus, wie wir sehen werden, zu einer wenigstens indirekten systematischen Verknüpfung von Filioque- und Konzilsproblematik.

Im ersten Teil unserer Untersuchung befassen wir uns mit der griechischen ‚Anfrage‘ an die lateinische Kirche. Hier ist noch weniger als im zweiten Vollständigkeit in der Erfassung des Textmaterials erstrebt. Stellvertretend für zahlreiche andere kommen nur einige wenige Autoren zur Sprache. Im zweiten Teil gehen wir auf die Konzilsidee von *contra Graecos* schreibenden lateinischen Theologen ein und klammern dabei ausdrücklich die Probleme der literarischen Abhängigkeiten aus.[2] *Pro Latinis* schrieben nicht nur lateinische Theologen, sondern auch einige Griechen, vor allem im Zusammenhang des Unionskonzils von Lyon (1274). Wir gehen auf sie im dritten Teil ein. Die Filioque-Problematik und damit, zumindest bei einigen Autoren, die Konzilsfrage haben in der theologischen Schulliteratur, vor allem den Sentenzenkommentaren dieser Zeitspanne, ihren ‚Ort‘ bei der Behandlung des Heiligen Geistes. In I sent. dist. 11 wird damit zum Fundort von Aussagen über die Konzilien (4. Teil).

1. Opposita Graecorum

Die griechisch-lateinische Kontroverse über den Symbolzusatz des Filioque begann zwar nicht erst mit Photios, aber der berühmte Patriarch von Konstantinopel (858—867 und 877—886) machte ihn zum Schibboleth des Schismas zwischen der Ost- und Westkirche.[3] Die An-

---

[2] Vgl. hierzu vor allem A. DONDAINE, Contra Graecos. Premiers écrits polémiques des Dominicains d'Orient, in: AFP 21 (1951) 320—446; R. LOENERTZ, Autour du Traité de Fr. Barthélemy de Constantinople contre les Grecs, in: AFP 6 (1936) 361—371.

[3] Das Filioque wurde wohl zuerst auf der 8. Synode von Toledo (653) in das Nicaeno-Constantinopolitanum eingefügt, nachdem die betreffende Lehre schon vorher verbreitet war. Von Spanien gelangte die neue Form des Glaubensbekenntnisses über Gallien unter anderem auch nach Italien (Synode von Friaul 796/97). Karl d. Gr. ließ sie in seiner Aachener Kapelle nach dem Evangelium rezitieren. Lateinische Mönche, die sie 807 in Jerusalem

zahl der Irrtümer beziehungsweise Irrlehren, die Photios in seinem
Konflikt mit Papst Nikolaus I.[4] der lateinischen Kirche vorhielt, variiert
zwar in seinen einzelnen Schriften[5], immer aber ist das Filioque dabei,
die Hinzufügung des Hervorgangs des Heiligen Geistes aus dem Sohn,
und immer lehnte er dieses Filioque auch unter Berufung auf die Konzilien ab. Wie argumentiert Photios im einzelnen? In seinem berühmten
Brief an die Bischöfe des Ostens aus dem Frühjahr 867[6] stellt er nach
einigen theologisch spekulativen Argumenten gegen das Filioque die
rhetorische Frage: „Der Geist geht also vom Sohn aus? Wo hast Du
das gehört? Von welchem Evangelisten hast Du dieses Wort? Von
welcher Synode stammt diese Blasphemie? . . . Sie steht im Gegensatz
zu den Evangelien, sie kämpft an gegen die heiligen Synoden . . . Sie
verfälscht die seligen und heiligen Väter . . ."[7]
Nach einer genaueren Spezifizierung, wieso das Filioque mit den Konzilien unvereinbar ist, sieht man sich in diesem Brief, in dem übrigens
an anderer Stelle die Gründe für die Ökumenizität des zweiten Nicaenums (787) entfaltet werden[8], vergeblich um. Diese nähere Spezifizierung findet sich auch nicht im Brief an den Patriarchen von Aquileia[9],
wo wiederum gegen das Filioque nur geltend gemacht wird, es berück-
sichtige „nicht die Definitionen und Dogmen der Väter und der Kon-

---

sangen, verursachten eine erste Kontroverse mit den Griechen. Leo III. billigte zwar die
Lehre, widersetzte sich aber der Einfügung ins Credo und ließ zwei Platten mit dem Symbol
ohne Filioque vor der Confessio von St. Peter aufstellen. Einzelheiten bei K. Schäferdiek,
Die Kirche in den Reichen der Westgoten und Sueven usw., Berlin 1967, 211 Anm. 226; Jugie,
De processione 259—281, ferner B. Capelle, Le Pape Léon III et le Filioque, in: 1054 bis
1954, L'église et les églises, Chevtogne 1954, 309—322; M. Borgolte, Papst Leo III.,
Karl d. Gr. und der Filioque-Streit von Jerusalem, in: Byzantina 10 (1980) 402—427. Zum
Hintergrund und Anlaß der Kontroverse unter Photius vgl. H.-G. Beck, Die byzantinische
Kirche im Zeitalter des photianischen Schismas, in: HKG(J) III 1 (Freiburg 1973) 197 bis
218, hier 203 f.; vgl. auch H.-J. Marx, Filioque und Verbot eines anderen Glaubens auf
dem Florentinum. Zum Pluralismus in dogmatischen Formeln, St. Augustin 1977, 177 ff. —
Photius hat sich nicht nur, wie M. Jugie, Origine de la controverse sur l'addition du Filioque
au symbole, in: RSPhTh 28 (1939) 369—385, zu beweisen suchte, gegen die Lehre vom
Hervorgang des Heiligen Geistes aus dem Sohn, sondern auch gegen den Symbolzusatz
als solchen gewandt, vgl. V. Grumel, Le décret du synode photien de 879—880 sur le symbole de foi, in: EOr 37 (1938) 357—372; Ders., Photius et l'addition du Filioque au symbole
de Nicée-Constantinople, in: REByz 5 (1947) 218—234.
[4] Zu Einzelheiten und geschichtlichem Hintergrund vgl. D. Stiernon, Konstantinopel IV.,
75—81.
[5] Vgl. hierzu Jugie, Theologie I 104—110.
[6] Ep 13 PG 102, 721—742.
[7] Ep 13, 15—16 PG 102, 728D—729A.
[8] Ep 13, 40—44 PG 103, 740B—741AB.
[9] Ep 24 PG 102, 793B—821A. Vgl. B. Laourdas, The Letter of Photios to the Archbishop
of Aquileia. Two Notes on its text, in: Kler. 3 (1971) 66—68.

zilien" beziehungsweise setze sich leichtfertig über deren genaue Formulierung hinweg.[10] Sie findet sich erst in seiner dogmatischen Hauptschrift *De Spiritus Sancti mystagogia*, die Photios nicht vor seiner zweiten Absetzung, also nach 886 verfaßt hat.[11] Hier beruft er sich zunächst pauschal auf die Lehre aller Ökumenischen Synoden[12], dann speziell auf die Definition des Chalcedonense.

Doch am besten ist, wir hören uns den heiligen Wortlaut der Synode an. Nach Zitat des Glaubensbekenntnisses, das die erste und zweite Synode bestätigt und überliefert haben, heißt es: „Zur vollständigen Erkenntnis und Sicherung des Glaubens genügt dieses weise und heilsame Symbolum der göttlichen Gnade."[13] Es wird also ‚vollständig' genannt, nicht lückenhaft, eines Zusatzes oder einer Streichung nicht bedürftig. Und warum ist dieses Symbolum ‚vollständig'? Achte auf die Fortsetzung des Textes: „Über den Vater und den Sohn und den Heiligen Geist enthält es nämlich die endgültige Lehre."[14] Wie lautet dieselbe? Vom Sohn wird proklamiert, daß er vom Vater gezeugt ist, vom Geist aber, daß er vom Vater ausgeht. Und etwas später heißt es: „Das Konzil bestätigt die Lehre über das Wesen des Heiligen Geistes, die von den 150 in Konstantinopel versammelten Vätern vordem gegen die Pneumatomachen überliefert wurde."[15] Und was sagten diese Väter über das Wesen des Geistes aus? Eben, daß er vom Vater ausgeht. Wer also etwas anderes lehrt, hebt die Definition auf und zerstört und pervertiert, soweit das die eigene Dreistigkeit vermag, das Wesen des Heiligen Geistes . . . Beachte auch die Fortsetzung des Textes; gegen Ende dieses ganzen Abschnittes heißt es: „Die heilige und ökumenische Synode definiert, nachdem alles mit aller nur denkbaren Sorgfalt und Genauigkeit abgefaßt wurde . . ." Was definiert sie? „Niemandem ist es erlaubt, einen anderen Glauben vorzutragen oder aufzuschreiben oder zu verfassen oder sich auszudenken oder andere zu lehren. Wer sich jedoch herausnimmt, einen anderen Glauben zu verfassen oder sich zu verschaffen oder zu lehren oder ein anderes

---

[10] Ep 24, 3 PG 102, 797A. Vgl. auch Ep 24, 23 PG 102, 816C: die wenigen Väter, die das Filioque halten, „verstoßen gegen die Bestimmungen der heiligen Synoden".

[11] PG 102, 279—392. „Das Werk sammelt jene Argumente für die Lehre, daß der Hl. Geist vom Vater allein ausgehe, die nun für alle weiteren Jahrhunderte in Geltung bleiben sollten". So H.-G. BECK, Kirche und theologische Literatur im byzantinischen Reich, München 1959, 521. Zur Kenntnis der Lateiner kam dieses Werk jedoch erst im 12. Jahrhundert durch Hugo Etherianus. Vgl. JUGIE, Theologia I 191; ebd. 192 ff. Analyse.

[12] Photius, De S. sp. myst. 5, PG 102, 284B—285B: „Welche Synode hat mit ihren allgemeinen Bekenntnissen diese Meinung je gestützt und gefördert, ja welche göttliche Versammlung von Bischöfen und Erzbischöfen hat sie nicht, bevor sie noch geäußert wurde, durch die Einhauchung des allerheiligsten Geistes verurteilt? . . . Sogleich die zweite der sieben ökumenischen und heiligen Synoden definierte, daß der Heilige Geist aus dem Vater hervorgeht, die dritte übernahm, die vierte bekräftigte, die fünfte stützte, die sechste verkündigte, die siebte besiegelte im Wetteifer (diese Lehre). In jeder einzelnen dieser Synoden kann man klar den in aller Freiheit verkündeten Glauben erkennen: der Geist geht vom Vater und nicht vom Sohne aus."

[13] Chalc., actio V, ACO II 1, 2, 34; 128, 15—16: Ἥρκει μὲν οὖν εἰς ἐντελῆ τῆς εὐσεβείας ἐπίγνωσίν τε καὶ βεβαίωσιν τὸ σοφὸν καὶ σωτήριον τοῦτο τῆς θείας χάριτος σύμβολον.

[14] Ebd. 128, 16—17: Περί τε γὰρ τοῦ πατρὸς καὶ τοῦ υἱοῦ καὶ τοῦ ἁγίου πνεύματος ἐκδιδάσκει τὸ τέλειον.

[15] Ebd. 129, 1—4: Καὶ διὰ μὲν τοὺς τῷ πνεύματι τῷ ἁγίῳ μαχομένους τὴν χρόνοις ὕστερον παρὰ τῶν ἐπὶ τῆς βασιλευούσης πόλεως ρν συνελθόντων πατέρων περὶ τῆς τοῦ πνεύματος οὐσίας παραδοθεῖσαν διδασκαλίαν κυροῖ.

Symbolum den Konvertiten aus dem Heiden- oder Judentum oder einer Häresie zu über-
liefern, der soll, wenn er Bischof oder Priester ist, aus dem betreffenden Amt entfernt, wenn
er Mönch oder Laie ist, mit dem Kirchenbann belegt werden."[16]

Das Filioque steht also nach Photios im Widerspruch zu den Definitionen der genannten Konzilien, erstens, weil es von denselben nicht
positiv gelehrt wird, zweitens, weil das Chalcedonense ausdrücklich
einen anderen Glauben als den von ihm formulierten verbietet. Man
wird nicht behaupten wollen, daß das sehr neue Argumente sind. Ähnlich haben schon die Monophysiten gegen das Chalcedonense polemi-
siert.[17]

Da es auf dem Unionskonzil von Konstantinopel 879/80 zu einer Aus-
söhnung zwischen Rom und Byzanz kam, brach auch der Streit über
das Filioque zunächst wieder ab.[18] Er flammte erneut auf, als Humbert
von Silva Candida in einem unglücklichen Mißgriff den Griechen die
Streichung des Filioque aus dem Symbolum vorwarf. Michael Kerullarios, der nicht weniger streitbare Konstantinopler Patriarch, beklagte
darauf im sogenannten Semeioma, dem Synodalbeschluß der Endemousa von Ende Juli 1054, daß die Griechen deswegen von den Lateinern mit dem Kirchenbann belegt worden seien, weil sie unter anderem
„das hochheilige Symbolum, das kraft aller synodalen und ökumenischen
Beschlüsse eine unerschütterliche Geltung besitzt, nicht mit falschen
Spekulationen und heimlich hinzugefügten Wörtern verfälschen lassen
wollten".[19]

---

[16] Photius, De S. Sp. myst. 80, PG 102, 361C—365A. — Dieses letzte Zitat aus dem
Chalcedonense, ACO II 1, 2, 34; 130, 4—11, stimmt weitgehend wörtlich mit der entsprechenden Bestimmung des Ephesinums überein; vgl. COD 65. Einzelheiten hierzu bei
MARX 185—186. — Der *Mystagogia* folgt in den Ausgaben eine dem Photios freilich nicht
sicher zugehörige *Epitome*, die gegen die drei das *Filioque* lehrenden westlichen Theologen,
nämlich Ambrosius, Augustinus und Hieronymus, das Zeugnis der sieben Ökumenischen
Konzilien ins Feld führt: „Alle Synoden bekräftigen eine nach der andern die Definition
unseres Glaubens; die Vorsteher und Richter der römischen Kirche stimmten ohne Widerspruch zu und bestimmten, nichts dürfe der Glaubensdefinition hinzugefügt und nichts weggenommen werden. Wer dies wagt, ist aus der Kirche zu entfernen" (PG 102, 393A). Vgl.
G. PODSKALSKY, Theologie und Philosophie in Byzanz, München 1977, 107—108 zu dieser
Epitome: ihre Syllogismen werden „quasi zum roten Faden und zur Mustervorlage aller
späteren Traktate zu diesem Generalthema".
[17] Vgl. SIEBEN, Konzilsidee 242 ff.
[18] Zu diesem Konzil vgl. unter anderen MEIJER, A Successful Council. — Das Konzil enthält
in seinem Horos ein eindeutig gegen das Filioque gerichtetes Verbot von Zusätzen zum
Symbolum und greift dabei in der Formulierung auf die Ep. encyclica des Photios von
867 zurück. Einzelheiten bei MEIJER 185, ebd. 266—267 Abdruck des Horos (= Mansi
17, 520).
[19] Mich. Ker., Edictum synodale, PG 120, 737D. — Der zitierte Text stammt wörtlich aus
der Ep. encyclica 8 des Photios, PG 102, 725CD.

Aus dem gleichen Jahr wie das Semeioma des Kerullarios stammt die *Synthesis kata Latinon* des Studitenmönchs Niketas Stethatos[20] gegen das Filioque. Die Schlußkapitel greifen das argumentum ex conciliis auf. Nach Berufung auf die Ökumenischen Konzilien von Nicaea (das heißt die *Gelasii Cyziceni historia concilii Nicaeni*) bis Chalcedon und auf deren Verbot, ein anderes Glaubensbekenntnis zu verfassen, heißt es: „Diesen Glauben hielten auch die Ökumenischen Konzilien, die sich nach den eben aufgezählten, von Gott inspiriert, versammelt haben, wie einen sicheren Anker fest. Mit einem Wort, was die Heiligen zusammengefügt haben, ist vollendet".[21] Die *Synthesis* schließt mit einer sehr subtilen Diskussion darüber, ob das μόνος beim ἐκ πατρός auf griechischer Seite nicht in gleicher Weise wie das lateinische Filioque eine solche von den Konzilien verbotene Hinzufügung zum Symbolum darstellt.[22]

Knappe 100 Jahre später bringt ein Namensvetter, Niketas von Maroneia († 1145), Chartophylax der Großen Kirche, später Erzbischof von Thessalonike[23], das argumentum ex conciliis gegen das Filioque in folgender Form: Indem die Lateiner etwas, was nicht von den Vätern ausgesprochen wurde, nämlich das Filioque, in das Symbolum einfügen, ‚folgen' sie nicht allen Vätern, sondern ‚sprechen' eben damit von ihnen Verschiedenes. Auf dieses gleiche Sprechen, auf die gleichen Worte, mit den Vätern aber kommt es an.

„Denn es ist notwendig, die Darlegung des Glaubens nicht nur den Dogmen und Gedanken nach, sondern auch dem Wortlaut nach untadelig und unversehrt zu bewahren".[24] Niketas verdeutlicht diesen Grundsatz durch die Konziliengeschichte:

---

[20] Zu diesem Theologen vgl. BECK, Kirche und theologische Literatur 535—536, ferner J. VAN ROSSUM, Reflections on Byzantine Ecclesiology: Nicetas Stethatos ‚On the Hierarchy', in: SVTQ 25 (1981) 75—83.

[21] Nik. Stet., Synthesis 28, 3, A. MICHEL, Humbert und Kerullarios, Quellen und Studien zum Schisma des XI. Jahrhunderts, Paderborn 1930, II 407, 11—13: πᾶς ὁ τῶν ἁγίων ὁρμαθὸς τετελείωται.

[22] Wenn dem zweiten Bischofssitz eine Hinzufügung erlaubt ist (das μόνος), läßt Niketas einen fiktiven Gegner argumentieren, steht eine solche dann nicht erst recht dem ersten Sitz, das ist Rom, zu? *Nego suppositum*, lautet die Antwort. Die griechische Kirche hat keinen Zusatz gemacht. Das μόνος wird zum πατήρ höchstens hinzu*gedacht*. Übrigens sind an dieser Hinzufügung die Lateiner schuld. Das μόνος negiert lediglich das *Filioque*. Ohne *Filioque* gäbe es kein μόνος! Der Lateiner versucht, den Spieß umzudrehen: auch das *Filioque* sei lediglich ‚hinzugedacht' und insofern keine der vom Konzil verbotenen Hinzufügungen zum Glauben, aber der Grieche läßt sich auf dieses Gedankenspiel nicht ein. *Synthesis* 29, ebd. 407, 24—409, 9.

[23] Zu diesem Autor vgl. BECK, Kirche und theologische Literatur 621.

[24] De processione spir. dial. 6, PG 139, 247B.

Schau, wie viele Synoden schon nach der Darlegung des Glaubenssymbolums (von Nicaea) abgehalten worden sind und wie viele Fragen über den Glauben erörtert wurden, und wie doch auf keiner Synode nach der zweiten, die den Glauben über den Heiligen Geist erklärt hat, ein einziges Wort davon weggenommen oder hinzugefügt wurde. Nichts von dem, was definiert war, wurde verändert. Vielmehr hat man die meisten Probleme gerade durch die Worte des Symbolums gelöst und durch das Bekenntnis zu ihm jeden Verdacht und Zweifel, wie es sich gehört, beseitigt. Mag der eine die Worte des Symbolums so, der andere so verstanden haben, die Worte selber jedoch hat man keineswegs verändert. Die richtige Meinung hat man bei einer Frage vielmehr durch (neue) andere Darlegungen und Definitionen an die Öffentlichkeit gebracht und die falsche verworfen. So ging man bei der dritten Synode vor, so bei der vierten, so bei den übrigen. Das heilige Symbolum des Glaubens (θρησκεία) wurde, so wie es von Anfang an überliefert worden war, bewahrt.[25]

Niketas warnt beschwörend vor einem anderen Vorgehen: „Wenn man es nämlich erlaubt, bei den entstehenden Fragen je und je etwas hinzuzufügen oder wegzunehmen, dann werden wir eben doch, ohne es zu merken, allmählich ‚die Grenzen der Väter' überschreiten".[26]

Für diese Unterscheidung zwischen dem Wortlaut des Symbolums, der unverändert bleiben muß, und den zusätzlich neuen konziliaren Glaubensbekenntnissen, die je und je neu aufgestellt wurden, beruft sich Niketas wiederum auf die Konziliengeschichte, genauer auf das Vorgehen der nachnicaenischen Väter. Als der Streit um das ὁμοούσιος ausgebrochen war, ja sogar manche das ὁμοούσιος auf ihre Fahnen schrieben, um damit ihre Irrlehren zu kaschieren, nahmen die Väter dennoch keine Veränderung am Symbolum selber vor. Sie fügten keine Erklärung in den Text ein, um der Irrlehre zu widersprechen, sondern griffen ‚privat' zur Feder und legten den richtigen Sinn der Worte des Symbolums dar. So tat es zum Beispiel Athanasius in seinen Schriften.[27]

Ähnlich wie mit dem ὁμοούσιος verfuhren die Väter mit dem ἐκ τοῦ πατρὸς ἐκπορευόμενος. Das Zeugnis der Konzilsakten und der Synodalschreiben ist einhellig: Sie ließen es unverändert und fügten weder „aus dem Sohn", noch „nicht aus dem Sohn", noch auch „durch den Sohn" hinzu.[28] Die Nutzanwendung dieser Lektion für die Lateiner lautet: Wenn ihr das Filioque im Sinne von „durch den Sohn", also orthodox versteht, dann schreibt darüber Abhandlungen und Bücher, so wie es die Nicaener im Hinblick auf das ὁμοούσιος getan haben. Aber laßt das Symbolum unverändert, wie es ist![29]

---

25 Ebd. 217B—C.
26 Anspielung auf „Überschreite nicht die ewigen Grenzen, die deine Väter gesetzt haben" (Spr 22, 28). Zu diesem Schriftzitat vgl. SIEBEN, Konzilsidee 61 f.
27 PG 139, 217D—20A.
28 Ebd. 220A—B.
29 Ebd. 220C.

Man sieht, bei einem Autor wie Niketas von Maroneia ist das argumentum ex conciliis gegen das Filioque im Vergleich zu Photios und Kerullarios beträchtlich verfeinert beziehungsweise modifiziert. Dem lateinischen Anliegen der Ermöglichung einer Lehrentwicklung wird durch die Unterscheidung zwischen Festhalten am ursprünglichen Wortlaut des Symbolums und privaten oder gemeinsamen neuen Glaubensbekenntnissen nach den Erfordernissen der Zeit durchaus Rechnung getragen. Wogegen sich Niketas jedoch mit Leidenschaft wendet, ist die Respektlosigkeit der Lateiner gegenüber der Tradition. Durch die Einfügung des Filioque vergreifen sie sich am heiligsten Dokument der Überlieferung, sie tun dies im Gegensatz zur vielhundertjährigen Praxis der Kirche.

Etwas nach Niketas von Maroneia, nämlich um 1155, disputiert Basileios von Achrida mit Anselm von Havelberg. In seinem argumentum ex conciliis beruft er sich ziemlich undifferenziert auf das zweite und die übrigen Ökumenischen Konzilien.[30] In den Zusammenhang des Unionskonzils von Lyon (1274) gehört eine Reihe von Stellungnahmen von griechischer Seite, in denen unter anderem auch auf das Filioqueproblem eingegangen wird. J. Darrouzès hat sie neuerdings der Öffentlichkeit zugänglich gemacht.[31] Der französische Gelehrte ordnet in den Kreis dieser meist gegen die Union gerichteten Schriften auch die sogenannte Panoplia ein, die von ihrem Herausgeber A. Michel Kerullarios zugeschrieben worden war.[32] Die Panoplia ist für unsere Fragestellung von Interesse, weil die argumentatio ex conciliis in ihr eine große Rolle spielt. Nach kurzer Schriftargumentation[33] heißt es sogleich:

Und die heilige und universale zweite Synode lehrt in ihrem heiligen Glaubensbekenntnis so, wie der Herr darüber im Evangelium überliefert hat, nämlich daß der Geist „vom Vater ausgeht" und nicht vom Sohn. . . . Die Flüche aller Ökumenischen Synoden zieht auf sich, wer etwas zum heiligen Symbolum hinzuzufügen sich herausnimmt. Denn die zweite ökumenische heilige Synode traf und verurteilte Makedonios samt Gesinnungsgenossen,

---

[30] Des Basilius aus Achrida bisher unedierte Dialoge, hrsg. J. SCHMIDT 43.

[31] Vgl. V. LAURENT — J. DARROUZÈS, Dossier Grec de l'union de Lyon (1273—1277), AOC 16, Paris 1976, Einführung: 1—132, Texte, meist mit Übersetzung: 134—588; DERS., Les documents grecs concernant le concile de Lyon, in: 1274 Année charnière. Mutations et continuités, Coll. internat. CNRS 558, Paris 1977, 167—178.

[32] Text in: MICHEL, Humbert 207—281, Einleitung 41—206, Zuschreibung an M. Kerullarios 88—109. A. Michel hat die Zuschreibung an Kerullarios wiederholt gegen V. Laurent und M. Jugie verteidigt. Die diesbezügliche Literatur ist zusammengestellt bei DARROUZÈS, Dossier 117 Anm. 1 und 2. — Als Abfassungszeit schlägt der französische Byzantinist ebd. VIII und 122—127 „die Nähe der Jahre 1273—1275" vor, als möglichen Autor den Bekenner Meletios, den Verfasser einer umfangreichen Kompilation in Reimen, ebd. 127.

[33] Als direkte Schriftbelege gegen das Filioque werden lediglich Joh 15, 26, Apg 2, 33, Tit 3, 5.8 und Jak 1, 17 zitiert.

indem sie folgendermaßen formulierte: „und an den Heiligen Geist, den Herrn, den Lebensspender, der vom Vater ausgeht, der mit dem Vater und dem Sohn zugleich angebetet und verherrlicht wird." Alle nachfolgenden göttlichen Ökumenischen Synoden haben diese Aussage angenommen und noch bekräftigt und bestärkt.[34]

Es folgen einige entsprechende Zitate aus Cyrill, dem ‚Koryphäen' des Konzils von Ephesus, dann Kanon I des Trullanums und einige Abschnitte aus der Definition des zweiten Nicaenums, der Photios-Synode (867) und der Unionssynode von 955/56.[35] Erst im Anschluß an die Argumente ex conciliis kommt dann das Väterargument, das die gleiche Struktur wie das Konzilsargument aufweist.[36] Ganz am Schluß der *Panoplia* erfolgt dann auf der Basis von Konzilsargument und Väterargument eine kurze ἀπόδειξις συλλογιστική, das heißt eine spekulative Widerlegung des Filioque.[37]

Der Beitrag der beiden folgenden Autoren, Neilos Kabasilas und Demetrios Kydones, — sie stehen zueinander im Verhältnis von Lehrer und Schüler — verdeutlicht einen zentralen Vorwurf der Griechen an die Adresse der Lateiner und bringt dabei ein wesentliches Stück östlicher Ekklesiologie zur Sprache: Mit der Einfügung des Filioque in das Symbolum maßt sich die römische Kirche ein Recht an, das nur die Gesamtheit der Kirchen besitzt. Hier lautet der Gegensatz: Ökumenisches Konzil und römischer Bischof. Für den Palamiten Neilos Kabasilas († 1363)[38] liegt die Ursache des bestehenden Schismas nicht in der Schwierigkeit (ὑψηλόν) des Dogmas oder der Heiligen Schrift oder im Mangel guter Theologen in beiden Kirchen oder am Primatsstreben der Griechen.[39] Der eigentliche Grund des Schismas ist folgender:

Die kontroverse Frage wurde nicht durch das gemeinsame Dekret einer Ökumenischen Synode entschieden. Ihre Lösung und Klärung geschieht nicht entsprechend der alten Gewohnheit der Väter in solchen Angelegenheiten, sondern die Römer maßen sich in dieser Frage die Rolle von Lehrern an, die andern sollen wie Schüler auf ihr Wort hören. So steht es jedoch nicht in den Statuten der Väter. Zum Beweis kann man die uns erhaltenen

---

[34] Panoplia 7, 1—3, Michel, Humbert 214, 11—27. Vgl. auch die Einführung in den Textabschnitt ebd. 159—166.

[35] Panoplia 8, 1—5, Michel, Humbert 16, 15—218, 12.

[36] Wird dort gezeigt, wie die Konzilien das Schriftargument ‚tradieren', so hier, wie die griechischen Väter Ps 32, 6 ‚interpretieren': Panoplia 9, 1—14, 4 (ebd. 218, 15—228, 19). Das Väterargument wird dann noch einmal an einer späteren Stelle der Panoplia, nämlich 44—47, 2 (ebd. 260, 8—264, 7), aufgenommen.

[37] Panoplia 61—62 (ebd. 274, 1—22).

[38] Zur theologischen Methodenlehre dieses Autors vgl. Podskalsky 180—95, ebd. weitere Literatur und Gesamtwürdigung.

[39] N. Kab., De dissidio eccl., PG 149, 658A—B: „Niemals haben wir je der römischen Kirche den Primat streitig gemacht, auch über den zweiten Rang soll jetzt nicht die Rede sein. Weder der alte Brauch noch die Bestimmungen der Väter, durch die die römische Kirche zur ältesten aller Kirchen erklärt wird, sind uns unbekannt."

(Konzils-)Akten der Väter einsehen: bei gemeinsamen Glaubensfragen suchten sie auch gemeinsam die Lösung.[40]

Mag dieses Verhalten der Römer am Anfang des Schismas noch vielleicht entschuldbar gewesen sein, fährt Neilos fort, eben weil man meinte, es gäbe auch einen anderen Weg zur Lösung als den von den Vätern beschrittenen des gemeinsamen Konzils, jetzt ist es dies nicht mehr, weil sich inzwischen gezeigt hat, daß es keinen anderen gibt.[41] Entschieden weist Neilos im folgenden die These zurück, der Papst könne kraft seines Oberhirtenamtes nach Belieben entweder ein Konzil einberufen oder die Angelegenheit „allein für sich ohne die anderen"[42] zur Entscheidung bringen:

Auch Julius war Papst und Damasus und Caelestin und Leo und Agathon — die Väter haben ihren untadeligen Lebenswandel bezeugt —, niemals jedoch haben sie derartiges gesagt, sondern sie kamen mit den anderen Brüdern zusammen, bekräftigten mit der Hilfe des guten Geistes die ‚Dogmen' und brachten den Kirchen den Frieden. Wenn nur auf diese Weise die Dogmen bekräftigt wurden, dies jedoch heute nicht geschieht, wer kann dann noch zweifeln, daß die ganze Ursache des Schismas darin zu sehen ist?[43]

Die Ökumenischen Konzilien, so fährt Neilos fort, dürfen nicht als päpstliche Gerichtshöfe fungieren. Das waren sie nämlich auch im christlichen Altertum nicht. Damals haben die Päpste ihre eigenen partikulären Konzilien einberufen und anschließend die Angelegenheit vor das Forum des Ökumenischen Konzils gebracht und dies nicht als eine schon entschiedene Sache. Ansonsten wären nämlich die Ökumenischen Konzilien völlig überflüssig. Der Einwand, nur eine Minderheit sei gegen die päpstliche Entscheidung, ist nicht stichhaltig, heißt es weiter. Nicht eine Minderheit, sondern die Häupter der Ökumene sind uneins. Deshalb gibt es keine andere Abhilfe für den ökumenischen Glauben als das Ökumenische Konzil. Aber wird so nicht der päpstliche Primat „aufgelöst?" Aufgelöst wird derselbe, so Neilos, wenn der Papst so weiterhandelt, wie er es jetzt tut. Er rettet ihn dagegen, wenn er wieder als rechtschaffener Mann handelt wie die Päpste früher.[44]

Aber der Papst hat doch die Macht über die Angelegenheiten der Kirche bekommen! — Auch ich sage das. Soll man deswegen den Bestimmungen der Väter zuwiderhandeln? Jene haben im Ökumenischen Konzil die Angelegenheiten der Kirche entschieden. Ein jeder bedurfte der Hilfe des andern. Sie waren sich nämlich der menschlichen Schwäche bewußt. Ihren Bestimmungen soll auch der Papst gehorchen, und er soll keinen Glaubenssatz festlegen, bevor mit den andern darüber eine Erörterung stattgefunden hat.[45]

---

[40] Ebd. 685B: περὶ τῶν κοινῇ περὶ τῆς πίστεως λόγων κοινὴν ποιούμενοι καὶ τὴν ζήτησιν.
[41] Ebd. 685C.
[42] Ebd. 688A: καθ' ἑαυτὸν ἰδίᾳ τῶν ἄλλων χωρίς.
[43] Ebd. 688A.
[44] Ebd. 688A—689B.
[45] Ebd. 689B.

Es folgen unter anderem Schriftbeweise über die Ausübung des päpstlichen Primats im Sinne des Apostels, vor allem im Sinne und Geiste
des Petrus.[46] Neilos widerspricht dann einem weiteren Einwand der
Lateiner, nämlich dem, eine Ökumenische Synode sei überflüssig, da es
sich beim Filioque um eine apostolische, in der Schrift begründete Überlieferung handele: Gerade das ist zweifelhaft und in einem Konzil zu
klären, so wie es beim ὁμοούσιος geklärt werden mußte. „Die Ökumenischen Konzilien der Kirche mußten gehalten werden, damit die Wahrheit erforscht, gefunden, gefestigt und dem Widerspruch jede Gelegenheit genommen wurde".[47]

Ähnlich wie sein Lehrer argumentiert der bedeutende Thomasüber-
setzer und Kenner der lateinischen Theologie, der spätere Konvertit
Demetrios Kydones († 1397/98).[48] Reicht die Autorität der römischen
Kirche, damit jemand das Filioque für wahr hält, oder bedarf es nicht
vielmehr eines Ökumenischen Konzils in dieser Frage?[49] Es bedarf nach
Demetrios eines Ökumenischen Konzils, und zwar aus zwei Gründen.
Erstens, im Credo heißt es nicht: Ich glaube an die römische Kirche,
sondern: Ich glaube an die katholische Kirche.[50] Zweitens, die Glau-
bensstreitigkeiten der Alten Kirche wurden nicht durch Rom allein,
sondern durch Ökumenische Konzilien entschieden. Übrigens wurden
diese Konzilien nicht von den Päpsten, sondern — wie aus den Ge-
schichtswerken hervorgeht — von den Kaisern einberufen. Der Papst
hatte in diesen Konzilien zwar den Vorsitz, aber die Entscheidungen
geschahen nicht im Namen des Papstes, sondern des gesamten Konzils.
Also ist es auch in der Filioque-Frage „sehr notwendig", daß „die Autorität und Erkenntnis der ganzen Kirche mit der römischen Kirche zu-
sammengehen".[51]

---

[46] 1 Kor 9, 12; 2 Kor 12, 10; Gal 2, 11—15; Apg 15.
[47] PG 149, 696A. Im folgenden antwortet Neilos auf zwei weitere Einwände: Die rein
fiktive Existenz dreier östlicher Stühle und das angebliche Nichterscheinen der Griechen
zum Konzil (696C—700A). Vgl. den ganzen Traktat, De primatu papae, ebd. 700B—29A.
[48] Zur theologischen Methodenlehre dieses Autors vgl. PODSKALSKY 195—207; Gesamtwürdigung und Gegenüberstellung mit Neilos Kabasilas, ebd.
[49] Ep. ad Barlaamum, PG 151, 1292A: *Sed ad hoc evenit mihi rursus haesitare, ne forte in
dogmatibus fidei, quibus fidelis ab infideli distinguitur, non idonea sit illius ecclesiae auctoritas, sed
requirenda etiam universalis ecclesiae.*
[50] Ebd. 1292AB: *. . . in symbolo fidei non dicimus credere in Romanam ecclesiam, sed in catholicam.
Quamquam quid prohibeat etiam illud nos dicere, si satis esset?*
[51] Ebd. 1292B—C: *Deinde olim in diversis orbis partibus, cum multae ortae fuissent haereses et
quaestiones, et de Filio, et de Spiritu Sancto, et de incarnatione, non referebantur quaesita ad
Romanam ecclesiam, ut ibi examinata et determinata omnibus tradantur, neque alii ad hoc solum respi-
ciebant, quidnam illa ecclesia de eis determinaverit, sed generalia aggregabantur concilia, et totius
ecclesiae cognitio et sententia de dubitatis vocabatur: cum hoc esset multo difficilius quam illud. Et quod*

2. Lateiner: Contra Graecos

Als Nikolaus I. die Nachricht von der Verurteilung des Filioque durch Photios auf dem Konzil vom Frühjahr 867 erhalten und Kenntnis von der Enzyklika des Konstantinopler Patriarchen erlangt hatte, forderte er in einem energischen Schreiben an Hinkmar von Reims und die übrigen Reichsbischöfe die lateinischen Theologen zu einer Widerlegung der griechischen ‚Irrtümer' auf.[52] Wie viele westliche Theologen der Aufforderung des Papstes schließlich gefolgt sind, wissen wir nicht; nur drei Antworten sind auf uns gekommen. Von unmittelbarem Interesse in unserem Zusammenhang ist davon lediglich des Benediktinermönchs Ratramnus von Corbie[53] Traktat *Contra Graecorum opposita* aus dem Jahre 867/68; denn weder in der Schrift des Aeneas von Paris († 870)[54] noch in dem Schreiben der deutschen Bischöfe[55] wird auf das photianische *argumentum ex conciliis* gegen das Filioque eingegangen. Es geschah wohl deswegen nicht, weil man im Westen die Argumente der Griechen im einzelnen überhaupt nicht kannte.[56]

Dem Schriftbeweis zugunsten des Filioque im ersten Buch seiner Schrift[57] läßt Ratramnus in Buch II und III den Väterbeweis folgen.[58] Er leitet ihn mit einer doppelten Widerlegung des griechischen Argumentes ex conciliis ein. Erstens, für ihren eigenen Standpunkt, die Ablehnung des

---

magis est, neque iussu papae illa concilia aggregabantur, sed prout apparet, et per chronicas et imperiales epistolas, et per allocutiones ipsorum imperatorum ad eos qui in illis conciliis erant, imperialibus celebrabantur iussis. In quibus conciliis licet primum locum papa obtinebat vel eius legati, tamen canones et determinata dogmata non sunt exposita singulariter ex persona papae, sed ex persona totius concilii. Ad haec igitur mihi respicienti nimis necessarium videtur, et in praesenti quaestione, ut concurrat simul cum Romana ecclesia, etiam totius ecclesiae auctoritas atque cognitio.

[52] *Ep.* 152, *ad Hincmarum et caeteros episcopos in regno Caroli constitutos.* PL 119, 1152—116, hier 1156A. Für weitere Einzelheiten zum Beginn der Kontroverse vgl. Jugie, Theologia I 186—87. In der gleichen Angelegenheit schrieb Nikolaus auch an Karl den Kahlen: vgl. *Ep.* 153, PL 119, 1161. Eine ähnliche Initiative ergriff Sergius III.; vgl. Mansi 18, 304Ef.

[53] Vgl. F. Brunhölzl, Geschichte der lateinischen Literatur des Mittelalters I, München 1975, 379—83; Literatur ebd. 562. Zur Person des Ratramnus vgl. neuerdings J.-P. Bouhot, Ratramne de Corbie, Histoire littéraire et controverses doctrinales, Et. Augustiniennes, Paris 1976, 69—75, ebd. 60—67 zu Authentizität und Überlieferung des Traktates *Contra Graecorum opposita* und zur griechischen Quellenkenntnis des Autors.

[54] *Liber adv. Graecos,* PL 121, 685—762.

[55] *Responsio episcoporum Germaniae Wormatiae adunatorum de fide S. Trinitatis contra Graecorum haeresim,* PL 119, 1201—1221.

[56] Vgl. Jugie, Theologia I 186—187.

[57] PL 121, 225—244.

[58] Ebd. 243—304. Buch IV geht auf die übrigen Anschuldigungen der Griechen ein: Fasten (2—4), Klerikerbart und -frisur (5), Zölibat (6), Firmung (7), römischer Primat (8). Im Gegensatz zum *Filioque,* das eine Glaubensfrage darstellt, handelt es sich hier um consuetudines, für die in der Kirche Freiheit besteht (1).

Filioque, können die Griechen sich nicht auf ein gemeinsames Bischofs-
konzil, sondern nur auf kaiserliche Gesetze, das heißt von Laien aufgestellte Verordnungen, berufen.[59] Ratramnus kehrt also den Griechen
gegenüber einfach den Spieß um, indem er sagt: Auch ihr könnt euch
für die Ablehnung des Filioque auf kein Konzil berufen; ja, was
schlimmer ist, ihr beruft euch statt dessen auf kaiserliche Gesetzgebung
und begebt euch damit der der Kirche wesentlichen Freiheit in ihren
ureigenen Angelegenheiten. Grundsätzlich bestreitet der Benediktiner
der griechischen Kirche das Recht, über Sitte und Glaube außerhalb ihres
Bereichs zu befinden. Ihren Kaisern hat der Heiland keinerlei Binde-
und Lösegewalt übertragen. Die griechische Kirche ist der lateinischen
gegenüber keineswegs mit irgendwelchen Privilegien ausgestattet.[60]
Geradezu leidenschaftlich setzt sich Ratramnus in diesem Zusammenhang für eine weltweite ‚ökumenische' Universalität der christlichen
Wahrheit und gegen eine lehrmäßige Sonderrolle der Griechen ein.[61]

---

[59] Ratram., C. Graec. op. 2, 1, PL 121, 243B—C: *Primo videmus laicos contra cunctas
ecclesiasticas regulas venire, decreta fidelibus imponere; et quibus non est licitum ullo super ecclesiastico
jure praeter episcoporum consultum statuta constituere, leges ipsi fidei condere conantur, et secundum sua
decreta alii in communionem recipiuntur, alii vero removentur. Si quid namque sanciri de suae fidei
tenore delegerant, episcoporum concilium evocari decuerat, Patrum statuta requiri, sanctarum oracula
scripturarum, consultu episcoporum communi sententia decerni, quid sequendum, quid vero fuerat abigen-
dum. Quod si quibusdam in Ecclesiis, vel quadam terrarum in parte teneri vel profiteri deprehenderentur,
quae juste recteque permovere debuissent, vel ex fide, vel ex consuetudine, scribendum his primo fuerat,
et facti causa cognoscenda. Tum si justae rationis religio postulasset, judicium proferendum.* — Man
hat fast den Eindruck, daß Ratramnus die *Libri Carolini* in Händen hat, jedenfalls bringt er
sehr ähnliche Argumente vor.

[60] Ebd. 243D—244B: *Et hoc tamen suo sub regimine, imperiique providentia, Ecclesiis constitutis: alioquin ad suae provisionis curam populos non pertinentes, vel Ecclesias suo sub imperio non
commorantes, quid juris fuerat, vel de consuetudine judicare, vel de dogmate fidei discutere: et si non per
omnia ut illi vel sentiant, vel teneant, excommunicationis censura ferire? Num Graecorum imperatoribus Salvator ligandi solvendique potestatem contribuit? Num illis dixit: „Vos estis lux mundi"
(Mt 5, 14)? Num illis mandavit docere omnes gentes, et baptizare eas in nomine Patris, et Filii, et
Spiritus Sancti? (Mt 28, 19). Quod si vos dicitis tantum Spiritum Sanctum a Patre procedere, nolentes
confiteri quod a Filio procedat et omnis Ecclesia Latina vel certe totius orbis catholica profiteatur,
quod et a Filio procedat: unde probatis vestram sententiam fore potiorem et veritatis auctoritate
munitam? an forsan Evangelii veritas ad vos solos pervenit, et apud vos solos permanet?*

[61] Ebd. 244B—D: *Apostolus Paulus vocatum se dicit apostolum, separatum in Evangelium Christi
(Rom 15, 19), ab Hierusalem usque ad Illyricum totum per circuitum Evangelio Christi replevisse;
Romam quoque Hispaniasque profecturum, et in totum plene orbem Romanum vel praesentia corporis,
vel scriptis pertransisse, Christum praedicans. Num dicit, quod solis Graecis Christum praedicaverit,
et Graecis solummodo imperatoribus Evangelii veritatem patefecerit? per totum orbem Evangelium
Christi coruscat; apostolorum scripta leguntur; prophetarum oracula recitantur, quibus Ecclesiarum
magistri sicut a principio per apostolos fuerant instituti, quotidie discunt quid sentire de sancta Trinitate
debeant, quid profiteri; quid populos sibi commissos edocere, quibus moribus instituere, qua conversatione
formare, qua religione componere. Nec paginae sanctae loquuntur, nec majorum instituta commendant,*

Ratramnus begnügt sich nicht mit dem Hinweis auf das Fehlen eines Konzils zugunsten der griechischen Position, er widerlegt auch, zweitens, das griechische argumentum ex conciliis gegen das Filioque. Seine Gedanken erinnern dabei sehr stark an die Position der Chalcedonenser im fünften Jahrhundert.[62] Warum soll den Griechen das vom ersten Constantinopolitanum aufgestellte *procedere a patre* erlaubt, den Lateinern dagegen das Filioque verboten sein? Entweder man hält sich grundsätzlich an das Verbot des Nicaenums, das Symbolum zu verändern, dann ist das *procedere a patre* des ersten Constantinopolitanums genau wie das Filioque verboten, oder man hält sich nicht daran — dann ist das Filioque, sofern es nur gegen Häretiker aufgestellt wurde, genau so eine legitime Formulierung und Hinzufügung wie das *procedere a patre*. Entscheidend jedenfalls sind Argumente zur Sache, das heißt Schriftargumente, nicht die Berufung auf die Privilegien eines Sitzes. Konstantinopel mit seinem Konzil aus dem Jahre 381 hat nicht mehr Autorität als der Papst und die anderen Kirchen Christi anderseits.[63]

---

nec praecepta censent apostolorum, vel quorumcunque dicta scriptaque majorum, vel Graecos totius Ecclesiae Christi fore magistros, vel ab ipsis monstrandum, vel discendum imperatoribus eorum, quid per totum Christi Ecclesiae orbem vel in habitu, vel in religione, vel dogmate debeat observari. Vgl. auch 3, 1, wie Ratramnus den christlichen ‚Universalismus' gegen den ‚Partikularismus' eines Konstantinopler ‚Primats' ausspielt: *Dicente namque Salvatore suis Apostolis.* „*Ite in universum orbem, et praedicate Evangelium omni creaturae" (Mk 15, 15), non Graecos tantum commendavit, sed totius orbis plenitudinem commemoravit, cui praedicandum Evangelium praecepit. Et superbissimum est sibi tanquam speciale velle vindicare, quod constat omnibus gentibus, populis et linguis generaliter esse collatum. ... Nusquam isthic vel Graecos vel Constantinopolim meminit: nec tamen usquequaque praeteriit, quoniam eos in universalitate concludit: specialitatis praerogativam sustulit, ne inflentur; in generalitate ponit eos, ut humilientur: quatenus noverint non totius corporis Ecclesiae se fore quantitatem, sed portionem, et venerentur matrem a solis ortu in occasum regali magnificentia sublimem, cujus se gaudeant esse filios, non glorientur fore patres. ... Salvator etiam coelos ascensurus suis promittit discipulis: „Ecce ego vobiscum sum usque ad consummationem saeculi" (Mt 28, 20). Audimus Christi promissum omnibus credentibus, universae videlicet Ecclesiae, non autem specialiter vel Graecis vel Constantinopolitanis. Qua de re quacunque lingua, in quacunque gente Christus loquatur, Graecorum imperatores accipiant reverenter, ne si contempserint, veritatem contemnere judicentur, et inde fiant salutis extorres, unde veritatem Christum spreverint alloquentem. Ebd. 272C—273C.*
[62] Vgl. SIEBEN, Konzilsidee 250 ff. An literarische Abhängigkeit muß man dabei nicht unbedingt denken; die Ähnlichkeit der Argumentation ergibt sich nämlich aus der Ähnlichkeit der Position. Beide Male geht es darum, die grundsätzliche Möglichkeit der weiteren Lehrentwicklung gegen anscheinend entgegenstehende Konzilsdekrete aufzuweisen.
[63] Ratram., C. Graec. op. 2,2, ebd. 245A—B: *Nicaena synodus trecentorum decem et octo episcoporum adversus Arium sub Constantino primo imperatore collecta, postquam de consubstantialitate Filii cum Patre Symbolum dictavit, ubi ventum est ad Spiritum Sanctum, sic ait:* „*Credimus et in Spiritum Sanctum":* nihil vel majus vel minus super ejus vel substantia vel processione decernens. Ubi ergo nunc regula, qua vos muniri, vel Latinos arbitramini constringi, ut vobis liceat dicere „procedentem a Patre" Spiritum Sanctum, Romanis non liceat dicere „procedentem a Filio"? Quod si sequentes auctoritatem Nicaeni concilii nihil ultra vultis addere, removete „procedentem a Patre", quia non*

In der Verdeutlichung der Lehre über den Geist auf dem ersten Constantinopolitanum[64] sieht Ratramnus, ähnlich wie die Chalcedonenser im Chalcedonense, einen Vorgang von grundsätzlicher Bedeutung und Tragweite für die weitere Geschichte des Glaubens an den Heiligen Geist *(exemplum dederunt)*. Mit der Definition des Constantinopolitanums werden die *nuda verba* der Heiligen Schrift über den Geist genauso grundsätzlich transzendiert wie mit der Definition des ersten Nicaenums die *nuda verba* der Schrift über den Sohn. Das Filioque ist deswegen prinzipiell nicht weniger legitim als die über das Nicaenum hinausgehenden Definitionen und Aussagen über den Sohn; es ist angelegt schon in der Definition des Constantinopolitanums selber, dem *procedere a patre*.[65] Interessant ist weiter im folgenden das sehr klare Bewußtsein des Ratramnus von der Identität des kirchlichen Glaubens durch alle Zeiten hin. Immer schon glaubte die Kirche an die Konsubstantialität des Sohnes mit dem Vater, auch schon vor dem Nicaenum, als das ὁμοούσιος

---

continetur in Nicaeni concilii Symbolo: et fortassis liceat removeri quod a Romanis superadditum est "procedentem a Filio". Quod si respondentes dixeritis, in Constantinopolitana synodo centum quinquaginta episcopis, qui Constantinopoli congregati sunt, hoc positum esse; respondemus non licuisse quidquam Nicaeni concilii Symbolo de fide vel demere, vel addere, vel immutare. Quod si dicatis de Filii consubstantialitate non licuisse quod determinatum est in illo conventu quidquam superaddi; de Spiritu Sancto vero quia perperum hinc dictum est, licuisse propter futuras haereticorum quaestiones secundum sanctarum auctoritatem Scripturarum: respondemus hoc idem licuisse Romanis, propter futuras haereticorum quaestiones secundum divinarum auctoritatem Scripturarum. Nec enim convincere potestis majorem Constantinopolitanae civitatis auctoritatem, quam civitatis Romanae, quae caput est omnium Christi Ecclesiarum, quod majorum tam vestrorum, quam nostrorum, testimonio comprobatur. Sed neque centum quinquaginta episcoporum tanta constat auctoritas, ut universis totius orbis episcopis praescribere possit, ut quod illis licuit, non liceat tam Romano pontifici, quam universis Christi Ecclesiis.
[64] *Spiritum Sanctum cum Patre et Filio adorandum, et glorificandum, qui locutus est per sanctos prophetas.*
[65] Ratram., C. Graec. op. 2,2, ebd. 245D—246A: *Addiderunt etiam illi symbolo praefato, dicentes: "Spiritum Sanctum cum Patre et Filio adorandum, et conglorificandum, qui locutus est per sanctos prophetas", et alia plura. Haec superadjicientes non praescripserunt Ecclesiis Christi sed exemplum dederunt, si quid secundum Scripturas sanctas superaddere vellent de Spiritu Sancto, quod haereticos expugnaret, et fidem credentium roboraret. Quod si malitis opponere, inveniri quod non possit in sanctis Evangeliis, sive caeteris divinis paginis scriptum, Spiritum Sanctum procedentem a Patre, ac propterea nolle vos recipere quod in Scripturis sanctis scriptum non reperitur, quemadmodum Ariani nolebant recipere unius ejusdemque substantiae Patrem et Filium, quoniam Scripturae sacrae non haec continebant: dicite ubi legeritis quod Constantinopolitanum concilium in symbolo posuit de Spiritu Sancto, dicens eum "cum Patre et Filio simul adorandum et conglorificandum, et qui locutus est per sanctos prophetas". Quod si dicatis in Scripturis sanctis non nudis verbis ista reperiri, sed virtutem intelligentia in eis contineri, ut quomodo est unius cum Patre Filioque substantiae, unius potentiae, non dissimilis majestatis, et propterea cum Patre Filioque simul adorandus, et conglorificandus; eadem concedite Latinis Ecclesiis, ut licet nudis verbis Evangelia non dicant de Filio procedere Spiritum Sanctum, multis tamen modis ostendant Spiritum esse Filii, sicut est Spiritus Patris, et a Filio procedere, sicut procedit a Patre: quod sufficienter superiori libello monstratum esse credimus.*

noch nicht verkündigt wurde.[66] Ähnlich war es bezüglich der Homoousie des Heiligen Geistes.[67] Um dieselbe gegen erneute arianische Leugnung durchzusetzen, bedurfte es nach Ratramnus der Hinzufügung des
Filioque.[68] Uns interessiert hier nicht die spekulative Begründung dieser Hinzufügung — ohne das Filioque wird der Vater zum Vater des
Sohnes und des Geistes —, sondern die grundsätzliche Einordnung des
Filioque in die antihäretische, die *nuda verba* der Schrift übersteigende
Lehrentwicklung des Glaubens an den Heiligen Geist. Festzuhalten ist,
daß bei Ratramnus entscheidende Fragen offenbleiben, zum Beispiel
die: Hat in der Frage des Filioque überhaupt ein Konzil stattgefunden? Und wenn ja, wo, wann und in wessen Namen? Und vor allem:
Warum wurde die griechische Kirche zu diesem Konzil nicht bei-
gezogen?

Mehr als 200 Jahre nach Ratramnus' *Contra Graecorum opposita* behauptet
Anselm von Canterbury in seinem *De processione Spiritus Sancti* auf die
letzte der obengenannten Fragen eine „genügende Antwort" zu haben.[69]
Zunächst zeigt er, warum das Filioque überhaupt zum Symbolum von

---

[66] Ebd. 246C—247A: *Usque ad Arii tempus nulla confusio vexabat credentes, de Patris Filiique
consubstantialitate, nec homousion (sic) praedicabatur, virtus tamen illius verbi credentium mentibus in-
sita consistebat, quoniam omnipotentem Filium in nullo dissimilem Patri fore credebat, bene dictum
Salvatoris recolens, dicentis: „Qui videt me, videt et Patrem" (Joh 14, 9). Neque Christum aliud quam
creaturarum auctorem omnium, sciens ex Joanne dictum. „Omnia per ipsum facta fuisse" (Joh 1,3),
nec tamen in symbolo apostolorum collatione facto continebatur aliud, quam quod novimus omnes,
credere nos oportere in Deum Patrem omnipotentem, et in Jesum Christum Filium ejus unicum
Dominum nostrum. Sufficiebat ista fides credentium saluti; quae multorum sanguine martyrum,
et innumerabilium et confessorum per universum orbem et approbata est, et commendata. Verum ubi
Arius impugnator veritatis coepit in Christi divinitatem insanire, et blasphema non pauca jaculari,
fidelium mentes ad pietatem incitantur, et veritatis arma contra impietatis errorem proferunt, confodiunt
una cum auctore impium dogma, quod Filium Dei creaturam et non de Patre genitum ; Spiritum quoque
Sanctum minorem Filio blasphemabat.*
[67] Ebd. 247A: *Post quem Macedonius surrexit, de Patre Filioque cum catholicis similia sentiens,
Spiritus vero Sancti personam non recipiens. Adversus istum catholici decertantes episcopi, Spiritum
Sanctum probaverunt unum esse in sancta Trinitate, consubstantialem tam Patri quam Filio, et de
Patre procedentem, coadorandum, et conglorificandum Patri Filioque.*
[68] Ebd. 247A—B: *Dein Ariana repullulante vesania, volentesque confirmare non esse rectae fidei
Spiritum Sanctum dicere de Patre procedere, hoc quia videretur esse blasphemum, quoniam duorum
profiteretur Pater esse Filii, idest Filii, seu Spiritus Sancti: hanc quoque blasphemiam propellandam
decernentes Ecclesiae doctores, superaddidere symbolo Spiritum Sanctum de Filio quoque procedere.*
[69] Ans. v. Cant., De proc. S.S., Op. om. (hrsg. SCHMITT) 2, 211, 6—10: *Ad hoc autem quod
nos reprehendunt in symbolo illo, quod pariter nos et illi suscipimus et tenemus, addidisse Spiritum
Sanctum de Filio procedere, et quaerunt cur hoc factum sit et quare prius hoc eorum ecclesiae monstratum
non est, ut communiter consideraretur et communi consensu adderetur quod addendum erat: ad hoc, inquam,
responsum sufficiens habemus.*

Nicaea hinzugefügt wurde, eben weil es von lateinischen Häretikern geleugnet worden war.[70] Grundsätzlich ist solche Hinzufügung zum Symbolum erlaubt, denn dasselbe ist weder de facto vollständig, noch wurde es von seinen Verfassern mit dem Anspruch auf Vollständigkeit vorgelegt. Es gibt Glaubensartikel, wie zum Beispiel den *Descensus Christi*, die nicht im Symbolum enthalten sind. Auf den Vorwurf der Griechen, solche „Hinzufügung korrumpiere" das altehrwürdige Glaubenssymbol, entgegnet Anselm, von „Korruption" könne nur die Rede sein, wenn Sinnwidriges hinzugefügt werde, was beim Filioque gerade nicht der Fall sei.

Auf den zweiten Einwand der Griechen, jede Hinzufügung, ob sinnwidrig oder sinnentsprechend, sei eine abzulehnende Respektlosigkeit, antwortet Anselm mit einer überraschenden Unterscheidung: Wir besitzen im Abendland beides, das alte unveränderte Symbol, „das wir bewahren und verehren", und ein „neu ediertes", keineswegs „korrumpiertes", das zum häufigen Gebrauch für das Kirchenvolk bestimmt ist.[71] Warum aber geschah diese „Neuedition" des alten Symbolums ohne den Konsens der griechischen Kirche? Die Antwort lautet: Weil deren Konsultation in einer Bischofsversammlung der lateinischen Kirche einerseits zu schwierig, andererseits auch insofern überflüssig war, als die Griechen zum damaligen Zeitpunkt im Filioque kein Problem sahen. Anselm untermauert diese beiden praktischen Gründe durch eine mehr grundsätzliche Überlegung, die er in Frageform vorlegt: Haben Kirchen, erst recht solche von der Größe der lateinischen, nicht das Recht, für die Liturgie bestimmte Formulierungen des Glaubens

---

[70] Ebd. 211, 00—18: *Nam si quaeritur cur factum sit, dicimus quia necesse erat propter quosdam minus intelligentes, qui non animadvertebant in illis quae universa credit ecclesia contineri, et ex his sequi Spiritum Sanctum de Filio procedere, ne forte hoc credere dubitarent. Quod quam necessarium fuerit, per illos qui hoc negant, quia in illo symbolo positum non est, cognoscimus. Quoniam igitur et necessitas cogebat et ratio nulla prohibebat et vera fides hoc admittebat, fiducialiter asseruit Latinitas quod credendum et confitendum esse cognoscebat.*

[71] Ebd. 211, 18—30: *Scimus enim quod non omnia quae credere et confiteri debemus, ibi dicta sunt, nec illi qui symbolum illud dictaverunt, voluerunt fidem Christianam esse contentam ea tantummodo credere et confiteri quae ibi posuerunt. Ut enim alia taceam, non ibi dicitur Dominus ad infernum descendisse, quod tamen pariter et nos et Graeci credimus. Si autem dicunt nullo modo debuisse corrumpi symbolum tanta auctoritate taxatum, nos non iudicamus esse corruptionem, ubi nihil addimus quod iis quae ibi dicta sunt adversetur. Et quamvis defendere possimus hanc adiectionem non esse corruptionem: si quis tamen hoc contentiose voluerit asserere, respondemus nos illud non corrupisse, sed aliud novum edidisse. Illud enim secundum proprietatem Graeci dictaminis translatum, cum illis integrum servamus et veneramur, istud autem quo frequentius in populi audientia utimur, Latino more dictatum cum additamento supradicto edidimus.*

aufzustellen?[72] Man kann sich fragen, ob Anselm mit dieser Überlegung die Bedeutung des Filioque-Zusatzes nicht absichtlich herunterspielt. Zur Frage, wer denn in der lateinischen Kirche die Kompetenz habe, solche „Neuedition" des Symbolums vorzunehmen, hatte sich Anselm noch völlig ausgeschwiegen; es war bei ihm weder vom Papst noch eigentlich vom Konzil ausdrücklich die Rede. Anders bei Hugo Etherianus, einem spätestens seit 1161 in Konstantinopel lebenden lateinischen Theologen.[73] Er bezeichnet in aller Ausdrücklichkeit den Papst als die für die Hinzufügung zuständige Autorität: Der Bischof des „älteren Rom" hat „im Konsens mit einer großen Zahl heiliger Bischöfe und hochgebildeter Kardinäle" den Zusatz zum Symbolum verfaßt.

Denn es war ihm erlaubt und wird ihm immer erlaubt sein, die Brüder zu bestärken (Lk 22, 32), Dekrete herauszugeben, Auslegungen darzubieten, wenn irgend etwas dunkel geschrieben ist, und über die Aussageabsicht eines Schreibers sich mit Argumenten zu äußern, sofern der Text Anhaltspunkte für diese Aussageabsicht enthält. Ihm nämlich sind die Schafe und die Lämmer anvertraut. Deswegen darf er nicht nur als jemand betrachtet werden, der Geschriebenes (die Heilige Schrift?) feierlich vorträgt, sondern[74] er hat als Interpret dessen zu gelten, was nicht geschrieben ist. Als Haupt ist er Hirte der Schafe Gottes, was die heilige und universale zweite Synode mit folgenden Worten festgesetzt hat: der Bischof von Konstantinopel soll den Ehrenprimat nach dem Episkopat Roms haben, weil es das zweite Rom ist.[75]

---

[72] Ebd. 212, 1—8: *Quod autem quaeritur quare hoc Graecorum ecclesiae consensu factum non est, respondemus quia et nimis erat Latinis difficile eorum episcopos ad consulendum de hac re colligere, nec erat necesse unde non dubitabant hoc in quaestionem adducere. Quae est enim ecclesia quae vel per amplitudinem unius regni dilatetur, cui non liceat aliquid secundum rectam fidem constituere, quod in conventu populi utiliter legatur aut cantetur? Quanto ergo magis licuit Latinis hoc constanter proferre, in quo omnes gentes et omnia regna quae Latinis utuntur litteris pariter concordant?*

[73] Zu seinem Leben und Werk vgl. A. Dondaine, Hugues Ethérien et Léon Toscan, in: AHDL 27 (1952) 67—134; ebd. 98—104 über seine Hauptschrift *De sancto et immortali Deo,* die in den Ausgaben den falschen Titel trägt: *De haeresibus quas Graeci in Latinos devolvunt.* Vgl. auch R. Lechat, La patristique Grecque chez un théologien latin du XIIᵉ siècle, Hugue Ethérien, in: Mélanges Charles Moeller I, Löwen-Paris 1914, 485—507. Über des Griechischen kundige Bettelmönche im Dienst der Unionsverhandlungen und literarisch tätige Dominikaner und Franziskaner vgl. B. Altaner, Die Kenntnis des Griechischen in den Missionsorden während des 13. und 14. Jahrhunderts. Ein Beitrag zur Vorgeschichte des Humanismus, in: ZKG 53 (1934) 436—493, zur Einschätzung der griechischen Kultur vgl. M. Rentschler, Griechische Kultur im Urteil westlicher Autoren des 12. Jahrhunderts, in: Saec. 31 (1980) 112—156.

[74] Wir lesen statt *virorum, verum.* Über den schlechten Zustand des Textes vgl. Lechat 494—95.

[75] Hugo Eth., De sancto et immort. deo 3, 16; PL 202, 375B—C: *Licuit enim ei, semperque licebit, fratres confirmare, decreta edere, cudere interpretationes, sicubi aliquid obscure scriptum sit, et de voluntate scriptoris argumentari, indicio voluntatis illius relicto facere hoc persuadente. Is enim est, cui oves et agni commissi sunt, et idcirco non solum scripti recitator esse debet, verum* (für virorum: vgl. Anm. 74) *interpres illorum quae ascripta non sunt: ut caput ovium Dei pastor, quod sancta et universalis secunda synodus, his verbis sancivit: episcopus quidem Constantinopoleos habeto primatum honoris post Romae episcopatum quod ipsa sit nova Roma.* Vgl. auch schon 2, 16, ebd. 321C.

Über die zur Interpretation des Symbolums befugte Instanz besteht also bei Hugo Etherianus kein Zweifel; diese Instanz ist der Papst.[76] Ist aber die Hinzufügung als solche rechtens? Darf dem Symbol etwas hinzugefügt werden? Auch auf diese Frage geht unser Autor ein. Seine Antwort: Die Hinzufügung des Filioque durch den Papst ist grundsätzlich der gleichen Art und deswegen genauso legitim wie die von den alten Konzilien vorgenommenen. Und deswegen ist auch die Kritik der Griechen am Filioque durchaus vergleichbar dem Widerstand der Monophysiten gegen das Chalcedonense. Genausowenig wie die alten Konzilien den Sinn und die ‚Richtung' des Symbolums durch ihre Zusätze verändert und den Glauben der vorausgegangenen Konzilien abgeschafft haben, ist das bei dem päpstlichen Zusatz des Filioque der Fall.[77]

Speziell weist Hugo Etherianus im folgenden des Photios Berufung auf das Chalcedonense zurück: Wenn das Filioque, das die Schriftworte „der vom Vater ausgeht" (Joh 15, 15) interpretiert, im Widerspruch zu fraglicher Konzilsbestimmung des Chalcedonense steht, „dann haben auch die Heiligen Väter des Constantinopolitanums ein anderes Symbolum als das nicaenische verfaßt, und die in Chalcedon zusammengekommenen einen anderen Glauben als den, den die Heiligen Väter in Konstantinopel vorgelegt haben".[78] Das Kapitel schließt mit einer Apologie, die der römischen Kirche, „die den Primat hat," in den Mund gelegt wird. Sie faßt den Standpunkt des Autors glücklich zusammen.[79]

---

[76] Im Anschluß an unseren Text bringt Hugo Etherianus als Schriftargument für diesen Primat Joh 21, 15 ff., die Einsetzung ins Hirtenamt, und zwar in der Interpretation durch Johannes Chrysostomos. Dann heißt es weiter: *qua in re manifestum antiquioris Romae praesidem potestatem a Petro accepisse, fidem renovandi, ut verbis patrum utar, habendi curam, et regnum omnium sacerdotum, quin etiam omnium Christianorum.* Ebd. 376B.

[77] Ebd. 374B—375D: *Ego autem hic sanctae quartae synodi actum, et quidquid ex ea hoc exprimitur, ideo commemoravi, quoniam similis est horum reprehensio qui nunc, illorum qui tunc. . . . Itaque si Constantinopolitana synodus Nicaeno adjecit symbolo in Spiritum „Dominum et vivificantem" et „ex Patre procedentem": si Chalcedonensis synodus quoque Constantinopolitanae addidit synodo, „perfectum in humanitate, perfectum in divinitate, consubstantialem nobis secundum humanitatem": et alia quaedam ubi dictum est, nulla insimulatione, nulla reprehensione, nullaque calumnia notandus est antiquioris Romae antistes, quod causa interpretationis dictionem unam, dico autem ex Filio procedere Spiritum, sanctorumque plurium episcoporum, scientissimorum cardinalium consensu habito apposuerit.*

[78] Ebd. 376C—D: *Quod si propter interpretationem praefati capituli enuntiantem ex Filio vere Spiritum procedere, cum omni cautela sub sanctorum Patrum Athanasii et Basilii, Gregorii, Augustini, Ambrosii, Hilarii, aliorumque plurium testimonio, aliam fidem conscripsisse, aut docuisse, apostolica Ecclesia credenda est: simili ratione congregati sancti Patres Constantinopoli, aliud a Nicaeno symbolum ediderunt, et Chalcedone convenientes, aliam fidem ab ea quae Constantinopoli sancti Patres prodocuere.*

[79] Ebd. 377A: „Zu Unrecht macht man mir Vorwürfe, wo ich doch nicht den Glauben erneuere, sondern sein Gedächtnis. Ich habe nichts hinzugefügt, ich habe nichts wegge-

Die Hinzufügung des Filioque ins Credo gehört fortan nicht nur zu den gängigen Themen der Kontroversliteratur auf beiden Seiten, der griechischen *(Contra Latinos)* und der lateinischen *(Contra Graecos)*, sie steht selbstverständlich auch auf der Tagesordnung der Unionsgespräche dieser Jahre. Als ein Beispiel für zahlreiche andere stehe die *Relatio* der aus zwei Franziskanern und zwei Dominikanern bestehenden Gesandtschaft Gregors IX. über die Synode von Nicaea in Bithynien (1234). Auf ihr argumentiert die lateinische Seite für die grundsätzliche Erlaubtheit von Zusätzen zum Credo mit dem Hinweis auf den Präzedenzfall des Symbols von Konstantinopel I, das im Vergleich zum Credo von Nicaea Zusätze enthält. Die griechische Seite wird zum Zugeständnis gezwungen, daß es sich hier nicht um eine unerlaubte *additio*, sondern eine *veritatis expressio* handelt.[80]

---

nommen, wenn ich dem Heilssymbol einen dunklen Begriff verdeutlicht habe. Wie die vorgenannten Väter habe ich den Glauben erneuert und zur Nicaenischen, Konstantinopolitanischen und Chalcedonensischen Synode einen Zusatz gebracht, der jedoch in keiner Weise jenen Synoden widerspricht. Den Spuren jener Väter folgend, habe ich lediglich, was damals nicht gesucht wurde, später durch Interpretation und Hinzufügung eines Wortes, was nicht von allen klar verstanden wurde, verdeutlicht."

[80] Disputatio Latinorum et Graecorum 6, hrsg. von H. GOLUBOVICH, in: AFH 12 (1919) 428—470, hier 432—433 (= Mansi 23, 282—282): *Ipsis autem renitentibus quantum poterant, ad nostram instantiam tandem lectum est primo illud Nicenum, in quo totum simbolum plenarie continebatur usque ad hunc locum: Credo in Spiritum Sanctum, et de sequentibus, videlicet ut in illo continetur. Quo perlecto, legitur Constantinopolitanum, in quo fuerunt superaddita que defuerunt primo simbolo. Nos cognoscentes secundam sinodum addidisse Niceno simbolo, talem fecimus questionem: „Si verum est quod vos dicitis, quod sancti vestri prohibuerunt quod nullus adderet simbolo Niceno nec mutaret vel transgrederetur aliquid, quis addidit aut ausus fuit addere ea que sunt apposita simbolo Niceno in Synodo Constantinopolitana? Ipsi vero timentes respondere ad istam questionem, nitebantur ad alia divertere. Et nos tanto magis institimus questioni. Unde tandem post multa consilia et subterfugia compulsi responderunt, quod non fuerat illud additio, sed veritatis expressio. Deinde interrogantibus nobis, utrum aliud esset simbolum a primo propter illam expressionem, responderunt quod idem fuit simbolum, non mutatum, quia veritatis expressio non facit aliud simbolum, neque mutat, neque facit additionem simbolo. Ex iam dictis habuimus nostram conclusionem ad nostrum negotium et dictum confirmandum, quia illa appositio quam dicunt nos fecisse, scilicet Filioque, non est additio aliqua, nec mutatio simboli, nec facit aliud simbolum, hoc probato tantum quod esset verum quod appositum est.* — Zum Anteil der Franziskaner am Gespräch und der Diskussion mit der Ostkirche vgl. M. RONCAGLIA, Les frères mineurs et l'église orthodoxe au XIIIe siècle (1231—1274), Biblioteca bio-bibliografica della terra santa IV 4, Kairo 1954, ebd. 185—267 „Littérature théologique franciscaine ‚contre les grecs' ". Zur genannten *Relatio* vgl. auch D. STIERNON, Le problème de l'union gréco-latine vu de Byzance: de Germain II à Joseph Ier (1232—1273), in: 1274, Année charnière. Mutations et continuités, Coll. internat. CNRC 558, Paris 1977, 139—166, hier 145—147, ebd. 145: „Cette relation constitue au XIIIe siècle, peut-être même pour tout le moyen âge jusqu'au concile de Ferrare-Florence (1438—1439) le document le plus vivant, le plus pittoresque et le plus détaillé au sujet d'une discussion doctrinale officielle entre Grecs et Latins."

Aus der Mitte des dreizehnten Jahrhunderts (1252) besitzen wir die *Tractatus contra Graecos* betitelte Schrift[81] aus der Feder eines in Konstantinopel lebenden Dominikaners. Sie übte beträchtlichen Einfluß auf die übrigen westlichen Schriftsteller aus und wurde noch auf dem Konzil von Florenz von Johannes de Turrecremata verwendet. Einleitend bringt der anonyme Verfasser dieser Schrift die Liste der griechischen Gravamina; unter Nr. 5 resümiert er den griechischen Standpunkt zum Filioque.[82]

In seiner Antwort stellt er zunächst grundsätzlich die griechische Vorstellung einer quasi abgeschlossenen Explikation des Symbolums in Frage. Die Konzilien haben jeweils immer nur die Lehrpunkte definiert, die von Häretikern bestritten wurden. Dementsprechend ist das Symbolum und sind die Konzilsdefinitionen notwendig unvollständig und bedürfen jeweils weitergehender Erklärung. Weil auf dem ersten Constantinopolitanum bezüglich des Filioque keinerlei Frage oder Zweifel bestanden, „haben es die heiligen Väter, wie vieles andere, was erst später in anderen Konzilien katholisch definiert wurde, mit Schweigen übergangen".[83] Als im Westen, viel später, das Filioque schließlich geleugnet wurde, versammelten sich die Westbischöfe, *de licentia et auctoritate summi pontificis*, und „erklärten die Glaubenswahrheit, die wir im Symbolum haben, und bestimmten, daß es auch von allen in der Kirche gesungen werde".[84] Die Griechen wurden zu diesem, vom Anonymus übrigens nicht näher gekennzeichneten Konzil deswegen nicht geladen, weil sie zu weit entfernt wohnten und weil die Frage sie damals nicht beschäftigte.[85]

---

[81] Sie wurde irrtümlicherweise vom Herausgeber einem Pantaleon zugeschrieben, von R. LOENERTZ 361—371, Fr. Bartholomaeus zugeteilt, von DONDAINE, Contra Graecos 320—341 wird sie jedoch als anonym betrachtet. Dondaine untersucht in seinem Artikel die Überlieferungsprobleme des Manuskripts, die Quellen der Schrift, ihren Einfluß auf die übrige Dominikanerliteratur dieser Gattung. — Zu den übrigen Unionstheologen aus dem Dominikanerorden vgl. auch A. OSUNA, El cisma griego y la teología del siglo XIII, in: CTom 90 (1963) 263—84.

[82] Das Filioque ist erstens der Schrift unbekannt, zweitens den Vätern, *immo quod plus est, in editione verae fidei, sancta concilia nihil super hoc definierunt; sed ponentes in symbolo, quae necessaria sunt ad salutem, omnem additionem, expositionem, declarationem sub anathematis vinculo concluserunt et reiecerunt.* Contra Graecos, PG 140, 489B.

[83] Ebd. 502C.

[84] Anon., C. Graec., PG 140, 502C: *Processu vero temporis, increscente quorundam malitia, in occidentalibus partibus, dicentium Spiritum Sanctum non procedere a Filio, pro eo quod in symbolo non ponatur, aggregati in unum episcopi illarum partium, de licentia et auctoritate summi pontificis, veritatem fidei, quam tenemus in symbolo declarantes, cantari etiam hoc in ecclesia ab omnibus mandaverunt.*

[85] Ebd.

Die Legitimität dieser Hinzufügung zum Symbolum zeigt der Autor, wie schon Hugo Etherianus, zunächst allgemein auf durch den Hinweis auf die Konziliengeschichte[86], in der immer wieder solche Hinzufügungen vorgenommen wurden, dann speziell durch den Nachweis, daß mit *alia fides* in fraglichem Verbot des Ephesinums[87] nur diesem Glauben Konträres, keineswegs aber dessen Explikation gemeint ist. Andernfalls fallen alle nachephesinischen Konzilien unter das Anathem! Es ist außerdem zu beachten, daß mitnichten alle Heilswahrheiten im Symbolum enthalten sind. Man bedenke zum Beispiel, daß von den sieben Sakramenten lediglich die Taufe genannt ist. Wieso beruft man sich eigentlich auf das Ephesinum, wo doch alle anderen Konzilien mit der gleichen Schlußformel enden?[88]

Auch Thomas von Aquin hat bekanntlich ein *Contra errores Graecorum* verfaßt.[89] Bemerkenswert an diesem Traktat ist, daß Thomas hier im Gegensatz zu den bisher behandelten Autoren und auch im Unterschied zu anderen seiner Werke[90] auf das griechische argumentum ex conciliis gegen das Filioque überhaupt nicht eingeht. Auf die spekulative Behandlung der Frage folgt ausschließlich eine Darlegung über die päpstliche Vollgewalt, zu der auch die Lehrgewalt gehört[91], und die in der

---

[86] Ebd. 502D—503A: *Quod autem eis tunc licuerit, et liceat hodie nobis aliquid scribere, praedicare, et cantare, quod in Symbolo non est expressum, docemur ex quarto, quinto, sexto, septimo conciliis quorum quaedam definiunt, quod non est expressum in Symbolo: ut de sacris imaginibus, super quibus septima fuit synodus, nihil in Symbolo continetur. Sic nec de duabus voluntatibus et operationibus in Christo Symbolum manifeste determinat, de quibus sexta synodus definivit; sic nec Theodorum Mopsuestiae, nec Theodoriti scripta, quae contra beatum Cyrillum composuit, condemnat Symbolum, quamvis secunda universali synodo condemnentur. Sic nec duas naturas inconfusas et impermistas in Christo in unitate personae, sine omni conversione per Symbolum habemus expressum, cum sic esse definierit quarta universalis synodus, Leonem papam primum secuta: epistolam quoque ejus quem praediximus, fidei orthodoxae columnam usque hodie Graecus appellat.*

[87] ACO I, 3; 83, 27—84, 2.

[88] PG 140, 503B—504C.

[89] Opera omnia, ed. Leonina t. 40, 71—105. — Die Schrift ist das Resultat einer ihm von Papst Urban IV. übertragenen Überprüfung des *Libellus de fide Trinitatis* (ebd. 109—151) des Nikolaus von Cotrone; Einzelheiten vgl. bei DONDAINE, Contra Graecos 387 ff.; ferner U. HORST, Papst, Unfehlbarkeit, Konzil: Der päpstliche Primat nach Thomas von Aquin und der spanischen Dominikanertheologie des 16. Jahrhunderts, in: Thomas von Aquin: Interpretation und Rezeption, hrsg. W. P. ECKERT, Mainz 1974, 779—822, hier 788—89. Die Schrift spielte in der Auseinandersetzung um das erste Vatikanum eine gewisse Rolle, denn die von Thomas herangezogenen Väterstellen zugunsten des römischen Lehr- und Jurisdiktionsprimats sind Fälschungen. Vgl. F. A. REUSCH, Die Fälschungen in dem Traktat des Thomas von Aquin gegen die Griechen, ABAW.PH 1889, 673—689. Zum Primatsdenken des Thomas von Aquin vgl. ferner U. HORST, Kirche und Papst nach Thomas von Aquin, Cath. (M) 31 (1977) 151—67.

[90] 1 Sent., dist. 11; C. Gen. 5, 25; De pot., qu. 10, a. 4, ad 13m; S. th. qu. 36, a. 2, ad 2; zur Interpretation dieser Stellen vgl. DONDAINE, Contra Graecos 389—391.

[91] II 36, ed. Leonina t. 40, 102—103.

These gipfelt, es sei heilsnotwendig, dem Papst unterworfen zu sein.[92] Von höchstem Interesse ist nun, daß Thomas das Filioque spekulativ mit dem päpstlichen Primat über die Gesamtkirche verknüpft. Dem Geist, der die Kirche heiligt, entspricht der Papst, der sie in der Treue zu Christus erhält. Beide gehen auf ihre Weise vom Sohne aus.[93] Weil dieser innere Zusammenhang zwischen Filioque und römischem Primat besteht, spricht Thomas von einem *similis error* der Gegner dieser Auffassung.[94]

Bevor wir auf griechische Anhänger des Filioque zu sprechen kommen, sind noch zwei Abendländer zu nennen, ein weiterer Dominikaner, Bonacursius, und der Franziskaner Matthaeus von Aquasparta. Was Bonacursius in seinem *Contra Graecos*[95] aus dem Jahre 1292 zunächst auf das griechische argumentum ex conciliis antwortet, ist sachlich im Vergleich zu den vorausgehenden Autoren nicht neu und läuft auf die Unterscheidung zwischen implizit und explizit hinaus.[96] Neu und von höchstem Interesse dagegen ist ein zusätzliches Argument. Aus ihm ergibt sich eine völlig gewandelte Vorstellung über das Verhältnis zwischen Papst und Konzil. Hatten Autoren wie Hugo Etherianus noch die Auffassung vertreten, daß die Päpste gleicherweise wie die Konzilien befugt sind, das Symbolum zu „interpretieren," so ist unser Dominikaner dagegen der Meinung, daß auch schon die alten Konzilien kraft der Autorität des Papstes gesprochen haben! Der Papst des Filioque ist deswegen durch den Satz des Nicaenums[97] nicht betroffen und ex-

---

[92] Thom., C. Graec. II 38; *Ostenditur etiam, quod subesse Romano pontifici sit de necessitate salutis.* 102; zur Rolle der Konzilien überhaupt und zum Verhältnis Papst-Konzil vgl. Horst, Unfehlbarkeit 795—797. Vgl. S. 180.

[93] Ebd. II 32; 101: *Ipse enim Christus Dei Filius suam ecclesiam consecrat et sibi consignat Spiritu Sancto quasi suo charactere et sigillo . . . et similiter Christi vicarius suo primatu et providentia universam ecclesiam, tamquam fidelis minister, Christo subjectam conservat.*

[94] Ebd. II 32; 101: *Similis autem error est dicentium Christi vicarium, Romanae ecclesiae pontificem, non habere universalis ecclesiae primatum, errori dicentium Spiritum Sanctum a Filio non procedere.* — Vgl. schon II prol., ebd. 87, wo die beiden Aussagen nebeneinandergestellt sind: Beides, die Leugnung des Filioque sowohl wie die Leugnung des Primats stellen je auf ihre Weise eine Minderung der Würde Christi dar entsprechend der allgemeinen Tendenz aller Häresien; *si quis diligenter inspiciat, haereticorum errores ad hoc principaliter videntur tendere, ut Christi derogent dignitati.*

[95] Ausgabe Stegmüller, Bonacursius contra Graecos. Ein Beitrag zur Kontroverstheologie des XIII. Jahrhunderts, in: Vitae et Veritati: Festgabe für K. Adam, Düsseldorf 1956, hier 59—82; zu diesem Traktat vgl. auch Dondaine, Contra Graecos 406—418.

[96] Stegmüller 62—64, ebd. 63: *Istud non est additio ad fidem, sed est fidei declaratio, quia hoc in symbolo fidei implicite continebatur, sed propter haereticos oportuit explicari.*

[97] *Quicumque ad hanc fidem aliquid minimum apposuerit, vel dempserit, anathema sit.* — Tatsächlich stammt der Satz in dieser Form weder vom Nicaenum noch, soweit wir sehen, von einem der folgenden allgemeinen Konzilien.

kommuniziert, weil ein Papst einen anderen Papst gar nicht ‚verpflichten' kann. Sie stehen ja beide auf gleicher Stufe! Es handelt sich für Bonacursius im Grunde nicht um das Verhältnis zwischen Konzil und Papst, sondern lediglich zwischen Papst und Papst, einem früheren und einem späteren. Die fragliche Bestimmung des alten Konzils verpflichtet jedenfalls im Namen des dem Konzil vorstehenden Papstes.[98]

Aber durfte der Papst ohne die Griechen das Symbolum verändern? Antwort: Er durfte es, weil auch die Vorgänger es durften![99] Er durfte es, weil es Mt 16, 18 nicht heißt: *quodcumque ligaveris vel solveris de consilio aliorum. sed dixit simpliciter.*[100] Tatsächlich war es so, daß der Papst nicht nur befugt, sondern als guter Seelenarzt sogar verpflichtet war, so schnell wie möglich die aufkommende Häresie zu vernichten. *Et idcirco non fuit necessarium generale concilium exspectare.*[101] Übrigens waren die Griechen, so Bonacursius abschließend zu diesem Punkt, zum päpstlichen Konzil über das Filioque geladen, aber nicht erschienen.[102]

Des Matthaeus von Aquasparta Traktat *De aeterna processione Spiritus Sancti*[103], verfaßt zwischen 1279 und 1287, resümiert zu unserem Fragepunkt sehr kurz die Argumente der Vorgänger.[104] Wie geläufig unter-

---

[98] Bonac., C. Graec., STEGMÜLLER 64: *Praeterea: Si dicatur, quod papa, de cuius auctoritate istud verbum fuit in symbolo declaratum, fuit excommunicatus, istud dicere est erroneum, quia papa, qui tunc erat et qui nunc est, habet eandem potestatem et eandem auctoritatem, quam habuit beatus Silvester et beatus Petrus. ... Et si ita est, immo quia ita est, sanctus Silvester non potuit dictum papam obligare, quia secundum iura non habet imperium par in parem. Ergo secundum praedictas rationes papa, cuius auctoritate et mandato facta fuit illa declaratio, nullatenus potuit excommunicari, immo dico plus: ipse potuit apponere, sicut et sui summi pontifices apposuerunt.*

[99] Ebd. 65: *Si alii papae potuerunt apponere, quod et fecerunt ... sic et iste potuit, cum ipse eandem auctoritatem habuit quam sui praedecessores alii habuerunt.*

[100] Ebd. 65: *Soli Petro et successoribus eius istam potestatem conferebat. Unde patet, quod papa solus sine aliorum concilio potest ligare et solvere de plenitudine potestatis quidquid est fidei consonum et non est contrarium evangelio sive legi.* Zum Begriff der *plenitudo potestatis* vgl. R. L. BENSON, Plenitudo potestatis: Evolution of a Formula from Gregory IV to Gratian, in: StGra 14 (1967) 193—217.

[101] STEGMÜLLER 66.

[102] Ebd. 66. Bonacursius beruft sich für diese Nachricht auf eine Konziliensammlung in der Kirche von Philadelphia, dergemäß unter Papst Hadrian zur Zeit des Kaisers Romanos und der Kaiserin Zoë ein Laterankonzil das Filioque dem Symbolum zugefügt haben soll. Vgl. zu dieser historisch unzutreffenden Nachricht DONDAINE, Contra Graecos 392.

[103] Ausgabe Quaracchi I 429—53; vgl. hierzu DONDAINE, Contra Graecos 394, 399—401.

[104] Nach ihm wurde das Filioque vom vierten Lateranense definiert. *Huic autem concilio praeiudicare non potuerunt concilia prius in Graecorum ecclesia celebrata, quia nihil huic definierunt contrarium, et semper posteriora concilia super priora aliquid addiderunt. Alioquin frustra essent celebrata, quia sic oportebat, fidem magis ac magis explicari ad haereticorum perfidiam elidendam. Romano etiam praesuli, apud quem plenitudo residet potestatis, ad explicationem veritatis fidei via praecludi non potuit, nec auctoritas minui, nec a praelatis inferioribus nec a suis praedecessoribus, quia nec inferior arctat superiorem, nec habet imperium par in parem.* Nr. 24, Ausgabe Quaracchi 444.

dessen den Theologen der Zusammenhang zwischen römischem Lehr-
primat und dem Filioque geworden ist, zeigt sein Schlußkapitel: *Septem
rationes cur Latini prae Graecis in hoc illuminati fuerint.* Der erste Grund,
den Matthaeus hier nennt, ist die *minor reverentia* der Griechen „gegenüber dem Sitz des Stellvertreters Jesu Christi".[105]

3. Griechen: ‚Pro Latinis‘

Wurden die lateinischen Argumente im Osten verstanden und ange-
nommen? Fanden sie dort ein Echo? Auf unsere Frage antworten die
in diesem Abschnitt unserer Untersuchung vorzustellenden Autoren.
Es handelt sich um griechische, zumindest zeitweilige, Anhänger der
Kirchenunion, teils sogar um Konvertiten. Wie weit sie die lateinischen
Argumente übernehmen, wie weit eigene Gedankenarbeit vorliegt, soll
für den Einzelfall offenbleiben. Unter Echo verstehen wir lediglich die
Ähnlichkeit der vorgetragenen Gedanken.

Wir beginnen mit Nikephoros Blemmydes († um 1272), „einem der
gebildetsten und fruchtbarsten Theologen des 13. Jahrhunderts".[106]
Daß das Filioque, genauer das *per Filium*, für das er sich zusammen mit
anderen griechischen Theologen einsetzt, nicht im Symbolum enthalten
ist, darf, so Nikephoros, nicht verwundern. Auch andere „notwendige"
Heilswahrheiten, vor allem die Gottheit des Heiligen Geistes selber,
kommt darin explicitis verbis nicht vor. Und doch bekennen wir diese
zu Recht, denn sie ergibt sich aus anderen ausdrücklichen Aussagen des
Symbolums, nämlich aus der Homoousie des Sohnes einerseits und den
Bestimmungen *dominum* und *simul adorari* und *glorificari* anderseits. Wer
spricht hier bezüglich des Bekenntnisses der Gottheit vernünftigerweise
von καινοτομία, von Glaubensneuerung? Also sollte man auch jetzt das
per Filium, durch das die Kirchenunion möglich erscheint, nicht eine
καινοτομία des Glaubens nennen! Dies um so weniger, als das *per Filium*
schon vom Konstantinopler Patriarchen Tarasius auf dem siebten All-

---

[105] Mat. v. Aquas., De aeter. proc. S.S., ebd. 449: *Et cui magis conveniens erat revelari veram
Spiritus Sancti processionem et eius confessionem, nisi ei qui tenet caput in universali ecclesia, ut
„sicut unguentum in capite", sic et eiusdem Spiritus Sancti suavis notitia redolensque confessio „descendat
in barbam, barbam Aaron", usque in „oram vestimenti"* (Ps 132, 2) *corporis videlicet Christi mystici,
usque ad fines orbis terrae protensi.*
[106] Vgl. BECK, Kirche und theologische Literatur 671. Über sein Schwanken zwischen der
lateinischen und griechischen Position vgl. V. GRUMEL, Nicéphore Blemmyde et la procession du Saint Esprit, in: RSPhTh 18 (1929) 636—656; ebd. 645—653 eine Analyse seiner
Oratio de processione Spiritus Sancti prima, PG 142, 533—565.

gemeinen Konzil ohne jeden Widerspruch der Versammlung ausgesprochen wurde.[107]
Ein anderer hervorragender griechischer Theologe des gleichen Jahrhunderts, Johannes XI. Bekkos († 1297)[108], setzt sich direkt mit einem
der photianischen Argumente ex conciliis[109] auseinander. Was ist mit
dem ὅρος τῆς πίστεως, dem nach der Bestimmung des Chalcedonense
„nichts hinzugefügt und von dem nichts weggenommen" werden darf,
genauerhin gemeint? Für Bekkos ist es unbegreiflich, wie Photios nicht
sieht, was „alle Ökumenischen Synoden" darunter verstanden haben:
eben das Symbolum von Nicaea. Dies ergibt sich eindeutig aus den verschiedenen Konzilsakten.

Und in der Tat, auch ich behaupte, daß dieses Symbolum der nicaenischen Synode unverfälscht, sowohl in der zweiten als auch in der dritten und in den folgenden Synoden in
Geltung blieb. Denn eine Hinzufügung oder Hinwegnahme von Worten (λέξεις) nenne
ich nicht Verfälschung, weil unser Glaube (εὐσεβεία) nicht durch Worte (λέξεις), sondern
durch Begriffe (ἔννοια) umfaßt wird. Wenn jedoch Photios die Hinzufügung oder Wegnahme von Worten als eine Verfälschung des in Nicaea überlieferten ὅρος τῆς πίστεως
betrachtet, dann macht er bereits die Bischöfe der zweiten und der anderen folgenden
Synoden zu Übertretern (des Verbots des Chalcedonense) und unterwirft sie den gegen
dieselben vorgesehenen Strafen. Jeder, der sich mit der Geschichte der Kirche befaßt, weiß
nämlich, daß einerseits mehrere Worte aus dem Symbolum der ersten nicaenischen Synode
weggenommen, andere ihm hinzugefügt wurden. Wenn die Römer sich strafbar machten,
weil sie beim Rezitieren des Symbolums der zweiten Synode hinzufügten, der Geist gehe
aus dem Vater und dem Sohne hervor, dann hätten viel früher schon die Väter der zweiten
Synode angeklagt werden müssen, wo sie doch zum Symbolum der ersten Synode diese
ganze Hinzufügung über den Ausgang des Geistes machten! Dieselben Leute also, die jene
schrecklichen Strafen gegen diejenigen verhängt haben, die sich herausnehmen würden,
etwas dem Symbolum der nicaenischen Synode hinzuzufügen oder davon wegzunehmen,
haben selber sowohl Worte hinzugefügt als auch weggenommen. Damit ist ganz deutlich,
daß die Väter unter Hinzufügung und Wegnahme nur eine solche verstehen, die den Sinn des
Glaubens (ἔννοια τῆς πίστεως) verfälscht. Folglich dürfen wir die Römer, die lediglich ein
Wort hinzufügten, jedoch den frommen Sinn über die Dreifaltigkeit wahrten, nicht als
Schismatiker verurteilen, sofern wir ein gerechtes Urteil fällen wollen.[110]

Der Passus ist ohne Zweifel bedeutsam. Aus ihm erhellt nämlich, gleichsam nebenbei, daß die *fides Nicaena* von griechischen Theologen auch
noch im 13. Jahrhundert als die schlechthin unvergleichliche Grund-

---

[107] *Oratio de processione Spiritus Sancti* 24—27, PG 142, 557—565.
[108] Nach Beck, Kirche und theologische Literatur 681 „der theologisch bedeutsamste,
philologisch-historisch gewiegteste und unverdrossenste Vorkämpfer der kirchlichen Union,
die 1274 abgeschlossen wurde". Vgl. auch J. Gouillard, Michel VIII et Jean Beccos
devant l'union, in: 1274. Année charnière. Mutations et Continuités, Paris 1977, 179—190;
Stiernon, Le problème 139—166. V. Peri, L'opuscolo di Giovanni Vekkos ,Sull'infon-
datezza storica dello scisma tra le chiese' e la sua prima redazione, in: RSBN 14/16 (1977/79)
203—237.
[109] *Epitome* 10, PG 102, 393B. Vgl. S. 280.
[110] *De unione ecclesiarum* 46, PG 141, 109D—112C.

lage des Glaubens angesehen wird[111] und ihr keineswegs die Symbola
der übrigen Konzilien an die Seite gestellt werden. Der Glaube, der
nicht verändert werden darf, ist der nicaenische als solcher. Die Versöhnung mit der Sicht der lateinischen Kirche, in der spätestens seit
dem Chalcedonense eine gewisse Relativierung der *fides Nicaena* stattgefunden hat[112], erreicht Bekkos durch die Unterscheidung zwischen
der λέξις und der ἔννοια der *fides Nicaena*: an der λέξις dieser *fides* dürfen
Änderungen vorgenommen werden — es sind die Symbola der folgenden Konzilien — an der ἔννοια nicht! Diese bleibt in allen folgenden
Konzilien unverfälscht erhalten. Damit ist indirekt gesagt: die Symbola
aller folgenden Konzilien sind nichts anderes als ‚Ausfaltungen' der *fides
Nicaena* als solcher.

Photios hatte sich für die Ablehnung des Filioque auf das εὐαγγελίζειν
παρ' ὃ εὐαγγελισάμεθα von Gal 1, 8 berufen.[113] Bekkos nimmt es zum
Anlaß, sein Verständnis der Unterscheidung von λέξις und ἔννοια zu verdeutlichen: Das gleiche Verhältnis, das zwischen dem Nicaenum und
den folgenden Ausfaltungen dieses selben Glaubens obwaltet, das heißt
die gleiche ἔννοια bei wechselnder λέξις, besteht auch schon zwischen
dem Evangelium beziehungsweise der Heiligen Schrift und dem Nicaenum. In Gal 1, 8 richtet sich Paulus mitnichten gegen die Hinzufügung
von Worten zu seinem Evangelium. Denn dann wäre das ὁμοούσιος ein
solcher verwerflicher παρευαγγελισμός, nicht weniger das θεοτόκος, alles
Worte, die sich in den paulinischen Briefen nicht finden.

Diejenigen, die später diese Worte (λέξεις) gebrauchten, werden keineswegs der Übertretung des Evangeliums (παρευαγγελισμός) geziehen, eben weil Paulus sie nicht gebraucht
habe, sondern man betrachtet sie vielmehr als Verkünder des Glaubens (εὐσεβεία), weil
sie denselben im Geiste (ἔννοια) des Paulus bestimmten (δογματίζω).[114]

Bekkos gibt zum Schluß seiner Widerlegung des Photios zu bedenken,
daß, wer diese Unterscheidung zwischen der identisch sich durchhalten-
den ἔννοια und der wechselnden λέξις nicht annimmt, konsequenterweise selbst „Vorkämpfer" des Glaubens wie den „großen Athanasios"
und andere orthodoxe Väter des παρευαγγελισμός, der Übertretung des
Evangeliums, zeihen muß.[115]

Konstantin Melitoniotes († 1307), ein Freund und Mitstreiter des Johannes Bekkos, weist im Anschluß an Nikephoros Blemmydes den Ein-

---

[111] Vgl. SIEBEN, Konzilsidee 231 ff.
[112] Vgl. ebd. 250 ff.
[113] *Epitome* 13, PG 102, 396B.
[114] *De unione ecclesiarum* 48, PG 141, 116C—D.
[115] Ebd. 116D—117A.

wand vom Fehlen des Filioque im Symbolum mit dem Hinweis zurück, dort könnten grundsätzlich unmöglich alle Glaubensartikel enthalten sein, und tatsächlich fehlten auch wichtige, wie zum Beispiel die Gottheit des Geistes, das θεοτόκος usw.[116]

Der Unionsgegner Manuel Moschopulos hatte in einer Schrift gegen Gregorios Kyprios ausgeführt, das silentium der Konzilien in dieser Frage könne nur als eine in aller Form vorgenommene, endgültige Entscheidung der Kirche gegen das Filioque gedeutet werden.[117] Georgios Metochites († 1328), Erzdiakon an der Hagia Sophia, wie Konstantin Melitoniotes ein Freund und Leidensgefährte des Bekkos, weist auf die Konsequenz dieser Auffassung hin: Der gesamten über den Wortlaut der Schrift und des Symbolums hinausgehenden Tradition wird der Boden entzogen und damit der Häresie Tür und Tor geöffnet. Denn Begriffe wie ὑπόστασις oder πρόσωπον oder θεοτόκος oder δύο φύσεις oder δύο ἐνέργειαι oder δύο θελήματα usw. sind weder in der Schrift noch im Symbolum enthalten.[118] Der Solum-Symbolum-Position des Manuel Moschopulos gegenüber präzisiert Georgius seine Auffassung von der kirchlichen Lehrentwicklung. Es kommt dabei zu prinzipiellen Aussagen über die Rolle sowohl der Konzilien als der einzelnen Theologen. Zunächst was die Konzilien angeht:

> Bei ihrem Bemühen, den von den heiligen Aposteln überlieferten Glauben zu bewahren und zu bestärken, befaßte sich eine jede Synode ausschließlich mit den Dingen, die in Frage gestellt wurden. Was abzuweisen war, wiesen sie dabei ab, was hochzuschätzen und anzueignen war, schätzten sie hoch und eigneten sie sich an. Was aber zu verwerfen und was zu bewahren war, entschieden sie und bestimmten sie jeweils gemäß den apostolischen Traditionen. Das ehrwürdige und heilige Symbolum der ersten und zweiten Synode stellt eine Darlegung der Fragen dar, die auf diesen beiden Synoden gestellt waren, und enthält (entsprechend) ihre wahre und sichere Lösung und Erklärung. Es ist eine eindeutige, kurzgefaßte Verkündigung des apostolischen Glaubens (ὁμολογία).[119]

Neben den Synoden gibt es die einzelnen Theologen. Sie verfassen ihre eigenen Schriften im Rahmen der (ἀκολούθως) von den Konzilien gekennzeichneten gemeinsamen Lehre, sie verdeutlichen im eigenen Namen (ἰδίᾳ) den gemeinsamen Glauben zum Nutzen der Gläubigen.

> Die Kirche begrüßt also die synodalen Überlieferungen der heiligen Väter, nicht weniger macht sie sich freudig die richtigen Urteile einzelner Theologen zu eigen. Keineswegs eignet

---

[116] *De processione Sancti Spiritus oratio* 2, 41, PG 141, 1268B—D; vgl. auch die Ausführungen dieses Autors zum Verlauf der ‚Dogmengeschichte', die von sehr tiefem Pessimismus hinsichtlich seiner eigenen Zeit gekennzeichnet ist. Die Heutigen sind nach einem Dichterwort ‚untauglich für die Wahrheit' (πρὸς τὴν ἀλήθειαν ἄχρειοι). Ebd. 18, PG 141, 1184C bis 1188A.

[117] Zitiert bei Georgios Metochites, *Contra Manuelem Cretensem* 26, PG 141, 1393D—1396A.

[118] *Contra Manuelem Cretensem* 26, PG 141, 1396B—1398C.

[119] Ebd. 1397C—D.

sie sich lediglich jene (das heißt die synodalen Überlieferungen) an, und verwirft sie diese (das heißt die richtigen Urteile einzelner Theologen), sondern so, wie sie aus der ‚Inspiration' des göttlichen Geistes hervorgegangen sind, ehrt sie diese wie jene und begrüßt sie, was in Synoden und im heiligen Symbolum und was nicht in ihm ausgesprochen und geschrieben ist.[120]

Die Absicht, die Georgios mit dieser Erklärung, beide Traditionen, die synodale und die ‚einzel-theologische', seien in den Augen der Kirche grundsätzlich gleichwertig, verfolgt, ist dabei klar: Es geht ihm um das Filioque, das ja bekanntlich nicht synodal, sondern nur ‚einzel-theologisch' überliefert ist.

Eine hervorragende Gestalt unter den griechischen systematischen Theologen ist der aus dem griechischen Süditalien stammende Barlaam von Kalabrien († 1350).[121] Auf die weiter oben referierte Anfrage des Demetrios Kydones, ob das Filioque nicht von einem Ökumenischen Konzil hätte definiert werden müssen statt vom Papst allein, gibt der gegen Ende seines Lebens zur römischen Kirche konvertierte Theologe eine Antwort, der man zumindest Konsistenz und Klarheit nicht wird absprechen wollen. Barlaam setzt an mit der Infragestellung des traditionellen Begriffs von Ökumenischem Konzil. Wenn vier der fünf Throne, die traditionell das Ökumenische Konzil konstituieren (Pentarchie), schismatisch[122] sind, muß man dann nicht annehmen, daß die Kirche ihre *integritas* und *perfectio* verloren hat, eben weil ihr nicht mehr alle fünf Sinne (Pentarchie) zur Verfügung stehen?[123]

Ist in einer solchen gespaltenen Kirche noch ein Ökumenisches Konzil möglich? Barlaam antwortet mit Ja, ein Ökumenisches Konzil ist mög-

---

[120] Ebd. 1397D—1400A.

[121] Näheres bei BECK, Kirche und theologische Literatur 717—19; M. JUGIE, Barlaam de Seminara, in: DHGE 6 (1932) 817—34; ausführliche Darstellung seiner theologischen Methode und Gesamtwürdigung bei PODSKALSKY 126—57. Vgl. ferner D. M. NICOL, Byzantine Requests for an Oecumenical Council in the Fourteenth Century, AHC 1 (1969) 69—95, hier 76—82. — Zur Zuverlässigkeit seiner antilateinischen Schriften vgl. A. FYRIGOS, La produzione letteraria antilatina di Barlaam Calabro, in: OChrP 45 (1979) 114—144.

[122] Baarlam definiert den Schismatiker bezeichnenderweise folgendermaßen: *Nullos enim alios appellamus schismaticos, nisi illos qui principalioribus et dignioribus in ecclesia dogmatizantibus opposite se habentes ad aliquid eorum quae vel in sacra scriptura aperte dicuntur, vel in generalibus conciliis expresse determinata sunt, vel a tota ecclesia communiter creduntur, a debita illis credentia et communione, propter quandam aliam passionem discedunt, sive multi sive pauci sunt ; nihil enim interest, quoniam non multitudine et paucitate, sed praedicta ratione schismaticus notatur, quoniam et hi complentes iure, et hoc nomine digni habiti erunt.* Ep. ad Demetrium, PG 151, 1307A—B.

[123] Barl., Ep. ad Dem., PG 151, 1308D: *Sed fortasse dicit aliquis ambigens: Si amisit suam integritatem et perfectionem ecclesia, et hoc non ex minima parte, siquidem quinque eius principalium partium, a quibus tanquam sensibus quibusdam, universum eius corpus completum erat, quatuor lapsae sunt, prima vero tantum remansit: quomodo de caetero non existens integra, catholica est, vel cuius amplius corporis ecclesia Romana caput est, ex quo illud initio unitum erat ei, discessit ab ea, vel quomodo totaliter viva esse potest?*

lich, wenn auch nicht mehr in dem alten, so doch in einem guten neuen Sinn. Entscheidend für die Konstitution eines Ökumenischen Konzils ist nämlich die Anwesenheit des Hauptes *(caput)*. Dieses Haupt hat nämlich, sofern es selber rechtgläubig ist, d. h. nicht gegen das Evangelium und die Konzilien „sündigt"[124], keineswegs „seine Macht und Fähigkeit verloren, Patriarchen zu schaffen"[125], das heißt die verlorenen schismatischen durch neue zu ersetzen entsprechend seinem ihm von Anfang an zustehenden Recht.

Dabei muß der Begriff *caput* richtig gefaßt werden. *Caput* ist nicht der ganze Westen und Norden. *Caput* ist ausschließlich die Kirche der Stadt Rom. Alle übrigen Gebiete des Westens und Nordens gehören diesem *caput* als Leib an. Die schismatischen östlichen Patriarchen sind, um in einem Bild zu sprechen, Händen und Füßen vergleichbar. Vom Leib getrennt, sind *sie* notwendig tot, keineswegs jedoch stirbt der Leib, verliert er diese Glieder. Im übrigen ist das verwendete Bild sehr unzureichend; bei Körperwesen wachsen anstelle der verlorenen Glieder dem Haupt keine neuen Glieder nach. Anders bei der mit dem Bild gemeinten Wirklichkeit: *semper capiti, loco labentium, licet alia membra condere, ut semper ipsum sit cum integro corpore.*[126] Damit ist der Beweis erbracht: Auch nach dem Schisma sind Ökumenische Konzilien möglich, tatsächlich haben solche Konzilien stattgefunden. *Generalia enim concilia non ex haereticis et schismaticis, sed ex orthodoxis et ecclesiae unitis colligi debent.*[127]

---

[124] Nach Barlaam besteht die „Sünde wider das Evangelium und die Konzilien" nicht darin, *simpliciter dicere aliquid et dogmatizare de Deo, quod utrumque non invenitur vel in evangelio vel in conciliis, sive contrarium est alicui eorum, quae ibi manifeste feruntur, sive non; hoc modo etiam omnes qui de Deo scribunt sancti in eadem peccant. Non solum enim innumerabilia de Deo dicunt et dogmatizant, quae verbo in evangelio, vel in conciliis non inveniuntur: verum etiam multa dicunt, quae neque per sensum eorum quae ibi sunt, concludi valent. Non ergo peccare est in illa simpliciter dicere, quae ibi qualitercumque non inveniuntur, sed addendum est, si sint et repugnantia illis. Quare peccare in illa est, dicere aliquid opposite se habens alicui eorum quae ab illis dicuntur, ut alterum per alterum necessario tollatur. Et hoc solum est, quod paradogmatizare appellamus.* Ebd. 1307C—D.

[125] Ebd. 1309B—C: *Ergo quoniam nihil opposite se habens evangelio vel conciliis sapit vel docet (caput), prout ostensum est, non amisit utique creandi patriarchas potestatem et virtutem. Ergo cum hi patriarchae absque ulla ratione discessissent ab illo, et in eorum dioecesibus habitarent multi Christiani uniti illi, illo singulis horum a principio habente huius iustam potestatem constituendi congruum patriarcham, ecclesia quidem Romana capitis rationem habens, et loco labentium membrorum alia semper condens, et viva utique est, et integrum reliquum corpus unitum sibi habet.*

[126] Barlaam fährt fort: *Scimus enim, quod papa quidem potest creare patriarchas, patriarchae vero papam creare non possunt. Et ideo hi quidem numquam hoc tentaverunt: Romani vero pontifices ante schisma videntur et deponentes et promoventes patriarchas.* Ebd. 1309B.

[127] Ebd. 1309B. Vgl. ebd. 1309C: *Quare si putas necessarium esse generalibus conciliis ad totius complementum, et quatuor interesse patriarchas, et audias post schisma generalia concilia per papam esse facta: noli quaerere, utrum et schismatici patriarchae illis interfuerunt: sed si eorundem patriarcharum fide viventes et uniti suo capiti patriarchae interfuerunt, non oportet plus hoc quaeri.* Vgl. auch Ep. ad Alexium, PG 151, 1313D—1414A.

Als Barlaam diese Gedanken niederschrieb und sie Freunden in Griechenland brieflich mitteilte, hatte er schon der griechischen Kirche den Rücken gekehrt und sich der lateinischen angeschlossen. Auch der letzte in diesem Abschnitt zu nennende Theologe ist ein Konvertit. Der aus Konstantinopel stammende Manuel Kalekas († 1410)[128] wurde sogar gegen Ende seines Lebens Dominikaner. Uns interessiert hier seine Schrift *Contra Graecos*[129], die auf dem Konzil von Basel eine große Rolle spielen sollte. Im ersten Teil des vierten Buches geht Manuel ausführlich auf das griechische argumentum ex conciliis ein.

Zunächst erklärt Manuel, was das Ephesinum mit dem Verbot der *alia fides* wirklich meinte. Jedenfalls nicht die Abfassung einer „gemeinsamen Glaubenserklärung“, sondern die Aufstellung „privater“ Glaubensbekenntnisse. Denn diese führen bekanntlich zu Konventikelbildung. Unvorstellbar ist, so Manuel Kalekas, daß die Kirche sich selber verboten haben sollte, die Wahrheit zu lehren. Auch ist die Auffassung falsch, daß die Kirche zwar am Anfang die Macht hatte, auf Konzilien „über den Glauben zu statuieren“, daß sie aber später diese Macht verloren hat. Denn nur Gott sieht die zukünftigen Häresien voraus, die Kirche kann das nicht. Deswegen braucht sie zu jeder Zeit ihre Konzilien, um die je aktuellen Häresien zu vernichten.[130]

Seine These, daß die Kirche in jeder Zeit die Fähigkeit besitzt, „über den Glauben zu statuieren“, verdeutlicht unser Theologe dann an der Konziliengeschichte. Die Hinzufügungen zum Symbolum sind nachgerade charakteristisch für die Rechtgläubigen, für die Erfinder von Neuerungen dagegen, daß sie sich auf Ungeschriebenes berufen und auf ältere Dokumente, um ihre Irrlehre zu verbergen. Immer wieder haben die Häretiker im Laufe der Kirchengeschichte Hinzufügungen bekämpft, eben weil sie durch dieselben als Irrlehrer entlarvt wurden.[131] Manuel betont ausdrücklich den Zusammenhang zwischen dem Symbolum und den Konzilien; bei diesen handelt es sich ja um die Entfaltung dessen, was in jenem enthalten ist.[132]

---

[128] Vgl. BECK, Kirche und theologische Literatur 740—741 und PODSKALSKY 212—215.
[129] *Contra Graecorum errores libri quatuor*, PG 152, 13—258.
[130] Ebd. 4 PG 152, 187—188.
[131] Ebd. 190B—D.
[132] Man. Kal., C. Graec., PG 152, 192A—B: *Porro proprie expositos a synodis terminos veluti commune symbolum minime amplecti ac suscipere, eorum est, qui concilia irrita volunt. Aeque igitur ac symbolum quaecumque illa statuerint, suscipienda sunt. Neque enim profecto, quod in symbolo quidem continetur, honorabimus: quod autem ex illius pendet fine, vel quod post eius lectionem dicitur, vel in suis terminis exponitur, non honorabimus?*

Sehr ausführlich befaßt sich Manuel mit dem Vorwurf der Griechen, das Filioque hätte nicht ohne die Griechen definiert werden dürfen. Wenn es jeder beliebigen Provinz erlaubt sei, Konzilien abzuhalten, dann doch a fortiori dem Papst in seiner Eigenschaft als *pastor primus et ecclesiae totius pater*. Ohne ihn ist es unmöglich, kirchliche Dinge richtig zu entscheiden.[133] Wenn dem so ist, wenn alles auf den Papst ankommt, dann ist die Zahl eventueller Konzilsteilnehmer unwichtig, zumal in einer Frage wie der des Filioque, das für die Griechen ja gar kein echtes Problem darstellte.[134] Leidenschaftlich wiederholt Manuel gegen alle Einwendungen der Griechen, die auf ihr Recht pochen, mitzuentscheiden, nicht die Teilnahme aller ist wichtig für ein Konzil, sondern die Teilnahme des einen. Allesentscheidend ist die Teilnahme des Papstes; die Zahl der übrigen ist ohne Bedeutung.[135]

Wir brechen hier ab, um die unserer Untersuchung gezogene zeitliche Grenze, nämlich das Große Abendländische Schisma, nicht noch mehr zu überschreiten. Natürlich geht die lateinisch-griechische Kontroverse über den Symbolzusatz weiter, und es kommt in ihrem Kontext nach wie vor zu interessanten Äußerungen über die Konzilien. Dies gilt insbesondere für den eigentlichen Höhepunkt dieser Kontroverse, das Konzil von Florenz (1439—1442), auf dem der griechische Standpunkt in dieser Frage vor allem von einem so überlegenen Geist wie Markos Eugenikos verteidigt wurde. Freilich, sehr viel neue Gedanken werden bei dieser großen Auseinandersetzung zwischen der griechischen und der lateinischen Theologie weder von der einen Seite noch von der anderen mehr vorgetragen. Man greift in beiden Lagern auf das Arsenal von Argumenten zurück, das man in den Jahrhunderten vorher angelegt hatte.[136]

Im folgenden Abschnitt wenden wir uns nicht der weiteren Entwick-

---

[133] Manuel beruft sich hier auf einen Satz Stephanus des Jüngeren: vgl. SIEBEN, Konzilsidee 320 Anm. 51.

[134] PG 152, 197A—D.

[135] Ebd. 198D—199A: *His si quis obiciat, oportuisse Graecos etiam vocari, et synodo de sententia omnium communicare . . ., (non) necesse est omnes omnibus adesse conciliis, sed primum quidem patrem, ecclesiaeque pastorem. ... Nam si ille non adiuvat, inania et hesterna sunt omnia: sine hoc enim ecclesiastica tractari statuique non possunt ; constatque, sive cum pluribus, sive cum paucis, quod ad se pertinet implere potest.* — Vgl. auch die Ausführungen des Manuel über das Unionskonzil von 1274, ebd. 202 ff.

[136] Zum griechischen und lateinischen Konzilsgedanken auf dem Konzil von Florenz vgl. die obengenannte sehr informative Studie von MARX. Während die ältere Forschung entweder die Primatsfrage oder das Filioque als trinitarische Doktrin als Hauptproblem des Konzils betrachtete, vertritt MARX die These, daß der Symbolzusatz als solcher die Kernfrage darstellt.

lung zu, sondern befassen uns nochmals unter einem Teilaspekt mit den vorausgegangenen Jahrhunderten, um auf einen spezifischen ‚Ort' der Konzilsfrage innerhalb der abendländischen Theologie hinzuweisen.

4. Echo in Sentenzenkommentaren

Als Teilaspekt der Filioque-Kontroverse hatte die Konzilsproblematik auch in die Sentenzen des Lombarden Eingang gefunden und somit ihren ‚Ort' im mittelalterlichen theologischen Schulbuch und Schulbetrieb erhalten. Es ist im Rahmen dieser Untersuchung nicht möglich, diesen locus de conciliis in der außerordentlichen Masse der ungedruckten Sentenzenkommentare[137] zu untersuchen, lediglich auf einige der gedruckten Commentarii zur fraglichen Stelle (Buch I, dist. 11) soll abschließend hingewiesen werden.

Quelle des Lombarden selber ist ein Abschnitt aus dem zweiten Buch der kaum vor 1132 abgefaßten *Introductio ad theologiam* des Abaelard.[138] Die von den Griechen angezogene Stelle des Chalcedonense verbietet — so argumentiert der scharfsinnige Dialektiker dort — nicht Verschiedenheit der Worte, sondern nur Verschiedenheit im Glauben. *Alia fides* steht hier für *contraria fides*.[139] Wer die vorgeschlagene Lösung ablehnt, unterstellt einen Selbstwiderspruch der betreffenden Konzilien, der nicht angenommen werden kann: Einerseits würden sie die Annahme von mehr als einem Symbolum befehlen, andererseits würden sie dieselbe verbieten.[140] Ähnlich löst Abaelard anschließend das griechische Sola-Scriptura-Argument gegen das Filioque auf.[141]

---

[137] Vgl. F. Stegmüller, Repertorium commentariorum in Sententias Petri Lombardi I Würzburg 1947.

[138] PL 178, 1075—1177.

[139] Abael., Introd. 2, 14—15, PL 178, 1075D: *Sed profecto cum interdicitur ne quis aliter doceat aut praedicet catholicam fidem quam in praedictis continetur conciliis, aliter dictum puto non secundum verborum diversitatem, sed secundum fidei diversitatem, ac si dicatur, aliter, hoc est contrario modo, non diverso verborum sono, quia et nos Latine dicimus quod illi Graece. Sicut ergo diversum pro opposito dicitur, ita diverso modo quod est aliter pro opposito modo non incongrue sumitur.* Die gleiche Lösung findet sich bei Anselm von Laon, *Sententiae divinae paginae* 3 (hrsg. Bliemetzrieder 9): *aliter, id est contrarium.*

[140] Abael., Introd. 2, 14—15, PL 178, 1075D—1076A: *Alioquin cum unumquodque illorum conciliorum proprium composuerit atque instituerit symbolum, sintque ipsa symbola ab invicem verbis diversa, ac fortasse quibusdam sententiis, cum unum nonnumquam contineat quod alterum non habeat, profecto anathematis reus esset, qui uno recepto caetera symbola confitendo recitaret vel reciperet.*

[141] Ebd. 1076D—1077A: *Ob hoc enim maxime symbola conciliorum scripturis illis sunt superaddita, ut illa doceant vel disserant quae ibi aperte non habentur. . . . Multa profecto fidei necessaria post evangelia ab apostolis vel apostolicis viris addita sunt, quae ex verbis evangelicis minime comprobantur, sicut est illud de virginitate Matris Domini etiam post partum iugiter conservata, et de aliis fortasse multis.*

Der Lombarde übernimmt in seinen wohl um 1152 veröffentlichten Sentenzen weitgehend die Stellungnahme des Abaelard zum argumentum ex conciliis der Griechen, er verdeutlicht lediglich den Unterschied zwischen ‚Hinzufügen' und ‚Widerspruch'.[142]

Mehrere bedeutende Sentenzenkommentare der Hochscholastik gehen auf das griechische argumentum ex conciliis ein. So zum Beispiel Albertus Magnus. Er stellt sich näherhin zwei Einwänden der Griechen: erstens, warum gibt es überhaupt eine Hinzufügung zum Symbolum? Zweitens, warum geschah sie ohne Hinzuziehung der Griechen? Auf die erste Frage antwortet er mit Augustinus: *non est additum, quod in illo erat intellectum*. Das Filioque ist eine notwendige Explikation.[143] Die Antwort auf die zweite Frage bringt die Konzilsidee der oben untersuchten lateinischen Theologen auf eine Kurzformel:

Non oportuit ad hoc eos vocare, cum auctoritas fuerit publicandi apud ecclesiam Romanam: praecipue cum unicuique etiam particulari ecclesiae liceat id quod catholicum est promulgare, propter aliquam necessitatem per cantum et legendas publicas.[144]

In seiner Nota zum Artikel bezeugt Albert übrigens unter Berufung auf eine *Glossa super Actus* eine interessante Tradition, nämlich, daß es in der *primitiva ecclesia* acht Konzilien gegeben habe: vier Apostelkonzilien (Wahl des Matthias, Wahl der sieben Diakone, Befreiung der bekehrten Heiden von der Beschneidung, Erlaubnis der Juden zum Gesetzesdienst auch nach ihrer Bekehrung) und vier Väterkonzilien (Nicaea, Ephesus, Chalcedon, Konstantinopel — in dieser Reihenfolge!).[145]

Alexander von Hales begnügt sich in seinem Sentenzenkommentar, die Schrift *De processione Sancti Spiritus* des Anselm von Canterbury auszu-

---

[142] Petr. Lomb., Sent. I, dist. 11, 1, 4; Ausgabe 1971, 116, 10—12: *Sed qui supplet, quod minus erat addit, non quod inerat tollit. Qui autem praetergreditur fidei regulam, non accedit in via, sed recedit a via.* Vgl. auch die Sentenzen Rolands — nachmals Papstes Alexander III. — (hrsg. GIETL 36—38), wo ebenfalls *aliud* durch *contrarium* interpretiert wird.

[143] Albertus, I Sent. dist. 11, 9, Ausgabe BORGNET 25, 350—351: *Sed quaerunt Graeci, qualiter ausi fuerimus apponere symbolo edito in concilio, et quare in additione episcopi eorum non sint vocati, vel quare concilium non fuit indictum? Ad omnia haec respondet Augustinus quod non est additum quod in illo erat intellectum: quia quod in alio est intellectum et inclusum, si hoc exprimatur, non debet dici additum: sed quod latuit inclusum, sit manifestatum. . . . Necessarium autem fuit addere processionem.*

[144] Ebd. 350.

[145] Ebd. — *Et nota, quod octo concilia generalia in primitiva ecclesia celebrata sunt: quatuor ab apostolis et quatuor a patribus. Ab apostolis primum pro electione Mathiae loco Judae, secundum de electione septem diaconorum, tertium de circumcisione non imponenda illis qui crediderunt, quartum de non prohibendis legalibus illo tempore Judaeis propter scandalum, ne crederetur vetus testamentum tamquam sacrilegium abiciendum esse. Et haec quatuor enumerantur in quadam glossa super actus primo. Quatuor etiam fuerunt patrum, scilicet Nicaenum, Ephesinum, Chalcedonense et Constantinopolitanum.*

schreiben, und zwar mit ausdrücklicher Angabe seiner Quelle.[146] Ausführlich befaßt sich sein Ordensbruder Bonaventura in seinem Sentenzenkommentar von 1250/54 mit dem griechischen Einwand. Zwischen
cognitio und *professio* des Filioque unterscheidend, nennt er drei Gründe,
weswegen die lateinische Kirche zur *professio* geschritten ist: *fidei veritas*,
periculi necessitas, *ecclesiae auctoritas*. Gemeint ist mit der *ecclesiae auctoritas*
natürlich der Papst. Derselbe hat durch die Hinzufügung des Filioque
das Symbolum nicht ‚korrumpiert‘, sondern vervollständigt. Man hat,
wie Anselm es formuliert hatte, eine *nova editio* des Symbolums verfaßt.

Et hoc quidem facere potuimus, quia Romana Ecclesia plenitudinem potestatis a Petro,
apostolorum principe, acceperat, in qua nulla patrum sententia nec interdictum potuit nec
arctare nec ei praeiudicare nec ligare eam ad aliquid.[147]

Bezeichnend sind auch die angeführten Gründe, warum man die Griechen zum Westkonzil nicht hinzugezogen hatte: Ihre Teilnahme war
wegen der Vollgewalt der lateinischen Kirche überflüssig, wegen der
Entfernung schwierig, wegen des geistigen Niveaus der Griechen nutz-
los, wegen ihrer Unangefochtenheit in diesem Punkt sogar gefährlich.[148]
Was die *professio* des Filioque selber angeht, so handelt es sich um eine
notwendige Explikation.[149]
Der Sentenzenkommentar des Duns Skotus aus dem Jahre 1302/03
streift das griechische Argument ex conciliis nur in aller Kürze.[150] Auch
Thomas von Aquin geht in seinem Sentenzenkommentar von 1256 auf
das griechische argumentum ex conciliis nur knapp ein. Er spendet dem
Lombarden Lob für die Interpretation von *aliud* durch *contrarium*. Denn
was nicht im Widerspruch zur Schrift steht, ist eben dieser Schrift Wahr-

---

[146] Glossa in I Sent. dist. 11, 2, Ausgabe Quaracchi 1951, 135—136. — Die Stellungnahme
hochscholastischer Theologen zum Filioqueproblem behandelt Y. Congar in: Unité de foi,
diversité de formulation théologique entre Grecs et Latins dans l'appréciation des Docteurs
occidentaux, in: RevSR 54 (1980) 21—31.
[147] In I Sent. dist. 11, art. unicus, conclusio, Ausgabe Quaracchi 1, 212. — Zu dieser Stelle
vgl. auch J. Ratzinger, Offenbarung, Schrift und Überlieferung. Ein Text des hl. Bonaventura und seine Bedeutung für die gegenwärtige Theologie, in: TThZ 67 (1958) 13—27,
hier 14—18.
[148] Bonav., In I Sent. dist. 11, 1, ebd. 1, 212: . . . *eos vocare non fuit opportunum — quia ecclesia
sine eis hoc poterat — et hoc, quia erat laboriosum propter distantiam, erat infructuosum, quia iam non
erat in Graecis sapientia tanta, sicut fuerat, immo ad Latinos transierat, erat nihilominus periculosum,
quia quod pro certo habendum erat periculum erat ducere in dubium.*
[149] Ebd. 213: . . . *nec in conciliis illis sunt omnia instituta, quae spectant ad mores, nec etiam omnia
dicta, quae ad fidem pertinent.*
[150] Es ist wahr, daß das Filioque auf keinem der alten Konzilien definiert wurde, *sed facta
sunt concilia ut, quando aliqua haeresis pullulaverit, tunc exstirparetur — et ita est factum de hac
materia. In I Sent.*, dist. 11, qu. 1, 3, Ausgabe Vaticana 1966 17, 133. Vgl. auch A. Franchi,
Il *Filioque* al Concilio II di Lione (1274) et il pensiero di Giovanni Duns Scotus, in: Acta
Congr. Scot. internat. III, Rom 1968, 777—85.

heit, eine Wahrheit, die — zunächst nur implizit in ihr enthalten — aus ihr entfaltet wurde. Solche Entfaltung ist notwendig, denn unmöglich kann das Symbolum alle Wahrheit explizit enthalten. Man sieht das am Beispiel des *descensus*, der, obwohl zum Glauben gehörig, nicht im Symbolum genannt ist. Was den Hervorgang des Geistes angeht, so ist er implizit in der Unterscheidung der Personen enthalten.[151] Ganz entsprechend den oben ausgewerteten Quellen ist dann auch die Antwort des Thomas auf die griechische ‚Anfrage‘: Warum geschah diese Hinzufügung ohne uns?

Ad quod dicendum, quod necessitas fuit, sicut eorum error ostendit, et auctoritas Romanae ecclesiae synodum congregandi, in qua exprimeretur aliquid quod implicite in articulis fidei continebatur.[152]

In der *Summa theologica* hat sich der Aquinate dann noch etwas ausführlicher zur Konzilsproblematik geäußert. Hier konkretisiert er auch näherhin die *auctoritas Romanae ecclesiae*, auf die er im Sentenzenkommentar hinweist: Kraft der päpstlichen Lehrgewalt wurde das Filioque ins Symbolum eingefügt. Weil gerade diese Stellungnahme der Summe auch in späteren Sentenzenkommentaren nachwirkte und zitiert wird, zum Beispiel bei Gabriel Biel[153], sie andererseits repräsentativ sein dürfte für den Endpunkt der im vorausgehenden analysierten Entwicklung, sei abschließend auf diesen Passus eingegangen.

Thomas beginnt mit einer allgemeinen Aussage zu Funktion und Wesen der konziliaren Symbola. Er löst die Antinomie zwischen Einheit und Vielheit der Symbola durch die Begriffe explizit und implizit:

Auf jedem Konzil wurde ein Symbolum festgelegt wegen eines Irrtums, der auf dem betreffenden Konzil verurteilt wurde. Deshalb stellten doch die folgenden Konzilien kein anderes Symbolum auf als das erste, sondern das, was einschlußweise im ersten Symbolum enthalten war, wurde durch einige Zusätze gegen die aufsteigenden Irrlehrer entfaltet (per aliqua addita explanabatur).[154]

Diesen Grundsatz der wesentlichen Nichtwidersprüchlichkeit der verschiedenen Konzilssymbola bezeugt das Chalcedonense hinsichtlich der Lehre vom Heiligen Geist ausdrücklich:

---

[151] Thomas, In I Sent. dist. 11, 4, exp. textus: *Haec Magister bene exponit, aliud pro contrario sumens: quod enim non est contrarium sacrae scripturae, veritas eius est, secundum Anselmum, nec potest esse quod omnia credenda explicite in illo symbolo contineantur in quo de descensu ad inferos nulla mentio sit. Processio autem Spiritus Sancti continetur ibi implicite, inquantum ibi continetur distinctio personarum, quae aliter non esse potest, ut dictum est.*

[152] Ebd.

[153] *In I Sent.* dist. 11, qu. 1, obiectio, hrsg. WERBECK-HOFMANN 1, 364—65.

[154] Thomas, STh 36, 2, ad 2: *In quolibet concilio institutum fuit symbolum aliquod propter errorem aliquem qui in concilio damnabatur. Unde sequens concilium non faciebat aliud symbolum quam primum, sed id quod implicite continebatur in primo symbolo, per aliqua addita explanabatur contra haereses insurgentes.* Vgl. auch RATZINGER 19—20.

Darum heißt es in einer Bestimmung des Konzils von Chalcedon, daß „diejenigen, die auf dem Konzil von Konstantinopel vereinigt waren, die Lehre vom Heiligen Geist überlieferten, nicht als ob sie das, was etwa von den Vorgängern, die in Nicaea versammelt gewesen waren, zu wenig gesagt worden sei, nachholen wollten, sondern lediglich, um deren Sinn gegen die Irrlehrer zu erläutern" (declarare).[155]

Nach dieser grundsätzlichen Überlegung zum Wesen konziliarer Symbole und der Verankerung dieser Wesensaussage in einem Konzilstext wendet sich Thomas der griechischen Objektion bezüglich der Hinzufügung des Filioque zu:

Weil demnach zur Zeit der alten Konzilien der Irrtum jener, die behaupteten, der Heilige Geist gehe nicht vom Sohne aus, noch nicht aufgetaucht war, war es auch nicht notwendig, daß dies ausdrücklich festgelegt wurde. Später aber, als einige diesen Irrtum aufbrachten, wurde diese Lehre auf einem Konzil, das im Abendland zusammengetreten war ... ausgesprochen.[156]

Hinzufügungen zu den Symbola sind grundsätzlich möglich, sie sind notwendig, wenn Irrlehren zu widerlegen sind. Dies war beim Filioque tatsächlich der Fall. Der Schluß des Passus hat den weiteren Einwand der Griechen im Auge, das Filioque hätte jedenfalls nicht ohne ein Ökumenisches Konzil zum Symbolum hinzugefügt werden dürfen. Thomas spielt hier den päpstlichen Primat gegen das Ökumenische Konzil aus:

(dies wurde ausgesprochen) kraft der Vollmacht des römischen Bischofs (auctoritate Romani Pontificis), durch dessen Vollmacht (auctoritas) auch die alten Konzilien zusammengerufen und bestätigt wurden.[157]

---

[155] Ebd.: *Unde in determinatione Chalcedonensis synodi dicitur quod ,illi qui fuerunt congregati in concilio Constantinopolitano, doctrinam de Spiritu Sancto tradiderunt'; non quod minus esset in praecedentibus qui apud Nicaeam congregati sunt, inferentes; sed intellectum eorum adversus haereticos declarantes.*

[156] Ebd.: *Quia igitur in tempore antiquorum conciliorum nondum exortus fuerat error dicentium Spiritum Sanctum non procedere a Filio, non fuit necessarium quod hoc explicite poneretur. Sed postea insurgente errore quorundam, in quodam concilio in Occidentalibus partibus congregato expressum fuit ...*

[157] Ebd.: *... auctoritate Romani pontificis, cuius auctoritate etiam antiqua concilia congregabantur et confirmabantur.* Noch deutlicher als in der S.Th. stellt Thomas in de Pot. q. 10 art. 4 ad 13 das grundsätzliche Recht des Römischen Stuhles zur Einfügung des Filioque in das Credo heraus. Nicht nur Ökumenische Synoden haben die Vollmacht, die Entscheidungen vorausgegangener Synoden zu interpretieren, auch der Papst verfügt über sie. Er kann im Alleingang die Definitionen von Konzilien auslegen. Denn das Konzil tritt ja seinerseits ausschließlich aufgrund seiner Berufung zusammen, und es definiert ohnedies, was der Papst zur Definition vorlegt. Den Beweis für diese These liefert die Geschichte. Das vierte Allgemeine Konzil machte sich bekanntlich den Tomus Leonis zu eigen, und das siebte Allgemeine Konzil hielt sich an die Vorlage Papst Agathons: *Sicut autem posterior synodus potestatem habet interpretandi symbolum a priore concilio conditum, ac ponendi aliqua ad eius explanationem ... ita etiam Romanus pontifex hoc sua auctoritate potest, cuius auctoritate sola synodus congregari potest et a quo sententia synodi confirmatur, et ad ipsum ad synodum appellatur. Quae omnia patent ex gestis Chalcedonensis synodi. Nec est necessarium quod ad eius expositionem faciendam universale concilium congregetur, cum quandoque id fieri prohibeant bellorum dissidia sicut in septima synodo legitur, quod*

Thomas leitet das Recht der lateinischen Kirche zu ihrem ‚Alleingang‘, wie aus dieser Stelle hervorgeht, aus dem Primat des römischen Bischofs ab. Dessen gerade auch in den Konzilien zur Geltung kommender Primat ist für Thomas eine auch historisch gesicherte Tatsache.[158] Für die Griechen aber war sie das nicht. Die moderne kritische Forschung sollte ihnen in diesem Punkt recht geben.

Constantinus Augustus dixit, quod propter imminentia bella universaliter episcopos congregare non potuit, sed tamen illi qui convenerunt, quaedam dubia in fide orthodoxa sequentes sententiam Agathonis papae, determinaverunt . . . et similiter patres in Chalcedonensi synodo congregati secuti sunt sententiam Leonis papae . . . Vgl. auch Contra gent. IV 25. Zur Lehre des Thomas über Konzilien vgl. auch Horst, Unfehlbarkeit 795—797.

[158] Thomas, STh 36, 2, ad 2.

Kapitel VIII

PUBLIZISTEN UND THEOLOGEN ZWISCHEN 1294 UND 1342 ÜBER KONZILIEN ODER BILANZ AN EINEM WENDEPUNKT

1. Einleitung

Die über Jahrhunderte andauernde Kontroverse mit den Griechen und die sporadisch immer wieder stattfindenden Unionsgespräche mit der Ostkirche hätten für die lateinische Kirche zum Anlaß werden können, die eigene ekklesiologische Position zu überdenken und das zentralistische Papalsystem auf die ostkirchlichen Vorstellungen von der Kirche hin zu relativieren. Offensichtlich wurde der ‚Dialog' von lateinischer Seite jedoch in einer solchen Position der Stärke geführt, sowohl auf der politischen wie auf der theologisch-ideologischen Ebene, daß es zu der an sich wünschenswerten Revision der westlichen Position nicht gekommen ist. Ja, es sind uns nicht einmal Zeugnisse vom Sinneswandel einzelner lateinischer Theologen als Folge ihres Kontaktes mit der griechischen Kirche bekannt.

In die Krise geriet das zentralistische Papalsystem nicht durch Einflüsse von außen, die Erschütterung kam schließlich aus dem Inneren der lateinischen Kirche selber. Widerstand und Ablehnung erhoben sich, als der Herrschaftsanspruch der Päpste, allen voran Bonifaz' VIII. mit seiner Bulle *Unam sanctam*, ein bisher nie dagewesenes Ausmaß erreichte. Die Gegner des Papsttums besannen sich jetzt auf die einzige innerkirchliche Institution, die ihrer Natur nach in der Lage war, dem Papst Paroli zu bieten, auf das Konzil. Die mit dem Ende des 13. und dem Beginn des 14. Jahrhunderts einsetzende Rückbesinnung auf das Konzil steht somit im Zeichen der Eindämmung und Begrenzung der päpstlichen Macht. Das ist ein völlig neuer Aspekt der Konzilsidee. Die ältere und neuere Konziliarismusforschung hat sich mit ihm intensiv beschäftigt.[1] Aber es ist keineswegs der einzige. Das halbe Jahrhundert zwischen dem Amtsantritt Bonifaz' VIII. (1294) und dem Tod Bene-

---

[1] Vgl. unter anderem Bäumer, Die Erforschung des Konziliarismus; G. Alberigo, Il movimento conciliare (XIV—XV sec.) nella ricerca storica recente, in: StMed 20 (1979) 913 bis 950. Einen Überblick über die Hauptthemen des späteren Konziliarismus gibt R. C. Petry, Unitive Reform Principles of the Late Medieval Conciliarists, in: ChH 31 (1962) 164—181.

dikts XII. (1342) waren für die Entwicklung der Konzilsidee auch unter anderen Rücksichten von großer Bedeutung. Ziel vorliegenden Kapitels ist es, gerade auf die Vielfalt der Aspekte der Konzilsidee dieser Zeitspanne, sozusagen um ihrer selbst willen und nicht im Hinblick auf die später vollentfaltete Theorie des Konziliarismus, abzuheben. Die genetische Fragestellung, das heißt, das Problem der wechselseitigen Abhängigkeit der Quellen, soll uns dabei nicht beschäftigen.

Unter diesen Quellen ragen zwei Namen, Marsilius von Padua und Wilhelm von Ockham, deutlich hervor. Ihr Beitrag zur Weiterentwicklung der Konzilsidee ist jedoch so umfangreich und so bedeutsam, daß wir ihn nicht in die Gesamtbetrachtung vorliegenden Kapitels miteinbeziehen können. Wir werden beiden Autoren vielmehr im Anschluß an dieses Kapitel je eine eigene Untersuchung widmen. Mit welchen Quellen[2] befassen wir uns also im vorliegenden Kapitel?

Aus dem Pontifikat Bonifaz' VIII. (1294—1303) stammen die drei Denkschriften der beiden Papstherausforderer, der Kardinäle Jakobus und Petrus von Colonna[3] aus dem Mai und Juni des Jahres 1297, ferner die Schrift *De renuntiatione papae* (1295/97) des Franziskaners und Führers der Spiritualen Petrus Johannis Olivi[4], für den sich die Forschung vor

---

[2] Zur Einführung in die Quellen vgl. unter anderem R. SCHOLZ, Die Publizistik zur Zeit Philipps des Schönen und Bonifaz' VIII., KRA 6—8, Stuttgart 1903, ND Amsterdam 1962; DERS., Unbekannte kirchenpolitische Streitschriften aus der Zeit Ludwigs des Bayern (1327 bis 1354), Analysen und Texte, erster Teil Analysen, 2. Teil Texte, BPHIR 9—10, Rom 1911/14; HIRSCH, Die Ausbildung der konziliaren Theorie im XIV. Jahrhundert; F. MERZBACHER, Wandlungen des Kirchenbegriffs im Spätmittelalter. Grundzüge der Ekklesiologie des ausgehenden 13., des 14. und 15. Jahrhunderts, in: ZSRG.K 39 (1953) 274—361; Y. CONGAR, Aspects ecclésiologiques de la querelle entre mendiants et séculiers dans la seconde moitié du XIIIe siècle et du début du XIVe, in: AHDL 36 (1961) 35—151; DERS., Die Lehre von der Kirche. Von Augustinus bis zum Abendländischen Schisma, HDG III, 3c, Freiburg-Basel-Wien 1971, 175—192. Ein geistvolles Gesamtpanorama der von uns behandelten Zeitspanne bietet DEMPF, Sacrum Imperium, unter der Überschrift „Die politische Renaissance". Die von uns untersuchten Quellenautoren werden hier in vier politische Richtungen eingeteilt: Altliberale, Kurialisten, Konservative und Traditionalisten. Eine Zusammenstellung publizistischer Traktate *De potestate* bringt J. MIETHKE, Die Traktate *De potestate papae*. Ein Typus politiktheoretischer Literatur im späten Mittelalter, in: Les genres littéraires dans les sources théologiques et philosophiques médiévales, Louvain-la-neuve 1982, 193—211; vgl. auch DERS., Zeitbezug und Gegenwartsbewußtsein in der politischen Theorie der ersten Hälfte des 14. Jahrhunderts, in: Antiqui und Moderni, Traditionsbewußtsein und Fortschrittsbewußtsein im späten Mittelalter, MM 9 (1974) 262—292, ebd. Kennzeichnung der Art und Weise der historischen Argumentation der betreffenden Autoren. Hinweise zur handschriftlichen Verbreitung der publizistischen Texte gibt J. MIETHKE in seiner Studie: Zur Bedeutung der Ekklesiologie für die politische Theorie im späten Mittelalter, in: Soziale Ordnungen im Selbstverständnis des Mittelalters, MM 12,2 (1980) 369—388, vor allem 387—388.

[3] Ausgabe H. DENIFLE, ALKGMA 5, Freiburg 1889, 509—524.

[4] Ausgabe L. OLIGER, in: AFH 11 (1918) 340—366.

allem im Zusammenhang mit der Frage der päpstlichen Unfehlbarkeit intensiv interessiert.[5] In den unmittelbaren Kontext der Bulle *Unam sanctam* gehören die beiden Kirchentraktate *De ecclesiastica potestate* des Thomasschülers, Augustiner-Eremiten und Ordensgenerals Aegidius Romanus (1306)[6] und *De regimine christiano* (1302) des Pariser Magister Jakobus von Viterbo, ebenfalls Augustiner-Eremiten.[7] Wenn wir diese beiden Schriften hier beim Durchgang durch die Quellen erwähnen, dann nicht deshalb, weil die betreffenden Autoren einen positiven Beitrag zur Konzilsidee gebracht haben, sondern weil uns ihr *silentium* in dieser Frage einen speziellen Hinweis zu verdienen scheint. Bei Jakobus von Viterbo kommt das Wort Konzil in einem Traktat von immerhin 225 Seiten in der modernen Ausgabe nur ein einziges Mal vor,[8] bei Aegidius Romanus überhaupt nicht! Gewiß, wir haben es in diesen Traktaten mit den beiden Hauptvertretern der papalistisch-hierokratischen Kirchentheorie zu tun, von Ansatz und Aufbau her kann das Konzil kaum in den Blick kommen. Trotzdem ist ihr Schweigen über Konzilien an den Stellen, wo traditionell gerade bei der Behandlung des Papsttums die Konzilien genannt werden, auffallend.[9] In die erste Hälfte des Jahres 1302 gehört auch noch der sehr wichtige Traktat *De regia potestate et papali* des Dominikaners Johannes Quidort von Paris[10], der eine mittlere Position in der Auseinandersetzung mit Bonifaz VIII. und den Legisten Philipps des Schönen von Frankreich einnimmt. Aus dem Pontifikat Clemens' V. (1305—1314) stammt der nicht weniger wichtige *Tractatus de modo generalis concilii celebrandi* des Bischofs von Mende, Ratgebers Philipps des Schönen, Wilhelm Durandus junior, von

---

[5] Vgl. vor allem die bahnbrechende Studie von B. TIERNEY, Origins of papal infallibility 1150—1350. A study on the concepts of infallibility, sovereignty and tradition in the middle ages, Leiden 1972, 93—130, vgl. auch Anm. 150.

[6] Ausgabe R. SCHOLZ, Weimar 1929, nähere Charakterisierung bei SCHOLZ, Publizistik 46 bis 55; MERZBACHER, Wandlungen 295—300; DERS., Die Rechts-, Staats- und Kirchenauffassung des Aegidius Romanus, in: ARSP 41 (1954) 88—97; CONGAR, Lehre von der Kirche 177.

[7] Ausgabe H. ARQUILLIÈRE, Paris 1926, dazu SCHOLZ, Publizistik 131—152; CONGAR, Lehre von der Kirche 177—179; MERZBACHER, Wandlungen 301—303.

[8] Ausgabe ARQUILLIÈRE 132: *Omnes quippe doctrinales institutiones ecclesiae sanctae sunt, quae vel ex scripturis utriusque testamenti sumptae sunt, vel ex apostolica traditione, vel patrum ac sanctorum conciliorum ordinatione vel approbata et rationali consuetudine.*

[9] Vgl. für Aegidius Romanus I 2; 6 *(iudicat omnia et ipse a nemine iudicatur)* und I 9; 30 (Zitat von Deut 17,8); für Jakobus von Viterbo, ARQUILLIÈRE 195, 207, 212, 273.

[10] F. BLEIENSTEIN, Johannes Quidort von Paris. Über königliche und päpstliche Gewalt (De regia potestate et papali). Textkritische Edition mit deutscher Übersetzung, Stuttgart 1969, Text 69—211; vgl. auch J. LECLERCQ, Jean de Paris et l'ecclésiologie du XIIIe siècle, Paris 1942, Text 173—260; G. HEIMAN, John of Paris and the theory of the two swords, in: CM 32 (1980) 323—347.

ca. 1311.[11] Es scheint angebracht, diesen bedeutenden Quellentext hier
etwas ausführlicher vorzustellen; denn der Schlüssel zu seinem Verständnis wurde erst vor kurzem durch C. Fasolt gefunden.[12] Wegen
seiner nicht unbedeutenden Wirkungsgeschichte[13] wurde der Traktat des
Bischofs von Mende zwar von der Forschung immer wieder berücksichtigt und unter verschiedenster Rücksicht ausgewertet, aber er galt andererseits als besonders konfus und schlecht konstruiert.[14] Durch eine
gründliche Untersuchung der handschriftlichen Überlieferung[15] konnte
nun Fasolt zeigen, daß die entsprechenden Vorwürfe weitgehend unbe-
gründet sind. Der Bischof hatte einfach das Mißgeschick, in die Hände
inkompetenter Editoren gefallen zu sein. Die heute vorliegenden
Drucke[16] bieten zwar, von einigen kleineren Auslassungen abgesehen,
den ursprünglichen Text in seinem vollen Umfang, aber in einer von
der Intention des Autors so abweichenden Gliederung und Einteilung,
daß ein adäquates Verständnis nahezu ausgeschlossen ist. Schuld an
dieser völlig verfehlten Gliederung ist ein Versehen bei der ersten
Drucklegung. Gerade die Folie des Manuskripts, die einen der Haupt-
einschnitte enthält, wurde mit einer anderen Folie vertauscht und erscheint so in den Drucken, die alle von der editio princeps abhängen,
ca. 40 Seiten früher, als es der Verfasser vorsieht.[17]

---

[11] Wir benutzen die Ausgabe Paris 1671, ND London 1963(?). Zur Zuverlässigkeit dieser
Ausgabe vgl. C. Fasolt, The Manuscripts and Editions of William Durant the Younger's
‚Tractatus de modo generalis concilii celebrandi', in: AHC 10 (1978) 290—309, hier 306 bis
307, und Ders., A new view of William Durant the younger's tractatus de modo generalis
concilii celebrandi, in: Tr. 37 (1981) 291—324, hier 310—315: Ders., Die Erforschung von
Wilhelm Durants d. J. „Tractatus de modo generalis concilii celebrandi", in: AHC 12
(1980) 205—228.

[12] Vgl. Fasolt, A new view.

[13] Vgl. Fasolt, The Manuscripts 308—309; Ders., A new view 294—295. — Ein wichtiges Zeugnis für die Wirkungsgeschichte sind vor allem die Glossen aus der Feder des
Nikolaus von Kues. Literatur hierzu zusammengestellt bei Fasolt, The Manuscripts 294.

[14] Vgl. Anm. 154. — Ausführliche Analyse des Textes bei P. Violet, in: HLF 35 (1921) 1 bis
139, hier 79—129; kurze Einführungen G. Mollat, Durand Guillaume dit le jeune, in: Cath.
3 (1952) 1192—1193; Ders., in: DHGE 14 (1960) 1171—1173; vgl. auch J. Haller, Papsttum und Kirchenreform I, Berlin 1903, 58—66; M. Heber, Gutachten und Reformvorschläge
für das Vienner Generalkonzil 1311—1312, Leipzig 1896, 40—56 und 64—74; A. Posch, Der
Reformvorschlag des Wilhelm Durandus jun. auf dem Konzil von Vienne, in: MÖIG.E 11
(1929) 288—303; E. Müller, Das Konzil von Vienne 1311—1312. Seine Quellen und seine
Geschichte, VRF 12, Münster 1934, 591—610; P. Torquebiau, Le gallicanisme de Durand
de Mende le jeune, in: Acta congr. iurid. intern. III, Rom 1936, 269—289; Tierney, Origins
157—159; Scholz, Publizistik 209—223.

[15] Vgl. die Anm. 11 genannten Studien von Fasolt.

[16] Vgl. den Überblick bei Fasolt, The Manuscripts 306—307; Ders., A new view 310—315.

[17] In der Ausgabe Paris 1671 ist der Passus S. 287 („Decimae colluctationis . . .") bis S. 291
(„. . . sed exornent") vertauscht mit dem Passus S. 238 („Item ad id faciunt . . .) bis S. 242
(„. . . in sacro evangelio"). Einzelheiten bei Fasolt, A new view 310—313.

Welche Einteilung hat nun der Autor selber seinem von ihm wohl nicht ursprünglich *Tractatus de modo generalis concilii celebrandi* betitelten Werk gegeben?[18] Das Ergebnis des handschriftlichen Befundes lautet: Wir haben es nicht, wie die Drucke durch ihre Einteilung unterstellen, mit drei *partes* eines und desselben Werkes, sondern mit zwei selbständigen, ihrer Natur und Intention nach durchaus verschiedenen Werken zu tun. Der längere Text, von Fasolt *Tractatus maior*[19] genannt[20], eine im Hinblick auf die geplante Kirchenreform zusammengestellte Kirchenrechtssammlung, ist, wenn man so will, ein Handbuch zur Kirchenreform. Einem konkreten Abriß des Reformprogramms mit den entsprechenden kanonistischen Belegen und Begründungen[21], bestehend aus 100 *Tituli*, geht eine theoretische Einführung, bestehend aus lediglich vier *Tituli* voraus.[22] Bei dem zweiten, vom ersten unabhängigen, von Fasolt *Tractatus minor* bezeichneten Text[23], handelt es sich demgegenüber höchst-

---

[18] Der Titel *Tractatus de modo generalis concilii celebrandi* ist nur in minderwertigen Handschriften bezeugt. Er stammt wahrscheinlich von einem an der Konzilsidee des Textes besonders interessierten Kopisten aus dem 15. Jahrhundert. Im Münchener Codex Clm 6605 hat der Text den Titel *Tractatus de reformatione ecclesiae universalis*, der ganz offensichtlich treffender ist als der gebräuchliche. Da die älteste Handschrift, der Pariser Codex MS lat. 1443, jedoch keinen Titel hat, stammt wohl auch die Münchner Überschrift nicht vom Autor. Einzelheiten bei FASOLT, A new view 297—298.

[19] Entspricht pars I und II der Drucke.

[20] Analyse bei FASOLT, A new view 297—305.

[21] Entspricht pars II 1—71 plus III 3—30 der Drucke.

[22] Entspricht pars I der Drucke. — Im *tractatus maior* hat sich der Editor der Ausgabe Paris 1545 besondere Freiheiten erlaubt. Er ersetzte die vom Autor vorgesehenen 4 *Tituli* und 3 *Rubricae* durch 5 *Tituli* und ließ die für das Verständnis des Gesamtswerkes wichtigen Überschriften zu Titulus 3 und 4 völlig weg. Sie lauten: *Quod praedictus modus correctionis et reformationis ecclesiae et christianitatis sit conveniens rationi et iuri, maxime quantum ad praesidentes spirituali et temporali potestati, et quod non debeant transgredi iura sed se regere et limitare secundum ea et non quaerere quae sua sunt sed quae Christi, nec aliorum iura usurpare sed sub ratione se regere. Et additur qualiter ab antiquo res publica gubernatur. — Quarto specificatur amplius de limitando et regulando exercitio potestatis dictorum praesidentium monarchiae ne in agendis absque concilio proborum proprio utantur arbitrio, nec sine generali concilio agant contra ea quae sunt in conciliis a sanctis patribus provide constituta in dispensationibus, privilegiis et exemptionibus, et aliis exercendis; quod revocent et revocare debeant exemptiones in contrarium concessas, cum hoc esse utile et rationabile videatur;* zitiert bei FASOLT, A new view 314, Anm. 95. — Es ergibt sich somit folgender Aufbau für den *Tractatus maior*, pars I: Tit. 1: Die Kirche als Gegenstand der Reform, Tit. 2: Das Recht als Modell der Reform, Tit. 3: Das Verhältnis zwischen Regierung und Recht. *Rubrica de limitanda potestate superiorum*, Tit. 4: Entwurf einer Reform der Verfassung der Kirche. *Rubrica de dispensationibus. Rubrica de exemptionibus.* Weitere Einzelheiten bei FASOLT, A new view 299—300.

[23] Entspricht pars III 1 plus 31—63 der Drucke. — Der *Tractatus minor* wurde entweder nachträglich gekürzt oder die Numerierung der Kapitel ist fehlerhaft. Jedenfalls fehlen die Kapitel 2—7. Vermutungen über den Anlaß der eventuellen Kürzung oder Streichung bei FASOLT, A new view 309—310. Der *Tractatus minor* ist seinerseits wiederum dreigeteilt: 1. de reformatione universalis ecclesiae (cap. 1, 8—9), 2. de malis exemplis (cap. 10—16), 3. de remediis (cap. 17—40).

wahrscheinlich um eine an sich aus 40 Kapiteln bestehende Ansprache oder Predigt, die vor den in Vienne versammelten Konzilsvätern gehalten wurde. Die Predigt, wenn es sich um eine solche handelt, greift dabei die Themen der Kirchenrechtssammlung *(Tractatus maior,* zweiter Teil*)* auf und behandelt sie auf die dieser Literaturgattung entsprechende Art und Weise.[24]

Fasolt ist es aber nicht nur gelungen, die Natur der genannten Texte und ihr Verhältnis zueinander genauer zu bestimmen, er hat auch das Organisationsprinzip des längeren, aus 100 *Tituli* bestehenden Teils II des *Tractatus maior* entdeckt. Dem konkreten Reformprogramm des Handbuchs für Kirchenreform liegt der Konzilsteil der pseudoisidorischen Dekretalen zugrunde: Wilhelm Durandus beruft sich in den Titeln 1—83 jeweils an erster Stelle auf Konzilskanones oder verwandte Texte[25] genau in der Reihenfolge[26], in der sie bei Pseudoisidor vorkommen.[27] Mit dem Titulus 84 reißt diese Berufung auf die Pseudoisidorischen Dekretalen ab, denn in den Titeln 84 bis 95 einschließlich handelt Durandus von Reformen, für die es im Recht der Alten Kirche, also im Konzilsteil der pseudoisidorischen Dekretalen keine Belegtexte

---

[24] Der Stil ist lebendiger, rhetorischer, die Quellenverweise sind kürzer als im *tractatus maior.* Einzelheiten und Analyse bei FASOLT, A new view 305—310.

[25] In der *praefatio* zum *tractatus maior* ist diese Methode ausdrücklich angekündigt: *Incipit secunda pars istius tractatus, in qua in speciali agitur de his, quae ab antiquis fuerunt episcopis sanctis instituta* (Variante der Pariser Handschrift nach FASOLT, A new view 301, Anm. 50: *antiquo fuerunt spiritus sancti instinctu* statt *antiquis . . . instituta) ab apostolis constituta, a sanctis patribus et a quatuor conciliis scilicet Nicaeno, Constantinopolitano, Ephesino et Chalcedonensi, quae sicut sancti evangelii quatuor libros sancta ecclesia veneratur, 15. dist.* SICUT *et 17. dist. cap. 2, 3 et 4 sequentibus, et ab aliis conciliis in Graecia primo et postmodum in occidentali ecclesia in diversis provinciis celebratis, et a Romana et universali ecclesia ab antiquo approbatis, quae principaliter usquequaque non servantur, quorum in praesenti tractatu cum paucis concordantiis aliorum iurium sub brevibus memoria agitur . . .* Freilich kann von *paucae concordantiae aliorum iurum* nicht die Rede sein. Tatsächlich geht der jeweils an erster Stelle zitierte Konzilskanon in der Reihenfolge des Vorkommens bei Pseudoisidor völlig unter in der Masse der zusätzlichen Allegationen.

[26] Er beginnt also entsprechend mit den *Canones apostolorum* (Tit. 1), es folgen Exzerpte aus *De primitiva ecclesia et synodo Nicaena* und der *Donatio Constantina* (HINSCHIUS 247—254) (Tit. 2—9), den *Concilia Graeca* (Tit. 10—24), *Africae* (Tit. 25—41), *Galliae* (Tit. 42—55), *Hispaniae* (Tit. 56—70. 73—82) und den *Gesta Silvestri* (Tit. 83). Über Einzelheiten und Gründe für kürzere Unterbrechungen des Rekurses auf Pseudoisidor in Titulus 52—54 und 70—72 vgl. FASOLT, A new view 303—304, vgl. ebd. 317—320 eine umfassende Tabelle aller 100 *Tituli.* — Eine von FASOLT nicht erwähnte Ausnahme stellt — wenigstens nach dem Druck Paris 1671 — *Titulus* 4 dar, in dem keine Bezugnahme auf *De primitiva ecclesia* erkennbar ist.

[27] Ausgabe HINSCHIUS 247—450. — FASOLT, A new view 302, Anm. 55, diskutiert eine mögliche Verwendung der *Hispana* statt der pseudoisidorischen Dekretalen, hält sie aber für unwahrscheinlich.

gibt.[28] Die restlichen 5 *Tituli* stellen ein aus 5 Rastern bestehendes Summarium und Register zur vorausgehenden Kirchenrechtssammlung dar.[29]

Wenn wir recht sehen, ist dem Bischof von Mende mit diesem hier kurz angedeuteten Aufbau von *Tractatus maior* II eine sehr originelle Leistung gelungen. Er hat einen völlig neuen Typ von Kirchenrechtssammlung geschaffen. Ihr Charakteristikum ist einerseits die eindeutige Privilegisierung des konziliaren vor dem päpstlichen Recht. Diese Privilegisierung zeigt sich darin, daß Durandus als erste *auctoritas* jeweils einen Konzilskanon zitiert. Ihr zweites Charakteristikum ist der chronologische, nicht systematische Aufbau. Er ergibt sich aus der Benutzung der pseudoisidorischen Dekretalen[30] als formaler Quelle seiner Sammlung.[31] Doch zurück zu unserem Überblick über die Quellen unserer Untersuchung!

In den Pontifikat Johannes' XXII. (1316—1334) gehören zunächst die Kirchentraktate der beiden Augustiner-Eremiten Augustinus Triumphus[32] und Alexander de Sancto Elpidio[33] aus den Jahren 1320—1326, ferner die Schrift ihres Ordensbruders Hermann von Schildesche gegen Wilhelm von Ockham[34] aus den Jahren 1328—1332. Auch Dominikaner sind bei der Verteidigung des Papstes gegen die staatliche (Ludwig der Bayer) und innerkirchliche Opposition (franziskanischer Armutsstreit) beteiligt: Hervaeus Natalis verfaßt 1319/20 die Schrift *De iurisdictione*[35],

---

[28] *De quaestoribus . . . Romanae curiae, de ordinibus mendicantium, de leprosis* usw. — Vgl. FASOLT, A new view 319—320.

[29] Die Raster lauten: Reform der *Romana ecclesia* (Tit. 96), der *praelati* (Tit. 97), des *clerus* (Tit. 98), der *religiosi* (Tit. 99) und der *saeculares personae* (Tit. 100). Vgl. Tabelle und Einzelheiten bei FASOLT, A new view 321 und 304—305.

[30] Vgl. S. 206—207.

[31] Dem Typ nach gehören die Pseudoisidorischen Dekretalen tatsächlich nicht zu den systematischen, sondern zu den chronologischen Kirchenrechtssammlungen.

[32] *Summa de potestate ecclesiastica*, Ausgabe Rom 1532; hierzu vor allem M. J. WILKS, The problem of Sovereignty in the Later Middle Ages, The Papal Monarchy with Augustinus Triumphus and the Publicists, Cambridge 1963; MERZBACHER, Wandlungen 303—305; CONGAR, Lehre von der Kirche 181. Vgl. auch W. D. McCREADY, The problem of empire in Augustinus Triumphus and late medieval papal hierocratic theory, in: Tr. 30 (1974) 325—349.

[33] *Tractatus de ecclesiastica potestate*, Ausgabe J. T. ROCABERTI, Bibl. maxima pontificia II, Rom 1645, 2—40.

[34] *Tractatus contra haereticos negantes immunitatem et iurisdictionem sanctae ecclesiae*, Ausgabe A. ZUMKELLER, Cass. Suppl. 4, Würzburg 1970, 3—108; Auszüge bei SCHOLZ, Streitschriften II 130—153 und bei A. ZUMKELLER, Schrifttum und Lehre des Hermann von Schildesche OESA († 1357), Cass. 15, Würzburg 1959, 169—217.

[35] *De iurisdictione*. Ein unveröffentlichter Traktat des Hervaeus Natalis O. P. († 1323) über die Kirchengewalt von L. HÖDL, München 1959. — Weil leider noch nicht ediert, kann der *Tractatus de temporibus et annis generalium et particularium conciliorum* von 1314/16 (zweite Redak-

Petrus de Palude um 1318 den *Tractatus de potestate papae*.[36] Auf päpstlicher Seite stehen ferner der Franziskaner Alvarus Pelagius mit seinem umfangreichen Traktat *De statu et planctu ecclesiae*[37] aus dem Jahre 1330/1332 und seine beiden Mitbrüder Andreas de Perusio[38] und Franciscus Toti[39], beide aus dem Jahre 1328. Ebenfalls noch in den Pontifikat Johannes' XXII. gehört die nicht nur für die päpstliche, sondern auch konziliare Unfehlbarkeit wichtige *Quaestio de magisterio infallibili Romani pontificis* des Karmeliters Guido Terreni.[40] Interessant für die Frage der Unfehlbarkeit der Konzilien ist, weiter, der zusammen mit Wilhelm von Ockham auf der Gegenseite, das heißt auf der Seite des Kaisers stehende Franziskaner Michael von Cesena.[41] Zu den antipäpstlichen Franziskanern am Hofe Ludwigs des Bayern gehört schließlich noch Bonagratia von Bergamo, von Hause aus Anwalt, iuris utriusque peritus. Er ist Verfasser eines Formulars für Appellationen vom Papst an das Allgemeine Konzil[42] (1333).

Aus dem Pontifikat Benedikts XII. (1334—1345) stammt der in den Jahren 1336—1339 abgefaßte Traktat gegen den genannten Papst, der vielleicht ebenfalls Bonagratia von Bergamo zuzuschreiben ist.[43] Unter

---

tion 1317) eines anderen Dominikaners, des Bernardus Guidonis (um 1260—1331) nicht in unsere Untersuchung einbezogen werden. Vgl. die Charakterisierung durch A. Thomas, HLF 35 (1921) 139—232, hier 172—173: ,,C'est un sommaire très sec et qui n'offre, pour le fond, qu'un intérêt assez restreint``; ebd. 171—173 weitere Einzelheiten über diesen Traktat.

[36] Ausgabe P. T. Stella, TSHS 2, Zürich 1966. Vgl. auch J. Miethke, Eine unbekannte Handschrift von Petrus de Paludes Traktat ,De potestate papae' aus dem Besitz Juan de Torquemadas in der Vatikanischen Bibliothek, in: QFIAB 59 (1979) 468—475. — Der von Petrus de Paludes genanntem Traktat abhängende *Tractatus de causa immediata ecclesiasticae potestatis* seines Ordensbruders Guilelmus Petri de Godino, Ausgabe W. D. McCready, STPIMS 56 (1982), geht in den uns interessierenden konzilseinschlägigen Stellen nicht über seinen Gewährsmann hinaus, außer in 2, 108—126, wo der Dominikaner Apg 15 ganz im Sinne seiner papalistischen Konzilsidee kommentiert.

[37] Ausgabe Venedig 1560, das erste Buch auch in Rocaberti, Bibl. max. pont., III 23 bis 266; vgl. auch Merzbacher, Wandlungen 307—309; Hirsch 33—41.

[38] *Contra edictum Bavari*, Ausgabe Scholz, Streitschriften II 64—75.

[39] Contra Bavarum, Ausgabe Scholz, Streitschriften II 76—88.

[40] Ausgabe M. Xiberta, OTHE 2, Münster 1926; vgl. Tierney, Origins 238—269; T. Turley, Guido Terreni and the Decretum, in: Bul. Med. Canon Law 1978, 29—34.

[41] *Appellatio generalis magistri in maiori forma* von 1328, in: St. Baluzius, Miscellanea novo ordine digesta, Lucca 1762, III 246b—286b; Brief *Universis ministris* vom Juli 1328, ebd. 244b—246a; *Tractatus contra errores Joannis XXII*, Ausgabe M. Goldast, Monarchia S. Romani imperii, Frankfurt 1614, ND Graz 1960, II 1236—1361 (1261) aus den Jahren 1331 bis 1333; *Appellatio* vom August 1338, Ausgabe K. Müller, Einige Aktenstücke und Schriften zur Geschichte der Streitigkeiten unter den Minoriten in der ersten Hälfte des 14. Jahrhunderts, in: ZKG 6 (1884) 64—112, hier 100—102.

[42] Ausgabe H.-J. Becker, Zwei unbekannte kanonistische Schriften des Bonagratia von Bergamo in cod. Vat. Lat. 4009, in: QFIAB 46 (1966) 219—276, hier 255—263.

[43] Ausgabe Scholz, Streitschriften II 552—562; vgl. ebd. I 249.

die Quellenautoren ist auch der kaiserliche Gegenspieler der Päpste, Ludwig der Bayer, mit seinen verschiedenen Appellationen von 1323 und 1324 und seinem Manifest oder Mandat *Fidem catholicam*[44] zu zählen. Der erst 1354 anzusetzende Traktat des Konrad von Megenberg gegen Wilhelm von Ockham gehört, strenggenommen, zwar nicht mehr in den von uns anvisierten Zeitraum, soll aber dennoch mitberücksichtigt werden.[45]

Wir gehen im folgenden zunächst auf Anschauungen ein, die auch vor dem von uns untersuchten Zeitabschnitt im Hinblick auf Konzilien vertreten wurden, also gewissermaßen traditionelle Bestandteile der Konzilsidee darstellen. In einem zweiten Schritt heben wir auf die neuen Ideen ab, die sich von jetzt an mit dem Begriff und der Vorstellung Konzil verbinden. Sie sind mit Stichworten wie Appellation vom Papst an das Konzil, Konzil als *repraesentatio fidelium*, Konzil als Ziel und Mittel der Kirchenreform, Unfehlbarkeit des Generalkonzils angedeutet. Die Konzilsidee ist in dem von uns untersuchten Zeitabschnitt einem grundstürzenden, das Wesen der Kirche zutiefst berührenden Wandel unterworfen. Wir vermeiden für diesen relativ plötzlichen Einbruch des Neuen das Wort Revolution, weil die betreffenden Ideen in unserem Zeitabschnitt nur gedacht, aber noch nicht in die Tat umgesetzt wurden.

2. Traditionelle Anschauungen und Probleme

a) Das Konzil als Letztinstanz zur Entscheidung von *dubia*

Ein erster Aspekt, der sich in unseren Quellen abhebt: das Konzil gilt ganz allgemein sowohl bei den ‚papalistisch‘ als auch bei den ‚konziliaristisch‘ eingestellten Theologen als Letztinstanz zur Entscheidung von *dubia*. Sehr bezeichnend ist in diesem Sinne die Antwort des Petrus Johannis Olivi auf den Einwand, der Amtsverzicht Cölestins V. sei rechtswidrig gewesen, denn das Pro und Contra der Erlaubtheit hätte zuvor auf einem Konzil erörtert werden müssen.[46] In der Tat, antwortet Olivi,

---

[44] Nürnberger Appellation, in: MGH.Const 5, 642—647; Frankfurter Appellation ebd. 655 bis 659; Sachsenhäuser Appellation ebd. 723—744. — Text des Mandats *Fidem catholicam* bei H.-J. BECKER, Das Mandat ‚Fidem catholicam‘ Ludwigs des Bayern von 1338, in: DA 26 (1970) 454—512, hier 496—512; Analyse bei JEANNINE QUILLET, La problématique de l'empire et son enjeu doctrinal dans le mandement ‚Fidem catholicam‘ (1338), in: Soziale Ordnungen im Selbstverständnis des Mittelalters, MM 12,2 (1980) 427—438.

[45] Ausgabe SCHOLZ, Streitschriften II 346—391.

[46] J. P. Olivi, De renunt., Ausgabe OLIGER 345: *Item super re dubia ac summe ardua et periculosa est generale consilium ecclesiae primo quaerendum et habendum, antequam tale dubium solemniter diffiniatur et opere confirmetur. Si ergo huiusmodi renuntiatio propter sui inexpertam novitatem et*

die Konzilien sind in der Kirche dazu da, die jeweils auftauchenden großen Fragen zu entscheiden, über die es sonst zu Schisma und Häresie kommen kann. Indes, der Amtsverzicht des Papstes ist kein solch großes Problem. Übrigens, fährt Olivi fort, selbst in wichtigen Fragen sind Konzilien nicht unbedingt notwendig. Die lateinische Kirche hat zum Beispiel das Filioque ohne gemeinsames Konzil mit den Griechen ins Credo eingefügt. Die Konzilien tragen aber zugegebenermaßen zur größeren Feierlichkeit einer Entscheidung bei.[47] Das Konzil wird hier auf der Basis der in den Handschriften oft bezeugten Äquivalenz von concilium = consilium konzipiert. Konzilien beruft man nicht ein, weil die Kirche in den großen Fragen notwendig ein Mitspracherecht hat, sondern weil der Gesetzgeber, das heißt der Papst, sich klugerweise bei einer größeren Zahl von Sachverständigen Rat holt.[48]

Das Generalkonzil als Entscheidungsinstanz für *dubia*: Diese Konzeption scheint auch dem Appell an das *concilium generale*, über den weiter

---

quia canones de hoc expresse non loquuntur, erat dubia, et cum hoc sit circa summe arduum, scil. circa summum et radicalissimum apostolicae potestatis ecclesiasticae, ergo per generale consilium ecclesiae inquiri et diffiniri (debuit). — Über die Meinung der Kanonisten in dieser Frage vgl. die ausgezeichnete Studie von M. BERTRAM, Die Abdankung Papst Coelestins V. (1294) und die Kanonisten, in: ZSRG.K 56 (1970) 1—181.

[47] J. P. Olivi, De renunt., Ausgabe OLIGER 365: *Ad decimum dicendum, quod quando est generale dubium in ecclesia primo more et sunt partes* (circa) *hoc in contrarium opinantes ita quod ex hoc imminet generale periculum scismatis et erroris, tunc est generale consilium convocandum et praecipue quando quaestio est tantae profunditatis et perplexitatis, quod eget magis et solemni discussione et examinatione et approbatione, sicut fuit contra haeresim Arii, contra quam fuit Nicaenum consilium celebratum, et sic de aliis haeresibus, contra quas generalia consilia collecta fuerunt. In isto vero casu neutrum horum exstitit. Nullum enim erat super hoc dubium concitatum vel ventilatum, nec hoc erat tantae obscuritatis et profunditatis, quin per papam et cardinales et caeteros Romanae curiae in iure peritos posset haec veritas plenarie declarari. Praeterea dato, quod solemnius et melius fuisset hoc cum generali consilio factum, non ex hoc sequitur, quin hoc sit verum aut vere et legitime definitum, nam et quando in maiori symbolo latina ecclesia apposuit sanctum spiritum procedere a filio, non fuit ad hoc graeca ecclesia convocata, super quo rationem consimilem reddit Anselmus libro* De processione spiritus sancti, *capitulo XXXo* (nach neuerer Zählung c. 21/22, PL 158, 317/8). — Zur spezifisch lateinischen Konzilsidee im Zusammenhang der Filioquefrage vgl. das vorausgehende Kapitel.

[48] Vgl. in diesem Sinne die „Wesensbestimmung" des Konzils in dem im übrigen äußerst interessanten Traktat des Humbert de Romans, De eruditione praedicatorum II 1: de conciliis, Ausgabe MBP 25, Lyon 1677, 506b—508a, hier 507a: *Concilium dicitur quasi consilium et bene, quia concilium antonomastice dicitur consilium. Ille enim, qui habet concilium celebrare, debet requirere diligenter consilium de his, quae intendit in concilio promovere a sapientibus* (es folgt eine Reihe von Schriftzitaten zum Stichwort consilium). *Praeterea habet de his diu deliberare, quia sicut dixit Diogenes philosophus: Festinantia maxime contraria est consilio, quia frequenter, quod hodie videtur esse bonum, in crastino non videtur esse bonum. Tandem approbationem convenientium ad consilium requirere debet* (wieder Schriftzitate zum Stichwort consilium). *Quia ergo illa, quae emanant a concilio, examinata sunt cum consiliariis idoneis et diu deliberata et a multitudine virorum illustrium approbata, quae tria faciunt ad extollentiam concilii, unde dicitur consilium.* — Auch die folgenden Ausführungen des Humbert *(quae fuerunt concilia, quid cavendum in conciliis et quid proponendum)* sind von höchstem Interesse.

unten noch eigens zu handeln sein wird, zugrunde zu liegen, den die Brüder Jakobus und Petrus Colonna 1297 gegen die Wahl von Bonifaz VIII. erheben. Ein Generalkonzil soll die Gültigkeit der Papstwahl letztinstanzlich entscheiden.[49] Schließlich kann es in der Kirche kaum ein größeres und schwerwiegenderes *dubium* geben als hinsichtlich der Rechtmäßigkeit des Inhabers des Stuhles Petri.

Den gleichen Gedanken, das Konzil als Instanz zur Beseitigung von *dubia*, finden wir sehr deutlich bei Augustinus Triumphus ausgedrückt. Im Zusammenhang der Frage, auf wen die Papstwahl bei Ausfall des Kardinalskollegiums devolviere, antwortet der berühmte Augustiner-Eremit: Auf das Konzil, denn dieses ist für die Lösung von *dubia* zuständig.[50]

Für *dubia* verschiedenster Art ist das Generalkonzil zuständig. Wie steht es speziell bei Zweifeln, die den Glauben betreffen? Hier antwortet Johannes von Paris im Anschluß an eine ältere kanonistische Tradition: Bei Zweifeln in Glaubensfragen ist dem Papst die Versammlung eines Konzils nicht nur angeraten, sondern vorgeschrieben.[51] Eine ähnliche Position vertritt Wilhelm Durandus: In Fragen, die schon einmal von einem Konzil behandelt und festgelegt wurden, kann der Papst nicht selbstmächtig neu entscheiden, sondern nur zusammen mit einem neuen Konzil.[52] Knapp und präzise formuliert später Michael de Cesena: *Et*

---

[49] Denkschrift I der Colonna, Ausgabe Denifle 509—515, hier 512: *Propter quod petimus instanter et humiliter generale concilium congregari, ut in eodem de iis omnibus veritas declaretur, omnisque error abscedat. Et si quidem universale concilium, auditis et pensatis supradictis et aliis negotium contingentibus, declaraverit renuntiationem* (scil. Coelestini) *legitime et canonice processisse, et electionem legitime et canonice postea subsecutam, eiusdem declarationi cui stare et parere nos offerimus, a nobis et ab aliis humiliter deferatur et pareatur omnino.* Vgl. auch ebd. 513, 514, 518, 522, 523. — Zur genaueren Interpretation der Demarche der Colonna vgl. Martin 130—132.
[50] Augustinus Tr., Tract. I, 3,2; 29a A: *Quia ergo dubium est, ad quos spectaret electio summi pontificis, tali casu interveniente, cum dubia interpretari, quae emergunt in ecclesia, ad generale concilium spectet, videtur in tali casu magis esse securum, quod talis electio ad consilium generale devolvatur.*
[51] Johannes Qu., De reg. pot. XX 184,30: *Amplius, cum fides christiana sit catholica et universalis, non potest summus pontifex hoc* (es geht im Kontext um die Zwei-Schwerter-Theorie!) *ponere sub fide sine concilio generali, quia non potest papa destruere statuta concilii, XIX dist.* Anastasius (9). *Nam licet concilium non possit papae legem imponere, extra,* De electione, Significasti (I.6.4) *et XXXV q. IX* Veniam (5), *tamen non intelligitur in his, quae fidei sunt, eo quod orbis maior est urbe et papa cum concilio maior est papa solo, XCIII dist.* Legimus (24). — Zur älteren kanonistischen Tradition vgl. die von Tierney, Foundations 250—254 zusammengetragenen und analysierten Texte.
[52] Durandus, Tract. I 3; 16: *Et quod contra dicta concilia et iura nihil possent* (papae et reges) *de novo statuere vel condere nisi generali concilio convocato. Cum illud quod omnes tangit secundum iuris utriusque regulam ab omnibus debeat communiter approbari.* Vgl. zu diesem für den Gesamttraktat wichtigen Text Fasolt, A new view 314, Anm. 99: „The edition of 1545 reads *statuere vel*

ad ipsum (das heißt das Konzil) *definitio et determinatio dubiorum in fide spectat ultimate de iure . . .*[53]

b) *Concilium maius quam papa* und umgekehrt

Nach den Grenzen der päpstlichen Macht fragen heißt grundsätzlich die Frage nach dem Verhältnis Papst/Konzil stellen. Die durch Johannes Teutonicus repräsentierte kanonistische Tradition brachte es, was Glaubensfragen angeht, kurz und prägnant auf die Formel: *synodus maior est papa.*[54] Johannes von Paris knüpft an diese Formel an und läßt dabei die Einschränkung „in Glaubensfragen" fallen. Das Konzil ist schlechthin dem Papst überlegen: *Licet sit summa virtus in persona* (papae), *tamen est ei aequalis vel maior in collegio sive in tota ecclesia.*[55] An anderer Stelle verdeutlicht er treffend den Sinn der von Johannes Teutonicus überlieferten kanonistischen Formel: *papa cum concilio maior est papa solo.*[56] Es geht in der Tat hier noch nicht um den Vergleich eines Konzils ohne Papst mit einem Papst ohne Konzil, also Papst gegen Konzil. Das ist erst die Fragestellung der Basler Konziliaristen.

Sehr ausdrücklich vertritt die These *concilium maius papa* der vielleicht von Bonagratia stammende Traktat gegen Benedikt XII. Freilich gilt die Superiorität nicht schlechthin, sondern gemäß der kanonistischen Tradition, auf die sich der Autor ausdrücklich bezieht, nur in Glaubens-

---

condere instead of *statuere vel concedere*. This is a vital difference. *Statuere vel condere* would mean that Durant envisioned nothing more than the regular participation of general councils when new law was to be formally established. But if *statuere vel concedere* is the correct version, Durant wanted conciliar participation, not only when new law was made *(statuere* or *condere leges)*, but also when concessions within the framework of existing law were being considered. *Concedere* may mean any number of papal administrative measures changing the law or its effects for particular reasons, e.g., exemptions, dispensations, privileges, all of which were part of the everyday business of the *curia*. If *statuere vel concedere* is the correct version, and both the *editio princeps* and the MSS support it, then Durant wanted more than conciliar participation on those relatively rare occasions when new law was being formulated".

[53] Michael de C., Litt. deprec., GOLDAST II 1360. — Und Michael verweist auf das Apostelkonzil, in dem er das erste Generalkonzil der Kirche sieht; ebd.: *Propter quod prima quaestio mota de fide scil. de circumcisione fienda tempore apostolorum, fuit decisa et determinata per concilium generale apostolorum et seniorum auctoritate totius ecclesiae, et non solum auctoritate Petri, nec sola auctoritate apostolorum, quamvis essent pleni spiritu sancto, sed auctoritate generalis concilii apostolorum et seniorum totius ecclesiae auctoritate subfulta et assensu vallata, sicut patet expresse Act. 15 cap. per totum. Super hoc omnia iura sunt plena et clamant ubique.*

[54] Zu dist. 19 c.9 ad verbum *concilio*, Ausgabe Paris 1585, 106. — Weitere Texte und Analysen bei TIERNEY, Foundations 49 ff.

[55] Johannes Q., De reg. pot. XXV; 207,5.

[56] XX; 185,4.

fragen.[57] Ebenso lehren Michael von Cesena[58] und Kaiser Ludwig der Bayer in seiner Stellungnahme zu den päpstlichen Prozessen, dem Mandat *Fidem catholicam*[59] (1338).

Augustinus Triumphus beschäftigt sich mit der Frage der Superiorität der einen Instanz über die andere, wenn er die Möglichkeit der Appellation vom Papst an das Konzil behandelt; dort bringt er den Einwand, das Konzil sei doch deswegen größer als der Papst, weil in ihm die Gewalt der Kirche kontinuierlich gegeben sei, während sie im Papst nur intermittierend, eben von Papstwahl zu Papstwahl, wohne.[60] Er antwortet mit der Unterscheidung zwischen habitueller und aktueller kirchlicher Gewalt. *Concilium maius papa* gilt nur im Hinblick auf die habituelle, potentielle Gewalt der Kirche, nicht hinsichtlich der aktuellen Gewaltausübung. Von ihr gilt: *papa maior concilio*. Denn ohne den Papst kommt das Konzil gar nicht zu seiner eigenen „Aktualität". Das Konzil

---

[57] Bonagratia, Ausgabe SCHOLZ, Streitschriften II 553: *Et quod synodus sive concilium, ubi de fide agitur, maius sit quam papa, et quod papa, si a fide deviat, possit iudicari, probatur etiam XL dist. c.* SI PAPA (6), *ubi expresse definitur, quod papa a nemine iudicari possit, nisi deviet a fide catholica; unde si papa deviat in fide, habet superiorem in terris, a quo potest iudicari et ad quem potest appellari* (Zitat von Augustinus, Ep. 43, PL 33, 169). *Ex quibus clare patet, quod concilium universale ecclesiae in causa fidei est maius et superius auctoritate papae et cardinalium et ipsum solvit et tollit, si ipsi repugnat.*

[58] Michael de C., Litt. deprec., GOLDAST II 1360: (generale concilium) *in fide et moribus praeest papae sicut superior, eo quod papa quicumque errare potest in fide et moribus, sicut plures Romani pontifices exciderunt a fide . . . Quod autem pro statu vitae mortalis non potest errare in fide et moribus, superius est quocumque potenti in praedictis errare. Et ad ipsum sicut ad superiorem suum appellare licet et expedit.*

[59] Ludwig d. B., *Fidem catholicam*, Ausgabe BECKER 509: *Nec obstat* (das heißt gegen die Appellation vom Papst an das Konzil) *quid dicitur, quod papa non habet superiorem, unde, ut aliqui garriunt, non potest ab ipso modo quolibet appellari. Et vere non obstat, quoniam manifestum est secundum doctrinam catholicam et sacrorum canonum, quod papa, ubi de fide sive de iure divino agitur, subest conciliis, ut patet per illud, quod legitur et notatur XV. dist. c.* SICUT SANCTI *in textu et glossa et XXV q. I c.* SUNT QUIDAM *cum sequentibus c. et XIX. dist. c.* ANASTASIUS, *ubi glossa ordinaria super verbo* CONCILIO *dicit sic: Videtur ergo, quod papa tenetur requirere concilium episcoporum, quod verum est, ubi de fide agitur, et tunc synodus maior est papa, XV. dist. c.* SICUT SANCTI *in fine. Haec glossa ordinaria. Et quod papa, ubi de fide agitur, habeat superiorem in terris, a quo possit iudicari et per consequens ad ipsum superiorem valeat appellari, probatur etiam per illud, quod legitur et notatur XL. dist. c.* SI PAPA, *ubi expresse definitur, quod papa a nemine iudicari potest, nisi deviet a fide catholica. Ergo si papa deviat a fide, habet superiorem in terris, a quo potest iudicari et per consequens ad ipsum potest appellari . . . Ex quibus et aliis pluribus auctoritatibus, quae brevitatis causa dimittuntur, evidenter patet, quod concilium universale ecclesiae catholicae, ubi de iure divino agitur sive de fide, maius et superius est concilio papae et cardinalium et ipsum solvit et tollit, si ipsi repugnat. Cum ergo pro defensione iuris imperii, quod est a iure divino, et fidei catholicae appellaverimus ad generale concilium in loco tuto et securo congregandum, sequitur, quod appellatio nostra fuit interposita ad superiorem, ad quem legitime potuit appellari.* — Zur historischen Einordnung, zum genaueren Inhalt, zu den begleitenden Gutachten und Denkschriften der Minoriten und zur Nachwirkung von *Fidem catholicam* vgl. ebd. 454—493.

[60] Vgl. Anm. 61.

kann nicht ohne den Papst, der es einberuft, das heißt aktuiert, handeln. Wohl aber kann das der Papst ohne das Konzil unter der Voraussetzung freilich, daß es einen Papst gibt![61] Interessant ist in diesem Zusammenhang auch ein Text des Hervaeus Natalis. Ein Einwand unterstellt, daß der Papst zusammen mit dem Konzil größer ist als der Papst ohne Konzil. Wäre dem nicht so, dann wären die auf dem Konzil versammelten Bischöfe königlichen Beamten vergleichbar, die zusammen mit dem König natürlich nicht „mehr" sind als der König allein. Die Antwort des Papalisten ist bezeichnend: Die Autorität von Papst plus Konzil als solche ist in der Tat nicht größer als die des Papstes allein. Das Konzil bringt nicht größere Autorität, sondern lediglich zusätzliche *deliberatio, solemnitas* und *concordia ecclesiae*.[62] Deutlicher noch ist in der Frage des Verhältnisses Papst/Konzil Petrus de Palude. Dieser Dominikaner kehrt die alte kanonistische Formel *synodus maior papa* um und bestimmt: *Ipse est supra concilia.* Kein Konzil kann dem Papst irgend etwas vorschreiben, denn sie alle hängen von ihm selber ab.[63] Ähnlich wie die beiden vorgenannten Dominikaner

---

[61] Augustinus Tr., Summa VI 6; 62 aE: *Ad primum ergo dicendum quod maioritas dicta de potestate ut residet in ecclesia et in papa, non accipitur secundum univocam rationem, quia ut est in ecclesia vel in concilio est radicaliter et habitualiter, quia deficiente papa et collegio cardinalium posset sibi de Romano pontifice providere. Sed in papa huiusmodi potentia est actualiter, et quid quod est in actu potest agere, quod vero est in habitu et in potentia non agit. Ergo potestas ecclesiae maioritate potentiali vel habituali maior est in concilio et in tota congregatione fidelium quam in papa, quia in concilio fidelium talis potestas numquam moritur, in papa vero isto vel illo moritur. Sed maioritate actuali maior est potestas ecclesiae in papa quam in concilio, quia concilium per illam potentiam non potest agere, papa vero potest agere, quando vult. Cum igitur appellare dicat actum a papa ad concilium, non tenebit talis appellatio, sicut non tenet appellatio de maiori ad minorem.*

[62] Hervaeus N., De iurisdict., Ausgabe Hödl 29: *Praeterea si potestas episcoporum non esset immutabilis, sed totaliter esset in arbitrio vel dispositione papae, auctoritas concilii generalis non esset maior quam auctoritas solius papae; sed hoc videtur falsum. Probatio consequentiae, quia potestas episcopi esset totaliter in arbitrio papae, tunc sic se haberet auctoritas papae ad potestatem episcoporum sicut auctoritas regis ad auctoritatem vel potestatem suorum ballivorum. Sed auctoritas regis et suorum ballivorum quos ponit, non est maior quam auctoritas regis solum. Falsitas autem consequentis probatur sic, quia si auctoritas totius concilii non esset maior quam auctoritas solius papae, tunc pro quocumque casu non oporteret convocare concilium generale, sed hoc est falsum, ergo etc. — Ebd. 34: Ad sextum dicendum, quod auctoritas totius concilii et auctoritas papae non sunt aliquid maius, ut mihi videtur, quantum ad ipsam auctoritatem, nec sequitur, quod aliquando non convocetur concilium generale in aliquibus casibus, quia hoc non fit ad habendum maiorem auctoritatem, sed ad habendum pleniorem deliberationem et etiam ad maiorem solemnitatem et concordiam ecclesiae.*

[63] Petrus de P., Tract. I 2; 174,6: *Sed istae probationes* (zur Einschränkung der päpstlichen potestas) *non valent. Prima quidem non propter duo. Primo quia cum papa sit supra ecclesiam et superior non ligatur lege inferioris, quia nullus potest ligare nisi subditum, unde princeps legibus solutus est. ff. De legibus, l. princeps (D. I. 3.31). Concilium sua lege papam non potest ligare, quia papa superiorem non habet, De electione, licet (I. 6.6), et specialiter ipse est supra concilia et dat eis robur, De electione, Significasti (I. 6.4). Nec Romanae ecclesiae ulla concilia legem*

lehrt der Franziskaner Alvarus Pelagius die absolute Superiorität des Papstes über das Konzil: (papa) *super omnia concilia generalia est, et . . . ipsa ab ipso, non e converso recipiunt potestatem.*[64] Auch Hermann von Schildesche stellt ausdrücklich die Frage nach der Superiorität von Papst oder Konzil und lehrt die absolute Überordnung des Papstes über das Konzil, „solange der Papst Papst ist".[65]

c) Papstabsetzung durch das Konzil

Die Frage, wer ‚größer' ist, der Papst oder das Konzil, mag für die älteren Kanonisten noch eine mehr oder weniger akademische gewesen sein; spätestens seit dem Pontifikat Bonifaz' VIII. war sie eine aktuell kirchenpolitische. Den Papst dem Konzil unterordnen, bedeutet grundsätzlich, den Papst durch das Konzil für absetzbar halten. Die umgekehrte Annahme schloß diese Möglichkeit zwar nicht vollständig aus, schränkte sie aber viel stärker ein.[66] Es ist jedenfalls kein Zufall, wenn die Gegner Bonifaz' VIII. sowohl im Kardinalskollegium als auch am Hofe Philipps des Schönen bei ihrer Forderung nach der Absetzung des Papstes an die alte kanonistische Tradition anknüpfen. Papstabset-

---

praefixerunt et in statutis conciliorum semper Romani pontificis auctoritas intelligitur esse excepta, ut dicitur dicto capitulo SIGNIFICASTI. *Unde concilia allegata prohibendo ipsum sibi successorem non eligere, debent intelligi excepto papa, cui non possunt legem imponere. Secundo potest dici ad maiorem quod papa omne statutum nisi Dei potest mutare, quia solum Deum et hominem deum habet superiorem. Unde potest venire contra statuta apostolorum et omnium conciliorum, in quantum sunt statuta humana, sicut papa dispensat in bigamia, contra Apostolum, et in homicida et talibus, quia nec apostoli potuerunt legem imponere Petro, qui erat superior, nec Petrus successoribus, quia par in parem non habet imperium . . . Sed inquantum statuta apostolorum vel sanctorum patrum sunt statuta dei, puta in articulis, quando declaraverunt fidem, statuerunt aliquod tenendum ; sicut apostoli fecerunt symbolum, et concilium Nicaenum contra Arium statuit credendum et confitendum Christum esse consubstantialem Patri, et aliud concilium idem de spiritu sancto contra Macedonium, et aliud contra Nestorium de unitate personae dei et hominis, et sic de aliis, contra talia non potest, sicut nec contra deum.* — Vgl. auch 200,35—201,17.

[64] Alvarus P., De statu I 6; fol 2v a.
[65] Vgl. Anm. 82 und 83.
[66] Die Forschung hat sich schon immer sehr intensiv mit diesem Aspekt des Verhältnisses Papst/Konzil, nämlich den Papstabsetzungen durch Konzilien, befaßt; vgl. vor allem TIERNEY, Foundations 56—67, 248—254; ferner L. BUISSON, Potestas und Caritas. Die päpstliche Gewalt im Spätmittelalter, FKRG 2, Köln 1958, 182 ff.; eine Sammlung von Texten stellt zusammen VON SCHULTE, Die Stellung der Concilien 253—265; weitere Literatur bei H. ZIMMERMANN, Papstabsetzungen des Mittelalters, Graz-Wien-Köln 1968, 1 bis 205 Geschichte der Absetzungen, 217 ff. Beitrag der Kanonistik. — J. A. MIRUS, On the deposition of the pope for heresy, in: AHP 13 (1975) 231—248, informiert über die Argumente der papalistischen Seite zur Zeit der Konzilien von Pisa-Basel-Florenz-Latran V. Aufschlußreich für die ältere katholische Forschung ist F. KOBER, Die Deposition und Degradation nach den Grundsätzen des kirchlichen Rechts, Tübingen 1867, 549—586 über Papstabsetzungen.

zungen, gerade auch durch Konzilien, hat es im Mittelalter, wie Harald Zimmermann in seiner gründlichen Studie zeigt, immer wieder gegeben. Den Kanonisten, die sich mit der Frage der Papstabsetzung befassen, sind die wirklich historisch gesicherten Fälle, die wir heute kennen, zwar weitgehend unbekannt, aber Gratian hat in sein Dekret eine Reihe von Texten aufgenommen, an die die Kanonisten in ihrer theoretischen Erörterung anknüpfen konnten.[67] Und auf diese Dekretisten-Kommentare berufen sich ihrerseits die Autoren, die uns hier interessieren. Deutlich heben sich dabei eine papalistische und eine konziliaristische Tendenz ab.

Zur ‚konziliaristischen‘ Richtung gehört neben Marsilius von Padua und Wilhelm von Ockham[68] zum Beispiel Johannes Quidort. Der französische Dominikaner spricht sich mit großer Entschiedenheit für die Absetzbarkeit des Papstes aus, und dies nicht nur im Fall der Häresie, wie es eine breite kanonistische Tradition vorsah, sondern auch bei *crimina*, eine Lehre, für die er sich auch auf den einen oder anderen Kanonisten berufen konnte. Wer die Absetzung vornimmt, bleibt zwar in der ausdrücklichen Formulierung etwas in der Schwebe — Johannes Quidort nennt ausdrücklich das Kardinalskollegium, das Generalkonzil, den König, das Volk — in der Konsequenz seiner Gedanken ist es jedoch eindeutig das Generalkonzil. Der Papst ist zum Wohl des *populus* eingesetzt; handelt er diesem Wohl zuwider, so hat dieser *populus*, vertreten durch das Konzil, das Recht, ihn abzusetzen.[69] In Sonderheit obliegt es einem Generalkonzil, einen unrechtmäßig zu seinem Amt ge-

---

[67] Es handelt sich um die Päpste Marcellinus, Liberius, Damasus I., Sixtus III. und Symmachus; vgl. Decretum dist. 21 c.7; dist. 17 c.6; 2 q.7 c.41; 2 q.5 c.10.

[68] Vgl. ZIMMERMANN 221—224.

[69] Vgl. Anm. 55. Die Fortsetzung lautet: *vel potest dici quod potest deponi a collegio vel magis a generali concilio auctoritate divina cuius consensus supponitur et praesumitur ad deponendum, ubi manifeste apparet scandalum et incorrigibilitas praesidentis.* — Vgl. auch XXIII; 201, 12: *Non est rationabile dicere quod papa posset cedere et renuntiare invito populo et reclamante, sicut fecit beatus Cyriacus, et quod ipse invitus etiam de consensu populi in tali casu non posset deponi et ad cedendum compelli, quia cum ipse papa et quilibet alius praelatus praesit non propter se, sed propter populum, ut scilicet prosit, efficacior est consensus populi in casu tali ad deponendum eum etiam invitum, si totaliter inutilis videatur, et ad eligendum alium, quam e converso voluntas ad renuntiandum populo nolente. In depositione tamen qua deponitur noluntarius et per populum, cum maiore maturitate incedendum quam in cessione seu renuntiatione voluntaria, quia ad renuntiationem sufficit quod causam alleget coram collegio cardinalium quod sit ibi loco totius ecclesiae. Sed ad depositionem decet quod fiat per concilium generale, ut patet XXI dist. capitulo NUNC AUTEM (7), ubi dicitur quod convocatum fuit concilium generale ad depositionem Marcellini. Credo tamen quod simpliciter sufficeret ad depositionem collegium cardinalium, quia ex quo consensus eorum facit papam loco ecclesiae, videtur similiter quod potest ipsum deponere, et si quidem fuerit causa rationabilis et sufficiens, deponunt eum meritorie. Si vero non fuerit sufficiens, peccant.*

langten Papst daraus zu entfernen.[70] Durch Mißbrauch verliert der Papst genauso sein Amt, wie der Abt eines Klosters, der die Klostergüter verschleudert[71], seines Amtes verlustig geht. Die These wird zwar kanonistisch durch Verweis auf dist. 40 c. 6, dist. 21 c. 7 und die entsprechende Glosse des Johannes Teutonicus abgesichert, ihre eigentliche Begründung stammt jedoch aus der neuen aristotelisch-thomistischen Sozialphilosophie, der unser Dominikaner verpflichtet ist.[72]

Die Autoren der papalistischen Richtung haben dies gemeinsam, daß sie sich mit der theoretischen und praktischen Frage der Absetzbarkeit des Papstes durch das Konzil weniger leicht tun als Johannes Quidort, aber bei allen Verklausulierungen schließt doch keiner von ihnen grundsätzlich die Möglichkeit dazu aus.

Fünfzehn bis zwanzig Jahre nach Johannes Quidort befaßt sich Augustinus Triumphus in seiner *Summa de ecclesiastica potestate* in aller Form mit der Frage der Papstabsetzung *(Quaestio V de papae depositione)* und widmet dem speziellen Problem der Papstabsetzung durch das Generalkonzil einen ganzen Artikel *(Articulus VI: Utrum ad concilium generale spectet papam in haeresia deprehensum condemnare?)*.[73] Entsprechend dem Aufbau und der Methode des Gesamtwerkes beginnt der Augustiner-Eremit mit drei Einwänden gegen die Zuständigkeit des Konzils: 1. Konzilien dürfen nach dist. 17 *Multis* nur mit päpstlicher Erlaubnis einberufen werden; 2. sie setzen für ihre Geltung nach dist. 16 *Sancta* die päpstliche Bestätigung voraus; 3. der Papst ist nach dist. 14 *Sicut* selber

---

[70] Johannes Q., De reg. pot. XXII; 192, 24: *Si vero circa personam vel electionem summi pontificis, post discussionem diligentem a litteratis et ab illis quorum interest factam, aliquid inveniretur legitimum contra statum, non esset dissimulandum, sed monendus esset cedere, et si nollet, posset excipi et generale concilium peti et ad ipsum concilium appellari. Immo in tali casu deberet, si pertinax inveniretur cum violentia, et advocato brachio saeculari a sede removeri, ne profanarentur ecclesiae sacramenta.*

[71] Johannes Q., De reg. pot. VI; 95, 11: *Et sicut etiam monasterium posset agere ad depositionem abbatis vel ecclesia particularis ad depositionem episcopi, si appareret quod dissiparet bona monasterii vel ecclesiae et quod infideliter non pro bono communi sed privato ea detraheret, ita si appareret quod papa bona ecclesiarum infideliter detraheret, non ad bonum commune cui superintendere tenetur, cum sit summus episcopus, deponi posset, si admonitus non corrigeretur, dist. XL caputilo* Si papa *(6), ubi dicitur: „cunctos iudicaturus a nemine iudicandus nisi deprehendatur a fide devius", ubi dicit glossa quod, si deprehendatur in quocumque alio vitio et admonitus non corrigatur et scandalizet ecclesiam, idem posset fieri, licet forte secundum aliquos per solum concilium generale argumentum dist. XXI, capitulo* Nunc autem *(7).*

[72] Johannes Q., De reg. pot. X; 114, 32: *Potestas praelatorum non est a deo mediante papa, sed immediate, et a populo eligente vel consentiente.* Näheres hierzu bei Bleienstein 37 ff.; Leclercq, Jean de Paris 124—131; H. Hofmann, Repräsentation. Studien zur Wort- und Begriffsgeschichte von der Antike bis ins 19. Jahrhundert, Berlin 1974, 252—254. — Vgl. auch E. T. Eschman, Studies on the notion of Society in Thomas Aquinas, in: MS 8 (1946) 1—42; 9 (1947) 19—55.

[73] Ausgabe Rom 1582; 54.

Letztinstanz in Glaubensfragen. Es folgt *in contrarium* der Hinweis auf dist. 21 *Nunc autem*, das heißt die Vorladung des häresieverdächtigen Marcellinus vor das Konzil.[74]

Die *solutio* geht von dem alten kanonistischen Grundsatz aus, daß der häretische Papst praktisch rechtlos ist *(minor quolibet catholico)*, ja, sie verschärft ihn noch: der häretische Papst ist soviel wie ein toter Papst. Wenn aber ein Papst stirbt, fällt seine Vollmacht automatisch auf das Kardinalskollegium beziehungsweise die *ecclesia universalis* zurück.[75] Interessant an dieser „Lösung" ist, mit welcher Selbstverständlichkeit unser papalistischer Theologe die Korporationstheorie voraussetzt, wenn er die päpstliche Vollmacht — gleicherweise in Todes- und Häresiefall — auf die *ecclesia universalis* devolvieren sieht. Das Konzil kann deshalb zusammentreten und rechtsgültig den „toten" Papst absetzen, weil es potentiell den rechtmäßigen Papst in seinem Schoße trägt. Diese Fiktion erlaubt eine Lösung von großer Konsequenz: Der Grundsatz der absoluten Unterordnung des Konzils unter den Papst bleibt gewahrt, eine „Notstandstheorie" schützt aber die Kirche vor der äußersten Katastrophe, nämlich einem häretischen Papst.[76]

Genau wie übrigens auch Augustinus Triumphus[77] vertritt Petrus de Palude OP die strengere kanonistische These, nämlich daß der Papst nur im Häresiefall, nicht aber bei anderen Vergehen abgesetzt werden kann. Er greift jedoch bezeichnenderweise nicht auf die Korporationstheorie zurück und bringt nicht die Fiktion *papa haereticus = papa mortuus* zur Rechtfertigung der Papstabsetzung durch das Konzil ins Spiel, sondern unterscheidet zwischen einer de iure-Absetzung des Papstes durch Gott und einer de facto-Absetzung durch das Konzil.[78] Petrus

---

[74] Augustinus Tr., Summa I 5; 6; 54 aG: ... *cum Marcellinus episcopus urbis Romanae scelus idolatriae commisisset, collectum fuit universum concilium sanctorum patrum et episcoporum, et si ipse propria voluntate non renuntiasset vel se corrigere noluisset, illi eum deposuissent. Ad concilium ergo spectat papam in haeresi deprehensum condemnare vel deponere.*

[75] Augustinus Tr., Summa I 5, 6; 54 aG: *resolutio: papae depositio ad concilium spectat. Quia papa in haeresi perseverans, ipso facto mortuus est. Mortuo autem ipso quantum ad corpus, quisnam eius potestatem in cardinalium collegio aut ecclesiae universalis remanere non asseverat?.*

[76] Ebd.: ... *magis est periculosa haeresis capitis quam membrorum ... Multo igitur fortius ad tollendam et damnandam haeresim in capite ecclesiae insurgentem statim universitas fidelium congregari deberet.*

[77] Augustinus Tr., Summa I 5, 4; 52 bE: *Papa hisce in terris a nemine iudicari potest, sed ipse humano iudicio omnes habet iudicare. Ideo pro crimine, quodcumque sit illud, deponi non potest. Quia quamvis papa per haeresim aut per infidelitatem desinat esse papa, non tamen propter peccatum. Quia per peccatum licet sit caput languidum, est tamen caput. Per haeresim vero non item.*

[78] Petrus de P., Tract. I 3; 200, 15: *Non igitur papa potest deponi ab aliquo alio, nec propter crimen quodcumque nisi haeresim, quando quidem deponitur de iure a deo, de facto vero a concilio, quia haereticus non potest esse papa ...*

hält damit noch deutlicher als Augustinus Triumphus an der Unterordnung des Konzils unter den Papst fest. Seine „Lösung" hat den Nach-
teil, daß sie gar keine Antwort gibt auf die Frage, wer denn das Konzil,
das den Papst de facto absetzt, rechtskräftig einberuft und bestätigt.[79]
Bei Alvarus Pelagius OFM vermag das Generalkonzil noch weniger
gegen den Papst als bei den vorgenannten Autoren. Es kann nicht einmal einen häretischen Papst absetzen, wenigstens so lange nicht, als dieser noch nicht in seiner Häresie verhärtet ist.[80] Ist dies der Fall, dann
gilt auch für Alvarus Pelagius der Satz *papa haereticus inferior est quolibet
catholico*, das heißt, eine Universalsynode könnte ihn jetzt absetzen, aber
interessanterweise nicht im Namen des in ihrem Schoße sich befind-
lichen zukünftigen rechtmäßigen Papstes, wie Augustinus Triumphus es
vorsieht, sondern in Stellvertretung Christi, des Hauptes der Kirche.
Alvarus umschifft mit dieser Formel die für die Papalisten gefährliche
Klippe der korporatistischen Kirchentheorie.[81]

---

[79] Im Häresiefall kann ein Generalkonzil den Papst de facto absetzen. Was aber kann die
Kirche gegen einen „kriminellen" Papst tun? *Responsio: Duplex est remedium. Unum, quod
dictum est, exemplo Pauli, quia in facie ei est resistendum. Sicut etiam monachi, licet non possint abbatum suum deponere* (gegen Johannes Quidort?), *non tamen tenentur ei in malis oboedire, sed ei
resistere quousque per superiorem remedium apponatur . . . Secundum remedium est exemplo beati
Hilarii, qui contra Leonem papam praevaluit orando, quia orandum esset pro ipso a tota ecclesia, quod
deus ipsum corrigeret vel amoveret nec umquam sic deus ecclesiam suam despiceret, quin eam exaudiret*
(195, 34). — Zur Legende der Papstkritik des Hilarius an Leo I. vgl. H. FUHRMANN, Die
Fabel um Papst Leo und Bischof Hilarius. Vom Ursprung und der Erscheinungsform einer
historischen Legende, in: AKuG 43 (1961) 125—162. — Um den Widerstand der Kirche
effektiver und so die Gebetserhörung wahrscheinlicher zu machen, sieht Petrus de Palude
selbst die Versammlung eines Konzils durch die Kardinäle vor. Freilich, das Konzil kann
den Papst nur unter Druck setzen *(movere)*, nicht aber absetzen *(amovere): Et esset contra
eum concilium convocandum per cardinales, si ipse nollet se corrigere, ut per illud moveretur* (Variante
statt *amoveretur*, was ein offener Widerspruch zu 200, 15 wäre!) *vel deus imploraretur, et quod
remedium apponeretur in resistendo malis, quae vellet facere, ne ecclesia periclitaretur* (196, 7). —
Vgl. ähnliche Überlegungen, jedoch ohne Hinweis auf ein Konzil, bei Alexander de Sancto
Elpidio, *Tractatus de ecclesiastica potestate*, in: ROCABERTI, Bibl. max. pont. II 2—40 (keine
durchgehende Paginierung), hier 38—39.

[80] Alvarus P., De statu I 6; 2 va: *Quod synodus etiam universalis in eum corrigibilem praesertim
iurisdictionem non habet, nec in eum sententiam depositionis profert, etiam in haeresi.* Alvarus beruft
sich für seine Position unter anderem auf dist. 21 c.7 und 9 (MARCELLINUS) und dist. 17 §
HIC ETIAM (Symmachus). — N. IUNG, Alvaro Pelayo, évêque et pénitencier de Jean XXII,
un franciscain, théologien du pouvoir pontifical au XIVe siècle, Paris 1931, charakterisiert
Alvaros Position in der Frage der päpstlichen Prärogativen: „Malgré des efforts d'Alvaro
Pelayo pour assurer l'inviolabilité absolue du souverain pontif, sa pensée reste hésitante, au
point d'être presque contradictoire. Mais chez lui se dessine une tendance assez nette à se
séparer des canonistes du XIIe et du XIIIe siècle, qui envisageaient la mise en jugement
d'un pape indigne et au besoin sa déposition, comme une procédure normale" (105).

[81] Alvarus P., De statu I 34; 6 ra: *Si ergo papa contra incorrigibiliter in haeresi permaneret iam
damnata notorie, nec renuntiare vellet papatui, sicut posset . . ., tunc cardinales possent et deberent ab
eo recedere et alium eligere . . . Et nota, quod papa haereticus inferior est quolibet catholico, quo casu*

Eine ähnlich streng papalistische Position vertritt Hermann von Schildesche, der zunächst zwar bekennt, die Frage, ob ein Allgemeines Konzil den Papst verurteilen könne, übersteige seine Fähigkeit und Wissen[82], dann aber unter Berufung auf das *decretum Gratiani* 9 q. 3 c. 14 und dist. 21 c. 7 negativ entscheidet. Die Frage nach der Absetzbarkeit des *papa haereticus* wird gar nicht mehr direkt gestellt, die Problematik wird nur noch indirekt in der Formel *quamdiu manet papa* angedeutet.[83] Die konkreten Zeitumstände, das heißt der Konflikt zwischen Ludwig dem Bayern und Johannes XXII. hatte zur Folge, daß man sich auf päpstlicher Seite auch mit der speziellen Frage befaßte, welchen Anteil der Kaiser an der Papstabsetzung nehmen konnte. Unter anderem beschäftigten sich die beiden Franziskaner Andreas de Perusio und Franciscus Toti und später unter dem Pontifikat Benedikts XII. Konrad von Megenberg mit dieser Frage. Andreas de Perusio bestreitet, wie zu erwarten, rundweg den Häresieverdacht gegen Johannes XXII. Aber einmal angenommen, der Papst wäre Häretiker, so stand die Absetzung nur dem Konzil, nicht dem Kaiser zu.[84] Gewiß, eine Papstabsetzung ist eine *causa fidei*, aber das bedeutet nach alter kanonistischer Lehre lediglich, daß der Kaiser ein Recht hat, an der Synode teilzunehmen, nicht, daß er mitrichten darf. Ähnlich argumentiert Franciscus Toti.[85] Konrad von Megenberg vertritt die gleiche Lehre wie die beiden Franziskaner.[86] Der kaiserlichen Partei, die sich auf Präzedenzfälle von

crederem, quod synodus universalis, quae est caput ecclesiae loco dei ipsum condemnare posset, quia numquam ecclesia sic vacat, quin habeat caput Christum . . . vel in tali casu non est sententia necessaria, quia haeresis pertinax prima privat ipso iure quemcumque beneficio, immo privatus est a iure . . . — Weitere Stellen bei IUNG 178—181.

[82] Hermann v. Sch., Tract. II 4; 67, 58: *Utrum tamen totum concilium sit maius papa et an in aliquo casu posset papam iudicare, ubi sponte renuntiare nollet, altior quaestio est quam vires et scientia mea sustineant.*

[83] Ebd. *Canon tamen dicit, quod aliorum hominum causae deus voluit per homines terminare, sedis vero istius praesulem sine quaestione suo reservavit arbitrio . . .*" (9 q.3 c.14). *Et concilium dixit Marcellino papae:* „*Ore tuo iudica causam tuam, non nostro iudicio*". *Ex quibus satis videtur, quod concilium papam iudicare non possit, quamdiu manet papa. Quia manens papa, semper est maior concilio et semper est vicarius veri dei.*

[84] Andreas de P., Contra edictum, Ausgabe SCHOLZ, Streitschriften II 72.

[85] Franciscus T., Contra Bavarum, Ausgabe SCHOLZ, Streitschriften II 81: *Si tamen quaeritur, ad quem pertineret iudicare papam, si quod absit deprehenderetur a fide devius, dico quod ad sacrum collegium cardinalium cum universali concilio ad hoc vocato per eosdem dominos cardinales pertineret cognoscere, cum eiusdem papae electio pertineat ad eosdem et sint in ecclesia primi post papam eiusque fratres et cognito, quod a fide deviaverit et velit corrigi et ad istam fidei normam reduci, non potest iudicando deponi . . . Si autem nollet corrigi, sed pertinaciter defendere sententiam et erroneam credo, quod potest ab eis iudicialiter deponi . . . nullo autem modo pertineret ad imperatorem . . .*

[86] Konrad von M., Tract., Ausgabe SCHOLZ, Streitschriften II 371: *. . . haereticum est haeresis damnata per ecclesiam credere, quod spectat ad imperatorem papam deponere et alium eligere vel creare, quoniam imperator non habet deponere papam catholicum et fidelem, sicut etiam adversarius*

Papstabsetzungen durch Kaiser berief, zum Beispiel auf Otto I., der Johannes XII. absetzte, gibt Konrad folgende Belehrung: *quotiens legitur imperatores summos deposuisse pontifices semper intelligendum est: deposuerunt id est consenserunt concilio deponenti. Si enim aliter egissent potius vim quam ius exercuissent.*[87] Auch den Einwand, gegen die Macht eines häretischen Papstes käme nur der Kaiser an, läßt der Regensburger Domherr nicht gelten: ein Konzil ist jedenfalls mächtiger als der Papst.[88]

3. Die neuen Ideen

a) Appellation vom Papst an das Konzil

Wir haben bis hierher traditionelle Aspekte der Konzilsidee behandelt. Wir wenden uns jetzt Vorstellungen zu, die vor dem von uns berücksichtigten Zeitraum, also vor dem Pontifikat Bonifaz' VIII. entweder gänzlich, das heißt sowohl der Sache als auch dem Begriff nach, unbekannt sind oder doch wenigstens nicht unter dem jetzt auftauchenden Begriff nachgewiesen werden können. Ein erster neuer Aspekt der Konzilsidee ist die Appellation[89] vom Papst an das Konzil.[90] Bevor

---

concedit, sed nec infidelem seu criminosum . . . (Mehrere Verweise auf das Decretum). *Omnes autem isti canones intelligendi sunt de crimine papae alio ab haeresi . . . Sed in causa haeresis submittitur universitatis sive concilii iudicio . . . Sed numquid imperator interesse debet huic concilio, quo condemnandus est papa haereticus pertinax, dicendum est, quod non ut iudex condemnandi pontificis . . . sed ipse auscultare debet sententiam praelatorum cleri christiani, si vocatur ad tale officium et eam exequi prolatam. Quoniam imperator in his quae fidei sunt discere congruit, non docere, dist. 96, c. 11.* — Ebd. 377: *Et iura canonica ab adversario allegata non plus concludunt quam si papa super manifesta vel convicta haeresi corrigi non vult, tunc omni auctoritate et potestate est privandus, non tamen per imperatorem, sed per concilium ecclesiae. Immo ipso facto est condemnatus per scripta iura, attamen per concilium declaratur condemnatus, quam declarationem exspectare debet imperator et omnis populus christianus.* — Vgl. auch 373.

[87] Konrad von M., Tract., Ausgabe SCHOLZ, Streitschriften II 378.

[88] Konrad von M., Tract., Ausgabe SCHOLZ, Streitschriften II 378: *Et cum dicitur: si papa haereticus foret tantae potentiae, quod nullus auderet sibi contradicere etc, dico, quod in tali casu numquam poterit esse tantae potentiae, quin concilium sit potentiae maioris. immo si tanta ingrueret necessitas, concilium praelatorum ecclesiae auxilium imperatoris invocaret atque aliorum principum saecularium iuvamen.*

[89] Der Begriff der Appellatio als solcher ist der Alten Kirche im Zusammenhang des Konzils nicht unbekannt. GIRARDET, Appellatio 98—127, zeigt in einer sorgfältigen Studie, wie es im Laufe des 4. Jahrhunderts zur Anerkennung des Papstes als kirchlicher „Supplikationsinstanz" gekommen ist, damit zum Rechtsinstitut des Appells vom ‚partikulären' Konzil an den Papst.

[90] Eine umfassende Studie zur Appellation vom Papst an das Konzil wäre ein dringendes Desiderat. Der Artikel von A. AMANIEU, Appel au future concile, in: DDC 1 (1935) 807 bis 818, geht leider nur auf die Zeit nach dem Constantiense ein. Zur Appellation nach dem Dekretalenrecht gibt es die veraltete Studie von PH. HERGENRÖTHER, Die Appellationen

wir uns der ausführlichen Erörterung dieses Rechtsmittels durch einen der führenden Theologen unseres Zeitabschnittes, nämlich Augustinus Triumphus, zuwenden, ist zunächst auf die historischen Ereignisse hinzuweisen, die die *Quaestio* des Augustiner-Eremiten *Utrum homo possit appellare a papa ad concilium generale?*[91] veranlaßten. Wir beschränken uns dabei zunächst auf die Präsentation der wichtigsten Texte, um erst in einem zweiten Schritt etwas zum Problem ihrer Interpretation zu sagen.

Appellationen vom Papst an das Konzil hat es auch schon vor unserem Zeitabschnitt gegeben. Aber es handelte sich um Einzelfälle, allem Anschein nach ohne große Resonanz in der kirchlichen Öffentlichkeit. Bekannt ist zum Beispiel die Appellation Friedrichs II. nach der erneuten Exkommunikation durch Gregor IX. vom 20. März 1239. Sie ist an das Kardinalskollegium gerichtet.[92] Im Auftrag Friedrichs II. appellierte Thaddaeus de Suessa vom Papst an das zukünftige Konzil, als der Kaiser auf dem Konzil von Lyon 1245 durch Innocenz IV. schließlich sogar abgesetzt wurde.[93] Nicht nur auf höchster Ebene, nämlich der

---

nach dem Dekretalenrecht, Eichstädt 1875. H.-J. BECKER, *Fidem catholicam* 481 Anm. 138 hat „in Kürze" die Publikation einer „eingehenderen Untersuchung . . . zur Geschichte der Appellation gegen den Papst an ein künftiges Konzil" angekündigt. Sein Artikel „Konzilsappellation" im Handwörterbuch zur deutschen Rechtsgeschichte II, Berlin 1978, 1139—1142 führt in der Literatur auf: H.-J. BECKER, Die Appellation vom Papst an ein allgemeines Konzil und ihre Beurteilung durch die Kanonisten im späten Mittelalter und in der frühen Neuzeit (im Erscheinen). Die Untersuchung scheint aber bis dato nicht veröffentlicht zu sein.

[91] Vi, 6; 61—62.

[92] Friedrich II., Provocatio ad concilium generale, MGH.Const 2, 289—290, hier 290: . . . *coram tam venerabile coeto patrum* (das heißt der Kardinäle) *primo ad deum vivum . . . et deinde ad futurum summum pontificem, ad generalem synodum, ad principes Alamaniae et generaliter ad universos reges et principes orbis terrae ac ceteros christianos pro parte nostra libere valeant appellare* (das heißt die kaiserlichen Bevollmächtigten) . . . Zum Kontext vgl. F. GRAEFE, Die Publizistik im letzten Kampfe zwischen Kaiser Friedrich II. und Papst Gregor IX. (1238—1241), Heidelberg 1909, 15—17, vgl. auch E. KANTOROWICZ, Kaiser Friedrich der Zweite, Berlin 1928, 495. — Der geistige Urheber der Appellation ist wohl Friedrichs Kanzler, der Kanonist Petrus de Vinea, vgl. TIERNEY, Foundations 77—79.

[93] Appellatio Thaddei de Suessa, MGH.Const 2, 508: . . . *Ego Thadeus de Suessa magnae imperialis curiae iudex, a domino meo imperatore procurator ad hoc specialiter constitutus, dico nullam fore sententiam contra dominum meum imperatorem per summum pontificem in praesenti concilio promulgandam ; si tamen aliqua sit, quod omnino diffiteor, cum nullus sit in ea iuris ordo servatus, ab ipsa ad futurum Romanum pontificem et ad universale concilium regum, principum et praelatorum, cum praesens concilium universale non sit, pro parte domini imperatoris appello.* — Zu Einzelheiten vgl. P. O. MARAZZATO, L'appello di Federico II contro la sentenza del concilio di Lione, Triest 1955, Univ. studi di Triest, Ist. diritto publ., Publ. nr. 4. — Über Kaiser Friedrich II. und die Anfänge des Konziliarismus hat G. WOLF, Universales Kaisertum und nationales Königtum im Zeitalter Friedrichs II., in: MM 5 (1968) 243—269, hier 260, Anm. 83, eine Studie angekündigt, die aber bisher nicht erschienen zu sein scheint.

von Papst und Kaiser, auch im Streit der Theologen ist es bisweilen zu
Berufungen vom Papst an das Konzil gekommen. Wilhelm von St.
Amour († 1272) zum Beispiel hat sich bei seiner Auseinandersetzung
mit den Bettelorden gegen den Papst auf ein Konzil berufen.[94] Jedenfalls hat er sich gegen diesen Vorwurf zu verteidigen.[95] Selbst wenn in
der zweiten Hälfte des 13. Jahrhunderts noch weitere solcher Fälle von
Appellationen vom Papst an das Konzil namhaft gemacht werden könnten, so ist doch die Häufigkeit, mit der dies in der von uns untersuchten Zeit geschieht, etwas völlig Neues und berechtigt uns, die Appellation vom Papst an das Konzil unter die neuen Aspekte der Konzilsidee
zu zählen.

In unserem Zeitabschnitt finden Appellationen sowohl auf höchster
Ebene als auch von Privatpersonen beziehungsweise Gruppen von
Gläubigen statt. Auf höchster Ebene appellieren 1297 die beiden rebel-
lierenden Kardinäle Jakobus und Petrus von Colonna gegen Bonifaz
VIII.[96], 1303 Philipp der Schöne von Frankreich ebenfalls gegen Boni-
faz VIII.[97], zwanzig Jahre später Ludwig der Bayer mehrmals gegen

---

[94] Zu diesem Streit vgl. CONGAR, Aspects ecclésiologiques 53.

[95] Vgl. E. FARAL, Les ‚responsiones‘ de Guillaume de Saint-Amour, in: AHDL 25/6
(1950/51) 337—394, hier 355: (Wilhelm soll gesagt haben): *Nos autem contra sententiam* (das
heißt des Papstes) *apposuimus bonam barram, quia posuimus res nostras et sociorum nostrorum
nobis adhaerentium in protectione Romanae ecclesiae ad concilium appellando . . . Dixi* (lautet seine
Richtigstellung) *etiam quod magistri et scolares appellaverant, ponentes se sub protectione Romanae
ecclesiae, ne contra nos aliquid iniuste attemptaretur, et eandem appellationem de mandato magistrorum
et scolarium innovavi* (IV, 42). Vgl. auch III 37, ebd. 353: *Item, dixit quod super istis petebat concilium generale. Respondeo: Dixi quod . . . paratus essem super his subire definitionem ecclesiastici
iudicii, aut concilii provincialis aut concilii generalis;* vgl. ebd. 379.

[96] Erste Denkschrift der Colonna vom 10. Mai 1297, Ausgabe DENIFLE 513: *Ad sedem
apostolicam seu subsequentem verum ecclesiae Romanae pastorem et ad generale concilium . . . in his
scriptis provocamus, appellamus et specialiter publice protestamur.* — Zweite Denkschrift vom
11 (16) Mai 1297, ebd. 518: *. . . ad sedem apostolicam ac futurum Romanae ecclesiae verum pontificem et generale concilium, quod super praedictis cum instantia congregari postulamus et petimus . . .
in his scriptis provocamus et appellamus . . .* Vgl. ebd. 522—523.

[97] Wilhelm du Plessis, Anklagelibell vom 19. Juli 1303, in: P. DUPUY. Histoire du Différend
d'entre le pape Boniface VIII et Philippe le Bel, roy de France, Paris 1655, Reprint Tucson
1963, 107: *. . . Ne autem dictus Bonifacius, qui animose et iniuriose contra nos pluries fuit procedere
comminatus, impedire satagens, ne sua, si qua sint, in lucem veniant opera tenebrarum, huiusmodi con-
vocationi et congregationi concilii directe vel indirecte impedimenta praestando vel aliter quovis modo
status vester in eo integer existat, contra nos, statum nostrum, ecclesias, praelatos, barones et alios
fideles vasallos et subditos nostros, terras nostras vel ipsorum, regnum nostrum et ipsius regni statum in
aliquo spirituali gladio abutendo, de facto procedat excommunicando interdicendo suspendendo vel alio
quoquo modo pro nobis et nobis adhaerentibus et adhaerere volentibus, ad praedictum generale concilium,
quod instanter convocari petimus, et ad verum legitimum futurum summum pontificem vel alios, ad
quem vel ad quos fuerit appellandum, provocamus et appellamus in scriptis, non recedendo ab appellatione per dictum G. de Nogareto interposita . . . apostolos testimoniales ab vobis praelatis et notariis
cum instantia postulantes ac expresse protestantes de innovando provocationem et appellationem huius-*

Johannes XXII.[98] Als Privatpersonen oder Gruppen von Privatpersonen appellieren 1332, 1334 und 1338 Bonagratia von Bergamo[99] und Michael von Cesena.[100] Einzelne Ordenshäuser und ganze Orden appellieren, mehr oder weniger freiwillig. Aufschlußreich ist in dieser Hin-

---

modi ubi quando et coram quibus nobis visum fuerit expedire. Vgl. auch Nogaret, Rede vom 12. März 1303, in: DUPUY, Histoire du Différend 56; weitere Texte mit Appell vom Papst an das Konzil ebd. 106, 108 usw.

[98] Ludwig der B., Nürnberger Appellation vom 18. Dezember 1323, MGH.Const 5, 642 bis 647, hier 647, 15: *Cum vero propter praemissos articulos, quos non est dubium statum fidei catholicae, sanctae ecclesiae, sacri imperii contingere et omnium interesse, opus sit convocatione concilii generalis, instanter et cum omni devotione ipsum, quam primum commode poterit, ad locum communem et aptum petimus congregari. In quo ad dei omnipotentis honorem, sanctae christianitatis bonum statum et profectum fidelium necnon pro reverentia reverendorum patrum dominorum cardinalium, patriarcharum, primatum, archiepiscoporum, episcoporum et totius ordinis ecclesiastici necnon eiusdem sacri concilii solemnitate dante domino personaliter intendimus interesse.* — Sachsenhäuser Appellation vom 22. Mai 1324, ebd. 723—744, hier 743, 13: *Juramus etiam nos pro viribus contra eundem prosecuturum praedicta in concilio generali congregando in loco tuto atque securo ad honorem dei et exaltationem fidei christianae et sanctae dei ecclesiae et sacri imperii et principum et devotorum et vasallorum ipsius conservationem et augmentum domino concedente. In quo nos favente domino intendimus interesse personaliter, supponentes sacrum imperium et principes, nos, subditos et vasallos et devotos nostros et adhaerentes nobis et adhaerere volentes nunc et in futurum, bona sacri imperii et ipsorum et nostra et dignitates et status sacri imperii, nostra et ipsorum sub protectione divina et beatorum Petri et Pauli apostolorum eius et dicti sacri congregandi concilii et sanctae ecclesiae et apostolicae sedis et apostolici, catholici et legitimi futuri summi pontificis. Licet enim pudenda patris proprio libenter pallio tegeremus, ob favorem tamen catholicae fidei et devotionem, quam ad sanctam ecclesiam Romanam matrem nostram habere tenemur, fidei negotio et ecclesiae statui consuli cupientes pro vitando dispendio scandali generalis nequeuntes urgente conscientia praedicta et alias ipsius nequitias sub conniventia et dissimulatione transire, cum super praedictis ex frequentibus et assiduis clamoribus per fidedignos saepe saepius inculcatis eius opinio vehementer et notabiliter sit gravata, praedictum concilium generale pro praedictis congregari petimus et cum instantia petimus repetita . . . Ad praedictum generale concilium . . . provocamus et appellamus in scriptis et appellationes per nos factas alibi innovamus et apostolos testimoniales a vobis principibus nostris ecclesiasticis et mundanis et notariis publicis hic praesentibus cum instantia postulamus et iterum cum instantia postulamus. Ac protestamur expresse de innovando provocationes et appellationes et protestationes praedictas, ubi quando et sicut et coram quibus visum fuerit expedire et de iure tenebimur atque debebimus pro tutela et securitate sacri imperii et nostra et omnium singulorum supradictorum.*

[99] Appellatio contra Joannis XXII errores de visione beatifica, München 1334, Ausgabe L. OLIGER, Fr. Bonagratia de Bergamo et eius tractatus de Christi et apostolorum paupertate, in: AFH 32 (1929) 202—335, hier 310—312: *. . . ad sacrum generale concilium legitime et canonice convocandum et ad futurum catholicum Romanum pontificem catholice et legitime intrantem et ad sanctam catholicam et apostolicam ecclesiam et ad quemlibet, ad quem potest huius provocationis et appellationis cognitio devenire.* — Vgl. die Zusammenstellung der Appellationen bei BECKER, Kanonistische Schriften 238—240.

[100] Zunächst appelliert Michael von Cesena, wie übrigens auch Bonagratia, noch nicht vom Papst an das Konzil, sondern lediglich vom Papst an den Apostolischen Stuhl; vgl. Brief des Generalkapitels vom 13. April 1328, Ausgabe BALUZE 239b: *. . . coram vobis ad sedem apostolicam provoco et appello. Et si in quantum iura postulant et requirunt, apostolos instanter et iterum cum instantia peto et subiicio me et dicta mea et praedictos, ordinem et fratres et omnes et singulos mihi adhaerentes et adhaerere volentes correctioni, protectioni et defensioni sedis apostolicae et sanctae matris ecclesiae.* — Bonagratia, *Forma Appellationis* vom Januar 1923, BALUZE 221a:

sicht das Protokoll der Appellation vom Papst an das Konzil des Pariser Dominikanerkonvents aus dem Jahre 1303.[101]

In diesem Zusammenhang ist auf einen sehr interessanten Text aus der Feder des Bonagratia von Bergamo von 1333 aufmerksam zu machen, nämlich auf ein Formular für solche Appellationen vom Papst an das Konzil. Es richtet sich im Aufbau ganz nach dem Schema, das für kirchliche Appellationen ganz allgemein in Gebrauch war.[102] Auf die *Invocatio* mit Zeit- und Ortsangabe[103] folgt mit den Worten *Coram vobis testibus* der Hauptteil der Appellation, der seinerseits vier Punkte ent-

---

Et sentiens me dicto nomine et dictum ordinem ex praedictis et pro praedictis enormiter aggravari ab eis, ad vos sanctissimum patrem et dominum Joannem papam XXII et ad sanctam matrem ecclesiam, cui praesidetis, provoco et appello . . . Et subiicio me et dictum ordinem protectioni et defensioni vestrae et sanctae matris ecclesiae. — Aber in den *Litterae deprecatoriae* (1332) spricht Michael von Cesena in aller Form von einem Appell vom Papst an das Konzil, Ausgabe GOLDAST II 1360: *Ego secundum formam iuris et canonicas sanctiones ab ipso, sicut ab haeretico, appellavi legitime ad sacrosanctam matrem Romanam et universalem ecclesiam et generale concilium, quod in fide et moribus praeest papae sicut superior, eo quod papa quicumque errare potest in fide et moribus, sicut plures Romani pontifices exciderunt a fide.* — Auch die gemeinsame Appellation Michael von Cesenas und Bonagratias von 1338 ist vom Papst an das Konzil gerichtet, Ausgabe K. MÜLLER 100—102: *Solemniter provoco et appello ad sacrum generale concilium ecclesiae catholicae legitime et canonice convocandum et ad futurum catholicum pontificem legitime intrantem et ad sanctam matrem catholicam et apostolicam ecclesiam et ad quemlibet, ad quem de iure potest provocari et appellari sive praedictorum cognitio devenire.*

[101] Instrumentum des Pariser Dominikanerkonvents vom 26. Juni 1303, Ausgabe A. DONDAINE, Documents pour servir à l'histoire de la province de France. *L'appel au concile* (1303), in: AFH 22 (1952) 381—439, hier 403: *Tenore praesentis instrumenti publici noverint universi, quod in praesentia mei notarii et testium subscriptorum ad hoc specialiter vocatorum et rogatorum fratres* (es folgen die Namen von 133 Ordensbrüdern) *de conventu dictorum praedicatorum Parisiensium, in capitulo eiusdem conventus hora tertia congregati, auditis expositisque sibi et plenius intellectis provocationibus et appellationibus ex parte excellentissimi principis Philippi . . . ex certis causis et sub certis modis . . . ad sacrum congregandum generale concilium vel ad futurum verum et legitimum summum pontificem vel ad illum vel illos, ad quem vel quos de iure foret appellandum, pro se et sibi in hac parte adhaerentibus seu adhaerere volentibus interiectis, ne dictus Bonifatius papa octavus motus seu provocatus ex his contra praedictum dominum regem praefatosque et ecclesias . . . quoque modo procederet . . .* Ebd. weitere Dokumente mit Appellationen anderer Konvente.

[102] L. ROCKINGER, Briefsteller und Formelbücher des 11. bis 14. Jahrhunderts, in: QEBG 9 (1863/64) 237, zitiert bei BECKER, Kanonistische Schriften 240, Anm. 75: *De appellationibus autem sunt regulae generales. Omnis appellatio fiat in scriptis. Et in primis ponat appellans nomen suum. Deinde nomen vel nomina illorum, a quibus appellatur. Deinde causa gravaminis, quod non sufficit dicere in genere, immo specificari oportet. Postea subiungit: Appello ad talem vel talem iudicem . . . Infert etiam in fine, quod ponit se et sua sub protectione eius, ad quem appellat.*

[103] Forma appellationis, Ausgabe BECKER 255: *In Christi nomine. Anno a nativitate Domini MCCCXXXIII, indictione etc., in tali loco. Ibi dominus talis — etc. constitutus in praesentia infrascriptarum venerabilium et authenticarum personarum suo nomine et nomine et vice omnium sibi adhaerentium et adhaerere volentium in hac parte dedit, porrexit et praesentavit ac publicavit et dat, porrigit et praesentat ac publicat infrascriptum libellum in scriptis. Et dixit et protestatus fuit ac fecit, provocavit et appellavit in omnibus et per omnia, prout in ipso libello et inferius per ordinem continetur . . .*

hält: Erstens, Anlaß der Appellation, hier die Häresie des Papstes[104]; zweitens, Begründung des Appellationsrechts[105]; drittens, Begründung der gewählten Form der Appellation[106]; viertens, die eigentliche Appellationsformel.[107] Das Formular wird abgeschlossen durch Zeugenlisten und Beglaubigungsvermerk des Notars.[108] Die hier präsentierten Texte enthalten eine Reihe von Problemen, mit denen sich die Forschung seit längerem befaßt, ohne zu allgemein angenommenen Ergebnissen zu kommen. Wir brauchen uns im Rahmen unseres Themas nicht näher damit auseinanderzusetzen, einige Hinweise genügen. Zunächst gibt es Fragen bezüglich der genaueren Natur dieser Texte. Welche formale Bedeutung haben zum Beispiel die Appellationen Ludwigs des Bayern? Handelt es sich wirklich im strikten Sinn des Wortes um Appellationen an das Generalkonzil als höhere Instanz oder nicht vielmehr um Propagandaschriften ohne solchen präzisen juridischen Sinn? Oder sind es Prozeßurkunden in näher zu bestimmender juridischer Bedeutung?[109]

---

[104] Ebd. 256: *Coram vobis talibus — venerabilibus, authenticis et honestis personis ego talis — meo et omnium mihi adhaerentium et adhaerere volentium nomine dico, propono et protestor, quod . . .* (Es folgt die Häresieanklage gegen Johannes XXII).

[105] Ebd. 257: *In nomine Domini. Hic ponuntur causae, quare unusquisque fidelis potest appellare a papa. Insuper ego praefatus — attendens etiam quod, quando causa sive quaestio in iure vel facto dubia circa fidem movetur sive agitur contra papam, cognitio et determinatio ipsius causae sive quaestionis spectat et pertinet praecipue ad concilium generale, et quod a papa in tali causa sive quaestione potest ad generale concilium provocari et appellari, qui in his, quae ad fidem catholicam pertinent, papa subest concilio generali et ipsum concilium habet de tali causa sive quaestione cognoscere et definire, sicut patet per id, quod legitur et notatur xix dist. c.* ANASTASIUS *in textu et in glossa signata super verbo* CONSILIO . . . (Es folgen weitere Allegationen aus dem Decretum Gratiani).

[106] Ebd. 259 Rechtfertigung der geheimen Appellation als solcher.

[107] Ebd. 261: *Ideo ego — non audens neque valens cum ipsis testibus et notario ad praesentiam dicti domini Ioannis accedere . . . in his scriptis sollemniter provoco et appello ad sacrum generale comcilium canonice et legitime convocandum et ad sanctam Romanam ecclesiam catholicam et apostolicam et ad futurum catholicum Romanum pontificem catholice et legitime intrantem et ad quemlibet, ad quem potest huius provocationis et appellationis cognitio et determinatio devenire de iure . . .*

[108] Ebd. 262—263. Weitere Einzelheiten bei BECKER, Kanonistische Schriften 240—246.

[109] Vgl. hierzu A. SCHÜTZ, Die Appellationen Ludwigs des Bayern aus den Jahren 1223/34, in: MÖIG 80 (1972) 71—112, der die Nürnberger Appellation im streng juristischen Sinn als *exceptio ex ipsa iurisdictione* versteht. Das Konzil stellt bei der Wahl dieses Rechtsweges keine Instanz über dem Papst dar; es ist lediglich ein Schiedsrichterkollegium, das neben dem päpstlichen Gericht fungiert und dessen „Aufgabe mit einem Schiedsspruch über die Stichhaltigkeit des Angriffs Ludwigs und seiner exceptio ex ipsa iurisdictione beendet gewesen wäre" (80). Ähnlich versteht Schütz die Sachsenhäuser Appellation als Prozeßschrift (*recusatio iudicis*). — K. MÜLLER, Ludwigs des Bayern Appellationen gegen Johannes XXII, 1323 und 1324, in: ZKR 19 (1884) 239—266 sieht dagegen in diesen Texten Appellationen im eigentlichen Sinne des Wortes. Bei ihm auch 259 ff. der Nachweis der streckenweise wörtlichen Übernahme des Anklagelibells Wilhelm du Plessis gegen Bonifaz VIII. durch die Sachsenhäuser Appellation. — F. BOCK, Die Appellationsschriften König Ludwigs IV. in den Jahren 1323/34, in: DA 4 (1941) 179—205, sieht in der Sachsenhäuser Appellation eher

Mit einer weiteren Frage beschäftigt sich die Konziliarismusforschung: Geht man einmal davon aus, daß es sich um Appellationen vom Papst an das Konzil im eigentlichen Sinne des Wortes handelt, was implizieren dann diese Appellationen hinsichtlich des Verhältnisses Papst/Konzil? Ist mit der Appellation vom Papst an das Konzil notwendig die Anerkennung des Konzils als höherer Instanz vorausgesetzt? Man versteht das Interesse der Konziliarismusforschung gerade an dieser Frage. Während ältere Forscher entschieden bestreiten, daß die Appellationen als solche schon den Konziliarismus, das heißt die Anerkennung der Theorie von der Überlegenheit des Konzils über den Papst voraussetzen[110] — nach ihnen genügt als theoretische Basis der Appellationen die alte kanonistische Theorie *papa haereticus minor quocumque catholico* —, sieht vor allem Brian Tierney in den Appellationen unseres Zeitabschnitts schon eine deutliche Anwendung der konziliaristischen Theorie.[111] Wir lassen die Frage der eben genannten Forschungsrichtungen auf sich beruhen und wenden uns wieder unseren Quellen zu, denn uns interessiert vor allem, wie hier die genannten Appellationen gerechtfertigt werden. Das *Decretum Gratiani* verbietet Appellationen ausdrücklich durch die Gelasiusdekretale *Cuncta*[112] und *Ipsi sunt canones*.[113] Wie rechtfertigen nun zum Beispiel die Franziskaner in ihren *Allegationes* vom Juni 1329 ihren Appell vom Papst an das Konzil? Ganz einfach durch Hinweis auf die alte kanonistische Lehre, nach der der Papst in Glaubens-

---

Propagandastücke. Ebd. weitere ältere Literatur; Ders., Politik und kanonischer Prozeß zur Zeit Johannes XXII., in: ZBLG 22 (1959) 1—22, zur Frage der Verfasserschaft der Sachsenhäuser Appellation (an der Formulierung des Textes ist wahrscheinlich Michael von Cesena beteiligt); vgl. auch Hirsch 9—20, und O. Bornhak, Staatskirchliche Anschauungen und Handlungen am Hofe Kaiser Ludwigs des Bayern, QVGDR 7, 1, Weimar 1933, 30—44, H. O. Schwöbel, Der diplomatische Kampf zwischen Ludwig dem Bayern und der römischen Kurie im Rahmen des kanonischen Absolutionsprozesses 1330—1346, Weimar 1968.

[110] H. X. Arquillière, L'appel au concile sous Philippe le Bel et la genèse des théories conciliaires, in: RQH 45 (1911) 29—53; Martin 130—143.

[111] Vgl. Tierney, Foundations.

[112] Decretum 9 q.3 c.17: *Cuncta per mundum novit ecclesia, quod sacrosancta Romana ecclesia fas de omnibus habeat iudicandi, neque cuiquam de eius liceat iudicare iudicio. Siquidem ad illam de qualibet mundi parte appellandum est, ab illa autem nemo est appellare permissus.* — Die Glosse hierzu lautet: *In prima parte dicitur, quod ecclesia Romana de omnibus iudicat, ipsa vero a nemine iudicatur. Item quod ad papam de omni parte mundi appellatur, ab eo vero nullus appellat.* Ausgabe Paris 1585, 1101.

[113] Decretum 9 q.3 c.16: *Ipsi sunt canones, qui appellationes totius ecclesiae ad huius sedis examen voluere deferri. Ab ipsa vero nusquam prorsus appellari debere sanxerunt; ac per hoc illam de tota ecclesia iudicare, sententiamque illius constituerunt non oportere dissolvi, cuius potius decreta sequenda mandaverunt.* Dazu lautet bezeichnenderweise die Glosse: *Sicut imperator est lex animata* (νόμος ἔμψυχος) *in terris ut in auth.* (Novelle 105, 2, 4, Ausgabe W. Kroll 507). Zum Begriff der *lex animata* vgl. Sieben, Konzilsidee 459 f. — Vgl. auch decretum 9 q.3 c.10 und 2 q.6.

fragen dem Konzil untergeordnet ist. Gerät ein Papst in Häresieverdacht, ist das Konzil die Instanz, die hierüber zu befinden hat. Ist Berufung an das Konzil eingelegt, untersteht der Appellierende nicht mehr der Iurisdiktion des Papstes. Über die Rechtmäßigkeit der Appellation hat nicht der Papst, sondern das Konzil zu entscheiden, anderenfalls wäre der Papst sein eigener Richter.[114]

Augustinus Triumphus stellt die Frage nach der Appellation vom Papst an das Konzil innerhalb einer *Quaestio*, in der alle nur denkbaren Formen von Appellationen vom Papst weg an andere Instanzen diskutiert werden.[115] Unser Augustiner-Eremit schließt, wie zu erwarten, die Möglichkeit der Appellation vom Papst an das Konzil aus, und er nennt dafür drei Gründe. Der erste ist positiv-kanonistischer Natur: *concilium generale recipit auctoritatem a Papa et non e converso sicut patet 17. dist. per totam.*[116] Durch zwei spekulative Argumente sucht er den kanonistischen Beweis einsichtig zu machen oder abzusichern: der erste geht von der wesentlichen Zusammengehörigkeit von Konzil und Papst aus. Von seiner Natur her stellt das Konzil eine Vielheit dar, nämlich eine Vielheit von verschiedenen Meinungen. Erst durch den Papst als Einheitsprinzip des Konzils kommt es zu Entscheidungen, das heißt zur Wahl einer von vielen Möglichkeiten.[117] Das zweite spekulative Argument setzt bei der

---

[114] Allegationes des Bonagratia usw., BALUZE III 321 a: *Certum est quod papa in his, quae pertinent ad fidem catholicam, subest conciliis ut patet per iura superius allegata 15. dist.* SICUT SANCTI (2) *in texto et glossa et 19. dist.* ANASTASIUS (9) *in texto et glossa super verbo* CONCILIO, *et quod legitur et notatur 40. dist.* SI PAPA (6): *Et si papa deviat a fide catholica minor est quocumque catholico 24 q. § Item cum Dominus(?) et in c.* ACACIUS (24 q.2 c.1) *in glossa ordinaria plene traditur et notatur. Unde patet, quod ubi dicitur papam contra fidem fecisse, et in fidei catholicae praeiudicium aliquem, seu aliquos gravasse, potest per ipsos gravatos ab eo provocari et appellari ut superius est probatum, et concilium generale habet de tali appellatione in dubio cognoscere et definire. Et certum est, quod per appellationem interpositam eximitur appellans a potestate et iurisdictione illius, a quo appellavit, ut patet per id quod legitur et notatur . . . (II. 28. 24) in texto et glossa. Et appellatione pendente non potest in praeiudicium appellantis aliquid innovari 2 q.6* APPELLATIONE (2) . . . *Et is, ad quem appellatum est, habet de tali appellatione cognoscere, non is, a quo appellatum est (II. 28. 59 und 61). Si enim is, a quo appellatur, possit de tali appellatione cognoscere in causa, papa ius sibi diceret, quod esse non potest 23 q. 4* INTER QUERELAS (27).

[115] 1. *Utrum licite appellari possit a papa ad deum,* 2. *utrum appellare a papa ad deum sit appellare contra deum,* 3. *utrum appellatio facta ad deum sit admittenda,* 4. *utrum a papa praesenti ad futurum possit appellari,* 5. *utrum a papa ad collegium cardinalium liceat appellare,* 6. *utrum homo possit appellare a papa ad concilium generale,* 7. *utrum papa possit facere statutum, quod ab eius sententia possit appellari,* 8. *utrum esset error dicere, quod liceat appellare a papa ad deum vel hominem* (Summa 56—63).

[116] 61 bC.

[117] Augustinus Tr., Summa VI 6; 61 bC: *Respondeo dicendum quod sicut dicit philosophus tertio Ethicorum: Electio est determinatio concilii. Fit enim concilium ex multis personis, ut per illas proponantur diversae viae, ex quibus ille, qui praeest concilio, possit unam prae aliis eligere. Nam secundum Damascenum electio est multis praeexistentibus unum prae altero eligere. Sine papa ergo vel eius*

Überlegung an, daß der Papst als oberste Instanz in der Kirche den *ordo iudiciarius* eingerichtet und festgelegt hat. Eine Appellation von ihm an das Konzil ist demnach sinnlos.[118] Beide Überlegungen konzipieren das Konzil vom Ansatz her so abhängig vom Papst, daß in der Tat eine Appellation vom Papst an das Konzil auf eine Berufung vom Papst an den Papst hinausläuft.

Die Widerlegung der Einwände zeigt, daß Augustinus sehr wohl die Argumente der Gegenseite für die Möglichkeit der Appellation vom Papst an das Konzil kennt: unter dreifacher Hinsicht sei das Konzil dem Papst überlegen und deswegen eine Berufung *a minore ad majus* möglich. 1. Im Papst befinde sich die kirchliche Gewalt nur intermittierend, im Konzil, das heißt der Kirche, aber kontinuierlich; 2. im Konzil komme die Kirche als das umfassende Ganze zur Geltung, der Papst sei dagegen nur eine Privatperson; 3. das Konzil, das heißt die *communitas*, sei unfehlbar, während der Papst bekanntlich fehlbar sei.[119] Auf die Widerlegung des ersten Einwandes sind wir schon weiter oben eingegangen.[120] Auf das zweite Argument antwortet Augustinus: Der Papst steht diesem umfassenden Ganzen nicht als Privatperson gegenüber, sondern ist selber deren Prinzip.[121] Auch mit dem dritten Argument

---

auctoritate in concilio nulla potest fieri electio de his, quae proponuntur. Ideo dicitur 15. dist. auctoritas congregandorum universalium conciliorum penes apostolicam sedem residet, quia absque Romani pontificis auctoritate concilium nec firmitatem nec auctoritatem habet.

[118] Augustinus Tr., Summa VI 6; 61 bD: *Est similiter alia ratio, quare a papa ad concilium appellari non potest. Quia ordinem rerum naturalium in regimine naturali nullus potest immutare nisi deus, et in regimine morali ordinem iudiciarium nemo potest immutare nisi papa, qui vicem dei gerit in terra. Sed ordo iudiciarius, qui vertitur inter homines, praesupponit auctoritatem papae concilium convocando et auctoritatem tribuendo et modum appellationis unius ad alterum ordinando. Ridiculosa ergo est appellatio a papa ad concilium, cum ordinem iudiciarium in regimine ecclesiae concilium immutare non possit absque auctoritate papae.* — Zum Begriff des *ordo iudiciarius* vgl. K. W. Nörr, Ordo iudiciorum und ordo iudiciarius, in: StGra 11 (1967) 329—343.

[119] Augustinus Tr., Summa VI 6; 61 bA: *Quia a minori potest homo ad maiorem appellare. Sed maior est potestas in concilio quam in papa, quia in isto papa vel in illo potestas ecclesiae moritur, sed in concilio et in tota ecclesia non moritur. Licet ergo a papa ad concilium appellare.* — *Praeterea secundum Augustinum bonum commune praefertur cuilibet bono privato, sed generale concilium repraesentat bonum commune totius ecclesiae. Papa vero, cum sit persona privata, merito subest auctoritati et potestati concilii.* — *Praeterea, communitas errare non potest. Unde nec excommunicatur. Papa vero errare potest, sed ab omni devio vel obliquo potest appellari ad rectum et regulatum.*

[120] S. 327—328.

[121] Augustinus Tr., Summa VI 6; 62 aF: *Ad secundum est dicendum quod quia secundum Augustinum super illo verbo Gen. 1 „Vidit deus cuncta, quae fecerat et erant valde bona", omnia a deo producta bona quidem erant in se, sed valde bona propter ordinem quem adinvicem retinent. Cum ergo totius ecclesiastici ordinis dux et caput sit ipse papa, sicut per appellationem tolleretur talis ordo, ita tolleretur tale bonum, quia cum bonum exercitus non sit nisi propter bonum ducis, et bonum ecclesiae non nisi propter bonum papae, maius bonum est bonum ducis quam totius exercitus et bonum papae maius quam totius ecclesiae.*

wird der Augustiner-Eremit leicht fertig: Wenn der Papst irrt, kann man an das Konzil „rekurrieren". Unser Theologe vermeidet für diesen Fall den Terminus *appellare*. Dieser bleibt der Berufung von der niedrigen an die höhere Instanz vorbehalten. Hiervon kann im Falle des *papa haereticus* aber gerade nicht die Rede sein, denn der *papa haereticus* ist kein Papst mehr. Es bleibt dabei: *ipso* (papa) *existente in sua auctoritate, nullus ab eo potest se subtrare quacumque via.*[122]

b) Konzil als *repraesentatio fidelium*

Neu an der Konzilsidee unseres Zeitabschnittes ist weiter die Konzeption des Konzils als einer *repraesentatio fidelium*. Der Repräsentationsgedanke, angewandt auf das Konzil, stellt ohne jeden Zweifel die folgenschwerste „Neuerung" oder Verwandlung dar, die die Konzilsidee seit ihren ersten Anfängen im zweiten Jahrhundert erfahren hat. Eine methodische Bemerkung scheint angebracht: Man wird die gemeinte Sache zwar nicht nur dort als gegeben voraussetzen, wo die Wörter *repraesentare/repraesentatio* im Zusammenhang mit dem Konzil vorkommen, wird aber andererseits doch das Auftauchen dieser beiden Wörter und ihrer Äquivalente als das sicherste Kriterium für das Vorhandensein der gemeinten Sache ansehen.

Eine erste wichtige Feststellung ist hinsichtlich des Vorkommens der Wörter *repraesentare/repraesentatio* im Kontext der Konzilsproblematik zu machen: Die Termini kommen hier in der Bedeutung „rechtsgültig vertreten" vor unserer Zeitspanne nicht vor.[123] Eine scheinbare Ausnahme

---

[122] Augustinus Tr., Summa VI 6; 62 aG: *Ad tertium est dicendum, quod quando papa erraret, in tali casu (ut supra dictum est) recursus potest haberi ad concilium, quia propter haeresim desinit esse papa. Sed ipso existente in sua auctoritate, nullus ab eo potest se subtrahere quacumque via.*
[123] Aufschlußreich ist in diesem Sinne die verdienstvolle Studie von A. LUMPE, Zu repraesentare und praesentare im Sinne von „rechtsgültig vertreten", in: AHC 6 (1974) 274 bis 290. Von den verschiedenen hier vorgelegten Belegen für *repraesentare/praesentare* in der Bedeutung „rechtsgültig vertreten" bezieht sich keiner auf die Konzilsproblematik, sondern auf andere Rechtsbeziehungen (Vertretung des Kaisers, des Papstes usw.). Von besonderem Interesse ist hier die in einem Brief Nikolaus' I. an Hinkmar von Reims vorhandene Formel: *Vicarios vestros ad hoc negotium ventilandum* (Appellationsprozeß in Rom!) *et finiendum . . . vestras praesentaturos personas . . . ad sedem beati Petri mittatis* (Ep. 74, MGH.Ep 6, 406, 2). Zum römischen Prozeß werden „Stellvertreter" angefordert. Bei Anselm von Havelberg ist von „Stellvertretern" des Papstes Agatho die Rede: *praesentantes locum . . . Agathonis papae* (Dial 3, 12; PL 188, 1227 D). Nach LUMPE ergibt die Untersuchung, „daß das Wort repraesentare bereits in der spätlateinischen Juristensprache des *Codex Justinianus* im Sinne von ‚vertreten' im Hinblick auf die Vertretung des Kaisers durch den Statthalter der politischen Diözese gebraucht wird. Ebenso verwendet Papst Gregor der Große repraesentare zur Bezeichnung der Vertretung des Papstes durch einen päpstlichen Legaten. Während in diesen beiden Fällen repraesentare nicht unmittelbar mit der vertretenen Person, sondern

bildet die bekannte Stelle bei Tertullian: *aguntur praeterea per Graecias illa certis in locis concilia ex universis ecclesiis, per quae et altiora quaeque in commune tractantur et ipsa repraesentatio totius nominis christiani magna veneratione celebratur.*[124] Unabhängig voneinander kamen in jüngster Zeit A. Lumpe[125] und H. Hofmann[126] zu dem Ergebnis, daß *repraesentatio* hier nicht im Sinne der juristischen, sondern geistlichen Vertretung zu verstehen ist. Im weiteren Verlauf seiner umfassenden Untersuchung zur Wort- und Begriffsgeschichte von Repräsentation von der Antike bis ins neunzehnte Jahrhundert vermag Hofmann vor unserem Zeitabschnitt auf keinen Beleg von *repraesentare* im Sinne einer juridisch verstandenen Stellvertretung im Kontext der Konzilsproblematik hinzuweisen.

Mag die Vokabel *repraesentare* vor unserem Zeitraum im Kontext der Konzilsproblematik nicht belegt sein, kann dann nicht doch die Idee und die Sache vorhanden sein? Man wird das nicht a priori ausschließen, muß aber doch mit der Affirmation sehr vorsichtig sein.[127] Die entscheidende Voraussetzung für die Anwendung des Repräsentations-

---

mit der vertretenen Sache konstruiert wird (reverentiam iudicationis, beziehungsweise auctoritatem repraesentare), sagt Kaiser Friedrich II. direkt, daß seine Statthalter ihn vertreten (. . . quod nos repraesentant). Im gleichen Sinne von ,repräsentieren', jemanden vertreten, jemandes Vertreter sein, wird auch praesentare erstmals in einem Brief des Papstes Zacharias an Bonifatius und weiterhin im Mittellatein verwendet" (290).

[124] De jejunio 13; CSEL 20/1; 292, 13.

[125] A. Lumpe, „Concilium" als „repraesentatio totius nominis Christiani" bei Tertullian, in: AHC 7 (1975) 97—81, hier 81: „Unter repraesentatio totius nominis Christiani ist bei Tertullian . . . keine juristische Vertretung, sondern pneumatische Darstellung der Gesamtkirche zu verstehen . . . Jedenfalls darf diese Stelle nicht als kirchenrechtliche Aussage über die juristische Vertretung der Gesamtkirche verstanden werden. Gleichwohl ist sie als erster Beleg für den Gebrauch des Wortes repraesentatio im Zusammenhang mit concilium von einigem Interesse".

[126] H. Hofmann, Repräsentation, der sich 49—58 ausführlich mit der Stelle befaßt, schreibt abschließend: „Die Wendung repraesentationem celebrare entspricht mit anderen Worten einfach dem Ausdruck concilium oder synodum celebrare, ohne daß dabei der Unterschied zwischen Primär- und Repräsentativversammlungen zur Sprache käme" (57).

[127] So gibt es in der Alten Kirche, zum Beispiel bei Augustinus, Texte, in denen das Konzil, wenn auch nicht als juristische Vertretung der einzelnen Christen, so doch als Vertretung der hierarchischen Kirche konzipiert erscheint, vgl. zum Beispiel Sieben, Konzilsidee 94, Anm. 147. Bezeugt erscheint sogar der Begriff der Repräsentation in der vierten Sitzung des Konzils von Chalcedon. Ägyptische Bischöfe verweigern hier die Unterwerfung unter das Konzil unter Berufung auf die große Zahl der nicht anwesenden ägyptischen Bischöfe, die sie wegen ihrer geringen Zahl nicht in der Lage seien zu „vertreten" (ἀναδέχεσθαι τὸ πρόσωπον, ACO 2, 1, 2; 112, 42). Darauf wird ihnen entgegengehalten: „Die hier anwesenden sind die Vertreter (ἐντολεῖς) aller Ägypter und müssen der Ökumenischen Synode beitreten" (ebd. 113, 15). Weiter: Wenn fränkische Theologen die Zusammensetzung eines Konzils auf der Basis der Pentarchie ablehnen und statt dessen das Mehrheitsprinzip angewandt wissen wollen, so kann man darin vielleicht schon den Repräsentationsgedanken wirksam sehen, vgl. Sieben, Konzilsidee 330.

gedankens[128] auf das Konzil ist nämlich die Vorstellung der Kirche als Korporation, das heißt die Konzeption der Kirche als *congregatio fidelium*, die als solche alle Rechte ursprünglich in sich besitzt. Und dies ist nicht vor der Aristoteles-Rezeption des dreizehnten Jahrhunderts der Fall. Man wird deswegen auch der Meinung von A. Hauck skeptisch gegenüberstehen, der in seinem vielzitierten Artikel „Die Rezeption und Umbildung der allgemeinen Synode im Mittelalter"[129] die Synode Innozenz' III. ganz in die Nähe der Konzilsdefinition Konrads von Gelnhausen rückt. Denn hier wie da seien die Leiter der Christenheit versammelt, nicht mehr einfach der Episkopat wie in der Alten Kirche. Sie seien versammelt nach den verschiedenen Ländern, Ständen und Ordnungen. „Der einzige Unterschied ist, daß die Vorstellung der Repräsentation der Kirche noch fehlt. Denn versammelt sind die geistlichen und weltlichen Leiter der Kirche als solche."[130] Dieser „einzige Unterschied" ist freilich unseres Erachtens der entscheidende, der das Konzil Innozenz' III. gerade nicht in die Nähe der Konziliaristen rückt, sondern es schärfstens davon abhebt. Nicht die Laienteilnahme als solche ist das Distinktivum zwischen konziliaristischer und älterer Konzilsidee, sondern der mit Konsequenz durchgehaltene Gedanke der Repräsentation.

Die Konzilsidee zum allerersten Mal systematisch und in aller Form vom Gedanken der Volkssouveränität und der Repräsentation her entwickelt und damit einen völlig neuen Konzilsbegriff geschaffen zu haben, ist das Verdienst des Marsilius von Padua.[131] Aber schon vor ihm, nämlich bei Johannes von Paris, beginnt die Verwandlung des mittelalterlichen Konzilsbegriffs unter der Einwirkung des Gedankens der Volkssouveränität und der Repräsentation. Was bei Johannes Quidort im Ver-

---

[128] Zum Repräsentationsgedanken im Mittelalter vgl. O. GIERKE, Das Genossenschaftsrecht III. Die Staats- und Korporationslehre des Altertums und des Mittelalters, Berlin 1881, 187—644. A. ZIMMERMANN (Hrsg.), Der Begriff der repraesentatio im Mittelalter, in: MM 8 (1971), hier vor allem JEANNINE QUILLET, Universitas populi et représentation au XIVe siècle, 186—201; vgl. auch W. ULLMANN, De Bartoli sententia: Concilium repraesentat mentem populi, in: Bartolo da Sassoferrato II, Mailand 1962, 705—733 (Volkssouveränität bei Bartolo, Vergleich mit Marsilius von Padua). Speziell zu Johannes Q. vgl. F. BLEIENSTEIN, Zur Säkularisierung der Staatsidee. Die Funktion der Volkssouveränität bei Johannes Quidort von Paris, in: Fs. Carlo Schmid, Konkretion politischer Theorie und Praxis, hrsg. von A. ARNDT, Stuttgart 1972, 19—35; vgl. auch H. G. WALTHER, Imperiales Königtum, Konziliarismus und Volkssouveränität. Studien zu den Grenzen des mittelalterlichen Souveränitätsgedankens, München 1976, 112—212. Vgl. ferner S. 393—398, 452—454.
[129] HV 10 (1907) 465—482.
[130] Ebd. 470.
[131] Vgl. WALTHER 166 ff.

gleich zu Marsilius fehlt, ist die systematische Behandlung der Frage — und übrigens auch der Begriff, das Wort *repraesentatio* —, aber die entscheidenden Ideen sind auch bei ihm zu greifen. Der Repräsentationsgedanke kommt bei unserem Dominikaner im Zusammenhang seiner Rechtfertigung von Papstabsetzungen durch das Konzil zum Vorschein. Was gibt dem Konzil beziehungsweise dem Kardinalskollegium, das Johannes Quidort fast nur quantitativ vom Konzil unterscheidet, letztlich die Rechtsgrundlage zu seinem Vorgehen? Es ist der Repräsentationsgedanke, das heißt die Vorstellung, daß das Konzil beziehungsweise das Kardinalskollegium *loco ecclesiae, loco totius populi* handelt.[132] Der Repräsentationsgedanke ist, weiter, zumindest impliziert, wenn unser Dominikaner das *regimen mixtum*, das heißt die gemischte Verfassung als die beste, sowohl für das alte Israel als auch für die Kirche hinstellt. Die Teilnahme aller an der Regierung wird nämlich durch gewählte Vertreter ermöglicht.[133]

Im Vergleich zu Johannes Quidort stellt Wilhelm Durandus' Beitrag zur Konzeption des Konzils als *repraesentatio ecclesiae* eher einen Rückschritt dar. Er ist eben kein Anhänger der Volkssouveränitätsidee, sondern ein episkopaler Konstitutionalist. Die *potestas absoluta* des Papstes soll nicht von unten, vom *populus*, sondern von den *collegae*, den Bischöfen her, eingegrenzt werden. Einschlußweise ist freilich auch bei Durandus der Gedanke der Volkssouveränität und Repräsentation vor-

---

[132] Johannes Q., De reg. pot. XXIV; 201, 20: *In depositione tamen, qua deponitur nolentarius et per populum, cum maiore maturitate incedendum quam in cessione seu renuntiatione voluntaria, quia ad renuntiationem sufficit quod causam alleget coram collegio cardinalium, quod est ibi loco totius ecclesiae. Sed ad depositionem decet, quod fiat per concilium generale, ut patet XXI dist. c.* Nunc autem (7), *ubi dicitur, quod convocatum fuit concilium generale ad depositionem Marcellini. Credo tamen quod simpliciter sufficeret ad depositionem collegium cardinalium, quia ex quo consensus eorum facit papam loco ecclesiae, videtur similiter quod potest ipsum deponere, et si quidem fuerit causa rationalis et sufficiens, deponunt eum meritorie.* — Speziell zum Begriff des populus bei Johannes Quidort vgl. Th. J. Renna, The „populus" in John of Paris' theory of Monarchy, in: TRG 42 (1974) 243—268.

[133] Johannes Q., De reg. pot. XIX; 175, 1: *. . . licet regimen regium, in quo unus singulariter principatur multitudini secundum virtutem sit melius quolibet alio regimine simplici, ut ostendit philosophus III Politicorum, tamen si fiat mixtum cum aristocratia et democratia melius est puro, in quantum in regimine mixto omnes aliquam partem habent in principatu. Per hoc enim servatur pax populi et omnes talem dominationem amant et custodiunt, ut dicitur II Politicorum. Et tale erat regimen a deo optime institutum, in populo illo, quia erat regale in quantum unus singulariter praeerat omnibus ut Moyses vel Josue; erat etiam aliquid de aristocratia, quae est principatus aliquorum optimorum principantium secundum virtutem, in quantum sub illo uno septuaginta duo eligebantur seniores, Deut I (15 sq.); erat etiam aliquid de democratia, id est principatu populi, in quantum septuaginta duo eligebantur de omni populo et ab omni populo, ut ibidem dicitur, et sic erat optime mixtum in quantum omnes in regimine illo aliquam habeant partem. Sic certe esset optimum regimen ecclesiae, si sub uno papa eligerentur plures ab omni provincia et de omni provincia, ut sic in regimine ecclesiae omnes aliquo modo haberent partem suam.*

handen, nämlich da, wo er auf die Konzilien als Grenze der päpstlichen Macht hinweist[134] und dabei das Prinzip *Quod omnes tangit, secundum iuris utriusque regulam ab omnibus debeat communiter approbari* anführt. Zu Ende gedacht, führt dieser Satz des Römischen Rechts[135] freilich notwendig zur Konzeption des Konzils als *repraesentatio populi*.[136]

War das Wort *repraesentatio* bei Johannes Quidort nicht vorhanden, wohl aber die Sache, so ist es bei Augustinus Triumphus in gewissem Sinne ähnlich. In gewissem Sinne, weil bei ihm das Wort *repraesentare* zwar in verschiedenen Verbindungen vorkommt, sogar im Zusammenhang des Konzils[137], aber nicht in dem streng juridischen Sinn der Stellvertretung für die Kirche.[138] Aber der Repräsentationsgedanke ist andererseits bei ihm doch klar bezeugt, so zum Beispiel, wenn er lehrt, daß die Kirchengewalt *in collegio universalis ecclesiae*, das heißt im Konzil,

---

[134] Durandus, Tract. I 3; 16: *Videretur esse salubre consilium pro re publica et pro dictis administratoribus rei publicae, quod sic sub ratione ut praemissum est, limitaretur potestas eorundem, quod absque certo consilio dominorum cardinalium dominus papa et reges ac principes absque aliorum proborum consilio (sicut hactenus in re publica servabatur) non uterentur praerogativa huiusmodi potestatis potissime aliquid concedendo contra concilia, et contra iura approbata communiter. Et quod contra dicta concilia et iura nihil possent de novo statuere vel condere nisi generali consilio convocato. Cum illud quod omnes tangit, secundum iuris utriusque regulam, ab omnibus debeat communiter approbari.* — Zur Variante *concedere* statt *condere* vgl. Anm. 52.

[135] Vgl. Kapitel VI, 3.

[136] Vgl. J. QUILLET, Universitas populi et représentation au XIVᵉ siécle, in: MM 8 (1971) 186—201, hier 198/9 über den Zusammenhang zwischen dem Prinzip *Quod omnes tangit* . . . und dem Repräsentationsgedanken, vgl. ebenfalls CONGAR, Quod omnes tangit 256.

[137] Augustinus Tr., Summa VI 6; 61 bB: *Generale concilium repraesentat bonum commune totius ecclesiae.*

[138] Vgl. zu seinem sehr schillernden Gebrauch von repraesentare: *Episcopi personas apostolorum* repraesentant, I 4; 6 bG — III 1; 27 bD — IX 4; 71 bA usw. *Aaron vero, qui fuit summus pontifex* repraesentavit *papam* I 3; 5 aD. *Cardinales* repraesentant *personas apostolorum, ut Christo praesentialiter astiterunt, alii vero episcopi et archiepiscopi . . .* repraesentant *personas apostolorum, ut in diversis provinciis . . . consituti sunt,* De potestate, SCHOLZ, Publizistik 505. — *Papa* repraesentat *Christum, non quantum ad personam, sed quantum ad officii administrationem,* VIII 3; 70 aE. — *Collegium cardinalium* repraesentat *collegium apostolorum sicut papa* repraesentat *personam Christi,* De potestate, SCHOLZ, Publizistik 507. — *Electiones summorum pontificum . . . quondam imperatoribus et aliis laicis principibus* repraesentabantur, *II 8 ; 26 aH.* — Von Augustinus Tr. gilt, was G. DE LAGARDE, La naissance de l'Esprit laïque au déclin du Moyen Age: Guillaume d'Ockham. Critiques des structures ecclésiales, V, Löwen 1963, 66 allgemein vom Sprachgebrauch der Theologen vom Anfang des XIV. Jahrhunderts gesagt hat: „. . . le mot de repraesentare ou ses équivalents ‚vicem gerere', ‚locum tenere', ‚personam gerere' étaient aussi fréquemment employés que rarement définis avec précision". Stark schimmert bei Augustins Gebrauch von repraesentare — zumindest an einigen Stellen — noch die Bedeutung durch, die LAGARDE 67 die allegorische Repräsentation nennt. Die juridische Vorstellung der Stellvertretung schwingt an einigen Stellen mit, hat sich aber noch nicht ganz durchgesetzt. Nach HOFMANN 169 zeigt sich, „daß der Ausdruck repraesentare in dem Sinne von personam alicuius repraesentare in einer vom mehr statischen Bildgedanken fortführenden und durchaus dem modernen Begriff der sozialen Rolle entsprechenden Weise dynamisiert und funktionalisiert ist".

verbleibt, sobald der Papst häretisch wird.[139] Michael Wilks hat in faszinierender Weise gezeigt, wie nahe die Konzeption der Souveränität und Repräsentation bei einem Papalisten wie Augustinus Triumphus der eines Wilhelm von Ockham im Grunde steht. „The pope is only pope while he behaves like one — one slip and the whole edifice of sovereignty comes crashing to the ground".[140]

Einen interessanten ausdrücklichen Beleg, zunächst nur für den Gedanken, dann auch für das Wort der *repraesentatio* finden wir bei Michael von Cesena. In seiner *Appellatio in maiori forma* führt er aus, die Verurteilung von *Exivit de paradiso* durch Johannes XXII. impliziere die häretische These, daß die *ecclesia universalis* im Glauben und in der Lehre irren könne. *Nam quod per concilium universale fit, per totam ecclesiam fieri censetur. Quia in conciliis generalibus universi primates ecclesiarum intersunt et universis attribuitur, quod pro voto omnium primatibus indulgetur.*[141] Die Formulierung ist besonders bemerkenswert, weil sie den Repräsentationsgedanken deutlich als eine Rechtsfiktion charakterisiert, was er ja auch tatsächlich ist.[142] Den gleichen Gedanken drückt der Franziskaner einige Jahre später mit Hilfe des Begriffs *repraesentare* aus: das Universalkonzil „repräsentiert" die Kirche.[143]

Wie stark der Repräsentationsgedanke gerade auch auf papalistischer Seite aufgegriffen wurde, zeigt eine zugestandenermaßen ganz gelegentliche Äußerung des Petrus de Palude, in der die Sache und das Wort vorkommen: *... Tota ecclesia non congregatur nisi in conciliis generalibus, in quibus ipsa est tota in virtute per hoc, quod ibi quilibet episcopus repraesentat totam dioecesim suam vel solus vel cum procuratoribus collegiorum. Unde proprie*

---

[139] Augustinus Tr., Summa V 6; 54 aH: *Sicut papa mortuo potestas eius remanet in collegio cardinalium vel in collegio universalis ecclesiae ... sic papa in haeresi deprehenso statim ipso facto potestas eius remanet in ecclesia, quia solum per tale crimen papa desinit esse papa. Per talem igitur potestatem ecclesia posset illum damnare, sicut per talem potestatem potest alium sibi praeficere.* — Ebd. 54 bF: *Licet enim in quaestionibus terminandis auctoritas papae dum est papa, sit necessaria, cum tamen desinit esse papa per crimen haeresis, auctoritas illa remanet in ecclesia sicut ipso mortuo.* — VI 6; 62 aF: *Ergo potestas ecclesiae maioritate potentiali vel habituali maior est in concilio et in tota congregatione fidelium quam in papa. Quia in concilio fidelium talis potestas numquam moritur, in papa vero isto vel illo moritur.*

[140] WILKS, Problem of Sovereignty 522, vgl. das ganze Kapitel „Ecclesia in papa, papa in ecclesia", 488—523.

[141] Als Belege dafür, daß „stellvertretendes" Handeln, juridisch gesehen, möglich ist, verweist der Franziskaner auf 3 Texte aus dem *Codex Justinianus* beziehungsweise den Digesten: *Nam universis redditur, quod pro voto omnium primatibus indulgetur* (C. 2. 7. 25; Ausgabe KRUEGER 101). *Municipes intelliguntur scire, quod sciant hi, quibus summa rei publicae commissa est* (D. 50. 1. 14; Ausgabe MOMMSEN 893, 38), *Refertur ad universos, quod publice fit per saniorem partem* (D. 50. 17. 160. 1; Ausgabe MOMMSEN 925, 26).

[142] Vgl. Anm. 145.

[143] Vgl. S. 359—360.

dicitur tota ecclesia facere, quod ita fit, non aliter, sicut canonici omnes dicuntur facere, quod faciunt in capitulo ad hoc congregato, non quod quilibet per se facit, ut sunt singulares personae.[144]

Dieser Text ist bemerkenswert aus verschiedenen Gründen. Erstens zeigt der Dominikaner durch die Präzisierung *in virtute*, daß seiner Meinung nach keine totale Identität zwischen dem repräsentierenden Konzil und der repräsentierten Kirche besteht. Die Kirche ist auf dem Konzil tota *in virtute*, nicht *realiter*. Zweitens, der einzelne Bischof repräsentiert zunächst die einzelne Diözese, dann erst repräsentiert das Kollegium der Bischöfe die ganze Kirche. Die Kirche ist auf dem Konzil in dem Maße repräsentiert, als die einzelnen Gläubigen durch ihre jeweiligen Bischöfe vertreten sind. Drittens, Petrus läßt die Frage offen, ob der Bischof allein oder zusammen mit den *procuratores collegiorum*, das heißt Vertretern der verschiedenen Körperschaften, seine Diözese auf dem Konzil vertritt. Im Zusammenhang geht es natürlich auch um die Vertretung der Laien auf dem Konzil. Viertens, nur auf dem Konzil handelt die Kirche im eigentlichen Sinne des Wortes als solche, das heißt als Körperschaft. Hier wird der Einfluß der Korporationstheorie besonders greifbar. Die auch am Beispiel der kirchlichen Körperschaften ausgebildete Korporationstheorie wird hier auf das Generalkonzil übertragen. Solche Körperschaften sind zu einem Handeln fähig, das als solches von dem der einzelnen Mitglieder zu unterscheiden ist. Solches Handeln findet nur unter bestimmten Bedingungen statt.[145] Wie sehr das strenge Papalsystem des Petrus de Palude für die Rezeption korporationsrechtlicher Vorstellungen offen war, zeigt sein Traktat unter anderem auch dort, wo er über die Wahl der kirchlichen Oberen handelt. Er erinnert daran, daß die Papstwahl de iure communi eigentlich den Patriarchen ratione universalis ecclesiae zusteht.[146] Auch für Hermann

---

[144] Petrus de P., Tract. I 3; 183, 26.

[145] Panormitanus († 1445), in Decretal. c. 55, De elect. X 1, 6 nr. 7, zitiert H. HOFMANN 146, Anm. 115: . . . *si res spectat ad collegium, non potest dici quod collegium disposuerit, nisi fuerit congregatum et collegialiter decreverit; cum collegium sit quoddam corpus fictum, repraesentatum per singulos in unum congregatos. (c. 48, de elect. X 1, 6 n. 4) Nam cum universitas sit quoddam corpus fictum repraesentatum per singulos de universitate . . . non potest dici istud corpus universitatis aliquid fecisse, nisi saltem maior pars totius corporis concludat, quia fictione iuris, quod fit a maiori parte istius corporis, attribuitur toto corpori . . .* — Vgl. das ganze Kapitel bei H. HOFMANN „Repräsentation und Stellvertretung" 148—166.

[146] Petrus de P., Tract. I 3; 187, 23: *Si Petrus mortuus fuisset antequam Romanam sedem elegisset, ad solos apostolos, quasi suffraganeos, pertinuisset electio successoris Petri. Sed postquam Romae resedit, de iure communi et ad patriarchas ratione universalis ecclesiae et ad clerum Romanum ratione appropriationis spectabat electio. Sed quia difficile erat patriarchas convocare, nec erat tutum canonicis simplicibus tantum negotium committere, papa loco patriarcharum et canonicorum Romanorum cardinales instituit, qui papam eligerent, ita tamen quod duae partes consentirent.* DE ELECTIONE, LICET (I. 6. 6).

von Schildesche ist das Generalkonzil *virtute* „die ganze Kirche", deren Autorität nach Augustinus bekanntlich jede andere überragt.[147]

c) Konzil als Ziel und Mittel der Kirchenreform

Neu ist in unserem Zeitabschnitt ein weiterer Aspekt der Konzilsidee: Sie geht mit dem Reformgedanken eine Verbindung ein, wie sie aus früherer Zeit nicht bekannt ist. Gewiß, die Konzilien der Alten Kirche stellten immer auch Dekrete zur Besserung der Disziplin und Sitten auf, die sogenannten Generalkonzilien des Mittelalters sahen darin sogar ihre eigentliche Aufgabe, die Unzahl der nicht ökumenischen Synoden waren mit nichts anderem befaßt als mit der Besserung der Sitten und der Disziplin, waren also in diesem Sinne alle Reformkonzilien. Und doch zeigt sich in unserer Zeit eine völlig neue Verbindung des Konzils- und des Reformgedankens: es werden nicht nur Reformprogramme auf Konzilien aufgestellt, sondern die Konzilien selber als wesentliches Mittel der Reform der Kirche „an Haupt und Gliedern" konzipiert.

Diese vorher nicht bekannte Verbindung von Konzils- und Reformidee kennzeichnet in außerordentlicher Weise den *Tractatus de modo generalis concilii celebrandi* des Wilhelm Durandus, den der Bischof von Mende für das Konzil von Vienne (1311—1313) oder anläßlich dieses Konzils abgefaßt hat. Die Neuheit dieser Verbindung verdeutlicht man sich am besten durch den Vergleich mit dem nur runde 35 Jahre älteren *Opusculum tripartitum* des Humbert von Romans[148], das aus einem ähnlichen Anlaß, nämlich zum zweiten Konzil von Lyon 1274 verfaßt wurde, tiefe Einsichten über die Gründe des Schismas zwischen Ost und West enthält und sehr vernünftige Vorschläge zur Beilegung desselben macht.[149] Auch Humbert beklagt zwar die Vernachlässigung der

---

[147] Hermann von Sch., Tract. II 4; 67, 45: *Et hoc probatur auctoritate concilii generalis, quod est virtute tota ecclesia; cuius auctoritas omnem aliam antecellit, quia per auctoritatem tam famosam ecclesiae catholicae movetur omnis adultus primo de lege communi, ut omni auctoritati alii credat, ubi non est evidentia rationis, ut Augustinus dicit in libro de utilitate credendi.* (14, 31, CSEL 25 1, 38).

[148] *Opusculum tripartitum agens inprimis de negotiis ecclesiae contra Saracenos, deinceps de schismate Graecorum, postremo de corrigendis in ecclesia Latina*, Ausgabe CRABBE, Concilia II, Köln 1551, 967—1003; vgl. dazu B. BIRCKMAN, Die vermeintliche und die wirkliche Reformschrift des Dominikanergenerals Humbert von Romans, Freiburg 1916. Vgl. auch neuerdings C. CAROZZI, Humbert de Romans et l'union avec les Grecs, in: 1274. Année charnière. Mutations et continuités. Colloq. internat. CNRS 558, Paris 1977, 491—494; DERS., Humbert de Romans et l'histoire, ebd. 849—862.

[149] Humbert de R., Op. trip., 999. 1: ... *dummodo et ipsi ritus Latinorum non reprobarent, sicut dicuntur nunc facere, lavantes altaria, in quibus Latini celebrant, et exigentes a muliere Latina, quando contrahit cum Graeco, quod abrenuntiet ritibus Latinis ... Non videtur quod ecclesia Romana profundare se deberet in requirendo plenitudinem oboedientiae a Graecis, dummodo eorum patriarcha auctoritate ecclesiae Romanae confirmaretur et ecclesia Graecorum legatos ecclesiae Romanae reciperet cum honore.*

alten und neueren Konzilien und schlägt vor, daß die entsprechenden
Texte zumindest in den Kathedralkirchen vorhanden sein sollten[150].
Aber er denkt nicht im geringsten daran, die Konzilien selber zum
Mittel der Reform zu machen, im Gegenteil, er ist von tiefer Skepsis
erfüllt, die anstehende Reform der Moral des Klerus durch das bevorstehende Konzil in die Wege zu leiten. Der Papst soll vielmehr, was zu
dieser Reform nötig ist, vor und nach dem Konzil selber entscheiden.[151]

Ganz anders Wilhelm Durandus! Für ihn sind die Konzilien das anzu-
strebende Ziel und das eigentliche Mittel der Kirchenreform. Ziel der
Reform[152] ist es, die *ecclesia primitiva* wiederherzustellen. Ihre Gestalt
ist aber hauptsächlich in den Bestimmungen der alten Konzilien festgehalten.[153] In doppelter Weise bringt Wilhelm Durandus nun dieses
konziliare Recht der Alten Kirche unter Zurückstellung des päpstlichen
Dekretalrechts zu Geltung. Einerseits allegiert er fast ausschließlich
Konzilskanones. In der Gesamtmasse der zitierten Rechtstexte stellen
die päpstlichen Dekretalen Ausnahmen dar. Entscheidender als dieser
‚materiale‘ Gesichtspunkt ist andererseits ein ‚formaler‘: Durandus
macht das, was er für das konziliare Recht der Alten Kirche hält, und
was es ja auch tatsächlich weitgehend war, den Konzilsteil der pseudoisidorischen Dekretalen, zur systematischen Grundlage seines konkreten
Reformprogramms: seine ‚Hunderttitelsammlung‘ zur Reform der
Kirche ist als Extrakt, als Zusammenfassung des konziliaren Rechts

---

[150] Humbert de R., Op. trip., 1002. 2: *Item concilia antiqua et etiam posteriora vix inveniuntur.
Et est mirabile, quomodo hoc ita neglexerit ecclesia Romana, et quomodo non ordinavit, quod in ecclesiis
cathedralibus vel etiam metropolitanis saltem semper haberentur. Multa enim sunt in eis valde utilia,
quae non sunt redacta in ius, sicut patet in Lateranensi concilio, in quo data est forma indulgentiae quae
datur sumentibus crucem, et mandatur praelatis, quod non habeant nisi tria fercula et alia multa bona,
quae non sunt scripta in iure.*

[151] Humbert de R., Op. trip.; 1003. 1: *Circa modum procedendi: Quia plurimi praelati, proh
dolor, sunt tepidi circa ea, quae dei sunt, immo etiam contrarii fere omni bono, non videtur modo aliquo
expedire, quod de illis, quae papa potest sine eis expedire, cum eis habeat tractatum ; sed ante concilium vel post, illa expediat sine ipsis, et maxime de pertinentibus ad mores.* — Es folgen *rationes
theologicae* für den Ausschluß von *notorii fornicatores* vom Konzil, ebd. 1003. 1—1003. 2.

[152] Zur Reformbedürftigkeit allgemein, vgl. die praefatio zu Teil II, wo Durandus den *liber
extra* zitierend (III. 35. 3) ausführt: . . . *etsi non ab omnibus neque in omnibus, a plerisque tamen et
in pluribus ab illa sancta institutione* primitivae ecclesiae, *sanctorum patrum, conciliorum et decretorum Romanorum pontificum in tantum videtur esse declinatum ut aliqui nobis primae institutionis
videantur obliti* (51).

[153] Durandus, praef. totius operis: *Perlectis dudum cum diligentia a sanctis patribus, conciliis
generalibus, provincialibus et aliis pro statu universalis ecclesiae constitutis, a quibus in pluribus est
recessum, scribendum duxi ea, de quibus iuxta parvitatis meae modulum agendum esse videtur, in concilio memorato.* — Vgl. auch *praefatio* zu Teil II, zitiert in Anm. 25.

der Kirche konzipiert. Was der älteren Forschung als konfuses patch-work erschien[154], stellt sich bei genauerem Zusehen als kunstvolles Gewebe aus Konzilstexten dar nach einem wohlüberlegten Grund-konzept.[155]

Aber nicht so sehr darin, daß er die Wiederherstellung der *ecclesia primi-tiva* nach dem Maß und der Norm vorwiegend der alten Konzilskanones als Ziel der Reform bestimmt, ist Durandus ein revolutionärer Neuerer — das war schließlich auch das Ziel der Gregorianischen Reform! —, er ist es vielmehr dadurch, daß er die Konzilien als die entscheidenden Mittel der Reform begreift. Auf beiden Ebenen, der des *caput* und der der *membra*, soll die Reform der Kirche mittels der Konzilien verwirk-licht werden.

Für die Reform der *membra* bedarf es der Wiederbelebung der Institu-tion der Provinzialsynoden. Hierzu entwirft Durandus in Titulus II 11 ein ganzes Programm.[156] Grundlage desselben sind die betreffenden Be-stimmungen der alten Konzilien.[157] Diese Provinzialsynoden sollen für alles zuständig sein, was der einzelne Bischof nicht erledigen kann und was in Berufung gegangen ist. Grundsätzlich sollen nur die *causae maxi-mae* unmittelbar Rom vorbehalten bleiben.[158] Appellationen vom Konzil an den Papst sollen nach Kanon 3 und 7 des Konzils von Sardica[159] gehandhabt werden, das heißt, der neue Prozeß soll nicht in Rom ge-führt werden, sondern je nachdem, ob der Papst die Appellation erlaubt

---

[154] Vgl. VIOLET 82: „Dans son ensemble l'oeuvre est confuse et hâtive, ce sont, pourrait-on dire, des notes jetées en courant".

[155] Vgl. S. 320—321.

[156] Durandus, Tract. II 11; 74: *De conciliis provincialibus bis in anno celebrandis et de ordine ser-vando in eis, et quod in eis omnia negotia provinciam contingentia, ut moris est antequam abeatur* (statt adeatur) *prius terminentur. Et visitatores deputentur in eis, per quos una cum officialibus episcoporum executioni mandentur quae fuerunt constituta. Et quod constituantur metropolitani, patriarchae et primates, qui archiepiscopis et episcopis praesint in regnis, in quibus non sunt.*

[157] Nicaea c. 6; Antiochien c. 20; Constantinopel I c. 3; Carthago II c. 2; Bestimmungen, die nach Durandus von anderen Konzilien wiederholt wurden, ferner dist. 18 per totum.

[158] Durandus, Tract. II 11; 74: *In c. 6 concilii Nicaeni cavetur, quod per singulos annos singulis provinciis bis in anno episcoporum concilium teneatur, ut quae corrigenda et reformanda in qualibet provincia fuerint, corrigantur et reformentur . . . Et quod omnia negotia contingentia statum cleri in regularibus et saecularibus personis, quae coram suis ordinariis non possunt accipere finem vel a quibus esset appellatum, deferrentur ibidem, et prius ad Romanam curiam devolvi non possent, nisi essent maximae causae.* — Der aus dem Dekret (2 q. 6 c. 28 § 2) zitierte Belegtext, Nov. 23 des Justinian ist gut ausgewählt!

[159] Der Verweis Tract. II, 11; 75 auf das Decretum: *Hoc fuit statutum in concilio Sardicensi posito 9 q. 3* QUIS EPISCOPUS ist falsch. Tatsächlich werden die von Durandus angezogenen Kanones 3 und 7 im Dekret 6 q. 4 c. 7 und 2 q. 6 c. 36 zitiert. — Der Bischof von Mende beruft sich ebenfalls auf die Auseinandersetzungen über die römischen Appellationen ge-legentlich der Apiariusaffäre. Die entsprechenden Texte findet er im 6. Konzil von Karthago, c. 3 und im Dekret 2 q. 6 c. 35 (Mileve c. 22).

hat, an die Nachbarbischöfe zurückgehen.[160] An den Provinzialsynoden sollen außer den zuständigen Bischöfen Mitglieder der Kapitel, Diözesanpriester und Laien teilnehmen[161], ferner Richter und Steuerbeamte.[162] Wenn der Glaube oder eine andere die ganze Kirche angehende Frage zu behandeln ist, ist nach Kanon 3 des vierten Konzils von Toledo eine Generalsynode abzuhalten.[163]

Den genauen Verlauf der Synode regelt der *ordo de celebrando concilio* des Kanon 3 des gleichen Konzils.[164] Die Konzilien sollen in großer Ruhe und ohne Tumult verlaufen, so wie im Kanon 1 des elften Konzils von Toledo bestimmt wird.[165] Synoden abzuhalten ist wichtig, aber nicht genug. *Visitatores* und *correctores*, wie sie die Dekretalen I 6.3 und III 16.1 § 4 vorsehen, müssen die Realisierung der Konzilsbestimmungen überwachen und überprüfen.[166] Der Versammlungsort soll für alle Teilnehmer gut erreichbar sein.[167] Das ganze synodale Reformwerk setzt freilich die Wiedereinführung der alten Metropolitan- und Patriarchalverbände voraus. Außer Bischöfen und Papst muß es, wie es das alte Kirchenrecht vorsieht[168], wieder Metropoliten und Patriarchen geben, die die betreffenden Synoden zu leiten befugt sind.[169]

Die zweite Hälfte des den Provinzialsynoden gewidmeten Titulus 11[170] besteht aus dem *ordo de celebrando concilio*. Durandus übernimmt ihn, wie er selber ausdrücklich sagt, dem *liber ab Isidoro editus*, das heißt den pseudoisidorischen Dekretalen.[171] Der ordo setzt ein mit dem herrlichen

---

[160] Zum genauen Sinn der angezogenen Sardizensischen Kanones vgl. S. 100—107.

[161] Durandus, Tract. II 11; 75: *Utile esset quod ad dicta concilia aliqui de capitulis et de presbyteris dioeceseos et laicis vocarentur.*

[162] Ebd. 78.

[163] Ebd. 75—76.

[164] Ebd. 76—78.

[165] Ebd. 78—79.

[166] Durandus, Tract. II 11; 79: *Item cum parum prosit condere iura, nisi sit qui ea tueatur et exsequatur . . . videtur utile, quod in singulis conciliis provincialibus ordinarentur certi visitatores et correctores, . . . qui statuta facerent observari vel saltem in canonibus provincialibus omnia facta promant, ut quae correctione et reformatione indigent, referrentur, corrigerentur et reformarentur ibidem singulis annis.*

[167] Durandus, Tract. II 11; 79: *Et quod concilia in medio provinciae propter communem utilitatem tractarentur, et ut suffraganei possent absque maioribus dispendiis convenire.*

[168] Durandus zitiert dist. 21 c. 1; dist. 99 § 1 und folgende Kapitel; dist. 80 c. 1 und folgende Kapitel, dist. 18 c. 15, alles sehr treffende Texte.

[169] Durandus, Tract. II 11; 79: *Videtur insuper, quod essent constituendi metropolitani et patriarchae in singulis regnis, ubi non sunt, qui episcopis et archiepiscopis praeessent.*

[170] Durandus, Tract. II 11; 80—86. Es handelt sich um das mit Abstand längste Zitat des Traktates!

[171] P. Hinschius, Decretales Pseudo-Isidorianae, Leipzig 1863, 22, 17—24, 41. — Es fehlt lediglich der erste Abschnitt „*Hora prima — orationem*", das heißt Hinschius 22, 1—16, den er weiter oben schon aus einer anderen Quelle, nämlich Kanon 3 des vierten Konzils von Toledo, entnommen hatte.

Gebet *Adsumus Domine*.[172] Mit solcher Hingabe wurde über Konzilien nicht mehr gesprochen seit der Zeit, aus der diese eindrucksvollen Texte stammen, nämlich dem Spanien des sechsten und siebten Jahrhunderts mit seiner großen Konzilstradition.[173]

Wir kommen zu Durandus' Reformplänen auf der Ebene der *reformatio capitis*. Hiervon handelt zunächst Titulus II 41. Der Bischof von Mende verlangt hier die Versammlung eines Generalkonzils, wann immer neues Recht geschaffen werden soll. Die Römische Kirche soll fortan neues Recht nicht mehr im Alleingang setzen, sondern nur noch zusammen mit einem Generalkonzil. Positive Rechtsgrundlage für diese Forderung ist Kanon 9 des Konzils von Mileve[174], keine, wie man zugestehen muß, sehr überzeugende Begründung. Rechtsphilosophisch stützt Durandus seinen Vorschlag durch das Prinzip *Quod omnes tangit, ab omnibus approbari debet* ab.[175] Im ersten Teil seines Traktates schon hatte Durandus mit dem gleichen Prinzip eine ähnliche Forderung begründet: Der

---

[172] Vgl. T. F. TAYLER, Adsumus Domine, Adsumus. From Toledo IV to Vatican II, in: TU 93 (1966) 286—290.

[173] Vgl. auch II 1; 56: *Bis in anno episcoporum concilia celebrentur, ut inter se invicem dogmata pietatis explorent, et exsurgentes ecclesiasticas quaestiones amoveant. Semel quidem in septimana pentecostes, secundo 12. die mensis yberbeciri* [Hyperberetaeon / ὑπερβέρετος = 7. Monat bei den Kretern], *id est iuxta Romanos 3. Idus Octobris, de hoc 18. dist. per totum, et infra in 11. titulo.* — *III, 28 ; 284: Item quod haberent concilia provincialia celebrare et ad ea convenire et inibi omnia statum provinciae contingentia pertractare et quae corrigenda essent, in ea corrigere, et reformare, prout superius tractatum exstitit in 11. titulo secundae partis.*

[174] HINSCHIUS 318: *Item primitus placuit ut non sit ultra fatigandis fratribus anniversaria necessitas, sed quoties exegerit causa communis id est totius Africae undecumque ad hanc sedem pro concilio datae litterae fuerunt, congregandam esse synodum in ea provincia, ubi opportunitas persuaserit, causae, quae communes non sunt, suis provinciis iudicentur.* Gleicher Text: Karthago c. 95, PL 67, 213D bis 214A.

[175] Durandus, Tract. II 41; 151: *Et quidem in 8. cap. concilii Milevetani sub imperatoribus Arcadio et Honorio celebrati, fuit constitutum, quod causae ecclesiasticae quae communes non sunt toti ecclesiae Africanae in suis provinciis iudicentur, et quod illis quae communes sunt, generalis synodus convocaretur. Videtur utile, quod praedictum concilium per Romanam ecclesiam servaretur quandocumque iura condenda sunt, cum dicta iura pro tangentibus communem utilitatem sint edenda . . . Et quod idem servaretur, quandocumque aliquid esset ordinandum de tangentibus communem statum ecclesiae, vel ius novum condendum. Cum illud quod omnes tangit, ab omnibus approbari debeat.* — TORQUEBIAU 279 interpretiert die zugestandenermaßen vorsichtige Formulierung *(videtur utile)* in dem Sinne, daß Durandus dem Papst keineswegs grundsätzlich das Recht zur Aufstellung neuen Rechts ohne Konzil bestreitet: „Durand ne dit pas que le Pontife romain n'a pas le droit d'édicter des lois universelles sans le concile général; simplement il souhaite qu' il ne le fasse pas sans lui. Durand ne conteste donc pas le pouvoir du chef suprême de l'Eglise, il se borne à souhaiter, et si l'on veut, à demander que l'exercice de ce pouvoir soit entouré de sérieuses garanties". Das scheint uns eine allzu minimalisierende Auslegung zu sein, die in den parallelen Formulierungen (vgl. Anm. 176) und im ganzen Duktus seiner Gedankenführung keine Stütze hat. — Zum Prinzip ‚Quod omnes tangit, ab omnibus approbari debet' vgl. S. 274 weiterführende Literaturangaben.

Papst solle die Bestimmungen der alten Konzilien nur unter Hinzuziehung eines Konzils verändern dürfen.[176] Konsequenterweise verlangt Durandus die Rücknahme der von Bonifaz VIII. ohne Konzil erlassenen Dekretale *Clerici* (III 2.1).[177] Wie ernst er es mit dieser Forderung nimmt, der Römische Stuhl solle die legislative Gewalt fortan nur zusammen mit einem Generalkonzil ausüben, ergibt sich schließlich aus seinem praktischen Vorschlag, alle zehn Jahre ein Generalkonzil zu veranstalten.[178] Es ist bekannt, daß das Konzil von Konstanz diesen Vorschlag schließlich aufgegriffen und zum Gesetz gemacht hat.[179]

Durandus ist sich durchaus bewußt, woran sein Plan, nicht nur auf der Ebene der *membra*, sondern auch auf der Ebene des *caput ecclesiae* Kirchenreform durch Synoden zu betreiben, scheitern kann oder wird: die Einberufung der Synoden ist Vorrecht des Papstes! Für dieses Bewußtsein bezeichnend ist die Art und Weise, wie er auf dieses päpstliche Privileg zu sprechen kommt. Er weist zunächst auf ein Generalkonzil der Alten Kirche, nämlich das Arelatense hin, das nicht vom Papst, sondern von einem Ortsbischof einberufen worden war. Dann erst konfrontiert er mit dem augenblicklich geltenden, in der Distinctio 17 niedergelegten Recht und hebt maliziös darauf ab,

---

[176] Durandus, Tract. I 3; 16; zitiert in Anm. 30; vgl. auch I 5; 34: *Porro quod dominus papa non possit nec debeat novas leges vel nova iura concedere vel privilegia, libertates, immunitates, exemptiones concedere super his et contra ea, quae aperte dominus vel eius apostoli et eos sequentes sancti patres sententialiter aliquid definierunt, sed potius quod praedicatum est usque ad animam et sanguinem confirmare debeat, quia aliter errare probaretur. Et quod contra statuta patrum aliquid condere vel mutare nec ratione sedis possit auctoritas necnon (nisi) alia quae ad perpetuam sunt ordinata utilitatem mutare, et quod teneatur quatuor concilia, scilicet Nicaenum, Constantinopolitanum, Ephesinum, et Chalcedonense sicut quatuor evangelistarum librum suscipere et tenere, quae quatuor concilia universalia fuerunt septem vicibus celebrata, necnon et alia concilia generalia plene probatum est supra in hoc titulo et in praecedenti per iura et concilia posita* (dist. 15 c. 2; dist. 16 c. 6—8).

[177] Durandus, Tract. II 4; 62: *Item ex eisdem causis videtur, quod decretalis Bonifatiana de clericis coniugatis, lib. VI c. CLERICI (III. 2. 1) haberet revocari, cum per ipsam generale privilegium ecclesiae quoad personas et res ecclesiasticas coniugatorum ab ipso restringatur. Et hoc a dicto domino Bonifatio factum fuerit absque auctoritate et vocatione concilii generalis, cum tamen secundum decretum Gregorii papae 32. dist. SI QUI (3) tales clerici coniugati stipendia etiam ab ecclesia recipere possent, et sub ecclesiastica essent tenendi regula.*

[178] Durandus, Tract. III 27; 281: *Item quod nulla iura generalia deinceps conderet* (Romana ecclesia), *nisi vocato concilio generali, quod de decennio in decennium vocaretur.* — Im *Tractatus minor* fehlt diese Konzilsforderung. War von ihr in den fehlenden Kapiteln 2—7 die Rede?

[179] Dekret *Frequens*, OCD 439. Zur Problematik vgl. I. H. PICHLER, Die Verbindlichkeit der Konstanzer Dekrete. Untersuchungen zur Frage der Interpretation und Verbindlichkeit der Superioritätsdekrete ‚Haec sancta' und ‚Frequens', Wien 1967, und die kritische Stellungnahme hierzu von R. BÄUMER, Die Interpretation und Verbindlichkeit der Konstanzer Dekrete, in: ThPQ 116 (1968) 44—53, wiederabgedruckt in dem in Anm. 1 genannten Band WdF 279, 229—246.

daß dieses heutigen Tags geltende Recht päpstliches Recht ist. Marcellus, Julius, Damasus, Gregor, Pelagius und Symmachus haben es geschaffen![180]

Es ist deutlich, worauf die Reform der Kirche durch Synoden auf der Ebene des *caput ecclesiae* hinausläuft: Die Einrichtung der Generalsynode als Institution stellt eine tiefgreifende Begrenzung der *plenitudo potestatis* des Papstes dar. Durandus leugnet zwar nicht den päpstlichen Primat[181], aber der Papst darf nach ihm kein absoluter, sondern nur noch ein konstitutioneller Monarch sein. Mit dieser Konzeption des Verhältnisses Papst/Konzil geht Durandus beträchtlich über die alte kanonistische Tradition hinaus. Nach ihr konnte ein Konzil zwar einen häretischen Papst absetzen und galt in Glaubensfragen der Grundsatz *concilium maius papa*, nie aber wurde dem Konzil die gesamte Legislative vorbehalten, beziehungsweise wurde das Konzil als regelmäßig in Aktion tretendes konstitutionelles Kontrollorgan des Papstes aufgefaßt. Es sei betont, daß Durandus nicht nur der *plenitudo potestatis* in der Kirche voller Mißtrauen gegenübersteht[182], er tritt ganz allgemein, auch im staatlichen Bereich, für Machtbeschränkung und -kontrolle ein.[183]

Während die Verbindung von Konzils- und Reformidee, die uns im Werk des Durandus zum ersten Mal entgegentritt, für die Ebene der *membra* eine Wiederherstellung des altkirchlichen Konzilswesens besagt, bedeutete sie auf der Ebene des *caput*, würde sie in die Tat umgesetzt, eine Revolution.

---

[180] Durandus, Tract. II 41; 151: *Sane in 2. concilio Arelatensi, cap. 17 continetur, quod ad Arelatensis episcopi arbitrium synodus est congreganda. Ad quam urbem ex omnibus mundi partibus praelatis venientibus sub S. Marini tempore legimus concilium celebratum fuisse. Verumtamen 17. dist. § 1 cum capitulis sequentibus Marcellus, Julius, Damasus, Gregorius, Pelagius et Symmachus papae scribunt haec ad Romanam ecclesiam pertinere.*

[181] Durandus, Tract. III 1; 241: *Et oculi ancillae* (Ps 122, 2) *,id est universalis ecclesiae in manibus dominae suae, hoc est Romanae ecclesiae, quae domina ac iudex est aliarum, cuius rector catholicus non iudicatur a quoquam. Cum „eius sedi primum Petri apostoli meritum, deinde secuta iussione domini conciliorum venerandorum auctoritas singularem in ecclesiis tradiderit potestatem"*, sicut scribitur in decretis (dist. 17, dictum Grat. p. c. 6 [HINC ETIAM], zum Zitat vgl. S. 63) *plus ad facta dictae ecclesiae attenditur quam ad verba.* — Vgl. hierzu POSCH 291 sehr treffend: „Der Vorrang der römischen Kirche schreibt sich nach Durandus teils von der Auszeichnung des Apostels Petrus, teils aber . . . von den positiven Verfügungen alter Konzilien her, ist also geschichtlich geworden".

[182] Durandus, Tract. I 3; 16; zitiert Anm. 30.

[183] Durandus, Tract. I 3; 18: *Nulli etiam dubium est, quin pluribus intentus, minor sit ad singula sensus. Unde quanquam sint dignitate ceteris altiores, interdum evenit propter minimam praeoccupationem negotiorum, sicut Gregorius in pastorali ait, quod non sunt in agendis et in iudiciis ceteris certiores. Propter quod prospiceretur non solum rei publicae, sed eisdem quod omnia cum consilio agerentur, iuxta dictum sapientis et a iuris tramite nequaquam discederent ne postmodum paeniterent.*

d) Unfehlbarkeit der Generalkonzilien

Von den hier behandelten neuen Aspekten der Konzilsidee dieser Jahre kommt dem letzten, der Frage der Unfehlbarkeit, wohl die größte Aktualität zu. Im Rahmen dieses Kapitels kann er leider nicht mit der an sich gebotenen Gründlichkeit behandelt werden. Vielleicht legt aber auch die Quellenlage selber eine eher kursive Behandlung dieses Themas nahe. Man hat den Eindruck, daß die Frage der Unfehlbarkeit, speziell der Konzilien als solcher, sieht man einmal von Marsilius von Padua und Ockham ab, noch nicht eigentlich thematisch ist. Der Gedanke taucht nur am Rande und sporadisch auf. Die Unfehlbarkeit der Konzilien als solche wird erst hundert Jahre später, zur Zeit der Konzilien von Konstanz und Basel, mit den entsprechenden theologischen Argumenten abgehandelt und vertieft. Das Thema wird in unserem Zeitraum nur beiläufig, nämlich bei der Behandlung der Fehlbarkeit beziehungsweise Unfehlbarkeit des Papstes, die freilich in diesen Jahren höchste Beachtung findet[184], miterwähnt, aber nicht getrennt davon, behandelt.

Stellen wir zunächst einige Texte vor, in denen die Unfehlbarkeit der Konzilien entweder implizit oder explizit zusammen mit der Behauptung oder der Leugnung der päpstlichen Unfehlbarkeit affirmiert wird, bevor wir uns ihrer Interpretation zuwenden. An den Anfang ist der berühmte Passus der Sachsenhäuser Appellation von 1324 zu stellen,

---

[184] Vgl. hierzu vor allem die bahnbrechende Studie von TIERNEY, Origins, über den Beitrag des Johann Peter Olivi, Heinrich von Gent, Duns Scotus, Hervaeus Natalis, Petrus de Palude, Michael von Cesena, Wilhelm von Ockham und Guido Terreni zur Frage der päpstlichen Unfehlbarkeit. Wichtig in diesem Zusammenhang auch die anschließende Diskussion zwischen TIERNEY auf der einen und R. BÄUMER und A. STICKLER auf der anderen Seite: R. BÄUMER, Um die Anfänge der päpstlichen Unfehlbarkeitslehre, in: ThR 69 (1973) 442—450; B. TIERNEY, On the history of Papal Infallibility. A discussion with Remigius Bäumer, in: ThR 70 (1974) 185—194; R. BÄUMER, Antwort an Tierney, ebd. 193—196; A. M. STICKLER, Papal infallibility — a thirteenth-century invention? Reflections on a recent book, in: CHR 60 (1974) 427—441. Eine sehr interessante Ergänzung zu TIERNEY, Origins, bietet die Arbeit seines Schülers TH. TURLEY, Infallibilists in the curia of Pope John XXII., in: Journal of medieval history 1 (1975) 71—101, der, auch aufgrund bisher nicht benutzter handschriftlicher Quellen, zeigt, daß es neben der antipäpstlichen franziskanischen Infallibilitätsthese eine eigenständige kuriale Entfaltung dieser Lehre gibt. Sie wird vertreten unter anderem von Petrus de Palude, Guido Terreni, Wilhelm von Landun, Angerius von Spineto, vor allem Johannes Regina von Neapel. Die von diesen Männern vorgetragenen Argumente bewirkten, daß Johannes XXII. die von den Franziskanern gelehrte Unfehlbarkeit nicht in Bausch und Bogen verurteilte. „Pope John's decision in *Quia quorundam* left infallibility as a viable theological alternative. It left the way open for curial infallibilists to develop their theory in the late 1320's and early 1330's as a sophisticated counter to the attacks of antipapal infallibilists like Ockham. From their efforts the modern theory of infallibility grew" (86).

der in aller wünschenswerten Ausdrücklichkeit die Unfehlbarkeit *(iner-rabilis)* des mit der *clavis scientiae* Definierten lehrt und dabei namentlich die Entscheidungen der Generalkonzilien miteinschließt.[185]

Michael von Cesena behauptet zunächst wiederholt mindestens implizit die Unfehlbarkeit der Konzilien. In der großen Appellation von 1328 bezeichnet er die Bestätigung von *Exiit* durch das Konzil von Vienne als unfehlbare Lehrentscheidung.[186] Das gleiche geschieht in der *In-pugnatio tertiae constitutionis*.[187] In aller Ausdrücklichkeit behauptet der Franziskaner schließlich die Unfehlbarkeit der Generalkonzilien in seinen *Litterae deprecatoriae* von 1333: *Universalis autem ecclesia in fide et moribus errare non potest, cum sit articulus fidei, cui non potest subesse falsum: credo in*

---

[185] Sachsenhäuser Appellation, MGH.Const 5, 737, 19: *Quod enim per clavem scientiae per Romanos pontifices semel determinatum est in fide et moribus rectae vitae, est immutabile, eo quod ecclesia Romana est inerrabilis in fide et veritate nec potest dare regulam falsam vel malam in recte vivendo nec in veritatis iudicio ecclesia Romana potest sibi esse contraria. Si enim in uno esset falsa vel sibi contraria in omnibus vacillaret. Et super hoc fundamento generale capitulum se in praedicta littera stabilivit. Nam quod semel per summos pontifices Dei vicarios per clavem scientiae est definitum esse de fidei veritate, non potest per successorem aliquem in dubium revocari vel eius quod definitum est contrarium affirmari, quin hoc agens manifeste haereticus sit censendus. Cuius veritatis ratio et fundamentum est, quia fides catholica est de vero perpetuo et immutabili prorsus. Et ideo quod semel est definitum verum esse in ipsa fide vel moribus, in aeternum verum est et immutabile per quemcumque. Secus autem in iis, quae statuuntur per clavem potentiae. Nam saepe, quod uno tempore expedit fieri, alio tempore expedit prohiberi. Constat autem praedictos pontifices et generalia concilia secundum clavem scientiae contrarium apertissime definisse et libellum et dicta magistrorum et asserentium, dictam paupertatem et vitam non esse paupertatem evangelicam et apostolicam, sententialiter damnaverunt.* — Speziell zum sogenannten Minoritenexkurs vgl. F. Hofmann, Der Anteil der Minoriten am Kampf Ludwigs des Bayern, Münster 1959, 54—60; ferner Tierney, Origins 182 ff. Vgl. den entsprechenden Passus in der *publicatio depositionis* vom 18. April 1328, MGH.L 6, 358, 30 ff.

[186] Appellatio, Baluze III 267b: *Haec verba definitionis et ordinationis in dicta decretali D. Nicolai III contenta (Exiit), quae ut dictum est . . . per totum concilium generale Viennense expresse et directe exstitit approbata . . . Cum ergo praefati omnes Romani pontifices, immo universalis ecclesia docuerit, tenuerit et definierit solemniter huiusmodi carentiam sive abdicationem . . . a Christo et apostolis verbo et exemplo doctam et observatam, sequitur quod dicere huiusmodi carentiam fore verbalem . . . et nocivam, ut dicta haeresis in dicta constitutione pertinaciter dogmatizat, necessario includit, quod . . . universalis ecclesia in fide et doctrina Christi erravit, quae talem abdicationem a Christo et apostolis verbo et exemplo fore datam definit. Nam quod per concilium universale fit, per totam ecclesiam fieri censetur.*

[187] Impugnatio, Baluze III 287b: *Et sicut non est licitum in lege dicere, quod in scriptura sacra sit aliquod falsum, quia totius scripturae fides et auctoritas vacillaret 9. dist. Si ad scripturas (7), sic(ut) non est licitum dicere, quod ecclesia Romana semel in fide vel moribus erraverit, quia sic tota auctoritas et fides ecclesiae vacillaret. Nam eodem iure, quo hoc concederetur, argui posset, quod erravit in aliis, nec potest nec debet in dubium revocari, quin illud quod definitum est a pluribus Romanis pontificibus, videlicet quod Christus et apostoli viam perfectionis ostendentes non habuerint aliquid iure proprietatis in speciali, nec in communi, quam fratres minores profitentur, est meritoria et sancta et est illa quam Christus et apostoli docuerunt, censeri debeat per ecclesiam definitum maxime cum haec definitio sit in corpore iuris et in pluribus locis clausa et ab universali ecclesia per longa tempora recepta et per generale concilium approbata et confirmata ut superius in pluribus partibus est ostensum.*

unam sanctam catholicam et apostolicam etc.[188] *Concilium etiam generale rite et debite celebratum, cum repraesentet universalem ecclesiam et vicem gerat universalis ecclesiae, quae errare non potest, ipsum quoque similiter errare in fide et moribus minime potest.*[189]

Zwei Dinge sind an diesem Satz besonders beachtenswert: Erstens, die Unfehlbarkeit des Konzils wird mit Hilfe des Repräsentationsgedankens aus der Unfehlbarkeit der universalen Kirche abgeleitet.[190] Damit erhellt die Bedeutung des Repräsentationsgedankens für die weitere Entwicklung der Unfehlbarkeitsthese. Zweitens, die Unfehlbarkeit des Konzils wird nicht beiläufig zusammen mit der Unfehlbarkeit des Papstes affirmiert, sondern in deutlichem Gegensatz zur Fehlbarkeit des Papstes behauptet. Konzilien sind unfehlbar, das ist bei Michael von Cesena ein eindeutig polemischer Satz. Das Konzil wird um das Attribut der Unfehlbarkeit vergrößert, um den Papst um dasselbe Attribut zu verkleinern. Wir stehen damit deutlich in der ,konziliaristischen' Tradition der Unfehlbarkeitslehre.

Eine ähnliche, wenn auch nicht ganz so explizite Aussage konziliarer Unfehlbarkeit im Gegensatz zur päpstlichen Fehlbarkeit enthält der vielleicht Bonagratia zugehörige Traktat gegen Benedikt XII.[191]

Es ist sicher kein Zufall, daß die papalistischen Theologen unserer Zeitspanne, soweit wir sehen, nicht bis zu dieser ausdrücklichen Affirmation der Unfehlbarkeit der Konzilien vorstoßen, und es wird auch noch längere Zeit dauern, bis es dazu kommt. Die antipäpstliche Pointe solcher expliziter Sätze, wie sie Michael von Cesena und natürlich vor allem Marsilius von Padua[192] aufstellten, verunsicherte offensichtlich die papalistische Seite. Fehlen auch explizite Sätze, wie der des obengenannten Franziskaners, so wird die Unfehlbarkeit der Konzilien doch zumindest einschlußweise zum Beispiel von Konrad von Megenberg[193]

---

[188] Diesen Glaubensartikel von der Unfehlbarkeit der *universalis ecclesia* wiederholt Michael von Cesena an zahlreichen Stellen, vgl. BALUZE III 245 bC, 253 bA, 273 bC, 275 bA, 287 bA, 287 bC, 297 aC usw.

[189] Michael von Cesena, Lit. deprec., GOLDAST II 1360.

[190] Zur Problematik dieser Ableitung vgl. Ockham, Dial I 5, 25: GOLDAST II 494, 51—54; und unsere Studie ,,Die ,Quaestio de infallibilitate concilii generalis' (Ockhamexzerpte) des Pariser Theologen Jean Courtecuisse († 1423), in: AHC 8 (1976) 176—199, hier 197.

[191] Bonagratia(?), SCHOLZ, Streitschriften II 553: *Ex quibus clare patet, quod concilium universale ecclesiae in causa fidei est maius et superius auctoritate papae et cardinalium et ipsam solvit et tollit si ipsi repugnat. Et patet, quod papa etiam cum collegio cardinalium potest errare in fide, et si errat, potest iudicari, quamvis universalis ecclesia non possit errare.*

[192] Vgl. Defensor pacis, II 19, 2—3, Ausgabe SCHOLZ 384—386; vgl. S. 401—406.

[193] Konrad von M., Tract., SCHOLZ, Streitschriften II 378: (Im Kontext geht es um die Absetzung eines häretischen Papstes durch das Konzil) *Et quando subiungitur: esto omnes cardi-*

oder Guido Terreni[194] behauptet. Bei einem Autor wie Hermann von Schildesche fehlt dagegen auch jede implizite Affirmation dieser Art.[195] Wie sind, wollen wir abschließend fragen, solche expliziten beziehungsweise impliziten Sätze, die sich sicher noch weiter vermehren ließen, in die Gesamttradition von der Lehre der Unfehlbarkeit der Konzilien einzuordnen? Handelt es sich hier um eine schlechthin neue Lehre?

Zunächst seien zwei methodische Vorbemerkungen erlaubt. Erstens, mit dem Auftauchen eines Begriffs ist zwar an sich noch nichts über die Neuheit der Sache entschieden, aber alles spricht doch dafür, daß die Sache früher so nicht gesehen wurde. Auf unsere Frage angewandt: alles spricht dafür, daß das Auftreten des Begriffs der Unfehlbarkeit der Konzilien einen deutlichen Fortschritt, eine deutliche Entfaltung der Lehre von der Zuverlässigkeit der kirchlichen Institutionen, die die Heilswahrheit vermitteln, anzeigt. Zweitens, die Tatsache, daß ein Satz eine deutlich polemische Zuspitzung hat, entscheidet noch nichts über seinen Wahrheitsgehalt. Man wird kaum irgendeinen kirchlichen Satz finden, der nicht zunächst polemisch gegen jemand oder gegen etwas gerichtet ist. Die polemische Spitze des Satzes von der Unfehlbarkeit der Konzilien bei Michael von Cesena entscheidet noch nichts über seinen Wahrheitsgehalt. Kriterium hierfür ist vielmehr, ob es eine Tradition gibt, in die er sich einordnen läßt, und ob es theologische Argumente gibt, die ihn einsichtig machen. Was zunächst den ersten Punkt, die Traditionalität angeht, so ist natürlich zwischen dem Wort, dem

---

nales et totus clerus sibi in suis erroribus consentirent, scilicet papae haeretico, dico, quod est impossibile omnes praelatos ecclesiae et totum clerum errare in fide et genus laicorum recto tramite ambulare. Clerici namque et praelati ecclesiae in locum apostolorum successerunt, quibus dominus ait: Vos estis sal terrae, quod si evanuerit, in quo salietur? Matth V, quasi diceret: in nullo. Et iterum: Vos estis lux mundi (Mt 5, 14). Sed quomodo luce exstincta gentes recte ambulabunt, quia scriptum est: et ambulabunt gentes in lumine tuo reges in splendoribus tuis (Jer 60, 3). Si ergo duces videntes omnes errarent, qualiter caeci ducendo parvulos non deviarent cum eisdem?

[194] Guido T., quaestio, XIBERTA 16: Ubi summus pontifex cum collegio dominorum cardinalium sive cum generali concilio congregantur in nomine Domini et pro fide eius, ibi est Christus, qui est veritas sine errore dicens „Non enim vos estis, qui loquimini, sed spiritus Patris vestri qui loquitur in vobis" (Mt 10, 20). Et quod papa in determinatione eorum quae pertinent ad fidem dirigatur spiritu sancto et in eo spiritus sanctus loquatur, potest accipi Act. XV, ubi Petrus cum apostolis determinaret legalia non oportere observare conversos ex gentibus, ait: „Visum est enim spiritui sancto et nobis". Glossa: „Placuit spiritui sancto qui arbiter suae potestatis ubi vult spirat et quae vult loquitur et nobis non solum voluntate nostra sed instinctu eiusdem spiritus sancti".

[195] ZUMKELLER, Schrifttum 194: „Hermann behauptet von der Kirche Christi, und zwar in ihrer konkreten Erscheinung, die volle Freiheit von Irrtum in Glaubens- und Sittensachen, den error facti allein ausgenommen. Diese Unfehlbarkeit empfange die Kirche aus ihrer beständigen, innigen Verbindung mit Christus, der obersten Wahrheit. Welchen Trägern kirchlicher Autorität und welchen Entscheidungen diese Unfehlbarkeit im einzelnen zukommt, darüber hat sich unser Theologe nicht näher geäußert".

Begriff und der Sache zu unterscheiden. Das Wort unfehlbar *(inerrabilis/infallibilis)* ist im Hinblick auf die kirchlichen Autoritätsträger Papst und Konzil relativ neuen Datums. De Vooght setzt es nicht vor Petrus Johannis Olivi an[196], der das Wort *inerrabilis*[197], und Guido Terreni, der den Terminus *infallibilis* im genannten Zusammenhang in die Diskussion eingeführt hat.

Wie steht es nun mit der durch diese Termini bezeichneten Sache hinsichtlich der Konzilien? Seit wann gelten Konzilien als ‚unfehlbar'? In der Alten Kirche hatte es ohne Zweifel die Überzeugung gegeben, daß die großen ökumenischen Kirchenversammlungen sich in der Überlieferung des Christusglaubens nicht geirrt *hatten*, ferner, daß man grundsätzlich auch in Zukunft von der kirchlichen Konzilsinstitution die irrtumslose Überlieferung des Glaubens erwarten könne. Diese allgemeine Zuversicht hinsichtlich der Leistungsfähigkeit der Konzilien wird von niemand, soweit wir sehen, innerhalb der Kirche ausdrücklich in Frage gestellt. Darüber hinaus gibt es einzelne Stimmen, die zumindest implizit der Sache nach die Unfehlbarkeit der Konzilien lehrten.[198]

Für das Mittelalter ist vor allem die kanonistische Tradition für unsere Frage von Interesse. Hier sei zunächst eine negative Feststellung von nicht geringer Bedeutung gemacht: Während es eine traditionelle Lehre über den *papa haereticus* gibt, scheint eine solche Tradition über irrende Konzilien nicht bezeugt zu sein.[199] Weiter sind in der kanonistischen Tradition die Kommentare der Dekretisten zur berühmten Gregordekretale *Sicut* von Bedeutung. Den vier ersten Konzilien kommt prak-

---

[196] P. DE VOOGHT, Esquisse d'une enquête sur le mot „infaillibilité" durant la période scolastique, in: L'infaillibilité de l'Eglise, Journées oecuméniques de Chevetogne, Chevetogne 1962, 99—146, 107 ff.; vgl. auch BERMEJO, der in dem dem Mittelalter gewidmeten Teil seiner Studie nicht über TIERNEY, Origins und die genannte Studie von DE VOOGHT hinausgeht.

[197] Vgl. M. MACCARONE, Una questione inedita dell' Olivi sull' infallibilità del papa, in: RSCI 3 (1949) 309—343.

[198] Vgl. SIEBEN, Konzilsidee, Register „Unfehlbarkeit".

[199] Aufschlußreich sind in dieser Hinsicht die doch sehr krampfhaften Versuche eines so hervorragenden Kenners der kanonistischen Tradition wie Wilhelms von Ockham, häretische Konzilien namhaft zu machen. Er nennt aus der kanonistischen Tradition, nämlich der Glosse zu dist. 15 c. 1, lediglich das zweite Ephesinum. Die vier anderen Beispiele sind wohl eigene „Funde" und verraten seine Verlegenheit. Es handelt sich um die sogenannte „Leichensynode" (897) beziehungsweise das Gegenkonzil Johannes' IX. mit ihren sich widersprechenden Bestimmungen über die Weihen, ferner das zweite Konzil von Lyon und das Viennense. Denn die dort ergangenen Bestätigungen des Dominikaner- und Franziskanerordens, so Ockham, sind später, das heißt von Johannes XXII., wieder zurückgenommen worden! (Dial. I 5, 26; GOLDAST II 495—496). Vgl. S. 443—444.

tisch der gleiche Rang zu wie den Evangelien.[200] Das bleibt natürlich noch erheblich unterhalb des Satzes „Konzilien sind unfehlbar", schließt aber doch einen beachtlichen Vertrauensvorschuß in die Konzilsinstitution der Kirche ein. Auch hier sind es, wie in der Alten Kirche, nur einzelne Stimmen, die über diese allgemeine Zuversicht, die durch keine ausdrücklichen Gegenstimmen in Frage gestellt wird, hinausgehen.[201]

Zweites Kriterium zur Beurteilung der Qualität des in unserem Zeitabschnitt aufkommenden Satzes von der Unfehlbarkeit der Konzilien ist die theologische Argumentation, die ihn abdeckt und ihn einsichtig macht. Michael von Cesena argumentiert, wie wir gesehen haben[202], mit dem Repräsentationsgedanken: Konzilien sind unfehlbar, denn sie repräsentieren die zugestandenermaßen unfehlbare *ecclesia universalis*.[203] Vielleicht darf hier auf die Argumente Hermanns von Schildesche zugunsten der *infallibilitas* der *ecclesia universalis* hingewiesen werden, wenn sie auch nicht ausdrücklich bis hin zu den *concilia generalia* tragen. Die Irrtumslosigkeit der Gesamtkirche folgt nach Hermann von Schildesche aus dem Wesen des Glaubensaktes, aus der beständigen Verbindung der Kirche mit Christus, der obersten Richtschnur aller Wahrheit, schließlich aus ihrem sicheren Besitz der *caritas*, die die richtige Erkenntnis einschließt.[204]

---

[200] Vgl. S. 257. — Siehe jedoch auch Guido Terrenis Kommentar zu dist. 15 c. 2, MS Vat lat. 1453, fol 12vb, zitiert bei TIERNEY, Origins 265, Anm. 1: *Non intendit Gregorius IIIIor concilia aequare auctoritati sancti evangelii . . ., sed denotat similitudinem, quia conforma sunt doctrinae evangelicae quoad veritatem . . . et quoad quaternarium numerum, quod imitat.* — Zum Gesamtkomplex vgl. P. DE VOOGHT, L'évolution du rapport Église-Écriture du XIIIᵉ au XVᵉ siècle, in: EThL 38 (1962) 71—85; DERS., Les sources de la doctrine chrétienne d'après les théologiens du XIVᵉ siècle et du début du XVᵉ, Brügge-Paris 1954.

[201] Vgl. S. 172—183.

[202] Vgl. S. 359—360.

[203] Zu diesem Argument vgl. Anm. 190.

[204] Herma nn von Sch., Tract. I 5; 15, 4: *Consequenter autem ostendendum est, quod sancta ecclesia numquam erravit nec errare potest . . . Quod triplici ratione potest probari. Prima sumitur ex intrinseca ratione fidei et est talis: Intrinseca ratio fidei habet, quod sibi non potest subesse falsum, quia innititur revelationi primae veritatis, quae nec fallere nec falli potest secundum Augustinum . . . Ex hoc arguitur sic: Si ecclesia erraret vel errare posset, fidei posset subesse falsum. Sed consequens est falsum et impossibile, ut iam probatum est, quia tunc prima veritas falleret. Ergo et antecedens. Consequentia probatur, quia unus articulus fidei est, quo credimus in sanctam ecclesiam, qui nobis est ex hoc principium omnis fidei, quod credimus, quae nobis proponit ecclesia esse vera sine errore. Secunda ratio sumitur ex coniunctione ecclesiae ad primam veritatem et ad suam regulam et est talis. Nullum semper coniunctum suae regulae ab ipsa poterit obliquari et haec est evidens, quia propter distantiam a prima regula et a primo ente fiunt mala et corruptiones in entibus secundum Commentatorem. Sed ecclesia semper est coniuncta suae regulae, scilicet Christo, vero Deo, iuxta quod ipsa dicit: „Inveni, quem diligit animam mea, tenui eum nec dimittam", Cant. 3, et Christus dixit Mt. ultimo (28, 20): „Ecce ego vobiscum sum omnibus diebus usque ad consummationem saeculi." Tertia ratio sumitur ex*

Von Bedeutung ist in diesem Zusammenhang auch Guido Terreni. Die
theologische Argumentation dieses Karmeliters zielt zwar auf die Unfehlbarkeit des Papstes und nicht auf die des Konzils als solchen, im
Unterschied von der des Papstes ab. Aber bei genauem Zusehen zeigt
sich, daß einige seiner Argumente, wenn sie überhaupt etwas beweisen,
genauso die Unfehlbarkeit des Konzils wie die des Papstes aufzeigen.
Es geht dem Karmeliter um die Existenz unfehlbarer Lehrautorität in
der Kirche. Träger dieser Autorität ist der Papst, aber natürlich auch
das mit dem Papst verbundene Konzil. Es erscheint deswegen angebracht, auf das eine oder andere seiner Argumente hinzuweisen, zumal
Terreni an einigen Stellen das Konzil ausdrücklich mit in sein Beweisziel einschließt.[205]

In einem der zugunsten der Unfehlbarkeit vorgelegten Beweise wird mit
der Gehorsamspflicht gegenüber dem Lehramt argumentiert: Der „hörenden" *ecclesia universalis* ist einerseits Unfehlbarkeit verheißen, andererseits Gehorsam gegenüber dem Lehramt vorgeschrieben. Also muß das
Lehramt selber unfehlbar sein.[206] Ein anderes Argument folgert die Unfehlbarkeit des Lehramtes aus der Eigenart des Glaubensaktes selber:
Der Glaubensakt kann nur gewiß sein, wenn das zum Glauben Vorgelegte sicher wahr ist.[207] Weiter: In der Kirche muß der Glaube zumin-

---

propria conditione caritatis. Illud, quod numquam potest denudari caritate, hoc non potest errare. Sed
ecclesia numquam potest exui et denudari caritate. Ergo et cetera. Maior patet, ,,quia caritas non agit
perperam", 1 Cor. 13 (5). Unde ipsa sola bene vivitur et qua nullus male utitur secundum Augusti-
num in De laude caritatis. Minor probatur, quia ecclesia assimilatur palmae iuxta illud Cant. 7 (7):
,,Statura tua assimilata est palmae." Sed, si erit palma, numquam denudatur virore, ita nec ecclesia
caritate. Unde ista dilectio mutua non deficit, qua coniunctus est dilectus suus sibi et ipsa e contrario ei,
sed deducitur ad plenam lucem diei aeternitatis.

[205] Vgl. Anm. 194.

[206] Guido Terreni, quaestio, Ausgabe XIBERTA 11, 26: *Omnes fideles inconcussa fide tenentur*
credere firmiter et nullatenus dubitare esse verum, quod ecclesia statuit et determinat fide credendum,
praesertim postquam sibi constiterit hoc per ecclesiam statutum et determinatum esse; et cadit sub
articulo ,,unam sanctam catholicam ecclesiam". Igitur si ecclesia in determinando aliquid circa fidem
erraret contra fidem, tunc omnes fideles, qui tenentur determinationem ecclesiae sequi, errarent et defi-
cerent a vera fide et tota ecclesia esset in errore contra fidem. Quod non potest esse, quia Christus ait
,,Vobiscum sum usque ad consummationem saeculi".

[207] Ebd. 12, 21: *Assensus omnis, qui est circa aliquid cum possibilitate ad oppositum, includit*
formidinem nec est assensus firmus nec firmiter assentit quis per illum, quia assentit cum possibilitate
ad oppositum. Unde firmus et invariabilis assensus circa aliquid requirit quod oppositum eius non
possit esse verum, sed omnino falsum; propter quod demonstratio, quae causat assensum invariabilem,
est ex necessariis et quae non possunt aliter se habere. Similiter fides, virtus theologica, est de neces-
sariis et cui non potest subesse falsum, quia innititur primae veritati, ut sancti et doctores dicunt, alias
non faceret assensum firmum et invariabilem. Igitur credens ex auctoritate ecclesiae statuentis et deter-
minantis illud fide credendum, circa quod tamen ecclesia potest errare, ut dicitur, et deviare a fide vera,
credit illud verum possibile tamen falsum esse et non tanquam infallibile verum, et per consequens credit
illud cum formidine et non firmiter sed cum dubio erroris possibilis. Ergo sic credens esset fluctuans et
dubius ac infidelis.

dest ebenso gewiß sein wie in den Propheten des Alten Bundes. Sie aber waren unfehlbar kraft des Heiligen Geistes, der in ihnen sprach.[208] Terreni entnimmt ein weiteres Argument für die Unfehlbarkeit des Lehramtes aus der Annahme des Gegenteils: Alles würde fraglich in der Kirche, der Kanon, das Credo, alle Lehrentscheidungen usw., käme dem Lehramt, das die betreffenden Entscheidungen gefällt hat, keine Unfehlbarkeit zu.[209]

Man sieht, die Beweise sind nicht alle von gleicher Qualität, gleichwohl sind einige nicht viel schlechter als die von der klassischen Apologetik vorgelegten. Ob die Argumente, die von konziliaristischer Seite für die Unfehlbarkeit der Konzilien vorgetragen werden, besser sind, werden weitere Untersuchungen[210] zu zeigen haben.

---

[208] Ebd. 15, 13: *Non alia auctoritate roboratur fides quam prophetae praedixerunt et sanctum evangelium, et quam docet Romana ecclesia, cum sit omnium una fides nec certior aut firmior fuit in prophetis quam in ecclesia. Sed in prophetis fuit fides firma et certa, quia ipsi quamvis ut homines possent errare, tamen quia in iis quae ad fidem pertinent et ad scripturae sanctae veritatem inspirati sancto spiritu locuti sunt, ideo errare non potuerunt.*

[209] Ebd. 17, 10: *Et praeterea constat quod auctoritate ecclesiae libri canonis habent robur auctoritatis. Unde per ecclesiam libri bibliae admissi sunt in auctoritatem et ex auctoritate ecclesiae tenent fideles firmiter praedictos libros continere infallibiliter veritatem. Nec constat aliter quod illis libris sit credendum firmiter nisi per ecclesiae auctoritatem* (es folgt unter anderem das bekannte Augustinuswort: *evangelio non crederem, nisi auctoritas ecclesiae catholicae me commoveret,* contra ep. fund. 5, 6, PL 42, 1612). *Igitur si ecclesia in electione scripturae canonicae, ut non erraret, creditur fuisse directa spiritu sancto, sic quod non liceret summo pontifici aliquid detrahere de libris canonicis aut contra eorum veritatem expressam determinare: sic credendum est quod non erret summus pontifex in determinatione fidei, apud quem residet auctoritas ecclesiae catholicae, sed in iis regitur spiritu sancto. Alias posset eadem facilitate dicere aliquis, quod erratum est in electione quatuor evangeliorum vel epistolarum vel aliorum librorum, vel quod erratum est in determinando quod essentia non generat nec generatur, cum multae sint sanctorum auctoritates, quae videntur hoc dicere . . . Immo etiam diceretur, quod erratum fuit in omni concilio et synodo eadem facilitate, et sic nulla fides remaneret certa credendorum. Et etiam si non stetur circa fidem infallibiliter auctoritati ecclesiae, quae non est nisi in summo pontifice universaliter, eadem facilitate dicetur, quod erratum est in articulis fidei et quod articuli non fuerunt editi ab apostolis cum de his et epistolis non constet apostolorum fuisse nisi per ecclesiae auctoritatem hoc docentis, praedicantis et determinantis, cuius si vacillet auctoritas, titubat fides in praedictis.*

[210] Vgl. Sieben, Traktate 149—207, bes. 200—203.

Kapitel IX

MARSILIUS VON PADUA († 1342/43) ODER VOM CONSILIUM PONTIFICIS ZUM CONSILIUM PRINCIPIS

1. Einleitung

„Vielleicht ist nie ein Geist seiner Zeit weiter vorausgeeilt als dieser Italiener. In der Tat hat die historische Entwicklung im großen und ganzen die von dem kühnen Denker vorgezeichneten Bahnen eingeschlagen".[1] Die fast grenzenlose Bewunderung für Marsilius von Padua[2], die in diesem 1874 ausgesprochenen Urteil Sigmund Riezlers zum Ausdruck kommt, ist keine vereinzelte Stimme, sie steht für eine ganze Forschergeneration, die in dem Paduaner den genialen Propheten von Ideen sieht, die später von Luther, Locke, Montesquieu, Rousseau usw. aufgegriffen und entfaltet wurden. Der Italiener ist für sie nicht nur Vorläufer der Reformation, sondern auch der erste Philosoph und Verkünder der Gewaltenteilung, der Gewissensfreiheit und anderer, vor allem dem 19. Jahrhundert teurer Ideen.[3] Heute, nach gut 100 Jahren intensiver Forschung[4], ist an die Stelle des Überschwangs der Bewun-

---

[1] S. Riezler, Die literarischen Widersacher der Päpste zur Zeit Ludwigs des Baiern, Leipzig 1874, 227. — Im Vergleich zum Original sind die beiden Sätze in der Reihenfolge umgestellt; ebd. 193—233 eine der ersten, übrigens auch heute noch lesenswerten Inhaltsübersichten und Würdigungen des *Defensor Pacis*.

[2] Zur Biographie vgl. außer den weiter unten genannten Studien J. Haller, Zur Lebensgeschichte des Marsilius von Padua, in: ZKG 48 (1929) 166—197.

[3] Vgl. den ausgezeichneten Überblick über die Geschichte der Marsiliusforschung von G. de Lagarde, La Naissance de l'Esprit laïque au déclin du moyen âge III. Le defensor pacis, Löwen-Paris 1970, 10—30. Dieser Band stellt keine Neuauflage der von de Lagarde 1934 veröffentlichten Schrift „Marsile de Padoue ou le premier théoricien de l'état laïque", Saint-Paul-Trois-Chateaux (vgl. hierzu die weitgehend zustimmende Rezension von R. Scholz, Marsilius von Padua und die Genese des modernen Staatsbewußtseins, in: HZ 156 [1937] 88—103), sondern ein völlig neues Werk dar. Vgl. die eigene Charakterisierung im Vorwort: „A la fin de la course, le bestiaire ne voit pas son adversaire avec les mêmes yeux que lorsqu' il l'a vu surgir au soleil dans l'arène. L'égale sincérité de ses deux témoignages successifs est la seule chose que l'historien puisse garantir au public."

[4] Vgl. unter anderem N. Valois, Jean de Jandun et Marsile de Padoue, auteurs du Defensor Pacis, in: HLF 33 (1906) 528—623; E. Emerton, The Defensor pacis of Marsiglio of Padua, Cambrigde 1920; F. Battaglia, Marsilio da Padova e la filosofia politica del medio evo, Florenz 1928; A. Gewirth, Marsilius of Padua, The defender of Peace, vol. I: Marsilius of Padua and Medieval Political Philosophy, vol II: The Defensor pacis translated, New York 1951 u. 1956; Ders., John of Jadun and the Defensor Pacis, in: Spec. 23 (1948)

derung eine eher nüchterne Einschätzung des Paduaners getreten. Man ist zur Einsicht gelangt, daß die modernen Ideen großenteils in sein Werk hineingelesen worden waren. So schreibt zum Beispiel E. Lewis: „Perhaps no important publicist has baffled interpretation more persistently than Marsiglio of Padua. His originality compels recognition; but it seems difficult to determine in what it consisted. Claims that he anticipated modern egalitarian democracy, separation of powers, or separation of church and state have each evaporated on closer inspection".[5] Nicht anders urteilt de Lagarde in seinem großen 1970 erschienenen Werk über Marsilius, und auch Jeanne Quillet, die im gleichen Jahr eine umfangreiche Studie über Marsilius veröffentlicht hat[6], warnt davor, den Paduaner zum Vorläufer moderner Ideen zu machen.[7]

Diese Grundtendenz der neueren Forschung, die Modernität des Marsilianischen Denkens in Frage zu stellen, schließt nicht aus, daß auch heute noch überraschend aktuelle Aspekte im *Defensor Pacis* entdeckt werden. So hat erst jüngst Friedrich Prinz, „selbst auf die Gefahr hin, unhistorisch zu aktualisieren", darauf hingewiesen, daß man „Marsilius von Padua getrost als den ersten systematisch-wissenschaftlichen Friedensforscher bezeichnen kann, denn sein Hauptwerk, der 1324 in Paris vollendete ‚Defensor Pacis' (Verteidiger des Friedens) weist nicht nur im Titel auf den Frieden als zentrales Anliegen des Werkes hin, sondern Voraussetzungen und Bedingungen des Friedens in der Welt sind für Marsilius sowohl aktueller Denkanstoß wie praktisch-didaktischer

---

267—272 (Argumente gegen Mitautorschaft des Johannes von Jadun am DP); Kritische Würdigung dieser Forschungsphase bei DE LAGARDE, Le defensor pacis 15—30 und passim. Vgl. auch den älteren Forschungsbericht von J. HASHAGEN, Marsilius von Padua im Lichte der neueren Forschung, in: HJ 61 (1941) 274—277, ferner A. C. YU, Church and Council: The Ecclesiology of Marsilius of Padua, in: CJT 15 (1969) 93—101; WALTHER 159—175; Simposio su Marsilio da Padova nel VII Centenario della Nascite, in: StPat 27 (1980) 257—363.

[5] E. LEWIS, The „Positivism" of Marsiglio of Padua, in: Spec. 38 (1963) 541—582, hier 541.
[6] La philosophie politique de Marsile de Padoue, L'église et l'Etat au moyen âge 14, Paris 1970.
[7] Ebd. 20: „Par son adhésion à l'Empire, Marsile se révèle profondément médiéval, par la croyance, devenue en son temps utopique, en l'unité de la vie sociale . . ." 18: „Si Marsile de Padoue a, parfois, de vues totalement neuves, c'est probablement à son corps défendant. C'est le lieu ici de dire combien ses idées politiques sont éloignées de toute faveur pour la démocracie ou, comme on l'a dit, le républicanisme." 84: „L'affirmation de la souveraineté populaire reste dans les limites d'une déclaration de principe, conforme aux fondements philosophiques qui ont présidé à la définition de la cité. Mais cette cohérence reste purement formelle . . ." 85: „Il faut mettre l'accent, en effet, sur cette équivalence progressive qui s'établit, tout au long du DP entre universitas civium, legislator humanus, princeps, legislator fidelis supremus et enfin imperator". 86: „Marsile est un partisan convaincu de l'Empire, non seulement dans ses actes et ses choix personels, mais aussi sur le plan idéologique."

Zweck seiner theoretischen Erörterungen".[8] Modern muten nach wie
vor nicht nur gewisse Aspekte und Inhalte seiner Lehre an, modern ist
vor allem, auch darauf weist der genannte Forscher hin, die von Marsilius praktizierte Methode. Der Paduaner ist ‚Politologe‘, Gesellschafts-
wissenschaftler, der auf eine Änderung der politischen Praxis hinarbeitet,
der versucht, politische Theorie in politische Praxis umzusetzen.[9]
In diesen Zusammenhang, nämlich die Umsetzung philosophischer
Ideen in politische Theorien und Praxis gehört offensichtlich auch die
vieldiskutierte Frage nach dem Aristotelismus des Marsilius.[10] Vorbei
sind die Zeiten der älteren, vergleichsweise akademisch anmutenden
Aristotelsrezeption eines Thomas von Aquin und Albert des Großen.
Für Marsilius ist der Aristotelismus beziehungsweise sind gewisse absolut gesetzte Elemente des Aristotelismus die ideologische Waffe, um
die bestehende Gesellschaft radikal zu verändern.[11] Den Aristotelismus
als ideologische Waffe einsetzen, schließt nicht aus, daß Marsilius bei
seinem Kampf gegen die bestehenden Verhältnisse in Kirche und Staat
letztlich von religiösen Motiven bestimmt ist. Über das Ausmaß und
die genauere Natur dieser religiösen Motivation gehen die Meinungen
der Forscher freilich auseinander.[12]

---

[8] Marsilius von Padua, in: ZBLG 39 (1976) 39—77, hier 39.

[9] PRINZ 39.

[10] Vgl. G. DE LAGARDE, Une adaption de la politique d'Aristote au XIVᵉ siècle, in: RHDF 11
(1932) 463—490; DERS., Le defensor pacis 305—328 (Modifikation seiner eigenen früheren
Stellungnahme); M. GRIGNASCHI, Le rôle de l'aristotélisme dans le Defensor pacis de Marsile
de Padoue, in: RHPhR 35 (1955) 301—340 (Bestreitung einer entscheidenden Rolle des
Aristotelismus); JEANNINE QUILLET, L'aristotélisme de Marsile de Padoue, in: MM 2 (1963)
696—706 (Verwendung des Aristotelismus als ideologische Waffe).

[11] Vgl. G. PIAIA, ‚Antiqui‘, ‚Moderni‘ e ‚via moderna‘ in Marsilio da Padova, in: Antiqui et
Moderni, Traditionsbewußtsein im späteren Mittelalter, MM 9, hrsg. von A. ZIMMERMANN,
Berlin 1974, 328—344, der 342/3 für den Gegensatz zwischen Papst und Kaiser sogar den
Terminus des Klassenkampfes verwendet: „Nel Defensor pacis l'aristotelismo fornice le
strutture per una vera et propria ‚ideologia‘; esso viene completamente funzionalizato alla
lotta politica ed al progetto per una società in cui si realizi la ‚civilis tranquillitas‘; viene
calato al centro di un conflitto che vede contraporsi due grande classi, simboleggiate nelle
figure traditionali dell'imperatore e del papa."

[12] Vgl. G. LEFF, The Apostolic Ideal in Later Medieval Ecclesiology, in: JThS 18 (1967)
58—82, hier 60: „It seems to me that neither in philosophy nor in theology was Aristotle
the destructive agent which Professor Ullmann and Dr. Wilks take him to be. Rather in both
cases, the great changes of the later Middle Ages derived from a reaffirmation of Christian
attitudes: in one case to faith, in the other to the Bible." H. SEGALL, Der Defensor Pacis
des Marsilius von Padua. Grundfragen der Interpretation, Wiesbaden 1959, 73—77;
DE LAGARDE, Le defensor pacis 329—357; QUILLET, Philosophie politique 165: „La critique
des institutions ecclésiastiques s'effectue au nom de l'Evangile . . . c'est en moraliste et en
chrétien que Marsile va critiquer l'organisation de l'Eglise de son temps." Vgl. auch
GRIGNASCHI 337: „Ni par rapport à la psychologie de son auteur, ni du point de vue des
théories qui y sont exposées, l'Aristotélisme n'est le fait essentiel du Defensor pacis."

Genau wie im Werk moderner Gesellschaftskritik läßt sich auch im *Defensor Pacis* ein destruktiv-kritischer und ein konstruktiver Teil unterscheiden. Auf die Kritik des Bestehenden folgt der Entwurf des zu Schaffenden, neben der radikalen Infragestellung des Gewordenen steht die Utopie der neuen Gesellschaft. Zu den utopischen Elementen des *Defensor Pacis* gehört nun ein Gebilde, das Marsilius mit dem traditionellen Namen *concilium* bezeichnet. Dies ist der Grund, weswegen wir uns im Rahmen unserer Untersuchungen zur Entwicklung der Konzilsidee im folgenden näher mit diesem Text des Paduaners zu beschäftigen haben.

Weil die Konzilstheorie des Paduaners im Zentrum seines Entwurfes einer neuen Gesellschaft steht, hat kaum ein Forscher, der sich in der Vergangenheit mit dem *Defensor Pacis* befaßt hat, dieses Thema ganz ausgespart. Und doch scheint eine Neubehandlung angebracht; denn entweder wird das Konzil tatsächlich nur en passant behandelt[13] oder unter so spezieller Rücksicht, daß nicht das Gesamtphänomen in den Blick kommt.[14] Die beiden wichtigsten neueren Untersuchungen zu unserer Frage, die von A. Gewirth[15] und Jeannine Quillet[16], bestimmen die Konzilstheorie des Paduaners fast ausschließlich werkimmanent und heben entsprechend nicht genügend auf das radikal Neue seiner Theorie im Vergleich zur vorausgehenden Tradition ab. Unser Ziel ist es im folgenden, gerade auf diesen Bruch mit der Tradition durch die Unterscheidung zwischen mehr traditionellen und den radikal neuen Aspekten hinzuweisen. Was Marsilius zum Thema Konzil zu sagen hat, ist nicht nur inhaltlich im Vergleich zu den vorausgehenden und den zeitgenössischen Autoren völlig neu und andersartig, er unterscheidet sich von ihnen auch in der Form, in der er sich äußert. Gewiß, der Paduaner schreibt noch keinen literarisch selbständigen

---

[13] Valois 581; C. W. Previté-Orton, The Defensor Pacis of Marsilius of Padua (Ausgabe), Cambridge 1928, Introduction XXI—XXIII; Ders., Marsiglio of Padua, Doctrines, in: EHR 54 (1939) 1—21; W. Schneider-Windmüller, Staat und Kirche im Defensor Pacis des Marsilius von Padua, Bonn 1934, 22—24; G. H. Sabine, Storia delle dottrine politiche, Mailand 1953, 241—243; J. Heckel, Marsilius von Padua und Martin Luther. Ein Vergleich ihrer Rechts- und Soziallehre, in: ZSRG.K 44 (1958) 268—336, hier 311—313; Prinz 68—69.

[14] Hirsch 25—32; Battaglia 161—176; Martin 270—274; W. Kölmel, Wilhelm Ockham und seine kirchenpolitischen Schriften, Essen 1962, 528—529; Jeannine Quillet, L'organisation de la société humaine selon le Defensor pacis de Marsile de Padoue, in: MM 3 (1964) 185—203, hier 194—198; de Lagarde, Le defensor pacis 213—216; J. Quillet, Universitas populi et représentation au XIVe siècle, 194—200.

[15] Defender I, „The General Council", 283—291.

[16] „La doctrine conciliaire", Philosophie politique 173—181.

Konzilstraktat, wie wir ihn aus der Feder altkirchlicher Autoren[17] oder
von Theologen aus der Zeit des Großen Abendländischen Schismas und
der Reformkonzilien von Konstanz und Basel kennen[18], aber er legt
doch seine Gedanken zum Thema Konzil immerhin in einem Zusammenhang von fünf Kapiteln dar. Weil sich die Neuheit des Konzilsgedankens bei Marsilius gewissermaßen auch einen neuen Ausdruck verschafft, scheint es angebracht, diesen zunächst als solchen zu analysieren.
Wir untersuchen also, bevor wir einzelne Aspekte seiner Konzilsidee
beleuchten, zunächst die für unser Thema einschlägige Kapitelfolge des
Defensor Pacis (II 18—22) als solche.

2. Der ‚Konzilstraktat‘ des Marsilius von Padua (DP II 18—22)

a) Kontext:

Gehen wir zunächst vom weiteren Kontext des ‚Konzilstraktates‘ des
Paduaners, also dem *Defensor Pacis* als Gesamtwerk aus. Ziel dieser
Schrift ist nach dem ausdrücklichen Bekenntnis des Autors die Beseitigung der Hauptursache des sozialen Unfriedens, nämlich eines Papsttums mit dem Anspruch auf die *plenitudo potestatis*.[19] Der Kampf gegen
dieses Grundübel der Gesellschaft hat auf allen Ebenen stattzufinden.
Neben der direkt politischen Aktion der weltlichen Macht, der kirchlichen mittels eines Konzils[20] hat die literarische Bekämpfung des An-
spruchs auf die *plenitudo potestatis* zu stehen. Ihr widmet sich Marsilius
also in seinem *Defensor Pacis*. Da die *plenitudo potestatis* von ihren Ver-
teidigern auf göttliche Stiftung zurückgeführt wird, geht es bei der
literarischen Bekämpfung darum, zu zeigen, was die biblische Offenbarung tatsächlich zur Frage der Kirchengewalt sagt. Aber da es um
die wahre Ordnung der menschlichen Gesellschaft geht, ist außer der
Bibel die Vernunft zu befragen. Es gilt, Natur, Struktur, Bedingungen
des menschlichen Zusammenlebens im Staate zu untersuchen. Diesem

---

[17] Vgl. SIEBEN, Konzilsidee 174—183, 344—380.
[18] Vgl. SIEBEN, Traktate.
[19] DP I 19, 12; Ausgabe R. SCHOLZ, Hannover 1932, MGH.F 7, 135, 1: *Haec itaque Romanorum quorundam episcoporum existimatio non recta et perversa fortassis affectio principatus, quem sibi deberi asserunt ex eisdem, ut dicunt, per Christum tradita plenitudine potestatis, causa est singularis illa, quam intranquillitatis seu discordiae civitatis aut regni factivam diximus* ... Ebd. I 19, 13; 136, 15: *Quodque perniciosa pestis haec, humanae quieti atque felicitati suae omni adversans penitus, ex eiusdem vitio corruptae radicis reliqua mundi regna fidelium Christianorum maxime posset inficere, ipsam repellere omnium necessariissimum arbitror.*
[20] DP II 26, 19; 515, 26—30.

doppelten Anliegen entspricht der Aufbau des *Defensor Pacis.* Dictio I behandelt die wahre Natur des Staates und sucht vor allem zu zeigen, daß das Wohlergehen des Staates, sein Frieden und seine Ordnung, nur durch die ungeteilte Herrschaft einer *pars principans* verwirklicht werden können. Im Lichte der natürlichen Vernunft erscheint somit der päpstliche Anspruch als radikale Infragestellung von Frieden und Ordnung. Dictio II, im Umfang mehr als dreimal so lang wie Dictio I, behandelt die Frage kirchlicher Gewalt im Lichte der Offenbarung und sucht vor allem zu zeigen, daß der Anspruch auf *plenitudo potestatis* von seiten des Papstes jeglicher biblischer Grundlage entbehrt. Dictio III faßt in knappen Thesen das Ergebnis zusammen.[21] Wichtig für unsere Fragestellung ist nun die Erkenntnis, daß die Kapitelfolge von Dictio II, in der vom Generalkonzil die Rede ist, nämlich die Kapitel 18—22, eine zentrale Stellung innerhalb dieser Dictio einnehmen. In der Tat, nachdem Marsilius in zwei einleitenden Kapiteln die für seinen Traktat grundlegenden Begriffe ‚Kirche', ‚geistlich', ‚weltlich' und ‚Richter' definiert (cap. 1—2), das Verhältnis von Priestertum zu weltlicher Macht, genauerhin die Gewalt des Priesters im Hinblick auf Laien im allgemeinen und auf die weltlichen Herrscher im besonderen behandelt hat (cap. 3—14), wendet er sich mit den cap. 15—22 der internen Organisation und der spezifischen Funktion des Priestertums zu. Gerade im Vergleich zu der folgenden Kapitelfolge 23—26, die dem Aufweis des Mißbrauchs der *plenitudo potestatis* gewidmet ist[22], stellen die cap. 15—22 den eigentlich konstruktiven Teil der Gesamtschrift dar. Marsilius entwirft hier, wenn man so will, seine Utopie von der wahren inneren Verfassung der Kirche. Und in diesem positiven,

---

[21] PREVITÉ-ORTON weist darauf hin, daß Dictio I und II bei aller Verschiedenheit der Methode und der Gesichtspunkte sorgfältig aufeinander abgestimmt sind. Dictio I stellt dabei keine in sich stehende Abhandlung über die Natur des Staates dar, die behandelten Elemente sind vielmehr hingeordnet auf das Beweisziel des Gesamttraktates. Dictio I entwickelt die Prinzipien, die Dictio II anwendet. Vgl. Einzelheiten ebd. XXV.

[22] Die Schlußkapitel 27—30 enthalten eine Reihe von Objektionen und Widerlegungen. — Zum Aufbau des Defensor Pacis vgl. GEWIRTH, Defender II, XXII—XXVI; vgl. auch DE LAGARDE, Le defensor pacis 48, der die Dictio II in 12 mehr oder weniger unverbunden nebeneinanderstehende Textstücke zerlegt und die mangelnde Logik des Gedankenfortschritts kritisiert: ,,Le livre a été bâti de pièces et morceaux. Les parties maîtresses ont été prolongées ou développées selon les inspirations de l'occasion. On a ensuite intégré le tout dans un cadre qui reste assez extérieur, d'où les incessantes références dans les deux sens, qui suppléent aux déficiences de la logique interne." — Auch wenn man mit DE LAGARDE und anderen Forschern die Fähigkeit des Paduaners, klar und übersichtlich zu disponieren, skeptischer als Gewirth beurteilt, wird man zugeben müssen, daß die hier im Anschluß an den amerikanischen Forscher vorgelegte Disposition von DP II einen gewissen Fortschritt des Gedankengangs sichtbar macht.

konstruktiven und insofern zentralen Abschnitt des *Defensor Pacis*
kommt den cap. 18—22, also dem ‚Konzilstraktat‘, nochmals eine
zentrale Rolle in der Gesamtdisposition der Schrift zu. Nachdem in
den vorausgehenden Kapiteln 15—17 mit der Unterscheidung zwischen der ‚wesentlichen‘ und der ‚akzidentellen‘ Gewalt des Priesters[23]
die Prinzipien für die Organisation der Kirche dargelegt wurden, wird
jetzt, in unserem Abschnitt über das Konzil, im einzelnen gezeigt,
was sich aus diesen Grundsätzen für die konkrete Verfassung der
Kirche ergibt.

b) Grundstruktur:

Worin besteht nun inhaltlich genauer das eigentliche Thema der Kapitelfolge 18—22, und wie ist der Gedankengang gegliedert?[24] Thema und
Gliederung des Gesamtabschnitts (cap. 18—22) ergeben sich von seinem zentralen Teil, den cap. 19—21, her. Worüber Marsilius hier
spricht und in welchen Gedankenschritten er vorgeht, erhellt nicht erst
aus der Analyse dieser Kapitel, sondern schon aus *Defensor Pacis* II
18, 8[25], der ausführlichen Ankündigung dessen, was folgen wird. Sein
eigentliches Thema ist dieser Ankündigung gemäß nicht die Auslegung
der Heiligen Schrift, wie Gewirth vorschlägt, sondern die Kompetenz
des Konzils. Zu dessen Kompetenz gehört, neben der Auslegung der
Heiligen Schrift[26], die gesamte kirchliche Gesetzgebung in Fragen des

---

[23] Die ‚wesentliche‘ Gewalt des Priesters besteht in seiner Befähigung zur Sakramenten-
spendung; sie kommt ihm von Christus zu und ist in allen Priestern gleich. Alle Rangunter-
schiede unter Priestern sind akzidentell und rühren aus menschlicher, nicht göttlicher Einsetzung.

[24] Wir weichen hier, was Umfang und inhaltliche Bestimmung des Abschnitts angeht, bewußt von der Gewirthschen Disposition ab. Weil der amerikanische Forscher mit der Überschrift „The interpretation of Scripture“ die eigentliche Aussage der cap. 19—21 verfehlt,
gelingt ihm auch nicht die richtige Bestimmung des Umfangs dieses Abschnittes, teilt er das
vorausgehende cap. 18 noch der Erörterung der Prinzipien zu und stellt er das folgende
cap. 22 auf gleiche logische Ebene wie die cap. 19—21. Daß die cap. 18—22 eine relativ
geschlossene Gedankeneinheit zwischen der prinzipiellen Behandlung der priesterlichen
Gewalt (cap. 15—21) und dem destruktiven Teil gegen die *plenitudo potestatis* (cap. 23—26)
darstellen, ergibt sich nicht nur aus der Tatsache, daß in ihnen durchgehend vom Generalkonzil die Rede ist, sondern vor allem aus der klaren Erfassung des eigentlichen Themas.
[25] 381, 23—383, 24.
[26] DP II 18, 8; 382, 1: *Ex quibus quidem per necessitatem inferemus primum, quod legis divine,
presertim evangelice, dubios sensus atque sentencias et si que fuerint inter doctores ipsius contenciones vel
controversie probabiles, quemadmodum quorundam ignorancia vel malignitate aut utrisque iam evenisse
legimus iuxta Christi et apostoli propheciam, expedit terminare. Huic autem per necessitatem assequi
monstrabimus, ad solum generale concilium fidelium omnium vel eorum, qui omnium fidelium auctoritatem
habuerint, determinacionem hanc tantummodo pertinere.*

Kultes und der Moral[27], die Verhängung des Interdikts und der Exkommunikation[28], die Verteilung der kirchlichen Ämter und Pfründ-
en[29], die eventuelle Ernennung eines Papstes mit Vollmachten, die
aber vereinbar sind mit der Heiligen Schrift[30], die Auslegung, Abände-
rung usw. der konziliaren Rechtsetzung.[31] Im Zusammenhang der Bestimmung der Kompetenzen des Konzils ist natürlich auch die Frage
zu behandeln, wem selber die Kompetenz zusteht, das Konzil einzuberufen.[32]

Schon in dieser Ankündigung seines Programms in *Defensor Pacis* II
18, 8 läßt Marsilius keinen Zweifel daran, was die Übertragung der genannten Kompetenzen auf das Konzil konkret bedeutet, nämlich daß
sie dem Papst, der sie in der bestehenden Kirchenverfassung ausnahms-
los besitzt, abgenommen werden müssen.[33] Das Programm zeigt, daß
es Marsilius auf eine totale Umverteilung der Kompetenzen, eine
radikale Neuordnung des Machtverhältnisses zwischen Papst und Konzil
ankommt. Das Papsttum soll zwar nicht völlig abgeschafft, aber seine

---

[27] Ebd. 382, 20: *Amplius ostendam per certitudinem, nihil statui posse circa ecclesiasticum ritum et humanos actus, quod omnes homines ad observacionem obliget sub aliqua pena pro statu presentis seculi vel venturi, nisi per solum generale concilium seu supremum legislatorem fidelem immediate aut inde sumpta prius auctoritate.*

[28] Ebd. 382, 25: *Ex quo eciam monstrabitur consequenter, quod nullus princeps, provincia vel communitas aliqua interdici aut excommunicari possit nec debeat per aliquem sacerdotem seu episcopum, quicumque sit ille, nisi secundum modum per legem divinam aut supradictum generale concilium ordinatum.*

[29] Ebd. 383, 1: *Deinde monstrabitur evidenter, ad nullius unici sive solius episcopi vel alterius unice singularis persone aut particularis unici collegii cuiusquam auctoritatem pertinere, in cunctis mundi ecclesiasticis officiis personas instituere, neque pro eisdem ecclesiastica temporalia, vocata beneficia, distribuere seu conferre ; sed auctoritatem hanc solius esse fundatoris seu donatoris vel universalis legislatoris fidelis aut eius vel eorum, cui vel quibus et secundum quam formam et modum idem donator aut legislator hanc concesserit potestatem.*

[30] Ebd. 383, 10: *Deinde vero monstrabitur, quod unicum episcopum et ecclesiam, quales et quorum auctoritate aliarum principaliorem sive caput conveniens est instituere ; cuius quidem cum ipsius ecclesia sit insinuare reliquis omnibus episcopis et ecclesiis ea, que per generalia concilia circa ritum ecclesiasticum et alios humanos actus ad communem fidelium utilitatem et quietem ordinata fuerint et appareant ordinanda.*

[31] Ebd. 383, 17: *Demum vero ex hiis per necessitatem inferemus, tam determinata circa scripturam et fidem catholicam, quam circa ritum ecclesiasticum, cum reliquis institutis per generale concilium, solius generalis concilii auctoritate, non autem alterius particularis collegii vel persone singularis alicuius immutari posse, augeri, minui vel suspendi aut totaliter revocari.*

[32] Ebd. 382, 12: *Deinde ostendam secundum legem divinam et racionem rectam, quod generale concilium convocare idque si expediat per coactivam potenciam congregare, ad solius humani fidelis legislatoris superiore carentis auctoritatem pertineat, non autem ad personam aliquam aut collegium aliquod singulare, cuiuscumque dignitatis aut condicionis existant, nisi eidem aut eisdem per supradictum legislatorem auctoritas concessa foret.*

[33] Ebd. 383, 25: *Ex quidem omnibus ad uniuscuiusque quasi sensatam noticiam deducetur, Romanum episcopum aut ipsius ecclesiam vel quemvis alium episcopum aut ecclesiam, in quantum huiusmodi, nullam potestatem aut auctoritatem iam dictarum habere super reliquos episcopos et ecclesias divino vel humano iure, nisi que sibi simpliciter vel ad tempus concessa fuerit per supradictum concilium generale.*

spezifischen Vollmachten sollen auf das Konzil übertragen werden. *Defensor Pacis* II 18, 8 formuliert das Beweisziel[34]; der eigentlichen Argumentation zugunsten dieses radikalen Umsturzes der Machtverhältnisse zwischen Papst und Konzil in den cap. 20—21 schickt Marsilius zunächst noch mit dem cap. 19 eine wichtige methodische Bemerkung voraus: in der Frage nach der gottgewollten Struktur der Kirche ist das Zeugnis der Schrift und deren Auslegung durch die Generalkonzilien allen Zeugnissen der Tradition absolut vorzuordnen.[35] Mit dieser grundsätzlichen Entscheidung zur Methode der Beweisführung weist der Paduaner das gesamte Traditionszeugnis zugunsten der päpstlichen Machtstellung, in erster Linie natürlich die päpstlichen Dekretalen, die eindeutigsten Zeugnisse zugunsten der päpstlichen Privilegien, als letztlich unverbindlich in der genannten Streitfrage zurück.

Von der richtig bestimmten zentralen Aussage des Abschnitts her lassen sich jetzt auch der Rest von cap. 18, nämlich § 1—7, und cap. 22 unschwer in den Gesamtzusammenhang des Abschnitts einordnen. Zunächst cap. 18, 1—7: Die Tatsache, daß Marsilius für die Bestimmung des Verhältnisses Papst/Konzil nur das Schriftzeugnis als letztlich relevant gelten läßt, hat zur Folge, daß die ungeheure Diskrepanz des bestehenden Machtverhältnisses zum Zeugnis der Schrift sichtbar wird. Es entsteht die Frage, wie es zu dieser Diskrepanz kam, und vor allem, wie sie zu bewerten sei. Auf diese Frage gibt Marsilius in cap. 18, 1—7 einerseits mit dem Hinweis auf die Geschichte, die Entwicklung[36] Antwort, andererseits durch die Unterscheidung zwischen *de iure* und *de facto*. Das Verhältnis von Papst zu Konzil hat eine Geschichte. Diese Geschichte gibt Aufschluß, wie es zu dem bestehenden (Un-)Verhältnis der beiden Größen gekommen ist.[37] Aber das so in einer langen Ent-

---

[34] Vgl. die etwas vollmündigen Ankündigungen: *per necessitatem inferemus, per necessitatem assequi monstrabimus usw.* in den vorausgehenden Anm.

[35] DP II 19, 1; 384, 20: *Ante vero quam ad demonstranda proposita procedamus, oportet attendere perutile quiddam, quinimo necessarium ad eorum omnium certitudinem que in sequentibus dicturi sumus. Est autem hoc, quod nullam scripturam irrevocabiliter veram credere vel fateri tenemur de necessitate salutis eterne, nisi eas, que canonice appellantur, vel eis que ad has ex necessitate sequuntur, aut scripturarum sacrarum sensum dubium habencium eis interpretacionibus seu determinacionibus, que per generale fidelium seu catholicorum concilium essent facte, in hiis presertim, in quibus error dampnacionem eternam induceret, quales sunt articuli fidei Christiane.*

[36] Zum Geschichtsbewußtsein des Marsilius vgl. PIAIA, Antiqui 332—334.

[37] DP II 18, 1; 375, 16: *Nunc autem restat ex propositis intencionibus manifestare ortum et inicium, ex quibus iurisdiccio coactiva et omnium sacerdotalium institucionum secundariarum, non essencialium vocatarum, ecclesiasticorum quoque temporalium omnium distribuendi potestas in episcopos seu presbyteros aliquos pervenerit; talium quoque potestatum supremam unde sibi papa Romanus ascribat. Hiisque consequenter adiciendum, cuius aut quorum scripture sensus dubios interpretari, et interpretatos fidelibus credendos et observandos tradere atque precipere sit iusta potestas.*

wicklung Gewordene ist keineswegs als solches Norm, sondern es ist zu unterscheiden zwischen dem, was Rechtens, und dem, was bloß tatsächlich ist.[38]

Gegenüber dem cap. 20 und 21, die den eigentlichen Entwurf der neuen, ‚biblischen' Kirchenverfassung enthalten, haben die cap. 18 und 19 einen einführenden Charakter. Der Leser wird mit dem Problem, das heißt der Differenz zwischen dem *de facto* und dem *de iure* konfrontiert, und es werden die Prinzipien seiner Lösung genannt. Wie verhalten sich nun die Ausführungen von cap. 22 zum Vorausgehenden? Hier werden die Konsequenzen aus der neuen, ‚biblischen' Verhältnisbestimmung von Konzil und Papst gezogen. Welche Funktionen bleiben für den Papst übrig, nachdem das prinzipielle Verhältnis zwischen beiden Größen völlig neu bestimmt ist?

Der ‚Konzilstraktat' des Marsilius hat also nach vorstehendem folgende Struktur: 1. Einleitung: die historische Entwicklung des Verhältnisses von Papst und Konzil und die Prinzipien für eine Neubestimmung dieses Verhältnisses (18—19), 2. Hauptteil: Wiedereinsetzung des Konzils und des Kaisers in ihre gottgewollten und vom Papst usurpierten Rechte (20—21), 3. Ausklang: die Rolle des Papsttums aufgrund der neuen Verhältnisbestimmung (22).

c) Gedankengang

Auf dem Hintergrund dieser Grundstruktur läßt sich nun der Gedankengang des ‚Konzilstraktates' unschwer nachvollziehen.

Cap. XVIII. Zur Geschichte des Verhältnisses Papst/Konzil. Ziel des Traktates: Als Quellen für seinen Abriß der Geschichte des Verhältnisses zwischen Papst und Konzil[39] nennt Marsilius zu Beginn seiner histori-

---

[38] DP II 18, 2; 376, 9: *Quesita igitur proposita reddere temptaturis oportebit de ipsis intendere: primum quatenus processerunt de facto et circa ipsorum origines; deinde vero quantum iuri divino et humano ac recte racioni sic facta conformiter se habuerint aut habere debuerint, que eciam hiis contrarie atque difformiter, ut demum conformia tamquam probanda et observanda, difformia vero velut nociva seculo et fidelium quieti ac licite detestanda et declinanda noscamus.*

[39] Daß Marsilius tatsächlich vom cap. 18 an das Verhältnis beider Größen im Blick hat und keineswegs bloß die Entwicklung des römischen Primates schildern will, wie die Disposition von GEWIRTH unterstellt („Historical development of the papal primacy in accidental authority", S. XXV), ergibt sich eindeutig aus mehreren Stellen. Gleich zu Beginn des cap. 18 wird die Entwicklung des römischen Primats unmittelbar mit der Frage nach der Kompetenz zur Schriftauslegung verknüpft (vgl. Anm. 26). Der Grund, weswegen dem Papst vor Konstantin immer größere Kompetenz zuwächst, ist die praktische Unmöglichkeit zur Versammlung eines Konzils (vgl. Anm. 41). Besonders deutlich kennzeichnet Marsilius den Abriß seiner Primatsgeschichte als eine Geschichte des Verhältnisses von Papst *und* Konzil, wenn er folgendermaßen überleitet: *Sic itaque definiendorum a sui origine aliqualiter recitato progressu, ad ipsorum determinationem ingredientes amplius,* DP II 18, 8; 381, 23.

schen Einführung in die Problematik neben der *experientia* einerseits die Heilige Schrift, andererseits die pseudoisidorischen Dekretalen.[40] Wenn er nun die Geschichte mit der ‚wesentlichen' Gleichheit aller Apostel beginnen und mit der allmählich zunehmenden Ungleichheit ihren Fortgang nehmen läßt, dann erweist er sich nach den prinzipiellen Erörterungen der vorausgehenden Kapitel mit dieser Sicht der Entwicklung lediglich als konsequenten Denker. Mehr als nur Konsequenz, nämlich ein verblüffendes Maß an historischem Sinn und historischem Einfühlungsvermögen verrät der Paduaner, wenn er nun im Detail schildert, wie er sich den allmählichen Machtzuwachs des römischen Bischofs vorstellt.

Anlaß dafür, daß sich Kirchen überhaupt hilfesuchend an einen anderen Sitz wenden, ist bezeichnenderweise das Fehlen von Konzilsversammlungen. Warum wendet man sich nun gerade nach Rom? Die römische Kirche übertrifft die anderen nicht nur an Größe, Erfahrung, Bildung, sie hat auch deswegen größeres Ansehen, weil sie als Sitz des Apostelältesten Petrus gilt, weil Paulus dort war. Natürlich zählt auch Roms politische Bedeutung als Hauptstadt des Reiches. Damit hängt wohl zusammen: die römische Kirche war so reich an tüchtigen Männern, die sich zum Regieren eigneten, daß sich andere Kirchen dort ihre Bischöfe holten.

Anfänglich wendete man sich also von außen nach Rom, bald aber ergriff Rom auch selber die Initiative. Es informierte auf rein freundschaftlicher Basis andere Kirchen über eigene Maßnahmen zum Beispiel auf dem Gebiet der Liturgie, ja man erhob bei Schismen und Streitigkeiten anderer Sitze mahnend seine Stimme. All diese verschiedenen Hilfserweise bewegten sich strikt im Rahmen der brüderlichen Liebe und beinhalteten am Anfang keinerlei Rechte des römischen Bischofs gegenüber anderen Kirchen. Roms Autorität wurde von den Kirchen stillschweigend anerkannt, denn sie basierte nicht auf Rechtsanspruch, sondern auf ‚Leistung'. Erst allmählich gingen die römischen Bischöfe dazu über, Dekrete zu erlassen und aus eigener Machtvollkommenheit Befehle an andere Kirchen zu erteilen.[41]

---

[40] DP II 18, 2; 376, 17. — Pseudoisidor dürfte neben Augustinus der meistzitierte Autor von Dictio II sein. Zu Einzelheiten vgl. C. W. PREVITÉ-ORTON, The Authors Cited in the ‚Defensor Pacis', in: Essays in History Presented to R. L. Poole, Oxford 1927, 405—420; D. G. MULCALY, Marsilius of Padua's Use of St. Augustine, in: REAug 18 (1972) 180—190; dagegen C. CONDREN, On Interpreting Marsilius Use of St. Augustine, in: Aug(L) 25 (1975) 217—222.

[41] DP II 5—7; 378, 14: *Quamvis tamen aliarum provinciarum episcopi plures, in quibus dubitabant, tam de scriptura sacra, quam de ritu ecclesiastico, non audentes se publice congregare, consulerent*

Einen gewissen Wendepunkt sieht Marsilius schließlich mit Konstantin gekommen. Er gibt den Priestern nicht nur eine eigene Gerichtsbarkeit und damit eine privilegierte Stellung innerhalb des Staates, sondern räumt den Christen auch die Möglichkeit ein, sich im Generalkonzil zu versammeln. Hatte Rom, durch die äußeren Umstände gewissermaßen gezwungen, bis dahin die Stelle des Konzils vertreten, so lag von jetzt an, seit christliche Kaiser Konzilien versammeln, die höchste Autorität bei der Größe, für die Rom als Platzwalter gewirkt hatte, beim Generalkonzil.

Cap. XIX. Methodische Vorbemerkung zur Beweisführung: Dem Beweis, daß dem Generalkonzil alle, dem Papst nur abgeleitete Gewalt zukommt, stehen unzählige Zeugnisse und Rechtstexte entgegen. Man denke nur an das quasi offizielle Gesetzbuch der Kirche, das *Decretum Gratiani*. Sie als nicht beweiskräftig auszuschalten, ist das Ziel des cap. 19. Diesem Beweisziel entspricht die These, daß allein die Schrift als Gottes Wort absoluten Glauben verdient[42], und der Hinweis auf die traditionelle Lehre eines Wesensunterschiedes zwischen kanonischen und nichtkanonischen Schriften. Im einzelnen beruft sich Marsilius hier auf bekannte Stellen aus Augustinus und Pseudo-Hieronymus.[43] Auf den absoluten Vorrang der Schrift vor der Autorität der Kirche hebt auch die

---

episcopum et ecclesiam fidelium existentem Rome, propter maiorem ibidem forte fidelium multitudinem et magis periciorem, eo quod studia scienciarum omnium tunc multum Rome vigebant ; unde ipsorum episcopi et sacerdotes periciores erant, et in talium numero plus ceteris abundabat ipsorum ecclesia. Erant eciam et reverenciores, tum quia beatus Petrus, apostolorum senior, meritis perfeccior et reverencior, ibidem tamquam episcopus sedisse legitur, et beatus Paulus similiter, de quo amplius constat, quemadmodum apparuit 16º huius ; tum eciam propter Romane urbis principalitatem et famositatem ampliorem ad ceteras mundi provincias. Unde eciam provinciarum aliarum fideles, sufficiencia personarum carentes, ad ipsorum ecclesias gubernandas ab episcopo et ecclesia Romana fidelium postulabant personas sibi ad episcopatum preficiendas, eo quod ecclesia fidelium Rome personis talibus, ut iam diximus, amplius abundabat. Episcopi vero et ecclesia Romanorum sic requisiti consilium et auxilium, tam circa fidem, quam circa ecclesiasticum ritum et personarum provisionem, indigentibus et requirentibus caritative atque fraterne subveniebant in hiis, episcopos scilicet eis mittendo, qui vix inveniebantur acceptare volentes. Ordinaciones eciam, quas super ecclesiasticum ritum sibi fecerant, amicabiliter aliis communicando provinciis, et quandoque eciam in aliis provinciis contencionem aut scisma fidelium inter se audientes caritative monendo. ... Ex iam dicta vero quasi consuetudinaria prioritate, aliarum ecclesiarum consensu spontaneo, Romanorum episcopi, secundum ipsorum ulteriorem a principio processum, auctoritatem quandam decreta seu ordinaciones constituendi super universalem ecclesiam, quantum ad ecclesiasticum ritum et actus etiam sacerdotum, et illorum observacionem praecipiendi ampliorem sumpserunt usque ad tempora Constantini praedicti. — Vgl. hiermit moderne katholische Darstellungen der Primatsgeschichte, zum Beispiel Ch. Pietri, Roma Christiana, Recherches sur l'Eglise de Rome.

[42] DP II 19, 1; 384, 20, vgl. Anm. 35.

[43] DP II 19, 4—6. Die Berufung auf Kanon 47 des 3. Konzils von Karthago, nach dem alle Nicht-Schrift-Texte aus dem Gottesdienst zu verbannen sind, ist schon kaum mehr ad rem!

anschließende Diskussion über das bekannte dictum des Augustinus ab *Ego vero non crederem evangelio, nisi me catholicae ecclesiae commoveret auctoritas*.[44]

Der Grund, weswegen die Heilige Schrift absoluten Glauben verdient, ist ihre evidente Unfehlbarkeit. Weil allen anderen Texten diese Eigenschaft abgeht, können sie keinen Anspruch auf absoluten Glauben erheben.[45] So weit, so klar. Aber Marsilius bleibt hier nicht stehen. Unter der Hand wächst ihm, was als methodische Vorbemerkung zu Kapitel 20 bis 21 gedacht war[46], zu einem kleinen Traktat über die absolut verbindlichen Glaubensquellen heran.[47] Der Paduaner erinnert sich an seine im folgenden vorzutragende These von der Höchstinstanzlichkeit der Konzilien und sagt schon jetzt, was höchstens Ergebnis des Beweisgangs hätte sein dürfen, nämlich, daß Konzilien unfehlbar sind, und schlägt kurzerhand die unfehlbaren Konzilien auf die Seite der unfehlbaren Heiligen Schrift, stellt sie also der übrigen fehlbaren Tradition als unfehlbares Gotteswort vom Range der Heiligen Schrift gegenüber.[48] Marsilius sucht die Gleichrangigkeit von konziliaren Schriftauslegungen mit der Schrift selber sowohl aus der Bibel als auch durch theologische Argumente zu rechtfertigen.[49] Ockham wird beide Arten von Argumenten später gründlich zerpflücken.[50] Aus der Bibel führt der Paduaner an Mt 28, 20 mit den diesbezüglichen Glossen des Rabanus Maurus und Pseudo-Hieronymus, und vor allem Apg 15, 28. Sein „unfehlbares" theologisches Argument lautet: Christus hätte den Menschen umsonst die Offenbarung gebracht, wenn er nicht gleichzeitig auch

---

[44] DP II 19, 8—10.

[45] DP II 19, 4; 386, 17: *Quod autem scripturis aliis, que scilicet humano spiritu revelate sunt et tradite, nemo certam credulitatem aut veritatis confessionem prebere teneatur, apparet. Quoniam nulli scripture falsum significare potenti tenetur quis firmiter credere aut ipsam tamquam veram simpliciter confiteri. Hoc autem paciuntur scripture innitentes humane invencioni singularis persone aut collegii parcialis. Possunt enim a veritate deficere, ut experiencia palam, et habetur Psalmo 115: ‚Ego autem dixi in excessu meo: omnis homo mendax.' Scripture vero canonice non sic, quia non sunt ab humana invencione, sed immediate Dei tradite inspiracione, qui nec falli potest nec fallere vult.*

[46] DP II 19, Titel: *De praevio quodam propter determinationem auctoritatis et primatus* (scil. conciliorum).

[47] Ebd.: *Cui dicto vel scripto veritatis sit praestanda credulitas atque confessio de necessitate salutis.*

[48] DP II 19, 1; 384, 20, vgl. Anm. 35.

[49] DP II 19, 2; 385, 20: *Asseruerunt enim et asserit scriptura ipsorum determinacionem in dubietate illa circa fidem factam esse a spiritu sancto. Cum igitur fidelium congregacio seu concilium generale per successionem vere representet congregacionem apostolorum et seniorum ac reliquorum tunc fidelium, in determinandis scripture sensibus dubiis, in quibus maxime periculum eterne dampnacionis induceret error, verisimile, quinimo certum est, deliberacioni universalis concilii spiritus sancti dirigentis et revelantis adesse virtutem.*

[50] Vgl. S. 435—440.

dafür Sorge getragen hätte, daß sie von ihnen irrtumsfrei erkannt werden kann.[51]

Cap. XX.—XXI. Die Rehabilitierung des Konzils beziehungsweise des Kaisers: Cap. XX. Das Konzil ist zuständig für die Auslegung der Heiligen Schrift: die erste Kompetenz, die Marsilius dem Konzil zuschreibt — und dem Papst ausdrücklich abspricht[52] —, bezieht sich auf die Auslegung der Heiligen Schrift. Der These[53] und dem folgenden Beweis[54] geht die Überlegung voraus, daß zur Wahrung der Glaubenseinheit solche autoritative Schriftauslegung nützlich, ja notwendig ist. Die Geschichte ist hier eine untrügliche Lehrmeisterin.[55] Der Beweis für die These der Schriftauslegungskompetenz des Konzils ist zweiteilig. Der erste Teil besteht aus einem einfachen Rückverweis auf *Defensor Pacis* I 12 und II 17, also auf die entsprechende Gesetzgebungskompetenz der *universitas civium* beziehungsweise *fidelium*.[56] Wir werden weiter unten auf die Problematik dieses Beweises aus der Volkssouveränität zurückzukommen haben. Der zweite Teil des Beweises besteht aus dem Hinweis auf Apg 15.[57]

Die von Marsilius vorgelegte Auslegung von Apg 15 verdient unser Interesse, nicht nur, weil die betreffende Schriftstelle im Grunde doch den einzigen biblischen Beleg darstellt, mit der er seinen hohen Anspruch einlöst, die eigene Konzilsidee aus der Schrift zu begründen,

---

[51] DP II 19, 3; 386, 1: *Hoc eciam deduccione infallibili ex scriptura vim sumente patere potest; quoniam frustra dedisset Christus legem salutis eterne, si eius verum intellectum, et quem credere fidelibus est necessarium ad salutem, non aperiret eisdem hunc querentibus et pro ipso invocantibus simul, sed circa ipsum fidelium pluralitatem errare sineret. Quinimo talis lex non solum ad salutem foret inutilis, sed in hominum eternam perniciem tradita videretur. Et ideo pie tenendum, determinaciones conciliorum generalium in sensibus scripture dubiis a spiritu sancto sue veritatis originem sumere.*

[52] DP II 20, 6—12.

[53] DP II 20, 2; 393, 13: *Huic consequenter ostendo, quod huius determinacionis auctoritas principalis, mediata vel immediata solius sit generalis concilii Christianorum aut valencioris partis ipsorum vel eorum, quibus ab universitate fidelium Christianorum auctoritas hec concessa fuerit.*

[54] DP II 20, 4—5.

[55] DP II 20, 1; 392, 11: *Hiis itaque sic premissis, concludenda iam proposita resumentes ostendere volumus, primum quod dubios sensus sive sentencias scripture sacre iam exortas aut orituras, cum orte fuerint, presertim circa fidei articulos, precepta et prohibita, sit expediens et necessarium terminare. Quoniam expediens est, quinimo necessarium, sine quo fidei unitas minime salvaretur, error et scisma contingeret circa fidem inter Christi fideles. Hoc autem est determinacio dubiarum et quandoque contrariarum sentenciarum doctorum quorundam circa legem divinam. In hac enim opinionum diversitates aut contrarietates diversas sectas inducerent, scismata et errores.* — Es folgt ein Hinweis auf die Irrlehre des Arius und die vier großen Konzilien der Alten Kirche.

[56] DP II 20, 4.

[57] DP II 20, 5; 395, 26: *Sic namque fecerunt apostoli cum senioribus de his, quae dubia circa evangelium occurrerunt, ut apparet Actuum 15 ... Non enim dubium illud de circumcisione beatus Petrus aut alter apostolus seorsum aut simpliciter deffinivit, sed convenerunt super his omnes apostoli et seniores sive peritiores in lege.*

sondern auch, weil seine Exegese im Vergleich zur Auslegungstradition der Stelle höchstwahrscheinlich recht originell ist.[58] Unwahrscheinlich ist, daß Marsilius die aus der Alten Kirche überlieferten Auslegungen der Stelle[59] gekannt hat. Andererseits brachte die mittelalterliche Tradition der vier beziehungsweise sechs Apostelkonzilien[60] nicht das, was er suchte, nämlich eine Auslegung mit konziliaristischer Pointe. So legt er denn eine eigene Auslegung vor, die aller Wahrscheinlichkeit nach den Anfang einer neuen Auslegungstradition, eben der konziliaristischen, darstellt. Für sie ist charakteristisch das Zurücktreten des Petrus, der Verzicht auf die Ausübung der *plenitudo potestatis*, das gemeinsame Beraten „der Apostel und der anderen gelehrten Gläubigen", die gemeinsame Beschlußfassung und, als Ergebnis, keine Dekretale des Petrus, sondern ein Brief der „Apostel und Ältesten".[61] In den hier herausgeschälten Hauptgedankengang hat Marsilius eine Reihe von Bemerkungen eingestreut, so zum Beispiel über die Teilnehmer des Konzils, auf die wir weiter unten zurückkommen werden.

Cap. XXI. 1—7. Zuständigkeit des legislator fidelis: Statt mit der Behandlung der Kompetenz des Konzils fortzufahren, greift Marsilius jetzt die Frage auf, wer anstelle des Papstes[62] die Gewalt auf und gegenüber

---

[58] Klarheit könnte hierüber nur eine systematische Untersuchung mittelalterlicher Kommentare zur Apostelgeschichte bringen, was deswegen nicht leicht ist, weil die meisten Kommentare nur handschriftlich überliefert sind. Vgl. das Verzeichnis bei G. SCHNEIDER, Die Apostelgeschichte, Freiburg 1980, 18—19. In wenigen gedruckt vorliegenden Kommentaren zu Apg 15, so der *Glossa ordinaria* (PL 114, 456—458), Hugo von St. Caro (Ausgabe Köln 1621, 297v—298v), Nikolaus von Lyra (Ausgabe Basel 1538, 190v—191v), der *Historia scholastica* (PL 198, 1694—1695), selbst dem späteren Dionysius dem Karthäuser († 1471) (Opera omnia 14, 83—220) ist das Konzil eigentlich nicht thematisch.

[59] Vgl. SIEBEN, Konzilsidee 78, 175, 183—185, 290, 384—423.

[60] Vgl. S. 98—99, 130—131, 310.

[61] DP II 16, 5; 340, 27: *Signum autem verum esse quod diximus est, quoniam beatus Petrus nullam sibi assumpsisse singulariter auctoritatem supra reliquos apostolos invenimus ex scriptura, sed magis cum ipsis aequalitatem servasse. Non enim sibi assumpsit auctoritatem determinandi, quae dubia erant circa evangelii praedicationem, quod pertinet ad doctrinam, sed quae dubia fuerunt in hoc, ex communi deliberatione apostolorum et aliorum fidelium magis doctorum determinabantur, non Petri aut alterius apostoli seorsum determinatione.* — Vgl. auch ebd. 341, 23: *Non ergo determinavit Petrus supradicta dubia circa fidem de plenitudine potestatis, quam quidam somniantes quamvis magistri in Israel habere dicunt Romanum episcopum, qui pronuntiaverunt in non scriptis dogmatibus, ipsum per se solum, quod non ausit Petrus, ea quae circa fidem dubia sunt, determinare posse. Quod falsum apertum est et scripturae dissonans palam, de quo etiam sequenti capitulo et huius 20 diffuse dicemus. Deliberavit ergo, dubium determinavit, elegit et scripsit fidelium doctorum congregatio; et hac auctoritate validum fuit sic determinatum atque mandatum. Congregatio enim apostolorum amplioris fuit auctoritatis, quam solus Petrus aut alter apostolus.*

[62] Natürlich kennt Marsilius die betreffenden Bestimmungen des geltenden Kirchenrechts, zum Beispiel hinsichtlich der päpstlichen Einberufung; vgl. die Objektion DP II 27, 8; 824, 25 f. und die entsprechende Replik II 28, 20; 553, 26 ff.

dem Konzil ausübt. Die Antwort lautet abstrakt formuliert: der *legislator fidelis superiore carens*. Wie nicht zuletzt aus den angezogenen Beweistexten deutlich wird, ist damit konkret der Kaiser gemeint. Im einzelnen handelt es sich um die Vollmacht zur Einberufung des Konzils, die Auswahl der Teilnehmer, die Gewalt über die Versammlung selber, die Überwachung ihres regulären Ablaufs, Einschreiten und Sanktionen gegen Teilnehmer, die sich weigern, ihre Pflicht auf dem Konzil zu erfüllen, die Durchsetzung der Bestimmungen und Anordnungen des Konzils.[63] Die Übertragung der Kompetenz vom Papst auf den Kaiser ergibt sich für Marsilius mit Notwendigkeit aus dem früher aufgezeigten grundlegenden Prinzip, daß alle *iurisdictio coactiva* beim *legislator* liegt. Die Geschichte ist auch hier wiederum Lehrmeisterin. Die genannten Vollmachten wurden in der Alten Kirche nicht von den Päpsten, sondern von den Kaisern ausgeübt. Marsilius trägt hierfür eine Menge Zeugnisse aus Pseudoisidor zusammen.[64]

Cap. XXI. 8 ff. Weitere Kompetenzen des Konzils: Der Papst ist nach dem geltenden Recht nicht nur die höchste Autorität für die Auslegung der Heiligen Schrift, er ist auch auf dem weiten Gebiet der kirchlichen Gesetzgebung die eigentliche Rechtsquelle. Auch hier soll jetzt nach der neuen Verfassung der Kirche statt seiner das Generalkonzil zuständig sein. Die kirchliche Gesetzgebung im Bereich der Liturgie, der Fasten- und Abstinenzgebote, der Heiligenverehrung und -kanonisation, der Ausübung beziehungsweise des Verbotes bestimmter Berufe, der Festlegung von Ehehindernissen, der Zulassung oder Nichtzulassung religiöser Gemeinschaften und Orden[65], all dies gehört fortan in

---

[63] DP II 21, 1; 402, 20: *Nunc autem ostendere volo, ad solius humani legislatoris fidelis superiore carentis auctoritatem pertinere, aut eius vel eorum, cui vel quibus per iam dictum legislatorem potestas hec commissa fuerit, generale concilium convocare, personas ad hoc idoneas determinare, ipsumque congregari, celebrari et secundum formam debitam facere consummari, rebelles quoque ad conveniendum et iam dicta necessaria et utilia faciendum, determinatorum quoque ac ordinatorum in dicto concilio transgressores tam sacerdotes quam nonsacerdotes, clericos aut nonclericos, licite secundum divinam et humanam legem per coactivam arcere potenciam.*

[64] DP II 21, 2—7.

[65] DP II 21, 8; 410, 22: *Hiis consequenter ostendere convenit, nihil per hominem aliquem singularem, cuiuscumque dignitatis aut condicionis existat, statui posse circa ecclesiasticum ritum, quod homines ad observacionem obliget sub aliqua pena pro statu presentis seculi vel venturi, nisi per generale concilium immediate aut inde sumpta prius auctoritate, ad hec eciam fidelis humani legislatoris primi aut eius auctoritate principantis interveniente decreto; nihilque circa humanos actus alios, velut ieiunia, esus carnium, abstinencias, sanctorum canonizaciones ac veneraciones, operum mechanicorum aut aliorum quorumcumque prohibiciones seu vacaciones, matrimoniorum copulas infra certos cognacionis gradus, ordines quoque sive collegia religiosorum approbare vel reprobare, reliqua que similia lege divina licita seu permissa statuere sub aliqua ecclesiastica censura, ut interdicti vel excommunicacionis aut alterius pene consimilis maioris aut minoris, eoque minus ad ea quemquam obligare posse sub pena reali vel personali in statu presentis seculi exigenda, absque iam dicti legislatoris auctoritate.*

die Kompetenz des Generalkonzils, genauer gesagt: des Kaisers.[66] In der Tat, die dem Papst abgesprochenen Vollmachten gehen keineswegs auf das Generalkonzil über. Der Hauptnutznießer der Neuverteilung der Kompetenzen ist nicht das Konzil als solches, sondern der *legislator humanus*, beziehungsweise der in dessen Namen herrschende *principans*, das heißt der Kaiser. Daß er den Löwenanteil an der zu verteilenden Beute bekommt, ergab sich schon aus dem vorausgehenden Abschnitt über die Jurisdiktion, die *potestas coactiva*, im Zusammenhang des Konzils.[67] Hier rundet sich das Bild ab: Nichts geht auf dem Konzil ohne seine Autorität.[68] Angesichts der eher vollmundigen Ankündigung in der Einleitung, er werde für seinen Entwurf der Kirchenverfassung die entsprechenden Beweise vorlegen[69], sehen die jetzt ständig gegebenen Verweise auf den vorausgegangenen prinzipiellen Teil des *Defensor Pacis* eher nach Verlegenheit aus.[70]

Zur Kompetenz des Generalkonzils gehört weiter die Vollmacht, zu exkommunizieren und mit dem Interdikt zu belegen.[71] Marsilius erinnert im Zusammenhang an den Mißbrauch dieser Kirchenstrafen durch Bonifaz VIII. gegenüber Philipp dem Schönen.[72] Ein Konzil ist aufgrund seiner Unfehlbarkeit zu solchem Mißbrauch nicht fähig.[73] Nach geltendem Recht ist der Papst ferner für die Interpretation, Suspension und Anpassung des konziliaren Rechtes zuständig.[74] Marsilius ist nur konsequent, wenn er auch diese Rechte vom Papst auf das Konzil überträgt.[75] Das Generalkonzil „beziehungsweise" (vel), wie es

---

[66] Marsilius wird dies ausdrücklich im *Defensor minor* bestätigen; vgl. 7, 2, Ausgabe JEUDY-QUILLET, Paris 1979, 214; vgl. auch 9, 1 zur Zölibatsverpflichtung.

[67] Vgl. Anm. 63.

[68] Vgl. Anm. 63.

[69] Vgl. Anm. 26—32.

[70] DP II 21, 9; 411, 13: *Hec autem eisdem demonstracionibus et auctoritatibus supponendum probata, quibus et dubiorum legis divine sensuum determinacionem ad supradictum concilium reliquosque humanos actus circa ritum ecclesiasticum per coactiva decreta ordinare, ad fidelem legislatorem humanum supra monstravimus pertinere, sola racionum minori extremitate mutata.*

[71] Ebd. 411, 26: *Ex quibus eciam deduci potest et convenit, ad solius iam dicti concilii, non autem ad solius episcopi aut presbyteri vel alicuius ipsorum particularis collegii auctoritatem pertinere, principem, provinciam aut communitatem aliam civilem excommunicare vel divinorum officiorum usum interdicere.*

[72] Ebd. 412, 1—28.

[73] Ebd. 412, 25: *Temperandaque interdictorum et excommunicationum huiusmodi forma relinqui debet soli Christianorum (generali) concilio, cuius iudicium dirigente sancto spiritu ignorantia vel malignitate aliqua perverti non potest.*

[74] Vgl. Decretum Gratiani., dist. 17. c. 5.

[75] DP II 21, 10; 413, 1: *Hiis autem per necessitatem sequitur ordinata et diffinita tam circa fidem sive legis evangelice sensum, quam circa ecclesiasticum ritum sive cultum divinum et reliqua omnia per concilium generale statuta, mediate vel immediate, implicite vel explicite, aut alio quovis modo, auc-*

aufschlußreich heißt, der *legislator humanus fidelis* ist ebenfalls zuständig
für die Ämter- und Pfründenverteilung.[76] Marsilius führt hier auch den
Gegenbeweis, nämlich daß der Papst jedenfalls nicht zuständig sein
darf. Zu offensichtlich ist der Mißbrauch, den er mit der genannten
Vollmacht treibt. Man denke nur an Bonifaz VIII. und Johannes
XXII.[77]
Noch auf zwei weitere Kompetenzen kommt Marsilius ausführlich zu
sprechen. Was zunächst das Recht auf Errichtung von Universitäten
und die Verteilung von akademischen Graden angeht, so nennt er zwar
nicht ausdrücklich das Generalkonzil als zuständige Instanz, der diese
bisher vom Papst ausgeübte Vollmacht übertragen werden sollte, sondern den *legislator humanus* beziehungsweise den *principans*, aber aus dem
Zusammenhang geht doch hervor, daß das Generalkonzil hier wohl
auch ein Wort mitzusprechen hat.[78] Schließlich soll das Konzil auch
für die Kanonisierung und überhaupt die Verehrung der Heiligen zuständig sein. Denn die Kanonisierung von Heiligen ist eine gefährliche
propagandistische Waffe in den Händen des Papstes. Er könnte Leute
kanonisieren, die seinen eigenen „perversen" Ideen anhängen.[79] Auch die
Zölibatsgesetzgebung müßte vom Papst auf das Konzil übergehen.[80]

Cap. XXII. Das neue Verhältnis Papst/Konzil.

Cap. XXII 1—11. Das neue Verhältnis: Der Verfassungsentwurf der vorausgehenden Kapitel hat das Verhältnis Papst/Konzil im Vergleich zum
geltenden Recht grundstürzend verändert. Dieses abschließende Kapitel

---

*toritate ac ordinacione nullius episcopi aut alterius particularis collegii, concilii vel congregacionis, eoque
minus persone singularis, cuiuscumque condicionis aut dignitatis extet, posse immutari, augeri, minui vel
suspendi aut interpretacionem recipere, presertim in arduis, aut penitus revocari; sed que sic ordinata
fuerint, si ad immutandum aut simpliciter revocandum vocet necessitas evidens, ad supradictum concilium
convocandum debere referri. Hoc autem eisdem racionibus et auctoritatibus convincendum, quibus per
solum iam dictum concilium eiusmodi ordinanda, diffinienda et statuenda monstravimus.*

[76] DP II 21, 11.

[77] DP II 21, 12—14; vgl. auch 416, 3—5.

[78] DP II 21, 15; 418, 15: *Propter eandem quidem igitur causam conferendi licencias in disciplinis iam
dicto episcopo et alteri cuicumque presbytero ac ipsorum soli collegio debet ac licite potest revocari potestas.
Est enim hoc humani legislatoris aut eius auctoritate principantis officium, quoniam hec ad commune
civium commodum aut incommodum cedere possunt pro statu presentis seculi, quemadmodum demonstratum
est 15⁰ prime.*

[79] Ebd. 418, 23: *Eodemque modo senciendum est de sanctorum canonizacione seu veneracione instituenda.
Potest enim hec nociva vel proficua fore communitati fidelium civium. Posset namque perversus episcopus
hac potestate fretus quosdam pronunciare sanctificatos, ut ipsorum dictis aut scriptis suas roboraret
opiniones perversas in preiudicium aliorum; propter quod auctoritas hec est soli generali concilio fidelium
committenda.*

[80] DP III 2, 36; 610, 3—9.

des ‚Konzilstraktates' enthält neben einigen Nachträgen[81] den Versuch
des Marsilius, ein Papstamt auf der Basis des grundsätzlich neu bestimmten Verhältnisses Papst/Konzil zu entwerfen, und die von der
neuen Verfassung vorgesehene Stellung und Funktion des Papstes
gegenüber dem Konzil genauer zu bestimmen und zu beschreiben.
Marsilius unterscheidet zunächst vier Formen, in denen eine *caput*-
Funktion des römischen Bischofs vorstellbar ist: Erstens, die Unterwerfung unter den Papst ist im Sinne von *Unam sanctam* Bonifaz' VIII.
für alle Gläubigen heilsnotwendig, seine Entscheidungen in Glaubens-
und Sittenfragen sind unbedingt anzunehmen.[82] Zweitens, alle Gläubigen unterstehen der Jurisdiktion des Papstes.[83] Drittens, der Papst ist
zuständig für die Verteilung aller kirchlichen Ämter und Pfründen.[84]
Noch eine vierte Form ist vorstellbar: Ein Bischof ist *caput* über die
Kirche im Auftrag des Generalkonzils beziehungsweise des *legislator
humanus fidelis*.[85] Nur diese letzte Form ist nach Marsilius mit den Glaubensquellen vereinbar.

Marsilius beschreibt näherhin die Funktion und Rolle dieses *caput* gerade
im Hinblick auf das Konzil: der „Papst" „insinuiert" im Bedarfsfall
dem *legislator fidelis* die Einberufung des Konzils. Wohlgemerkt, er beruft es nicht selber ein.[86] Im Konzil selber nimmt dieser „Papst" den
ersten Platz ein. Er hat die äußere Leitung des Konzils, er bestimmt
die Tagesordnung, nimmt die Voten der Konzilsväter entgegen, be-

---

[81] DP II 22, 12—15 (über Konzilsberufung unter ungläubigen Kaisern) stellt eine Ergänzung
zu II 21, 1—7, II 22, 16—20 (nachkonstantinische Primatsgeschichte) eine solche zu II 18,
3—7 dar.

[82] DP II 22, 1; 420, 16: *Esse autem unicum episcopum aut ecclesiam omnium aliarum caput, uno
modo intelligi potest, ut videlicet secundum ipsorum diffinicionem et determinacionem scripture sacre
sensum, in quibus dubia fuerit, precipue de credendis et observandis de necessitate salutis, omnes mundi
ecclesie ac persone singulares credere teneantur, ritumque ecclesiasticum sive cultum divinum secundum
ipsorum ordinacionem servare.*

[83] DP II 22, 2; 421, 11: *Alio rursum modo extimare est unicum episcopum et ecclesiam sive collegium
caput sive principaliorem cunctis aliis, sicut omnes mundi clerici sive collegia clericorum sibi sint coactiva
iurisdiccione subiecti.*

[84] DP II 22, 3; 421, 19: *Alio quoque modo intelligi potest prioritas hec sic, ut ad unicum episcopum
aut ecclesiam sive collegium pertineat omnium officialium ecclesiasticorum institucio et temporalium sive
beneficiorum distribucio, deposicio et ablacio.*

[85] DP II 22, 6; 424, 16: *Alio vero modo episcopum aliquem aut ecclesiam esse vel statui caput et
ceteris principaliorem auctoritate generalis concilii vel fidelis legislatoris humani, convenienter intelligi
potest.*

[86] Ebd. 424, 19: *Ipsius (est) officium, cum suo tamen collegio sacerdotum, quos sibi fidelis legislator
humanus aut generale concilium ad hoc associare voluerit, deliberacione prehabita, si casus emerserit fidei,
aut fidelium evidens necessitas, sibi delata, propter quem expediens omnino videatur generale concilium
convocare, id insinuare atque significare debeat fideli legislatori superiore carenti, iuxta cuius coactivum
preceptum id debeat quemadmodum diximus, congregari.*

glaubigt die Dekrete, läßt die entsprechenden Dokumente ausfertigen. Er besorgt die Promulgierung und setzt die Beobachtung der Dekrete gegebenenfalls durch Sanktionen durch, für die er freilich der Zustimmung des Konzils bedarf.[87] Die Existenz eines solchen Amtes würde dazu beitragen, daß Streit und Zerwürfnis auf dem Konzil vermieden würden. Denn es muß ja jemand da sein, der dem Konzil sagt, was zu tun ist, der den Vätern die Plätze anweist, den Rednern das Wort erteilt, allzu geschwätzigen es auch gelegentlich entzieht.[88] Bei der Aufzählung all dieser Ämter und Funktionen darf freilich in einem Punkt keine Unklarheit bestehen: Dieser „Papst" oder Konzilspräsident hat keine Jurisdiktion über die Kirche und das Konzil, sein Amt geht nicht auf göttliche Einsetzung zurück, es ist nicht notwendig für die Einheit der Kirche, sondern lediglich nützlich. Der „Papst" ist ein sichtbares Zeichen der Einheit, nicht mehr.[89] Hier wird vollends die Revolution der kirchlichen Verfassung deutlich: War früher der Papst notwendig und das Konzil nur nützlich, so ist es jetzt umgekehrt: das Konzil ist zur Erhaltung der kirchlichen Einheit notwendig, der Papst aber nur noch nützlich. Vom Konzil beziehungsweise vom Kaiser eingesetzt[90], muß dieser „Papst" sich je nach Umständen von einem Konzil bezie-

---

[87] Ebd. 425, 1: *Cuius eciam officium sit in dicto concilio, inter episcopos et clericos omnes primam sedem seu locum tenere, deliberanda proponere, deliberata in presencia tocius concilii recolligere in scriptis sub sigillis authenticis et tabellionum signaculis redigi facere; cunctis requirentibus ecclesiis talia communicare atque insinuare; ea quoque scire, docere ac de talibus respondere; deliberatorum quoque, tam circa fidem quam ritum ecclesiasticum sive cultum divinum et reliquorum ordinatorum ad pacem atque fidelium unitatem, transgressores per ecclesiasticam aliquam arcere censuram, ut excommunicacionis vel interdicti aut alterius pene consimilis, secundum concilii tamen determinacionem et per ipsius auctoritatem, nequaquam vero potestate aliqua coactiva pene realis aut personalis inflictiva pro statu et in statu presentis seculi.*

[88] DP II 22, 7; 426, 24: *Amplius ex huiusmodi capitis sive principalioris super episcopos et ecclesias institucione contencio tollitur et scandalum oriri possibile. Nam in generali concilio congregato agendorum dare formam et modum oportet. Hec autem ordinare aut precipere, si quilibet indifferenter posset et vellet, inter eos verisimiliter suscitaretur scandalum, confusio atque contencio. Et rursum, quoniam in generali concilio congregato attenditur ordo loci, ut in sedendo vel stando, sermonis eciam, ut in proponendo et deliberando et aliqua precipere quandoque, ut nimis garrulis silencium imponendo; amplius, quoniam et per concilium deliberata recolligere oportet, ac in scriptis per tabelliones redigi facere sub certis et authenticis signaculis et sigillis, expediens fuit unum esse aliorum priorem, cuius sit auctoritas ceteros ordinandi et reliqua expediencia precipiendi circa concilium celebrandum et debite consummandum, ne propter talium diversitatem et quandoque contrarietatem publica fidelium turbetur aut differatur utilitas.*

[89] DP II 22, 6; 426, 1: *Hoc igitur solo et ultimo modo episcopum aut ecclesiam aliquam unicam statuere aliarum caput seu principaliorem in cura pastorali, absque iurisdiccione coactiva, quamvis non sit lege divina preceptum, quoniam et sine hoc fidei unitas, licet non sic faciliter, salvaretur, expedire dico ad hanc unitatem facilius et decencius observandam.* — Ebd. 427, 12: *Adhuc videtur id expedire propter consuetudinem ecclesie Christiane in hoc, et quoniam ex eo fidei unitas magis apparet sensibili signo.*

[90] DP II 22, 9; 428, 21: *Cuius autem sit auctoritas instituendi prioritatem hanc, dicendum, quod generalis concilii aut fidelis legislatoris humani superiore carentis.* — Zur Begründung vgl. II 22, 11.

hungsweise vom Kaiser korrigieren lassen. Hierzu sind Appellationen vom Papst an das Konzil beziehungsweise den Kaiser erlaubt, betont Marsilius ausdrücklich.[91] In der Konsequenz dieses Ansatzes liegt, daß der Papst so, wie er vom Konzil beziehungsweise Kaiser eingesetzt, auch von ihnen abgesetzt werden kann.[92] Auf die Frage, welcher Bischof sich am besten für dieses neue Papstamt eignet, antwortet Marsilius: *ceteris paribus aut non multum distantibus,* das heißt, unter Voraussetzung etwa gleicher persönlicher Eignung, der römische, und zwar aus mehreren Gründen: Auf dem römischen Bischofssitz haben sich Petrus oder Paulus oder beide zusammen durch ihren Glauben und ihre Liebe ausgezeichnet und wurden von den übrigen Aposteln entsprechend geehrt. Für Rom spricht auch seine kulturelle und besondere politische Bedeutung und die Tatsache, daß es von Anfang des Christentums an eine stattliche Zahl von Heiligen und Lehrern des christlichen Glaubens hervorgebracht hat. Weiter, keine andere Kirche hat sich so unermüdlich wie die römische für den gemeinsamen Glauben und die Einheit eingesetzt. Außerdem residierte in Rom früher der Kaiser, das heißt die Gewalt, die die von den Konzilien beschlossenen Dekrete zu Reichsgesetzen machte. Ein letzter Grund ist schließlich der, daß die Christenheit an das römische Regiment gewöhnt ist.[93]

---

[91] DP II 22, 6; 425, 24: *Quamvis eiusmodi episcopo ecclesie sive collegio circa tale officium secundum apertam, verisimilem et quasi communem aliarum ecclesiarum sentenciam perverse nimis aut negligenter habente, licitum sit ecclesiis reliquis humanum legislatorem fidelem appellare, si per legislatorem aut ipsius auctoritate principantem corrigi possit convenienter, vel generale concilium requirere, si casus ille per reliquarum ecclesiarum ampliorem partem et legislatoris iudicium exigat concilium huiusmodi congregari.*

[92] DP II 22, 11; 430, 17: *Ex quibus eisdem per necessitatem sequitur, eiusdem fore auctoritatis iam dictum episcopum sive collegium corrigere, ab officio suspendere ac privare seu deponere licite, si visum fuerit racionabiliter expedire.*

[93] DP II 22, 8; 427, 23: *Quamvis ceteris paribus aut non multum distantibus Romanus episcopus aut ipsius ecclesia, quamdiu locus habitabilis extet, pluribus congruenciis videatur meruisse preferri: primum quidem, propter episcopi sui primi beati Petri aut Pauli vel utriusque excellentem fidem et caritatem, famositatem et per apostolos reliquos illis impensam reverenciam; deinde vero propter Romane urbis solempnitatem, et quia dudum super ceteras obtinuit principalitatem, et habundanciam in ipsa virorum illustrium, sanctorum atque doctorum fidei Christiane, secundum temporis plurimum ab inicio ecclesie constitute, et quoniam aliarum ecclesiarum in augmento fidei et eius unitate servanda curam diligentem atque laborem assiduum prebuerunt; rursum eciam propter sui populi ac principis generalem tunc monarchiam et auctoritatem coactivam super reliquos omnes mundi principantes et populos, qui de observacione fidei et eorum que per generalia diffiniebantur concilia soli poterant omnibus coactivum ferre preceptum et illius ubilibet transgressores arcere, sic quoque fecerunt et ecclesiam ex modico in rem magnam auxerunt, quamquam ab ipsorum aliquibus postmodum persecucionem fideles sint passi quandoque, propter quorundam maliciam sacerdotum. Demum vero congruit episcopo Romano et illius ecclesie principalitas hec propter consuetudinem, eo quod hunc episcopum et ecclesiam fideles omnes pre ceteris didicerunt seu consueverunt amplius revereri, et illius exortacionibus atque monicionibus ad virtutes et Dei reverenciam excitari, eiusque arguicionibus seu increpacionibus et comminacionibus eterne dampnacionis a viciis et sceleribus revocari.*

Cap. XXII 12—20. Zwei Nachträge:

Erster Nachtrag: Konzilsberufung unter ungläubigem Herrscher (22, 12—15):
Die von Marsilius erarbeitete Kirchenverfassung geht davon aus, daß
der *legislator humanus* beziehungsweise der in seinem Namen regierende
Kaiser christlich ist. Wie funktioniert das System aber unter einem nicht-
christlichen Kaiser? Zunächst ist festzuhalten, daß auch in diesem Fall
die Pflicht besteht, Glaubens- und sonstige Probleme auf dem Wege
des Konzils zu klären. Freilich ist der Grad der Verpflichtung verschieden je nach der persönlichen Eignung für diese Aufgabe.[94] Wer aber
beruft im angenommenen Fall das Konzil ein? Da *ex supposito* alle Priester
gleich sind, kann keiner von sich aus das Konzil einberufen. Zwei beziehungsweise drei Fälle sind denkbar: Entweder wählt die Gesamtheit
einen *praelatus*, und dieser beruft dann im Namen der Gesamtheit das
Konzil ein. Oder alle Priester sind so von Liebe erfüllt, daß alle zusammen das Konzil einberufen, oder wenigstens eine Gruppe ist von
solchem Eifer der Liebe erfüllt, daß sie die Einberufung vornimmt.[95]
Ein Blick in die Apostelgeschichte zeigt übrigens, daß das erste Konzil auf die genannte Weise zustande kam. Kein einzelner hat hier
berufen.[96]

*Zweiter Nachtrag: Nachkonstantinische Geschichte des Verhältnisses Papst/
Konzil* (22, 16—20): Marsilius hat seinen ‚Konzilstraktat‘ mit einem
Blick auf die Geschichte des Verhältnisses Papst/Konzil eingeleitet
(cap. 18), er läßt ihn mit eben einem solchen ausklingen. Den Wendepunkt im Verhältnis beider Instanzen stellt, wie weiter oben schon gesagt, Kaiser Konstantin dar, der die Generalkonzilien ins Leben rief.

---

[94] DP II 22, 12; 430, 22: *Non est autem pretereundum silencio, quod sub infidelibus legislatoribus
sive horum auctoritate principantibus constituti fideles, tam sacerdotes quam nonsacerdotes, qui fuerint in
lege divina periti, eadem lege divina videlicet obligantur, si congrue possint, convenire ad eius sensus dubios
diffiniendum et determinandum ac reliqua ordinandum, que ad fidei et fidelium augmentum et unitatem
atque communem utilitatem proficere possint, quamvis ad hoc amplius obligantur sacerdotes et debeant alios
excitare, quoniam ipsorum officium est alios docere, exortari, arguere et si oportuerit increpare.*

[95] DP II 22, 13; 431, 25: *Nos autem dicamus iuxta scripture sensum, per nullum episcopum sive
sacerdotem habentem super alios sacerdotes et episcopos auctoritatem futuram convocacionem aut congregacionem predictam, nisi forsitan eo casu, quo a iam dicta fidelium pluralitate huiusmodi auctoritas
alicui sacerdotum concessa foret. Esto igitur neminem sic aliis omnibus per sacerdotum et reliquorum
fidelium multitudinem fuisse prelatum, sed preferendum expedire, aut aliud quid circa fidem et ecclesiasticum ritum expediens ordinandum: dico vocacionem congregacionis huius vel ab omnibus sacerdotibus
proventuram, si fortasse tante caritatis fuerit unusquisque, quod propter fidem conservandam et augendam
velit alios excitare, sic, ut hoc sibi condicentibus et consencientibus omnibus nulli dubium ipsos faciliter
congregari. Aut si forte non omnes tante fuerint caritatis, ut seipsos et alios ad dictam congregacionem
movere velint, ab aliquo vel aliquibus reliquis fervencioribus amore divino proveniet, aliis vero presbyteris
aut nonpresbyteris obtemperantibus sibi tamquam benedicentibus et consulentibus recte.*

[96] DP II 13—15; vgl. weiter oben.

Bis dahin, dem Zeitpunkt der Verwirklichung der vollkommeneren
Kirchenverfassung *(perfectius)*, kam dem römischen Bischof zu Recht
die Führungsrolle zu. Diese Führung gründete nicht in göttlicher Einsetzung, sondern in freiwilliger Unterwerfung der übrigen Kirche, in
der eine Art Wahl zum Ausdruck kam.[97] Konstantin, der erste christliche Kaiser, schuf nicht nur die Institution des Generalkonzils und damit die Instanz, die die bisher vom Papst gleichsam subsidiär ausgeübten Vollmachten an sich zog, er übertrug auch dem römischen Bischof in dem oben beschriebenen reduzierten Sinn die Leitung der
Kirche. Außerdem geht auf ihn die sogenannte Konstantinische Schen-
kung zurück.

Die römischen Bischöfe selber hatten, das ist zuzugeben, vor und nach
Konstantin ein anderes Verständnis von der Natur ihres Amtes. Sie
leiteten es weder von der Zustimmung der übrigen Kirche, noch, seit
Konstantin, aus der kaiserlichen Einsetzung, sondern unmittelbar von
Gott ab.[98] In der Folgezeit machten die Päpste, immer unter Berufung
auf ihre göttliche Einsetzung, den Konzilien ihre Kompetenz streitig
und zogen die autoritative Auslegung der Heiligen Schrift, die gesetz-
liche Ordnung der Liturgie und die Ämtervergabe widerrechtlich an
sich.[99] Nicht zuletzt wegen der zunehmenden Schwäche des Kaisertums

---

[97] DP II 22, 16; 436, 4: *Que siquidem obediencia spontanea per longam consuetudinem obtinuit vim*
eleccionis cuiusdam. Unde licet circa inicium ecclesie reliqui episcopi et ecclesie fidelium neque divina
neque humana lege aliqua obligarentur obedire mandatis aut institutis ecclesie vel episcopi Romanorum
plus quam econverso, invalescente tamen hac utili et racionabili consuetudine, qua fideles in unitate amplius
servabantur, eo quod tunc fideli caruerunt legislatore ipsos ad ordinem reducente ac in unitate servante,
obligati fuerunt posteri lege divina ad huiusmodi obedienciam in licitis et honestis, ac si dictum episcopum
et ecclesiam per eleccionem sibi iudicem statuissent circa ecclesiasticum ritum, et hoc presertim usque in
ea tempora, quibus possent publice congregari et de statu ecclesiastico perfeccius ordinare.
[98] DP II 22, 19; 437, 16: *Tempore vero Constantini Primi, Romani imperatoris, qui patenter*
Christi fidem et baptismum assumpsit, primum fideles inceperunt publice congregari et dubia circa
fidem diffinire ac ecclesiasticum ritum ordinare, ut ex Ysidori predicto codice apparet, capitulo De
primitiva ecclesia, In synodo Nicena. Ab hoc siquidem Constantino per edictum imperiale iuxta predictam
laudabilem et antiquam consuetudinem obtinuit episcopus et ecclesia Romanorum prioritatem, quam sibi
super alias determinavimus convenire, et ultra prioritatem hanc provinciarum quarundam possessiones
atque dominia; quamvis ante tempora Constantini et post eciam Romanorum episcopi quidam suis
epistolis sive decretis quibusdam prioritatem, quam super alios illis convenire monstravimus eleccione vel
constitucionibus principum, sibi singulariter absque requisicione vel consensu legislatoris humani fidelis,
collegii cuiusquam vel persone singularis, cuiusvis preeminencie aut auctoritatis existat, innuerunt divina
lege deberi.
[99] DP II 22, 20; 438, 6: *Post tempora vero Constantini Primi et precipue imperiali sede vacante*
hanc sibi deberi prioritatem quandoque lege divina, quandoque vero concessione principum expresserunt suis
epistolis Romanorum episcopi quidam. In quibus autem et qualibus hec sit attendenda prioritas, quam
pluribus ipsorum insinuantibus et aliqualiter exprimentibus hanc esse circa legis evangelice interpretacio-
nem et circa ordinacionem ecclesiastici ritus, tam circa divinum cultum quam circa ministros, quantum ad
omnem ipsorum institucionem inseparabilem sive primariam.

gelang es den Päpsten, ihre Macht und ihren Einfluß immer weiter aus-
zudehnen. Mit dem geistlichen Schwert nicht zufrieden, haben sie
schließlich auch das weltliche an sich gerissen und versuchten die weltlichen Herrscher völlig unter ihre Botmäßigkeit zu bekommen. Das
Ende dieser Entwicklung stellt letztendlich die Bulle Bonifaz' VIII.
Unam sanctam dar, die die Unterwerfung unter den Papst für schlechthin heilsnotwendig erklärt.[100] Bemerkenswert ist an dieser Sicht der
Geschichte, daß Marsilius keineswegs die Entwicklung des römischen
Primats pauschal als Verrat an der biblischen Norm betrachtet, sondern
durchaus differenziert. Nicht die Existenz des Primats als solche ist
schon Abfall von den Grundlagen der Heiligen Schrift, sondern seine
Ableitung unmittelbar von Gott statt vom Konzil beziehungsweise
vom *legislator humanus fidelis*, das heißt letztlich vom Kirchenvolk.

3. Die neue Konzilsidee

a) Traditionelle Aspekte

Unsere Zusammenfassung des Gedankenganges der dictio II 18—22
des *Defensor Pacis* dürfte unter anderem gezeigt haben, daß Marsilius
keinen systematisch aufgebauten Konzilstraktat vorlegt, in dem die einzelnen Aussagen zum Thema Konzil in streng logischer Ordnung erarbeitet werden. Wir haben es eben mit dem Ausschnitt aus dem Plädoyer eines theologischen Publizisten für eine bestimmte Sache und
nicht mit der Abhandlung eines Systematikers der Konzilstheorie zu
tun. Die unsystematische Art und Weise, in der Marsilius seine Gedanken zum Konzil vorlegt, bedeutet nun an und für sich freilich noch
nicht, daß seine Konzilstheorie inkonsistent ist und nicht doch in eine
Systematik umgegossen werden könnte. Und so könnte man versucht
sein, die einzelnen, entlang seines Plädoyers aufgelesenen Aspekte seiner
Konzilsidee in einen systematischen Zusammenhang zu bringen. Davor
warnen jedoch praktisch alle, die sich bisher eingehender mit der Konzilstheorie des Paduaners befaßt haben.[101] Wir unterlassen deswegen

---

[100] DP II 22, 20; 438, 18—439, 12.

[101] Sobald man versucht zu systematisieren, springen die nicht wenigen Widersprüche seiner Konzilsidee in die Augen. Da ist zum Beispiel der fundamentale Widerspruch eines
universellen Konzils, das aber in seiner Einberufung und Durchsetzung von partikularen
legislatores humani abhängig ist (GEWIRTH, Defender I 287), da ist andererseits der Kontrast
zwischen dem Glauben, der seiner Natur nach frei sein soll, und der Zwangsgewalt, mit der
der Staat die Glaubensdekrete des Generalkonzils durchsetzt, da sind vor allem die mit der
Vorstellung der konziliaren Unfehlbarkeit im Zusammenhang stehenden Ungereimtheiten zu

den Versuch, die innere Konsistenz der Konzilstheorie des Marsilius aufzuzeigen, und begnügen uns damit, einzelne wichtigere Aspekte unter einer äußeren Rücksicht locker nebeneinanderzustellen. Wir ordnen sie in die allgemeine Entwicklung der Konzilsidee ein, indem wir zwischen traditionellen und neuen Aspekten unterscheiden.

Mit den traditionellen Elementen können wir uns kürzer fassen; denn sie können ja tatsächlich als bekannt vorausgesetzt werden. Zu ihnen gehört zum Beispiel die Vorstellung, daß die Einheit des Glaubens durch eine kirchliche Instanz gewahrt werden muß.[102] Hier denkt Marsilius nicht anders als ein Thomas von Aquin.[103] Nicht weniger traditionell ist seine Auffassung, daß zur Entscheidung von *dubia* bezüglich des Glaubens vorzüglich das Konzil in Frage kommt.[104] Das war zu seiner Zeit eine unter Kanonisten verbreitete Meinung.[105] Daß die Entscheidungen der Konzilien selbst in Fragen, die kein Fundament in der Bibel haben, die Gläubigen im Gewissen binden, wie Marsilius im *Defensor minor* ausführt[106], entsprach wohl auch völlig der allgemeinen Auffassung. Wenn Marsilius den häretischen Papst für absetzbar hält durch das Konzil[107], dann bewegt er sich damit auch noch im Rahmen

---

nennen. Wie ist diese Unfehlbarkeit mit der sonst von Marsilius behaupteten Fehlbarkeit aller menschlichen Urteile vereinbar? Beim Konzil handelt es sich um Experten (vgl. weiter unten), aber gerade denen spricht Marsilius anderswo das Vertrauen ab. Und vielleicht der schwerwiegendste innere Widerspruch seiner Konzilstheorie: er schreibt dem Konzil Unfehlbarkeit zu, läßt es in seiner Gültigkeit aber abhängen vom fehlbaren *Legislator humanus* (vgl. ebd. 287; QUILLET, Organisation 195 f., PREVITÉ-ORTON, Defensor Pacis XXII bis XXIII).

[102] Anm. 55.

[103] Vgl. c. Gentes IV 76: *Ad unitatem ecclesiae requiritur quod omnes fideles in fide conveniant. Circa vero ea, quae fidei sunt contingit quaestiones moveri; per diversitatem autem sententiarum divideretur, nisi in unitatem per unius sententiam conservaretur. Exigitur ergo ad unitatem ecclesiae conservandam, quod sit unus qui toti ecclesiae praesit.*

[104] Anm. 53.

[105] Vgl. TIERNEY, Foundations 49—50, 67—67, 169, 195—196, 215, 228, 230—232.

[106] *Defensor minor* 4, 20, Ausgabe JEUDY-QUILLET 210: *Nos autem dicamus, quod praecepta sive statuta per universalem Ecclesiam sive concilium generale, de his et super his, quae per sacram Scripturam non sunt praecepta neque prohibita, sed solum circa ritum ecclesiasticum, et reliqua quae cadere possunt sub consilio, non praecepto, tangentia generaliter unumquemque Christi fidelem tam clericum quam laicum, durante praecepto generalis concilii fidelium Christianorum omnium tam clericorum quam laicorum, in eodem concilio per se vel per suos syndicos, ad tale statutum sive praeceptum consensum praebentium, quantum ad statutum servandum esse de necessitate salutis aeternae per unumquemque fidelem, quamdiu per supradictum concilium non fuerit revocatum, non quidem propter praeceptum divinae legis immediatum, quia nullum divinum potest per hominem vel universitatem hominum revocari, sed obligantur Christi fideles ad huiusmodi praecepta et humana statuta per concilium generale quamdiu revocata non fuerit, propterea quod humanae leges sunt et propter communem hominum utilitatem exordinamenta simpliciter vel ad tempus, contra quas nemini fidelium Christi agere vel venire licet absque peccato mortali, propter quod ea dicimus esse servanda de necessitate salutis aeternae.*

[107] Vgl. Anm. 92.

damaliger Vorstellungen.[108] Wenn er dem weltlichen Arm die Durchsetzung der Konzilsbeschlüsse anvertraut[109], so entspricht auch dies der
herrschenden Anschauung vom notwendigen Zusammenwirken geistlicher und weltlicher Macht, wenngleich sich hier doch auch schon eine
fundamentale Divergenz anzeigt, insofern als der Paduaner dem Konzil
jede eigene *jurisdictio coactiva* abspricht. Der weltliche Arm setzt die
Konzilsbeschlüsse nicht nur durch, sondern gibt ihnen überhaupt erst
ihre Gültigkeit! Die Rolle, die Marsilius für das nach seinen Grundsätzen modifizierte Papstamt[110] auf dem Konzil und gegenüber dem
Konzil vorsieht[111], deckt sich *mutatis mutandis* auch noch in etwa mit
der traditionellen Erwartung.

b) Entmachtung des Papstes

Sicher ließen sich noch eine ganze Reihe weiterer traditioneller Züge
an der Konzilsidee des Paduaners namhaft machen, aber wir brechen
hier ab; denn es geht uns ja nicht um eine vollständige Aufzählung des
Alten, sondern vielmehr darum, den ungeheuren Bruch mit der vorausgehenden Tradition, die totale Diskontinuität mit den früheren Vorstellungen, die radikale Neuheit seiner Konzilsidee aufzuweisen. Nennen
wir hier die einzelnen Aspekte, indem wir voranschreiten von dem,
was am meisten in die Augen springt, zu dem, was mehr im Hintergrund
steht.

Der auffallendste Zug der marsilianischen Konzilstheorie ist ohne jeden
Zweifel die radikale Entmündigung des Papstes. Hierauf zielt ja die
ganze Stoßrichtung seines ‚Konzilstraktats‘. Ist der Papst nach dem
geltenden Kirchenrecht allzuständig, von der Einberufung des Konzils
bis zur Durchsetzung und Interpretation der Dekrete, so ist er nach
der neuen Konzilstheorie im strikten Sinn für nichts mehr zuständig.
Er kann sich, wie oben beschrieben, auf dem Konzil nützlich erweisen,
aber notwendig ist dieses Amt eines „advisory chief bishop"[112] in
keiner Weise mehr. Die Bande, mit denen das Papsttum das Konzil
in einem nahezu tausendjährigem zähen Ringen an sich gebunden
hatte — sie finden ihren Niederschlag in der dist. 17 des *Decretum*

---

[108] Vgl. TIERNEY, Foundations 57—58, 65—67, 212—218 usw., ferner S. 329—335.
[109] Vgl. Anm. 63.
[110] Wir vermeiden in diesem Zusammenhang absichtlich das Wort „reformierte", weil es
bezeichnenderweise im Wortschatz des Marsilius nicht vorzukommen scheint. Marsilius geht
es nicht, wie zum Beispiel Wilhelm Durandus jun., um Reform, sondern um Revolution der
kirchlichen Verfassung.
[111] Anm. 86—88.
[112] PREVITÉ-ORTON, Defensor Pacis XXIII.

Gratiani[113] — wurden von Marsilius durch einen jähen radikalen Schnitt gekappt. Wie radikal dieser Bruch mit der Tradition ist, zeigt der Vergleich mit zeitgenössischen „Reformern", einem Johannes von Paris und Wilhelm Durandus junior. Auch in ihren Augen stellt die Lehre von der *plenitudo potestatis* des Papstes eine tiefgreifende Verfälschung der gottgewollten Struktur der Kirche dar, aber sie sehen die Rettung nicht in einer radikalen Entmachtung des Papstes und einer ebenso radikalen Bevollmächtigung des Konzils, sondern in einer Eingrenzung der Macht des Papstes durch eine Aufwertung des Konzils. Im Vergleich zum Monismus der Gewalten bei Marsilius sind Johannes von Paris und Wilhelm Durandus Anhänger eines Dualismus wechselseitig sich in die Schranken weisender Instanzen.[114]

c) Bevollmächtigung des Kaisers

Man sollte nun meinen, der zweite in die Augen springende Zug der Konzilstheorie des Paduaners wäre, nach der totalen Entmachtung des Papstes, als logische Folge eine entsprechende Emanzipation des Konzils. Dem aber ist nicht so. Das Konzil wird nicht frei. Es wechselt vielmehr nur seinen Herrn. Man kann deswegen den ‚Konzilstraktat' des Marsilius mit dem Motto überschreiben ‚Vom consilium pontificis zum consilium principis'. Es war ein großes Mißverständnis, Marsilius zum Urkonziliaristen zu machen.[115] Solche Interpretation ließ sich vom ersten Eindruck täuschen. Man übersah dabei, daß an Stellen, wo die Kompetenz des Konzils groß herausgestellt wird, immer auch der *legislator humanus fidelis* im Hintergrund steht. Es ist zwischen der Konzilstheorie des Marsilius und ihrer praktischen Anwendung zu unterscheiden. In der Theorie bezeichnet die „utopische Hilfskonstruktion"[116] des *legislator fidelis*[117] zwar die Gesamtheit der Gläubigen, also die Gesamtkirche, in der praktischen Anwendung der Theorie ist mit diesem verschleiern-

---

[113] Vgl. S. 227—229.

[114] Vgl. S. 346, 355—357.

[115] Vgl. jedoch GEWIRTH, Defender I 286: „Marsilius is the founder of conciliarism because he provides for the dependence not only of the pope upon the general council, but also of the council upon the laity and hence the whole ‚church'."

[116] PRINZ 69.

[117] Genauere Analysen zum Begriff des *legislator* bei GEWIRTH, Defender I 167—175, und DE LAGARDE, Le defensor pacis 145—155, der gegen GEWIRTH betont: „L'autorité du Legislateur n'est portée si haut que pour exalter celle du prince civil, qui seul peut s'autoriser d'une délégation expresse ou tacite, actuelle ou millénaire, et de ce législateur, dont la consistance est parfois assez fantomatique." — Vgl. auch QUILLET, Philosophie politique 85; zitiert Anm. 7, ferner MARTIN 270 f.; BATTAGLIA 166 ff. und vor allem M. WILKS, Corporation and representation in the Defensor pacis, in: StGra 15 (1972) 251—292.

den Begriff jedoch der Kaiser gemeint. Die dem Papst abgesprochene
iurisdictio coactiva wird nicht auf das Konzil übertragen, wie es die echten
Konziliaristen einmal tun werden, sondern auf den Kaiser.[118] Was man
allgemein für den *Defensor Pacis* festgestellt hat, nämlich daß Marsilius
ein überzeugter Anhänger des Imperiums ist[119], bestätigt sich auch
unter der speziellen Rücksicht des Konzils: Das Konzil ist, bei Licht
besehen, eine Art Expertenversammlung, die für die kaiserliche Reli-
gionsgesetzgebung Vorschläge erarbeitet.

d) Das Konzil als *repraesentatio fidelium*

Das Konzil als *consilium principis*, auf diese Formel kann man die Konzilstheorie des Marsilius in ihrer praktischen Anwendung bringen. Daß
man sie in der Vergangenheit nicht immer so interpretiert hat, daß man
in Marsilius einen Vorläufer der Konziliaristen hat sehen können, liegt
daran, daß der Paduaner rein theoretisch einen *Wesens*begriff von Konzil
vorgelegt hat, der wohl die grundstürzendste Modifikation der traditionellen Konzilsidee darstellt. Wir meinen seine konsequente Anwendung
des Repräsentationsgedankens auf das Konzil. Ansätze hierzu gibt es
schon vor ihm. Man denke an gewisse kanonistische Lehren[120] und vor

---

[118] Vgl. Anm. 63, außerdem DP II 21, 1; 402, 32: *Que quamvis demonstrata sint 15⁰ prime,
4⁰, 5⁰ et 9⁰ ac 17⁰ huius, in quibus per demonstracionem ostensum est et auctoritate scripture certificatum
amplius, iurisdicciones coactivas super omnes indifferenter sacerdotes et nonsacerdotes, personarum determinaciones et approbaciones, officiorum quoque instituciones omnium ad solius humani legislatoris fidelis
auctoritatem, minime vero ad sacerdotis aut sacerdotalis collegii solius, inquantum huiusmodi pertinere;*
ferner ebd. II 21, 4; 405, 1: *Quod vero diffinitorum seu iudicatorum et reliquorum ordinatorum,
prime significacionis iudicio, per generale concilium observacionis coactivum ferre preceptum seu dare
decretum super omnes indifferenter, tam sacerdotes quam nonsacerdotes, eiusque precepti sive decreti
transgressores arcere pena reali aut personali vel utraque, in hoc eciam seculo transgressoribus infligenda,
sit auctoritas humani legislatoris fidelis superiore carentis, suadere volumus primum ex hiis que
racionabiliter acta sunt et recitat Ysidorus codice predicto plerisque locis.* — II 21, 5; 406, 27: *Nec
solum de observandis his, quae per concilium diffinita fuerant, coactivum ferre decretum ad humanum
legislatorem seu ipsius auctoritate principantem pertinet, verum etiam formam et modum Romanam
sedem apostolicam ordinandi seu Romanum eligendi pontificem statuere.* — Einen Brief Papst Leos
an Kaiser Marcian kommentierend, schreibt Marsilius DP II 21, 6; 408, 18: *Ecce quod suam
sententiam sive iudicium primae significationis adiecit Romanus pontifex diffinitis per concilium, prae-
ceptionem tamen observationis ad ecclesias et sacerdotes supplicans fieri per Romanum principem; quod
tamen non fecisset, si haec illius non fuisset auctoritas.* — Vgl. auch II 21, 7; 410, 10: *Ex hoc autem
edicto attendenti apparet intencio trium conclusionum iam propositarum: unius quidem, quod dubia que
circa legem divinam fuerint, expedit diffinire; secunde vero, quod diffinicio hec non ad singularis persone
vel collegii auctoritatem pertinet, sed ad concilium generale; tercie quidem, quod huiusmodi convocare seu
precipere concilium, personas ad hoc idoneas statuere ac determinare, et per ipsum concilium diffinita et
ordinata servari statuere, statutorum quoque transgressores arcere in statu et pro statu presentis seculi,
auctoritas sit solius humani legislatoris fidelis seu eius auctoritate principantis.*

[119] QUILLET, Philosophie politique 86, zitiert Anm. 7.

[120] TIERNEY, Foundations 47—49, 53, 135, 152, 169, 173, 194—196.

allem an Johannes von Paris.[121] Aber niemand hatte bisher den Gedanken wirklich zu Ende gedacht.

Auszugehen ist vom Kirchenbegriff des Paduaners. Unter Berufung auf das Neue Testament weist er den klerikalen Kirchenbegriff zurück und bestimmt Kirche als *universitas fidelium credentium et invocantium nomen Christi*.[122] Diese *universitas fidelium*, die souverän ist, delegiert ihrerseits Gläubige, Kleriker und Laien, die sie, die Kirche, auf dem Konzil repräsentieren.[123] „Das Generalkonzil", faßt Hirsch sehr richtig zusammen, „ist keine Versammlung der Vorsteher der Kirche, welche als Nachfolger der Apostel kraft ihres Amtes die kirchlichen Angelegenheiten entscheiden, sondern eine Versammlung von Klerikern und Laien, welche als Vertreter der Gesamtheit der Gläubigen kraft ihres Mandats die kirchliche Gewalt ausüben. Dieser Konzilsbegriff war unerhört für die Zeit des Marsilius, aber aus dem Prinzip der kirchlichen Volkssouveränität folgerichtig abgeleitet".[124]

Wenn irgendwo im Zusammenhang seines ‚Konzilstraktates', dann ist hier, bei der Bestimmung des Konzils als Repräsentation des souveränen Kirchenvolkes, der Einfluß politischer Philosophie greifbar, übrigens kein subkutan wirkender, sondern ein von Marsilius selbst offengelegter. Wieso ist allein das Konzil und nicht der Papst für die Auslegung der Schrift und die sonstige kirchliche Gesetzgebung zuständig? Der Beweis ist, sagt Marsilius *Defensor Pacis* II 20, schon I 12 und II 17

---

[121] Vgl. S. 346—347.

[122] DP II 2, 3; 144, 22: *Rursum, secundum aliam significationem dicitur hoc nomen ecclesiae, et omnium verissime ac propriissime secundum primam impositionem huius nominis seu intentionem primorum imponentium, licet non ita famose seu secundum modernum usum, de universitate fidelium credentium et invocantium nomen Christi, et de huius universitatis partibus omnibus, in quacumque communitate, etiam domestica. Et haec fuit impositio prima huius dictionis et consuetus usus eius apud apostolos et in ecclesia primitiva.*

[123] Vgl. Anm. 53, außerdem DP II 20, 2; 393, 17: *Sic videlicet, ut omnes mundi provincie seu communitates notabiles secundum sui legislatoris humani determinacionem, sive unici sive pluris, et secundum ipsarum proporcionem in quantitate ac qualitate personarum viros eligant fideles, presbyteros primum et non presbyteros consequenter, idoneos tamen, ut vita probaciores et in lege divina periciores, qui tamquam iudices secundum iudicis significacionem primam, vicem universitatis fidelium representantes, iam dicta sibi per universitates auctoritate concessa conveniant ad certum orbis locum, convenienciorem tamen secundum plurime partis ipsorum determinacionem, in quo simul ea que circa legem divinam apparuerint dubia, utilia, expediencia et necessaria terminari, diffiniant, et reliqua circa ritum ecclesiasticum seu cultum divinum, que futura sint eciam ad quietem et tranquillitatem fidelium, habeant ordinare. Ociose namque ac inutiliter ad congregacionem hanc conveniret multitudo fidelium imperita, inutiliter autem, quoniam turbaretur ab operibus necessariis ad vite corporalis sustentacionem, quod onerosum ei esset aut importabile forte.*

[124] HIRSCH 31; richtig auch die Fortsetzung ebd. 31: „Die Zuerkennung umfassender Befugnisse an das Konzil läßt sich aber mit dem übrigen Inhalt des Defensor Pacis nicht in Einklang bringen." — Zum Repräsentationsgedanken bei Marsilius in der Anwendung auf das Konzil vgl. auch QUILLET, Universitas 194—196.

gegeben.[125] Die gleichen Argumente, die die *universitas civium* als Quelle
des staatlichen Rechts erweisen, gelten also auch, um zu zeigen, daß nur
das Generalkonzil der Ursprung des kirchlichen Rechts sein kann. Wie
lauten sie? An die Spitze seines Beweisgangs stellt Marsilius im genannten Kapitel die These.[126] Dann legt er drei Beweise vor. Der erste setzt
an bei der Einsicht und Umsicht des Gesetzgebers. Ein Gesetz ist um
so besser, je mehr Bürger beim diesbezüglichen Erkenntnisprozeß beteiligt waren. Eventuelle Fehler oder Nachteile des Gesetzes werden
von der Gesamtheit eher erkannt als von einem einzigen oder von nur
wenigen. Gerade auch der gemeinsame Nutzen, auf den ein gerechtes
Gesetz ausgerichtet sein muß, wird von vielen eher erkannt als von
wenigen.[127] Der zweite Beweis geht von der Freiheit der Bürger aus
und hat die bessere Beobachtung des Gesetzes im Auge. Ein Gesetz,
das die Bürger selbst aufgestellt haben, werden sie bereitwilliger be-
folgen als eines, das ihnen von jemand auferlegt ist.[128] Drittens argumentiert Marsilius schließlich mit dem Grundsatz des Römischen Rechts
Quod omnes tangit, ab omnibus approbari debet[129]: Dieses Prinzip gilt in be-

---

[125] DP II 20, 4; 395, 10: *Quod autem solius generalis iam dicti concilii sit auctoritas predicta diffiniendi
et ordinandi secundum dictum modum, nullius vero alterius persone singularis aut alterius particularis
collegii, consimilibus demonstracionibus et scripture sacre auctoritatibus convinci potest, qualibus legum-
lacionem et officiorum ecclesiasticorum institucionem secundariam 12° prime et 17° huius monstravimus
pertinere, sola demonstracionum minori extremitate mutata, ut videlicet circa legem divinam determinanda seu diffinienda dubia cum reliquis circa ritum ecclesiasticum sive cultum divinum ac fidelium
pacem et unitatem ordinandis assumantur pro termino legis aut officiorum ecclesiasticorum secundarie in-
stitucionis. Tanto ampliori necessitate attendenda in hiis, quanto de lege seu fide tenenda et hiis, que
omnibus fidelibus proficere vel nocere possunt, discrecio et cura diligencior est habenda.*
[126] DP I 12, 3; 63, 15: *Legislator seu causa legis effectiva et propria est populus seu civium universitas
aut eius valentior pars, per suam electionem seu voluntatem in generali civium congregatione per
sermonem expressam praecipiens seu determinans aliquid fieri vel omitti circa civiles actus humanos sub
poena vel supplicio temporali, valentiorem inquam partem considerata quantitate personarum et qualitate
in communitate illa super quam lex fertur, sive id fecerit universitas praedicta civium aut eius pars
valencior per seipsam immediate sive id alicui vel aliquibus commiserit faciendum, qui legislator
simpliciter non sunt nec esse possunt sed solum ad aliquid et quandoque, ac secundum primi legislatoris auctoritatem.*
[127] DP I 12, 5; 66, 3: *Quoniam illius veritas cercius iudicatur, et ipsius communis utilitas diligencius
attenditur, ad quod tota intendit civium universitas intellectu et affectu. Advertere enim potest magis
defectum circa propositam legem statuendam maior pluralitas quacumque sui parte, cum omne totum
corporeum saltem maius sit mole atque virtute qualibet sui parte seorsum. Adhuc ex universa multitudine magis attenditur legis communis utilitas, eo quod nemo sibi nocet scienter. Ibi autem inspicere
potest quilibet, an lex proposita magis declinet ad cuiusdam aut quorundam commodum, quam aliorum
vel communitatis et in contrarium reclamare ; quod non fieret, si per unum aut paucos quosdam, proprium
magis quam commune commodum attendentes, lex ipsa feratur.*
[128] DP I 12, 6; 67, 2: *Lex illa melius observatur a quocumque civium, quam sibi quilibet imposuisse
videtur ; talis est lex lata ex audito et praecepto universae multitudinis civium.*
[129] Vgl. hierzu S. 274—275.

sonderer Weise bei der Gesetzgebung. Denn was ‚tangiert' die Menschen so sehr wie die Gesetze, nach denen sie leben?[130] Die genannten Beweise gelten, versichert Marsilius, für die *universitas fidelium* nicht weniger als für die *universitas civium*.[131] In einem vierten Argument faßt Marsilius die vorausgegangenen zusammen: die Gesamtheit der Bürger urteilt am gerechtesten über das dem einzelnen Zukommende.[132]

Außer auf *Defensor Pacis* I 12 hatte Marsilius II 20, 4 auf II 17 als Beweis für die These, daß das Konzil das souveräne Kirchenvolk vertrete, verwiesen. Dort ist in der Tat von der Amtseinsetzung in der frühen Kirche die Rede. Sie geschah normalerweise durch die *universitas fidelium*. Die Praxis der frühen Christengemeinde entsprach also voll den *Defensor Pacis* I 12 aufgezeigten Vernunftprinzipien.[133]

Marsilius beruft sich für seine Ausführungen über das Volk als souveränem Gesetzgeber ausdrücklich auf Aristoteles.[134] Er lädt damit gleichsam ein, einen Blick auf seine Vorlage zu werfen und seine Darlegungen in dieser Frage mit denen des Stagiriten zu vergleichen. Die Unterschiede, die lediglich konstatiert, Marsilius keineswegs kritisch angelastet werden sollen, springen in die Augen. Eine erste Differenz betrifft die Form der Aussage: die vorsichtige Analyse des Aristoteles in

---

[130] DP I 12, 7; 68, 5: *Quae igitur omnium possunt tangere commodum et incommodum, ab omnibus sciri debent et audiri, ut commodum assequi et oppositum repellere possint. Talia vero sunt leges.*

[131] DP I 12, 8; 68, 27: *Qui enim lege debent omnes cives mensurari secundum proportionem debitam, et nemo sibi scienter nocet aut vult iniustum, ideoque volunt omnes aut plurimi legem convenientem communi civium conferenti.*

[132] GEWIRTH hat in seinem großen Marsilius-Buch sowohl die einzelnen Termini der oben zitierten These von der Volkssouveränität (GEWIRTH, Defender I 167—199) als auch die folgenden Beweise sehr sorgfältig analysiert und sie in den großen Zusammenhang der politischen Philosophie des Mittelalters gestellt (ebd. 199—225). Er kann im einzelnen zeigen, daß Marsilius mit den genannten Argumenten sehr pointiert Stellung bezieht gegenüber bestimmten älteren antidemokratischen Aristotelesinterpretationen. Insgesamt hat dabei seine Interpretation die Tendenz, sowohl die Originalität des Paduaners gegenüber älteren Denkern zu betonen als auch den demokratischen Ansatz seiner politischen Philosophie herauszustellen. Beides geschieht nach DE LAGARDE sehr zu Unrecht. Die Originalität des Paduaners verblaßt, wenn man seine Ausführungen an denen seiner Vorgänger mißt. Und von Demokratie kann deswegen kaum die Rede sein, weil Marsilius die entscheidende Frage, nämlich die nach dem konkreten Organ, durch das das Volk seine Stimme zur Geltung bringt, kaum berührt. DE LAGARDE, Le defensor pacis 131—151, ebd. 151—155 Hinweis auf zahlreiche Widersprüche bei Marsilius in der Frage der sogenannten Volkssouveränität.

[133] DP II 17, 6; 360, 11: *Est autem et hoc rationi consonum. Verisimile enim est omnes aut plures apostolorum simul certius deliberasse ac minus errasse circa personam promovendam sive ad sacerdotium sive ad alium sacrum ordinem aut aliud officium secundarium statuendam, quolibet ipsorum seorsum accepto.*

[134] DP I 12, 3; 63, 15: *Nos autem dicamus secundum veritatem atque consilium Aristotelis 3. Politiae, capitulo 6.*

Pol III 11[135] wird bei Marsilius zur kategorischen Affirmation. Aus dem ‚kann' des Stagiriten wird bei dem Italiener ein einfaches ‚ist'.[136] Aristoteles schränkt ein und schließt Ausnahmen nicht aus[137], sieht in der Beteiligung der Menge eher ein *minus malum* als ein eigentliches, zu erstrebendes *bonum*[138], er beleuchtet die These sorgfältig durch Argumente pro und contra.[139] All dies Fragende, Schwankende, spezifisch Akademische streicht Marsilius aus seiner Vorlage, was bleibt, ist die

---

[135] Arist., Pol 3, 11; 1281a—1282a, deutsche Übertragung P. GOHLKE, Paderborn 1959, 134: „Daß jedoch lieber die Menge bestimmen sollte (πλῆθος) als die Minderheit der Besten (ἄριστοι ὀλίγοι), scheint als Lösung eine gewisse Berechtigung, ja die Wahrheit für sich zu haben."

[136] Ebd. 134/5: „Denn die Masse (οἱ πολλοί), in der jeder einzelne kein edler Mensch ist, kann doch zusammengenommen besser sein als jene, nicht im einzelnen, sondern im ganzen, wie auch Mahlzeiten aus allgemeinen Beiträgen denen überlegen sind, die nur einer bezahlt. Da es nämlich viele sind, müsse jeder sein Teil Tugend (ἀρετή) und Besinnung (φρόνησις) haben, und so seien sie insgesamt wie ein Mensch mit vielen Beinen und Armen und Sinnen, genau so in Sitte und Verstand."

[137] Ebd. 135: „Ob für jedes Volk (δῆμος) und jede Masse (πλῆθος) der Unterschied der Menge gegenüber den wenigen Edlen so bestimmt werden kann, bleibt dahingestellt, vielleicht ist es, bei Zeus!, für einige auch unmöglich, denn derselbe Gedanke müßte dann ja auch für die Tiere gelten, und wie wenig unterscheiden sich manche Menschenmassen von Tieren! Aber für eine gewisse Menge kann das Gesagte durchaus zutreffen."

[138] Ebd.: „Daher könnte man auch die vorgenannte Schwierigkeit und die sich daran anschließende durch diesen Gedanken lösen, nämlich die Frage, worüber die Masse der freien Bürger (πλῆθος τῶν πολιτῶν) zu bestimmen haben sollte. Es sind dies solche, die weder reich sind, noch sonst auf einem Gebiete besonderen Anforderungen an Tüchtigkeit genügen. Es ist nämlich gefährlich, sie an den höchsten Ämtern zu beteiligen, weil sie durch Unredlichkeit und Unvernunft Unrecht und Fehler begehen. Aber noch gefährlicher ist es, sie gar nicht zu beteiligen; denn wenn viele Rechtlose und Arme in ihr wohnen, muß ja die Stadt voller Feinde sein! Also bleibt nur übrig, sie zur Volksversammlung und zum Richteramt (βούλεσθαι καὶ κρίνειν) hinzuzuziehen. Daher bestimmen Solon und einige Gesetzgeber, sie sollten die Wahl der Beamten und ihre Entlastung vornehmen, lassen sie jedoch einzeln kein Amt führen. Alle zusammen haben sie nämlich genug gesunden Sinn, und im Verein mit den Besten (βελτίονες) nützen sie ihrer Stadt (πόλις), so wie die kraftlose Nahrung zusammen mit der kraftvollen das Ganze nutzbringender gestaltet, als wenn es zu wenig wäre. Als einzelner ist jeder zu unvollkommen für die Beurteilung."

[139] Ebd. 136/7: „Eine solche Ordnung der Verfassung hat das erste Bedenken, daß es anscheinend doch demselben zugesteht, über ein Heilverfahren recht zu urteilen, der auch heilen und den Kranken von der betreffenden Krankheit befreien kann. Genau so scheint es bei einer Wahl zu liegen, auch eine richtige Wahl (αἵρεσις) ist Sache der Wissenden, einen Mathematiker wählen Mathematiker aus, einen Steuermann Steuermänner ... Daher dürfte man nach diesem Gedanken der Masse nicht Ämterwahl und Entlastung anvertrauen. Aber vielleicht ist dies doch nicht ganz richtig, einmal aus dem oben angeführten Grunde, wenn es sich nämlich nicht um eine Masse von Sklavenseelen handelt, weil dann zwar jeder einzelne schlechter urteilt als der Sachkundige, alle zusammen aber besser oder jedenfalls nicht schlechter, und auch deshalb, weil auf gewissen Gebieten die Künstler selbst weder allein noch am besten urteilen, dort nämlich, wo auch solche das Werk kennen, die nicht im Besitz der Fertigungskunst sind; zum Beispiel von einem Hause versteht nicht nur der Baumeister etwas, sondern mehr noch der, der darin wohnt. ..."

apodiktische Behauptung, daß das Volk der Gesetzgeber sein muß und sonst niemand es sein kann.

Doch zurück zum Generalkonzil! Wir haben gesehen, mit welchen Argumenten und auf welcher Quelle fußend Marsilius seine Autorität begründet. Abschließend sei lediglich noch auf zwei Punkte hingewiesen. Wenn de Lagarde kritisch anmerkt, Marsilius habe sich darüber ausgeschwiegen, durch welches Organ die *universitas civium* tatsächlich als *legislator* zur Geltung kommt[140], so trifft dieser Vorwurf hinsichtlich der *universitas fidelium* nicht zu. Hier hat sich Marsilius in der Tat sehr deutlich zur Frage des konkreten Organs geäußert. Es ist das Generalkonzil.[141] Zweitens, Marsilius hat konsequenter als irgend jemand sonst vor ihm im Generalkonzil eine Repräsentation, eine Stellvertretung des souveränen Kirchenvolkes gesehen. Und zwar handelt es sich, wie er ausdrücklich betont, um eine Repräsentation aufgrund von Delegation und Wahl.[142] Was man bei ihm aber noch vergeblich sucht, ist eine Analyse eben dieses Begriffes der Repräsentation. Er wendet ihn an, aber er erörtert ihn nicht näherhin.[143]

e) Teilnahme von Laien

Ist das Konzil von seinem Wesen her nicht mehr eine Versammlung von ,Vorstehern der Kirche‘, sondern Repräsentanz der *universitas fidelium*, dann hat das unmittelbar Konsequenzen für seine Zusammensetzung und die Art und Weise seiner Beschickung. Marsilius zieht diese Konsequenz. Das Konzil muß auch im engeren Sinne des Wortes repräsentativ sein, das heißt, alle Kirchenprovinzen und größeren kirchlichen Gemeinschaften müssen vertreten sein, und zwar entsprechend ihrer jeweiligen Größe *(quantitas)*. Im *Defensor minor* wird Marsilius auf diesen quantitativen Aspekt der Repräsentation zurückkommen. Ein wirklich repräsentatives Konzil, heißt es dort, muß auch die griechische Kirche miteinschließen.[144] Denn sie ist in Wirklichkeit nicht

---

[140] DE LAGARDE, Le defensor pacis 145—147.

[141] Vgl. QUILLET, Universitas 196: „C'est donc par la médiation des règles de la société politique que le principe représentatif joue pleinement son rôle au niveau du concile général. De la même façon que l' ,universitas civium‘ détient l'autorité qu'elle délègue à la ,pars valentior‘, de même l' ,universitas fidelium‘ confie ses droits à la ,pars valentior‘ des fidèles. Il ne s'agit pas d'analogie, mais d'équivalence pure et simple.“

[142] Vgl. Anm. 53 und 123.

[143] Zur Anwendung des Begriffs bei Marsilius vgl. QUILLET, Universitas; zur Problematik und den verschiedenen Bedeutungen vgl. DE LAGARDE, zitiert S. 348.

[144] *Defensor minor* 12, 4, Ausgabe JEUDY-QUILLET 258: *Addendum praedictis quod quibusdam videtur, quod concilium generale nullum possit aut deberet appellari, nisi ecclesia Graeca tota fidelium ad hoc fuerit debite convocata.*

schismatisch. Das Filioque ist ein bloßer Streit um Worte und wird vom Papst künstlich hochgespielt. In der Primatsfrage gibt es nichts Trennendes zwischen Griechen und Lateinern, denn hier sind — in der Sicht des Marsilius — die Griechen mit ihrer Ablehnung sowieso im Recht. Und Marsilius zieht aus der Theorie die praktische Konsequenz: das lateinische Fehl- und Vorurteil über die angeblich schismatischen Griechen muß endlich durch ein gemeinsames, vom Kaiser zu berufendes Generalkonzil korrigiert und beseitigt werden.[145]

Aber auch qualitative Repräsentation ist notwendig, das heißt die verschiedenen innerkirchlichen Gliederungen und Gruppen müssen beteiligt werden. Kriterium für die Auswahl ist die Eignung für die gestellte Aufgabe. Da es um die Auslegung der Schrift und um die Lösung kirchlicher Probleme geht, ist zunächst an die Spezialisten auf diesem Gebiet, das heißt aber, an die Priester zu denken. Sie sind am meisten teilnahmeverpflichtet. Aber nicht sie allein. Auch die Laien sind grundsätzlich zur Teilnahme verpflichtet, und zwar in dem Maße, als sie die nötigen Voraussetzungen mitbringen, das heißt die erforderlichen Kenntnisse besitzen und einen entsprechenden Lebenswandel führen. Leute, denen diese Voraussetzungen fehlen, sind jedenfalls von der Teilnahme am Konzil auszuschließen, sie stellen auf demselben nur eine Belastung dar.[146]

Marsilius weiß sehr wohl, daß die Konzilien der Alten Kirche fast ausschließlich von Priestern beschickt waren. Spricht das nicht gegen seine Forderung, daß zum Generalkonzil auch Laien zugelassen werden sollen? Entscheidendes Kriterium für die Teilnahme, antwortet er, ist die Qualifikation für die gestellte Aufgabe. Die altkirchlichen Konzilien sind deswegen fast ausschließlich von Priestern beschickt, weil diese damals, ganz im Gegensatz zu heute, tatsächlich für diese Aufgabe qualifiziert waren. Der Paduaner wendet in der Frage der Laienteilnahme also ge-

---

[145] Ebd. 258/9: *Graeci enim, secundum dicta multorum sacrae legis doctorum (et videtur Magister Sententiarum in hanc quasi declinare sententiam) realiter et in vera credulitate non discrepant a Latinis circa processum Spiritus sancti, sed solum secundum verborum apparentiam quamdam. Unde non debent schismatici iudicari, quamvis Romanus episcopus cum suorum fratrum seu cardinalium coetu id et fortassis inutiliter dicere videantur, quod per Romanum populum et principem corrigi debet, et utrorumque tam Graecorum quam Latinorum concilium convocari, quemadmodum fecit primus Constantinus, ut per idem concilium tolleretur huiusmodi schisma seu apparens dissensio, et in unitatem Christi reduceretur ecclesia tam sententiae quam verborum.*

[146] Vgl. Anm. 123, außerdem DP II 20, 3; 394, 9: *Quamvis ad hanc congregacionem fideles omnes obligentur lege divina propter finem predictum, licet diversimode: sacerdotes quidem enim, eo quod ipsorum officium sit legem docere secundum ipsius verum sensum, et ea procurare que ad ipsius sinceritatem et veritatem proficere possint, errores contrarios reprobare, ab ipsis quoque suis exhortacionibus, arguicionibus et increpacionibus homines revocare.*

wissermaßen das Subsidiaritätsprinzip an. In der ‚modernen‘ Kirche ist stärkere Laienteilnahme nötig, weil der Klerus versagt.[147] Ein Traditionsargument zugunsten seiner These von der notwendigen Teilnahme von Laien beim Konzil sieht Marsilius übrigens in der Tatsache, daß an den altkirchlichen Konzilien die Kaiser und Kaiserinnen mitsamt ihrem Beamtenstab teilgenommen haben. Das Argument ist um so überzeugender, als damals die Teilnahme von Laien wegen der ausreichenden Kompetenz des Klerus an sich nicht so notwendig war wie heute.[148] Ein Rest von Privileg bleibt den Priestern gegenüber den sonst voll gleichberechtigten Laien auf dem Konzil erhalten: für den Fall, daß die Priester eine Glaubensfrage einstimmig entscheiden, ist ihrer Definition Glauben zu schenken. Haben sie sich nicht zur Einstimmigkeit durchringen können, dann entscheidet die *pars valentior fidelium*[149], welche Partei unter den Priestern die *pars sanior*[150] darstellt und folglich im Recht ist. Bei Uneinigkeit der Priester geben also die Laien, das heißt konkret, wohl der Kaiser, als *valentior pars* den Ausschlag.[151] Als geschichtliches Beispiel hat hierbei Marsilius vielleicht eine Situation wie die nach dem Ephesinum im Auge, wo der Kaiser die Partei des Cyrill zur *sanior pars* erklärte. Gewirth macht in unserem Zusammenhang darauf aufmerksam, daß der *legislator fidelis* beziehungsweise der in seinem Namen regierende Kaiser nicht zuletzt dadurch das Konzil fest in der Hand hat und somit die Interpretation der Heiligen Schrift bestimmt, daß er es ist, der die Priester zu den Weihen zuläßt.[152]

---

[147] DP II 20, 14; 401, 23: *A quo siquidem convenienter interrogandum, cur talis episcoporum et sacerdotum in generali concilio congregabitur turba? Et qualiter in dubiis circa scripturas determinare noverint veros sensus a falsis? Propter quod in horum defectum nonsacerdotes approbatos fideles, iuxta fidelis legislatoris determinacionem, scripture sacre doctos sufficienter, vita et moribus eciam talibus episcopis et sacerdotibus prepollentes, perutile, quinimo necessarium, legi divine ac recte racioni consonum est tali concilio interesse, ipsorumque deliberacione cum reliquis dubia circa fidem et quesita cetera diffiniri.*

[148] DP II 20, 5; 396, 1: *Signum autem verum esse quod diximus, est, quoniam et conciliis principalibus in diffiniendis scripture dubiis aderant imperatores et imperatrices fideles cum suis officialibus, ut ex Ysidori sepe dicto codice satis apparet, ubi sequenti capitulo induximus a 2ª in 8ᵃᵐ, quamvis eo tempore non tanta vocaret necessitas nonsacerdotum presenciam, quanta moderno, propter instancium sacerdotum et episcoporum turbam maiorem divine legis, quantum oporteret, ignaram. Unde sacerdotibus invicem dissidentibus de credendis ad salutem eternam, de ipsorum saniori parte fidelium pars valencior habet iudicare, quamvis ipsis omnibus concordantibus, in quibus dubium videbatur, credendum sit in predictis, sic tamen promotis ad ordines, quemadmodum diximus 17⁰ huius.*

[149] Zu diesem schillernden, auf Aristoteles zurückgehenden Begriff (τὸ κρεῖττον μέρος) vgl. die zum Teil kontroverse Auslegung durch Gewirth, Defender I 182—199 (‚The Concept of weightier part‘) und de Lagarde, Le defensor pacis 141—145. Der Begriff bezeichnet bei Aristoteles nicht die numerische Mehrheit, sondern ein ‚mehr‘ an Stärke, Mut, Wert. De Lagarde übersetzt „la partie la plus valable" (beziehungsweise notable, représentative).

[150] Zu diesem Begriff vgl. Gierke 324—330.

[151] DP II 20, 5; 396, 9; zitiert Anm. 148.

[152] Gewirth, Defender II 282, Anm. 9.

Handelt es sich in der hier dargestellten Beteiligung der Laien am Konzil wirklich um eine Neuerung im Vergleich zur vorausgehenden Tradition? Bemühten sich nicht schon die Päpste des 12. und 13. Jahrhunderts um eine möglichst starke Beteiligung der Laien, so daß man statt von einem Bruch mit der traditionellen Konzilstheorie besser von einem kontinuierlichen Übergang sprechen würde? Dies ist bekanntlich die These des berühmten Artikels von A. Hauck über die „Rezeption und Umbildung der allgemeinen Synode im Mittelalter".[153] Die Tatsache zunehmender Laienteilnahme ist natürlich zuzugeben, aber der Unterschied in der Bedeutung, die dieser Teilnahme in der Idee eines Innocenz III. beziehungsweise Marsilius zukommt, ist doch so groß, daß hier nicht von einem kontinuierlichen Übergang oder einer „Umbildung", sondern nur von einem Bruch und einem Umsturz die Rede sein kann. Ein wesentlicher Unterschied liegt zunächst darin, daß die Laien nach geltendem Recht zwar Teilnahme- und Rederecht, aber kein Stimmrecht haben.[154] Der zunehmende Einfluß der Laien hängt, weiter, mit der Natur der Probleme zusammen, die auf den Konzilien des 12. und 13. Jahrhunderts verhandelt wurden. Wo es um die Organisation der christlichen Gesellschaft, um Gemeinschaftsunternehmen von *sacerdotium* und *imperium* geht wie zum Beispiel den Kreuzzügen, ergibt sich Mitsprache und -wirkung der Laien ganz von selbst. Für Marsilius resultiert die Laienteilnahme aber nicht aus der Natur der zu behandelnden Gegenstände, sondern aus dem Wesen des Konzils selbst, das als Repräsentation der Kirche, die aus Klerikern und Laien besteht, entsprechend zusammengesetzt sein muß.

f) Unfehlbarkeit

Wir kommen zu einem weiteren Aspekt der Konzilsidee des Paduaners, seiner These von der Unfehlbarkeit der allgemeinen Kirchenversammlungen. Haben wir es auch hier wie bei den vorausgehenden Fragen mit einer Neuerung zu tun, einem Bruch mit der vorausgehenden Tradition? Die Antwort ist aus einem doppelten Grund nicht leicht. Einerseits fehlt es an einer umfassenden Untersuchung über die Entstehung und Entwicklung der Lehre von der Unfehlbarkeit der Konzilien, wie wir sie inzwischen über die des Papstes besitzen.[155] Wir wissen also

---

[153] HV 10 (1907) 466—482.
[154] Vgl. S. 256—257.
[155] Tierney, Origins. Zur Unfehlbarkeit der Konzilien vgl. einige Beobachtungen bei De Vooght, Esquisse 99—146; Bermejo 128—162; R. Bäumer, Luthers Ansichten über die Irrtumsfähigkeit des Konzils und ihre theologiegeschichtlichen Grundlagen, in: Wahr-

nicht mit ausreichender Gewißheit, ob es vor Marsilius schon Theologen gegeben hat, die in aller Ausdrücklichkeit wie er die These der konziliaren Unfehlbarkeit vertreten haben. Wir können also lediglich sagen: nach dem bisherigen Stand der Forschung ist niemand bekannt. Andererseits weiß man bei Marsilius selber nicht recht, wie ernst er in dieser Frage beim Wort genommen werden will. Was nun das erste Problem angeht, nämlich die Frage, wie man in der ersten Hälfte des 14. Jahrhunderts über die Unfehlbarkeit der Konzilien dachte, so sind wir darauf schon etwas näher eingegangen.[156] Soviel jedenfalls wird man sagen können: das Thema lag, angestoßen durch die These der päpstlichen Unfehlbarkeit, irgendwie in der Luft.[157] Aber niemand hatte vor Marsilius die These von der konziliaren Unfehlbarkeit an so exponierter Stelle in solcher Ausdrücklichkeit aufgestellt. Und Marsilius selber, wie ernst will er genommen werden? Die Frage ist jedenfalls berechtigt, auch andere Forscher haben Zweifel an seine Ernsthaftigkeit gestellt.[158]

Wenden wir uns nun mit unserer doppelten Frage, der nach dem Stand der Entwicklung und der nach der Ernsthaftigkeit des Marsilius, nochmals dem betreffenden Kapitel des *Defensor Pacis* zu. Zunächst einige Beobachtungen: Erstens, Marsilius geht mit dem Wort *infallibilis* eher großzügig um. So nennt er zum Beispiel sein eigenes theologisches Argument eine *deductio infallibilis*.[159] Ockham wird sie mit leichter Hand zur Seite schieben.[160] Zweitens, Marsilius formuliert seine These nicht wie jemand, der seiner Sache sehr sicher ist. Wäre er von seiner eigenen These wirklich überzeugt, würde er kaum formulieren *verisimile quinimmo certum est*[161] und *pie tenendum est*.[162] So spricht eher jemand, der die

---

heit und Verkündigung, hrsg. von L. SCHEFFCZYK, München 1967, 987—1003; DERS., Nachwirkungen des konziliaren Gedankens in der Theologie und Kanonistik des frühen 16. Jahrhunderts, Münster 1972, 163 ff.; H. SCHÜSSLER, Der Primat der Heiligen Schrift als theologisches und kanonistisches Problem im Spätmittelalter, Wiesbaden 1977, 53 ff.

[156] Vgl. S. 358—365.

[157] Daß es außer Marsilius Theologen gab, die die Konzilien für unfehlbar hielten, kann man vielleicht auch Ockham, *Dialogus I* entnehmen, wo der discipulus von sich selber behauptet, Anhänger dieser Lehre zu sein, vgl. S. 421.

[158] Vgl. SABINE 241/2: „Alla chiesa stessa, come insieme corporativo, o una forma più ristretta di concilio generali, egli è disposto invece a concedere — un po' ingenuamente, bisogno dirlo, se questa parte della sua dottrina si deve prendere sul serio — una mistica infallibilità. È questo l'unico punto in cui il razionalismo prevalente del suo sistema permette un contatto tra ragione e fede."

[159] Vgl. Anm. 51; außerdem DP II 19, 2; 385, 7: *infallibilis deductio*.

[160] Vgl. S. 435.

[161] Vgl. Anm. 50.

[162] Vgl. Anm. 51.

Zerbrechlichkeit der eigenen Argumente durchschaut oder dem die Neuheit einer geäußerten Ansicht noch voll bewußt ist. Und in der Tat, drittens, was beweist auch schon das Schriftargument Mt 28, 20 in der fraglichen Angelegenheit? Auch die beigefügten Glossen des Rabanus Maurus und Pseudo-Hieronymus machen den Schrifttext nicht einschlägiger.[163] Und wieviel Beweiskraft hat die ebenfalls angeführte Stelle Apg 15, 28? Marsilius überspielt hier offensichtlich den eigenen Zweifel durch die Versicherung *idem aperte convincitur ex Actuum 15*.[164] Ockham wird mit solchen Argumenten leichtes Spiel haben.[165] Auffallend ist, viertens, ein weiterer Umstand: Marsilius beschränkt sich auf den Schriftbeweis und leitet entgegen seinem sonstigen Vorgehen die Unfehlbarkeit des Konzils nicht aus seinen Prämissen ab.[166] Offensichtlich sieht er selber keinen notwendigen Zusammenhang zwischen der Unfehlbarkeit des Konzils und den übrigen Prämissen seiner Konzilstheorie, zum Beispiel dem Repräsentationsgedanken. Die Unfehlbarkeit ergibt sich nicht aus den Prämissen seiner Konzilstheorie, sie ist, fünftens, offensichtlich auch nicht eigentlich vorausgesetzt, damit das Generalkonzil die ihm gestellte Aufgabe, nämlich die Erhaltung der Glaubenseinheit, erfüllen kann. Hier genügt wie im analogen Bereich der staatlichen Gesetzgebung eine Instanz, die mit höchster inappellabler Autorität ausgestattet ist. Mit anderen Worten, es ist kein Zufall, daß Marsilius die Unfehlbarkeit nicht eigentlich in den Zusammenhang seines Systems stellt, denn sie ist dort in der Tat ein Fremdkörper.

Warum aber stellt er dann die These überhaupt auf? Man kann folgendes vermuten: Marsilius hat in seinem Kirchensystem an die Stelle des Papstes, was die Lehrkompetenz angeht, das Generalkonzil gesetzt. Zu den Privilegien des Papstes aber gehört, das weiß Marsilius, zumindest nach der Meinung gewisser Theologen, die Unfehlbarkeit. Sollte seinem Konzil die Eigenschaft fehlen dürfen, die seinem verhaßten Gegner zugeschrieben wird? Deswegen der Satz: *Determinationes conciliorum generalium in sensibus scripturae dubiis a spiritu sancto suae veritatis originem sum-(unt)*.[167] Und möglicherweise entschloß er sich zu dieser These erst bei

---

[163] DP II 19, 2; 385, 10: (Rabanus) *Ex hoc intelligitur quod usque in finem saeculi non sunt defuturi in mundo, qui divina mansione et inhabitatione sunt digni.* — (Ps. Hieronymus): *Qui ergo usque ad consummationem saeculi cum discipulis se esse promittit, et illis ostendit semper esse victuros et se numquam a credentibus recessurum.*

[164] Vgl. Anm. 50.

[165] Vgl. S. 435.

[166] Die *deductio infallibilis* von II 19, 3 gehört nicht in diese Kategorie von Beweisen, und Marsilius präzisiert entsprechend: *ex scriptura vim sumens*, vgl. Anm. 51.

[167] DP II 19, 3; 386, 9—11.

einer Überarbeitung der ursprünglichen Fassung seines Werkes. Das
wäre jedenfalls eine Erklärung für den weiter oben beobachteten Ge-
dankenbruch in II 19, wo sich die methodische Vorbemerkung zum
folgenden Beweis zu einem Traktat über die unfehlbaren Glaubensquellen auswächst. Das Konzil soll nicht weniger unfehlbar sein, als der
Papst es im alten System war, es soll so unfehlbar sein wie die Heilige
Schrift selbst.[168]

Mag die Unfehlbarkeitsthese seinem System auch im eben genannten
Sinn „aufgesetzt" sein, kein Zweifel kann darüber bestehen, daß Marsilius auch später noch entschieden an ihr festhält. Den Beweis dafür
liefert uns der *Defensor minor*, wo er sich gegen den Einwand Ockhams
zur Wehr setzt, wenn die Bischöfe als einzelne fehlbar seien, seien sie
es auch notwendigerweise versammelt.[169] Marsilius weist den Einwand
als Musterbeispiel eines Verstoßes gegen die Gesetze der Logik ab:
Der Schluß vom *sensus divisus* auf den *sensus compositus* ist unerlaubt.[170]
Und er bringt ein Beispiel: aus der Tatsache, daß einzelne als einzelne
ein Schiff nicht ziehen können, darf nicht gefolgert werden, daß sie es
auch zusammen nicht schaffen.[171] Aufschlußreich für die Konzilsidee
des Paduaners ist freilich dann die Anwendung dieses Beispiels auf das
Konzil. Das Miteinander der Teilnehmer wird nicht wie bei einem
Nikolaus von Kusa später als *consensus* interpretiert, der als solcher die
Gegenwart des Heiligen Geistes anzeigt[172], es besteht lediglich in einem
gegenseitigen Aneifern zur Erkenntnis der Wahrheit. Und es folgt wie
schon im *Defensor Pacis* der Hinweis auf Apg 15.[173]

---

[168] Vgl. Anm. 35.

[169] Ockham, Dial I 5, 25; Ausgabe GOLDAST II 495, 1 ff.; vgl. S. 441.

[170] Vgl. J. DE VRIES, Logica, Freiburg 1950, 156: Fallacia sensus compositi et divisi.

[171] Das Beispiel stammt aus der Diskussion um den communitas-Begriff im franziskanischen
Armutsstreit. Franciscus Rubeo de Marchia (beziehungsweise de Ascoli) bringt es in seiner
nur handschriftlich überlieferten *Improbatio* (wohl 1330): *Et prima ista propositio, quam tota die
assumit quod usus facti communitati non convenit eo quod communitas non est vera persona sed ymaginaria,
licet sit vera de communitate logica, quae est communitas rationis abstracta a suis partibus, tamen de
communitate collectiva, quae est communitas rei vera et non rationis tantum, est falsa evidenter —
sicut patet in tractu de facto navis a decem hominibus simul quae* (lies: *qui*) *tractus facti navis per se
est communitatis, seu multitudinis x hominum ipsam trahentium, et non alicuius personae singularis, quia
nullus unus per se solum posset eam trahere de facto: et ita homines trahunt ipsam navem simul ut et
unus motor seu tractor sufficiens et totalis.* — Zitiert nach der Florentiner Handschrift durch
J. MIETHKE, Ockhams Weg zur Sozialphilosophie, Berlin 1969, 506, Anm. 265; Näheres zu
diesem Begriff der kollektiven Einheit ebd. 505—507.

[172] Vgl. SIEBEN, Traktate 91.

[173] *Defensor minor* 12, 5; Ausgabe JEUDY-QUILLET 260: *Nec obstat paralogismus, quod positiones
et divisiones, quo quidam inferunt inducendo, hic et ille potest errare in dubiis circa fidem, et sic de*

Im gleichen *Defensor minor* präzisiert Marsilius seine Lehre über die Unfehlbarkeit des Generalkonzils. Anlaß hierzu ist wiederum die Kontroverse mit Ockham. Dieser hatte den Primat des Papstes gegen Marsilius unter anderem mit dem ununterbrochenen Festhalten an dieser Lehre der *ecclesia universalis* bewiesen. Die Verbindlichkeit solcher von der *ecclesia universalis* ununterbrochen geglaubter Lehre hatte der Engländer dabei zunächst durch ein Augustinus-Zitat belegt, dann, weil ja sein Kontrahent, Marsilius, nur Schrift- und Generalkonzilien, nicht aber Väterargumente als verbindlich annahm, durch ein theologisches Argument *(ratio)* abgesichert.[174] Marsilius pariert diesen Einwand durch eine nähere Bestimmung des Begriffs einer Lehre der *ecclesia universalis* und des möglichen Gegenstandes einer unfehlbaren Aussage. Nur das Generalkonzil kommt als Quelle einer Lehre der *ecclesia universalis* im strikten Sinne des Wortes in Frage. Und möglicher Gegenstand unfehlbarer und somit unwandelbarer Konzilsdefinition können nur heilsnotwendige, in der Schrift enthaltene Wahrheiten sein, nicht aber Fragen des positiven Kirchenrechts. Der Primat des Papstes nun ist sicher keine in der Schrift enthaltene heilsnotwendige Wahrheit, sondern höchstens eine positiv-kirchenrechtliche Bestimmung, die, sollte sie von einem Konzil aufgestellt worden sein, ebenso von einem Konzil aufgrund neuer Zeitumstände auch wieder abgeändert werden kann. Die Kontroverse mit Ockham bringt also eine grundsätzliche Präzisierung des möglichen Gegenstandes unfehlbarer Konzilsdefinitionen: unfehlbar sind nur heils-

---

singulis, ergo et omnes. Deficit enim haec illatio secundum formam, ut diximus, quoniam licet in sensu diviso sit orta in singulis, tamen composito pronuntiata est falsa, et apparet hoc etiam evidenter in aliis. Non enim sequitur, quod si unusquisque seorsum ab aliis non potest navem trahere, aut aliam facere consimilem actionem, hanc non posse facere ipsorum multitudinem simul iunctam. Sic etiam et similiter seu proportionaliter in concilio fidelium multitudinis simul iunctae: nam ex auditu unius ad alterum excitabitur mens ipsorum invicem, ad considerationem aliquam veritatis, ad quam nequaquam perveniret ullus ipsorum seorsum existens sive ab aliis separatus et rursum quoniam hoc videtur esse atque fuisse ordinatio divina, et factum in ecclesia primitiva. Unde Actuum ‹15› legitur, quod in quodam dubio circa fidem congregatis apostolis et senioribus, cum omni ecclesia quae fuit Ierosolimis, ex Spiritus sancti virtute processisse deliberationem ipsorum, sicut ibidem Scriptura testatur, dum dicitur: „Visum est Spiritui sancto et nobis" et cetera, quod de generali concilio fidelium supradicto repraesentare congregationem praefatam similiter et verisimiliter opinandum.

[174] Ockham, Dial III 1, 5, 22; 864, 46: *Quod a temporibus apostolorum usque ad tempora nostra praelati et doctores ecclesiae, sibi continua serie succedentes et populi eius subiecti senserunt, ab omnibus catholicis est tenendum firmiter. Haec scilicet maior, auctoritate Augustini in libro ‚Contra Manichaeos',* et habetur in decretis dist. 11 c. Palam *videtur aperte posse probari cum dicit: Palam est, quod in re dubia ad fidem valeat auctoritas catholicae ecclesiae, quae ab ipsis fundatissimis sedibus apostolorum usque ad hodiernum diem, succedentium sibimet et episcoporum serie et tot populorum consensione confirmatur. Quae nihilominus (quia quidam dicunt, ut patet supra, auctoritates aliorum quam scriptorum scripturae canonicae et generalium conciliorum non esse recipiendas) ratione probatur.*

notwendige in der Schrift enthaltene Sätze über den Glauben und die Sitten.[175]

g) Theoretischer Charakter der Marsilianischen Konzilsidee

Zum Schluß sei noch auf zwei weitere, für die Konzilsidee des Marsilius bezeichnende Momente hingewiesen. Beide sind typisch für den apriorischen, theoretischen, ja rationalistischen Charakter seiner Konzilsidee. Wir meinen damit einerseits die bei ihm immer wieder fast formelhaft wiederkehrende Kennzeichnung konziliarer Glaubensentscheidungen als Schriftauslegung, andererseits seine Beschränkung und Fixierung auf das Generalkonzil als solches.

In der Tat, schon in seinem geschichtlichen Abriß des Verhältnisses Papst/Konzil beschreibt er die dem Konzil zufallende Aufgabe hinsichtlich der *fides* als eine Zuständigkeit *de scriptura sacra*[176], ähnlich bei der Vorstellung seines Programms in den folgenden Kapiteln: Dem Konzil kommt die Aufgabe zu, den Streit der Gelehrten über die Auslegung der Heiligen Schrift zu beenden.[177] Nur diese konziliare Schriftauslegung, nicht die anderen Entscheidungen des Konzils, werden im folgenden Kapitel als unfehlbar behauptet.[178] Eben diese Aufgabe, nämlich die Auslegung strittiger Stellen der Heiligen Schrift, hat dementsprechend das Apostelkonzil erfüllt.[179] Die abschließende Sentenz über die Unfehlbarkeit der Generalkonzilien wiederholt noch einmal die

---

[175] *Defensor minor*, Ausgabe JEUDY-QUILLET 11, 3; 248: *Nos autem dicamus, quod Ecclesia universalis fidelium christianorum aliquid dicere potest de his, quae sunt secundum sacram Scripturam de necessitate salutis aeternae credenda, quemadmodum sunt articuli fidei et reliqua secundum Scripturam praecepta similia sive per necessitatem ad ipsa sequentia, aut potest universalis Ecclesia dicere quaedam de his, quae pertinent ad ritum ecclesiasticum decenter servandum, quae convenientia sunt et expedientia in hoc saeculo ad pacificum convictum hominum et statum tranquillum, etiam disponentia ad futuri saeculi beatitudinem consequendam et poenam seu miseriam fugiendam. Et rursum de praedictis potest universalis Ecclesia denuntiare secundum famositatem et consuetudinem quandam, quae fortassis ex dicto cuiusdam aut quorundam authenticorum virorum processerunt, et in modum ad alios divulgata fuerunt, aut dicere potest universalis Ecclesia de his praedictis secundum determinationem factam ex certa et debita congregatione generalis concilii supradictae ecclesiae seu fidelium omnium christianorum ... Et hoc modo dico, quod dicit et dicere potest Ecclesia universalis secundum consuetudinem et famositatem, quae ortum habuit seu habere potuit a Romano episcopo et suorum collegio clericorum, quod beatus Petrus et ecclesia Romana prioritates praefatas habuerint super reliquos omnes episcopos et sacerdotes et ecclesias universales, hoc forte credentes Scripturam sentire, vel fortasse pia quadam intentione, ut ad unitatem ecclesias ad oboedientiam superiorum facilius inducendam. Unde per scripturam non memini me legisse neque per aliquid, quod ad Scripturam per necessitatem sequatur, praefatas prioritates beato Petro aut ecclesiae Romanae per Deum sive Christum immediate concessas propter quod ea credere, quoniam non sunt articuli fidei neque praecepta scripturae, non est de necessitate salutis aeternae.*

[176] Vgl. Anm. 41.

[177] Vgl. Anm. 26.

[178] Vgl. Anm. 35.

[179] Vgl. Anm. 57.

gleiche Aussage: Die genannte Unfehlbarkeit bezieht sich auf die konziliare Schriftauslegung als solche.[180] Gewiß ist Marsilius in dieser Zu-
ordnung von Schrift und Konzil Konsequenz zu bescheinigen: Wer das
Schriftprinzip vertritt, kann die Aufgabe des Konzils hinsichtlich der
Definition des Glaubens nicht anders beschreiben denn als amtliche
*Schrift*auslegung. Weil es in seinem System keine letztlich bindende
Tradition gibt[181], ist das Konzil konsequenterweise dem *sola-scriptura*
verpflichtet. Von bestechender Konsequenz, stellt diese Auffassung
doch andererseits einen Bruch mit der traditionellen Konzilstheorie dar,
und sie verrät, wenn man so sagen kann, große Praxisferne.
Natürlich spielte das Schriftargument bei Glaubensfragen auf den Konzilien eine, ja die entscheidende Rolle[182], aber keiner unter den älteren
Autoren wäre so weit gegangen, die Funktion des Konzils gleichsam
formal als Schriftauslegung zu bezeichnen. Wenn man überhaupt eine
formale Bestimmung der Rolle des Konzils hinsichtlich des Glaubens
geben wollte, dann sprach man von amtlicher Auslegung des kirchlichen
Glaubens*bekenntnisses*.[183] Praxisfern ist die Gleichsetzung von konziliarer
Glaubensdefinition mit Schriftauslegung insofern, als die Konzilien tatsächlich nie allein die Schrift, sondern immer auch die Tradition mitberücksichtigt haben. Es wird auch hier noch einmal deutlich: Die
Konzilsidee des Marsilius inspiriert sich nicht wie die der späteren großen Konziliaristen an den Quellen der Überlieferung, noch weniger an
der kirchlichen Praxis; sie ist vielmehr aus Begriffen abgeleitet und
konstruiert und in diesem Sinn rationalistisch. Sie riecht nach Gelehr-
tenstube und Hörsaal. In dieser Hörsaalnähe liegt freilich andererseits
auch ihre Stärke und ihre Aktualität: Indem Marsilius die konziliare
Glaubensdefinition als amtliche, unfehlbare Schriftauslegung bestimmt,
wendet er die neuesten Erkenntnisse der lateinischen Theologie über
das Verhältnis der kirchlichen Autorität zu den Glaubensquellen unmittelbar auf das Konzil an.[184]
Die Fixierung auf das *General*konzil ist der zweite hervorstechende Zug
seiner Konzilsidee. Ganz beiläufig kann Marsilius zwar auch einmal auf
ein Nichtgeneralkonzil hinweisen.[185] Aber überaus bezeichnend ist doch,

---

[180] Vgl. Anm. 51.
[181] Auf seine fundamentale Inkonsequenz, die konziliare unfehlbare Schriftauslegung ihrerseits nicht als Tradition zu betrachten, sondern sie an die Seite der unfehlbaren Schrift zu
stellen, haben wir weiter oben schon hingewiesen.
[182] Vgl. dazu unter anderen SIEBEN, Konzilsidee 332 f.
[183] Vgl. die zahlreichen Belege im Kap. VII, ferner MARX 262—268.
[184] Vgl. hierzu im einzelnen SCHÜSSLER 61—157.
[185] DP II 26, 10; 497, 4: *Cum solo suorum clericorum coetu vel synodo.*

wenn er an einer Stelle dem *generale* nicht das *particulare*, sondern das *speciale concilium* gegenüberstellt.[186] Die Unterscheidung bewegt sich im rein Begrifflichen, fern allem Kirchenrecht und aller Praxis. Entsprechend ist auch sein *concilium generale* ein völlig univoker Begriff, fern aller historisch bedingten Vielfalt und Vieldeutigkeit. Lediglich die vier ersten Konzilien der Alten Kirche hebt er gelegentlich durch die Bezeichnung *principalia concilia* von den übrigen Generalkonzilien ab. Doch dies ist eine bloße Übernahme von Gratian.[187]

Die Fixierung auf das Generalkonzil bei Marsilius wird besonders deutlich, wenn man seine Konzilsidee mit der eines Wilhelm Durandus junior oder mit der der späteren Konziliaristen vergleicht. Für einen Durandus ist das Generalkonzil lediglich die Spitze einer Pyramide. Was es neu zum Leben zu erwecken gilt, ist das konziliare Geschehen auf allen Ebenen, von der Provinzial- über die Patriarchal- und Nationalsynode bis zum Generalkonzil.[188] Entsprechende Forderungen werden von den späteren Konziliaristen immer wieder erhoben[189] und dann auch in Konstanz und Basel kirchenrechtlich fixiert.[190] Dem genuinen Konziliarismus, wie er zum Beispiel in den Basler Dekreten über die Provinzialkonzilien zum Ausdruck kommt, liegt eine Sicht der Kirche zugrunde, die sich fundamental von der des Marsilius unterscheidet. Dem Konziliarismus kommt es tatsächlich auf eine Wiederbelebung der *communio*-Struktur der Kirche an, und dies auf allen Ebenen der Kirche. Weil es den Konziliaristen um die Wiederherstellung der ursprünglichen Gestalt, Form der Kirche geht, bezeichnen sie ihr Projekt als auch Re-form. Ganz anders Marsilius. Vielleicht ist es gerade sein scharfer Sinn für geschichtliche Entwicklungen, der ihn hellsichtiger oder skeptischer macht als die Konziliaristen. Vielleicht sieht er, daß die *communio*-Gestalt der Kirche eine Idealisierung ist, die es in Wirklichkeit, auch in der Alten Kirche, nie gegeben hat. Sicher jedenfalls ist, daß Marsilius sie nicht zu verwirklichen sucht. Er will die im Papalsystem an der Spitze konzentrierte Macht keineswegs auf die verschiedenen unteren Ebenen der Hierarchie verlagern, sondern lediglich den Träger der *plenitudo potestatis* auswechseln: An die Stelle des Papstes soll der Kaiser treten zusammen mit seiner Religionsexperten-

---

[186] DP II 28, 24; 568, 11.
[187] 393, 8 und 396, 2.
[188] Vgl. S. 353—355.
[189] Vgl. Sieben, Traktate 20, 40, 97, 128, 129, 252 usw.
[190] Konstanz, De ecclesiae reformatione statuta generalia 29, De conciliis provincialibus et synodis, von der Hardt, I, X, 631/2 Basel, Sess. 15 vom 26. November 1433: De conciliis provincialibus et synodalibus, COD 473—476.

versammlung, dem Konzil. Deswegen sein Desinteresse für Nichtgeneralkonzilien und seine Fixierung auf das Generalkonzil, dem er übrigens auch das Urteil über seine eigene Rechtgläubigkeit anvertraut, wie er bedeutungsvoll in den allerletzten Worten des *Defensor Pacis* versichert.[191]

---

[191] DP III 3; 613, 8: *Si quid in ipsis reperiri contingat determinatum, diffinitum aut aliter quomodolibet pronuntiatum vel scriptum minus catholice id non pertinaciter dictum esse; ipsumque corrigendum atque determinandum supponimus auctoritati ecclesiae catholicae seu generalis concilii fidelium Christianorum.* — Zur historischen Nachwirkung des Marsilius vgl. unter anderen P. E. Sigmund, The Influence of Marsilius of Padua on XIVth-Century Conciliarism, in: JHI 23 (1962) 392—402; J. Quillet, Le ‚Defensor Pacis‘ de Marsile de Padoue et le ‚De concordantia catholica‘ de Nicolas de Cues, in: Nicolò Cusano agli inizi del mondo moderno, Atti del congr. internat ..., Bressanone 1964, Florenz 1970, 485—506; E. Staehelin, L'édition de 1522 du ‚Defensor Pacis‘ de Marsile de Padoue, in: RHPhR 34 (1954) 209—222; H. S. Stout, Marsilius of Padua and the Henrician Reformation, in: ChH 34 (1974) 308—318; G. Piaia, Marsilio da Padova nella Riforma e nella Controriforma. Fortuna e interpretazione, Padua 1977; Ders., Beato Renano e il Defensor pacis agli inizi della Riforma, in: StPat 21 (1974) 28—79; Ders., Marsilio da Padova e Lutero. Analisi di un ‚topos‘ storiografico, in: Storiografia e filosofia de lenguaggio, Padua 1975, 63—84; Ders., Alberto Pighius e la Confutazione del ‚Defensor Pacis‘ di Marsilio da Padova, in: Medioevo, Riv. di storia d. filosofia medievale 1 (1975) 173—202.

Kapitel X

WILHELM VON OCKHAM († 1347) ODER DIE SYSTE-
MATISCHE PROBLEMATISIERUNG DER KONZILSIDEE

1. Einleitung

Zehn Jahre nach Erscheinen des *Defensor Pacis* nimmt Wilhelm von
Ockham, der *venerabilis inceptor*, ein erstes Mal (1334), vier Jahre später
ein zweites Mal zu Konzilsfragen Stellung. Es geschieht innerhalb eines
Werkes, des *Dialogus inter magistrum et discipulum de imperatorum et pontificum potestate*[1], dessen besonderer Charakter[2] auch eine besondere Behandlung des Konzilsthemas erwarten läßt. Allein dies wäre Anlaß genug, sich speziell mit der Konzilsidee Ockhams zu befassen. Hinzu
kommt aber noch ein zweiter wichtiger Grund: Ockhams erste Stellungnahme zum Konzil hat aller Wahrscheinlichkeit nach, seine zweite
sicher den Konzils„traktat" des *Defensor Pacis* im Visier. Mit der Kontroverse Ockham/Marsilius über Fragen des Konzils ist ein neues Sta-
dium in der Geschichte der Konzilsidee erreicht.

Die Forschung hat lange gebraucht, praktisch bis zum Beginn dieses
Jahrhunderts, um Marsilius und Ockham als Kontrahenten in Fragen
des Konzils zu identifizieren.[3] Der Hauptgrund, weswegen der kontro-

---

[1] Ausgabe GOLDAST, Monarchia 392—957; zur handschriftlichen Überlieferung vgl. J. M.
OZAETA, Códice de los diálogos de Ockham en la biblioteca privada de los PP Augustinos
del Escorial, in: CDios 189 (1976) 493—512.
[2] R. SCHOLZ, Wilhelm von Ockham als politischer Denker und sein Breviloquium de
principatu tyrannico, Stuttgart 1944, MGH.SR I 8, 8, bezeichnet den *Dialogus* als eine
„Enzyklopädie aller der großen theologischen, kirchenpolitischen und staatspolitischen
Fragen, die seine Zeit erregten". Den besonderen Charakter seines Werkes betont auch
MARTIN 278: „Le principal intérêt du Dialogue est de fournir aux contemporains non
seulement une mine à peu près inépuisable, mais un répertoire méthodologique où ils trou-
veront groupés, coordinés, tous les arguments bibliques, patristiques, canoniques et rationels,
pour et contre les théories admises par le Moyen Age sur la constitution de l'Eglise ou les
droits de la papauté." — Ähnlich urteilt L. BAUDRY, Guillaume d'Ockham, sa vie, ses œuvres, ses idées sociales et politiques I, Paris 1949, EPhM 39, 248: „Ces ouvrages nous rensei-
gnent encore sur les courants d'idées qui se partageaient alors les esprits. Par le nombre et
la diversité des théories que l'auteur expose et qu'il discute, ils nous donnent comme l'image
intellectuelle de ce XIVe siècle où tout, peuples et intelligences, est en mouvement."
[3] M. SULLIVAN, Marsiglio of Padua and William of Ockham, in: AHR 2 (1896/97) 409 bis
426, 493—510; J. G. SIKES, A possible Marsilian Source in Ockham, in: EHR 51 (1936)

verse Charakter ihrer Vorstellungen vom Konzil nicht erkannt wurde[4], war wohl ihre Zugehörigkeit zum gleichen politischen beziehungsweise kirchenpolitischen Lager. Beide stehen in der Tat im Kampf zwischen Ludwig dem Bayern und den Päpsten Johannes XXII., Benedikt XII. und Klemens VI. auf seiten des deutschen Kaisers. Marsilius hat sich dem Bayern schon 1326 nach seiner Flucht aus Paris angeschlossen. Ockham stößt zwei Jahre später hinzu, nach seiner eigenen Flucht aus Avignon an den kaiserlichen Hof in Pisa zusammen mit seinem Ordensgeneral, dem rebellischen Franziskaner Michael von Cesena.[5] Ockham war in Avignon wegen Häresieverdacht vier Jahre festgehalten worden.[6] In Pisa fand wohl die erste Begegnung der beiden Männer statt. Über ihr persönliches Verhältnis während ihres langen gemeinsamen Münchener Aufenthaltes am Hofe des Kaisers ist praktisch nichts bekannt, wie wir überhaupt über Ockhams fast 20jährigen Münchener Aufenthalt kaum biographische Einzelheiten kennen.[7] Nur eines wissen wir mit Gewißheit, daß seine Münchener Jahre von erstaunlicher literarischer Fruchtbarkeit waren. Hier verfaßte er die heute allgemein als kirchenpolitische Schriften bezeichneten Werke[8], unter denen der *Dialogus* ohne Zweifel den Ehrenplatz einnimmt.[9]

496—504; vor allem G. DE LAGARDE, Marsile de Padoue et Guillaume d'Ockham, in: RevSR 17 (1937) 168—185, 428—454, besonders 174 ff. (Ockhams Kritik der Marsiliusschen Konzilsidee); DERS., Marsile de Padoue et Guillaume d'Ockham, in: Etudes d'histoire du droit canonique dédiés à Gabriel Le Bras I, Paris 1965, 593—605 (Gegensatz ihrer Anschauungen über *plenitudo potestatis*, Priestertum, weltliche und geistliche Macht und in der Methode und Inspiration ihres Werkes).

[4] Über weitere Gründe für ihre Verwechslung vgl. DE LAGARDE, Marsile de Padoue 169.
[5] Zur Biographie Ockhams sind immer noch grundlegend J. HOFER, Biographische Studien über Wilhelm von Ockham, in: AFH 6 (1913) 209—233, 439—465, 654—669; L. BAUDRY.
[6] Ockham stand nicht wegen antipäpstlicher Äußerungen unter Anklage, sondern wegen philosophischer und theologischer Irrtümer. Einzelheiten über den Avignoneser Prozeß gegen Ockham und die nur allmählich erfolgende Teilnahme des Engländers am franziskanischen Armutsstreit vgl. bei BAUDRY 96—123.
[7] Vgl. außer den obengenannten Biographien R. HÖHN, Wilhelm Ockham in München, in: FS 32 (1950) 142—155 (hauptsächlich über seine angebliche Versöhnung mit dem Papst und seine Grabstätte im Münchener Franziskanerkloster).
[8] Vgl. die ausführliche Vorstellung und Analyse bei RIEZLER 241—277; SCHOLZ, Ockham 1—18; BAUDRY 124—144; KÖLMEL, Kirchenpolitische Schriften 50—163; H. JUNGHANS, Ockham im Lichte der neueren Forschung, Berlin-Hamburg 1968, AGTL 21, 91—102; MIETHKE, Sozialphilosophie 74—136; M. DAMIATA, Guglielmo d'Ockham: povertà e potere II, Il potere come servicio. Dal principatus dominativus al principatus ministrativus, Florenz 1979, 38—379.
[9] BAUDRY 216: „une des oeuvres, pour ne pas dire, l'oeuvre la plus importante de Guillaume." — In der in der vorausgehenden Anm. angegebenen Literatur jeweils auch ausführliche Analysen des *Dialogus*.

Man hat Ockham als „one of the most unreadable of thinkers" bezeichnet.[10] Das Urteil gilt speziell auch für die unserer Studie zugrunde
liegende Hauptquelle, den *Dialogus*. Die Schwierigkeit der Interpretation liegt hier jedoch nicht so sehr in der Spitzfindigkeit und Abstrakt-
heit der Fragen, die der *doctor plus quam subtilis* behandelt, sondern in
der literarischen Eigenart des *Dialogus*, der absichtlich so angelegt ist,
daß es meist nicht auszumachen ist, welche unter den zahlreichen ausgebreiteten Meinungen zu einem Thema nun die Ockhams selber ist.
Um doch noch ‚dahinter'zukommen, wo der Autor sozusagen in eige-
nem Namen spricht, hat man die verschiedensten Methoden vorge-
schlagen. Manche fordern, nur diejenige Meinung Ockham selber zuzuschreiben, die aliunde, das heißt aus seinen übrigen Schriften ebenfalls belegt ist.[11] Für unsere eigene Untersuchung stellt diese Seite des
Dialogus, nämlich daß der Autor, wie J. B. Morrall schreibt, „seine
eigenen Präferenzen hinter einer dialektischen Nebelwand verbirgt"[12],
kein besonderes Problem dar; denn es geht uns in erster Linie nicht um
die Ermittlung der persönlichen Meinung Ockhams in der Konzilsproblematik, sondern um eine möglichst vollständige Erfassung der von
ihm zu diesem Gegenstand referierten Aspekte, Probleme und Meinungen. Uns interessiert am *Dialogus* also gerade der enzyklopädische Charakter dieser Schrift.

Der *Dialogus* erfreut sich, wie schon die bisher angemerkten Literatur-
verweise zeigen, eines regen wissenschaftlichen Interesses. Die wissenschaftliche Wertschätzung der politischen Philosophie des Engländers
scheint genau umgekehrt wie bei Marsilius von Padua zu verlaufen.
War dort zunehmende Ernüchterung zu beobachten, so gegenüber
Ockham eine seit A. Dempfs unglücklicher Ableitung der politischen

---

[10] J. B. Morrall, Some Notes on a Recent Interpretation of William of Ockham's Political
Philosophy, in: FS 9 (1949) 335—369, hier 335.
[11] So zum Beispiel Tierney, Origins 206; ferner Hirsch 46 ff.; Martin 275—278;
Kölmel, Kirchenpolitische Schriften 66—68. Eine sehr sorgfältige Beschreibung der
Methode des *Dialogus* bietet vor allem Miethke, Sozialphilosophie 434—438; ebd. 438 bis
442 Diskussion verschiedener Vorschläge, die Meinung des Autors selber herauszufinden.
„Der Dialogus ist keine hermetische Schrift, zu der ein einmal gefundener Schlüssel durch-
gängig anwendbar wäre. Aus seiner erklärten Methode und seinem ausdrücklichen Ziel ergibt sich für den Interpreten die Notwendigkeit, in Einzelfragen jeweils gesondert sein
Verständnis zu erarbeiten. Neben den Parallelen aus den persönlich gehaltenen Streitschriften wird dabei der innere Zusammenhang der Erörterung im Dialogus selbst die
wichtigste Hilfe sein" (442).
[12] J. B. Morrall, Ockham and Ecclesiology, in: Medieval Studies, FS. A. Gwynn, hrsg.
von J. A. Watt usw., Dublin 1961, 481—491, hier 482.

Philosophie des Franziskaners aus seiner sogenannten Metaphysik[13] stetig wachsende Wertschätzung. Das Stichwort hat noch vor Kriegsende der große Spezialist der nicht-politischen Schriften Ockhams, P. Boehner mit seinem programmatischen Artikel „Ockham's Political Ideas" gegeben.[14] Besteht Boehner im Gegensatz zur älteren Interpretation, die in Ockham einen der Zerstörer der geistigen Grundlagen des Mittelalters sieht, auf dem maßvollen Charakter seiner kirchenpolitischen Theorien[15], so betont R. Scholz den im Grunde unpolitischen, weil letztlich theologischen Ansatz derselben.[16] Die bis heute anregendste Studie erschien 1946 in erster, 1963 in zweiter Auflage aus der Feder von G. de Lagarde. Titel und Untertitel kennzeichnen treffend Tendenz und Blickrichtung dieses zu Recht auch kritisch aufgenommenen Werkes.[17] Weit positiver als Lagarde beurteilen W. Kölmel[18], J. Miethke[19], A. St. McGrade[20], M. Damiata[21] und in seinem jüngsten Werk G. Left[22] die politische Philosophie des Engländers. Stärker als

---

[13] Dempf 518.

[14] In: The Review of Politics 5 (1943) 462—487, wieder abgedruckt in: Collected Articles on Ockham, hrsg. von E. M. Buytaert, New York 1958, FIP.P 12, 442—468.

[15] Ebd. 468: „(Ockham) remained moderate in his theory."

[16] Vgl. Anm. 2.

[17] G. de Lagarde, La naissance de l'Esprit laïque au déclin du Moyen Age: Guillaume d'Ockham. Critique des structures ecclésiales. Zur Kritik vgl. unter anderem die Anm. 10 genannten Studie von Morrall, Some Notes 368/9: „. . . we feel compelled to question his (das heißt Lagardes) presentation of Ockham's work as being primarily destructive of the traditional synthesis"; Junghans 256—286.

[18] Kirchenpolitische Schriften 226—234: „Der Ansatz seines Denkens liegt in der Tradition, stärker als es oft aussieht; zugleich wagt er neue Fragestellungen, das Erwägen neuer Möglichkeiten . . . Ockham hat die kirchenpolitische Diskussion von der scholastischen Argumentation in vielem weggeführt und sie auf gewisse Grundfragen christlicher Existenz hin geöffnet" (222/3); vgl. auch Ders., Regimen christianum. Weg und Ergebnisse des Gewaltenverhältnisses und des Gewaltenverständnisses (8. bis 14. Jahrhundert), Berlin 1970, 534—552; Ders., Wilhelm Ockham — der Mensch zwischen Ordnung und Freiheit, in: MM 3 (1964) 204—224.

[19] „Ausblick auf die Sozialtheorie der späteren Schriften", vgl. die in Anm. 8 genannte Studie 535—556.

[20] The Political Thought of William of Ockham. Personal and Institutional Principles, Cambridge 1974, 229: „Ockham's work was constructive rather than merely receptive. It was a deliberate attempt to produce something new — new leadership in the church, a newly effective and newly understood central power, and a general conception of spiritual government in keeping with Biblical foundations and contempory experience". Ebd. 28 bis 43 Vorstellung von Interpretationsrichtungen der Ockhamschen politischen Philosophie.

[21] Vgl. die Anm. 8 genannte Studie 17—18.

[22] Vgl. das Schlußkapitel „Society" in: William of Ockham. The metamorphosis of scholastic discourse, Manchester 1977, 614—643.

die genannten Forscher hebt John J. Ryan in seiner neuesten Publikation auf die inneren Spannungen zwischen alten und neuen Ideen in
der Ekklesiologie Ockhams ab.[23]

Leider bringt keine der genannten neueren Studien[24] zur politischen
Philosophie Ockhams eine umfassende Darstellung seiner Konzilsidee[25]
außer de Lagarde. Seine Studie stellt zwar insofern einen großen Fortschritt dar, als sie den Nachweis führt, daß der Engländer nur in einem
sehr eingeschränkten Sinn als Konziliarist bezeichnet werden kann[26],
aber sie bleibt doch darin ganz der älteren Ockhaminterpretation verpflichtet, daß sie gerade auch seine Konzilsidee als Auflösung der traditionellen mittelalterlichen Strukturen sieht. Ockham bleibe auf halbem
Wege zu Luther stehen.[27]

Auf zwei wichtige Beiträge zu Teilaspekten der Ockhamschen Konzilsidee ist noch hinzuweisen. Für den Engländer ist die unfehlbare Universalkirche, so glaubt J. B. Morrall zeigen zu können, zwar nicht im
horizontalen, wohl aber im vertikalen Konsens, also im übereinstimmenden Zeugnis der vergangenen Generationen von Gläubigen greif-

---

[23] J. J. Ryan, The Nature, Structure, and Function of the Church in William of Ockham,
American Academy of Religion, Studies nr. 16, Missoula Montana 1979, 2 spricht von der
„schizophrenic tension between the formally orthodox elements in his (das heißt Ockhams)
theory of the Church and departures and adjustements which are cut to no earlier medieval
pattern and are quite peculiarly his own". Im Zentrum der Interpretation des Autors steht
die Unterscheidung zwischen einer ‚kumulativen' und einer ‚distributiven' Sicht der Kirche
bei Ockham: „If the cumulative view abstracts from structure, this distributive view is
ready to dissociate the Church as object of prayer and promise not only from the Church's
structure but from almost all of the members as well", ebd. 39.

[24] Die ältere Forschung untersucht die Konzilsidee Ockhams im Rahmen der Geschichte
des Konziliarismus, vgl. unter anderem Hirsch 41—54; Martin 274—289; vgl. jedoch
A. van Leeuwen, L'église, règle de foi, dans les écrits de Guillaume d'Occam, in EThL 11
(1934) 249—288, hier 278.

[25] Miethke, Sozialphilosophie 541; Ders., Repräsentation und Delegation in den politischen Schriften Wilhelms von Ockham, in: MM 8 (1971) 163—185, hier 173—175.

[26] de Lagarde, Naissance 52—86; vgl. die Zusammenfassung, Ders., Ockham et le concile
général, in: Album Helen Maud Cam, Studies presented to the Internat. Commission for the
History of Representative and Parliamentary Institutions 23 (1960) 83—94; Ders., L'idée
de représentation dans les oeuvres de Guillaume d'Ockham, in: Bul. of the internat. comitee
of hist. sciences 9 (1937) 425—451; ferner T. de Andrez Hernansanz, A proposito del
pretendido conciliarismo de G. de Ockham, in: SalTer 61 (1973) 714—730.

[27] Was de Lagarde, Naissance 164, im Blick auf die päpstliche Unfehlbarkeit schreibt, gilt
gleicherweise für die konziliare: „Dans ces conditions, il serait plus franc de dire, comme
le fera plus tard Luther, qu' il n'y a pas et ne peut y avoir d'autre autorité doctrinale dans
l'Eglise que la lettre de la Bible éclairée par l'Esprit Saint. Ockham ne fait qu'une partie du
chemin. Il maintient le principe de l'autorité, mais en ruine si bien la substance, que sa
reconnaissance n'est qu'une occasion d'organiser la méfiance . . .

bar.[28] B. Tierney weist zur Erklärung von Ockhams Desinteresse am Konzil auf die Tradition der franziskanischen Ekklesiologie hin, angefangen von Thomas von York bis zu Alvarus Pelagius, und kann überzeugend zeigen, daß hier keine echten Ansätze zur Entfaltung konziliarer Autorität vorhanden sind.[29] In einem anderen, nicht weniger wichtigen Beitrag untersucht der gleiche Gelehrte Ockhams Verhältnis zur Kanonistik in den Fragen der Kirchenleitung.[30]

Ziel der folgenden Untersuchung ist es, den Beitrag Ockhams zur Entfaltung der Konzilsidee näher zu bestimmen. ‚Beitrag Ockhams' verstehen wir dabei im oben angegebenen Sinn. Uns interessiert nicht in erster Linie, was Ockham selber über die Konzilsautorität gedacht hat, sondern was er darüber — hauptsächlich — in seinem *Dialogus* an Meinungen zusammengetragen hat. Wir sagen absichtlich Ockhams Beitrag zur ‚Entfaltung der Konzilsidee'. Unsere Fragestellung ist also weiter als die sonst in der Forschung übliche, wo man nach seinem Beitrag zur Entfaltung des Konziliarismus fragt. Mit ‚näher bestimmen' meinen wir nicht nur die möglichst umfassende Zusammenstellung seiner Aussagen über die Konzilien, sondern auch die Beachtung ihres Kontextes und ihres Schwerpunktes. Somit ergeben sich für unsere Untersuchung drei Schritte: Wir beginnen mit einem Durchgang durch die Quellen, um Umfang, Kontext und Schwerpunkt der Aussagen zum Konzil zu ermitteln. Dann behandeln wir die dabei ermittelte zentrale Frage, nämlich die Unfehlbarkeitsdiskussion. In einem dritten Teil kommen die sonstigen Aspekte zur Sprache.

---

[28] MORRALL, Ockham and Ecclesiology 481—491, hier 488: „He appeals . . . to the Universal Church in time as against the Universal Church in space; the historical and unbroken witness of faithful prelates and laity to certain doctrines is itself an infallable guarantee of the truth of these doctrines". — Vgl. hierzu jedoch die in der folgenden Anm. zitierte Studie von B. TIERNEY 656: „It is an attractive hypothesis but it will not hold water. Ockham's insistence on unanimity, his reiterated assertion that the faith of the church might live on in some small dissident group, destroys the possibility of an appeal to the consensus of the past as a sure guide to the trusts of faith just as effectivily as it destroys the possibility of an appeal to the consensus of the present".

[29] B. TIERNEY, From Thomas of York to William Ockham. The franciscans and the papal sollicitudo omnium ecclesiarum 1250—1350, in: Communione interecclesiale, collegialità-primato, ecumenismo II, Communio 13, Rom 1972, 607—658, hier 648: „The franciscan theology of the church, as it developped from Thomas of York to Alvarus Pelagius, tended more and more to eliminate all centers of ecclesiastical authority except the papacy"; vgl. DERS., Origins 205—237.

[30] TIERNEY, Ockham, The Conciliar Theory 40—70, deutsche Übersetzung in: Die Entwicklung des Konziliarismus, Werden und Nachwirken der konziliaren Idee, hrsg. von R. BÄUMER, WdF 279, Darmstadt 1976, 113—155; vgl. auch DERS., Ockham's Ambiguous Infallibility, in: JES 14 (1977) 102—105.

2. Durchgang durch die Quellen

a) Aussagen über Konzilien außerhalb des *Dialogus*

Zu einer ausdrücklichen Behandlung des Konzilsthemas kommt es erst im *Dialogus*, zur Abrundung des Bildes scheint es indessen angebracht, einige sonstige sporadische Äußerungen festzuhalten. Ein ganz gelegentlicher Hinweis auf Generalkonzilien als Quelle der sogenannten *veritates catholicae* neben der Heiligen Schrift, den Kirchenvätern, den Papstdekretalen findet sich schon im *Tractatus de sacramento altaris* von 1323/24[31], also einem Text, der höchstwahrscheinlich noch aus Ockhams Oxforder Zeit stammt. Miethke weist zu Recht darauf hin, daß wir es hier schon mit der gleichen Liste der Glaubensquellen zu tun haben[32] wie in Dial I 2, 2 und 5.[33] Im *Opus nonaginta dierum* (1333)[34] verweist Ockham auf die in der Berufung Michaels von Cesena vom Papst an das Konzil enthaltene Unterwerfungsformel, in der das Konzil eigens genannt wird.[35] Die *Epistula ad fratres minores* (1334) erklärt den Kampf gegen die Häresie zur Pflicht aller Christen, auch der Laien, nicht nur der Generalkonzilien und der Kleriker.[36] In *Contra Johannem* (1335) bezeichnet der Engländer die Autorität der Universalkirche als nicht geringer als die eines Generalkonzils[37], in *Contra Benedictum* (1337/38) führt unser Theologe aus, daß bei Streitigkeiten über Glaubensfragen derjenigen Partei zu folgen sei, die sich an die Lehre der vier Allgemei-

---

[31] Datierung nach JUNGHANS 103—104.

[32] MIETHKE, Sozialphilosophie 294.

[33] De sacr. 31, Ausgabe BIRCH: *Et certe fateor numquam me legisse, nec in scripturis canonicis, nec in originalibus sanctorum, nec in decretis alicuius summi pontificis, nec in aliquo concilio generali, nec in aliquo authentico scripto, talem propositionem.*

[34] Zu den hier zitierten sogenannten politischen Schriften vgl. die weiter oben genannte Literatur, vor allem BAUDRY.

[35] Opus nonaginta 1, GOLDAST II 995, 12: *... Frater Michael in omni appellatione sua se et omnia dicta sua correctioni sanctae matris ecclesiae et concilii generalis subiecit et exposuit.* — Vgl. zu dieser Appellation S. 338.

[36] Epistula, Ausgabe MÜLLER, ZKG 6 (1884) 110: *... quaestio fidei, quando certum est assertionem illam veritati fidei repugnare, non solum ad generale concilium aut praelatos vel etiam clericos, verum etiam ad laicos et ad omnes omnino pertinet christianos (dist. 96 c.* UBINAM, *ubi glossa accipit argumentum quod omnes tangit, ab omnibus tractari debet, ex quibus colligitur evidenter, quod quaestio fidei etiam ad mulieres spectat catholicas et fideles, exemplo plurimarum sanctarum quae pro defensione et confessione fidei orthodoxae mortem et martyrium susceperunt).* — Zur Auslegung des *Quod-omnes-tangit*-Axioms bei Ockham vgl. CONGAR, Quod omnes tangit 250—256.

[37] Contra Joh., 14, Opera politica III 63: *... non minoris auctoritatis et efficaciae est approbatio et etiam reprobatio seu damnatio ecclesiae universalis quam sit reprobatio seu damnatio concilii generalis; quia concilium generale est pars universalis ecclesiae; omnis autem pars est minor suo toto.* — Ebd. 64 heißt es zum Respekt gegenüber Konzilsdekreten: *... de his, quae sunt per generalia concilia definita, non licet, praesertim scienter, publice disputare contrarie opinando.*

nen Konzilien hält. Ebenda verlangt er die Einberufung eines Generalkonzils, sollte bei der Absetzung eines Papstes durch den Kaiser die
Gefahr eines Schismas drohen.[38] Im *Compendium errorum* (1338) nennt
er irrtümlicherweise die gemeinsam mit Michael von Cesena vorgenommene Berufung von 1328 eine Konzilsappellation.[39] In *An rex
Angliae* (1339) stellt Ockham die *definitio authentica* des Konzils der
assertio veridica des Schriftauslegers gegenüber. Im Zusammenhang geht
es um die Frage der „Kompetenzkompetenz", wenn es erlaubt ist,
diesen Terminus aus dem Staatsrecht[40] auf die entsprechende kirchliche
Problematik zu übertragen: Es ist Sache der Schriftausleger, herauszufinden, welche Vollmacht der Papst hat und welche er nicht hat.[41]

b) Aussagen über Konzilien in Dial I

In den voraussteehend genannten Schriften wird das Konzil gelegentlich kurz erwähnt, im *Dialogus* ist es Gegenstand umfangreicher theoretischer Erörterung. Das ist neu nicht nur im Vergleich zum restlichen
Werk Ockhams, sondern zur gesamten vorausgegangenen mittelalterlichen Literatur. So scheint es angebracht, zunächst einen Blick auf den
Gesamtinhalt des *Dialogus* zu werfen als den näheren Kontext, in dem
die Konzilsidee ihren neuen Ausdruck findet.

Der weitere Anlaß zur Abfassung des *Dialogus* ist der gleiche wie für
die übrigen politischen Schriften des Engländers: es gilt den Häretiker
auf dem Papstthron mit *der* Waffe zu bekämpfen, die dem Theologen
zur Verfügung steht, der Feder und dem Geist. Dieser psychologische

---

[38] Contra Bened., Op. pol. III. — Ebd. . . . *per imperatorem et Romanos, quorum est quodammodo episcopus proprius, de consilio et assensu, si necesse esset, concilii generalis;* ebd. nähere Erklärung des *si necesse esset: hoc est, si aliter absque periculo, schismate vel turbatione vitanda amoveri
non posset.*

[39] Compendium 5, GOLDAST II 964, 57: (Michael de Cesena) *cum quibusdam aliis a dicti
Johannis XXII. erroribus tamquam perniciosis et pestiferis ad sanctam matrem ecclesiam et ad concilium generale futurum iuste et absque dolo in loco tuto congregandum et celebrandum . . . rite et legitime appellavit.* — Vgl. den Wortlaut S. 338.

[40] Vgl. den Art. Kompetenzkonflikt im Handwörterbuch zur Deutschen Rechtsgeschichte II,
Berlin 1978, 990—995.

[41] An rex Angliae, Auszüge bei SCHOLZ, Streitschriften II 439/40: *Sed quaeret aliquis, si non
est specialiter et in particulari expressum, in quibus casibus habeat potestatem, si solummodo sibi generalis legatio est iniuncta prout est, in qua multa intelliguntur excepta, quamvis specialiter minime exprimatur, ad quem pertinet explicare et determinare, in quibus casibus papa habeat potestatem et in
quibus non habeat potestatem. Hinc respondetur, quod prima regula et infallibilis in huiusmodi est
scriptura sacra et ratio recta, et ideo ad illum spectat per assertionem veridicam explicare, determinare
huiusmodi casus, qui quoad huiusmodi scripturam sacram sane et recte intelligit et infallibili (statt
ineffabili) innititur rationi; ad concilium tamen generale et etiam ad papam, si intellexerit veritatem
in huiusmodi pertinet per definitionem authenticam, habentem vim obligandi cunctos fideles, nec contrarium doceat, explicare et determinare in huiusmodi veritatem.*

und logische Ausgangspunkt ist nie aus den Augen zu verlieren, auch bei den akademischen Erörterungen und Fragen nicht; er gibt dem gesamten politischen Schrifttum Ockhams seine innere Einheit und Ausrichtung.[42] Vielleicht haben sogar die wiederaufgenommenen Konzilspläne von 1334 die Entstehung des Riesenwerkes des *Dialogus* irgendwie mitveranlaßt. Wie Miethke richtig feststellt[43], können sie jedoch nicht die Hauptursache dargestellt haben. Dafür ist das Werk zu umfangreich und zu wenig als ‚Konzilspapier‘ geeignet. In welcher Weise, in welchen Schritten entledigt sich Ockham nun der ihm gestellten Aufgabe? Wir müssen zwischen Ockhams Plan und dem, was heute in den Druckausgaben vorliegt, unterscheiden. Geplant war ein dreiteiliges Werk, dessen erster Teil den Begriff der Häresie erarbeiten, dessen zweiter Teil den regierenden Papst als Häretiker überführen und dessen dritter Teil die Geschichte der Hauptpersonen des zeitgenössischen Ringens um die Glaubensreinheit bringen sollte.[44] Den ersten Teil seines Werkes nun hat Ockham noch vor Ende 1334, wie geplant, vorgelegt.[45] Der zweite Teil wurde entweder nie fertiggestellt oder ist verlorengegangen. Was sich heute in den Druckausgaben als zweiter Teil befindet, der *Tractatus de dogmatibus papae Johannis*[46], ist ein Text, der ebenfalls 1334 verfaßt wurde und noch in den Handschriften in den *Dialogus* integriert wurde.[47] Vom projektierten dritten Teil wurden nur die beiden einleitenden Traktate *De potestate papae et cleri* und *De iuribus Romani imperii* verwirklicht.[48] Sie liegen 1439/41 vor.[49] Wir brauchen uns im folgenden nur mit Teil I und III zu beschäftigen, da sich nur hier Aussagen zu den Konzilien befinden.

Ockham behandelt den Stoff seines ersten Teils, das Problem der Häre-

---

[42] Epistula, Ausgabe MÜLLER 111: *Nam contra errores pseudopapae praefati posui faciem meam ut petram durissimam* (Jes 50, 7) *ita quod nec mendacia nec falsae infamiae nec persecutio qualisquumque . . . nec multitudo quantacumque credentium sibi aut faventium vel etiam defendentium me ab impugnatione et reprobatione errorum ipsius quamdiu manum, chartam, calamum et atramentum habuero, numquam in perpetuum poterunt cohibere.*

[43] MIETHKE, Sozialphilosophie 85—87.

[44] Dial I, Prologus, Ausgabe GOLDAST II 398, 53: *Primam ergo partem de haereticis acceleris inchoare.* — Ebd. 771, 15: *Proinde ad tertiam partem Dialogi nostri, quam initio De gestis circa fidem altercantium orthodoxam volui appellari, nostram intentionem vertamus.*

[45] Ebd. 399—739.

[46] Ebd. 740—770.

[47] Zu Einzelheiten vgl. BAUDRY 172—176.

[48] GOLDAST II 772—976.

[49] BAUDRY 215; MIETHKE, Sozialphilosophie 124—125 läßt die für dieses Datum vorgelegten Gründe nur für Dial I 1 gelten. „Für den weiteren Traktat . . . finden wir jedenfalls keinen Anhaltspunkt, der uns erlaubte, die Grenzen der Datierung enger zu ziehen als 1341—1346".

sie, in sieben Büchern. Das erste befaßt sich mit der Frage, wer für Glaubensentscheidungen zuständig ist, Theologen oder Kanonisten.[50] Das zweite Buch wendet sich vom zuständigen Personenkreis dem Gegenstand des Glaubens zu und erörtert die Frage, was eigentlich zum Inhalt des Glaubens gehört: nur was in der Bibel steht oder auch die mündliche apostolische Überlieferung? Vom Problem der Glaubensquellen geht Ockham im selben Buch noch zur näheren Bestimmung der Häresie über.[51] Damit ist der Grund gelegt für die Definition des Gläubigen und des Häretikers, als dessen wesentliches Merkmal die böswillige und dauernde Gegnerschaft gegen die erkannte Wahrheit herausgestellt wird (drittes Buch).[52] Im vierten Buch geht es Ockham näherhin um die Feststellung, die Überführung des Häretikers.[53] Das fünfte Buch behandelt die Frage, wer häretisch werden kann. Der Reihe nach geht Ockham hier die kirchlichen Ämter und Instanzen durch: Papst, Kardinäle, römische Diözese, Klerus der Gesamtkirche, Generalkonzil, Gesamtkirche, alle Männer, alle Frauen.[54] Das sechste Buch hat zum Thema die Bestrafung der Häretiker, besonders des häretischen Papstes[55], das siebte schließlich befaßt sich mit den Anhängern und Förderern von Häretikern.[56] W. Kölmel hat vor einigen Jahren einen ausführlichen Überblick über den Inhalt des *Dialogus* vorgelegt.[57] Wir können es deswegen mit dem Gesagten bewenden lassen und gehen vom weiteren Kontext der Aussagen über das Konzil zum näheren Kontext über.

Unter verschiedensten Rücksichten nun kommt das Konzil im ersten Teil des *Dialogus* in den Blick. Zum ersten Mal ist im zweiten Buch von Konzilien die Rede im Zusammenhang der Frage nach den Glaubensquellen: Worauf stützen sich Papst und Konzil eigentlich, wenn sie einen bis dahin nicht verurteilten Satz als häretisch verurteilen?[58] Das Konzil wird hier zusammen mit dem Papst als Instanz gesehen, die befugt ist, Glauben und Häresie zu unterscheiden. Die Frage nach der

---

[50] Prologus, GOLDAST II 398, 53: *Primus (liber) investiget, ad quos — theologos vel canonistas — pertinet principaliter definire, quae assertiones catholicae, quae haereticae, qui etiam et haeretici catholici debeant reputari.*

[51] Ebd.: *Secundus inquirat, quae assertiones haereticae, quae catholicae sunt censendae.*

[52] Ebd.: *Tertius principaliter considerat, quis errans inter haereticos est computandus.*

[53] Ebd.: *Quomodo de pertinacitate et pravitate haeretica debeat quis convinci.*

[54] Ebd.: *Quintus, qui possunt pravitate haeretica maculari.*

[55] Ebd.: *Sextus agat de punitione haereticorum et maxime papae, si efficitur haereticus.*

[56] *Septimus tractet de credentibus, fautoribus, defensoribus et receptoribus haereticorum.*

[57] KÖLMEL, Kirchenpolitische Schriften 66—124.

[58] Dial I 2, 25; 428, 53: *Quo fundamento deb(e)t inniti papa vel concilium generale damnando aliquam assertionem explicite prius non damnatam tamquam haereticam.*

Unfehlbarkeit wird noch nicht in aller Form gestellt, aber schon insofern die Diskussion eingeleitet, als nach einer der vorgetragenen Meinungen das Konzil für seine Definition unter Beweiszwang steht. Es muß, was es definiert, entweder aus der Heiligen Schrift oder aus der mündlichen Überlieferung oder aus einer an es selbst ergangenen Offenbarung beweisen. Die Definitionen der großen altkirchlichen Konzilien zum Beispiel basieren auf der Heiligen Schrift. Die bloße Behauptung eines Konzils oder des Papstes, die definierte Wahrheit sei ihm geoffenbart, braucht nicht geglaubt zu werden. Eine solche Behauptung muß durch ein Wunder bekräftigt sein. Damit ist im Grunde auch der Rekurs auf die Inspiration als Fundament für eine Definition zurückgewiesen.[59] Das Konzil wird hier, in Dial I 2, 25, als Instanz zur Klärung und Entscheidung von Glaubensfragen gesehen. Die folgenden Aussagen werden zeigen, daß diese Idee von Konzil sich praktisch auch an den folgenden Stellen durchhält. Das Konzil als Mittel der Kirchenreform oder als Quelle des Kirchenrechts oder als kirchenpolitisches Forum oder als ökumenisches Instrument usw. kommt bei Ockham kaum oder überhaupt nicht in den Blick. Das ist wohl nicht nur durch das aktuelle Anliegen der Schrift, die Überführung eines häretischen Papstes, bedingt, sondern auch durch das Berufsinteresse des Verfassers, der eben ein spekulativer Theologe ist.

Das fünfte Buch erörtert nacheinander die Fehlbarkeit von Papst[60], Kardinalskollegium[61], ‚Römischer Kirche‘[62] und Generalkonzil: *Utrum*

---

[59] Dial I 2, 25; 429, 10: *Alii asserunt manifeste, quod papa et concilium generale ac etiam uniuersalis ecclesia, si recte damnat aliquam assertionem tanquam haereticam, stricte loquendo de assertione haeretica, uni vel pluribus de tribus fundamentis debet inniti et se patenter fundare. Primum est super sacram Scripturam, et isti fundamento innitebantur concilia generalia principalia, haereses Arii, Macedonii, Nestorii, Euticis et Dioscori condemnando, sicut enim aliqua istorum conciliorum condendo symbola in auctoritate sacrae scripturae se fundabant . . . Secundum fundamentum est doctrina Apostolica in scripturis Apostolicis non redacta, sed relatione succedentium fidelium vel scripturis fide dignis ad nos peruenit . . . Tertium fundamentum est, reuelatio vel inspiratio noua diuina. Si enim aliqua veritas aeterna, quae pertinet ad salutem, de nouo reuelaretur ecclesiae: ista esset tanquam catholica approbanda et omnem falsitatem ei contrariam posset ecclesia et etiam papa tanquam haereticam condemnare. Et quamuis isti exemplum nesciant inuenire (quod unquam ecclesia aliquam haeresim condemnando se in tali reuelatione vel inspiratione fundauerit) tamen dicunt, quod hoc non est impossibile: quia posset Deus, si sibi placeret, multas veritates catholicas nouiter reuelare vel inspirare. Discipulus: Quid si papa, vel etiam concilium generale dicat, sibi aliquam veritatem esse reuelatam a Deo, vel etiam inspiratam: nunquid alii fideles credere astringuntur? Magister: Dicunt isti, quod absque miraculo manifesto non est credendum: quia non sufficit nude asserere, quod eis est ueritas reuelata vel etiam inspirata: sed oportet quod talem reuelationem seu inspirationem miraculi operatione confirment apta.* — Über den Begriff der *revelatio* bei Ockham, der vom modernen Begriff der ‚Offenbarung‘ abweicht, vgl. RYAN, The Nature 41 ff.

[60] Ebd. 467: *Utrum papa canonice electus haereticare possit.*

[61] Ebd. 476: *Utrum collegium cardinalium possit haeretica prauitate maculari.*

[62] Ebd. 481: *Utrum ecclesia Romana seu sedes apostolica valeat haeretica infici prauitate.*

generale concilium ecclesiae in haereticam pravitatem labi possit?[63] Die Frage
nach der Fehlbarkeit des Generalkonzils wird in vier Kapiteln abgehandelt (25—28). Dann erörtert Ockham die Fehlbarkeit der Gesamtkirche.[64] Die Diskussion der konziliaren Fehlbarkeit beziehungsweise
Unfehlbarkeit hat folgenden Aufbau: Ockham legt zunächst fünf theologische Gründe und vier historische Beispiele für die Fehlbarkeit der
Generalkonzilien vor (cap. 25—26). Dann nennt er sieben theologische
Gründe für die Unfehlbarkeit, die er im folgenden Kapitel alle widerlegt (cap. 27—28). Wir werden weiter unten auf den Inhalt dieser Argumente pro und contra Unfehlbarkeit näher eingehen. Was uns hier interessiert, ist das Formale. Während der *discipulus* sich zweimal als entschiedenen Anhänger der Unfehlbarkeitsthese bezeichnet[65] und der *magister*
es, wie ausgemacht[66], konsequent vermeidet, seine eigene Meinung in
dieser Frage zu offenbaren, kann doch kein Zweifel sein, in welche
Richtung seine Präferenz geht. Aufschlußreich ist in dieser Hinsicht
nicht nur die Tatsache, daß die Gründe pro Unfehlbarkeit widerlegt
werden, die Argumente contra jedoch nicht, sondern auch die Reihenfolge der Diskussion. Sie beginnt mit Gegenargumenten, und sie
schließt damit.

Angesichts der Tatsache, daß wir es in Dial I 5, 25—28, wenigstens
nach dem heutigen Forschungsstand, mit dem frühesten Zeugnis einer
ausdrücklichen Diskussion konziliarer Autorität zu tun haben, würde
man schon gern wissen, ob Ockham tatsächlich in der damaligen Zeit
vertretene Meinungen wiedergibt oder ob es sich um Argumente pro
und contra handelt, die er sich selber an seinem Schreibtisch ausgedacht
hat. Freilich wissen wir einerseits, daß er schon in Dial I irgendwie die
Unfehlbarkeitsthese des Marsilius von Padua im Visier hat[67], aber die
Frage ist doch, ob es in der Wirklichkeit auch so entschiedene und
kategorische Leugner der Unfehlbarkeit gab wie hier im *Dialogus*.[68]

---

[63] Ebd. 494.

[64] Ebd. 498: *Utrum tota multitudo fidelium haereticari possit.*

[65] Dial I 2, 25; 494, 44: *Quamvis firmissime putem, quod concilium generale haereticare non potest,
tamen rationes pro assertione contraria libenti animo auscultabo;* ebd. 28: 497, 5: *Quamvis indubitanter existimem, concilium generale contra fidem errare non posse, qualiter tamen tenentes assertionem
contrariam ad rationes inductos pro veritate respondeant, non differas propalare.*

[66] Prologus, GOLDAST II 398, 22: *Nec tantum unam sed plures quando tibi videbitur, ad eandem
interrogationem, narra sententias. Sed quod tua sapientia sentit, mihi velis nullatenus indicare. Quamvis
enim velis omnino, ut cum diversas et adversas assertiones fueris discursurus, tuam conclusionem minime
praetermittas, quae tamen tua sit, nullatenus manifestes.*

[67] Vgl. hierzu DE LAGARDE, Marsile de Padoue 175—181.

[68] Vgl· zum Beispiel 517, 36; 518, 8. — Zum Gebrauch von quidam vgl. E. EHRLE, Die
Ehrenttiel der scholastischen Lehrer des Mittelalters, SBAW.PhH 1919, 9.

Daß das contra eher dem eigenen grübelnden Verstand des Engländers entstammt als der ‚draußen' geführten theologischen Diskussion, scheint das Fehlen des sonst von Ockham verwendeten *quidam* zur Bezeichnung theologischer Lehrer anzudeuten. Er spricht von *assertiones contrariae*, ohne sie *quidam* zuzuschreiben.[69]

Während die beiden in Dial I 2 und I 5 angesprochenen Probleme der Konzilsidee, nämlich die absolute Bindung der Konzilien an die Schrift beziehungsweise an die Tradition und die prinzipielle Frage der Fehlbarkeit beziehungsweise Unfehlbarkeit einer Glaubensdefinition, hier zum ersten Mal überhaupt in der Geschichte dieser Idee diskutiert werden, handelt es sich bei der in Dial I 6 verhandelten Problematik um eine traditionelle Fragestellung. Im Rahmen von Buch VI, das der Bestrafung der Häretiker gewidmet ist, diskutiert Ockham die unter Kanonisten häufig erörterte Frage[70], ob das Generalkonzil Vollmacht habe über einen unter Häresieverdacht stehenden Papst.[71] Er legt in Kapitel 12 fünf Gegengründe, in Kapitel 13 zwei Gründe für die These zusammen mit den bekannten Glossen zum Dekret vor.[72] Die Gegengründe widerlegt er nochmals eigens in Kapitel 64.[73] Das Konzil hat nicht nur die Vollmacht, den verdächtigen Papst vor sein Forum zu ziehen, sondern auch ihn abzusetzen (cap. 70).[74] In diesem Zusammenhang führt Ockham aus, daß die durch Generalkonzilien aufgestellten allgemeinen Verurteilungen von Häresien auch gegen häretische Päpste gelten (cap. 73).[75] Im Rahmen der Frage nach den durch das Konzil über den Papst verhängten Sanktionen kommt er dann in den Kapiteln 83—85 noch zu einer relativ ausführlichen Erörterung des Einberufungsrechtes[76] und der Zusammensetzung des Konzils (cap. 85). Wie neu und kühn die hier von Ockham ins Auge gefaßte Teilnahme von Laien und Frauen war, geht aus der Stellungnahme des *discipulus* hervor, der sie als „absurd" und „unvernünftig" bezeichnet.[77] Im Kapitel

---

[69] Dial I 5, 25; 494, 42: *De generali concilio sunt assertiones contrariae.*

[70] Vgl. Anm. 240.

[71] Dial I 6, 12; 517, 30: *Utrum habeat* (concilium generale) *potestatem super papam de haeresi diffamatum?*

[72] Dist. 17 § Hinc; dist. 19 c. Anastasius; dist. 15 c. Sicut; dist. 21 c. Nunc autem usw.

[73] 571, 4—30.

[74] 584, 4.

[75] 585, 27.

[76] Dial I 6, 84; 602, 25: *Per quem concilium generale possit congregari, si papa fuerit haereticus.*

[77] Dial I 6, 84; 602, 41: *Ista assertio mirabilis mihi videtur. Tria enim absurda continet, ut apparet, quorum primum est, quod generale concilium absque auctoritate papae debeat congregari. Secundum est quod reges et principes et alii laici ad generale concilium debeant convenire. Tertium quod mulieres debeant ac valeant generali concilio interesse.* — Dial I 6, 86; 605, 32: *Istam assertionem de mulieribus, quae secundum apostolum docere non debent, tam irrationabilem aestimo, quod nolo eam amplius pertractari.*

85, das die Teilnahme von Laien und Frauen am Konzil erörtert, steht dann auch die berühmte Definition des Generalkonzils[78], die im vorausgehenden Kapitel vorbereitet und die von den Konziliaristen des 15. Jahrhunderts übernommen werden wird.[79] Kapitel 86 bestimmt genauerhin die Vollmacht des Konzils gegenüber einem der Häresie überführten Papst.[80] Diskutiert werden hier Fragen wie Vertreibung aus dem Amt gegebenenfalls unter Anwendung des weltlichen Arms, Degradation von jeder hierarchischen Stellung, Einkerkerung und Konfiskation seines Besitzes, eventuelle Aussetzung und Nachlaß der genannten Strafen, Neuwahl eines Papstes usw. Im genannten Zusammenhang räumt Ockham ein, daß ein Konzil, an dem der Papst teilnimmt, mehr Autorität hat als ein solches ohne ihn. Deswegen haben beide auch nicht die gleichen Vollmachten.[81]

c) Aussagen über Konzilien in Dial III

Von den 9 ursprünglich geplanten Traktaten von Teil III des *Dialogus*, den Miethke als die „bedeutendste Schrift Ockhams" bezeichnet[82], sind, wie gesagt, nur die beiden ersten tatsächlich geschrieben worden oder auf uns gekommen. Vom Konzil ist nur innerhalb des ersten Traktats die Rede. Wir brauchen also nur auf *De potestate papae et cleri* als Kontext von Konzilsaussagen einzugehen. Von den vier Büchern dieses Traktats befaßt sich das erste mit dem Hauptanliegen seiner kirchenpolitischen Schriften, mit der päpstlichen *plenitudo potestatis*. Das zweite geht den gleichen Gegenstand unter etwas anderer Rücksicht an und fragt, ob für die Kirche eine monarchische oder eine aristokratische Leitung nützlicher wäre. Buch III greift noch einmal Themen von Dial I auf und handelt über die Sicherung des Glaubens in der Kirche. Konkret geht es um die Frage, welche Quellen für den Glauben absolut verbindlich sind.[83] Buch IV schließlich kehrt nach Erörterung von

---

[78] Dial I 6, 85; 603, 59: *Illa igitur congregatio esset concilium generale reputanda, in qua diversae personae gerentes auctoritatem et vicem universarum partium totius christianitatis ad tractandum de communi bono rite conveniunt, nisi aliqui noluerint vel non potuerint convenire.*

[79] Vgl. SIEBEN, Traktate 121.

[80] Dial I 6, 68; 605, 30: *Quam potestatem habet concilium generale supra papam in haeresi deprehensum.*

[81] Dial I 6, 86; 605, 52: *Respondetur quod non est inconveniens, unum concilium habere maiorem potestatem quam aliud: et tamen utrumque esse generale. Quemadmodum usque ad finem seculi Ecclesia universalis uno tempore habet maiorem potestatem et maiorem auctoritatem quam in alio. Nam Ecclesia universalis maiorem potestatem habet et auctoritatem Apostolica Sede vacante, quam quando non vacat.*

[82] Sozialphilosophie 117.

[83] GOLDAST II 819, 15: *Quibus scripturis de necessitate salutis credere tenemur.*

Fragen über die kirchliche Lehrautorität wieder zum Ausgangspunkt von *De potestate papae et cleri* zurück, wendet sich also wieder dem Primat Petri zu.

In Buch I kommt das Konzil in den Blick im Zusammenhang der Frage nach dem Ursprung der päpstlichen Macht. Gemäß einer der hier vorgetragenen Meinungen hat der Papst einen Teil seiner Vollmacht von den Generalkonzilien erhalten.[84]

Bei der Erörterung der verschiedenen Regierungsformen in Buch II und deren Übertragung auf die Kirche konfrontiert Ockham das Konzil als aristokratische Spielart von Regierung mit dem monarchischen Papstamt (cap. 19). Da es sich im Zusammenhang um die Widerlegung von Argumenten zugunsten der aristokratischen Regierungsform handelt, erscheint hier das Konzil eher im negativen Licht, oder, besser gesagt, es erscheint als relative Größe. Ockham zeigt, welchen Nutzen Konzilien in einer im übrigen monarchisch geführten Kirche bringen können. Von besonderem Interesse ist hier die Erörterung der zugunsten der Konzilien angeführten Argumente aus Aristoteles.

Die 10 Kapitel aus Buch III schließlich stellen die längste uns bekannte zusammenhängende Erörterung der Konzilsautorität dar, die das Mittelalter bis dahin hervorgebracht hat. Marsilius, *Defensor Pacis* II 18—22 kommt zum Vergleich nicht in Frage, da der Text weit weniger konzentriert bei seinem Thema bleibt wie die cap. 4—13 aus Dial III 3. Und der *Tractatus de modo concilii celebrandi* des Wilhelm Durandus junior enthält bekanntlich kaum theoretische Aussagen zur Konzilsautorität.

Die Kapitelfolge läßt sich deutlich in zwei Abschnitte gliedern. Der erste, die Kapitel 4—7, legt, etwas pauschal formuliert, die Fehlbarkeitsthese dar, der zweite, die Kapitel 8—13, widerlegt die Unfehlbarkeitsthese des Marsilius. Zu Beginn des Buches referiert Ockham vier Meinungen über die verbindlichen Glaubensquellen, von denen uns nur zwei näher zu interessieren brauchen, da nur in ihnen ausführlicher von Konzilien die Rede ist. Nach der ersten Meinung sind verbindliche Glaubensquellen ausschließlich die Heilige Schrift und die Definitionen der Generalkonzilien.[85] Das ist bekanntlich die Position des Marsilius von Padua[86], und tatsächlich zitiert Ockham einen langen Passus aus

---

[84] Dial III 1, 1, 11, 782, 44: *Papa accepit aliquam potestatem a conciliis generalibus* . . . ebd. 63: *A conciliis autem generalibus habet potestatem, quantum ad omnia quae spectant ad regimen totius populi Christiani, quorum potestas non est sibi specialiter a Christo concessa.*
[85] Dial III 1, 3, 1; 819, 20: *Tantummodo scripturis canonicis et generalium conciliorum est de necessitate salutis credendum.*
[86] Vgl. S. 374.

dem *Defensor Pacis*, nämlich II 18, 1—3[87], freilich ohne seine Quelle ausdrücklich zu kennzeichnen und mit Namen zu nennen. Nach der zweiten Meinung sind verbindlich zusätzlich die päpstlichen Dekretalen, die Kanones der Apostel und die Meinungen der von der Kirche anerkannten Lehrer.[88] Nach einer dritten Meinung kommt auch noch den von der Kirche nicht approbierten Lehrern die gleiche Autorität zu.[89] Die vierte Meinung erkennt als verbindliche Glaubensquelle lediglich an die Heilige Schrift, die Universalkirche und die Apostel.[90] Die cap. 4—7 explizieren nun die in der genannten vierten Meinung über die Glaubensquellen eingeschlossene Lehre über die Autorität der Generalkonzilien. Der *magister* versucht zunächst die den Konzilien nach Aberkennung ihrer Qualität als verbindlicher Glaubensquellen noch verbleibende Autorität grundsätzlich zu erläutern (cap. 4). Dann ergänzt er die zugunsten der Fehlbarkeitsthese in Dial I vorgelegten Argumente um einige weitere (cap. 5). Es folgt eine Belehrung über den praktischen Umgang mit Konzilsdefinitionen und eine Beantwortung der Frage, wann sie Glauben verdienen und wann nicht, da man gemäß der Voraussetzung der vierten Meinung ja nicht von ihrer grundsätzlichen Unfehlbarkeit ausgehen kann (cap. 6—7).
Der zweite Abschnitt des vorliegenden ‚Konzilstraktates‘ (cap. 8—13) stellt eine förmliche Widerlegung der Unfehlbarkeitsthese des Marsilius von Padua dar. In gewisser Weise handelt es sich um eine Wiederaufnahme der schon in Dial I ausgetragenen Kontroverse. Der *discipulus* weist in der Einleitung von Buch III selber darauf hin, zur Entschuldigung führt er das damalige Fehlen der *dicta quorundam* an.[91] Damit ist natürlich der *Defensor Pacis* gemeint, den er ja dann auch unmittelbar

---

[87] GOLDAST II 819, 37—42 und 819, 44—63 entsprechen Wort für Wort dem *Defensor Pacis*, Ausgabe SCHOLZ 384, 23—31 und 385, 8—386, 11. — Den Zusammenhang zwischen beiden Textstücken stellt Ockham durch ein freieres Zitat her: 819, 42—44 entspricht DP, Ausgabe SCHOLZ 385, 3—8.

[88] Dial III 1, 3, 2; 820, 4: *Etiam decretis et decretalibus summorum pontificum et apostolorum canonibus, qui in biblia non habentur et dictis doctorum ab ecclesia approbatorum est fides indubia adhibenda.*

[89] Dial III 1, 3, 3; 820, 50: *Etiam doctoribus ab ecclesia non approbatis est fides adhibenda.*

[90] Dial III 1, 3, 4; 821, 23: *De necessitate salutis non tenentur fideles credere nisi contentis in biblia et scriptoribus eiusdem et universali ecclesiae et apostolis.* — Da die mündliche apostolische Tradition kaum greifbar ist, läuft diese Position praktisch auf die Anerkennung von ausschließlich Heiliger Schrift und Universalkirche hinaus. De facto handelt es sich um die Ockham eigene Position. Zu ihr vgl. unter anderen SCHÜSSLER 109—115.

[91] Dial III 1, 3, 1; 819, 34: *Ideo licet qualis fides scripturis aliis quam canonicis debeat adhiberi, in prima parte huius dialogi, in qua quaesivimus, quae assertio catholica, quae haeretica est censenda, disseruimus aliquantulum exquisite, sed propter dicta quorundam, quae tunc non habuimus, non taedeat nos aliqualiter tangere de eodem.*

anschließend wortwörtlich zitiert.[92] Zum Zwecke der leichteren Widerlegung identifiziert Ockham in dem Zitat aus *Defensor Pacis* II 19 näherhin fünf *assertiones*, also Argumente, zugunsten der Unfehlbarkeitsthese. Zunächst widerlegt er des Paduaners Rekurs auf die Inspiration der Konzilsväter (cap. 8)[93], dann sein erstes Schriftargument, nämlich Mt 28, 20 zusammen mit den entsprechenden Glossen des Rabanus Maurus und Pseudo-Hieronymus[94], danach sein zweites Schriftargument, nämlich Apg 15, 28.[95] Das Generalkonzil als *repraesentatio*, als *successio* des Apostelkonzils, ist das nächste Marsilianische Argument, das Ockham zerpflückt.[96] Besonders ausführlich geht der *magister* schließlich auf Marsilius' Beweis aus der mangelnden Fürsorge Gottes für seine Kirche bei Unterstellung der Fehlbarkeit der Konzilien ein.[97] Hier gibt er zunächst eine vorläufige Antwort (cap. 10), dann eine „vollständige" Lösung (cap. 11)[98], die ihrerseits nochmals durch die Beantwortung (cap. 13) von Einwänden (cap. 12) abgesichert wird. Die Auseinandersetzung mit Marsilius geht auch nach cap. 13 noch weiter, braucht uns aber in unserem Zusammenhang nicht mehr zu interessieren.

Fassen wir zusammen, was sich aus unserem Durchgang durch die Quellen ergibt: Im wesentlichen kommt das Konzil nur unter zwei Rücksichten in den Blick: in erster Linie als Lehrinstanz, erst an zweiter Stelle als Jurisdiktionsorgan, das befähigt ist, gegen den häretischen Papst vorzugehen. Völlig abwesend ist die Sicht des Konzils speziell als Reforminstrument der Kirche oder, allgemeiner, als Recht setzende Instanz. Ihrer Herkunft nach sind die Themen teils traditionell (Zuständigkeit des Konzils für Papsthäresie), teils durch Marsilius vorgegeben (Konzil als Repräsentanz der Kirche), teils von erregender Neuheit (Fehlbarkeit, Teilnahme von Frauen am Konzil). Absolut neu ist vor allem die Art und Weise der Behandlung, wir meinen hier die allseitige Problematisierung aller Aspekte. Ockham hat in seinem *Dialogus* das Konzil zum ersten Mal in der Geschichte der Kirche zum Gegenstand wissenschaftlicher Erörterung gemacht. Fragen wir nun nach dem Schwerpunkt seines Interesses, nach der zentralen Frage, die ihn besonders bewegt, so muß die Antwort lauten: es ist das Problem der Un-

---

[92] Vgl. Anm. 87.
[93] Goldast II 819, 43—44 wird 824, 35—825, 55 zurückgewiesen: *concilium generale non innititur revelationi divinae neque spiritui sancto nisi secundum influentiam generalem*, ebd. 524, 30.
[94] Goldast II 819, 44—49 wird ebd. 825, 62—826, 9 widerlegt.
[95] Goldast II 819, 49—51 wird ebd. 826, 11—60 beantwortet.
[96] Goldast II 819, 51—56 wird ebd. 826, 60—827, 7 aufgenommen.
[97] Vgl. S. 378—379.
[98] Goldast II 819, 56—63 wird ebd. 827, 10—831, 22 zurückgewiesen.

fehlbarkeit beziehungsweise der Fehlbarkeit der Generalkonzilien. Diesem Thema gelten nicht nur seine längsten zusammenhängenden Ausführungen, hierauf kommt er sogar nach der Behandlung in Dial I ein zweites Mal in Dial III zurück. Hier liegt auch seine Hauptoriginalität, durch die er in die Geschichte eingegangen ist.[99] Deswegen befassen wir uns mit der Unfehlbarkeitsproblematik in einem eigenen Abschnitt.

3. Die zentrale Frage der Unfehlbarkeit

a) Vorbemerkungen

Allseitige Problematisierung der Konzilsidee, das bedeutet konkret für die Frage der Unfehlbarkeit, entsprechend dem wissenschaftlichen Stil dieser Zeit, Serien von Argumenten für These und Gegenthese. Es hat nun gewiß etwas Unerquickliches, mit solchen Reihen von Argumenten konfrontiert zu werden. Die Herausarbeitung des philosophischen Denkschemas beziehungsweise des ekklesiologischen Ansatzes scheint wichtiger und jedenfalls zu genügen. Wir werden im folgenden trotz solcher Einwände auf die für beide Positionen von Ockham vorgelegten Argumente näher eingehen, nicht nur weil sich aus diesen Argumenten die Grundpositionen herausschälen lassen, sondern vor allem, weil es uns auf eine möglichst breite Erfassung des Moments der Geschichte der Konzilsidee ankommt, der durch Ockham repräsentiert ist. Wo zum ersten Mal in der Geschichte die Unfehlbarkeit der Konzilien diskutiert wird, interessieren nicht nur die zugrunde liegende Philosophie und Ekklesiologie des Autors, sondern auch die tatsächlich ausgetauschten Argumente.

Zweite Vorbemerkung: Ockham diskutiert ausführlich die Unfehlbarkeit der Generalkonzilien, präzisiert aber nirgends ausdrücklich, was er unter einem Generalkonzil versteht. Wir werden im folgenden Abschnitt einige beiläufige Äußerungen zusammenstellen, die den Begriff Generalkonzil, wenn auch nicht klären, so doch den Unterschied zu späteren Auffassungen erkennen lassen. Relativ vage ist nicht nur der Begriff des Generalkonzils als solcher, sondern auch die Vorstellung, die Ockham mit dem Terminus ‚Definition‘ eines Generalkonzils verbindet. Es bleibt völlig offen, welche Bedingungen erfüllt sein müssen, damit von einer Definition im strikten Sinne des Wortes die Rede sein kann. Es

---

[99] Tierney, From Thomas of York 646: „Ockham was the first . . . to attack the General Council. This was his personal contribution to medieval ecclesiology“.

ist in diesem Zusammenhang an die zur gleichen Zeit stattfindende
Diskussion der päpstlichen Unfehlbarkeit zu erinnern, in der ja auch
die Befürworter erst allmählich präzisieren, auf welche päpstlichen Lehr-
äußerungen sich ihre These bezieht.

Dritte Vorbemerkung: Unter logischer Rücksicht schließlich lassen sich
drei Kategorien von Argumenten unterscheiden: 1. Argumente für die
Unfehlbarkeit, 2. Widerlegungen dieser Argumente, 3. Argumente
gegen die Unfehlbarkeit.

Vierte Vorbemerkung: Ockhams eigene Auffassung in dieser Diskussion
interessiert uns, wie weiter oben schon bemerkt, weniger als das breite
Panorama der von ihm vorgelegten Meinungen. Seine Auffassung ist
jedenfalls nicht direkten Aussagen zu entnehmen, sondern kann nur
mittelbar eruiert werden. Aufschlußreich sind in dieser Hinsicht die
unterschiedliche Qualität der für die eine und andere Seite vorgelegten
Argumente, ihre Reihenfolge und Placierung und die vorhandene oder
fehlende Proportion der Argumente pro und contra und ihrer jeweiligen Widerlegung. Beim ersten Durchgang durch die Problematik in
Dial I beginnt Ockham mit den Argumenten contra Unfehlbarkeit. Es
schließen sich die Argumente pro an, die dann aber sofort widerlegt
werden. Bezeichnenderweise fehlen Widerlegungen der Gegenargumente.[100] Beim zweiten Durchgang beginnt er zwar mit den Argumenten pro, nämlich dem langen Zitat aus dem *Defensor Pacis*[101], er schiebt
auch noch einige Beweise zugunsten der Unfehlbarkeit nach[102], aber es
dominieren dann doch völlig die Gegenbeweise.[103] Wir stellen im folgenden die Argumente nach den drei genannten Kategorien zusammen
und halten uns dabei weitgehend an die Reihenfolge ihres Erscheinens
im *Dialogus*.

b) Argumente zugunsten der Unfehlbarkeit

Eine erste Serie von Argumenten geht unter verschiedener Rücksicht
von der traditionellen Praxis der Kirche, ihrem tatsächlichen Umgang
mit den Konzilien, aus und fragt nach der in dieser Praxis implizierten
Theorie. Es besteht eine große Chance, daß wir es bei diesen Versuchen,
die Unfehlbarkeit zu beweisen, mit einer Sammlung von Argumenten
zu tun haben, die sich Ockham nicht ausgedacht hat, sondern die tat-

---

[100] Dial I 5, 25—28.
[101] Dial III 1, 3, 1.
[102] Ebd. 1, 3, 12.
[103] Ebd. 1, 3, 5, 8—11, 13.

sächlich im Umlauf waren. Das erste Argument dieser Serie könnte von einem Manne wie Michael von Cesena stammen.[104] Es knüpft an die traditionelle kanonistische Lehre an, daß in Glaubensfragen die Synode über dem Papst steht. Es lautet: Nur unter der Voraussetzung, daß das Konzil unfehlbar ist, ist ihm der fehlbare Papst unterstellt.[105] Die späteren Konziliaristen werden auf dieser Schiene die Unfehlbarkeit der Konzilien verteidigen.[106] Das zweite Argument sieht von der Problematik des Verhältnisses Papst/Konzil ab und argumentiert von der tatsächlich in der Kirche bestehenden Glaubensgewißheit her. Sie verläßt die Kirche auch nicht bei Entscheidungen von schwierigen Glaubensfragen, wie sie Konzilien immer wieder vollziehen. Der Grund für diese Glaubensgewißheit kann nur in der Unfehlbarkeit liegen, mit der die Konzilien diese schwierigen Fragen entscheiden.[107] Ein solches Argument könnte eher von einem propäpstlichen Anhänger der konziliaren Unfehlbarkeit vorgetragen werden. Man denkt zum Beispiel an einen Theologen wie Guido Terreni.[108] Das dritte und vierte Argument sucht die Unfehlbarkeit aus der kirchenrechtlichen Praxis zu eruieren. Nach dem bestehenden Kirchenrecht kann für jede *causa vitiata* Berufung eingelegt werden (2 q 6 c.1 *Liceat*). Die Tatsache, daß es solche Berufungsmöglichkeit gegenüber den Glaubensentscheidungen der Generalkonzilien nicht gibt, ist nur damit zu erklären, daß ihre Entscheidungen nicht mit einem vitium versehen, also unfehlbar sind.[109] Näherhin stützt er das Argument aus der Inappellabilität des Generalkonzils durch ein Trilemma ab. Berufung vom Konzil an ein Konzil bedeutete einen *processus in infinitum*. Berufung vom Konzil an den Papst ist nicht möglich,

---

[104] Vgl. S. 359—360.

[105] Dial I 5, 27; 496, 15: *Illa congregatio cuius iudicio in causa fidei Romanus pontifex est subiectus, contra fidem errare non potest; quia Papa non tenetur parere mandatis alicuius congregationis, quae potest contra fidem errare. Si enim potest errare contra fidem, posset Papa aliud iudicium merito recusare. Sed Papa in causa fidei iudicio generalis concilii est subiectus, vt notatur dist. 19. c.* ANASTASIUS, *quod synodus in causa fidei sit maior Papa. ergo synodus generalis contra fidem errare non potest.*

[106] Vgl. SIEBEN, Traktate 165, 166.

[107] Dial I 5, 27; 496, 20: *Secunda ratio est haes: In ecclesia militante est certum iudicium de difficilibus et obscuris, quae circa fidem emergunt. aliter enim tota ecclesia militans potest contra fidem errare. sed ultimum iudicium circa difficilia et obscura circa fidem emergentia penes concilium residet generale. ergo concilium generale contra fidem errare non potest.*

[108] Vgl. S. 372—373.

[109] Dial I 5, 27; 496, 24: *Tertia ratio est: Illa congregatio, a qua in causa fidei non est licitum appellare, contra fidem errare non potest. Omnis vero causa vitiata est per appellationis remedium subleuanda. 2. q. 6* LICEAT. *Causa autem fidei tractata coram illa congregatione, quae contra fidem valet errare, potest vitiari. ergo licet causam fidei tractatam coram tali congregatione (si fuerit vitiata) per appellationis remedium subleuare, et ita licet ab eis appellare. sed a concilio generali in causa fidei appellare non licet.*

da der Papst im Vergleich zum Konzil die untergeordnete Instanz ist. Berufung an die *ecclesia universalis* ist praktisch nicht möglich.[110] Das vierte Argument lautet ähnlich: Nach dem bestehenden Recht gibt es kein Forum, vor dem ein Generalkonzil der Häresie bezichtigt werden könnte. Diese Tatsache ist nur durch seine Unfehlbarkeit zu erklären.[111] Das fünfte Argument knüpft an die berühmte Gregordekretale (dist. 15, 1) an, geht also vom Faktum der unangefochtenen Geltung der vier großen Generalkonzilien der Alten Kirche aus. Diese ist nur unter Voraussetzung der Unfehlbarkeit verständlich.[112] Besonderes Interesse verdient der folgende sechste Beweis. Unter Berufung auf die gleiche Gregordekretale[113] wird hier nämlich die Unfehlbarkeit zwar nicht unmittelbar aus dem *consensus omnium*[114] abgeleitet, aber doch mit ihm in Verbindung gebracht: Vom *consensus omnium* oder *universalis* getragene Konzilien sind unbedingt zu rezipieren. Solche unbedingte Rezeption ist aber nur denkbar unter Voraussetzung der Unfehlbarkeit.[115] Aufschlußreich ist der Vergleich mit Nikolaus von Kues. Wäh-

---

[110] Ebd. 496, 29: *Si enim appellare liceret, aut appellandum esset ad aliud concilium, aut ad Papam, aut ad uniuersalem ecclesiam. non ad aliud concilium generale; quia eadem ratione ab illo alio concilio generali appellare liceret; et ita finis tali causae imponi non posset. nec esset appellandum ad Papam: quia Papa in facto fidei est inferior concilio generali. ergo a generali concilio ad ipsum appellare non licet. nec esset appellandum ad ecclesiam uniuersalem; quia frustra esset talis appellatio, cum uniuersalis ecclesia simul in unum conuenire non possit.*

[111] Ebd. 496, 35: *Quarta ratio est haec: Congregatio quae non potest de haeresi accusari non potest errare contra fidem. concilium autem generale non potest de haeresi accusari. non enim inuenitur persona vel collegium, cui in causa fidei generale concilium sit subiectum. ergo generale concilium contra fidem errare non potest.*

[112] Ebd. 496, 37: *Quinta ratio est haec: Illa congregatio, cuius opera omni manent stabilita vigore, contra fidem errare non potest: quia error contra fidem nullo potest stabilitatis manere vigore. Sed opera generalis concilii omni manent stabilita vigore, teste Isidoro, qui ut recitatur dist. 15. c. I ait:* hae sunt quatuor synodi principales fidem nostram plenissime continentes. sed si qua sunt similia alia, quae sancti patres spiritu Dei pleni sanxerunt, omni manent stabilita vigore. ergo concilium generale contra fidem errare non potest.

[113] Vgl. Anm. 15.

[114] Zum consensus omnium vgl. SIEBEN, Konzilsidee, Index s. v.

[115] Ebd. 496, 42: *Sexta ratio est haec: Illa congregatio contra fidem errare non potest, cuius diffinitiones et determinationes tanquam uniuersali consensu constitutae sunt censendae. uniuersalis autem congregatio est concilium generale, teste Gregorio, qui ut habetur dist. 15. c.* SICUT, *ait,* cunctas vero, quas praefata veneranda concilia personas respuunt, respuo: quae venerantur, amplector, quia cum universali sunt consensu constituta, se et non illa destruit, quisquis praesumpserit absoluere, quos ligant: aut ligare, quos absoluunt. *Ergo concilium generale contra fidem errare non potest. Discipulus: Ista auctoritas Gregorii non videtur ad propositum; quia beatus Gregorius loquitur ibi solummodo de quatuor conciliis principalibus, non de omnibus. Magister: Ad hoc respondetur, quod licet Gregorius loquatur de quatuor principalibus conciliis, tamen assignat rationem, quare sunt recipienda. quia scilicet sunt uniuersali consensu constituta. Sed unum concilium generale non est magis uniuersali consensu constitutum quam aliud: imo unum non esset generale. Eadem autem ratio et causa eundem habet effectum. Si autem quatuor principalia concilia sint recipienda omnino, quia sunt uniuersali consensu constituta, ergo omnia generalia concilia sunt recipienda, quia sunt uniuersali consensu*

rend der Deutsche den *consensus omnium* als Wirkung des gegenwärtigen
Heiligen Geistes interpretiert und ihn insofern unmittelbar als Beweis
für die Unfehlbarkeit betrachtet, erschließt das vorliegende Argument
die Unfehlbarkeit nur mittelbar aus dem *consensus omnium*. ‚Mittel‘ ist
die Verpflichtung des absoluten Gehorsams gegenüber der *ecclesia universalis*. Das siebte Argument hat weniger Glaubensentscheidungen als
vielmehr Disziplinardekrete vor Augen: Der ihnen gegenüber verlangte
unbedingte Gehorsam setzt ihre sachliche Richtigkeit voraus.[116] Der
letzte, achte, merkwürdigerweise von der Kapitelüberschrift nicht be-
rücksichtigte Beweis[117] geht noch deutlicher als die beiden vorausgegangenen nicht mehr von der tatsächlichen Praxis der Kirche, ihrem
Umgang mit Generalkonzilien aus, sondern von den Folgen der unterstellten Fehlbarkeit für die *ecclesia universalis*. Ockham wird diesen
Gesichtspunkt im Anschluß an Marsilius in Dial III neu aufgreifen.[118]
Man hat den Eindruck, daß das Argument hier nachträglich ergänzt
wurde, um das in Dial III ausführlich abgehandelte Argument auch in
Dial I schon anklingen zu lassen.

Zu den Argumenten pro Unfehlbarkeit der Konzilien gehört auch das
von Ockham in 5 *assertiones* aufgeteilte Zitat von Marsilius, *Defensor
Pacis* II 19[119], das heißt der Beweis aus dem traditionellen Selbstverständnis der Konzilien (im Anschluß an Apg 15, 28), in ihren Definitionen vom Heiligen Geist inspiriert zu sein[120], die beiden Schriftargumente Mt 28, 20 und Apg 15, von denen nur das letzte traditionell
ist[121], das andere ein Pfündlein des Marsilius von Padua darstellt[122],
die Argumentation mit dem Repräsentationsgedanken auf der Basis

---

*instituta, si ista quatuor fuerunt universali consensu instituta. Concilium autem quod est omnino reci-
piendum et amplectendum, contra fidem errare non potest. igitur nullum concilium generale potest
contra fidem errare.* — Zu Nikolaus v. Kues vgl. Sıеввn, Traktate 91.

[116] Ebd. 496, 57: *Septima ratio est haec: Illa congregatio, cuius institutiones et opera conseruanda et
constituenda discernuntur, non potest contra fidem errare. opera autem et constitutiones omnium generalium conciliorum obseruanda et constituenda discernuntur, teste Gelasio qui ut habetur dist. 15. c.*
sancta Romana *ait:* si qua sunt consimilia a sanctis patribus hactenus instituta, post istorum
quatuor auctoritates et observanda et custodienda decernimus. *Ergo concilium generale contra
fidem errare non potest.*

[117] Ebd. 496, 9: *Quod generale concilium non potest contra fidem errare, arguitur* septem *rationibus.*

[118] Ebd. 496, 63: *Octava ratio est haec. Illa congregatio contra fidem errare non potest, qua errante
uniuersalis erraret ecclesia: sed errante generali concilio uniuersalis erraret ecclesia, quia ista errante
nullus inueniretur, qui auderet vel posset fidem defendere orthodoxam. ergo concilium generale contra
fidem errare non potest.*

[119] Dial III 1, 3, 1; 819, 37—63.

[120] Zur patristischen Tradition vgl. Sıеben, Konzilsidee, Index.

[121] Vgl. ebd. Apg 15, 28 Schriftindex.

[122] Vgl. S. 378.

von Apg 15[123] und das *argumentum ex providentia,* das Ockham mit besonderer Schärfe zurückweisen wird.

Eine dritte Serie von Argumenten zugunsten der Unfehlbarkeit schließt sich an den letztgenannten Gesichtspunkt an. Erstens: Gott wird seiner Kirche nie das Notwendige vorenthalten.[124] Notwendig aber bedarf sie des unfehlbaren Konzils, um vor Häresie und Irrtum bewahrt zu werden.[125] Nur mit Hilfe des unfehlbaren Konzils, insistiert der Verteidiger der konziliaren Unfehlbarkeit, ist der wahre Sinn einer jeden Schriftstelle jederzeit erkennbar.[126] Ohne das unfehlbare Konzil, argumentiert er weiter, ist der heilsnotwendige Glaube, jedenfalls in seiner expliziten Gestalt, nicht vollziehbar.[127]

---

[123] Vgl. S. 379.

[124] Zu diesem Argumentum ex necessitate vgl. J. Fröbes, Logica formalis, Rom 1939.

[125] Dial III 1, 3, 12; 828, 41: *Deus nunquam deficiet in necessariis congregationi fidelium, quae est Ecclesia Dei. Sed concilium generale non diffinire aliquid contra fidem est necessarium Ecclesiae suae. Tum, quia totam Ecclesiam Dei non exponi periculo haeresis et errorum est necessarium Ecclesiae Dei. Si autem concilium generale aliquid diffiniret contra fidem, tota Ecclesia Dei exponeretur periculo haeresis et erroris. Quia nemo tunc inueniretur, qui posset aut sciret defendere fidem contra concilium generale. Tum, quia non induci in tentationem est necessarium Ecclesiae Dei. In oratione enim, quam Christus fideles docuit uniuersos, hoc petitur. Christus autem non docuit in Oratione Dominica petere nisi necessaria. Ergo non induci in tentationem est necessarium Ecclesiae Dei. Tota autem Ecclesia Dei induceretur in tentationem gravissimam, si concilium generale aliquid diffiniret contra fidem.* Diesem Argumentum ex necessitate sind logisch einige Beweise untergeordnet, die zum Teil Wiederholungen aus Dial I darstellen, zum Teil vom Konzil als Vertretung der *ecclesia universalis* her argumentieren; ebd. 828, 52: *Tum, quia illud concilium, quod est suscipiendum sicut sanctum Euangelium, non potest errare contra fidem. Concilium autem generale recipiendum est, sicut sanctum Euangelium, teste Gregorio, qui ut habetur dist. 15.* sicut, *ait:* Sicut sancti Euangelii quatuor libros, sic quattuor concilia recipere et venerari me fateor. *Igitur concilium generale errare contra fidem non potest. Tum quia uniuersalis Ecclesia errare non potest. Diffinitio autem et iudicium generalis concilii tanquam diffinitio uniuersalis Ecclesiae debet haberi, quia uniuersali consensu constituta videtur, ut Gregorius ubi prius videtur asserere, dicens:* Cunctas vero, quas praefata veneranda concilia personas respuunt, respuo, et quas venerantur complector: quia dum uniuersali sunt constituta consensu, se et non illa destruet, quisquis praesumit absolvere, quos ligat, aut ligare quos absoluunt. *Huic* Gelasius *Papa concordare videtur: qui, ut habetur 15. q. 1. c.* Confidimus, *ait:* quia nulla causa venerationis Christianus ignoret uniuscuiusque synodi constitutum, quod uniuersalis Ecclesiae probetur assensu, nullam exequi magis sedem prae caeteris oportere, quam primam. *Ex quibus colligitur, quod id quod fecit concilium generale, ab uniuersali fit Ecclesia. Et per consequens concilium generale errare non potest.*

[126] Ebd. 829, 1: *Secundo, contra praedicta specialiter, quo ad hoc quod dicit, quod non omnium contentorum in lege diuina verum intellectum esse omni tempore necessarium ad salutem, obiici potest. Nam si alicuius contenti in lege diuina verus intellectus et primus non esset omni tempore necessarius ad salutem, frustra illud fuisset positum in ipsa lege diuina, cum ipsa lex diuina non nisi propter salutem electorum fuit data. Sed posset dici de eo, ut quid membranas occupat? dist. 19.* Si Romanorum *ubi dicit Glossa:* Ex hoc accipitur argumentum, quod nullum verbum positum in aliqua scriptura debet vacare, nec poni superflue. *Verus ergo intellectus et primus omnium contentorum in ipsa lege diuina est necessarius ad salutem.*

[127] Ebd. 829, 9: *Amplius: verus intellectus eorum, quae in noua lege traduntur, fuit necessarius ad salutem illis, qui fuerunt summi in veteri testamento. nam necesse fuit maiores in veteri testamento*

Im Rückblick auf die vorgestellten Argumente zugunsten der Unfehlbarkeit vermissen wir eines, das später bei den Konziliaristen ganz hoch im Kurs stehen wird; wir meinen die Herleitung der Unfehlbarkeit mit Hilfe des Repräsentationsgedankens.[128] Dieses Argument fehlt im *Dialogus* nicht, aber Ockham hat es als Replik innerhalb seiner Gegenargumentation gleichsam versteckt[129] und widerlegt es dort auch sofort.

c) Argumente contra Unfehlbarkeit

Zweierlei Beweise werden gegen die Unfehlbarkeit vorgelegt, erstens Widerlegungen der vorstehend genannten Argumente pro, zweitens selbständige Beweisgründe. Beginnen wir mit den Widerlegungen. Sie enthalten meist die gleiche Argumentationsfigur, nämlich die Leugnung von gewissen mit dem Beweis verbundenen Unterstellungen. So unterstellt der Beweis aus der Judizierbarkeit des Papstes durch das Konzil, daß nur unfehlbare Instanzen Unterwerfung beanspruchen können. Das ist aber offensichtlich falsch. Auch der zugestandenermaßen fehlbare Papst beansprucht zu Recht dann, wenn er nicht irrt, Gehorsam.[130] Auf den zweiten Beweis, den aus dem sicheren Glaubensbewußtsein der Kirche, geht Ockham ausführlicher ein. Er unterscheidet hier einerseits zwischen der individuellen Glaubenserkenntnis des einzelnen Gläubigen und dem Urteil des kirchlichen Amtes, andererseits zwischen wirklich heilsnotwendigen Glaubenswahrheiten und solchen, die nicht explizit geglaubt zu werden brauchen. Die vom Befürworter der Unfehlbarkeit angesprochene Gewißheit in der Kirche ist damit gegeben, daß die einzelnen Christen in den wesentlichen Wahrheiten ihres Glaubens nicht

---

trinitatis et incarnationis mysterium explicite et non solum inplicite credere. ergo cuiuslibet expresse scripti in lege diuina tam noua quam veteri intellectus verus est necessarius ad salutem, ut saltem aliqui primum explicite credant, et non ignorent.

[128] Vgl. SIEBEN, Traktate 201.

[129] Dial I 5, 25; 494, 51: *Licet concilium non sit ecclesia universalis, tamen repraesentat ecclesiam universalem et eius vices gerit et ideo sicut ecclesia universalis contra fidem errare non potest, ita etiam concilium generale contra fidem errare non potest.*

[130] Dial I 5, 28; 497, 8: *Quia licet Papa non sit subiectus alicuius congregationis iudicio, quae errat contra fidem: quia episcopo, quod contra fidem pertinaciter erraret, nullus catholicus in causa fidei esset eius subiectus iudicio; illius tamen congregationis recto iudicio non falso parere tenetur, quae potest errare contra fidem licet non erret. Quemadmodum quilibet Christianus in causa fidei subiectus est Papae, quando non errat contra fidem, licet possit contra fidem errare, sic etiam subditi episcoporum, quantum ad ea, quae certa sunt esse fidei consona orthodoxae, subsunt episcopis: qui tamen episcopi, quantum ad illa, de quibus certum est, quod sunt haereses damnatae explicite, possunt contra fidem errare. Cum vero accipitur, quod Papa non tenetur stare mandatis alicuius congregationis, qui potest contra fidem errare, hoc negatur: licet parere non debeat mandatis alicuius congregationis, quae errat contra fidem, sicut nec aliquis alius Christianus. Nec Papa potest recusare iudicium illius congregationis, quae potest contra fidem errare; licet posset recusare illius iudicium, quae errat contra fidem.*

irren. Das kirchliche Amt, die Konzilien, brauchen, damit solche Gewißheit besteht, nicht unfehlbar zu sein.[131] Lehrt das nicht auch die Geschichte? Der Glaube der einzelnen Christen ging während der arianischen Wirren keineswegs in die Irre, obwohl das kirchliche Amt in der Gestalt des Papstes Liberius versagte.[132] Beim dritten Argument, dem aus der Inappellabilität des Konzils, stellt der Bestreiter der Unfehlbarkeit das bestehende Kirchenrecht radikal in Frage. Berufung gegen ein Generalkonzil muß unbedingt erlaubt sein, dann nämlich, wenn das Konzil irrt, und zwar muß Berufung möglich sein vom Konzil an das Konzil, vom Konzil an den Papst, wenn der am Konzil nicht teilgenommen hat, schließlich an die *ecclesia universalis*. Wenn alle kirchlichen Ämter und alle weltliche Macht sich der Wahrheit verschließen, dann bleiben eben dem wirklich Gläubigen nur noch „Schmerz und Klage", Schweigen und einsames Ausharren nach dem Wort des Jeremias: *solus sedebam, quia amaritudine repletus eram* (Jer 15, 17). Die persönliche Anteilnahme Ockhams ist in solchen Sätzen deutlich spürbar.[133] Ähnlich

---

[131] Tatsächlich gibt es jedoch vieles, was man besser fromm bezweifelt als vorschnell nach einer Seite hin entscheidet. Hier kommt man voran nur durch geduldiges Suchen und nicht durch übereilte Entscheidungen. (Ebd. 497, 32).

[132] Ebd. 497, 25: *Est itaque iudicium certae et veridicae cognitionis, quo unusquisque bene iudicat, de quo quis noscit. Et illud iudicium pertinet ad quemlibet in qualibet arte peritum. Est aliud iudicium auctoritatis sive iudicialis sententiae. Primo modo loquendo de iudicio, in ecclesia militante est certum iudicium, quantum ad ea, quae necesse est credere explicite ad salutem aeternam consequendam: quia semper usque ad finem mundi erunt aliqui catholici, qui tali modo in vera fide explicite permanebunt. Sed circa illa, quae non sunt necessaria explicite credere, non est necesse, quod semper in ecclesia militante sit tale iudicium. Quia multa sunt, de quibus melius est pie dubitare, quam unam partem contradictionis vel aliam temere affirmare: nunquam tamen circa quaecunque talia catholica omnes Christiani neque pertinaciter errabunt, neque pertinaciter dubitabunt: sed supererunt aliqui in ecclesia, qui circa huiusmodi loco et tempore oportunis quaerent cauta sollicitudine veritatem, parati etiam tenere explicite, si eam inueniunt sive per propriam meditationem, sive per occasionem acceptam a scripturis, sive aliis hominibus quibuscumque, sive per divinam reuelationem. Et ideo nunquam omnes incident in haereticam prauitatem. Iudicium vero auctoritatis sive iudicialis sententiae non oportet, quod sit semper certum in ecclesia militante; immo potest deficere aliquando, ut videtur, etiam aliquando defecit. Tempore enim Liberii Papae, qui postquam consenserat perfidiae Arianae, tenuit Papatum sex annis, verum iudicium auctoritatis sive iudicialis sententiae nullum fuit de his, quae pertinebant ad fidem.*

[133] Ebd. 497, 52: *Ad tertiam rationem respondent isti, quod si concilium generale contra fidem erraret, ab ipso appellare liceret. Et cum dicitur, quod ad aliud concilium generale appellare non liceret: Dicunt, quod ad aliud concilium generale, si daretur facultas concilium congregandi, appellare liceret. Et si iterum illud concilium erraret, liceret ad aliud appellare. Et sic semper quousque catholici conuenirent. Iterum si Papa non esset praesens in concilio generali; si concilium erraret contra fidem, ad ipsum Papam appellare liceret, vel ad Papam cum alio concilio congregando. Ad ecclesiam etiam uniuersalem, si conuenire posset, esset principaliter appellandum. Si vero Christianitas tantum esset prauitate infecta haeretica, quod Papa et cardinales et praelati et clerici, et principes et potentes essent haeretici: et soli pauci simplices et pauperes in fide manerent catholica, et concilium reputatum generale contra fidem erraret, aliud non restaret fidelibus quam dolor et gemitus.*

repliziert der Gegner der Unfehlbarkeit auf das vierte, ebenfalls vom bestehenden Recht ausgehende Argument.[134] Auf das Argument aus der dauernden Geltung lautet die Erwiderung: Sie gelten nicht, weil sie de jure unfehlbar waren, sondern weil sie de facto wahr sind.[135] Ähnlich ist auf das sechste und siebte Argument zu antworten.[136] Von unterschiedlicher Ausführlichkeit ist die Widerlegung der fünf Marsilius-Argumente zugunsten der Unfehlbarkeit. Relativ knapp wird das zweite, dritte und vierte abgefertigt, das zweite durch die Gegenbehauptung, daß die Verheißung von Mt 28, 20 sich nicht speziell auf das Konzil, sondern auf die *ecclesia universalis* bezieht[137], das vierte durch die Leugnung, daß das Generalkonzil eine wirkliche repraesentatio beziehungsweise *successio* des Apostelkonzils darstellt. Dies ist ausschließlich die *ecclesia universalis*.[138] Etwas ausführlicher ist die Widerlegung des dritten Argumentes, das aus Apg 15, 28 auf eine spezielle Offenbarung des Heiligen Geistes für die Konzilsväter schließt. Gewiß kann man, antwortet der Bestreiter der Unfehlbarkeit, eine solche Offenbarung, die ein Wunder wäre, nicht grundsätzlich ausschließen, weder für das Apostelkonzil noch für spätere Synoden. Nur, man kann nicht von

---

[134] Ebd. 498, 12—22.

[135] Ebd. 498, 23: *Ad quintam rationem respondetur, quod Isidorus loquitur de conciliis generalibus rite congregatis et rite celebratis absque omni errore in bonis et in catholica veritate.*

[136] Ebd. 498, 26: *Ad sextam rationem respondetur similiter, quod Gregorius loquitur de conciliis generalibus rite a catholicis celebratis . . . dicitur eodem modo, quod Gelasius loquitur de conciliis rite a sanctis patribus celebratis, qui si fuissent haeretici, nequaquam fuissent sancti.*

[137] Dial III 1, 3, 9; 825, 62: *Ad illam, quae in promissione Christi Matthei ultimo est fundata; respondetur, quod Christus futurus est cum Ecclesia universali usque ad consummationem seculi. Et ideo (ut dicit Rabanus, sicut allegatum est)* usque in finem seculi non sunt defuturi in mundo, qui divina mansione et inhabitatione sunt digni. *Ex quibus verbis Rabani colligitur, quod dicta promissio Christi non debet intelligi de concilio generali. Tum, quia non dicit, non sunt defuturi in concilio generali: sed dicit,* in mundo. *Tum quia raro concilium generale est in mundo. Uniuersalis autem Ecclesia semper usque ad consummationem seculi erit in mundo. Ergo secundum Rabanum illa promissio Christi, non de concilio generali, sed de uniuersali Ecclesia debet intelligi, ut pie et absque dubio est tenendum semper Spiritum sanctum adesse uniuersali Ecclesiae. Sic etiam Hieronymus de uniuersali Ecclesia intelligit, cum dicit, Christum nunquam a credentibus recessurum, quia semper erunt usque ad consummationem seculi aliqui Christo credentes, siue concilium generale sit, siue non sit.*

[138] Dial III 1, 3, 9; 826, 61: Magister: *Ad illam (rationem) quae consistit in hoc, quod congregatio fidelium, seu concilium generale per successionem vere repraesentat congregationem Apostolorum, seniorum, ac reliquorum fidelium, respondetur, quod sola Ecclesia uniuersalis illam congregationem perfectissime repraesentat. Et illa sola sibi succedit proprie et primo. Et ideo illa sola errare non potest. Concilium autem generale nequaquam perfectissime repraesentat eam, nec ipsum illi primo succedit. Neque successio illa, quam Christus promisit, cesset, ex quo saepe cessat concilium generale. Illam tamen congregationem Apostolorum et aliorum repraesentat et quodammodo sibi succedit. Quemadmodum Papa cum collegio cardinalium aliquo modo repraesentat congregationem eandem, et aliquo modo succedunt: qui tamen tam in pertinentibus ad fidem, quam in moribus possunt errare. Et ita per repraesentationem et successionem huiusmodi probari non potest, quod concilium generale errare nequit.*

ihrer Notwendigkeit ausgehen.[139] Es gibt in der Tat auch für das Apostelkonzil eine andere Erklärung: Die Apostel definierten die Gesetzesfreiheit der Heidenchristen nicht aufgrund einer speziellen Offenbarung
des Heiligen Geistes, sondern aufgrund der Worte und Taten Christi.
Sie sahen, daß er selber große Teile des jüdischen Gesetzes nicht beobachtet und entsprechend gelehrt hatte. Ist diese fortbestehende Erinne-
rung an die Praxis und Lehre Jesu nicht auch die beste Erklärung dafür, daß Paulus schon vor dem Jerusalemer Konzil die Freiheit der
Heidenchristen vom Gesetz mit solcher Gewißheit (Gal 1) verkündet
hat?[140] Kurz, Apg 15, 28 meint keine andere Art von Offenbarung als
Kor 12, 3. Und damit einer „Jesus ist der Herr" sagen kann, bedarf es
keines immer wieder neuen Wunders! In diesem Sinne, nämlich nicht
als spezielle, sondern allgemeine Inspiration, wie sie für jedes gute Werk
nötig ist, sind auch die zahlreichen Zeugnisse der Väter zu interpretieren, wenn sie die Konzilsdekrete auf die Inspiration des Heiligen
Geistes zurückführen.[141]

In dem traditionellen Selbstverständnis der Konzilien, vom Heiligen
Geist inspiriert zu sein, auf das sich Marsilius in seinem ersten Argument für die Unfehlbarkeit berufen hatte, sieht Ockham offensichtlich
eine wichtige Stütze der Unfehlbarkeitsthese. Er widmet diesem Pro-

---

[139] Dial III 1, 3, 9; 826, 10: *Ad illam allegationem, quae in Actibus 15 est fundata, respondetur
dupliciter. Uno modo quod determinatio facta per Apostolos et seniores, de qua fit mentio Actuum 15,
facta fuit per revelationem Spiritus sancti miraculosam, qualis ad huc fieri posset in concilio generali.
Sed non est necesse quod fiat, nec semper fuit facta, nec forte semper fiet quandocumque celebrabitur
concilium generale. Nec est inconueniens dicere, aliquas reuelationes factas Apostolis: tamen tales non
posse fieri in omni concilio generali.*

[140] Ebd. 826, 16: *Aliter dicitur, quod Apostoli et seniores absque reuelatione Spiritus sancti tunc
facta eis, ex verbis Christi quae ab ore eius audierant, et ex factis eius quae viderant, collegerunt determinationem illam. Viderunt enim ipsum non seruasse legalia multa, et ceremonialia, qui et docuerat
eos, non esse necessarium seruare eadem. Quare absque revelatione speciali poterant scire, quod credentes
conuersi ex gentibus, ad huiusmodi seruanda minime tenebantur. Unde et Apostolus Paulus ante congregationem illam hoc constanter asseruit. Quod non fecisset, nisi certus de hoc antea extitisset. Et
quamuis si omnes alii contradixissent, ipse tamen a sua sententia minime recessisset, ipso attestante,
cum ait ad Galatas I* Licet nos aut angelus de caelo *etc. nec tamen pertinax extitisset, licet omnibus aliis restitisset. Et quia circa verum scienter assertum non potest pertinacia inueniri.*

[141] Ebd. 826, 24: *Cum ergo dixerunt Apostoli, et seniores:* Visum est Spiritui sancto et nobis *etc.
sub tali intellectu dixerunt, sub quali dixit Apostolus I. Corinth. 12.* Nemo potest dicere Dominus
Iesus, nisi in Spiritu sancto. *Quia omnia bona sunt a Spiritu Sancto, quamuis Deus in omni tali
sermone non faciat novum miraculum. Et eodem modo respondetur ad auctoritates plurimas asserentes
sententialiter, quod sancti patres in conciliis generalibus congregati, illa quae diffinierunt, statuerunt, et
egerunt, a Spiritu sancto inspirati fecerunt. Et per consequens interpretationes, quas fecerunt circa
dubia fidei diffinienda, eis reuelata fuerunt. Quia non ideo dicuntur a Spiritu sancto fuisse inspirati,
quia ipsis tunc Spiritus sanctus ultra influentiam Spiritus sancti, quae ad omne opus placens Deo requiritur, aliquo modo speciali, et non solito inspirauit: sed quia Spiritus sanctus ipsos monuit ad rectam diffinitionem fidei faciendam, sicut omnes monet ad quaecunque opera meritoria exercenda.*

blem deswegen ein ganzes Kapitel, in dem er den Anspruch der Konzilsväter, inspiriert zu werden, das heißt, eine Offenbarung zu erwarten, von
ihrem tatsächlichen Verhalten her in Frage stellt.[142] Gegen das traditionelle Selbstverständnis der Konzilien spricht eindeutig die Art und Weise
selber, wie Konzilien abgehalten werden. Wer auf eine Offenbarung
wartet, der betet und tut gute Werke, und er verläßt sich jedenfalls nicht
auf menschliche Weisheit. Gerade sie ist aber auf den Konzilien zur
Lösung der Glaubensfragen erforderlich. Was auf Konzilien gefragt ist,
sind nicht Frömmigkeit und guter Lebenswandel, sondern theologische,
vor allem biblische Kenntnisse, eifriges Studium und Suchen nach der
Wahrheit. Geladen werden zu den Konzilien entsprechend nicht die
„Kleinen" nach Mt 11, 25[143], denen es „der Vater offenbart", sondern
die „Klugen und Weisen". Natürlich wird nicht prinzipiell bestritten,
daß Offenbarung möglich ist auf einem Konzil, sondern lediglich, daß sie
sicher ist. Grundsätzlich besteht deswegen, was die Inspiration durch den
Heiligen Geist angeht, kein Unterschied zwischen einem Generalkonzil
und einem päpstlichen Konsistorium oder einer kleineren Synode. Sie alle
erfahren den gleichen allgemeinen Beistand des Heiligen Geistes.[144]

---

[142] Dial III 1, 3, 8; 824, 30: *Concilium generale non innititur revelationi divinae neque spiritui sancto nisi secundum influentiam generalem.*

[143] Ebd. 825, 2.

[144] Ebd. 825, 20: *Existentes in concilio generali, tractantes et deliberantes ac diffinientes quaestionem fidei, aut innituntur praecise reuelationi diuinae, aut innituntur sapientiae et virtuti humanae. Primum non potest dici: quia tunc iuxta praedicta pro quaestione fidei terminanda non oportet consulere in sacra scriptura peritos, nec volumina diuina mente revolvere, nec opus esset cogitare quomodo esset quaestio fidei terminanda: sed totum esset committendum Deo, solummodo per orationem invocando ipsum, qui solus potest revelare quamlibet catholicam veritatem. Quod tamen non fit, quando quaestio fidei est in generali concilio. Quoniam de ipsa deliberant, et veritatem ex literis sacris nituntur elicere, ut iuxta scripturas diuinas de ipsa diffiniant. Quod concilia generalia de ipsa fecisse hactenus dignoscuntur: Quia per scripturas sacras diffinierunt subortas ex scripturis fidei quaestiones. Ergo existentes in concilio generali, volentes quaestionem fidei terminare, non committunt totum Deo, ab ipso per solam orationem diffinitiones quaestionis fidei postulantes. Ergo innituntur sapientiae et virtuti humanae: quia peritiae innituntur, quam habent de scripturis, et quam per meditationem sollicitam habere possunt. Sed cum in omnibus, quae innituntur sapientiae et virtuti humanae, error poterit reperiri, ergo existentes in concilio generali circa quaestionem fidei terminandam possunt errare. Nec est necesse tenere, quod congregati in concilio generali semper et in omnibus tractatibus suis, etiam quando tractatur de quaestione fidei terminanda, aliter dirigantur a Spiritu sancto, quam Papa, quando tractat negotia cum cardinalibus in consistorio suo: vel quam patriarchae seu primates aut archiepiscopi vel metropolitani, quando celebrant concilia prouincialia: aut aliter quam episcopi et alii praelati, quando de Ecclesiasticis disponunt negociis. Licet aliquando accidit, et adhuc poterit accidere, quod ad concilium generale venientes, specialiter a Spiritu sancto dirigantur: et quod eis miraculose veritates aliquae reuelantur: et quod Deus eos miraculose ab omni errore praeservet: ac diffinitionem eorum circa fidem, et alia ordinata per ipsos manifestis confirmet miraculis. Sed absque operatione miraculi non est necesse tenere, quod aliter aliquid reveletur a Spiritu sancto vocatis ad concilium generale, quam conciliis provincialibus, et aliis congregationibus Christianorum, de quibus constat, quod non sic dirigantur a Spiritu sancto, quin possint errare tam in moribus quam in fide.*

Noch ausführlicher befaßt sich der Bestreiter der Unfehlbarkeit mit dem letzten Argument des *Defensor Pacis*, dem Beweis aus der Vergeblichkeit der Offenbarung. Ihm widmet er alles in allem ganze vier Kapitel.[145] Wer argumentiert, ohne unfehlbare Konzilien gäbe es keine gewisse Offenbarung, also sei die Offenbarung vergeblich erfolgt, macht eine Reihe von Unterstellungen, die zurückgewiesen werden müssen. Er unterstellt erstens, daß sich Konzilien notwendig irren. Das ist aber keineswegs der Fall, sondern die Konzilien irren nur dann, wenn sie die ihnen gesetzten Grenzen nicht respektieren. Eine erste Grenze ist ihnen gesetzt durch die Unterscheidung wirklich heilsnotwendiger Wahrheiten und solcher, die nicht notwendig sind. Eine zweite Grenze ist durch die Heilige Schrift selber gegeben. Sie enthält Wahrheiten, die mit natürlicher Vernunft aus ihr gefolgert werden können, und solche, die nur durch ‚Offenbarung' erkannt werden können. Die leibliche Aufnahme Mariens in den Himmel ist zum Beispiel eine Wahrheit, die nur aufgrund von ‚Offenbarung' aus der Schrift gefolgert werden kann. Hält sich ein Konzil an diese doppelte Grenze, das heißt, definiert es nur Wahrheiten, die für die Gläubigen wirklich notwendig sind und die mit natürlicher Vernunft aus der Schrift gefolgert werden können, dann fällt es nicht in Irrtum, dann übernimmt es eine Aufgabe, die von den dazu geeigneten Fachleuten mit Umsicht und Beharrlichkeit zu bewältigen ist.[146]

---

[145] Dial III 1, 3, 10—13.

[146] Dial III 1, 3, 10; 827, 14: *Respondetur per duplicem dictinctionem. Quarum prima est, quod eorum quae in conciliis generalibus determinantur et determinari possunt, et similiter quae possunt esse dubia circa fidem: quaedam sunt quae ex scripturis diuinis deductione infallibili possunt inferri, ita quod quamuis nec illud quod infertur, nec illud vel illa ex quo vel ex quibus infertur, possit vel possunt naturali ratione esse notum vel nota: tamen illatio potest naturaliter esse nota, cum etiam illatio falsi ex falso et falsis possit naturaliter et infallibiliter esse nota. Quaedam sunt quae ex scripturis diuinis infallibili deductione inferri non possunt: quemadmodum beatum Hieronymum et beatam virginem esse corporaliter in coelo ex scripturis certitudinaliter haberi non potest. Sicut etiam nec, quod illi de quibus dicitur Matth. 10. Multa corpora sanctorum surrexerunt cum eo etc. corporaliter ascenderint in coelum, nec quod corporaliter non ascenderunt, infallibiliter deduci non potest ex scripturis diuinis. Secunda est, quod dubium circa fidem sive circa diuina, et ea quae spectant ad salutem potest esse duplex. Quia aliquod est, cuius notitia explicita est necessaria ad salutem: et aliquod, cuius notitia explicita non est necessaria ad salutem. Per hoc respondetur ad allegationem praedictam, quia in concilio generali proponitur aliquod dubium terminandum, quod ex scripturis diuinis deductione infallibili et naturaliter nota saltem sapientibus et peritis potest inferri: aut proponitur aliquid terminandum, quod ex scripturis diuinis inferri non potest, sed per solam reuelationem diuinam potest haberi. Rursus aut necessaria est fidelibus notitia illius, quod proponitur in generali concilio determinandum, aut non est necessaria fidelibus. Si illud quod proponitur in concilio generali potest infallibili deductione ex scripturis diuinis inferri, et notitia eius est necessaria fidelibus, non exclusa oratione et aliis operibus bonis, debent sapientes in concilio generali congregati diligentissime scrutari scripturas sacras, exemplo illorum, de quibus dicitur Actorum 17. Susceperunt verbum cum auiditate quotidie scrutantes.*

Zweitens unterstellt das Argument des *Defensor Pacis*, daß das Konzil das einzige Mittel zur Erkenntnis der Heilswahrheit ist. Aber auch dies ist nicht der Fall. Es gibt immer noch die Heilige Schrift zur Erkenntnis des wirklich Heilsnotwendigen, und wunderbare ‚Offenbarung' ist immer möglich. Und deswegen darf man die Offenbarung auch nicht vergeblich nennen. Nützlich ist sie ohne Zweifel für jeden, der sie in der rechten Weise sucht, ob nun das richtige Verständnis mit oder ohne Konzil vermittelt wird.[147] Ja, selbst wenn alle außer einigen wenigen oder einem einzigen Menschen die Wahrheit verfehlten, wäre die Offenbarung nicht umsonst ergangen.

Eine weitere Unterstellung des Arguments ist zurückzuweisen, nämlich die, daß jede Stelle der Heiligen Schrift für jede Zeit heilsnotwendige Erkenntnis enthält. Das ist nicht der Fall. Die Schrift enthält vielmehr viele Aussagen, die nicht unbedingt zu jeder Zeit richtig verstanden werden müssen. Deswegen ist mit der Möglichkeit zu rechnen, daß ein Konzil zwar mit äußerster Sorgfalt und Anstrengung die Schrift erforscht und auch im Gebet um die Erkenntnis ringt, aber sie dennoch nicht erreicht. In solchen Fällen darf also nicht einfach zur Definition geschritten werden in der Annahme, daß Gott die fehlende Erkenntnis ergänzt, indem er die Konzilsväter inspiriert.[148] Was mit dieser Replik auf Marsilius' letztes Argument abgelehnt wird, ist ein mechanisch-magischer Konzilsbegriff, ist die Vorstellung, daß ein Konzil zu jedem beliebigen Zeitpunkt der Heilsgeschichte über alle in der Schrift enthaltene Wahrheit selbstherrlich verfügt, ganz gleich, wie es selber zusammengesetzt und für die Wahrheit disponiert ist. Nein, die Wahrheit der Heiligen Schrift ist nicht abrufbar wie aus einem Computer.

So weit die direkte Auseinandersetzung mit Marsilius. Der *discipulus* hat in Dial III 1, 3, 12, im Anschluß an die Widerlegung des Marsilius noch einige Argumente zugunsten der Unfehlbarkeit vorgelegt. Der Bestreiter der Unfehlbarkeit antwortet mit einer Reihe von Distinktionen: Das Universalkonzil ist notwendig im Sinne von nützlich, aber nicht strikt notwendig.[149] Durch ein irrendes Konzil würde die *ecclesia universalis* in

---

[147] Dial III 1, 3, 10; 827, 46—828, 14.

[148] Ebd. 828, 25: *Multa sunt contenta in scripturis diuinis, quorum verus intellectus primus et literalis non est omni tempore necessarium ad salutem: quamuis ab existentibus in concilio generali quaeratur solutio tam per meditationem vehementem in scripturis, quam per orationem, ita ut ipsum omnino diffinire proponant. Non est igitur necessarium credere, quod Deus aperiat ipsis per scripturas vel per revelationem miraculosam huiusmodi. Quia quamuis Deus non deficiat Ecclesiae suae scilicet congregationi fidelium in necessariis, tamen non semper praebet se ad illa, quae non sunt necessaria ad salutem, sine quibus potest esse salus, quamuis ipsa nitantur precibus continuis impetrare.*

[149] Dial III 1, 3, 13; 829, 21—36.

Häresie fallen. Hier darf man die Gefahr nicht übertreiben, lautet die
Antwort. Die *ecclesia universalis* würde von Häresie bedroht, concedo,
sie würde ihr völlig verfallen, nego. Immer wird es einige, viele oder
wenige, geben, die sich gegen das häretische Konzil erheben.[150] Denkbar ist sogar der Fall, daß ein häretisches Generalkonzil noch nicht einmal eine Bedrohung für die *ecclesia universalis* darstellt, dann nämlich
nicht, wenn es wegen der geringen Zahl oder der geringen Bedeutung
der Teilnehmer überhaupt nicht ernst genommen wird.[151] Gefährdet
sind übrigens weniger die Laien und das breite Kirchenvolk als vielmehr die Kleriker, die ihre Ämter und Pfründen in einem solchen Fall
nicht verlieren wollen und deswegen dem häretischen Konzil nicht
widersprechen.[152] Freilich ist es auch möglich, daß das ganze Kirchenvolk bis auf wenige oder einen einzigen abfällt. Gott kann in einem
solchen Fall ja aus „Steinen dem Abraham wieder Söhne schaffen"
(Mt 3, 9).[153] Was die restlichen Antworten noch an Neuem bringen,
wird uns weiter unten noch in anderem Zusammenhang beschäftigen.[154]
Die Unfehlbarkeit ist nicht bewiesen, denn die Argumente zu ihren
Gunsten sind nicht schlüssig. Das ist die Bilanz des vorstehenden.
Aber der *magister* geht noch einen Schritt weiter. Er will positiv zeigen,
daß der Begriff eines unfehlbaren Konzils im Widerspruch steht zu
fundamentalen Wahrheiten des christlichen Glaubens. Eine solche fundamentale Wahrheit ist, erstens, der Satz von der Unfehlbarkeit der
ecclesia universalis allein. Nur sie hat nach der Schrift (Mt 28, 20) dieses
Privileg. Und die Unfehlbarkeit gehört nicht zu den Privilegien, die
vom Repräsentierten auf die Repräsentierenden übergehen. Man kann
sich den Widerspruch zur Schrift auch so verdeutlichen: die Unfehlbarkeit garantierende Verheißung von Mt 28, 20 bezieht sich auf eine

---

[150] Ebd. 829, 37—830, 50.

[151] Ebd. 829, 57: *Posset tamen contingere, quod quamuis generale concilium diffiniret aliquid contra
fidem, ecclesia Dei non exponeretur periculo: quia posset contingere, quod congregati in concilio generali
essent pauci et viles tam in re quam in hominum reputatione, respectu illorum, qui ad illud concilium
generale minime conuenissent. Et tunc illorum leuiter error extirparetur per multitudinem meliorum et
sapientiorum et famosiorum illis, quibus etiam multitudo simplicium adhaeret, magis scilicet quam
decem vel duodecim aut quindecim, per quos possit generale concilium celebrari. quemadmodum in concilio Arelatensi tantummodo undecim patres fuerunt. dist. 16.*

[152] Ebd. 830, 10—22.

[153] Ebd. 830, 22: *Multitudo insuper Christianorum (dum tamen alii vel saltem unus fidelis remaneat) potest involventi periculo haeresis et erroris (aliis exigentibus peccatis ipsorum) exponi, quibus in
haereticam prauitatem labentibus valet ille qui de lapidibus potest suscitare filios Abrahae, vel de aliquibus ipsorum aut de aliis, quando voluerit numerum Christianorum augere.*

[154] Ebd. 830, 49—381, 22.

Kirche, die bis zum Ende der Zeit dauert, damit kann nicht das Konzil gemeint sein, das nach einer bestimmten Zeit aufhört und vom menschlichen Willen aufgelöst wird, also von ihm abhängig ist.[155] Der Begriff eines unfehlbaren Konzils ist, zweitens, unvereinbar mit der Freiheit des Gläubigen. Der *magister* provoziert hier zunächst mit der ironischen Frage, ob denn eine Ortsveränderung aus fehlbaren Bischöfen unfehlbare mache, den *discipulus* zu der Auskunft, daß Christus nach Mt 18, 20 den versammelten Bischöfen einen speziellen Beistand leiste.[156] Dann negiert er kategorisch, daß dieser spezielle Beistand den Konzilsvätern ihre Freiheit zum Irrtum und Unglauben nehme. Übrigens, wenn tatsächlich der Beistand Christi nach Mt 18, 20 Unfehlbarkeit garantiere, dann sei jedes Provinzialkonzil, jedes Ordenskapitel unfehlbar; denn sie alle berufen sich zu Recht auf dieses Schriftwort.[157]

---

[155] Dial I 5, 25; 494, 47: *Una est sola ecclesia militans, qua contra fidem errare non potest: quia de sola uniuersali ecclesia militante inuenitur in scripturis authenticis, quod errare non potest. Concilium autem generale licet sit pars ecclesiae militantis universalis, tamen non est ecclesia uniuersalis. Igitur temerarium est dicere, quod concilium generale contra fidem errare non potest.* Discipulus: *Licet concilium generale non sit ecclesia uniuersalis, tamen repraesentat ecclesiam universalem, et eius vices gerit et ideo sicut et ecclesia uniuersalis contra fidem errare non potest ; ita etiam concilium generale contra fidem errare non potest.* Magister: *Haec responsio impugnatur primo, quia sicut concilium generale repraesentat ecclesiam uniuersalem, et eius vices gerit ; ita etiam Papa repraesentat ecclesiam universalem et eius vices gerit: quia est persona publica totius communitatis gerens vices et curam. Sed Papa, hoc non obstante, potest contra fidem errare, igitur et generale concilium, hoc non obstante, poterit contra fidem errare. Secundo: quia non omni praerogatiua gaudet persona vel collegium, quae vel quod gerit vices alterius, qua gaudet communitas, cuius vices gerit. ergo ex hoc quod ecclesia uniuersalis non potest contra fidem errare, inferri non potest quod concilium generale non potest contra fidem errare, licet gerat vices uniuersalis ecclesiae. Secunda ratio est haec. Illa congregatio quae potest voluntate humana dissolui, potest contra fidem errare: quia illa ecclesia, quae contra fidem errare non potest, usque at finem seculi permanebit, iuxta promissionem Christi Math. ult., sed concilium generale potest humana voluntate dissolui ; sicut et dissoluitur. Ergo generale concilium potest contra fidem errare.* Vgl. auch Dial III 1, 3, 5; 822, 29—38, wo die hier aufgeführten Gründe zusammengefaßt werden.

[156] Ebd. 495, 1: *Illae personae, quae in diuersis locis existentes possunt contra fidem errare, etiam si ad eundem locum conueniunt, poterunt contra fidem errare, quia concursus ad eundum locum non reddit aliquos inobliquabiles a fide: quia sicut locus non sanctificat homines, ita et locus nullos confirmat in fide, sed omnes ad generale concilium conuenientes, antequam conuenirent, poterant contra fidem errare, quia si conueniant centum vel ducenti episcopi, constat quod omnes ex arbitrio voluntatis poterant in haereticam incidere prauitatem. Ergo etiam postquam conueniunt, poterunt labi in haereticam prauitatem.* Discipulus: *Ista ratio non procedit, quia Deus specialiter congregatis in unum assistit, ipsa veritate testante, quae ait Matth. 18. ubi sunt duo vel tres congregati in nomine meo, ibi sum ego in medio eorum. Et ideo licet conuenientes ad concilium generale ante potuerunt contra fidem errare: postquam tamen conueniunt in nomine Christi, errare non poterunt.*

[157] Ebd. 495, 11: *Ista responsio impugnatur: quia licet Deus assistat specialiter congregatis in unum nomine Christi: ipsi tamen in gratia et fide minime confirmantur, etiam dum simul localiter remanserint, quin possint per liberum voluntatis arbitrium a gratia Dei et fide recedere. Et ideo quamuis Deus specialiter assistat ad generale concilium congregatum in nomine Christi, tamen per talem assistentiam diuinam in fide nullatenus confirmantur, quin possint labi in errorem. Unde per istam responsionem*

Der Begriff eines unfehlbaren Konzils ist vor allem unvereinbar mit der souveränen Freiheit Gottes. Daß Menschen den Glauben bewahren und nicht in Unglauben fallen, kann nicht in Menschenhand gelegt sein, kann nicht von einer menschlichen Berufung und Initiative abhängen, sondern muß der souveränen Freiheit Gottes und seiner Allmacht allein vorbehalten bleiben.[158] Der *magister* schließt die Reihe der theologischen Gründe gegen die Unfehlbarkeit der Generalkonzilien mit einem argumentum per exclusionem, das Bekanntes wiederholt, ihm aber auch nochmals die Gelegenheit gibt, die souveräne Freiheit Gottes zu unterstreichen, der den „Kleinen" offenbart, was er vor den „Weisen und Klugen" verbirgt (Mt 11, 25). Ein irrendes Generalkonzil ist kein Anlaß zur Verzweiflung, ganz im Gegenteil, es würde die souveräne Freiheit Gottes, seine Macht, Glauben zu schenken, wem er will, nur um so heller aufleuchten lassen. Denn die Kleinen und Ungebildeten würden auf Antrieb Gottes gegen ein Generalkonzil, auf dem alle klugen Gottesgelehrten der Häresie verfallen sind, aufstehen und sich ihm widersetzen. Ein irrendes Generalkonzil gereichte so zur Ehre Gottes, würde es doch zeigen, daß der Glaube nicht auf der Weisheit von Menschen, und seien sie zum Konzil gerufen, beruht, sondern auf der Kraft Gottes, der bisweilen das Törichte der Welt erwählt, um die Weisen zu beschämen (1 Kor 1, 27).[159]

---

haberetur, quod nullum prouinciale concilium posset errare contra fidem ; quia si in unum convenerint in nomine Christi in prouinciali concilio congregati, Deus specialiter assistit eisdem, sequeretur etiam per illud medium, quod nullum generale ac prouinciale capitulum clericorum vel religiosorum Mendicantium posset contra fidem errare: quia nonnunquam in Christi nomine congregantur.

[158] Ebd. 495, 20: *Quarta ratio eorum est haec: nulla vocatio humana certarum personarum, nec etiam aliqua humana commissio facta specialibus personis potest eas in fide confirmare, vel ab errore praeseruare: quia sola potentia Dei ecclesia catholica ab erroribus praeseruatur. sed certae personae in generali concilio congregatae non vocantur nisi vocatione humana, nec aliquam auctoritatem, nec potestatem accipiunt, nisi ex commissione humana. Igitur per hoc, quod in generali concilio conuenerunt, non confirmantur in fide, nec necessario ab erroribus praeseruantur. Ergo ita potuerunt, postquam fuerunt ad generale concilium congregati, incidere in haereticam prauitatem, sicut ante poterant.*

[159] Ebd. 495, 27: *Quinta ratio est haec: Si in generali concilio congregati contra fidem errare non possunt: aut hoc est ratione sapientiae, qua praefulgent ; aut ratione sanctitatis, qua pollent ; aut ratione auctoritatis seu potestatis quam habent, aut ratione promissionis Christi, qua promisit apostolis fidem usque in finem seculi duraturam. non propter primum: tum quia saepe multi sapientes catholici inueniuntur extra concilium generale, qui possunt defendere fidem, licet omnes errarent in generali concilio congregati. Tum quia Deus saepe reuelat paruulis, quae a sapientibus et prudentibus absconduntur. Licet ergo omnes in generali concilio errarent, et solum paruuli et illiterati ad concilium minime conuenirent, non esset adhuc desperandum, quin Deus veritatem catholicam paruulis reuelaret, vel eisdem veritatem notam defendere inspiraret. Hoc enim esset ad gloriam Dei: qui in hoc ostenderet, fidem nostram non esse in sapientia hominum ad concilium generale vocatorum, sed in virtute Dei, qui nonnunquam quae stulta sunt mundi elegit, vt confundat sapientes. Nec propter sanctitatem ad concilium generale vocatorum, est dicendum, quod non possunt contra fidem errare: tum quia interdum ad generale concilium sanctiores nequaquam conueniunt tum quia sanctitas in ecclesia militante nullos confirmat in*

In Dial III 1, 3, 5, wo der *magister* die Argumente von Dial I 5, 25 zusammenfaßt, fügt er noch einige neue Beweise gegen die Unfehlbarkeit
hinzu. Ein erstes Argument setzt bei der zahlenmäßigen Differenz zwischen der *ecclesia universalis* und dem sie repräsentierenden Generalkonzil
an. Das Konzil stellt im Vergleich zur *ecclesia universalis* immer eine
Minderheit dar. Bietet aber schon eine Mehrheit keine Garantie für
Unfehlbarkeit, dann erst recht nicht eine Minderheit![160] Ein zweites
Argument gegen die Unfehlbarkeit schmiedet der *magister* aus der inneren Abhängigkeit des Konzils vom Papst. Konzilien bedürfen, um
„authentisch" zu sein, päpstlicher Bestätigung. Von ihm, der selber
fehlbar ist, kommt ihnen aber gewiß keine Unfehlbarkeit zu![161]
Der *magister* schließt seine Argumentation gegen die Unfehlbarkeit mit
Beispielen aus der Geschichte. Auch dieser Teil der Diskussion ist von
außerordentlicher Originalität. Soweit wir sehen, ist das Thema irrender Konzilien — ganz im Gegensatz zu dem irrender Päpste — in der
Kanonistik völlig unbekannt. Die von Ockham beigebrachten Beispiele verraten freilich auch, wie vage der verwendete Begriff von
Generalkonzil noch ist. Welche Konzilien also haben angeblich in der
Vergangenheit geirrt, und worin bestand ihre Häresie? Der *magister*
nennt an erster Stelle die sogenannte Leichensynode vom Januar 897,
in der Papst Stephan VI. über die aus dem Grab gerissene Leiche des
Papstes Formosus Gericht hielt und die Weihehandlungen des Vorgängers für null und nichtig erklärte.[162] Diese Weihen jedenfalls wur-

---

*fide. Nec propter tertium est dicendum, quod non possunt contra fidem errare; quia auctoritas vel potes-
tas in hac vita nullos confirmant in fide, sicut per auctoritates inductas superius (ubi inquisitum fuit,
an Papa possit contra fidem errare) sufficienter videtur ostensum. Nec propter quartum: quia Christus,
promittendo apostolis fidem usque ad finem seculi duraturam, de generali concilio nullam fecit penitus
mentionem.*
[160] Dial III 1, 3, 5; 822, 39: *Omnis congregatio illorum, qui pauci sunt respectu aliquorum catholicorum etiam praelatorum, potest contra fidem errare: quia non est tenendum necessario, quod quidam
pauci sunt in fide confirmati, quantumcunqve insimul congregentur. Quamuis enim saepe legatur, quod
praesumendum est pro multitudine, ut notat Glossa dist. 19. IN CANONICIS: non tamen ita legitur,
quod praesumendum sit pro paucitate. Cum igitur non sit taliter pro multitudine praesumendum, quin
liceat credere multitudinem posse errare, dicente Domino Exod. 23.* Non sequeris turbam ad faciendum malum: *multo minus praesumendum est pro paucitate. Et per consequens non est necesse credere
quoscumque paucos, quorum nullus confirmatus est in fide, non posse errare. Sed pauci Christiani etiam
respectu episcoporum possent sufficere ad celebrandum concilium generale, sicut saepe respectu multitudinis praelatorum pauci ad generale concilium conuenerunt.*
[161] Ebd. 822, 53: *Amplius, illa congregatio potest errare contra fidem, quae ad hoc, quod authentica
sit censenda, indiget ab homine confirmari, qui valet contra fidem errare. Quia non magis confirmatur
in fide indigens confirmatione, quam confirmans. Sed concilium generale, ut sit authenticum et ut eius
assertio vel diffinitio sit reputanda authentica, et ut auctoritatem obtineat, indiget confirmari a Papa,
qui potest contra fidem errare.*
[162] Vgl. G. SCHWAIGER, Art. Formosus, LThK IV 214.

den von Johannes IX. auf der Synode von Ravenna (898) als gültig anerkannt.[163] Der *magister* weist den doppelten Einwand des *discipulus*, die genannte Synode habe sich nicht hinsichtlich der *fides*, sondern nur hinsichtlich der *mores* geirrt, und, es handele sich hierbei nicht um ein General-, sondern lediglich um ein Partikularkonzil, entschieden zurück: Erstens, man kann in dieser Frage Glaube und Sitten nicht trennen, zweitens, nach dist. 17 c.1 sind alle Papstsynoden per definitionem Generalkonzilien, folglich war auch die Synode unter Stephan ein solches.[164] Irrende Generalkonzilien waren, weiter, das zweite Ephesinum, die sogenannte Räubersynode, das zweite Konzil von Lyon (1274) sowie das Viennense (1311—1312). Die Generalsynode unter Gregor X. irrte hinsichtlich der *mores*, hat es doch den Orden der Dominikaner und Franziskaner approbiert[165], was nach den Konstitutionen Johannes' XXII. *Ad conditorem*, *Quia quorundam* und *Quia vir reprobus* hinsichtlich der Franziskaner jedenfalls ein Irrtum war.[166] Vienne fiel in Irrtum, indem es die Konstitution Nikolaus' III. *Exiit qui seminat* über die franziskanische Armut approbierte, die ebenfalls von Johannes XXII. zum Irrtum erklärt wurde.

Aus den genannten Beispielen wird zumindest soviel deutlich, daß Ockham keine sehr weit gehenden historischen Forschungen unternommen hat, um die These irrender Universalkonzilien historisch zu belegen. Er kennt eigentlich nur das von der Glosse zu Dekret, dist. 15 c.1

---

[163] Vgl. HEFELE-LECLERCQ, Histoire des conciles IV/2, 714, Anm. 6.

[164] Dial I 5, 26; 495, 46: *Secundo ostenditur exemplis, quod generale concilium potest contra fidem errare. Primum exemplum est de synodo Stephani Papae septimi, qui erroneas omnes ordinationes factas per Formosum Papam irritas esse decreuit. Unde et postea synodo celebrata Rauennae per Iohannem Papam nonum extitit reprobata. Igitur concilium generale poterit errare: quia constat, quod altera istarum synodorum, quarum una alteram reprobauit, errauit.* Discipulus: *Altera istarum synodorum errauit, sed non contra fidem; quia errauit tantum contra ordinationes Formosi Papae.* Magister: *Haec responsio impugnatur; quia omnis congregatio, quae potest errare contra bonos mores, potest errare contra fidem. Quia mali mores excaecant intellectum, et ita qui potest peccare, potest incidere in errorem etiam contra fidem. Si ergo altera istarum synodorum errauit contra mores impie et inique approbando vel reprobando ordinationes factas per Formosum papam, sequitur quod etiam poterat contra fidem errare.* Discipulus: *Aliter potest responderi ad exemplum praemissum, quod synodus celebrata per Stephanum septimum non fuit concilium generale, sed fuit quaedam synodus particularis quorundam episcoporum ad synodum particularem per eundem Stephanum vocatorum.* Magister: *Hoc non videtur aliis stare posse, quia omnis synodus auctoritate papae congregata concilium generale vocatur, ut notat Glossa dist. 17 c. 1, quod conciliorum quaedam sunt generalia, quaedam particularia sive provincialia, quaedam episcopalia. Universale est, quod a papa vel eius legato cum omnibus episcopis praesentibus statuitur. Numquam enim legitur ad aliquod concilium generale omnes episcopos convenisse. Cum igitur synodus Stephani auctoritate papae fuerit celebrata, sequitur, quod concilium generale debuit appellari.*

[165] Liber sextus III 17; FRIEDBERG 1054 f.

[166] Vgl. die ausführliche Auseinandersetzung Ockhams mit den genannten drei Konstitutionen im *Opus nonaginta dierum*, GOLDAST II 993—1236.

erwähnte zweite Ephesinum[167], denn die drei anderen Beispiele sind doch kaum von Gewicht; das erste nicht, weil nach dem bestehenden Kirchenrecht nun doch nicht jede Papstsynode als Generalkonzil galt, das zweite und dritte nicht, weil Ockham selber hier den Irrtum auf seiten Johannes' XXII. sieht. Bezeichnend für eine fehlende Tradition irrender Generalkonzilien ist freilich auch die Tatsache, daß lediglich Irrtum hinsichtlich der *mores* (und diesen Begriff sehr weit gefaßt), nicht hinsichtlich der *fides* belegt wird.

Eine abschließende Bemerkung zur Diskussion der konziliaren Unfehlbarkeit: Da wir uns in unserem Zusammenhang nicht für die Frage interessieren, was denn nun Ockham selber letztlich für einen Standpunkt einnimmt, brauchen wir auch nicht auf das Problem der Ableitung der Ockhamschen Position näher einzugehen. Es genügt, auf die Forschungsbeiträge vor allem von de Lagarde hinzuweisen, der Ockhams Tendenz zur Auflösung der kirchlichen Strukturen aus dessen Atomismus, Individualismus und Nominalismus ableitet.[168]

d) Verhalten gegenüber fehlbarem Konzil

Das unfehlbare Konzil beansprucht unbedingte Zustimmung. Wie aber sollen sich die Gläubigen gegenüber dem grundsätzlich fehlbaren Konzil verhalten?[169] Der *magister* antwortet auf diese Frage mit einer komplizierten Kasuistik, die sich jedoch auf die einfache Formel bringen läßt: Das Konzil kann soviel Zustimmung beanspruchen, wie es für seine einzelnen Aussagen verdient und es der einzelne Gläubige nicht besser weiß.

Die Zustimmung hängt ab, erstens, vom Gegenstand der Definition. Für konziliare Sätze gelten im Grunde keine anderen Regeln als für sonstige theologischen Sätze, die aus der Bibel gewonnen werden. Sie sind in ihr entweder explizit oder implizit enthalten, und es handelt sich entweder um Fakten oder um theoretische Wahrheiten. Explizit in der Schrift enthaltene Tatsachen sind zum Beispiel das Zusammensein der Jünger mit Jesus oder der Aufenthalt Pauli in Rom. Andere Tatsachen sind zwar nicht in der Schrift, dafür aber ausdrücklich in anderen alten Quellen enthalten. Theoretische Wahrheiten, um auch hier Beispiele zu

---

[167] Glossa zu ,,Ephesina": *Hoc dicit ad differentiam secundae, quae fuit reprobata.*
[168] Vgl. DE LAGARDE, Naissance 128; LEFF, Ockham 638; jedoch MIETHKE, Sozialphilosophie 502 ff., 515 ff.
[169] Dial III 1, 3, 6; 823, 9: *Secundum istam opinionem non sit simpliciter necessarium credere in omnibus (absque omni exceptione) concilio generali: tamen secundum eandem in multis negari non debet, et quo ad multa Christiani tenentur eidem credulitatem praestare.*

nennen, betreffen die Natur Gottes oder der Engel oder der Menschen oder anderer Dinge.[170] Die implizit in der Schrift enthaltenen Tatsachen und theoretischen Wahrheiten sind nur auf dem Weg der Deduktion zu erlangen. Zu gesicherter Kenntnis kommt hier nur der Fachgelehrte unter Anwendung großer Mühe und Sorgfalt.[171] Deswegen hält man Faktenbehauptungen, die sich auf eigene Wahrnehmung berufen, viel leichter für wahr als theoretische, spekulativ gewonnene Sätze. Entsprechend verhält man sich allgemein gegenüber den Theologen. Eine Tatsachenbehauptung nimmt man ihnen ohne weiteres ab, ihren theologischen und kirchenrechtlichen Theorien gegenüber bleibt man skeptisch, mag der betreffende Theologe subjektiv auch noch so überzeugt von seiner Theorie sein. Denn man geht zu Recht davon aus, daß er bezüglich der Fakten nicht absichtlich die Unwahrheit sagt, bezüglich seiner Theorien aber hält man Irrtum für leicht möglich.[172]

Was hinsichtlich theologischer Sätze allgemein gilt, soll auch speziell für die auf dem Konzil aufgestellten gelten. Tatsachenbehauptungen, die sich explizit aus der Schrift oder aus anderen Quellen erheben lassen, sind den Konzilsvätern von allen bis zum Beweis des Gegenteils abzunehmen. Theoretische Sätze, die nicht auf unmittelbare Anschauung zurückgehen, sondern nur spekulativ aus anderen Erkenntnissen gewonnen werden können, brauchen keineswegs mit der gleichen Bereit-

---

[170] Dial III 1, 3, 6; 823, 15: *Quaedam consistunt in facto, quia videlicet concilium generale narrat et asserit illa, quae facta sunt: quemadmodum historia scripturae diuinae narrat rem gestam. Quaedam autem non consistunt in facto, sed in ipsa natura rei, de qua loquitur. Sicut cum narrat et asserit ea, quae spectant ad naturam Dei et creaturarum siue simplicium sine compositarum, vel etiam illarum quae unitatem solummodo aggregationis vel ordinis habere noscuntur.*

[171] Dial III 1, 3, 7; 823, 54: *Ut hoc melius intelligas, scire debes, quod ea quae facti sunt in multiplici differentia sunt. Quaedam enim explicite in scripturis diuinis habentur, sicut quod Apostoli circumibant cum Christo, quod Paulus fuit Romae, et huiusmodi quae in libris historialibus Bibliae affirmantur. Quaedam vero non reperiuntur in Biblia, sed ab aliis quam a scriptoribus Bibliae eorum accipitur certitudo, qui ipsa explicite in suis inseruerunt historiis. Quaedam autem in huiusmodi solum habentur implicite, ita quod absque subtili deductione ex illis minime elici possunt. Quaedam autem in libris huiusmodi non habentur, sed ipsis narrantibus per seipsos sunt nota. Et de istis principaliter intelligit opinio supra scripta. Rursus, non solum eorum quae facti sunt, sed etiam aliorum quaedam continentur in scripturis divinis explicite, et quaedam implicite, ita quod nisi a doctis cum magno labore, et studio ex illis quae in scripturis habentur, inferri non possunt.*

[172] Ebd. 824, 1: *Ex his dicitur, quod quia pauciores homines rarius decipiuntur, vel decipi possunt in factis et gestis, quae per seipsos cognoscunt, quam his, quae solummodo ex aliis subtili et multis incognita ratiocinatione eliciunt, ideo magis creditur hominibus in his quae asserunt se vidisse, vel audiuisse, aut aliquo sensu alio percepisse, quam in his quae ex dictis aliorum, vel etiam ex sibi notis arguendo concludunt. Unde et saepe Doctori Theologiae de aliquo facto testimonium perhibenti multi absque dubio credunt: qui tamen opinionibus eius, quantum ad ea quae sunt scientiae et iuris (quamuis firmissime, imo pertinaciter adhaereat eis) non credunt. Imo ipsum errare et falsa dicere, et asserere firmissime putant. Quia tenent quod scienter non diceret falsum, et arbitrantur, quod de illo quod est facti est certus, quem deceptum circa alia, scilicet scientiae et iuris arbitrantur.*

willigkeit angenommen zu werden. Zur Erlangung solcher theoretischer Erkenntnisse sind nämlich nicht nur Fachwissen, sondern vor allem die Beherrschung der Regeln der Logik nötig, um falsche von richtigen Schlüssen unterscheiden zu können. Es ist aber leider bekannt, daß manchem großen Konzilstheologen bei allem positiven Wissen und aller Quellenkenntnis gerade diese letztgenannte Fähigkeit abgeht. Solche Theologen glauben, etwas unfehlbar bewiesen zu haben, und sind doch nur Opfer eines Trugschlusses und Scheinargumentes. Diese Warnung vor Fehl- und Trugschlüssen in Konzilsdefinitionen theoretischer Natur gilt naturgemäß besonders gegenüber Konzilien mit sehr geringer Teilnehmerzahl; denn bei ihnen ist das theologische Fachwissen entsprechend schlecht vertreten, mithin die Gefahr, einem Irrtum zu unterliegen, größer.[173]

Die Zustimmung zum Konzil ist nicht nur bedingt durch den Gegenstand der Definition, sondern auch durch den Wissensstand des Gläubigen. Wer zum Beispiel sicher weiß, daß ein bestimmtes Konzil, sei es in Tatsachenfragen, sei es in theoretischen Problemen, irrt, der braucht ihm nicht zuzustimmen, er darf ihm widersprechen.[174] Anders liegt der Fall dessen, der keine Gewißheit hat, ob das Konzil irrt oder nicht irrt. Er wird sich gegenüber Tatsachenbehauptungen anders verhalten als gegenüber theoretischen Sätzen. Bis zum offensichtlichen Beweis des Gegenteils wird er den Tatsachenbehauptungen Glauben schenken. Ähnlich verhält sich ja auch ein Richter gegenüber einem Zeugen. Er muß dessen Aussagen trauen, solange er ihm keine Unwahrheit nach-

---

[173] Ebd. 824, 10: *Sic dicunt de concilio generali, quod cum asserit aliquid quod facti est, quod dicit per seipsum cognoscere, vel inuenisse explicite in scripturis diuinis, vel in libris illorum, quibus quantum ad illa quae asseruntur se cognoscere per seipsos, est credendum ab omnibus, qui de contrario non sunt, vel non possunt esse certi, semper est adhibenda fides concilio generali, nisi possit probari contrarium. Quod ad alia autem, quae taliter minime cognoscuntur, sed solummodo arguendo ex aliis accipitur eorum notitia a peritis et scientibus argumenta sophistica a veris discernere, non est necessarium, tantam credulitatem praestare concilio generali. Eo quod notum est per certum plures literatos, et qui periti putantur, quantumcunque sunt in concilio generali, nescire in multis sophismata a veris argumentis discernere. Quia tamen plurimi fallaciarum naturam ignorantes: etiam qui memoriam literarum supra alios habere noscuntur, non solum in Theologia et Philosophia, sed etiam in scientiis legalibus paralogisantur, credentes demonstrationem et infallibile facere argumentum, quando (quamuis ignoranter) sophistice omnino procedant. Ideo quando in generali concilio congregati, praesertim si pauci sint, sicut aliquando fuerunt solummodo undecim, quem admodum probatum est prius, et in scientia discernendi sophisticas rationes a veris sunt minime eruditi, vel non sunt notabiliter excellentes, non est tanta fides adhibenda eisdem, quando ratiocinando ex aliis quamuis indubiis, aliquam assertionem determinant, quanta adhibenda eis esset, si aliquid quod facti est, assertiue proferrent, firmiter affirmando, hoc vel per seipsos euidenter cognoscere, vel per illos quibus omnino in huiusmodi est credendum.*

[174] Ebd. 823, 19: *Quod si concilium generale erraret siue circa illa quae consistunt in facto, siue circa alia, ille cui hoc constaret, ei credere non deberet, et eidem liceret in hoc contradicere, et negare concilium generale.*

weisen kann. Wird er vom Zeugen getäuscht, so sündigt er jedenfalls
nicht durch seinen Glauben, im Gegenteil, er würde sündigen, glaubte
er dem Zeugen nicht. Desgleichen sündigen die Gläubigen nicht, wenn
sie einem irrenden Konzil in Tatsachenfragen Glauben schenken, ja sie
sündigten, wenn sie nicht glaubten.[175]
Etwas anders liegt der Fall hinsichtlich theoretischer Konzilsdefinitionen. Wer hier nicht positiv weiß, daß das Konzil irrt, der darf den betreffenden Satz des Konzils nicht in Frage stellen, er darf nicht darüber
in der Öffentlichkeit diskutieren, es sei denn, daß anerkannte Fachleute
ihn ebenfalls kritisieren. Denn das Ärgernis muß vermieden werden.
Jeder, der es nicht besser weiß, muß der Konzilsentscheidung den gebührenden Respekt entgegenbringen. Die Präsumption für die Wahrheit
des Konzils darf freilich nicht so stark sein, daß der Beweis des Gegenteils nicht mehr möglich ist. Eine gewisse Offenheit für die Möglichkeit
des Gegenteils muß bleiben.[176]
Wer vor dem Konzil der gegenteiligen Meinung anhing, muß jetzt,
nach der Definition, sofern er keine Gewißheit hat, ausdrücklich für
die Wahrheit der Konzilsdefinition präsumieren und ihr gleichsam unter
dem Vorbehalt anhangen, daß sie nicht mit der katholischen Wahrheit
in Widerspruch steht. Jedenfalls wird er in der Öffentlichkeit nicht
einmal durch entsprechende Mutmaßungen die gegenteilige Meinung
vertreten. In seinem Innern freilich darf er das Gegenteil meinen und
in der Schrift nach der Wahrheit suchen.[177]

---

[175] Ebd. 823, 21: *Ille autem, cui hoc non constaret, quantum ad illa quae facti sunt deberet credere
assertioni et testimonio concilii generalis, praesumendo quod concilium generale quantum ad illa quae
facti sunt, nihil assereret, nisi quae essent sibi certa. Quemadmodum etiam iudex tenetur credere testibus,
etiam quos non potest repellere, et reputare debet idoneos et veraces, in rei veritate deponant falsum.
Nec iudex ignoranter credendo falsis testibus peccat: imo peccaret, si non crederet, ex quo nihil habet
contra ipsos, unde suspicari possit quod falsum dicant. Sic fideles ignoranter credentes concilio generali
erranti non peccant in huiusmodi: imo si nollent adhibere fidem, peccarent, ex quo nihil habent contra
concilium generale.*
[176] Ebd. 823, 28: *Si autem concilium generale non errat circa huiusmodi, quae non consistunt in facto,
nulli licet maxime publica assertione ipsum negare, nec contrarium opinari, aut quomodolibet etiam
dubitando publice defensare, etiam si prius opinatus fuisset contrarium.*
[177] Dial III 1, 3, 9; 826, 52: *Si autem concilium generale erraret circa alia, quam circa ea quae
facti sunt (puta illa, quae de Deo vel creaturis in sacris literis asseruntur) nulli Christiano, cui hoc non
constaret, liceret assertionem concilii generalis negare, nec de ea publice disputare, nisi aliqui periti, et
opinionis laudabilis impugnarent eandem. Et hoc propter scandalum euitandum, et ut concilio generali
a quolibet, qui nescit ipsum errare circa huiusmodi, honor et reuerentia debita deferatur debentque
singuli etiam qui assertionem contrariam antea tenuissent, non tamen fuissent certi explicite pro asssertione
concilii generalis praesumere, et quasi conditionaliter adhaerere, si scilicet non est contraria catholicae
veritati, ita ut publice non teneant opinionem contrariam etiam opinando, in mente tamen possunt opinari
contrarium, et sollicite scrutando scripturas quaerere veritatem.*

Es bleibt der Fall, daß jemand die Gewißheit hat, daß das Konzil nicht irrt. Dann ist natürlich jede Infragestellung sowohl von Faktenbehauptungen als auch von theoretischen Sätzen, nicht nur die öffentliche[178], sondern auch die innere unerlaubt. Eine Einschränkung macht der *magister* freilich auch hier gegenüber dem als de facto nicht irrend erkannten Konzil: Der Gläubige ist nicht zu einem absolut widerspruchslosen expliziten Glauben verpflichtet, es genügt der implizite.[179]

Die vorstehende Kasuistik sucht dem einzelnen Gläubigen gegenüber dem grundsätzlich fehlbaren Konzil eine Orientierungshilfe zu geben. Nun kennt Ockham freilich nicht nur den Gesichtspunkt des einzelnen Gläubigen. Aus der Summe der einzelnen Stellungnahmen ergibt sich vielmehr die Rezeption oder Nichtrezeption des Konzils. Bei dieser Rezeption spielen nun keineswegs alle die gleiche Rolle. So kommt zum Beispiel dem Papst eine andere Aufgabe zu als dem Theologen, speziell dem Exegeten. Dem Papst steht das Urteil über das Formale, das heißt das kanonische Vorgehen des Konzils zu. Zuständig für den Inhalt aber ist nicht der Papst, sondern sind die Theologen, vor allem die Exegeten. Das ergibt sich aus der Natur der Sache. Da eine Konzilsdefinition letztlich nichts anderes ist als ein Vorgang der Schriftauslegung, sind die betreffenden Fachleute aufgerufen, kritisch zum Ergebnis Stellung zu nehmen.[180] Unter der führenden Rolle des Papstes und der Theologen kann es so gegebenenfalls zu einer Rezeption des Konzils durch die *ecclesia universalis* kommen.

Voraussetzung dafür ist freilich, daß das Konzil von Anfang an unter Teilnahme der ganzen kirchlichen Öffentlichkeit gefeiert wurde. Zu-

---

[178] Ebd. 823, 38: *Si autem non errat circa ea, quae in facto consistunt, ei omnes Christiani sine dubitatione credere debent, quia cum non errat non possunt Christiani probabiliter suspicari, quod aliquo decipiatur errore in asserendo, vel narrando veritatem rei gestae.*

[179] Dial III 1, 3, 9; 826, 47: *Quia tua interrogatio est generalis, non specificans an concilium generale catholice diffiniat, vel erronee. Quia aut concilium generale catholice diffinit aliquid esse credendum, aut erronee. Si catholice: nulli licet publice negare, vel etiam publice dubitare taliter diffinitum. Nulli etiam licet pertinaciter occulte vel etiam mentaliter de tali etiam diffinito dubitare. Non tamen tenetur quis, etiam cui constat generale concilium catholice diffinisse, explicite et absolute absque omni contradictione explicita et implicita, siue subintellecta credere taliter diffinitum: sed sufficit quod credat implicite.*

[180] Ebd. 826, 38: *Et si quaeratur, quis habet iudicare, an fuerint catholice celebrata respondetur, quod quia non diffinierunt aliquid, nisi quod potest elici ex scripturis diuinis: ideo periti in scripturis et habentes aliarum sufficientem intelligentiam scripturarum, habent iudicare per modum firmae assertionis, quod diffinita ab eis sunt catholice diffinita. Summi autem pontifices si non fuerint praesentes, sed tantummodo auctoritate eorum, praesentibus legatis ipsorum, celebrata fuerunt authentice, iudicare habent quod catholice extiterint celebrata. Si autem summus pontifex praesens fuerit, sufficit quod authenticet ipsa.*

mindest in der Regel darf ein Konzil nicht im geheimen von einigen Eingeweihten gleichsam unter Ausschluß der Öffentlichkeit abgehalten werden. In allen Kirchenprovinzen ist vielmehr die bevorstehende Feier eines Konzils bekanntzumachen, ansonsten fehlt den Konzilsvätern schon für den Beginn des Konzils die nötige Autorität, nämlich der Konsens der *ecclesia universalis*. Dieser Konsens der *ecclesia universalis* stellt nun keineswegs einen Blankoscheck für alles dar, was die Konzilsväter beschließen und entscheiden. Vom Konsens getragen sind nur diejenigen Definitionen, die der Intention der grundsätzlich rechtgläubigen *ecclesia universalis* entsprechen, das heißt, die selber rechtgläubig sind.[181] Mit anderen Worten, der Konsens der *ecclesia universalis* zu einem Generalkonzil kann nicht einfach vorausgesetzt werden, er ist ausdrücklich zu erheben und festzustellen. Dazu ist es aber notwendig, daß die betreffenden Konzilsentscheidungen in der ganzen Kirche in der gebührenden Weise bekanntgemacht werden. Geschieht das nicht, darf von einer ausdrücklichen Rezeption des Konzils durch die *ecclesia universalis* keine Rede sein, sondern nur von einer impliziten.[182]

Was als eine ausreichende Promulgierung gelten kann, ergibt dabei der Vergleich mit dem päpstlichen Recht. Dieses gilt zwei Monate nach der Promulgierung nur dort, wo es bis dahin bekannt geworden ist. Aber man soll andererseits die Promulgierung nicht übertreiben; die Konzils-

---

[181] Dial III 1, 3, 13; 830, 50: *Concilium generale non debet regulariter occulte seu secrete aut paucis scientibus celebrari: sed vulgandum est per uniuersalem ecclesiam, hoc est per omnes regiones in prouincia, in qua seu in quibus catholici commorantur, generale concilium conuocari debere, quatenus omnes catholici tacite vel expresse consentiant, et quasi auctoritatem tribuant, ut ad concilium profecturi eorum nomine circa ordinanda et diffinienda in generali concilio canonice et catholice atque rite procedant, ut merito quicquid catholice et licite statuerint vel diffiniuerint, uniuersali statuatur et diffiniatur assensu. At vero si quid indigne aut illicite, et non canonice vel non catholice statuerint vel diffiniuerint, uniuersalis ecclesiae nullatenus statutum vel diffinitum probetur assensu. Talis enim assensus ad nihil illicitum potest extendi: quia talis assensus ecclesiae uniuersalis est secundum intentionem assentientium interpretandus, quemadmodum iuramentum secundum intentionem iurantis interpretari debet, ut notat Glossa extra De iureiurando. super c.* QUINTAVALLIS. *Quando igitur concilium generale rite conuocatur, et in omnibus catholice et sancte procedit, quicquid fecerit, ab uniuersali ecclesia fieri est putandum et ideo de tali concilio generali loquitur Gregorius et Gelasius. Si autem aliquid fecerit illicite et non catholice, minime uniuersalis ecclesiae probatur assensu. Quia uniuersalis ecclesia, quamvis consenserit, quod conuocatur concilium generale, non tamen putanda est nec expresse nec tacite aliquod illicitum consentire.*
[182] Ebd. 831, 4: *Aliter respondetur, quod postquam acta generalis concilii per uniuersos catholicos populos fuerunt promulgata, si nullus contradicens aut impugnans apparet, sunt putanda ab uniuersali ecclesia approbata et de talibus conciliis loquuntur Gregorius et Gelasius. Si autem acta generalis concilii non fuerunt apud omnes populos catholicos diligenter exposita, non est dicendum, quod tale concilium generale sit explicite ab uniuersali ecclesia approbatum, licet si sancte et catholice fuerit celebratum, possit dici implicite ab uniuersali ecclesia approbatum.*

entscheidungen brauchen nicht jedem einzelnen Gläubigen „einge-
trichtert" zu werden. Es genügt, wenn Nichtwissen schuldhaft ist.[183]
Der *magister* vergißt im Zusammenhang nicht, was er Dial I über die
nähere Natur des Konsenses der *ecclesia universalis* ausgeführt hat: Die
Zustimmung muß einstimmig sein[184], eine zustimmende Mehrheit genügt nicht. Eine einzige abweichende Stimme verunmöglicht den Konsens der *ecclesia universalis*. Denn gerade in diesem einen Gläubigen kann
sich die Wahrheit befinden, wie das bei der Kreuzigung Christi hinsichtlich Marias der Fall war.[185] Diese Einstimmigkeit ist nur auf göttliche Offenbarung hin möglich und ist insofern ein Wunder im strengen
Sinn des Wortes.[186] Der *magister* geht im Rahmen der Erörterung der
Konzilsrezeption leider nicht auf die mit dieser Forderung nach ein-

---

[183] Ebd. 831, 16: *Statutum apostolicae sedis etiam post duos menses non ligat nisi illos ad quos ipsius
noticia poterat peruenire. Quia ignorantes praesertim ignorantia inuincibili, minime ligat,* extra De
constitut. COGNOSCENTES. *Sic etiam quod statuitur vel diffinitur in concilio generali, non ligat
uniuersalem ecclesiam, nisi per uniuersalem ecclesiam fuerit legitime divulgatum. Et ideo non est censendum
explicite approbatum ab uniuersali ecclesia, antequam taliter publicetur. Non oportet autem taliter
diffinitum singulorum auribus inculcare: sed sufficit taliter publicare, quod nullus se possit si in contrarium
venerit per ignorantiam excusare.*

[184] Vgl. Anm. 182.

[185] Vgl. zu diesem Theologoumenon Y. CONGAR, Incidence ecclésiologique d'un thème de
dévotion Mariale, in: MSR 7 (1950) 27—45. — MIETHKE, Repräsentation 172 Anm. 31 hat
die Parallelstellen verzeichnet.

[186] Dial I 2, 25; 429, 40: *Quid dicerent isti, si omnes Christiani nullo excepto aliquam assertionem
tanquam haereticam firmiter acceptarent, quam tamen nec ex scripturis diuinis, nec ex aliqua doctrina
ab ecclesia procedente possent ostendere.* Magister: *Dicunt quod talis veritas esset tanquam catholica
acceptanda: quia talis concors adhaesio omnium Christianorum nullo excepto alicui assertioni huiusmodi
sine miraculo non potest contingere, cum enim omnes fideles firmissime teneant, quod iuxta promissionem
Saluatoris, Matthaei ultimo,* vobiscum sum usque ad consummationem seculi, *ecclesia uniuersalis nunquam errabit, constat quod sine speciali inspiratione diuina nunquam ecclesia uniuersalis
assertioni, quae non dependet ex doctrina ecclesiae praecedenti, firmiter adhaerebit, et ideo tunc miraculum
fieri esset credendum.* Discipulus: *Quid sentiunt, si omnes Christiani praeter paucos vel unum
assertioni tali (quae ex doctrina ecclesiae praecedenti probari non posset) adhaererent?* Magister:
*Dicunt, quod si unus solus dissentiret, non esset talis veritas acceptanda: quia in uno solo potest stare
tota fides ecclesiae, quemadmodum tempore mortis Christi tota fides ecclesiae in sola virgine remanebat,
nec est etiam credendum, quod omni tempore post tempora Apostolorum fuerint aliqui magis accepti Deo,
quam fuerint Apostoli ante mortem Christi. Si ergo Christus post crucifixionem suam permisit cunctos
Apostolos a fide catholica deuiare, et solam beatam virginem firmiter permanere in fide: temerarium
est asserere, quod nunquam ante finem mundi Deus permittat totam multitudinem Christianorum praeter
unum a fide recedere orthodoxa.* — Zu der hier formulierten Forderung der Einstimmigkeit vgl.
RYAN, The Nature 15: „One is tempted to wonder whether Ockham is serious about this
absurd and impossible condition which surely could never have been fulfilled in regard to
any truth at any time, as he himself had to realize." Der Autor macht ebd. auf einen Text
wie Dial III 1; 865, 17 aufmerksam, aus dem hervorgeht, daß Ockham auch weniger extreme Bedingungen aufstellen kann: *Praemissis autem praelatis et doctoribus in eadem assertione
catholici* populi *consenserunt, quia nullus inventus est* populus *catholicus qui contradiceret eis, ergo
haec assertio est universali ecclesiae tribuenda et per consequens est firmiter tenenda.*

stimmiger Rezeption gegebene historische Problematik ein, nämlich auf die Frage, wie man unter dieser Maßgabe die altkirchlichen Konzilien als durch die Kirche rezeptiert betrachten kann.

4. Sonstige Aspekte von Ockhams Konzilsidee

In der Problematisierung der Unfehlbarkeit der Konzilien besteht ohne Zweifel der Hauptbeitrag Ockhams zur Geschichte der Konzilsidee. In anderen Fragen ist er weniger originell. Trotzdem lohnt es auch hier, sich näher mit seinen Vorstellungen zu befassen.

a) Das Konzil als Repräsentation der *ecclesia universalis*

Die Konzeption des Konzils als Repräsentation der *ecclesia universalis* deutet sich schon bei Johannes von Paris an.[187] Sie ist sehr klar ausgebildet bei Marsilius von Padua.[188] Die Annahme, daß Ockham in der Anwendung des Repräsentationsgedankens auf das Konzil unter dem Einfluß des *Defensor Pacis* steht, scheint vernünftig. Da dieser Aspekt der Ockhamschen Konzilsidee schon mehrmals behandelt wurde[189], beschränken wir uns darauf, auf einige charakteristische Belege für die Anwendung dieses Begriffes auf das Konzil hinzuweisen und auf den entscheidenden Unterschied zwischen Ockham auf der einen und Marsilius auf der anderen Seite aufmerksam zu machen.

Das Konzil als *repraesentatio ecclesiae* ist für Ockham eine sehr geläufige Vorstellung. An mehreren Stellen seines *Dialogus* braucht er dafür ähnlich lautende Formulierungen. Das Konzil ist eine *congregatio, quae vicem gerit universalis ecclesiae*[190], beziehungsweise *quae gerit vicem omnium christianorum*.[191] Den gleichen Gedanken drückt Ockham unter Verwendung des Begriffs *repraesentare* aus: (Concilium generale) ... *repraesentat ecclesiam universalem et eius vices gerit*.[192] Während Ockham sich an den genannten Stellen darauf beschränkt, den Repräsentationsbegriff auf das Konzil anzuwenden, legt er in Dial I 6, 84 im Zusammenhang der Frage der Einberufung eines Konzils ohne päpstliche Konvokation

---

[187] Vgl. S. 346—347.
[188] Vgl. S. 393—398.
[189] DE LAGARDE, L'idée de représentation; DERS., Naissance 66—74; MIETHKE, Repräsentation, bes. 171—177.
[190] Dial I 6, 13; 518, 10; vgl. auch Dial I 6, 64; 571, 28: *concilium generale habet potestatem principaliter de ecclesia universali, cuius vicem gerit.*
[191] Dial I 6, 13; 584, 20.
[192] Dial I 5, 25; 494, 51.

eine ausdrückliche Rechtfertigung dafür vor und gibt eine förmliche Definition des Generalkonzils auf der Basis des Repräsentationsbegriffs. Ausgangspunkt ist das von den Kanonisten entwickelte Korporationsrecht. Jede selbständige Körperschaft, die sich selbst ihr Recht setzen kann, kann Leute aus ihrer Mitte bestimmen, die die ganze Körperschaft vertreten. Die Kirche ist aber nach Röm 12, 5[193] eine solche selbständige Körperschaft. Die Zusammenkunft solcher von der Kirche gewählter Stellvertreter ihrer selbst ist aber nichts anderes als ein Konzil.[194]

Im folgenden Kapitel expliziert Ockham weitere Elemente, die in der aus dem Repräsentationsbegriff abgeleiteten Definition des Generalkonzils enthalten sind, und faßt sie schließlich zu der berühmten Definition des Generalkonzils zusammen, die später oft zitiert werden wird[195]: *Illa igitur congregatio esset concilium generale reputanda, in qua diversae personae gerentes auctoritatem et vicem universarum partium totius christianitatis ad tractandum de communi bono rite conveniunt.*[196] Die Stellvertretung muß die Verschiedenheit der Teile der Gesamtkörperschaft widerspiegeln. Eine uniforme Stellvertretung wäre keine überzeugende Repräsentanz einer pluriformen Körperschaft. *Diversae personae* sollen deswegen die *partes christianitatis* vertreten. Aus dem zugrunde liegenden Körperschaftsbegriff ergibt sich auch das Ziel einer solchen Stellvertreterversammlung. Es kann kein anderes als das Wohl der Körperschaft sein *(ad tractandum de bono communi)*. Nicht jedwede Zusammenkunft der Stellvertreter ist dabei legitime Stellvertretung. Sie muß im Rahmen des bestehenden Rechts dieser Körperschaft stattfinden *(rite)*.

Ockham läßt sich auch über konkrete Modalitäten der Einberufung eines solchen ‚repräsentativen‘ Konzils näher aus. Die Wahl der Stellvertreter muß schon auf Pfarrebene einsetzen und sich über die Diözesansynode, das Parlament des Königs oder Kaisers usw. bis zur Generalsynode fortsetzen. Der zeitgeschichtliche Hintergrund dieser Über-

---

[193] *Multum unum corpus sumus in Christo.*
[194] Dial I 6, 84; 603, 5: *Omnis populus et omnis communitas et omne corpus quod absque consensu vel auctoritate cuiuscunque, qui non est de corpore, potest sibi ius statuere, potest aliquos eligere, qui vicem gerant totius communitatis aut corporis absque alterius auctoritate. Sed omnes fideles sunt unum corpus, Paulo dicente ad Ro. 12. Multi unum corpus sumus in Christo: et sunt unus populus et una communitas. Ergo possunt eligere aliquos, qui vicem gerant totius corporis. Tales autem electi si simul convenerint, concilium generale constituent: quia concilium generale non videtur esse aliud quam congregatio aliquorum, qui vicem gerant totius Christianitatis. Potest ergo concilium generale congregari absque auctoritate cuiuslibet, qui non catholicus et fidelis. Et per consequens absque auctoritate Papae haeretici.*
[195] Vgl. Sieben, Traktate 121.
[196] Dial I 6, 85; 603, 59.

legungen wird deutlich, wenn der Franziskaner eigens auf die Frage eingeht, was zu geschehen habe, wenn bestimmte Königreiche eine Beteiligung am Generalkonzil verweigerten. Er spielt damit ohne Zweifel auf den französischen Widerstand gegen die Konzilspläne Ludwigs des Bayern an. Bei solchen Absagen müsse erwogen werden, lautet die Antwort, ob das Teilnahmerecht nicht auf Teilnahmewillige devolviere. Jedenfalls darf durch solche Störmanöver die Abhaltung des Konzils nicht verhindert werden.[197]

Daß Ockham in vorliegender Frage der Modalitäten der Konzilsberufung von Marsilius abhängt, ist kaum von der Hand zu weisen. Um so wichtiger ist es, zu unterstreichen, daß er sich in einem anderen Punkt deutlich von ihm unterscheidet. Während Marsilius die Unfehlbarkeit des Generalkonzils, wenn auch nicht förmlich, aus dem Repräsentationsgedanken ableitet, so doch damit in Zusammenhang sieht[198], will Ockham von einem solchen Zusammenhang gerade nichts wissen.[199]

b) Problematisierung des traditionellen Begriffs des *concilium generale*

Die Anwendung des Repräsentationsgedankens auf das Konzil hat natürlich einschneidende Folgen für die Zusammensetzung desselben. Ockham ist sich dieser Konsequenzen bewußt und diskutiert sie unter dem Stichwort der Laien- und Frauenteilnahme am Konzil.[200] Die Teilnahme von Laien aufgrund des Repräsentationsgedankens fordern ist eine Sache, dafür glaubwürdige Beweise aus dem Kirchenrecht oder der Kirchengeschichte vorlegen, eine andere. Nach dem bestehenden Recht, das auf eine lange Tradition zurückgeht, sind Generalkonzilien Klerikerversammlungen unter Vorsitz des Papstes, in denen Laien keine Stimme haben.[201] Der *magister* weiß das und verwendet diesen traditio-

---

[197] Dial I 6, 84; 603, 27: *Dicitur, quod rationabile esset de qualibet parrochia vel aliqua communitate (quae posset faciliter in unum conuenire) mitti aliquem vel aliquos ad concilium episcopale vel ad parlamentum regis ac principis, aut alterius publicae potestatis, quae eligeret vel eligerent aliquos mittendos ad concilium generale: qui taliter electi a conciliis episcopalibus vel parlamentis secularium potestatum in unum locum conuenientes possunt generale concilium appellari.* Discipulus: *Quid si aliqua parrochia vel etiam dioecesis nollet aliquos mittere ad concilium generale?* Magister: *Respondetur, quod propter contradictionem ipsorum non esset communis utilitas omittenda: imo est assertio dicens, quod si multae dioeceses, vel regna contradicunt generali concilio congregando, potestas congregandi concilium generale esset de iure ad alia regna vel dioeceses deuoluta: quia impedientes communem utilitatem fidei Christianae potestatem conueniendi ad generale concilium merito priuarentur.*
[198] Vgl. S. 403.
[199] Vgl. Anm. 155.
[200] Vgl. Anm. 77.
[201] Glossa zu dist. 17 c. 1: *Universale* (concilium) *est quod a papa vel eius legato cum omnibus* episcopis *statuitur.*

nellen Begriff von Generalkonzil übrigens auch in seiner eigenen Argumentation, so zum Beispiel, wenn er die ‚Leichensynode' unter Papst Stephan und die in dist. 18 c. *Sexta* genannten altkirchlichen Synoden ausdrücklich als Generalkonzilien bezeichnet.[202]

Welche Argumente kann man nun gegen das bestehende, vor allem in dist. 17 c.1 gefaßte Recht vorbringen? Der *magister* beginnt mit einer Kollektion von *auctoritates* aus dem Dekret, aus denen die Teilnahme der Kaiser, also von Laien, an den altkirchlichen Konzilien hervorgeht. Dann untermauert er den historischen Befund durch ein Vernunftargument (ratio): das Recht der Laien auf Konzilsteilnahme ergibt sich in der Tat aus dem Prinzip *Quod omnes tangit, ab omnibus tractari debet.*[203] Näherhin kann man aufgrund dieses Prinzips zeigen, daß Kaiser, Könige und wichtige Personen ein Recht auf persönliche Teilnahme am Konzil haben, die übrigen Christen jedoch auf eine Teilnahme durch Stellvertretung.[204] Gegen diese naturrechtliche Argumentation kommen das Kirchenrecht, das die Laienmitsprache ausdrücklich verbietet, und die seit Jahrhunderten entgegenstehende Praxis der Kirche, die keine Laien-

---

[202] Dial III 1, 3, 5; 822, 46: *Sed pauci christiani etiam respectu episcoporum possent sufficere ad celebrandum concilium generale, sicut saepe respectu multitudinis praelatorum pauci ad generale concilium conuenerunt. Nam ut legitur in decretis dist. 18 c.* SEXTA SYNODUS, *in generali concilio Anquiritano fuerunt solummodo 18 patres; in Antiocheno fuerunt patres 30; in Arelatensi fuerunt 19; in quodam alio Arelatensi fuerunt 11 patres; in alio Arelatensi fuerunt 18; in concilio Aurasisenti fuerant 16; in Empanensi fuerunt 16; in Aureliensi fuerunt 31; in Auernensi fuerunt 15; in Maticensi fuerunt 21; in Lugdunensi fuerunt 17; in alio Lugdunensi 20.*

[203] Dial I 6, 85; 604, 23: *Ex quibus omnibus tam auctoritatibus quam exemplis ostensum videtur, quod Imperatores licite interfuerunt conciliis generalibus et per consequens licite possunt laici (si voluerint) conciliis generalibus interesse. Quod etiam ratione videtur posse probari, quae talis est. Quod omnes tangit, ab omnibus tractari et approbari debet, ut notatur in Glossa dist. 96. c.* UBI NAM. *Et extra De maior. quod obedientia. c.* INTER QUATUOR, *notat Glossa quod omnes, quos negotium tangit, vocandi sunt. Sed ea quae tractantur in concilio generali omnes tangunt: quia in concilio generali tractari debet de fide et de aliis quae ad omnes pertineant Christianos. Igitur laici quos tangunt generalia concilia licite si voluerint poterunt interesse.*
Vgl. hierzu Einzelheiten bei CONGAR, Quod omnes tangit, ferner S. 274—276.

[204] Ebd. 604, 33: *Haec regula, quod omnes tangit ab omnibus tractari debet, intelligenda est, si ab omnibus potest et non apparet ratio manifesta, quare aliquis debeat ab huiusmodi tractatu repelli. Nunc autem non possunt omnes neque laici neque clerici ad generale concilium conuenire. Et ideo non omnes debent interesse per seipsos. Debent tamen omnes, qui voluerunt, nisi appareat ratio manifesta repellendi eos, per procuratores et alios gerentes mediate vel immediate in speciali, vel cum aliis vices eorum concilio interesse. Et ideo cum dicitur de regibus et principibus et aliis magnis personis laicis, nisi appareat ratio quare debeant repelli, poterint per seipsos si voluerint conciliis generalibus interesse. Unde si reges voluerint poterunt per seipsos conciliis generalibus interesse, nec est necesse quod procuratores vel alios habentes potestatem eorum mittant ad concilium generale. Regnum autem et aliae communitates, quae regibus non subsunt, quae interesse per se non possunt, debent mittere, si volunt procuratores aut subditos vel alios quocunque nomine censeantur, qui eorum habeant potestatem quantum ad ea quae tractanda sunt in concilio generali.*

teilnahme kennt, nicht an.²⁰⁵ Das Kirchenrecht ist vielmehr im Lichte der höheren Prinzipien des Naturrechts zu interpretieren. Weil der Glaube nicht nur die Kleriker, sondern auch die Laien angeht, haben die Laien grundsätzlich ein Recht zur Teilnahme am Konzil. Denn Gott ist ja schließlich nicht nur ein Gott der Kleriker, sondern auch der Laien. Damit wird nicht geleugnet, daß Kleriker für Glaubensfragen an sich zuständiger sind als Laien, aber nur so lange, als sie tatsächlich ‚kompetenter‘ sind als die Laien und den rechten Glauben bewahren. Sonst treten, man möchte sagen, nach dem Subsidiaritätsprinzip die Laien an ihre Stelle.²⁰⁶

Man beruft sich gegen die Teilnahme von Laien auf dem Konzil ferner auf die jahrhundertealte Praxis der Kirche. Auch sie ist im Lichte des natürlichen Rechts der Laien auf Teilnahme zu interpretieren. Ihr Ausschluß ist nicht vom Wesen der Sache, sondern von Zeitumständen bedingt. Grundsätzlich ist deswegen im Laufe der Geschichte mit Wandlungen in der konkreten Gestalt der Konzilien zu rechnen. Was früher vernünftig war, muß es heute nicht unbedingt noch sein. Andererseits können durchaus wieder Zeiten kommen, in denen es vernünftig ist, zu früheren Formen wieder zurückzukehren. So war die klerikale Zusammensetzung der Generalkonzilien zu einer Zeit angebracht, als der Klerus die ihm gestellte Aufgabe wirklich erfüllte und die erforderliche Kompetenz besaß. Es war nur richtig, daß damals die Laien auf ihr originäres Teilnahmerecht zugunsten der Kleriker verzichteten und sich durch den Klerus auf den Generalkonzilien vertreten ließen. Stillschweigend oder ausdrücklich auf die Wahrnehmung eines Rechts verzichten, bedeutet aber keineswegs, das Recht selber verlieren. Mit anderen Worten, die Kleriker dürfen Laien, die ihr originäres Recht der Konzilsteilnahme wahrnehmen wollen, nicht ausschließen.²⁰⁷

---

²⁰⁵ Dial I 6, 85; 604, 46: *Nam de illis (scilicet laicis) est ratio evidens, quare sunt a concilio generali excludendi: quia videlicet causa Dei ad laicos nequaquam spectat. Unde Felix Papa, ut legitur* dist. 10. c. CERTUM EST, *ait:* Certum est huiusmodi rebus nostris esse salubre, ut cum de causis Dei agitur iuxta ipsius constitutum regiam voluntatem sacerdotibus Christi studeatis subdere, non praeferre. *Ex quibus verbis datur intelligi, quod laici de causis Dei se intromittere non debent. Et per consequens a generali concilio tenentur excludi. Item, ex consuetudine hactenus obseruata hoc constat aperte. Nam ad generalia concilia soli clerici consueverunt venire: et soli clerici sola concilia celebrauerunt, sicut et ipsi soli vocantur.*

²⁰⁶ Ebd. 604, 53: *Causae fidei non solum ad clericos, sed etiam spectant ad laicos. Sicut etiam Deus non solum est Deus clericorum: sed etiam et laicorum. Veruntamen causae Dei principalius spectant ad clericos, quam ad laicos, si clerici in causis Dei non errent pro eo quod clerici Diuinis sint specialiter deputati. Et sic intelligenda sunt verba Felicis Papae. Si autem clerici in causis Dei et praecipue contra fidem errent catholicam: causa Dei etiam spectat ad laicos et non ad clericos contra fidem errantes.*

²⁰⁷ Ebd. 604, 60: *Dicitur quod circa celebrationem generalium conciliorum multa fuerunt seruanda temporibus retroactis, quae non sunt nunc de necessitate seruanda, quamuis antea rationabiliter fuerint*

Sehr originell ist dann der weitere Schritt des *magister*. Er bleibt nicht
bei der naturrechtlichen Argumentation stehen, indem er das Teilnahmerecht der Laien für grundsätzlich unverlierbar erklärt, er bringt auch
ein historisches Argument bei, aus dem hervorgehen soll, daß dieses
Recht tatsächlich auch ausgeübt wurde. Geht man davon aus, daß die
Konzilien den Laien keine Rechte ohne deren stillschweigendes oder
ausdrückliches Einverständnis nehmen können, dann kann man die
tatsächlich erfolgte Beschränkung der Laienrechte — Ockham denkt
hier an die sogenannten *libertates ecclesiasticae* — durch gewisse ältere
Konzilien nur so erklären, daß die Kleriker durch die Laien dazu beauftragt wurden. Mit anderen Worten, die Kleriker handelten auf diesen
Konzilien im Namen und in Stellvertretung der Laien.[208]

In der Konsequenz des gewählten Ansatzes, nämlich der Konzeption
des Generalkonzils als *repraesentatio omnium christianorum*, liegt auch die
Forderung nach der Teilnahme von Frauen. Wie sehr diese Forderung
dem Geist der Zeit widersprach, läßt sich aus der Reaktion des *discipulus*
entnehmen, der sie kurz und bündig als ‚absurd‘ qualifiziert.[209] Das
Recht der Teilnahme von Frauen ergibt sich für den *magister* jedoch
aus der konsequenten Anwendung des *Quod-omnes-tangit*-Grundsatzes.
Der christliche Glaube betrifft die Frauen nicht weniger als die Män-
ner, also haben auch sie ein Mitspracherecht. Tritt nicht auch der
Apostel für das Recht der Frauen ein, wenn er schreibt, daß es in
Christus nicht mehr Mann und Frau gebe (Gal 3, 28)? Ockham, dessen
Schriften man als „eine Fundgrube des Ungewöhnlichen" bezeichnet

---

*obseruata: et adhuc talia poterunt uenire tempora, quod congruum esset quod seruentur. Et ideo conce-
ditur, quod temporibus praeteritis, quibus praelati et clerici sanctitate uitae doctrinae et zelo boni communis, et etiam circa temporalia magna industria et experientia claruerunt: congruum fuit ut ipsi soli
generalia concilia celebrarent, et ut laici (nisi in casibus specialibus) subtraherentur a tractatoribus
concilii generalis. Et tamen in potestate extitit laicorum generalibus conciliis interesse. Sed si uices suas
tacite uel expresse clericis commiserunt, arctari minime debuerunt. Et ideo quantumcunque placeret recto-
ribus et communitatibus laicorum generalibus conciliis interesse, clerici eos excludere de iure non possunt.*
[208] Ebd. 605, 7: *Videtur quod ex hoc clare potest ostendi, quod in multis conciliis generalibus ordinata fuerint, quae absque consensu laicorum tacito uel expresso non poterant ordinari. Cum igitur non
sit aliqualiter praesumendum, quod generalia concilia praesumpserint ordinare ea, quae potestatem
excedebant eorum: videtur dicendum, quod in generalibus conciliis congregati commissionem aliquam et
potestatem a laicis habuerint. Discipulus: Pone aliqua exempla de ordinatis in conciliis generalibus,
quae absque consensu expresso uel tacito laicorum minime statui debuerunt. Magister: Ponitur exemplum
de pluribus libertatibus Ecclesiasticis, quibus clerici absque consensu laicorum gaudere non debent: cum
sit in manifestum praeiudicium laicorum. Clerici autem absque consensu laicorum nihil in praeiudicium
eorum possunt statuere: quia, teste Innocentio tertio, ut habetur* extra, De iudiciis. c. Novit, *sicut
laici iurisdictionem clericorum perturbare, ita clerici iurisdictionem laicorum non debent minuere. Quare
clerici in praeiudicium laicorum absque eorum consensu nihil possunt de rebus temporalibus et libertatibus
eorum disponere.*
[209] Vgl. Anm. 77.

hat[210], bringt schließlich in diese Frage noch einen überraschenden Gesichtspunkt ein: Die Teilnahme von Frauen käme auch der Glaubensentscheidung selber zugute. Sie bekäme eine Qualität, die ihr ohne die typisch frauliche Weisheit, Güte und Kraft fehlte.[211]

c) Ständige Synode?

Der im folgenden zu behandelnde Aspekt der Konzilsidee steht bei Ockham nicht mehr wie die beiden vorausgehenden im Zusammenhang des Repräsentationsgedankens. Der Engländer diskutiert die Frage, ob die Leitung der Kirche nicht eventuell einem ständigen Konzil übertragen werden sollte, statt dessen im Rahmen seiner Überlegungen über die beste Regierungsform für die Kirche. Nichts deutet darauf hin, daß Ockham zu dieser Fragestellung durch irgendwelche Kenntnisse über die ostkirchliche Einrichtung der *synodus endemousa* angeregt wurde. Das Thema ergab sich vielmehr offensichtlich aus der Gegenüberstellung von aristokratischer und monarchischer Regierungsform. Es war dabei naheliegend, diese mit der Leitung der Kirche durch den Papst, jene mit der durch das Konzil gleichzusetzen.

Was spricht nun im einzelnen für eine aristokratische Regierungsweise der Kirche, also für die Einrichtung einer Art *synodus endemousa* in der Kirche? Die vorgetragenen Argumente, dies ist zu beachten, stehen im Rahmen eines Plädoyers gegen die monarchische Regierungsform der Kirche. Eine Vielzahl von Regierenden hat einen besseren Erkenntnisstand als ein einzelner, wenn es darum geht, der Gemeinschaft zu nutzen und Schaden von ihr abzuwenden.[212] Gewährsmann für diese Ansicht ist Aristoteles, Politik III 15 und 16.[213] Ockham bringt das Argument

---

[210] KÖLMEL, Regimen 535.

[211] GOLDAST II 605, 21: *Et dic breuiter, quare dicitur, quod mulieres non sunt simpliciter contra voluntatem eorum a generalibus conciliis excludendae.* Magister: *Dicitur quod hoc est propter unitatem fidei virorum et mulierum, quae omnes tangit: et in qua non masculus nec faemina, secundum Apostolum ad Collo. 3. (Gal 3, 28) et in nouo homine non est masculus et faemina. Et ideo ubi sapientia, bonitas, vel potentia mulierum esset tractatui fidei (de qua potissime est tractandum in concilio generali) necessaria, non est mulier a generali concilio excludenda.*

[212] Dial III 1, 2, 2; 791, *34*: *Per illum vel illos expedit regi totam congregationem fidelium, cuius vel quorum iudicium est certius et melius in iudicando et discernendo, quae sint procuranda tanquam communia toti communitati fidelium, et quae tanquam inutilia et nociua sunt penitus repellenda, et cuius vel quorum est plura talia perpendere et videre.*

[213] Ebd. 791, 41. — Deutsche Übersetzung GOHLKE 151: *Jetzt nämlich richten und beraten und urteilen die Leute gemeinschaftlich, und ihre Entscheidungen gelten als dem Einzelfall. Wohl leistet einer für sich einen geringen Beitrag, aber die Stadt besteht ja aus vielen, wie auch eine Bewirtung aus vielen Beiträgen großartiger ausfällt als eine einfache. Daher urteilt über vieles die Masse besser als irgendein einzelner. ... Ebd. 156: Und es erscheint doch wohl widersinnig, daß jemand allein mit zwei Augen und zwei Ohren besser urteilen, mit zwei Füßen und Händen besser solle handeln können, als viele mit vielen.*

auf die kurze Formel: *Multi igitur certius et plura vident.* Eine Vielzahl
von Regierenden urteilt mit größerer Sicherheit und hat einen größeren
Überblick. Entsprechend handelten ja auch die Apostel in der umstrit-
tenen Frage der Gesetzesfreiheit der Heiden, und sie berieten nach Apg
15 darüber. Selbst Paulus konsultierte nach Gal 2, 2 die übrigen Apostel,
„um nicht vergeblich zu laufen". Hierhin gehört auch das Dictum des
Papstes (Ps.) Innocenz: *Facilius et eadem ratione certius invenitur quod a
pluribus senioribus quaeritur.*[214] Dem Beispiel des Apostelkonzils folgte
bekanntlich später die Kirche. Zur Lösung schwieriger Fragen wurden jeweils Konzilien versammelt.[215]

Ein zweites Argument zugunsten der Einrichtung einer Art ständiger
Synode statt des Papstamtes zur Leitung der Kirche ergibt sich aus der
Tatsache, daß eine Mehrheit von Regierenden weniger bestechlich ist
und weniger den Leidenschaften nachgibt als ein einzelner. Hauptge-
währsmann für diese Ansicht ist wiederum Aristoteles, Politik III 11
und 15.[216]

Zum besseren Verständnis der Gegenrede ist daran zu erinnern, daß
Ockham bei aller Kritik an der Idee und Praxis der päpstlichen *plenitudo
potestatis* (Dial III 1, 1) schließlich doch eindeutig gegen Marsilius von
Padua an der göttlichen Institution des Primates festhält (Dial III 1, 4).[217]
Entsprechend kann man wohl in der folgenden kritischen Stellungnahme
gegenüber der Idee einer Art ständigen Synode als Kirchenregierung
anstelle des monarchischen Papsttums Ockhams eigene Meinung er-
blicken. Der Grundtenor der Gegenrede lautet: das Konzil ist nicht
generell, sondern nur von Fall zu Fall die bessere Regierungsform. Der
magister verteidigt in seiner Gegenrede also im Grunde den bestehenden
Dualismus der Instanzen beziehungsweise die in der Kirche seit je
praktizierte Mischung der Regierungsformen.[218]

---

[214] Dist. 20 DE QUIBUS.

[215] Dial III 1, 2, 2; 791, 54: *Hinc est quod pro difficilioribus et maioribus negotiis ecclesiasticis,
quando imminerit, generale concilium congregatur, igitur expedit toti congregationi fidelium, ut pluribus
quam uno regantur.*

[216] Übersetzung GOHLKE 151/2: *Denn die Masse, in der jeder einzelne kein edler Mensch ist, kann
doch zusammengenommen besser sein als jene, nicht im einzelnen, sondern im ganzen, wie auch Mahlzeiten aus allgemeinen Beiträgen denen überlegen sind, die nur einer bezahlt. Da es nämlich viele sind,
müsse jeder seinen Teil Tugend und Besinnung haben, und so seien sie insgesamt wie ein Mensch mit
vielen Beinen und Armen und Sinnen, genau so in Sitte und Verstand.*

[217] Vgl. unter anderem KÖLMEL, Kirchenpolitische Schriften 98: „. . . dieses vierte Buch des
ersten Traktates (stellt) eine klare Absage an die Primatstheorie des Marsilius dar."

[218] Dial III 1, 2, 19; 804, 18: *Ad tertiam illarum* (allegationum), *cum adducitur quod per illum vel
illos maxime expedit regi totam congregationem fidelium, cuius vel quorum iudicium est melius, vel
certius in iudicando et discernendo, quae sunt procuranda tanquam utilia, et quae tanquam inutilia et
nociua sunt repellenda, respondetur, quod hoc non est uniuersaliter verum, licet sit verum in casu.*

Was die einzelnen Argumente zugunsten einer ständigen Synode als Regierung der Kirche angeht, so ist natürlich zuzugeben, lautet die Gegenrede, daß das Konzil an sich mehr Sachverstand in sich vereinigt als eine monarchische Kirchenleitung. Die laufenden Regierungsgeschäfte aber können durchaus von einem Manne bewältigt werden; deswegen ist nicht einsichtig, warum sie von einem Konzil besorgt werden sollen. Das Konzil wird man vielmehr von Fall zu Fall einberufen, eben wenn die Lösung von Problemen ansteht, die die Fähigkeiten eines einzelnen überschreiten.[219] Hinzu kommt eine andere Überlegung: Unter Voraussetzung, daß der Alleinherrscher eine entsprechende Anzahl von Ratgebern hat und es ihm somit bei Entscheidungen nicht an Sachverstand fehlt, ist die monarchische Regierungsform der Herrschaft einer größeren Zahl vorzuziehen, schon aus technischen Gründen, um keine weiteren zu nennen.[220]

Entsprechend ist auf die beiden ersten Argumente aus Aristoteles, Pol. III, zu antworten: Der überlegene Sachverstand der vielen über den des einzelnen kommt zum Zuge, wenn der Monarch eine entsprechende Zahl von Ratgebern konsultiert; er braucht dann die Herrschaft selbst nicht zu teilen.[221] Dem Monarchen stehen in Form von Ratgebern, um

---

[219] Ebd. 804, 21: *Constat enim, quod iudicium concilii generalis, in quo conuenire debent meliores et sapientiores de omnibus prouinciis et regionibus Christianorum, est certius et melius quam iudicium unius vel paucorum, qui in aliquo uno loco valent continue commode commorari: Et tamen non expedit semper esse concilium generale pro communitate fidelium gubernanda, quamuis etiam pro quibusdam negociis specialibus, quae per unum vel paucos non possunt congrue expediri, sit expediens concilium generale conuocari, et sequi ipsius sententiam. Pro negociis autem, quae per unum vel pauciores possunt utiliter expediri, non expedit congregari concilium generale, et ita regulariter magis expedit communitatem fidelium regi ab uno vel paucis, quam a concilio generali.*

[220] Ebd. 804, 29: *Sic etiam expedit magis communitati fidelium regi ab uno sufficienter optimo vel bono utente consilio, quam a pluribus simul principantibus: quia melius est, ut plures, absque quorum consilio non bene regeretur communitas fidelium, sint tantummodo consiliarii unius optimi aut boni, qui possit eos, quando erit expediens, inuitare et omnes, aut quosdam vocare et diuersis diuersa committere, quam quod huiusmodi omnes sint principantes siue rectores. Quia necesse esset saepe omnes conuenire pro negociis, quae possent expediri per paucos. Aliae etiam difficultates et incommoditates plures acciderent, quae vitantur, si unus bonus aut optimus, habens consiliarios sufficientes et aeque bonos, sicut essent plures principantes, regit.*

[221] Ebd. 804, 38: *Ad Aristotelem autem, qui probare videtur* in politicis, *quod magis expedit communitatem regi a pluribus optimis, quam ab uno: quia turba melius iudicat, quam quisquam unus, respondetur, quod plures melius et certius saepe iudicant quam unus: et turba melius, quam unus, et ideo bene requiritur disceptatio, consiliatio et iudicium plurium: non tamen tanquam principantium necessario sed saepe sufficit ut adsint tanquam consiliarii solummodo. Ita enim disceptat, consiliatur et iudicat discernendo inter bonum et malum, iustum et iniustum, ille qui solummodo est consiliarius habens intentionem bonam, sicut si esset principans et participans, saepe etiam pro agendis sufficit deliberatio et iudicium unius solius, et ideo magis expedit toti communitati fidelium, quod principetur unus supremus principans, qui negocia, pro quibus ipse solus sufficit, expediat per seipsum, et alia pro quibus peritia ipsus solius non sufficit, expediat de consilio aliorum, quam quod principentur tales plures, quos pro omnibus negociis paruis et magnis, facilibus et difficilibus oporteat conuenire.*

das Bild des Aristoteles zu verwenden[222], viele Augen und Hände zur Verfügung. Im einen Fall genügen die eigenen Augen und Hände, im anderen zieht er die der Ratgeber hinzu.[223] Apg 15, auf das die andere Seite sich ebenfalls berufen hat, beweist nur, daß in bestimmten Fällen die Einberufung eines Konzils angebracht ist.[224] Der *magister* gewinnt dabei Apg 15, 6 noch eine interessante Pointe ab: Bezeichnenderweise kamen nur die „Apostel und Ältesten", nicht alle christlichen Gemeindeleiter zum Apostelkonzil. Nüchtern stellt er in diesem Zusammenhang fest, daß manches Konzil nicht zur Beratschlagung, sondern zur Gunstgewinnung gewisser Leute stattfindet.[225] Ähnliches wie zu Apg 15 ist zu dem dictum von Papst Innocenz zu sagen.[226] Weiter, daß eine Mehrheit von Regierenden weniger leicht als ein einzelner den Leidenschaften unterliegt, kann man so nicht stehenlassen. Richtig ist vielmehr, daß es schwerer ist, eine Mehrzahl vollständig zu ‚korrumpieren' als einen einzelnen. Dafür aber ist es leichter, eine Mehrheit von Regierenden teilweise vom rechten Weg abzubringen als einen einzelnen wirklich Tugendhaften. Hier scheint Ockham etwas von den Gesetzen der Gruppendynamik und der Massenpsychologie zu ahnen.[227]

---

[222] Vgl. Anm. 216.

[223] Ebd. 804, 53: *Respondetur, quod si unus bonus et sapiens regat communitatem fidelium non solum utitur duobus oculis et duabus auribus, ac etiam duabus manibus et duobus pedibus, sed interdum utitur multis modis huiusmodi organis, et magis expedit, quod interdum utatur solummodo duobus oculis et duabus manibus, quam multis. Interdum vero magis expedit, quod utatur multis quam solum duobus. Et ideo magis expedit toti communitati fidelium, quod regatur ab uno, qui aliquando, prout expedit, utatur sua sufficientia propria, aliquando aliena, quam a pluribus qui absque necessitate ad omnia expedienda conueniant.*

[224] Ebd. 804, 62: *Respondetur, quod aliquando magis expedit negocia terminari per plures quam per unum: et aliquando magis expedit, quod tractentur per unum. Et ideo expedit communitati fidelium, ut regatur ab uno optimo.*

[225] Ebd. 805, 3: *Et conuenerunt Apostoli et seniores, non quidem omnes principantes communitati fidelium, sed tanquam necessarii et utiles uni principanti, et capiti omnium pro fauore vel consilio. Quandoque enim vocantur aliqui ad aliquos tractatus, in quibus sufficit sapienta unius magis pro fauore praestando contra restitentes vel inobedientes, quam pro consilio requirendo.*

[226] Ebd. 805, 8—11.

[227] Ebd. 805, 16: *Respondetur, quod aliquo modo voluntas unius est minus peruertibilis et corruptibilis a passionibus prauis et affectionibus, quam plurium. Ad cuius evidentiam dicitur esse notandum, quod voluntatem plurium vel multitudinis esse peruertibilem dupliciter potest intelligi: vel quod sit peruertibilis secundum se totam accipiendo totam sincathegoreumatice vel secundum partem. Primo modo voluntas plurium est minus peruertibilis, quam voluntas unius. Secundo modo voluntas plurium est magis peruertibilis quam voluntas unius determinati: puta voluntas illius vel istius. Citius enim et facilius peruerti potest et corrumpi aliqua multitudo secundum partem, quam unus solus. Quia ad corruptionem cuiuslibet de illa multitudine corrumpitur illo modo et peruertitur ipsa multitudo. Quia quamuis non peruertantur singuli, tamen in multitudine ipsa aliqua peruersio reperitur.* — Vgl. auch etwas weiter unten, 805, 42: *Quia dicunt, quod uno modo sunt magis imperuertibiles, et alio modo sunt magis peruertibiles: non quidem ut omnes simul peruertantur facilius, quam aliquis unus determinatus, sed quia facilius inuenitur peruersitas inter eos, quam in uno determinato: quia quocunque eorum peruerso*

Die Kirche braucht keine ständige Synode, zur Führung der laufenden Regierungsgeschäfte genügt der Papst. Nur wenn er nicht weiterweiß, ist ein Konzil einzuberufen. So kann man die bisherige Widerrede zusammenfassen. In der Antwort auf den letzten Einwand aus Aristoteles scheint der *magister* noch einen Schritt weiter zu gehen. Er grenzt nicht nur sozusagen die Existenz des Konzils ein, indem er es nur für bestimmte Fälle vorsieht und es damit zu einer Art Notstandsmaßnahme der Kirche macht, er grenzt auch seinen Umfang auf das strikt Notwendige ein. Nicht mehr Teilnehmer sollen jeweils berufen werden, als man zur Lösung der jeweiligen Frage benötigt. Außerdem unterstreicht er, wie schon im vorausgehenden, daß das Konzil zur Beratung des monarchischen Papstes, nicht zur Mitregierung einberufen wird.[228] Keine Mitregierung, aber andererseits auch kein bloßer unverbindlicher Rat. Das Konzil hat den *principans* zu ,korrigieren', wenn er nicht auf seinen Rat hört. Wie das geschieht, erläutert der *magister* im Zusammenhang nicht.[229]

Das dieser doppelten Begrenzung des Konzils zugrunde liegende Axiom ist eine Art Variante zum Subsidiaritätsprinzip: viele sollen nur das tun, was ein einzelner nicht kann. In ihm kommt ein gewisses Mißtrauen gegenüber der größeren Zahl von Menschen zum Ausdruck.[230] Aber man kann nicht sagen, daß Ockham die Zahl als solche verteufelt. Er sieht vielmehr sehr deutlich die Ambivalenz. Eine größere Zahl ist einerseits leichter zu ,pervertieren', andererseits findet sich in ihr auch mehr Wissen, mehr Klugheit und mehr Güte als in einem einzelnen.

---

reperitur inter omnes peruersitas, quamuis non oporteat quod in aliquo uno determinato reperiatur peruersitas. Ad bonitatem autem et idoneitatem principantis requiritur, quod nulla in ipso sit peruersitas. Et ideo quando reperitur perversitas in aliqua multitudine, etiam in uno solo illius multitudinis, eo ipso illa multitudo non est idonea ad principandum.

[228] Ebd. 805, 34: *Ideo autem in tali casu expedit multitudinem conuenire praedicto modo: quia omnes simul sunt aliquid melius, quam pauci: et tam circa mores quam circa intellectum possunt plura videre. Quando autem pauci sufficiunt ad videndum perfecte, quid est agendum et quid omittendum, non expedit multitudinem conuenire ad tractandum, sed melius est quod conueniant pauci sufficientes tamen. Et ideo quando unus sufficit, non oportet conuenire multos. Et si unus non sufficit ad inueniendum quid necesse est fieri, expedit ut quot sufficiant (multos vel paucos) valeat conuocare, et procedere de consilio eorundem, ita ut non principentur cum eo.*

[229] Ebd. 805, 29: *In casu, quando pauci non sufficiunt ad perfecte videndum, quid est agendum et quid omittendum, quamuis aliquo modo perpendant imperfecte: tunc expedit multitudinem conuenire, non quidem ad principandum, sed ad deliberandum et inueniendum, quid est toti communitati expediens, et ad consulendum quid facere principans teneatur. Quod si principans nollet sequi eorum consilium, et immineat periculum notabile, haberent corrigere ipsum.*

[230] Ebd. 805, 57: *Quia frustra per plures, quod aeque bene potest fieri per unum. Sed quando unus non sufficit ad perfecte videndum vel agendum id quod agendum est: tunc expedit vocare plures, vel pro consilio, vel pro auxilio, vel pro fauore.* — Zu dem hier angewandten Prinzip vgl. RYAN, The Nature 12 und R. ARIEW, Did Ockham use his Razor? in: FsS 37 (1977) 5—17.

Von daher ist eine Konzilsberufung ein Risiko. A priori kann man nicht wissen, ob die positiven oder die negativen Elemente die Oberhand gewinnen werden. Es gibt Situationen, wo dieses Risiko eingegangen werden muß, dann nämlich, wenn der eine, der Monarch, das heißt der Papst nicht mehr weiterweiß. Ist es jedoch von vornherein klar, daß das Konzil vom rechten Weg abweichen wird, dann ist seine Einberufung zu vermeiden, und zwar nach dem Grundsatz, daß es besser ist, nicht zu handeln als Böses zu tun.[231] Diese abschließende Stellungnahme zum Phänomen Konzil in der Kirche ist von erstaunlicher Nüchternheit und von beachtlichem Realismus geprägt, gleich weit entfernt von der Konzilsphobie der Päpste nach dem Basiliense und von der Konzilseuphorie der Konziliaristen. Etwa auf halbem Weg zwischen beiden steht Ockham.

d) Fragen zum Verhältnis Papst/Konzil

Den letzten Fragenkreis, das Verhältnis Papst/Konzil können wir kursorischer behandeln als die vorstehenden Aspekte der Konzilsidee. Denn hier ist Ockham am wenigsten originell. Vielleicht hängt das damit zusammen, daß er seinen Gegnern keine Angriffsflächen bieten will. In der Tat gehören seine Ausführungen zum Verhältnis Papst/Konzil zu den am wenigsten theoretischen Teilen des *Dialogus*. Ockham will hier ja konkrete Wege zeigen, wie gegen den leibhaftigen Häretiker auf dem Papstthron vorzugehen ist. Das Konzil ist einer der Wege, der beschritten werden kann. Hier ist nicht Problematisierung am Platze, sondern Festhalten am bewährten Alten.

Grundlegend für Ockhams Konzeption des Verhältnisses Papst/Konzil ist naturgemäß seine Vorstellung über das Papstamt. Hier unterscheidet er sich aufs deutlichste von seinem politischen Kampfgenossen Marsilius. Während der Italiener im Papsttum eine rein menschliche Einrichtung sieht[232], beläßt der Engländer dem von ihm mit solcher Erbitte-

---

[231] Ebd. 805, 59: *Quia sicut inter plures et in multitudine potest inueniri peruersitas: ita inter plures et in multitudine maior scientia et prudentia et bonitas reperitur. Et ideo quando unus non sufficit, conuenire debent plures: quamuis hoc possit esse indifferens ad bonum et ad malum. Plures enim conuenientes interdum bene, et interdum male procedunt. Et ideo quando propter bonitatem eorum, qui convenire habent, probabiliter creditur, quod recte consulant et faciant, agendum est ut conueniant si unus non sufficit. Quando autem probabiliter inuenitur, quod a rectis itineribus deuiabunt, impediendi sunt ne conueniant. Quia melius est nihil agere quam malum facere. Unde si probabiliter creditur, quando aliqui ad generale concilium conuocantur, quod non rite concilium celebrabunt, impediendi sunt ne conueniant. Si autem probabiliter creditur, quod rite concilium celebrabunt, agendum est ut conueniant, nisi credatur quod minus utilitatis faciant quam sit incommoditas, quam incurrerent ex laboribus et expensis.*
[232] Vgl. Kap. IX.

rung und Verve bekämpften Papsttum doch die wichtigste Rechtsgrundlage, nämlich seine göttliche Stiftung. Sein Kampf gilt nicht dem gottgewollten Primat des Papstes als solchem, sondern dessen menschlicher Verfälschung in der Lehre der *plenitudo potestatis*.[233] Als unmittelbare Konsequenz des Festhaltens an der göttlichen Stiftung des Primats ergibt sich für das Verhältnis zwischen Papst und Konzil, daß das Papstamt als solches seinen Ursprung nicht dem Konzil verdankt, wie das Marsilius in aller Ausdrücklichkeit lehrt.[234] Auszugehen ist vielmehr, so Ockham, von einem prinzipiellen Dualismus beider Instanzen. Lediglich die konkrete Verteilung der Kompetenzen ist Sache menschlicher Entscheidung. Und nur in diesem Rahmen kann die Frage diskutiert werden, ob dem Papst nicht gewisse Rechte von den Konzilien übertragen wurden. Ockham diskutiert diese Frage in Dial III 1, 1, 11 und trägt Beweise dafür zusammen, daß dem Papst vom Konzil unter anderem das Konzilseinberufungsrecht, ferner das Recht, vom Konzil an den Papst zu appellieren, übertragen wurde. Als Beweis zitiert er die Texte selber, mit denen sonst die betreffenden Papstrechte belegt werden.[235] Ockham spricht im Zusammenhang sogar von der Übertragung einer *plenitudo potestatis*, also einer Gewaltenfülle, durch die Konzilien, die alles einschließt, was nicht unmittelbar auf göttliche Stiftung zurückgeht.[236] Man wird zugeben, daß Ockham mit dieser Idee eines konziliar festgelegten Appellationsrechtes, historisch gesehen, gar nicht so falsch liegt. Man braucht nur an die Rolle von Sardika für die Entwicklung des Berufungsrechtes vom Konzil an den Papst zu erinnern.[237]

---

[233] Für weitere Einzelheiten vgl. DE LAGARDE, Naissance 87—127; sehr instruktiv der Abschnitt „Der Papst" und „Wahl, Absetzung des Papstes" bei KÖLMEL, Kirchenpolitische Schriften 189—200; ebd. 235/6 das Zitat aus Dial III 1, 1, 16; 785, 61—786, 36 und 193/4 die zugehörige Erörterung über die kasuale Vollgewalt des Papstes. — Einen Vergleich zwischen Ockham und Luther in der Lehre über den Papst versucht J. SCHLAGETER, Die Autorität des kirchlichen Amtes und die evangelische Freiheit. Zur Problematisierung des päpstlichen Herrschaftsanspruches bei Wilhelm von Ockham und Martin Luther, in: FS 57 (1977) 183—213; vom selben Autor gibt es eine nicht im Buchhandel befindliche Dissertation über „Glauben und Kirche nach Wilhelm von Ockham. Eine fundamentaltheologische Analyse seiner kirchenpolitischen Schriften", Münster 1975 (vgl. die Rezension durch J. LANG, in: FS 58 [1976] 370—871).

[234] Vgl. S. 383—386.

[235] 1. die Julius-Dekretale dist. 17 REGULA: *Regula vestra nullas vires nec habere poterit quoniam nec ab orthodoxis episcopis hoc concilium actum est, nec Romanae ecclesiae legatio interfuit,* canonibus praecipientibus *sine eius auctoritate concilia fieri non debere ;* 2. die Gelasius-Dekretale 9 q 3 IPSI: *Ipsi sunt canones, qui appellationem totius voluerunt deferre, ab ipso vero nusquam appellare debere sanxerunt . . .*

[236] Dial III 1, 1, 11; 783, 21: *Ex quo infertur, quod Papa a conciliis generalibus habet plenitudinem potestatis, quantum ad omnia, quae non sunt sibi immediate concessa a Christo.*

[237] Vgl. SIEBEN, Sanctissimi Petri.

Daß Ockham selber jedoch konkret dieses Konzil bei seiner These vor Augen hatte, ist unwahrscheinlich.

Ein Papstamt, das in seiner Substanz auf göttliche Stiftung zurückgeht, kann nur in seiner relativen Ausgestaltung von Konzilien abhängig sein. Umgekehrt gilt das gleiche: eine Konzilsinstitution, die wesentlich mit der Existenz des Volkes Gottes gegeben ist, kann nur unter bestimmten Rücksichten vom Papstamt abhängig sein. Das Konzil hat seine ‚gottgegebene' Selbständigkeit, die in bestimmten Situationen auch voll in Erscheinung tritt, dann nämlich, wenn zum Beispiel der kirchliche Notstand eines häretischen Papstes eingetreten ist. In diesem bestimmten Fall kann das sonst, *regulariter*, vom Papst einzuberufende Konzil sich gleichsam selber einberufen, beziehungsweise treten andere einberufende Instanzen an die Stelle des Papstes. Daß das Konzil ‚in der Regel' vom Papst einberufen wird, ist für Ockham keine Frage. Er unterstreicht das ausdrücklich.[238] Der *discipulus* bezeichnet entsprechend die These einer möglichen Einberufung durch eine andere Instanz als den Papst als ‚absurd'.[239]

Mit der Frage nun, ob es Ausnahmen von dieser Regel gibt, betritt Ockham alles andere als Neuland. Die älteren Kanonisten haben das Problem von Konzilseinberufungen für den Fall eines häretischen Papstes schon ins Auge gefaßt, wenn auch nicht sehr intensiv erörtert.[240] Neu ist nicht die Frage, neu sind die Umstände, unter denen sie diskutiert wird. Aus der Sicht Ockhams sitzt tatsächlich ein Häretiker auf dem Papstthron, der die Berufung eines Konzils gegen ihn verhindert. Der kirchliche Notstand ist kein akademisches Planspiel mehr, sondern traurige Wirklichkeit.

Der *magister* diskutiert diesen Notstand in Dial I 6, 84 und sucht die Möglichkeit der Versammlung eines Konzils ohne päpstliche Einberufung gegen das ausdrückliche Verbot des kirchlichen Gesetzbuches[241] aufzuzeigen. Aufschlußreich ist immer ein Blick in die Geschichte, um zu sehen, was möglich ist und was nicht. Gibt es in der Kirchenge-

---

[238] Dial I 6, 84; 603, 40: *Regulariter concilium generale nequaquam congregari debet absque auctoritate summi pontificis ... Auctoritates summorum pontificum asserentium quod concilium generale absque auctoritate papae congregari non debet, nequaquam sunt negandae, sed sunt sane intelligendae, ut nullo modo interpretentur in praeiudicium fidei christianae, quae summo pontifici etiam catholico est modis omnibus praeferenda.*

[239] Vgl. Anm. 77.

[240] Für ältere Belege vgl. TIERNEY, Foundations 77, 79, 217—18; vgl. auch S. 232—233.

[241] Dial I 6, 84; 602, 45: *Habetur dist. 17. per totum, concilium generale absque auctoritate summi pontificis congregari non potest. Ait enim Pelagius Papa:* Multis denuo Apostolicis et catholicis atque Ecclesiasticis instruimur regulis, non debere absque licentia Romani pontificis concilia celebrari. *In quibus verbis clare patet, quod generale concilium absque Papa congregari non debet.*

schichte nicht den Fall der Päpste Marcellinus und Johannes XII., die sich vor einer Partikularsynode, die sie selber nicht einberufen hatten, verantworten mußten? Was einer Partikularsynode möglich war, muß doch erst recht einer Generalsynode erlaubt sein. Das zweite Argument für die Möglichkeit des Zusammentretens eines Konzils ohne päpstliche Berufung stammt aus dem Korporationsrecht. Wir haben es weiter oben schon gestreift. Die Kirche kann als selbständige Körperschaft nicht durch eine Instanz von außen daran gehindert werden, ihre Interessen durch eine Konzilsversammlung wahrzunehmen. Der häretische Papst aber ist *per definitionem* nicht mehr in der Kirche.[242] Ein drittes Argument schließlich sucht zu zeigen, daß das bestehende Recht nicht mit dem Wesen des Konzils, sondern seiner zeitbedingten Gestalt, konkret mit seiner Größe, zusammenhängt. Man braucht nur das Gedankenexperiment zu machen und sich die Kirche so klein vorzustellen, wie sie am Anfang war, dann erhellt sofort aus der technischen Möglichkeit der Versammlung ihr grundsätzliches Recht dazu. Und es ist nicht einzusehen, warum sie dieses Recht, größer geworden, grundsätzlich nicht mehr besäße.[243] Mit anderen Worten, die päpstliche Einberufung gehört nicht zum Wesen des Konzils, sondern nur zu seiner zeitbedingten Gestalt. Sie kann deswegen — im Notfall — auch wegfallen.

Ausdruck der relativen Abhängigkeit des Konzils vom Papst ist neben der päpstlichen Einberufung die im Regelfall notwendige Bestätigung durch den Papst, von der weiter oben schon die Rede war.[244] Am nichtauflöslichen Dualismus vom Papstamt und Konzil liegt es schließlich auch, daß Ockham keine prinzipielle Superiorität der einen Instanz über die andere kennt, vor allem nicht des Konzils über den Papst. De Lagarde hat diesen wesentlichen Unterschied in Ockhams Auffassung zum späteren Konziliarismus überzeugend aufgezeigt. Das Konzil ist kein höch-

---

[242] Vgl. Anm. 194.

[243] GOLDAST II 603, 13: *Uniuersalis Ecclesia in unum conueniens ad aliquid ordinandum potest ad concilium generale conuocari. Sed uniuersalis Ecclesia posset ad tam paruum numerum deuenire, quod posset in simul conuocari. Nam in tam paruo numero fuit aliquando post ascensionem Christi. Igitur non est impossibile, quod ad talem numerum iterum perueniat. Et per consequens non est impossibile, quod universalis Ecclesia ad concilium generale conueniat, etiamsi nullus esset uerus Papa. Sicut non est impossibile, quod sede uacante uniuersalis Ecclesia simul conueniat. Non minoris autem potestatis seu auctoritatis uniuersalis est Ecclesia, quando non potest insimul conuenire propter magnam multitudinem quam quando potest simul conuenire. Igitur quicquid posset uniuersalis Ecclesia per se, si posset insimul conuenire, potest per aliquos electos a diuersis partibus Ecclesiae. Igitur posito quod diuersae partes uniuersalis Ecclesiae eligerent aliquos, qui conuenirent in unum ad ordinandum de Ecclesia Dei: Illi electi conuenientes in unum (non obstante quod nullus esset uerus Papa) possent concilium generale appellari. Et ita potest concilium generale, quando non esset uerus Papa, absque auctoritate Papae congregari.*

[244] Vgl. Anm. 180.

stes Tribunal der Christenheit, dem der rechtgläubige Papst grundsätzlich wie jeder andere Gläubige unterstellt ist.[245]
Die Frage nach der prinzipiellen Superiorität von Papst oder Konzil, über die spätere Generationen von Theologen mit solcher Ausdauer diskutieren werden, ist also kein Thema für Ockham. Was er im *Dialogus* mit zahlreichen Argumenten pro und contra erörtert, ist, wenn man so sagen kann, die „kasuelle" Superiorität des Konzils über den Papst, also die Frage, ob das Generalkonzil zuständig ist für den „Fall" eines häretischen oder der Häresie verdächtigen Papstes. Dial I 6, 12 antwortet auf diese Frage mit nein. Die beigebrachten Gründe gehören zu den bei Kanonisten und Publizisten geläufigen.[246] Das folgende relativ kurze Kapitel sucht mit zwei theologischen Argumenten *(rationes)* und mehreren *auctoritates* die Gegenthese zu erhärten. Auch hier handelt es sich um bekannte Argumente. Mit Kapitel 64 kommt Ockham nochmals auf die Frage zurück und widerlegt relativ kurz und bündig die fünf gegen die Zuständigkeit vorgebrachten Argumente. Es wird dabei deutlich, daß dem Generalkonzil mit dieser Zuständigkeit über den Papst keinerlei Privileg eingeräumt wird. Jedes Partikularkonzil, ja jeder einfache Katholik, kann gegen den häretischen Papst vorgehen, erst recht also ein Generalkonzil. Neu gegenüber der traditionellen Diskussion dieser Problematik bei Kanonisten und Publizisten ist die Konsequenz, mit der Ockham Über- und Unterordnung ausschließlich von der Rechtgläubigkeit abhängig macht. Denn nach ihm gilt die Unterordnung nicht nur in der Richtung Papst/Konzil, sondern

---

[245] Naissance 77—82.
[246] Dial I 6, 12; 517, 36: *Sunt nonnulli dicentes, quod concilium generale super Papam de haeresi infamatum nullam habet iurisdictionem omnino, quod pluribus rationibus nituntur ostendere. Est autem prima ratio talis. Ecclesia uniuersalis nullam habet iurisdictionem super Papam de haeresi diffamatum, quod nituntur per rationes post adductas ostendere. Ergo multo fortius concilium generale non habet iurisdictionem super Papam de haeresi diffamatum. Secundo: nulla congregatio specialis in quacunque habet iurisdictionem super Papam; cum in omni causa quaelibet congregatio particularis Papa inferior sit censenda. Concilium autem generale est quaedam congregatio particularis seu specialis: quia omnes Christianos minime comprehendit. Ergo concilium generale non habet iurisdictionem super Papam. Tertio sic: illa congregatio, quae potest contra fidem errare, non habet iurisdictionem super Papam de haeresi mendaciter diffamatum. Generale autem concilium potest contra fidem errare, sicut nonnulli per plures rationes probare nituntur. Ergo, etc. Quarto sic: illa congregatio, quae in causa haeresis est inferior Papa etiam de haeresi diffamato, non est in eadem causa Papa superior, sed totum concilium generale praeter Papam est in causa haeresis Papa inferius, quia si totum concilium generale praeter Papam etiam de haeresi mendaciter diffamatum contra fidem erraret, ipse omnes de iure punire deberet. Ergo in causa haeresis Papa concilio generali est superior ... Quinto sic: illa congregatio, quae nullam auctoritatem habet, nisi a Papa, et quae absque Papa congregari non potest, nullam habet iurisdictionem super Papam, nisi Papa sponte eius iudicio se submittat, sed concilium generale nullam habet iurisdictionem seu potestatem aut auctoritatem nisi a Papa; nec potest absque eius mandato aliqualiter celebrari. Ergo si Papa non voluntarie se submittat iudicio generalis concilii, minime ei est subiectus.*

gegebenenfalls auch umgekehrt. Das häretische Konzil ist selbstverständlich dem Papst untergeordnet.[247]
Man hat den Eindruck, daß Ockham die ganze Frage, gemessen an der
Ausführlichkeit, mit der er andere Probleme diskutiert, eher kursorisch
und *obiter* behandelt. Das Konzil ist ja bei ihm in der Tat auch nur eine
unter anderen Instanzen, die für den Fall des häretischen Papstes zuständig sind. Auch in dem Zusammenhang der Erörterung der Frage,
wer nach der Verurteilung für die Absetzung und Bestrafung des Papstes
zuständig ist, fällt noch mehrmals der Name des Generalkonzils.[248]
Aber es handelt sich dabei im Grunde nurmehr um die konsequente
Verfolgung des traditionellen Gedankens, daß der häretische Papst eo
ipso seines Amtes verlustig geht und jedwedem Katholiken unterworfen ist.[249] Ockhams Originalität, so können wir zurückblickend fest-
stellen, liegt nicht hier, bei seinen Ausführungen über das Verhältnis
Papst/Konzil. Brandneu dagegen ist zu einem großen Teil, was er über
das Phänomen Konzil als solches mitteilt. Kein mittelalterlicher Autor
vor ihm hat das Konzil unter soviel Rücksichten gesehen, soviel Fragen an es gestellt, so distanziert über es nachgedacht, so radikal schließlich seine Autorität in Frage gestellt. Sein *Dialogus* wird auf dem Bücher-
brett der folgenden Theologengenerationen stehen, und seine „Anfrage"
an die Unfehlbarkeit des Konzils bleibt so präsent, daß noch Turrecremata über 100 Jahre später sich um eine Antwort bemühen muß.[250]

---

[247] Dial I 6, 64; 571, 14: *In casu non solum congregatio particularis, sed aliqua persona potestatem
haberet super Papam, si enim (ut dicunt) Papa publice praedicaret et assereret fidem Christianam vanam
esse et falsam, et fictam, et iniquam, diocesanus catholicus, cui hoc constaret, haberet potestatem de iure
capiendi et detinendi ipsum. Si etiam Papa esset Iudaeus vel Sarracenus, deficientibus praelatis
ecclesiasticis ipsum potestas secularis captiuare deberet, si autem Papa de tali flagitio esset grauiter
diffamatus, non solum concilium generale, sed etiam praelatus specialis haberet potestatem inquirendi de
Papa, non captivandi vel puniendi. Ad tertiam respondetur, quod etiam persona, quae potest contra
fidem errare, dum tamen non erret de facto, posset in casu supra Papam habere iurisdictionem. Ad
quartam respondetur, ut patet per illa, quae sunt dicta in capitulo praecedenti, quia sicut, si Papa
esset in haeresi notorie deprehensus concilium generale haberet iurisdictionem super ipsum, et tamen si
Papa esset fortis in fide, et omnes alii de concilio generali errarent, essent sibi subiecti: ita si Papa esset in
haeresi diffamatus, concilium generale haberet potestatem inquirendi de ipso: et tamen si Papa non erraret,
et omnes alii errarent; Papa ipsos de iure iudicare deberet, et hoc quia (sicut dictum est) in diuersis
causis eiusdem speciei diuersis temporibus idem respectu eiusdem et eorundem potest esse superior et inferior.*
[248] Cap. 70—73, 83, 86 usw.
[249] Huguccio, Summa zu dist. 21 c. 4: *Cum papa cadit in haeresim non iam maior sed minor
quolibet catholico intelligitur.* — Einzelheiten hierzu bei TIERNEY, Foundations 63 f.
[250] Vgl. Summa de ecclesia III 59—60, Ausgabe Venedig 1561, 346v—347v. — Zum Einfluß
von Ockhams Ekklesiologie überhaupt auf die Vorreformatoren John Wyclif und Jan Hus,
die Kanonisten Baldus de Ubaldis, Franciscus de Zabarellis, Nikolaus de Tudeschis (Panormitanus), auf die Konziliaristen Konrad von Gelnhausen, Heinrich von Langenstein, Dietrich
von Niem, Petrus de Alliaco, Johannes de Brevi Coxa (Courtecuisse), Johannes Gerson, die
Basler und Martin Luther vgl. den treffenden Überblick bei DE LARGARDE, Naissance

318—337. — Eine besondere Erwähnung verdient hier der Pariser Theologe Jean Courtecuisse (Breviscoxa, ca. 1350—1423). Denn sein 1389 (DE LAGARDE, Naissance 327) oder
schon um 1375 (H. A. OBERMAN, Forerunners of the Reformation, London 1967, 61) abge-
faßter Traktat *De fide et ecclesia, Romano pontifice et concilio generali* (Ausgabe E. DUPIN, Gersonii
opera I, Paris 1706, 805—904, Analyse und Literatur bei F. OAKLEY, The Tractatus De
fide … of Johannes Breviscoxe, in: AHC 10 [1978] 99—130) enthält zum Schluß eine
quaestio (An concilium generale errare possit in fide, DUPIN 894—904*)*, die sich auf den ersten
Blick hervorragend als Quelle zur genaueren Bestimmung der Konzilsidee zur Zeit des Aus-
bruchs des Großen Abendländischen Schismas eignet. Eine genauere Quellenanalyse führt
jedoch zur Erkenntnis, daß die *quaestio* des Pariser Theologen nichts anderes ist als ein Mosaik
von einschlägigen Ockhamzitaten (vgl. SIEBEN, Die quaestio de infallibilitate). Ihr im Rahmen unserer Untersuchung ein eigenes Kapitel zu widmen, wäre für die Gesamtperspektive
irreführend, würde damit doch der Eindruck entstehen, daß Courtecuisse einen selbständigen
Beitrag zur Entfaltung der Konzilsidee dieser Jahre geliefert hat. Davon kann in Wirklichkeit aber nicht die Rede sein. Nur für das Fortleben Ockhamscher Vorstellungen über das
Konzil ist sein Zitatengewebe ein überaus anschauliches Zeugnis. Wir werden der wirklichen
Bedeutung des in der Vergangenheit sicher überschätzten Pariser Theologen (vgl. OBERMAN,
der Courtecuisse das erste Kapitel seiner „Vorläufer" der Reformation widmet, und
E. DELARUELLE, L'église au temps du grand schisme et de la crise conciliaire, II, Paris 1964,
497 ff. mit wiederholten Bezugnahmen auf den Traktat *De fide*) voll gerecht, wenn wir
kurz den Aufbau der *quaestio* referieren und die wichtigeren Abweichungen von der Vorlage notieren.
Die *quaestio* setzt ein mit einer Begriffsbestimmung des *concilium generale*. Sie behandelt anschließend verschiedene Fragen der Einberufung und Zusammensetzung (DUPIN 894D bis
896A). Es folgen vier Serien von Argumenten: Vier *rationes* und zwei *exempla* gegen die
Unfehlbarkeit (896A—C), sechs *rationes* für die Unfehlbarkeit (896D—897D). Vor die Widerlegung der *rationes* contra (899A—900A) und pro (900A—902A) ist eine Diskussion der
Frage eingeschaltet, welchem Konzil Fehlbarkeit bzw. Unfehlbarkeit zugeschrieben werden
soll, nur dem einstimmig oder auch dem mehrheitlich entscheidenden (898A—D).
Im Vergleich zur Vorlage, nämlich einschlägigen Ockhamtexten aus Dial I (die entsprechenden Stellen in Dial III bleiben unberücksichtigt!) fallen folgende Abweichungen
auf. Courtecuisse ergänzt seine Vorlage hauptsächlich in drei Punkten: Erstens, er widerlegt nicht nur die Gründe zugunsten der Unfehlbarkeit, sondern auch die Gegengründe
(899A—900A), zweitens, er fügt ein Argument contra (Fehlen einer ausdrücklichen Verheißung konziliarer Unfehlbarkeit in der Heiligen Schrift, 896A) und zwei Argumente pro
(Leugnung der Unfehlbarkeit berührt auch die Konzilien der Alten Kirche und bezieht somit
auch das Glaubensbekenntnis in den Zweifel ein; die Verheißung von Mt 18, 20 hat im Fall
des Konzils seine *maxima veritas*, 897C—D) hinzu, drittens, er bezieht die Frage, ob nur einstimmige oder auch Mehrheitsbeschlüsse unfehlbar sein können, enger als es Ockham tut,
in die Unfehlbarkeitsdebatte ein (898A—D). In der Sache selber, der Frage der Unfehlbarkeit der Konzilien, teilt Courtecuisse die Skepsis seines Gewährsmannes und dessen ver-
schleiernde Aussageweise: *Mihi autem videtur, quod rationes probantes quod concilium generale possit
errare, sunt valde fortes seu difficiles. Et maxime prima, nam non recordor me legisse in tota scriptura
sacra, nec et ab alio audivisse locum sacrae scripturae, ex quo possit apparenter concludi, quod concilium
generale non possit errare ; dico apparenter, sicut ex promisso Christi, cum dixit Petro Petre, rogavi
pro te etc.* (Lk 22, 32) *concluditur quod fides catholica manebit usque in finem saeculi ; nec potest
probari ratione naturali quod concilium generale non possit errare ; nec in scriptura authentica legimus
quod istud fuerit specialiter a spiritu sancto revelatum. Quare difficile mihi videtur ostendere qualiter
potest concludi et in quo possit fundari quod concilium generale non possit errare. Non tamen assero
quod possit errare, sed rationes utriusque partis solvere intendo, ut quilibet, prout iam tetigi, viam quae
sibi probabilior et securior videbitur, capiat et eligat (898C—899A).* Vgl. auch J. MIETHKE, Marsilius und Ockham — Publikum und Leser ihrer politischen Schriften im späteren Mittelalter, in: Riv.stor. filosofia medioevale 5/6 (1979/80) 543—558.

Register

I. Personen und Sachen

II. Moderne Autoren